胡经之文集 第一卷

文艺美学

海天出版社（中国·深圳）

图书在版编目（CIP）数据

文艺美学 / 胡经之著. — 深圳：海天出版社，2015.10
（胡经之文集；1）
ISBN 978-7-5507-1467-0

Ⅰ.①文… Ⅱ.①胡… Ⅲ.①文艺美学—文集 Ⅳ.①I01-53

中国版本图书馆CIP数据核字（2015）第224723号

胡经之文集·第一卷·文艺美学
HUJINGZHI WENJI · DIYIJUAN · WENYI MEIXUE

出 品 人	聂雄前
项目负责人	于志斌
责 任 编 辑	张小娟
责 任 校 对	张 玫　方 琅
责 任 技 编	蔡梅琴
装 帧 设 计	龙瀚文化

出版发行	海天出版社
地　　址	深圳市彩田南路海天综合大厦（518033）
网　　址	www.htph.com.cn
订购电话	0755-83460293（批发） 83460397（邮购）
排版制作	深圳市龙瀚文化传播有限公司 33133493
印　　刷	深圳市新联美术印刷有限公司
开　　本	787mm×1092mm 1/16
印　　张	51.25
字　　数	750千
版　　次	2015年10月第1版
印　　次	2015年10月第1次
定　　价	210.00元

海天版图书版权所有，侵权必究。
海天版图书凡有印装质量问题，请随时向承印厂调换。

总序：学术志趣因时进

为迎接深圳经济特区成立35周年，海天出版社拟出版我的文集。这也正合我的心意，深圳大学已过"而立"之年，我来特区也已有30年了，愿将这五卷文集献给我最后的精神家园——深圳。饮水思源，感恩北大，亦以此答谢母校对我30多年的教育与培养。

这五卷文集是：第一卷《文艺美学》，第二卷《中国古典文艺学》，第三卷《比较文艺学》，第四卷《文化美学》，第五卷《美的追寻》。

从文集中，可以看到我80年所走的人生道路，反映出我这一生的学术志趣，因时代而生长，留下了时代的痕迹；也录下了我个人的思想演变及局限，折射了我和这个时代的关系，尤其是对深圳经济特区的挚爱。

我的学术志趣，因时代的推移而多有变化，但多变中又有不变。不变的依然是我对真、善、美的向往和追求，尤爱从美学的视界来看文化、艺术和人生，直至自然。

一

人来到这世上，就和这个世界结下了不解之缘，难解难分。人活在天地之中，天地人和，人方得以生存、发展并逐步走向完善。王阳明说得好，"天地万物与人原为一体，其发窍之最精处，是人心一点灵明"。凭借了"人心一点灵明"，为人处世，接物做事，人既有受动的一面，又有能动的一面。因而人生在世，既能入乎其内，又能出乎其外。马克思把人参与历史活动比作参与历史剧，人在历史活动中既是剧中人，又是剧作者。但个人的历史命运，最终还是受制于时代，个人只能在所处的时代限度内获取自由。所以，马克思说"每一单个人的解放的程度，是与历史完全转变为世界历史的程度一致的"。

在我的人生道路上，曾有过三次转折。第一次是少年时代，由只知闭门读书而走向学生运动，由此而进入社会；第二次是青年时代，由社会活动而转向书斋，在北大走上了学术之路；第三次是壮年时代，在"知天命"之年从北大来到深大，将在此终老。这是我的自主选择，但同时又是时代的召唤、社会的恩赐。至于家庭出身、所受教养并不能完全由我自主，父母师长的作用更大。个人的历史命运离不开时代的变迁，我之所以能走上学术之路，归根结底，还是时代之所赐。所以，我对我们这个伟大时代，始终怀着感激之心，感恩社会。

我出生在江南水乡的一个小康之家，父亲一辈子都在当教师。在那新文化运动正在向江南城镇发展的年代，一个小康之家的收入已能满足全家人的基本生活需要。因之，我从小也就不必为满足温饱而发愁，得以转身接受正在兴起的新式教育，在江南水乡吴文化的熏陶中慢慢长大。及至国难当头，东洋人打进来了，推行奴化教育，我有幸被父亲送进了苏州城里的美国教会学校，躲进了避风港。少时，蛰居古镇梅村多年，也产生了梦想，陶渊明笔下的桃花源就深深吸引着我这少年的心，读了冰心写给小读者看的那些美文，真羡慕她能漂洋过海，见识海外大世面，但这都是些年少无知时的短时幻想，不切实际。

受父辈师长的影响，我逐渐对读书和教书产生了兴趣。父辈师长受蔡元培、梁启超那一辈的启蒙，颇信"教育救国"之说，他们又影响了我这一辈。师长告诉我，一个人在选择人生道路时，梁启超倡导要把个人的"兴味"和对社会的"责任"两大要素结合起来，既对社会负责任，又照顾个人兴趣。我想，我对读书感到有"兴味"，那就选择多读书，读了书再用来教书，负起蔡元培所说的"教育救国"的责任，正好把个人"兴味"和社会"责任"统一起来。所以，我在初中毕业时，就选择进无锡师范，准备将来当教师。

正当我做着读书梦的时候，国内形势发生了激变，促使我投身参加了学生运动。1948年秋冬之际，在决定中国新的历史命运前夕，我参加了中国新民主主义青年团，选择了为新民主主义而奋斗的道路。在新中国成立前后，近三年的时光，革命情绪高涨，热情澎湃，我从教室走向社会，积极投身社会活动。在那个年代，苏联作家奥斯特洛夫斯基作品中的主人公保尔·柯察金的内心独白成了我的座右铭：

> 人，最宝贵的是生命，生命对每个人只有一次，人的一生应该这样度过：当他回首往事的时候，他不因虚度年华而悔恨，也不因碌碌无为而羞耻。这样，在临死的时候，他就能说：我整个的生命和全部精力，都已献给了世界上最壮丽的事业——为人类的解放而奋斗。

新的时代又唤起了我的读书梦。时代发展到新民主主义时期即将向社会主义建设过渡之时，我敏感地觉察到，新中国即将迎来大规模建设的高潮，为适应新的发展需要，我就更需要读书深造。古人说得好，好男儿应志在四方，不能只安于家乡。1952年，正值全国高校院系调整之际，我以社会青年同等学力的资格考入了北京大学中文系。从此，我可以专心致志地读我感"兴味"的书了，由此通向了学术之路。

但是，在新的时代，学术之路究竟怎么走？当然要有导师指点，但关键还是要靠自己在实践中摸索如何处理好个人"兴味"和社会"责任"的关系。学术研究要重视自己个人的"兴味"，但也要关注时代的需要，担负起社会的"责任"，要将两者统一起来，就不那么容易了。我的学术之路，也正是不断尝试把个人"兴味"和社会"责任"结合起来的探索之路。

我的学术志趣最早乃始于美学。最初的美学思索是为了自我解惑，解开我自少时就有的一个困惑：自然没有美吗？少时，读朱光潜给青年的十二封信和第十三封信《谈美》，其中谈及只有艺术才有美，自然本身谈不上美，只有经人的心灵美化才美。这使我困惑不解，进了北大，我就想自我解开这个困惑。那时朱光潜、蔡仪都在北大，但都不开美学课程，我就去登门求教。朱先生仍固执己见，不能解开我的困惑；蔡仪倒是自然美的肯定者，但用典型说来解释自然美，也不能令我信服。于是，我就开始自己去图书馆寻找美学书籍来看，以求自我解惑。1953年整整一年，我的精力集中在阅读辛亥革命前后开始出现的中国现代美学。我从蔡元培、梁启超、王国维开始，陆续读了吕澂、范寿康、张竞生、陈望道、丰子恺、徐庆誉、李安宅、俞公亮等人的美学论著，当然也读了当时都在北大的朱光潜、宗白华、蔡仪、梁宗岱等诸位的美学。在新文化运动推动而发展起来的中国现代美学，对美的阐释也是众说纷纭，莫衷一是，并没有解我的感。但是，我发现那个时代的美学，并不只是关注文学艺术，也指向人生实践和人格塑造。就是以美学来阐释文学艺术的功能，也不是只为满足当下的美的享受，而认为它也能提高人辨别美丑的审美能力，进而培养人的创造能力。蔡元培倡导美育，更把审美教育提高到培养崇高境界和优美人格的地位。梁启超发起文学革命，更想以此来推动社会革命。在那个时代的美学理论中，移情论确实影响甚广，但人生论、价值论的影响也不小，这些为我以后的思索，开拓了美学视野。

中国在20世纪前50年，现代美学虽才初起，大多重在移植西方美学，却已开启了一条新路，从西方美学的中国化逐渐走向和中国人自己的审美经验相结合的道路。我读过这些美学论著之后，曾想对这半个世纪的美学做个梳理，然后在作毕业论文时，写篇《美学初起半世纪》。如果沿着这条思路发展，我的学术志趣可能就会趋向于专攻中国现代美学。

我这第一个学术梦还未得以实现，就因时势的变化而转移了我的学术视野。

正当我沉湎于中国现代美学之际，北大学习苏联的高潮正向前推进。1954年春，校长马寅初和副校长江隆基为文科请来了苏联专家毕达可夫，开设了文艺学引论；还在中文系成立了文艺理论教研室，开办文艺理论研究和进修班，为国内培养文艺学研究生和进修教师。我当时还是三年级学生，但得到了系主任杨晦的特批，允许我听了一年多的文艺学引论课程。按苏联专家的规定，我也必须在钱学熙教授的指导下，撰写结业论文。于是，我在1955年秋写了一篇《论文学的人民性——兼论现实主义和浪漫主义》，记下了我初学苏联式文艺学的心得，这是我第一次学写学术论文。在那个时代，中国闭关自守，对外只向苏联一边倒，若要了解马克思主义，此是唯一途径，这是当时的时代局限。但这为我打开了一扇汲取域外先进文化之门，从此，我一直关注着苏联的文艺学和美学。特别在斯大林时代之后，苏联美学界、文艺界重新阐释马克思主义经典，使我受益匪浅。

我一直关注苏联文化学派、审美学派的学术动向，但我不想以此作为我的研究方向。我的学术方向，仍在摸索的路上。1956年，杨晦开始招收文艺学副博士研究生，研究方向已转向中国文艺思想史，我投在他门下，开始钻研起古典来。在两年多的时光里,我真的是"两耳不闻窗外事,一心只读圣贤书"。从庄子、孔子起,一心一意、专心致志地攻读古典文论,做了摘录卡片,记了读书笔记。我深感中国的"文学"范围实在太广,我的思考逐渐转向对"纯文学"和"杂文学"的联系和区别上面,想结合中国文学史做些历史的考察,从理论上予以阐明。读了两年多古书,还没有来得及动手写副博士论文,我的学术之路又有了一次转折,最后终于确定了今后发展的学术大方向。

就在1958年秋,周扬带了邵荃麟、何其芳、张光年、林默涵等人,主动为北京大学开设了"建设中国马克思主义文艺理论"讲座,竭力倡导厚今薄古,面向现实,要北大为建设中国自己的马克思主义美学做出贡献。我受北大之命,担任了周扬这个讲座的助教,协助周扬等和北大学生沟通。在那个意气风发的年代,周扬的第一讲,就开门见山地提出要"建设中国马克思主义美学"这个宏伟目标,令人鼓舞,一下就吸引了我。我终于明确了我在今后要发展的大方向,愿为建设中国自己的马克思主义美学而奋斗,心里也就踏实起来。我也从此明白了,以前涉猎过的中国现代美学、古典文论以及苏联的文艺学、美学等等,正可以作为建设中国马克思主义美学的珍贵资料和思想营养。那年我25岁,离我副博士研究生毕业还有两年,尚来得及重新确定我要写什么样的副博士论文。

学术大方向一定,我就更多关心起当下现实来,以弥补以前的不足。我先是参加了《文艺报》发起的革命现实主义和革命浪漫主义相结合的讨论会,发表了我的理解。后来又应《文学评论》之约,写了《理想和现实在文学中的辩证结合》。当时思想单纯,对艺术创造的丰富和复杂尚无清楚的认识,我虽然首肯创作方法可以多种多样,但我紧跟当时的主流意识形态,断定革命现实主义和革命浪漫主义相结合是历史上最好的创作方法。为了推进文艺评论,《文艺报》的张光年、侯金镜在社外聘了李希凡、李泽厚、严家炎、王世德和我为特约评论员,我也积极参与了当时的文艺评论,尝试以历史观点和美学观点来评论一些作品。我为李英儒的《野火春风斗古城》写过一本评论小册,对王愿坚的短篇小说也作过一些评介,但这都是粗浅的尝试,我只向文坛跨进了半步,后来就没有再向文艺评论上发展,很快又重返美学之路。

我在1960年完成了副博士毕业论文《为何古典作品至今还有艺术魅力》。我之所以最后选定这个课题，就是想接续马克思之问，即古希腊艺术和史诗为什么会有永久的艺术魅力，但我想解决的是如何看待中国古典作品的问题。我尝试从今天的欣赏主体和古典的作品客体这两方面关系的结合来分析艺术魅力。欣赏主体的今人须有一定的文化素养和审美能力，方能欣赏古典作品，但古典作品本身亦须具备一定的品性，真、善、美就是文艺的优越品性，所以才具有永恒价值。文学艺术的最高境界应是真、善、美的结合和统一，但具体作品要具体分析，一些作品，或重在真，或重在善，或重在美，重心会有所不同，因而具有不同的艺术魅力。古典作品之所以有不朽的魅力，正在于表现了真、善、美。我从自己的审美经验出发，对大自然之美，情有独钟、赞叹有加，引用了不少山水诗文作证。当时正在北京大学文学研究所的蔡仪，乃我导师杨晦的好友，参与了论文评审，我的论文给他留下了深刻印象。

不久，1961年春，蔡仪受命主编全国高校文科教材《文学概论》，杨晦推荐我去参编，蔡仪欣然接纳，要我编撰第一章《文学是反映社会生活的特殊的意识形态》。为领会和贯彻主编的意图，我重读了马克思主义经典，重温马克思主义关于社会意识反映社会存在的基本原理，作为此章的指导。马克思、恩格斯说得好："意识在任何时候都只能是被意识到了的存在，而人们的存在就是他们的现实生活过程"，而现实生活，就"包括了一个广阔范围的多样性活动和世界的实际关系"。文学要反映现实生活，作家、艺术家就必须深入实际生活，不仅要"对现实关系具有深刻理解"，而且还要能"真实地评述人类关系"。因此，文学对生活的反映，就包含着对生活的理解和评价，是对生活做诗意的裁判，是一种特殊的意识形态。

编书的两年多时间，正是我在学术上得以提升的大好时机，那是一个谈笑有鸿儒、相互探学问的时代。多年之后，王朝闻和我还不时谈起，常怀念这段岁月，以后再也没有那样清静的日子。那时，王朝闻的《美学概论》组、唐弢的《中国现代文学史》组和蔡仪的《文学概论》组，全体编写人都住在中央高级党校的同一个庭院里，一起用餐，天天见面、散步、交流学问，乐在其中。我庆幸我终于走上了一条最适合我自己而又能对社会做贡献的人生道路。马克思在中学时对选择职业所说的那番话，

就永远刻在了我的心头:

> 我们应该遵循的主要指针是,人类的幸福和我们自身的完善。不应认为,这两种利益是敌对的,互相冲突的,一种利益必须消灭另一种的;人类的天性本来就是这样:人们只有为同时代人的完善,为他们的幸福而工作,才能使自己也达到完美。

二

三十而立,我从中共中央高级党校回到北大教书,有了安身立命之地,确立了向美学发展的方向。正是因为有了对真、善、美的向往,所以后来我虽历经动荡,在那最艰苦的岁月里,仍能自我消解所受的精神创伤,获得一丝精神慰藉。

"文化大革命",大革了文化的命,我也差一点倒在鲤鱼洲上,美学梦自然不能再做了。所幸马列经典还能读,《红楼梦》也还可以评。于是,在那动荡的岁月里,我做了两件事:一是钻研《资本论》,但我并非要研究经济学说,而是想窥探价值学说,弄清审美价值和交换价值、使用价值等价值是什么关系。马克思的价值论,科学地阐明了使用价值和交换价值的严格区别,而审美价值不具实用价值,但属于使用价值的一种。我觉得,我们的美学就应沿着马克思的这个思路,从使用价值入手,探索审美价值的奥秘。二是埋头读了几遍《红楼梦》,追随毛泽东的思路,从宽广的社会、历史视角来评说这部小说。为了证实《红楼梦》是我国历史上最好的一部小说,我在北京大学图书馆查阅了晚清的全部线装小说,浏览了一遍,以获得直接的验证。我也觉得,把《红楼梦》看作封建家族兴衰史,确比"自传说"、"爱情说"、"叛逆说"等前进了一步。但当时对这部艺术作品忽视了做美学的分析,所以,一旦改革开放,我就写了《美学与红学》等文,倡导对《红楼梦》做美学的研究,我把这些从美学上评《红楼梦》的论文收入了《中国古典文艺学》卷中。

改革开放给予我的生命第二次解放,使我精神振奋,学术热情空前高涨。改革开放之初,学术界的精神生产力获得解放,美学热兴起,对未来充满了憧憬和希望。从我当时的教学需要出发，我的美学视野先是集中在文艺美学的建构，尝试熔美学和文艺学为一炉。

1984年初春，中华全国美学学会在昆明成立，朱光潜（西语系）、杨辛（哲学系）和我（中文系）三人受邀代表北大与会。主持学术研讨会的李泽厚要我在大会上谈中国美学史的问题，我遵嘱在大会上宣读了《中国美学史方法论略论》一文——后发表在《北京大学学报》（1980）——希望中国美学史既不要写成抽象概念史，又不要变成文学艺术史，而要关注"形而中"，找到"形而上"和"形而下"之间的中轴线。但在高校美学分会成立大会上，我就敞开心扉自由谈，全力倡导在高校的中文学科和艺术院系开设一门区别于哲学美学的文艺美学。我当时在开设文学概论之外，已在准备为中文、西语、东语、俄语等系的高年级学生，开设这门新课。我的这一倡议，先后得到了朱光潜、宗白华、王朝闻、伍蠡甫、洪毅然等老一辈美学家的支持，更获得了艺术院校一些教师的热烈响应。

当年下半年，我就在北大开了文艺美学一课。那时，我已接受了价值学说，尝试用价值论解释美丑。美是正价值，丑是负价值，有些新意，所以引起一些学生的兴趣。次年，即1981年，我接续杨晦开始招收文艺学硕士研究生。在杨晦的支持下，我说服了北大研究生部，在文艺学专业之下，新辟了一个文艺美学方向，和文艺理论分开。我招收的文艺美学第一届研究生有三位：王一川、陈伟和丁涛，以后又陆续招进了王岳川、张首映、王坤、谢欣、荣伟、柳杰等多人。北师大童庆炳也选派了青年教师齐大卫到我这里进修。文艺美学这一专业方向终于得到了国务院学位委员会的承认。也就在1982年，成立不久的北京大学出版社要我和叶朗、江溶等组织编撰"北京大学文艺美学丛书"。我在1982年年初出版的《美学向导》一书中发表了《文艺美学及其他》一文，阐释我对文艺美学的学科定位和研究对象。此文后来被收入由钟敬文、启功主编的"二十世纪全球文学经典珍藏"（2004），主持其中的《中国文论经典》卷编选的童庆炳教授称此文"从学科上对'文艺美学'进行了清晰定位，奠定了八九十年代文艺美学的学科基础"。

20世纪80年代，在我国既是一个文艺复兴时代，又是一个新启蒙时代。美学的兴起，对文艺复兴和新启蒙都发挥了积极推动作用，激励着人们向着更美好的未来奋进。我们这一代，虽在新中国成长，但在极"左"思潮的影响下，丢失了10多年从事学术研究的美好时光，就想争分夺秒，多做一些补偿。那时，高校尚无课题申请之规，学术研究全由教师自定。我在讲课之外，一边忙着撰写讲稿，一边还要忙写论文发表。改革开放之始的那几年，我每年都要写数篇万字以上的论文，如《艺术掌握世界的方式》《艺术美略论》《论审美活动》等。近3万字的《论艺术形象》一文，是在1980年所写，最早发表在上海文艺出版社的《文艺论丛》（1981），后为中国社会科学院文学研究所收入《中国新文艺大系·理论集》（1988）。90年代，美国美学家布洛克和中国美学家朱立元教授合作编译了一本推荐中国当代美学的文选，介绍给英语世界，我的这篇《论艺术形象》也被收进去了。我在这些论文和讲稿的基础上，写成了《文艺美学》一书，初版在1989年由北京大学出版社出版。10年之后，适逢北大百年校庆，北大出版社又从原来的"文艺美学丛书"（约有30多种）中挑选了10种，作为"北京大学文艺美学精选丛书"，予以再版。我就对《文艺美学》做了较大的增补和修改，成了第二版。我感到些许欣慰的是，《文艺美学》一书，不仅被一些高校列为文艺学研究生的参考用书，而且，其中一节还被选进了高中必读语文读本。人民教育出版社在2001年新编面向21世纪的语文教材，将《文艺美学》中的《中国古典诗词虚实相生的取境美》一节，编入了高中语文读本第五册，和宗白华等的美文在一起，走进了高中课堂。如今，我把《文艺美学》一书以及文艺美学的一些散论，收集在一起，成为文集的第一卷。

北大30多年，我基本上是围绕着"书"这个轴心在运转：读书—教书—评书—编书—写书。在这些岁月中，我评别人的书不多，编的书却颇多。为了发展文艺美学，推进学科建设，我广泛搜集资料，中国古典美学、现代美学以及西方文艺学，都有所涉猎，然后编成教学参考资料，以适应教学之需，也为我撰写《文艺美学》准备理论资料。我在王一川、陈伟、丁涛和王岳川的协助下，先是出版了《中国古典美学丛编》三卷，又在王一川、陈伟的参与下，出版了《中国现代美学丛编》。后来，又有李健的积极参与，出版了三卷《中国古典文艺学丛编》。国门开放之初，高校教育急需开设西方文艺理论的课程，却无一本介绍西方文艺理论的教材，国家教育委员会教材办公室敦促我投身这一教材建设。我和伍蠡甫主编了一套《西方文艺理论名著选编》三卷，作为教学参考资料，以应急需。随之，我主编的《西方文艺理论名著教程》，成为高校的教科书。新世纪到来之际，我请王岳川、李衍柱两位担任副主编，又请钱中文为顾问，对已得了高等教育优秀教材奖的《西方文艺理论名著教程》做了较大修改和增补，成为第二版，继续在全国高校的文科中使用。在国家教育委员会的一再关切中，我又和张首映合撰了《西方二十世纪文论史》，同时编选了四卷《西方二十世纪文论选》一起出版，受到了国家新闻出版总署的奖励。受教育部博士科研点之约，我和王岳川共同主编了《美学文艺学方法论》一书，张法、王一川、张首映、尹鸿等均撰有专稿。回想那几年，我为当时的学科建设，真的是全力以赴，不遗余力，想把以前丢失的时光抢回来。我主编的文艺学和美学的教学参考资料，出版了近800万字。

三

正当我紧张而愉快地围着"教书—编书—写书"连轴转的时候，我的人生发生了第三次也是最大的一次转折。1984年在邓小平第一次南方视察的前夕，深圳的一声呼唤，我就来到了正处在改革前沿的这方热土。

深圳在成为经济特区之后，市长梁湘在经济还很困难的情况下，就下决心要创办一所新型大学。清华大学副校长张维院士受聘为深圳大学首任校长，他要请北大人去创办外文系和中文系。北大的副教务长李赋宁已答允去当外文系主任，随后就要确定中文系的人选。1984年年初，张维院士在清华园寓所，约见了汤一介和我两人。他开门见山，就说深大要创办中文系，想发展新兴学科，经钱逊竭力推荐，要请汤一介去创办国学研究所，要乐黛云和我去创办中文系。等乐黛云从美国回来，我们三个人就一同去深圳。

当时，汤一介和我都已招了研究生，忙得不可开交，怎么去得了深圳？张维院士早就考察过海外多地，见多识广，所以胸有成竹。他告诉我俩，这不用发愁，我们三个人不用调离北大，照常可以在北大教书，研究学问，去深圳可以采用轮换的办法。这样，我一年中，半年可以在北大，半年则去深圳,等中文系的教学秩序、学科方向建立起来,就可以来去自由了。他还郑重许诺,我们可以从北大选挑一些青年教师和研究生去深圳参与创业,优先调进北大人。这让我们有了较大的自由。在此之前,北大的张卫东、刘丽川、钱学烈已先来了;我们去后,又陆续调进了郁龙余、刘小枫、章必功、景海峰等北大学子,为深大做出了不小的贡献。

受张维院士约见不久,恰逢邓小平南方视察就去了深圳,我们深受鼓舞。1984年暑假一过,我们北大的四个人,李赋宁、汤一介、乐黛云(已从美国访学回来)和我,就跟着校长张维院士来到了深圳大学,从此就和深圳结下了不解之缘。那年,我刚过"知天命"之年,乐黛云比我大两岁,汤一介比我大五岁,都是我的学长。

来到了这块改革开放的前沿阵地之后,我的学术视野迅速扩大,从文学艺术到社会文化,从精英文化到大众文化,从中国文化到国际文化,都涌入了我的学术视野。更进一步,我就不仅只满足于"读万卷书",而是走出书斋,要想"行万里路"了。"读万卷书,行万里路"的人生理想,到了深圳我才得以全面实现。

我们到深圳,开始不被北大人理解。听说我要到深圳,有好心人就劝我,到那边陲小镇去干什么?在北大这最高学府安心当教授,教教书,安度晚年算了,别去那里折腾了。但我们到深大,却得到了时任北大副校长季羡林的支持,鼓励我们不妨在深圳一试,说不定会闯出一条促进国际文化交流的新路。季老在多年前就已痛感北大封闭自守之弊,早在1981年1月就带头筹建了北京大学比较文学研究会,英语系的杨周翰、李赋宁、张隆溪,西语系的孙凤城,俄语系的岳凤麟,中文系的吴组缃、乐黛云和我,都积极响应,热心参与筹建,从而在北大开始了中外学术文化交流。我也为此在《光明日报》陆续发表了《比较文艺学漫说》《艺术的民族特色》等文,以期推进。在此后两年间,我和季老、杨周翰、张隆溪等曾先后接待了叶维廉、刘若愚、李达三、叶嘉莹、袁鹤翔等海外学者的来访。当时,北大要推进国际文化交流仍是困难重重。北大人想出国,难上加难。就是海外学者来访,也都要先从海外飞抵香港,再从香港转到深圳、广州,才能到达北京。那时,乐黛云已去美国专攻比较文学,季老听我说要到深圳,他几次叮嘱,要乘此大好时机,去深圳大学建立一个国际学术交流的平台,和北大的比较文学研究中心,南北呼应,相互促进。

初去深圳,我也深受一些美学同行的鼓舞。1984年五一节,我在厦门参加中华美学会议之后,就到汕头、深圳察看。在深圳大学的铁皮房食堂里巧遇李泽厚、蒋孔阳、刘纲纪,他们也到这里来考察。他们为我分析,深圳和香港只一河之隔,来往方便,香港乃国际化大都市,深圳可借此地理优势,探索一下国际学术交流的新路,不妨来此一试。当时我正在主编《西方文艺理论名著教程》,很想多读些新近材料。蒋孔阳就告诉我,香港大学和香港中文大学,图书资料极丰富,在深圳可以就近去查阅。听他们一番话,我也颇为动心。

我们都记着季羡林的嘱咐,来深大后不久,就着手准备打造国际学术交流平台。我们在创建中文系的同时,就成立了国学研究所,由汤一介任所长;又成立了比较文学研究所,并开始准备在此召开国际研讨会,开启国际学术交流。在乐黛云的积极奔走下,一年后即1985年,我们就举办了中国首届比较文学国际研讨会,在蛇口的"海上世界"宣告了中国比较文学学会的成立。季羡林、杨周翰都来了,我们一致推举季羡林任名誉会长,杨周翰为会长。国际比较文学学会会长佛克马,以及英、法、美、日等国的比较文学学会会长都来到了深圳。一下有那么多的国际著名学者、文化名人到此,这是深圳历史上从来没有过的。汤一介的国学研究所也在这一年张罗了一次"东西方文化比较研究"的协调会议,想借此沟通海内外的国学研究,推进国际交流。上海的王元化、张锡昌、朱维铮,武汉的冯天瑜,广州的张磊、袁伟时,以及海外学者杜维明、汉学家魏斐德等都来到了深圳,在学界引起关注。紧接着,1986年,我和徐葆煜在深圳大学又举办了一次更为盛大的"港澳台暨海外华文文学"的国际研讨会,在港、澳、台华人作家之外,第一次有美国、澳大利亚、加拿大及东南亚的华人作家与会,盛况空前。当时,市长梁湘和副市长邹尔康也被吸引来了,作为普通与会者,静坐在台下,潜心听海外作家发表意见,成为海内外学者文人的美谈。由此开始,我们真的在深圳大学打造了一个人文学科国际学术交流的平台。此后,我们又陆续在此举办了西方文艺理论研讨会、国际美学研讨会等,积极推进国际学术文化交流。

我都没有想到,在深圳只两三年工夫,国际学术文化交流的局面就打开了,这在北京就很难想象。邓小平总结了新中国成立后的历史,最大的教训就是,自反右斗争以后,犯了错误而不自觉:"对外封闭,对内以阶级斗争为纲。"闭关锁国,闭目塞听,其结果就是不知道世界上究竟发生了什么变化,故步自封,自以为是。如今改革开放了,我也要尝试放开眼光,以新眼看世界。

万里之行,始于足下。我开始跨过深圳河、罗湖桥,先和香港的学术界有了交往。在深圳大学中文系成立大会上,我们就迎来了香港大学、香港中文大学的著名学者饶宗颐、罗忼烈,东亚大学(澳门大学前身)的程祥徽,他们专程前来祝贺。从此,我开始了和香港学界的学术交往,建立了经常的学术联系。那时,从内地到香港去,手续复杂,极为麻烦,都必须到北京,找港澳办,办理专程的通行证,比办理出国护照还困难。深圳经济特区成立后,深圳市政府自己可以办理一种只许深圳人赴港的特区通行证,不要再去北京转一大圈。为方便我去香港,在副市长邹尔康的关照下,深圳市政府特别优待,给发了一个可以常年自由出入香港的通行证。从此,香港有什么重要的学术交流活动,港大、港中大的朋友打一个电话过来,我就可以随时赴港参加聚会。那时能赴港的人还不多,跨过罗湖桥,登上轻轨铁路,半个多小时就可直达维多利亚港。到香港中文大学就更近了,那感觉,比从北大乘车到王府井参加文联的活动还要方便。香港中文大学邀我去访学,在新亚书院山顶的会友楼住了一阵,作了《中国当代美学的嬗变》演讲,饶宗颐、李达三、袁鹤翔、黄继持、黄德伟等都来了,还认识了即将上任香港中文大学副校长的金耀基、中国文化研究所所长陈方正等学者。为搜集西方文艺理论的最新资料,我多次去港大、港中大,朋友们都热情相助,为我找书复印。

香港不愧为国际大都会,当时的传媒已很发达。我在深圳的最初数年,通过香港的传媒,才得以逐渐了解国际文化。那时深圳的电视台初建,主要播放新闻,祝希娟也刚从上海调来不久,正在准备文艺节目的传播。但香港在当时已有四个电视台,两个台用粤语播放,两个台用英语播放。那两个英语台,每晚都要放英语电影,但配有中文字幕。那时我住后海湾的海涛楼,楼前就是红树林,对面就是香港,海阔天空,电视影像特别清晰。这样,我每天晚上能看到一部或两部国外影片,很多都是得了奥斯卡金像奖的，这些在北京闻所未闻，更不要说观摩了。来深圳后，我反而得以大致了解近二三十年来国际上电影文化发生了什么变化。我和国际比较文学学会会长佛克马相识后，多有交往。他回国后就托香港学者袁鹤翔，送我他和夫人易布思合著的《二十世纪文学理论》。他真心希望多作学术交流，很想了解中国的文艺理论，和西方作些比较研究。后来美国美学家布洛克夫妇来深大访问多日，也谈到了他很想多了解一些中国美学，对中西美学的比较研究颇感兴趣。

也就在此时，我敏锐地觉察到，国际学术文化交流开展起来之后，新问题就开始凸现出来，那就是不同文化系统之间的学术交流，怎样才能达致相互理解。国门开放了，中国人想要了解国外的文化，外国人也对中国文化产生了兴趣，国际文化必然要走向相互交流，这是历史的必然趋势。但怎样才能交流？如果各说各的，各不相干，则达不到真正的交流。要进入真正的交流，还是要知己知彼，相互对话，进而从事比较研究，方能知晓各国的短长，从而取长补短，共同发展。汤一介看得更远，依他之见，就是将来中国走上现代化了，也不能没有中国自己的文化，甚至要更加重视中国传统文化，使之发扬光大。所以，他在深圳大学创办国学研究所后，回到北京大学，又在那年冬天创办了中国文化书院，以推进中国传统文化研究。汤一介任书院首任院长，聘请了梁漱溟、冯友兰、张岱年、周一良、杜维明等著名学者为导师。为促进中外文化交流，中国文化书院还举办了一个规模宏大的以"中外文化比较研究"为主题的研究班。负责教学安排的北大哲学系李中华教授找到我，鼓动我去讲比较美学。当时我不知天高地厚，凭热情高涨，竟答允了下来，由此而投入了中外美学和中外文艺理论的比较研究，并在1987年写出了《比较诗学和比较美学》的讲授纲要。这个讲授纲要写有一个较长的绪论，然后分成三章，对中西的诗学和美学展开比较。在"绪论"中，阐释了进行比较研究的意义和价值，分析了比较文学、比较诗学、比较美学的区别和联系。通过比较研究，了解中西诗学和美学的短长，自觉吸取西方诗学、美学之长，提升我们自己的诗学、美学水平，促成中国诗学、美学走向世界。第一章是"中西诗学和美学的发展道路"，第二章是"中西诗学和美学的思想体系"，第三章是"中西诗学与美学的基本范畴"。我对表现与再现、典型与意境、直觉与妙悟、真善和善美、叙述与比兴等范畴做了一些分析。但涉及发展道路和思想体系，自己也觉得大而无当，学术难度太大，尚未登堂入室，一时还说不明白，只好知难而止，未能再继续下去。后来广东省成立比较文学研究会，我被推举为会长，要我提供论文，我只好把《比较诗学和美学》的"绪论"拿出来，该文被收入暨南大学出版社的《比较文学和比较美学》（1990）一书中。如今，我把我写过的所有有关比较研究的论文以及有关西方文艺理论的论文收在一起，连同《西方二十世纪文论史》（与张首映合著），编成《比较文艺学》一卷，成为文集的第三卷，作为对这段历史的回忆和纪念。

我对比较诗学、比较美学的研究虽然未能继续下去，但我得以阅读前辈学者宗白华、朱光潜、钱锺书、邓以蛰、王光祈等人的中西比较研究著作，拓展了学术视野，深受启发。宗白华对中西艺术的比较最为深入，触及中西艺术之中的文化精神之魂，对中华美学精神有精到之见。王光祈对中外音乐的比较，扩展到中国、希腊和波斯-阿拉伯三大音乐体系，对东西方的乐制又做了深入研究，使我感到中外文化和美学的比较研究前景广阔，大有发展的余地，在当今时代，更应大力倡导，以促进中华文化走向世界。

多年之后，我欣喜地看到，年轻一代学者逐渐对比较文艺学和比较美学有了更为深入的探索，取得了不少优秀成果。张法对中外文化艺术的比较研究，提升到了美学高度，给我很大启发。陈伟的比较研究重在横向历史比较，考察了历史上中华文化艺术如何影响了西方，走向世界。王列生把文学艺术放置在整个人类的不同文化系统进行考察，呈现出不同的民族特色。王岳川通过对中西文化艺术的比较，更把重心放在探讨当今时代的美学怎样才能促进中华文化走向世界。这些文艺学和美学的比较研究，与时俱进，为美学和文艺学的研究作了新的拓展。我热切期待，为适应当今时代新的需求，应有更多的年轻学者投身于比较文艺学、比较文化学、比较美学的学术研究。

四

我们三个人,汤一介、乐黛云和我来往于北京、深圳之间,忙碌了三年,中文系早已建立起来,教学走上了正常轨道,国学研究所和比较文学研究所也在逐步运转。1987年,北大校方就开始敦促我们全部回去。

由汤一介任院长的中国文化书院已经办了三年,发展得红红火火,他的重心早已向北大转移。乐黛云也担任了北京大学比较文学研究所所长,北大希望她全力以赴。当时的北大中文系主任是我读副博士时的师兄严家炎,他要我回北大,参与向国务院学位委员会申报文艺学博士点,发展文艺美学学科,为北大培养文艺学博士生。北大副校长、党委副书记张学书看见我,也不时敦促我:怎么还不回来?快回来吧,别再去深圳了!

张维院士在三年前是有过许诺的,来去自由,欢迎留深圳,但也可以回北大,由我自己定。但在1987年元旦,他在清华园寓所约见我做了一次长谈,衷心劝我留在深圳大学。中文系、外语系虽建立起来了,但深圳大学新建不久,人文学科薄弱,他希望我能留下来,为深大的人文学科的建设多做贡献。此时,我必须做出决断了,去,还是留?

因为严家炎是我的老同学,可以推心置腹、无话不谈。他知道我在北京身体不好,我就坦率地告诉他,我觉得深圳好,适合我这个人栖居,我喜欢上这里了,想在这里终老了。我反过来要他给我帮助,让他劝北大放我走,并要他向熟人解释,不要误会,以为我对北大有什么不满。我在北大30多年,一直受到学校的关怀,作为重点培养对象,只在鲤鱼洲受过难,那是军宣队掌控的,和北大无关。家炎说到了文艺美学的学科发展,今后怎么办。我说这好解决。那时,王一川、陈伟、丁涛已经毕业离校,张首映已提前到钱中文那里读博,王坤亦准备考蒋孔阳的博士生。我就劝他这个系主任把即将毕业的王岳川留校任教,他有志于文艺美学的学科建设。家炎听了我这番肺腑之言,坦率真诚,真的就放行了。我一直记得他对我的谅解,感激他的放行。近年,我每次回京都要与他聚会畅谈,重叙友情。

我留在深圳后,市里曾动员我去担任文联主席,但我婉言谢绝了:自由惯了,还是当教书匠。当时,从中国人民大学来深圳大学当副校长的方生教授要回北京，不再来了，承他关切，要我迁入他在海涛楼的寓所。从此我就在校园里安居乐业，不再奔波于北京、深圳之间。我留深圳大学后，为了更好适应深圳向国际化城市发展的需要，经过一年的调查研究，我实施的最大举措，乃是在1988年把中文系扩建成了国际文化系，同时新设了一个特区文化研究所，我任系主任、研究所所长。由此，我的学术研究的方向，也由文艺美学向文化美学拓展。

之所以把中文系扩建为国际文化系，这不是我一时的心血来潮，而是历经了三年摸索，几经考虑，我才和系副主任章必功、郁龙余、景海峰、张卫东等最后商定，方付诸实践。当初深圳市市长梁湘，在市年收入还只到亿多元的窘境下，就决心贷款两亿元创办深圳大学，是因深圳要向国际化城市发展，急需培养适用人才。这所新型大学，一开始就突出"自主创新"，明确了学生毕业，不包分配，自谋出路，直面社会。深圳急需什么样的适用人才？此时的深圳，海外企业大量涌入，公共事业也正兴起，急需知识面宽又富于开拓精神的实践型通才。我原本较熟悉的邹尔康已跟着调往海南当省长的梁湘去当副省长了，接替他担任副市长的林祖基主管文教。他就坦率地对我说过：你北大要面向全国高端，培养研究型人才，专业分得很细；可深大新创，文科还是需要多培养些通才，不能分得太细，要面向深圳的实际。深圳是要向国际化城市发展，所以目光要远大，要有国际视野；但现在是刚起步，还是要脚踏实地，从实际出发，先培养些中西通，然后再逐步提高。我觉得他说得有道理，看来确实不能照搬北大，而要做一番新的设计。于是，我们就在深大尝试办了国际文化系。

我们的设计是，把国际文化系的教育目标定为：培养中西兼通、善于应用的文化通才。课程的设置，既能传播中国优秀文化，又要通晓西方文化精神，所以要重视比较文化。我们陆续开出了不少新的课程，包括中国文化、海外华文文学、对外汉语、大众传播、旅游文化等等，当时在国内还是少见。此时深大外语系还尚未开出外国文学课程，我们很早就请了北大西语系孙凤城教授来讲外国文学。景海峰率先开出了中国文化概论，效果甚佳。我们的对外汉语教育起步更早，早就和东亚大学合作，由程祥徽和张卫东组织了面向香港、澳门的对外汉语教学，刘丽川、钱学烈和汤志祥等都积极投入了。随着对外文化交流的拓展，以后逐步扩大，发展到广收外国留学生,成为国际文化系的一个专业方向。我们很早就开设了海外华文文学和港、澳、台文学的课程,徐葆煜的讲授广受欢迎。在国际文化系中,还由郁龙余主持新设了一个旅游文化方向,重在探索国际文化旅游;章必功立即响应,开出了别出心裁的中国旅游史,真是先声夺人,开国内风气之先。师从蔡仪的美学博士吴予敏,到国际文化系后,新辟了传播文化这一专业方向,深入探讨中西文化如何由传播扩大交流。后经他的精心经营,传播文化专业后来发展成了一所独立的学院。

当时标举"国际文化"而能独立成系,这在国内尚属首创。北京大学设有国际政治系,但没有国际文化系,当时国内全无。成立国际文化系时,深圳特区报的副总编许兆焕为此写了一篇报道,《光明日报》最早注意到了,特在第一版上予以刊载,向全国做了传播。随着改革开放的逐步深入,国际文化交流越显重要,深圳大学在新世纪到来之时,郁龙余更把对外汉语专业独立出来,发展成为近千人的国际文化交流学院。在2000年前后,国际交流学院如雨后春笋,在全国各地的不少高校中应运而生,令人惊叹。

随着中文系扩建为国际文化系,我的学术视野也从文艺美学拓展到文化美学。但这个拓展是逐步进行的。

我在北大招的研究生,都是攻读文艺美学。但我到深圳后招收的研究生,就开始关注起大众文化来。跟我来深圳的荣伟,就开始关注台湾、香港的文化和美学,后来更扩展到欧美文化。在北大时,严家炎要我申报文艺学博士点,我走了,未在北大报。20世纪90年代初期,我和暨南大学副校长饶芃子教授合作,联合向国务院学位委员会申报在暨南大学设立文艺学博士点,获得成功。当时,国内还只设立了5个文艺学博士点:蔡仪为首的文研所点,黄药眠为首的北师大点,蒋孔阳为首的复旦大学点,周来祥为首的山东大学点和徐中玉、王元化、钱谷融为首的华东师范大学点。仅这些由国务院学位委员会批准的博士点才有权招博士生,连北大都没有,华南地区竟无一家。这华南第一个文艺学博士点获得批准后,饶芃子和我就开始招收文艺学博士生,不久,蒋述卓也积极参与学科建设。我招的虽然还是文艺美学的博士生,但我已开始鼓励他们关注更广的文化领域。我的第一个博士生王列生的学术思考,就超越了文学艺术,开始探索民族文化如何和世界文化互动。大众文化的兴起，使文学艺术的格局也发生了变化，面对越来越复杂的文化现象，我也不能闭目塞听，就开始关心起来。

我关心起大众文化来还是从香港的文化开始的。我来深圳后的最初10年，频繁出入香港。起初还只是常去香港大学、香港中文大学，和饶宗颐、袁鹤翔、李达三、黄继持、杨勇、王建元等时有交往，感受到的还只是高等学府里的精英文化，不知道象牙之塔外面还有什么样的文化。后来，我兼任了深圳市作家协会主席，就和香港的文学艺术界频繁交往，曾敏之、犁青、张诗剑、陈娟、王一桃、梅子等都成了常见面交流的文友。由此，我陆续读了香港作家亦舒、梁凤仪、陈娟等人的畅销小说，发现了另一个文学世界。香港文友坦率告我，在香港，主流文化就是大众文化。港英当局为培养自己的接班人，扶持精英，重视高等教育，在港大、港中大之外，又创建第三所大学——香港科技大学，但对大众文化，很少过问，任由其自生自灭。大众文化直接面向社会，走向市场，获得成功的作家、艺人就成了大腕、明星。金庸靠武侠小说畅销，成了大众文化的大腕，但和象牙塔里的精英文化，互不相干，各行其是，各走其道。在高等学府的学术讲台上，金庸亦无立足之地，大众文化难登大雅之堂。怪不得金庸晚年还孜孜以求，一心一意想去国内外的最高学府攻读博士学位，实乃根源于香港的特殊文化土壤。在改革开放的最初10年，内地教师的地位，还比不上作家、艺术家。能当上作家、艺术家，那就光彩照人，受人尊敬。上海作家戴厚英，出了本小说《人啊，人》，写她和诗人闻捷的那段恋情，轰动文坛，被香港的学生社团请到香港谈她那本畅销小说，住在香港中文大学山脚下的学生宿舍区，可教授、学者对此不闻不问，未予理睬。那时，我正好也在香港中文大学新亚书院做学术访问，住在山顶上的贵宾楼。新亚书院院长林聪标为欢迎来访的台湾博物院院长和我，还举办了欢迎酒会，香港中文大学副校长金耀基和资深教授饶宗颐都出席了。戴厚英看校园海报，知道我在那里，特从山脚下到山顶上来访我，看到我这当教授的所受的厚遇，不禁深有感叹地说：看来，在香港还是当教授、学者好啊！香港的高等教育一向受重视，如今已发展为八所大学，令人敬伏。

香港的大众文化和精英文化的分立，引发我进而关注国际文化的走向和中国文化的发展趋势。那时,港台的大众文化才刚起来,还未成大气候,深圳受到影响,发展为一种歌舞厅文化,到北京去表演,北京人还感到新鲜。内地的文化艺术,富有精神教育的色彩,意识形态的味道浓;正在兴起的大众文化,作为一种补充,使之健康发展,应属开明之举。但是,在我当时的意识中,大众文化不应该也不可能像香港一样,成为我们的主流文化。我们还应该有精英文化,吸收西方先进文化,融合中华传统文化之精华,发展为高雅文化,数量不一定多,要少而精。同时,也要有大众文化,但我的愿望是在高雅文化和大众文化之外,还应发展一种雅俗共赏的主流文化,那就是吸取了高雅文化和大众文化之长的主旋律,高扬时代精神和民族精神。此时,我的学术视野就渐渐从文学艺术扩展到大众文化。但我已习惯于从美学视界看文化,在我看来,无论是大众文化,还是高雅文化以及主流文化,都应该追求美这一价值趋向。美学的视野不能只停留在文学艺术上,而应扩及更广的文化。

我的这个想法曾和一些人做过交流,竟逢上了一位知音,由此而成为莫逆之交。

那是在香港一次夜游维多利港的酒会上,认识了香港中旅集团的掌门人马志民。这位原籍广东,但在香港已有多年的中国旅行社的创业者,英姿勃发,兴致勃勃,在船上对我高谈阔论他在深圳开发华侨城的宏伟设想。1985年,马志民受叶飞之命,要在深圳湾畔的5平方公里土地上,开发一座华侨城。马志民要像袁庚开发蛇口那样,准备在此开发一片国际文化旅游的新天地,以助深圳向国际化城市的方向发展。他年岁和我相仿,但已走过世界上好几十个国家,考察了欧美不同类型的文化。依他之见,西方国家贫富悬殊,两极分化,精英文化和大众文化对立分离,这乃普遍现象。但随着中产阶级的日益发展,逐渐产生出一种新的需求,要有一种创新文化,能吸引更广泛的人群,雅俗共赏。国际文化旅游就属于这样的文化,大有发展前途。他已向时任市长的梁湘提出他的建议,建设深圳从一开始就要发展创新文化,除兴办图书馆、博物馆、大剧院等文化设施之外,他愿在一片荒地上办起现代化的国际旅游城,倡导文化旅游。马志民先在后海湾的湿地上建造了"锦绣中华"。受"荷兰小人国"和比利时微缩景观的启发,将我国的一些名胜古迹,如长城、故宫、苏州园林、边疆风情等以微缩景观的形式移植园内,再配以民族歌舞,熔自然美、人文美和艺术美于一炉,吸引港、澳、台人士以及海外华人到深圳,陆续向国际传播中华文化。这一文化创举,大获成功。1989年,受当时社会局势影响,深圳这座新城人去楼空,港澳人士也不来了。但"锦绣中华"一开,他们又陆续回来,以便目睹祖国风采。马志民再接再厉,又在华侨城建成了中华"民俗文化村",24座不同民族的村寨里,不同民族的人载歌载舞,向世人展现了中华民族多姿多彩的民族风情。美籍华人陈香梅、杨振宁,香港的董建华、李嘉诚、霍英东等均慕名而来。美国的基辛格参观后,盛赞"在这里我真正感受到了中国的美丽与伟大"。马志民一心要"让中国走向世界,让世界了解中国",促进中外文化的交流。在20世纪90年代,他又创办了"世界之窗",将世界上的一些著名景观,微缩移植,吸引全国各地的人来深圳,一睹世界景观,逐步了解国际文化,促进中外文化交流。此番创举,又获成功。华侨城集团一发而不可收,以后又陆续开发了欢乐海岸、湿地公园等新景观,然后又去东部海岸,开拓了新的华侨城。可惜,马志民在多年前就因病去世,我在深圳失去了一位可以推心置腹、开怀畅谈的挚友,我永远怀念着他。

受马志民的启发,我办国际文化系的方针也是要促进中外文化的交流,把西方先进文化引进来,将中国优秀文化送出去,中介环节就是要发展大众传播文化和国际旅游文化。在他的指点和支持下,我这个在北京一向蛰居书房的书生,如今借助于香港的地理优势,每年都从香港出发去海外考察教育和文化。我由近及远,先到新加坡、泰国、马来西亚、印度尼西亚、菲律宾,走遍东南亚,然后又陆续去美国、德国、比利时、荷兰、俄国、法国等西方国家,先后走了30多个国家和地区,重点考察那些地方的教育和社会文化。随着大众文化的蓬勃发展,文化研究也日渐兴盛。在新世纪到来之际,香港从美国引进了迪士尼乐园,香港中文大学的美学教授王建元,在台湾曾以研究"崇高"和"雄浑"著名,此时他对我说,他不再想研究太抽象的美学原理,而要转向具体的文化研究了。但他的同行刘昌元却宣称要坚守阵地,毫不动摇,仍然专注于美学基本原理,从哲学上来回答美学的问题,决不从俗。我听后颇有感触,引起我的思索。文化研究兴起之后,美学究竟还有没有用?经过反思,我坚信美学仍然有用。不过,过去的美学太多"形而上学",不解决现实中的问题;而文化研究重在实证,又成"形而下学"。我想走的还是"形而中学"之路,从美学视界来对文化现象做分析研究。美学要发展,当然得借助于哲学,高瞻远瞩,但还要面向现实,在文化研究的基础上提升,走向文化美学。

于是,我在新世纪到来的前夕,发表了《走向文化美学》(见《学术研究》,1999),此文被汝信、曾繁仁主编的《中国美学年鉴》(2001)收录。我和时任深圳大学文学院院长的郁龙余共同主编了一套"文化美学丛书",由中国社会科学出版社在2002年出版了六种,我为丛书写了总序,进一步发挥了"走向文化美学"的思路。在毛泽东延安文艺座谈会讲话发表60周年之际,刘纲纪、王杰主编的《马克思主义美学研究》约我写纪念文章,我却针对当下文化艺术的现实,写了一篇《焕发新审美精神》的长文,呼吁我们的美学,要促进高雅文化、主流文化、大众文化之间的良性互动,相互补充而又相互提升,呼唤我们的文化艺术要焕发新时代的新审美精神,要有时代感、人性化和超越性,不能只有娱乐性、世俗性。没有想到,我的一些想法,引起了社会舆论的关注,此文被《文艺美学研究》(山东大学)转载后,《辽宁日报》把主要篇章也予以刊登了。我表达了对低俗文化的大肆泛滥的担心。我期盼,我们的主流文化还应高扬主旋律,继承和发扬"五四"以来的新文化传统,倡导真、善、美,鞭挞假、恶、丑。

我对文化美学的倡导得到了学界的呼应,姚文放、林宝全、陈吉庆等都曾撰文阐发。2003年,我的学术生涯50周年,深圳大学校长谢维信主持了学术研讨活动。适逢深圳大学建校20周年,副校长章必功主持了和《文学评论》编辑部共同召开的"文化美学"学术研讨会,我在会上又一次呼吁,要充分发挥先进文化的价值导向作用。文化美学的使命,就是要对当下的文化现象做价值评估,引导文化向真、善、美方向发展。文化美学要有国际视野,但要解决中国自己的问题。日常生活审美化问题提出后,我为《文艺报》写了《生活审美化,艺术应何为》(2005)一文,提出日常生活日益走向审美化之后,文学艺术不会走向消亡,但却应有更高的追求,应自我提升,更上层楼,不要求量,而更重求质,以适应时代的新的审美需求。

我从文艺美学走向文化美学的学术历程,集中反映在文集的第四卷《文化美学》中。

五

我把我写的文化艺术评论和对深圳文化立市的一些想法都收入"人文论丛"一栏，亦放在《文化美学》卷中。这些文化艺术评论和对构筑共同家园的想法大多是到深圳后写的，少量乃在北京所写，有感而发，应时而作。

我到深圳来后，怎么会写起文化艺术评论来？这真是一言难尽，说来话长。

1984年的"五一"刚过，我单身一人初闯深圳，住在红岭路旁山坡下的宝安县政府旧址，新建成的深圳经济特区报社大楼就在附近。当时的深南大道尚未成型，我穿过黄泥土路，去拜访刚从北京调来不久的副总编辑许兆焕，向他当面请教来不来深圳。老许是我在北京的老熟人，在光明日报社当文艺部主任时，常向我约稿，可以敞开心扉谈肺腑之言。一见面，老许就鼓动我：快来，深圳急需你这样的人才！你来，我们就选你当作家协会主席，先把文艺推上来。那时，深圳刚创办了这张报纸，百业待举，舆论先行，文化艺术的版面，就归他管。

有这因由，我到深圳后不久，报社就不时向我约稿。不过，开初所写的并非是对时下文化的评论，当时急需的是要说自己为什么从最高学府跑到这边陲小镇来。深圳当时急需网罗人才，要我现身说法，声张特区特办，特别重视知识分子，来此必能大有作为。当时，"孔雀东南飞"初起，"东南西北中，发财到广东"。但我和汤一介、乐黛云夫妇到深圳，引起了社会舆论的另一种关注。《羊城晚报》《南方日报》都有记者来采访，问我：你来不是为发财，是为办教育，为什么？一位自由撰稿人还写了篇特写，说我们的到来，标志着高校知识分子也可以自由流动了，开风气之先。后来，在许兆焕的极力推动下，《深圳特区报》开辟了一个《文艺评论》专刊；深圳第二张报纸《深圳商报》创刊以后，设立了一个《文化广场》专刊。深圳有了自己的文化艺术阵地，我就转向写文化艺术评论了。

我在把中文系扩建成国际文化系后，和林祖基的交往就多了起来。这位主管教育和文化的副市长和前任邹尔康一样平易近人，而且他还是性情中人，爱舞文弄墨，常在报上发表杂文，我为他的杂文集写过评论。

在交往中,祖基不时好心地提醒我,在深大不能只注视着国际文化动向,还得时常关注特区本土的文化如何发展,要把深圳的文化放在国际视野中来审视,研究特区文化如何向国际化城市的方向发展。我觉得他说得很有道理,我既然已下决心要在这块正在开发的处女地上扎根,那就得关心这里的现实和未来,构筑起深圳人自己的精神家园。我当机立断,在国际文化系内很快成立了特区文化研究所,请热心特区文化建设的吴俊忠和我一起开展特区文化研究。在林祖基的支持下,自1988年始,我们办起了特区文化研究生班,连续招收了研究生数十人,以应特区文化建设的急需。也正是从此时开始,我才走出校园,和文化艺术界发生了密切关系,真正介入了特区的文化建设。我在北京30多年,交往多的还是教授、学者,接触过的作家也就只是端木蕻良、浩然、许广平等少数几个。到深圳后,一下子就扩大了。

我初到深圳时,在东门老街转了转,不消半天,就走遍全城。这里虽不能说是文化沙漠,粤文化在这里也源远流长,但现代文化却甚落后,只有一个文化宫、一所戏院和影院、一家新华书店。梁湘来后,方要兴建文化八大设施,此时正在起步。特区成立的最初10年,被深圳人看作是第一次创业时期,筚路蓝缕,从无到有,特别艰苦。20世纪80年代末,深圳出现短时的低落。1990年年初,我和郁龙余从深大校园乘中巴去园岭看章必功、张卫东等,中巴在红岭路口的大剧院那里就把我俩丢下了。我俩环视深南大道和红岭路,空荡荡的,竟无一人,使我感叹万分。直到小平1992年南方视察,重访深圳,再次肯定了特区的方向,特区还要办下去,深圳才又重新勃发生机。我亲历了这番波折,和深圳生死与共,血肉相连,就对这城市有了更深的感情,精神也就更加振奋,以更大的热情投入了第二次创业。

深圳真的如许兆焕所说,把我推举为作家协会主席,还把我和祝希娟、王子武这三个来深圳较早的人推为文联副主席。但我们都是业余兼职,既不占编制,又不拿津贴,都是自我奉献,所以,我们被称为特区文化的开荒牛。我所能做的,也就是写些文艺评论。深圳作家、艺术家有什么作品出来,我往往先睹为快,郁秀的《花季·雨季》、林祖基的《微言集》一出来,我就写评论;彭名燕、张俊彪、吴启泰的小说,柯蓝的散文诗,钟永华的抒情诗,杨黎光的散文,王子武、周凯、陈士修的画作,等等,我都曾写过评论。

那时的深圳，文艺评论和文艺创作紧密配合，良性互动。文艺评论也还没有学院派、传媒派之说，关注的是作品本身，重在分析作品。但我也开始从理论上探索特区文化艺术的发展之路。深圳文艺10年、20年、30年之际，我都做过理论性探索，纵论深圳文艺发展道路。深圳文艺发展20年时，我写了一篇《深圳艺术之路》，在《文艺报》上第一版发表，让国内文艺界对深圳的文学艺术有所了解。

我当了10年作家协会主席和名誉主席，到深圳市文艺评论家协会成立，我又当了10年文艺评论家协会主席，仍是写文艺评论。在文艺评论家协会成立10周年之际，我和当时的文联主席董小明主持了"深圳文艺理论批评丛书"的编撰，深圳的文艺理论批评成果丰硕，一下就有10卷入选，由海天出版社正式出版。我为丛书写了一篇总序《文艺评论求创新》，突出了文艺评论和文艺创作的相互促进作用，文艺评论要将历史批评和美学批评结合起来，更好地发挥价值导向作用。

但我在深圳写的文化评论，并非只是文艺评论。我在关注文艺之外，还对其他文化现象颇感兴趣，随感而发，率性评说。这在北京是没有过的，我在北京只写文艺评论，从不关注文艺以外的人文现象。20世纪90年代初期，深圳成立了全市的专家联谊会，由最早来深圳的中国科学院院士邓锡铭担任会长，我被推为副会长，从此接触社会面更广了。每年的元旦或春节，深圳市的最高决策层都要和专家一起座谈，集思广益，我亦不时有感而发，直抒己见。为发展深圳的文化事业，深圳在国内率先建立了宣传文化基金会，聘请我担任首届专家评审委员会主席，这就促使我必须关注全市的文化现象，从基层社区文化一直到高端的艺术精品生产。自2000年开始，深圳举办了读书月，我和牛憨笨院士一起参加了读书指导委员会，每年都要向广大市民推荐好书。我有10年连续参与了好书的终评，读书的范围更广了，读书参评有感而发，也写些文化评论，竭力倡导"好读书、读好书、读书好"，要在深圳养成读好书的风气。

更有一类文化评论，是我在倡导人文精神的同时，高扬科学精神，呼吁特区的发展要符合人文精神和科学精神，以人为本，科学发展。

我早已深深爱上了深圳这块沃土，蓝天白云、青山绿水，阳光、空气和水等自然条件在国内属一流。我到深圳的最初三年，就已走遍了东部海岸沿线，欣赏了深圳最优美的自然风光。引路人就是马志民，他的梦想是要把深圳打造成蜚声海内外的国际旅游城市。在他的鼓舞下，我和郁龙余从北京大学请来了地理环境专家陈传康教授，不仅在国际文化系讲旅游地理，而且遍访东部海岸做实地考察，要为深圳向国际旅游城市发展设计远景规划。陈传康是北京大学教务长、著名地理学家侯仁之的高足，潮汕人，对粤东海岸地带的地理很熟悉。我们在北大时就是老朋友，彼此真诚相待。我跟他走了许多地方，对深圳的地貌有了较多的了解。深圳的东南是大海，西南是珠江入海口，南部一条深圳河，对岸就是香港新界。深圳的北部都是丘陵山脉，梧桐山、笔架山、莲花山、塘朗山等连绵不断，横亘北侧；陆地面积近2000平方公里，处在山海之间的狭长地带；海岸线近300公里，海域广阔，达1000多平方公里，美景都在沿海的山丘上，真是得天独厚，世上很难得的好地方。陈传康以为，深圳的四大海湾——大亚湾、大鹏湾、后海湾和前海湾都具有独特的魅力，属稀有的旅游资源，在尚无能力开发之前，千万要全力保护，绝不能再发展工业。对此，我亦深有同感。在我和林祖基（当时已由副市长改任政协主席）的交谈中，有次曾谈到深圳的生态环境，我就把陈传康的意见转达给他，供决策层参考。祖基对此也很赞同，他也已在关注环境保护。但他也坦率告我，市政府也有苦衷，只好逐步采取立法的手段来限制开发。为了保住市中心两大板块的绿地，市人大花了很大力气，立了法，才立项建了福田中心公园和香蜜湖绿地，不让再建高楼大厦。

古人说得好："爱而知其丑。"正是因为我对深圳爱得深切，所以对发展过程中出现的由某些败笔造成的丑陋也特别敏感，不由得常在我的一些文化评论中有所流露。深圳的奇迹，世界瞩目，有目共睹，仅仅30年光阴，一座现代化国际型大城市拔地而起，但是，有些地方却是粗放式的开发，并非深耕细作、精心经营，近2000平方公里的土地基本用光，所剩无几。深圳陆地，原来多丘陵小山，但一经开发，大多已被夷平，沙土移去填海，大片湿地、红树林遭到破坏。我初到深圳，住在后海湾的海涛楼，楼前就是大片红树林，我曾陪著名美学家王朝闻、解驭珍夫妇到那里漫步，那片生态环境深得这位美学家的赞赏。但不到10年，这里的红树林就毁了，后海湾也日渐狭窄、浑浊。深圳得天独厚，有大海、山林，还有许多湿地，这湿地在国际上被称为"地球之肾"，红树林也赖此生存。深圳为开发，平山填海，大片湿地被毁，仅1988年以后的10多年间，已有近半湿地消失。深圳的主要河道有5条，已全部被污染。我初来时所见到的茅洲河、大沙河、新洲河、福田河，还都清澈见底，只10年光景，就变黑发臭。最令人痛心的是那条鼎鼎大名的深圳河，乃深圳和香港的交界河，记载着中国的百多年耻辱，具有难以估量的历史意义和人文价值。我和马志民、陈传康都希望把这条深圳河建设成类似上海黄浦江、广州珠江那样具有标志性的国际旅游之河。这就要早规划，把深圳河加宽，并把罗湖以东一带打通，使后海湾和大小梅沙连接起来，使得国内外旅客都能泛舟河上，唤起百多年的历史记忆，为中华民族的伟大复兴而骄傲。但是，令人失望的是，深圳河畔变成了保税区，重重叠叠建起了货物仓库，深圳河也变成了臭水河。其实，这是在20世纪80年代重犯半个多世纪前上海滩的错误。20世纪30年代，上海急功近利、无序发展，在苏州河两旁建起了无数货栈仓库，一条美不胜收的苏州河也就变成了乌烟瘴气的垃圾河。直到改革开放要建设浦东，上海才得以施展大手笔，把那些仓库迅速迁走，还苏州河清净。可深圳河却还在走数十年前苏州河的老路，我不禁为之惋惜和叹息。显然，这既不是科学发展，又不符合以人为本。

六

从文艺美学走向文化美学的历程中，我个人也基本上实现了"读万卷书，行万里路"的人生美梦。在对"美国梦"和"欧洲梦"有所了解之后，我的学术志趣也就专注于"中国梦"，进而思索中华文化如何走向世界。

当西方各色各样的文化艺术理论铺天盖地蜂拥而至的时候，那局面已经远远超出了我从前的预想。我也开始担忧起来：这样下去，岂不要走向全盘西化？反思之下，我在晚年又把目光转回中华传统文化。

不过，依我看来，自"五四"新文化运动以来，中国实际上已存在三个层次的文化传统：古典传统、现代传统和马克思主义中国化的传统。如何将这三种传统融会贯通，汇成一体，建设好中国特色马克思主义美学、文艺学，这仍旧是我们有待解决的问题。

在跨入古稀之年后，我又重拾古典，和李健博士合撰了《中国古典文艺学》，对中国古典文艺学中的基本范畴作了些梳理，重在阐明中国古典文艺学的现代意义和当代价值，促进古典向现代转换，为中国当代文艺学的建构提供些古典思想资料。这部《中国古典文艺学》收入文集的第二卷，了却我当年随杨晦攻读副博士研究生时的一大心愿。

比起古典传统来，我受影响更多的还是"五四"以来的现代传统。由蔡元培、梁启超、王国维所开启的由古典向现代转折的现代美学传统，在大学时代就吸引着我。西方现代美学和中国古典传统的融合之道，在那个时代就已开始探路。50年过去，当初我曾想做而未能动手的《美学初起半世纪》，已落后于时代，聂振斌等学者早已写出了研究中国现代美学史的专著。和我一起参加《中国现代美学丛编》选编的陈伟博士，在20世纪80年代已出版了《中国现代美学思想史纲》，中国现代美学的发展脉络已经厘清。我所能做的，只是说些我读过那些美学先导之作后的个人体会。新世纪以来，我陆续发表了《蔡元培的美育精神》《梁启超的美学贡献》等文，重提中国现代美学传统，意在唤起更多人的关注。此类文章，全都归入《文化美学》卷中。

时代呼唤生态文明的到来，我对自然之美有了一种特殊的关怀。为了更进一步探索自然美的奥秘，我重温了马克思主义创始人的自然学说。重读经典，我万分敬佩，恩格斯在100多年前就对人类生活于其中的这个世界，做了如此精彩的概括：

> 当我们深思熟虑地考察自然界或人类历史或我们自己的精神活动的时候，首先呈现在我们面前的，是一幅由种种联系和相互作用无穷无尽地交织起来的画面。

我们面对的这个世界，是一个相互联系、彼此作用的有机整体，由自然界、人类历史和我们自己的精神活动所构成。这个世界究竟呈现为一种什么状态，这不就是我们今天所说的人类的生存状态吗？人所处的生存状态，既包括自然生态，又包括社会生态和精神生态。人和世界的关系，既包括人和自然的关系，又包括人和社会、精神的关系。那么，如今倡导的生态美学，就不能不既包括自然美学，又包括社会美学和精神美学，我们应把自然生态、社会生态、精神生态作为一个有机整体来研究。因此，依我看来，生态美学，其实就是生态文明时代的崭新的哲学美学，或者说是研究人类整个存在状态的美学。

从我的学术志趣出发，其实我最感兴趣的还是研究自然美。年少时，读朱光潜的《谈美》，说自然无所谓美不美，只有艺术才有美，我对此一直困惑不解。其实，朱先生后来也承认有自然美的存在，但他和黑格尔一样，始终抬高艺术美而贬低自然美。其实，中华民族的古典传统美学就特别重视自然美。当代，在中国美学界，蔡仪、王朝闻、宗白华都很重视自然美，但各有各的解释，尚待做深一步的探讨。我的兴趣重在对艺术美和自然美的比较研究。改革开放之初我招收文艺美学硕士生，入学不久，我就带了王一川、陈伟、丁涛去爬黄山、观长江，做实地考察。只是后来我专注于文艺美学和文化美学，未能更多留意自然美学，直到我国生态遭破坏、环境污染到触目惊心之时，我才又关注起来。海天出版社拟出版"人与自然丛书"，邀我主编，我欣然答允，为丛书写了总序《珍重自然》。受曾繁仁之邀，我参加了在青岛召开的生态美学国际研讨会，发表了《生态之美何在》一文。我也以为，自然美只存在于人和自然的关系中，没有人，自然无所谓美不美，美是对人而说的一种价值。人和自然处在和谐的关系之中，这关系就是美，所以说，美在和谐。那么，在这和谐关系中的对象——大自然美不美呢？依我看来，这和谐关系中的大自然，当然也能称之为美。马克思在《资本论》中说得好："一物的属性不是由该物同他物的关系产生，而只是在这种关系中表现出来。"自然美还在自然，但只在人和自然的关系中表现出来。若老天见怜，再赐给我多些时日，我将在这有生之年，把自然美的研究继续下去，好解我自己之困，有一个我自己比较满意的回答。

现代西方美学，长期忽视对自然美的研究，把美学窄化为艺术美学。多年前，我去德、法、荷访问，荷兰好友佛克马告诉我，西方也在更多地关注自然美了。英国一位美学家赫伯恩发表了《当代美学与自然美的忽视》，呼唤重视自然美，后来环境美学、生态美学相继问世，他被尊为"环境美学之父"。如今，自然美的问题，也在逐渐被西方所重视。传统美学之所以轻视自然美，说是因为自然本身并无精神性或意向性，不能对人发生精神启发作用。其实这是见物不见人的浅薄之见,漠视了审美者的主观能动作用。其实,正是自然天地为审美者赐予了审美的更大精神自由空间。重温一下马克思对于大自然的评价,会给我们更多的启示:

> 人(和动物一样)靠无机界生活,而人比动物越有普遍性,人赖以生活的无机界的范围越广阔。从理论领域来说,植物、动物、石头、空气、光等等,一方面作为自然科学的对象,一方面作为艺术的对象,都是人的意识的一部分,是人的精神的无机界,是人必须事先进行加工以便享用和消化的精神食粮。

马克思接着还从实践方面论证了"人只有依靠这些自然物才能生活"。马克思所说的"人靠自然界来生活",这不仅是物质生活,而且还是精神生活。所以他最后得出结论:"人的物质生活和精神生活同自然界不可分离。"

在这里,马克思说得多好!中国的古典美学就是明证。中华民族文明起始,就存在着崇尚自然美的历史传统,源远流长。中国人早就和大自然牢固地建立起了审美关系,数千年来,人们的"物质生活和精神生活同自然界不可分离"。

从我自己的切身体验出发,也深感自然美具有不同于人文美、艺术美的独特魅力。我自小就生活在江南水乡,接受了自然审美的熏陶,见山是山,见水是水,不知不觉就和这江南水乡建立了审美关系。后来,背井离乡,埋身书斋,关门读书,本就和大自然有了间隔,形形色色的学说又把自然符号化,再加上"迷情拥蔽,翳障心源",遮蔽了自然的真面目,见山不是山,见水不是水。待到改革开放年代,我来到这片正待开垦的处女地,那蓝天白云、青山碧海一下就吸引了我,见山又是山,见水又是水,也就融入了这片新天地,建立起密切的审美关系。

在最后一卷《美的追寻》中,我对自己的人生做了回顾和反思。我的一生虽有波折,但未弃精神追求。在对真善美的永恒追求中,我尤重美的追寻;而在对美的追寻中,我更为自然美的无穷魅力所倾倒。我对美学,起先是把她当作一门高深的学问来对待,但越到后来,美学就越来越渗入到我的人生实践之中。美学伴我悟人生,使我逐渐领悟到,人来到这世上,适者生存,善者优存,美者乐存。对于倾心审美的人来说,天地人心融为一体,在我们面前展现出了世界的美好,乐此而不疲。

我的人生梦想,当然期盼能在这世界上得以诗意地生存。诗意的人生,不仅在这世上能诗意地流动(实践活动),而且面对万事万物能做出诗意的裁判(精神活动)。但当晚年来临,活动日减之时,自然而然地要想寻求诗意地栖居(实践和精神的融合)。

人生难得几回搏,在这片热土上忙碌了20年之后,终于在古稀之年,得以有个机缘,找到一块可以诗意地栖居的地方,安下了我最后的精神家园。这里靠近后海湾和深圳河、新洲河的交界之处,从高处俯视,可以远眺后海湾对面香港的落马洲、流浮山,横跨新界、蛇口的跨海大桥亦在眼前。我把最大的一间屋子作为书房,就叫望海书斋,看书累时,随时可从书中的符号世界抽身而出,直面真山真水,作自然审美。我站在阳台上,此时,我处在天与地之间,天、地、人联结为一体,真正进入了天地境界。我的体验,自然审美和艺术审美不同,自有一番乐趣。我不相信万物有灵,自然本身并无精神。但人有灵明,受自然之美的激发,经由联想、通感和想象等等,可以思接千载,视通万里,念天地之悠悠,也会引思故之幽情。遥望对岸青山绿水,港深百年沧桑,一时浮上心头,更觉改革开放新时代之可贵。夕阳西下,那红艳艳、金灿灿的阳光照射在后海湾上,光彩夺目,一股热流从心底奔腾而出,不由得从内心发出由衷的赞叹:美哉大自然,最美还是夕阳红!

衷心感谢著名诗人贺敬之,九十一高龄还为我这后辈题签书名。

                              2014年初冬,望海书斋

目 录

文艺美学

"北京大学文艺美学精选丛书"前言 ⋯⋯⋯⋯⋯⋯⋯ 2

《文艺美学》自序 ⋯⋯⋯⋯⋯⋯⋯⋯⋯⋯⋯⋯⋯⋯⋯ 4

绪论　美学与诗学的融合 ⋯⋯⋯⋯⋯⋯⋯⋯⋯⋯⋯ 9

第一章　审美活动：审美主客体的交流与统一 ⋯⋯⋯ 24
第二章　审美体验：艺术本质的内核 ⋯⋯⋯⋯⋯⋯⋯ 50
第三章　审美超越：艺术审美价值的特质 ⋯⋯⋯⋯⋯ 101
第四章　艺术掌握：人与世界的多维关系 ⋯⋯⋯⋯⋯ 118
第五章　艺术本体之真：生命之敞亮和体验之升华 ⋯ 137
第六章　艺术的审美构成：作为深层创构的艺术美 ⋯ 154
第七章　艺术形象：审美意象及其符号化 ⋯⋯⋯⋯⋯ 166
第八章　艺术意境：艺术本体的深层结构 ⋯⋯⋯⋯⋯ 202
第九章　艺术形态：艺术形态学脉动及其审美特性 ⋯ 236
第十章　艺术阐释接受：文艺审美价值的实现 ⋯⋯⋯ 291
第十一章　艺术审美教育：人的感性的审美生成 ⋯⋯ 308

参考文献 ⋯⋯⋯⋯⋯⋯⋯⋯⋯⋯⋯⋯⋯⋯⋯⋯⋯⋯ 329

文无止境（修订后记）⋯⋯⋯⋯⋯⋯⋯⋯⋯⋯⋯⋯⋯ 331

文艺美学散论

第一辑　文艺美学谈 ······ 344

  文艺美学随谈 ······ 344
  "文艺美学"是什么? ······ 346
  文艺美学及其他 ······ 349
  文艺美学应何为 ······ 367
  文艺美学对文学艺术的系统研究 ······ 373
  反思文艺美学 ······ 380
  发展文艺美学 ······ 386
  文艺美学仍可为 ······ 392
  当代美学的嬗变 ······ 397
  引进文艺美学门 ······ 408

第二辑　审美价值论 ······ 411

  超越古典向当代 ······ 411
  艺术的审美价值 ······ 422
  艺术美略论 ······ 432
  论艺术创造 ······ 453
  为何古典作品至今还有艺术魅力 ······ 470
  中华艺术贵意境 ······ 502
  人生体验笔底流 ······ 516
  情真意美倍感亲 ······ 535
  诗中有画情更深 ······ 541
  动静交错意趣生 ······ 545
  虚实相生的取境美 ······ 553
  艺术应求真善美 ······ 557

第三辑　美的规律说 ·· 562

    中华文明重和美 ·· 562
    求美最终归和谐 ·· 568
    美的规律各异同 ·· 576
    创造艺术究为何 ·· 596
    艺术之美 ·· 613
    艺术的民族特色 ·· 622
    文学——语言的艺术 ······································ 626
    文学理论 ·· 631

第四辑　艺术为人民 ·· 635

    文艺的崇高使命 ·· 635
    为民精神应永存 ·· 648
    艺术创造为人民 ·· 652
    论文学的人民性 ·· 659
    理想与现实在文学中的辩证结合 ···················· 692
    革命现实主义和革命浪漫主义相结合 ············ 712

第五辑　附文 ·· 720

    附文一　文学是反映社会生活的特殊的意识形态（《文
          学概论》第一章） ····································· 720
    附文二　文学发展中的主潮 ··························· 750
    附文三　胡经之的文艺美学构想（《中国文艺美学学术
          史》第一章） ·· 755
    附文四　中国文艺美学学科的创始人（《中国文艺美学
          教学发展论纲》第一节） ··························· 767

文艺美学

"北京大学文艺美学精选丛书"前言

　　北京大学"文艺美学丛书"草创于20世纪80年代中期。在那百废待举、学术文化刚刚复苏的年代,她曾像一泓清泉,滋润过不少饥渴的心田。许多读者朋友也正是由于她而认识了重建不久的北京大学出版社(北大早年设有出版部)。

　　"文艺美学丛书"承继北京大学"兼容并包,学术自由"的传统,将文艺美学作为主要研究对象,对传统美学的另外两个维度——美的哲学和审美心理学亦给予足够的关注。丛书着力组织国内学者的专著,同时也兼及"他山之石"的译介。

　　丛书由"文艺美学丛书"编辑委员会负责编辑。叶朗、胡经之、金开诚、阴法鲁、董学文、王岳川、王宁、周宪等先生参加了编委会的工作。编委会的常务工作主要由叶朗、胡经之和江溶负责。当时健在的著名美学家朱光潜、宗白华,曾对编委会的工作予以热情的关怀和许多具体的指导。

　　经过10余年的耕耘,"文艺美学丛书"已出书30种。令人欣慰的是,这些著作中的大多数,不仅在当时因某种填补空白的开创性意义,或因对某个领域的专深研究成为后人涉及该领域时不可或缺的著述,引起广泛的关注,而且即使在学术多元化、出版事业日益繁荣的今天,仍不失其智慧的光彩和学术的价值。这就使我们编选这套"北京大学文艺美学精选丛书"奉献给新一代的读者,有了必要和可能。此次精选计10种,皆为国内学者的学术专著,以学科的内在联系为序。

　　"文艺美学丛书"这方小小的园地所以能自具面目、有所收获,首先应当归功于所有的作者和译者。他们的劳动成果连同他们求新的精神、务实的学风,以及力图将学术与社会相联系的责任感,无疑都将成为我们民族的一种财富。同时，我也要真诚地感谢为这套丛书呕心沥血的"文艺美学丛书"编辑委员会的诸位同仁。特别深深地怀念已故多年的朱光潜、宗白华二位先生。薪不传火传，他们的睿智哲思、大家风范将超越他们的生命，滋养一代又一代的学人。这套精选丛书权作为我们的一瓣心香，奉献在他们的灵前吧！

  我们这套精选丛书付梓之际，正值影响深远的世纪之交，又欣逢北京大学百年华诞，可谓生逢其时矣！愿她的问世，能为北大学术传统的承传续上一捧柴薪，为新世纪的人类精神家园增添几许绿色！

北京大学出版社
1998年1月

《文艺美学》自序

这部《文艺美学》书稿,从酝酿、构思、撰写到几度修改,时耕时辍,陆续经历了八个春秋。在即将付梓之际,回顾写作此书的心路历程,不禁思绪起伏,感慨系之。

还是50年代,我在北大攻读文艺学副博士研究生时,师从杨晦学习文艺学,又随朱光潜、宗白华研习美学。那时,就有几个问题时常困扰着我:文艺学和美学是什么关系?文艺和审美的联系与区别何在?

当时,美学争论的主题是:美是主观的还是客观的,是自然的还是社会的?坦率地说,关于美的本质,当时我最信服的是苏联美学家斯托洛维奇的见解。他最先提出美是社会的,又是客观的。后来,他又加以发展,把美看成是一种价值,写出了《审美价值的本质》,颇有见地。依我看来,美是价值说也许不是终极的美论,却是当前对美的较为合理的解释。马克思的哲学贯穿着价值论,在《资本论》,特别是第四卷《剩余价值理论》中,就是从价值分析出发来阐明资本的产生和发展。马克思科学地区别了使用价值和交换价值的不同,把审美价值归属于使用价值之中。实用价值也属于使用价值,但使用价值并不仅限于实用价值,精神价值亦在其内。我们的美学正可沿着这个思路,深入探索审美价值和其他使用价值的联系和区别。但是,当时我最感兴趣的还是探索文学艺术的奥妙:艺术的特性何在?艺术需要美吗?艺术的审美价值何在?艺术之美是怎样按美的规律创造出来的?

于是,我的美学探索就从这里开始:现实生活中也存在美,但人类为什么还要创造艺术美?

艺术并不都美,这是历史的事实;但是,我们的价值追求是:艺术需要美,美应是艺术必不可少的特性。在我看来,真、善、美都应是艺术的价值特性。50年代末，我曾写过数万言的长文，探讨古典艺术为何至今还有艺术魅力（60年代初发表于《北京大学学报》），基本意思就是说：艺术之所以能吸引人，那是作品客体本身就具有真、善、美因素；当作品呈现在具有艺术鉴赏力的欣赏主体面前，客体通过主体起作用，于是就产生了艺术魅力。但是，真、善、美在艺术作品中究竟是什么样的关系？一时尚难说清，只好暂不展开。

经历了六七十年代的沉默思索，我逐渐形成了一种看法，觉得真也好，善也好，要真正成为艺术的内容，都必须以审美为中介；真、善经过审美之光的折射才能转化为艺术的内容。艺术美和生活美，两者虽都是美，却是两种很不同的形态，各有优长，不可相互替代。艺术美是真善美的结晶，是人对生活有感而发的审美体验的物化形态，用美的物质形式（符号）来体现审美的精神内容。艺术美和生活美相较，是一种十分特殊的形态。艺术活动不仅内含着审美活动，而且还应是一种创造美的活动。在这创美活动中，当然内含着作家、艺术家对生活的审美活动内容。但艺术创造内含的是一种独特的审美活动，还有它自己独有的特殊规律。艺术创造，不仅创造出了一种新的符号形式，更重要的是凝聚了人的独特的审美体验，这又反映出了人与现实的审美关系。如果说，哲学美学主要是研究人类审美活动共有的普遍规律，那么，文艺美学就应着重研究艺术活动这一特殊创美活动的特殊规律，以及审美活动规律在艺术领域中的特殊表现。从美学的历史发展看，黑格尔的美学研究中心已转移到艺术领域，他把自己的皇皇巨著称为"美的艺术的哲学"，使美学拓展了一个新的境界。

正是基于这样的认识，1980年春，我在昆明召开的全国首届美学会上提出，高等学校的文学、艺术系科的美学教学，不能只停留在讲授哲学美学原理，而应开拓和发展文艺美学。这一点得到了师辈朱光潜、王朝闻等学者的热忱鼓励。接着，我撰写了倡导文艺美学的《文艺美学及其他》（刊于1982年北京大学出版社《美学向导》）等文，以及论述艺术审美本质的《论艺术形象》（刊于1981年上海文艺出版社《文艺论丛》），呼吁发展文艺美学这一学科。

我自己则在北京大学做了尝试。1981年，当杨晦要我接替他招收文艺学研究生时，我建议研究生部在文艺学专业中设立区别于哲学美学的文艺美学这一方向的硕士学位。很快，我招收了文艺美学的首届硕士生。为了发展这一学科，我着手撰写《文艺美学》一书，作为文艺美学硕士生的教材。当我发觉文艺美学一课不仅引起了研究生的兴趣，而且也吸引了本科生时，我确实受到很大鼓舞。北京大学出版社要我把文艺美学讲稿改写成一部专著，作为"文艺美学丛书"的开头，我欣然应允了。

可是，1983年，当我写出了第二稿，出版社敦促我及早发稿付排时，我却又迟疑了。重读一遍书稿，我自己觉得全书的内在逻辑尚嫌不足，脉络尚需进一步理顺，一些关键问题还需深一层展开论证，不能就这样拿出去。宁可晚些，但要好些。

于是，我又陷入了沉默思考。

著作，是思考的结果。文艺美学并非就是美学原理和文艺学原理的简单相加，需要寻找自己的逻辑起点和思想脉络，这就要思考和研究。

在我的思考中，曾想以艺术形象作为我分析的出发点，由艺术形象的特性引出艺术的内容、形式、构成、形态等等，然后再转入创作活动和欣赏活动。这是从静态分析走向动态考察的行程，常见的教科书就是采用这种方法。但我经过几番思考，还是放弃了这条路，而顺着另一脉络展开去。我想，与其面面俱到、四平八稳，还不如有感即发，无感不发，有话即长，无话即短。审美活动、艺术本体、审美体验等问题，别人说得不多，而我有话要说，为何不由此入手展开？而别人在过去已谈得不少的批评、鉴赏等问题，我又何必多说！从我自己的审美经验出发，现实的生活实践中也存在着美。我的探索是首先要找到由生活美向艺术美提升的联结点：实践生活中的审美活动。于是，我先从分析作家、艺术家在现实生活中的审美活动着手，剖析艺术把握世界的方式，进而探究审美体验的特点，寻找艺术的奥秘，然后才转入对艺术美、艺术意境等的论述。这是从动态分析走向静态考察的路程。从审美活动到艺术掌握的方式，说的是艺术创造的美学；然后进入艺术本体的分析，艺术形象、艺术意境、艺术形态等，说的是艺术作品的美学；最后又从静态返回动态，艺术阐释、艺术教育等，说的是艺术接受的美学。也许，这不是最好的方法，但既然我已沿着这条脉络展开我的思路，那就让它去吧！

思考，有时充满了感悟的欢乐，有时却又深受折磨而不能自拔。其间，又经常为其他事所打断。为应高等学校文科教学的急需，国家教育委员会委托我主编西方文艺理论的教科书，花了些时间；我在深圳大学的兼职也需我分出很大精力。这样，《文艺美学》的修改时断时续，无法一气呵成。

在思考和修改的过程中，我接触了不少青年学者，他们对我的书稿十分关切。北大青年学者王岳川读了书稿，提出了不少中肯的意见，并敦促我及早出版。他的热忱，使我深受鼓舞。他们开阔的视野和独到的见解，给了我很多启发。在岳川的协助下，我加快了修改速度，补充了新的思想和材料，全书终于在1988年春完成了第三次修改。多年的心血化成了30余万文字，总算感到了一丝欣慰。

我心中经常回旋着罗曼·罗兰的一句话："要有光！太阳的光明是不够的，人，必须有心灵的光明。"是的，人只有外在的光是不够的，心灵也应该闪光。心灵闪光！这是孜孜不倦地追求真、善、美的有志者共同希冀达到的境界。艺术之美，是人类灵魂之光。文艺美学的使命正在于探索和揭示艺术这一灵魂之光的奥秘。艺无止境，对艺术奥秘的探索也将是无止境的。

在探索艺术特性的过程中，我搜集了不少中外美学、文艺学的资料，其中有一些已整理成《中国古典美学丛编》和《中国现代美学丛编》，有些已经放入《西方文艺理论名著选编》里，分别由中华书局、中国社会科学出版社、北京大学出版社出版，与广大读者共享。我深深感到，要使文艺美学提高水平，必须对中外的美学、文艺学做一番比较研究。把中外美学、文艺学的基本范畴做比较研究，再进而比较中外美学、文艺学的思想体系，这将是饶有兴味和引人入胜的。我相信，比较美学和比较文艺学的建设和发展，必将为中华当代美学、文艺学开辟一个新的天地。中外古今的美学、文艺学资料，浩如烟海，如要埋身书堆，终其一生，恐亦难求其全。资料搜集并非理论研究的目的,而只是它的必要手段。理论资料必须经过整理,进行比较研究,弄清楚它们的特点、价值,从而作为建设和发展中华当代美学、文艺学的借鉴。因此,无论是西方的美学、文艺学,还是传统的中国美学、文艺学,对于我们来说,都只是理论的资料。对中外美学、文艺学做比较的研究,也只是建设和发展中华当代美学、文艺学的重要手段,而不是目的本身。通过对中外美学、文艺学的比较研究,借鉴中国传统和外国美学、文艺学中有价值的东西,为的是建设和发展中国特色的马克思主义美学、文艺学。这是我国当代美学家、文艺学家的共同事业,需要各方有志之士的共同努力。

1988年5月,北京大学畅春园寓所

绪论　美学与诗学的融合

文艺美学究竟要研究什么？它的根基是什么？它与美学和诗学（文艺学）是一种什么关系？这些问题必须回答，不能回避。在我看来，文艺美学绝非美学和诗学的简单相加。文艺美学虽以文学艺术作为自己研究的对象，但就其本源而言，却同人的现实处境和灵魂归宿息息相关。人生活在世界上，一要生存，二要发展，三要完善。只有人和环境达到动态平衡，人和现实才产生审美关系，才有文学艺术。研究文学艺术，必然要触及人和现实的关系。文艺美学是当代美学、诗学在人生意义的寻求上、在人的感性的审美生成上达到的全新统一。

20世纪，是科学文化突飞猛进已达"知识爆炸"的资讯时代，同时也是战争频仍、人类蒙受前所未有的灾难的岁月。人们目睹了空前惨烈的人的异化的现实处境。这种静悄悄的、不流血的暴政，扼杀了本真的诗情和本源之思，从而使人的存在意义晦暗不明。人还感同身受地体验了感性与理性、经验与超验、有限与无限、现象与本体、存在与思维、自由与必然的普遍分裂。这种人的现实处境与理想世界的尖锐对立，使当代美学家、艺术家为寻找沟通有限与无限、感性与理性的中介环节，以达人性的完整和美好而殚精竭虑。

以追问艺术意义和艺术存在本体和价值为己任的文艺美学，力求将被遮蔽的艺术本体和价值重新推出场，从而去肯定人的活生生的感性生命，去解答人自身灵肉的焦虑。因此，文艺美学将从本体论和价值论的高度，将艺术看作人把握现实的方式、人的生存方式和灵魂栖息的方式。

如果说，艺术是人类的精神家园，那么，文艺美学就是这个"家园"的守护者。

一、文艺美学研究的多元取向和研究方法

文艺美学研究必须以整个美学和诗学研究作为自己的基础和参照系。文艺美学不像美学原理那样，侧重于基本原理、范畴的探讨，也不像诗学那样，仅仅着眼于文学的一般规律和内部特性的研究。文艺美学是将美学与诗学统一到人的诗思根基和人的感性审美生成上，透过艺术的创造、作品、阐释这一活动系统去看人自身审美体验的深拓和心灵境界的超越。这里，我们需注视一下20世纪西方美学和诗学发展的现状，追踪其发展轨迹，从中可以看到文艺美学研究的重心在不断转移。

（一）对创作主体精神、心理的重视：直觉主义和精神分析

意大利美学家克罗齐认为，"直觉"是艺术的本质，是一种纯粹的精神现象。艺术由"直觉"创造。"直觉"就是"表现"，用"意象"来"表现"感情。艺术就是这种称之为"直觉"的内心状态，并不一定非得形之于外、言之于表不可。"作为一个艺术家，他既不采取什么活动，也不说明理由，而是写诗、作画、歌唱，简而言之，是在表现自己。"在克罗齐那种以"直觉"为中心的表现主义中，作者、作品、读者的界限消失在"直觉—表现"中了。在克罗齐看来，文艺学只需研究"直觉—表现"，不需要社会学的、传记学的、心理学的研究，连文体学也在其视野之外。

心理分析进入文艺和美学是以弗洛伊德为代表的。精神分析学把文学艺术归结为"原欲"的升华。简单地说，所谓"原欲"（Libido），即人的基本欲望"爱的本能"。在弗洛伊德看来，人格结构有三个层次：本我、自我、超我；心理结构也有三个意识层次：无意识、前意识、显意识。"本我"是人格结构的最底层，处于无意识状态。"原欲"就蕴藏在"本我"中，是人类活动最原始的内驱力。"本我"要避苦求乐，获得快乐，是人类一切活动的基本动机。在弗洛伊德看来，文学艺术的创作，就是用一种社会可以接受的文化现象来补偿"原欲"之不能在现实中满足，而在想象中得到满足。这样，文学艺术的发生被导源于"本我"的"原欲"，归结为无意识的本能。然而，弗洛伊德对作家、艺术家

的深层意识的探索，仍然主要是一种猜测和假说，并未得到科学的说明。文学艺术的创造，是潜意识和显意识相互作用的过程和产物，弗洛伊德把它仅仅归为无意识，难以令人信服。文学艺术的产生乃是为了满足人类的审美需要，弗洛伊德仅仅把它归因于"原欲"的满足，这就把人类的高尚的需要降低为原始本能，与艺术创作的事实并不相符。

荣格在弗洛伊德精神分析学的基础上，发展了自己独特的理论和方法。荣格的分析心理学把"原欲"作了较为宽泛的解释，不像弗洛伊德那样狭隘，它包含了一切动机在内的个人全部生活力。但是，这个"生活力"仍然是一个含混模糊的概念。荣格的分析心理学肯定人的心理有意识和无意识，两者相互补充、配合，从而取得心理平衡。无意识分为两个层次：表层是个人无意识；深层是集体无意识。荣格用集体无意识来解释文学艺术，从而形成了一种新的研究方法，就是原始类型研究或神话原型研究。集体无意识是个人意识（无意识和意识）的基础，它保存在个体意识中。集体无意识包含着种属的"原始类型"或"原始意象"，神话就是古代种属无意识的原始类型或原始意象。在神话以后发展起来的文学，都保存了这种神话原型，因而可以从中找到原始类型或原始意象。

的确，荣格以集体无意识解释艺术中的深层意蕴有比弗洛伊德高明之处。但是，荣格夸大了集体无意识的作用，忽视了现实经验在文学创作中的地位，因而很难科学地解释文艺这种融合了历史经验和现实经验的特殊活动和产物；而把文学艺术的复杂现象只归结为简单的几个原始类型模式，未免使人感到单调、乏味。荣格的分析心理学、弗洛伊德的精神分析学都给文艺心理学以启发，但还有更多的心理学可供文艺心理学作借鉴。美国阿恩海姆的完形心理学、瑞士皮亚杰的建构心理学等等，都逐渐为文艺心理学所吸收，逐渐形成一种文艺心理研究方法，为文艺美学的研究拓宽了路子和视野。

（二）对作品本体的关注：俄国形式主义、新批评、结构主义

俄国形式主义诗学把文学作品看作是一个独立自主体，同作品以外的因素无关；作家、读者、社会都是同作品无关的外在因素，不能用社会学、心理学等方法来研究文学；文学作品就是运用语言技巧制作出来的语言体,因而只能用语言学,特别是语音学来研究文学。俄国的形式主义诗学,基本上是语言工艺学,注意的是语言的声音层次。最著名的形式主义代表雅克布逊把它称作是"功能音位学"。

英美以艾略特、瑞恰兹为代表的新批评派,致力于文学作品本体的研究,因而被称作"本体论文学理论"。新批评派的兴趣在探索文学的"特异性",即区别于其他文体的特点。而"特异性"就存在于作品本身:"诗作为一种文体,其特异性是本体的。"(兰色姆)新批评派并不绝对否定文学的功能可以引起读者的感情反应,但是认为作品本身并不表现感情。艾略特说道:"诗不是放纵感情,而是逃避感情;不是表现个性,而是逃避个性。"瑞恰兹认为,诗歌语言不同于科学语言,它所用的是感情性语言,而科学语言则是指称性语言(瑞恰兹后来又改成"非指称性伪陈述")。新批评派其他成员对文学特性的看法各有不同之处。兰色姆认为:诗歌和科学都表达真理,但科学是抽象表达,只有构架,而无肌质;诗歌则是具体表达,把肌质还给构架。燕卜逊认为:科学语言的语义单纯,而文学语言的语义复杂。布鲁克斯的观点是:科学语言的语境单一,文学语言的语境则包容多种甚至冲突的经验。虽然具体说法不同,但基本方法一致,都是在文学的语言本身探索文学的特异性。在新批评派看来,文学是语言的一种特殊形式,"独立于外部世界的有机体",由上下文的互相渗透而产生出自己的意义。因此,新批评派的文学本体论,又称作有机形式主义。

有机形式主义诗学的兴趣集中在文学作品本身而不顾作家传记、读者反应和社会背景。它认为,作品本身的意义和价值不应同作家的意图和读者的反应相混淆。如果将作品本身同其产生过程相混淆,就会产生"意图谬误","其始是从写诗的心理原因中推导出批评标准,其终是传记式批评与相对主义"。对文学的研究,只应关注"本体"。作品本体的意义,不依作者意图和读者反应为转移。那种重传记、社会、历史的研究只是对文学的外在研究,只有对作品本体的研究才是内在研究。

结构主义诗学把结构主义语言学引入文学研究。20世纪的形式主义诗学都借助于语言学,不过俄国形式主义重在语音学,英美批评派重在语义学,而结构主义则重语法学。结构主义诗学借助于结构主义语法分析来解剖叙事作品,创造了一门新的文学学科:叙述学。在法国,影响最大的结构主义文学理论家是巴特。巴特最初接近萨特的存在主义。在1953年发表的《写作的零度》一文中,他把采取"不介入"态度的写作称作"零度的写作"。不久,巴特摆脱了存在主义,致力于探索作品的产生过程,不再去阐释作者的意图和作品的价值,而且越来越重视对文学语言的研究。巴特的代表作《叙事作品结构分析导论》(1966),运用语言学的理论来解释作品结构,研究了叙事作品的三个层次:功能层(研究基本的叙述单位及其相互关系)、行动层(研究人物分类问题)、叙述层(研究叙述人物、作者和读者关系)。巴特研究叙事作品的层次,不是从众多的文学作品中归纳出来,而是从假设的模式进行演绎,因而显得抽象难懂。

结构主义诗学的兴趣并不在分析个别作品,而想寻找叙事作品普遍具有的结构,即"它关心的是文学现象所特有的这种抽象性质:文学性"(托多罗夫《诗学》)。所谓"文学性",对于结构主义诗学来说,就是文学语言的特殊性。所以,"结构主义活动的对象不是文学作品本身;它探询的是文学语言这种特殊语言的性质"。托多罗夫致力于分析文学语言的语法结构,把句子分成两种基本成分:施动者和谓语(动词、形容词),从谓语的不同组合,引出许多叙事类型。进而,托多罗夫还把话语的手段分成三部分:叙事时间(表达故事时间和话语时间之间的关系)、叙事体态(叙述者观察故事的方式、叙事语式、叙述者使读者了解故事所运用的话语类型)、话语手段的组合变化,形成了叙事的多种类型。

结构主义诗学理论正在和符号学结合。苏联塔图学派首先尝试运用符号学来分析文学作品。著名文艺家洛特曼在《艺术本文的结构》(1970)和《诗的本文分析》(1972)等著作中,就把作品本文作为一个多层次的系统来研究,揭示了结构与功能、内容与形式、本体与根源的统一。诗的语言被语义所渗透,它具有独特的结构,以浓缩的符号传达了丰富的信息。艺术本文的意义不只是内在的,而且同更广泛的意义系统相联系,因而不同社会分离。随着对艺术结构的研究日益深入,文艺符号学方法也日益受到重视。

(三)对读者本体的关注:接受美学、读者反应批评

接受美学同现象学美学、阐释学美学密切相关,并在它们的基础上发展起来。接受美学最初兴起于20世纪60年代中期的西德和法国,随之在70年代的东德和苏联也得到重视。波兰的英伽登已经提出"阅读现象学",但还未曾展开。德国哲学家伊塞尔在60年代中期加以发展,专门研究阅读过程的现象学,把阅读活动看作是一个审美反应过程。后继者不乏其人,形成康斯坦斯学派。依伊塞尔之见,文学作品存在两极:一极是作者写出来的本文;另一极是审美的反应,即读者对本文的具体化或实现。"作品本身显然既不能等同于本文,也不能等同于具体化,而必定处于两者之间的某个地方。"当然,读者的反应是由本文激发出来的,本文的结构中已经暗含着读者可能作出多种解释的潜在因素。"暗含的读者牢牢地植根于本文结构之中,他只是一种构想,绝不能和任何真的'读者等同起来'。"本文的不确定性和空白,正是联系作品的桥梁。这个本文就是一个"召唤结构",它唤起读者的想象、反思。

研究法国文学的西德学者尧斯,在《文学史作为文学科学的挑战》(1967)中提出了"七点论纲",系统地阐明了接受美学的基本原则。文学的价值只有通过阅读活动才表现出来,而迄今的文学史只研究了作家、作品,却缺少了第三个因素——读者,因而不能科学地揭示文学的价值。文学的价值是"创作意识"和"接受意识"共同作用的结果。文学在创作时,已受到读者的制约,在构思中已把读者的"期待"包含进去,作家心目中存在着"期待视野"。读者的反应,对作家的创作起着反馈作用,影响作家的"期待视野"。读者在阅读中不仅直接获得审美享受,而且引起审美趣味和审美标准的变化,改造读者的审美能力,从而对作家有了新的期待。读者接受作品,无论是垂直接受(阅读前代作品)还是水平接受(同时代的作品),都应从被动接受提高到主动接受。

美国费希的读者反应理论,提出了"感受派文体学",越来越突出读者这个环节,把文学看成是读者在阅读过程中的"体验",而不是白纸黑字的本文了。作品的意义,也不在作品本体中,而是读者的认识,只存在于读者心目中,因此,"本文的客观性只是一个幻想"。阅读,也就被一些人归结为脱离本文的毫无依据、任意为之的纯粹幻想活动了。在20世纪70年代的东德,接受美学也发展起来。接受美学,同创作美学、作品美学一道,成为同一系列的美学科学而被重视。以瑙曼为首的东德学者撰写了《社会—文学—阅读》(1974),阐述了接受美学的基本观点。苏联文艺学与美学也认识到作者与读者之间是"对话关系"。这种"对话关系"在20世纪70年代得到了深刻认识:通过作品,作者不仅和同辈人对话,而且和前辈人和晚辈人对话。文学作品的意义和价值,不仅为同时代所决定,而且也为时代的未来所决定。除了上述研究新方法、新角度以外,现象学美学、阐释学美学、分析哲学美学也对文艺和美学提出了一些新的观点和方法,值得我们研究、借鉴和批判。特别是近几年来,新历史主义、新马克思主义又重新突出了对历史、社会这个环节的注意,我们更不能忽视。

二、文艺美学对艺术活动系统奥秘的揭示

艺术创造,既是一种特殊的人类活动,又是这种人类活动的产物。文艺活动不是一般的人类活动,根本原因在于它是以人自己的独立之思去唤醒灵魂,以自己超越的视野去寻找本真的自我,以对本体价值的追求去观照人类的现实处境。因此,艺术活动是人的本真生命活动,是一种寻觅生命之根和生活世界意义的活动,一种人类寻求心灵对话、寻求灵魂敞亮的活动。

艺术活动是创作—作品—欣赏这样一个系统。艺术创造,就是创造,就是构想一个艺术世界,通过艺术语言,凝定在作品之中,最后接受者通过欣赏、阐释而与作者的审美体验沟通,达到心灵对话之境。艺术家所创造的艺术信息究竟是一种什么样的信息?这种信息是怎样被储存在作品中的,又怎样被欣赏者所接受?在这过程中,信息又经历过一些什么变化,它又怎样发生反馈作用?我们的文艺美学都应该把它们放在艺术系统的整体中重新考察,做新的探索。

但是,艺术系统的独立只是相对的。这个相对独立的艺术系统是

属于人类社会的更大系统。人类社会是更为复杂的系统，它是由经济基础和上层建筑构成的社会有机整体，它的每个部分又各自成为相对独立的分系统。如果说，哲学能够争取起到"文化意识"的作用，因为它给文化带来关于存在的普遍规律、关于呈现在该文化面前的整个世界的信息（哲学概念常常被称作为世界观，这不是偶然的），而艺术能够争取起到"文化自我意识"的作用。艺术仿佛是一面镜子，文化从中照见自己，从中认识自己，并且只有在认识自己的同时，才能认识它所反映的世界。作为相对独立的艺术系统，文学艺术只是整个社会文化机体的一个部分。只有把这个部分放在整体中去考察，才能弄清它与整体、它与其他部分的密切关联。

把文学艺术这个相对独立的系统放到社会整体这个更大的系统中去考察，文艺美学至少必须弄清这样两类问题：一是文学艺术同其他上层建筑和意识形态的联系和区别；二是文学艺术同经济基础的联系和区别。这样的问题，不仅社会学需要研究，美学也需要探索。

不仅艺术生产这个环节同社会沟通，就是艺术接受这个环节也沟通着社会。无论是艺术创造者还是艺术欣赏者，都是属于社会的，不是孤立的个人。把艺术活动放到社会系统中，就成了这样的系统：社会—创作—作品—欣赏—社会。但是，社会与艺术的关系不是单向的，而是双向的相互作用，因而，它们相互之间的真正关系应当是下图所表示的那样。作家、艺术家参与社会生活；社会激发作家、艺术家进行创作活动，产生艺术作品，供给读者、听众、观众去欣赏；艺术接受者受艺术享受的激发而付诸实践活动，对社会产生影响。反过来，社会培养了读者、听众、观众的审美需要和审美能力，对艺术作品提出新的要求，影响作家、艺术家的创作，推动作家、艺术家在想象中去改造社会生活。

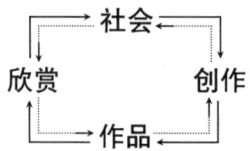

作为一种人类活动及其产物，文学艺术同其他生产及其产物相

比,既有普遍性,又有特殊性,且有个别性。人类在实践中按照"美的规律"来进行创造,一切实践活动所共同遵循的"美的规律"是人类的普遍规律。但是,普遍规律在艺术生产中有其特殊表现,并且艺术生产还有同其他精神生产、物质生产不同的特殊规律。对于艺术的具体门类来说,文学、音乐、绘画等还有各自特有的个别规律。可见,在艺术生产中"美的规律"是多层次的,是普遍的、特殊的、个别的不同层次规律的结合、交织及相互作用。

文艺美学应全面研究艺术活动(不仅是艺术生产,也包括艺术接受)中不同层次"美的规律"及其相互联系。相应地,当然也应研究艺术作品中不同层次(普遍、特殊、个别)的审美价值的相互联结。这就不仅需要把文学艺术和非艺术的产物做比较,而且必须将不同形态艺术(文学、绘画、音乐、戏剧、电影等等)做比较,在比较中探索异同,找出普遍、特殊、个别的不同层次的性质,做出综合的研究。这样的美学研究在我们这里不是太多,而是远远不够,亟待有志于此者入乎其内,细加探索。

三、文艺美学对多层美的规律的把握

文学艺术的创造是一种审美创造活动。如果我们把文学艺术作为相对独立的社会审美现象来考察它的整体,那么,我们就会发现,文学艺术的审美创造至少有三个不同层次的美的规律。

(一)文学艺术同一切审美活动共有的普遍规律

在所有人类活动、一切社会现象中,有些是审美活动现象,有些则是非审美活动现象。然而,人类的审美活动现象极为广阔,遍于社会生活的各个领域,劳动生产、军事斗争、政治交往、道德活动、科学实验、艺术创造和日常生活中,都有审美的和非审美的因素交织。人是按照"美的规律"来创造的,所有审美活动,一切审美现象具有共同性,必然遵循共同的审美规律。哲学美学,理所当然地应该研究人类审美活动的普遍规律。文学艺术,不过是人类审美活动、审美现象中的一种形态,它与其他审美活动、审美现象具有共同性,遵循普遍的审美规律。就审美客体说,美、丑、悲、喜、崇高、滑稽等等,都有各自的共同本质和普遍规律。就审美主体说，审美趣味或审美理想的形成，也都有各自的普遍规律。审美客体和审美主体如何交互作用，也都有一些普遍的规律。文学艺术的审美创造也遵循着审美活动的普遍规律。

（二）文学艺术区别于其他审美活动而独具的特殊规律

文学艺术是审美活动现象的独特形态，是一种审美的创造活动，不同于其他审美活动现象。文艺的本质是审美的，但又包含有其他价值（如真、善等）。它将人类的人生经验，按美的规律组织在艺术形象中，具有艺术价值。艺术美同生活美（自然美、社会美）有共同性，又有特殊性。艺术美不同于生活美。文艺的功能，不仅不能为一般的认识作用、教育作用所包括，而且也不是普通的审美教育，而是一种特殊的审美教育（认识作用、思想作用则在其中折射）。文艺的构成，也不是一般的形象结构，而是一种独特的形象结构——艺术形象（或意境，或典型）。文艺是上层建筑、意识形态，但又不是一般的，而是特殊的上层建筑、意识形态。它不仅传达人类既有的审美经验，而且要把自己的审美体验结晶为一个新的艺术世界，为人类提供一种新的审美经验，从而去对社会发生作用，推动人类由"必然王国"向"自由王国"迈进。

因此，美学要深入，就不只要弄清审美与非审美的区别，而且在审美领域内，也要进而探索文艺与审美的联系和差别。

（三）文学艺术的不同样式、种类、体裁之间相互区别的更为特殊的个别规律

文学艺术的各种样式、种类、体裁，又各具特点，规律有别。音乐、舞蹈、建筑、绘画、雕塑、戏剧、电影、文学等等，特征各异，不可替代。就是每一样式之中，又有不同的种类，例如文学，则有叙事作品、戏剧作品、抒情作品。每类之下，又可细分，例如叙事作品，又有小说、史诗等体裁。这些样式、种类、体裁，都有独特的审美特性和创美规律。美学要掌握文学艺术的全部特性和规律，势必要层层剥笋、步步深入。

文学艺术，如同一切社会现象，都具有普遍、特殊、个别这三个层次的规律。文学艺术的审美规律，也有普遍、特殊、个别之分。这三个不同层次的审美规律，相互区别而又相互联结。美学的不同部门，从不同的层次上去研究它们的相互联系和区别。如果说，审美哲学、审美心理学、审美社会学着重研究一切审美活动、审美现象共有的普遍审美规律，那么，它们也要触及下一层次的特殊审美规律（劳动生产中的、社会人文中的、科学活动和艺术创造中的特殊审美规律），研究普遍和特殊之间的联结。文艺美学在研究文学艺术自身特殊审美规律时，无疑，既不能脱离那些所有审美活动共有的普遍审美规律，又要联系下一层次更为特殊的个别审美规律（音乐的、舞蹈的、文学的……）。但责无旁贷，文艺美学必然要着重研究文学艺术共有的这一层审美规律。音乐美学、舞蹈美学、建筑美学、电影美学、戏剧美学等等，则要着重研究各种艺术样式的个别审美规律，依次推进，层层深入。

任何科学，都要在普遍、特殊、个别的联结中来研究自己的对象。文艺美学也在文学艺术的这三个层次的审美规律的联结中研究自己的对象。文艺美学，既属于整个美学，是美学的一个部门，又有自身的相对独立性，区别于其他美学。

文艺美学，虽然是从美学上来研究文学艺术，但也把这种复杂现象作为一个完整的对象，加以系统的研究。文学艺术，作为一种审美的创造活动，本身就是一个独特的"系统"。这个"系统"是由三个方面构成的：文学艺术的创造，是由艺术家、作家来完成的；创造出来的产品，是独特的存在；作品之所以被创造出来，又是为了满足人类的一种特殊的社会需要，它必然要由读者、听众、观众所观赏，才能完成这个特殊审美活动的整个过程。艺术创造—艺术作品—艺术接受，就是文学艺术活动过程的三个必要环节，而作品，则是其联系前后两个环节的中心环节。文艺美学要对这个完整过程做系统的研究，弄清文学艺术这个独特"系统"的三个方面。因而，它包括了这三个方面的美学：

首先，文艺创造（创作）的美学。

文学艺术的创造，是一种实践活动，是一个过程。这创造过程，本身就内含着一种特殊的审美活动。它既是审美创造，又是审美反映，结合着实践掌握和精神掌握。

文艺创造的美学,要弄清这种特殊审美创造活动的过程,研究这个过程中的一些主要环节;作家、艺术家在创造过程中所使用的方法,探索在这个过程中是怎样按"美的规律"创造的。

其次,文艺作品(本体)的美学。

文艺作品,如同一切社会产品一样,有其自身的价值、功能和构造,又有各种不同形态。但文艺作品不同于其他物质产品,又和一般的精神产品有区别,是一种特殊的社会产品,有自己的特殊价值、功能和构造,有独特的形态。

文艺作品的美学,必须揭示这种特殊产品的特殊价值、特殊功能和特殊结构,从而弄清文学艺术的独特本质。它还要研究文学艺术的不同审美特性,美与丑、悲与喜、崇高与滑稽在艺术中是如何表现的,它们同生活中的美丑、悲喜等的联系和区别何在。艺术美和生活美的关系,就是必要课题之一。艺术美中形式美和内容美的联系和区别,二者如何结合而为艺术美,等等,也都是必须探讨的问题。

再次,文艺接受(阐释)的美学。

创造出文学艺术这个产品,是为了供人享受。只有在阐释或接受中,才实现了生产的目的,使产品实现价值。如果产品不能供人使用,它就是无效劳动。文学艺术的社会作用和艺术价值,只是在读者、听众、观众的阐释接受中才得以完成。因此,文艺的消费,是一种独特的消费——审美享受的特殊形式,它本身也是一种独特的审美活动过程。

文艺接受的美学,研究文学艺术如何被读者、听众、观众所接受,即所谓在当今许多国家所重视的"接受美学"。我们要弄清"艺术魅力"究竟是怎么回事,读者、听众、观众在面对文学艺术这个特殊的审美对象时,怎样引起审美体验,找出艺术享受中的审美规律。

探讨文学艺术的创造、作品和接受这三个层次的美的规律,就是文艺美学的对象和内容。

审美现象不是孤立于其他社会现象的真空领域和封闭体系。审美现象、审美活动是整个社会生活中的一个方面。文学艺术的审美创造规律,离不开社会生活中的其他社会规律(经济的、政治的、道德的等等)。因此,文艺美学不能把文学艺术的审美创造规律和其他社会规律割裂或对立起来。文艺美学,不是孤立于社会学、文化学、政治学、心理学、哲学和其他科学的封闭体系,它必须吸收这些科学,包括工艺学、语言学、符号学、信息论、控制论等最新科学成果。但是,文学艺术的审美创造规律又具有相对独立性,不能为其他社会规律所代替。文艺美学研究文学艺术审美创造的"自律",不能离开整个社会发展的"他律"。不能轻视"他律"对"自律"的制约作用,正如研究地球的自转,不能抛开它围绕太阳的公转。但是,文艺美学要着重弄清楚的,乃是文学艺术这种特殊审美创造活动的"自律","他律"是如何通过"自律"而发生作用的。文艺学需要进而对"他律"和"自律"做综合的、全面的研究。所以,文艺美学只是文艺学的一个门类,它不能代替整个文艺学。

文学艺术的审美创造规律,也不孤立于人类其他审美活动领域,而只是其中的一种形态。因此,文艺美学也不把文学艺术和其他审美活动割裂或对立起来。文艺美学不是和美学其他部门绝缘的孤岛,它必须吸取其他美学部门的研究成果:既需要采取"自上而下",又需要使用"由下而上"的方法,分析和综合、演绎和归纳相结合。文艺美学离不开哲学美学、心理学美学和社会学美学,需要用"一般"来指导"个别";同时,也需要从"个别"到"一般",依靠音乐美学、舞蹈美学、戏剧美学、电影美学等具体部门美学,共同努力,从而揭示出文学艺术的普遍、特殊和个别的不同层次的审美创造规律。文艺美学既非"形而上"之学,又非"形而下"之学,而是"形而中"之学,联结着"形而上"和"形而下"。

四、文艺美学对艺术生命底蕴的深拓

艺术是创造。创造是冲突,是痛苦,但唯有在人的生命全部投入的创造活动中,才能使真理敞亮,与存在对话。唯有创造,才能带来一个全新的世界,人才真正地而非表面地进入历史之中,从而担当苦难也担当欢乐。

艺术从来不是低吟浅唱,也绝非单纯的时代传声筒;艺术从来不是纯粹感官娱乐,也并非与哲思无缘。艺术与"思"不是对立的两极。实际上,正如海德格尔在《通向语言之途》中所说:"一切思着的思都是诗的活动,而一切作诗则都是一种思。"人类正是通过真正意义上的创造,通过"思着的诗"或"诗化的思",使自己的本真存在,在语言中进入敞亮,获得生命的价值和意义。因此,艺术的根本目的是通过审美之途,通过赋诗运思,感悟人生的生命意蕴,并在唤醒他人之时也唤醒自己,走向"诗意的人生"。

宗白华先生对"诗"(艺术)与"思"体味殊深。他说:"只有活跃的具体的生命舞姿、音乐的韵律、艺术的形象,才能使静照中的'道'具象化、肉身化。德国诗人荷尔德林(Holderlin)有两句诗含义极深:'谁沉冥到那无边际的深,将热爱着这最生动的生。'他这话使我们突然省悟中国哲学境界和艺术境界的特点。中国哲学是就'生命本身'体悟'道'的节奏。道具象于生活、礼乐制度,道尤表象于'艺'。灿烂的'艺'赋予'道'以形象和生命,'道'给予'艺'以深度和灵魂。"①这就是说,艺术成为人的特殊生存世界。感性个体可以通过艺术在一刹那中把握着永恒,正如英国诗人布莱克诗云:"一花一世界,一沙一天国。君掌盛无边,刹那含永劫。"艺术使存在之本质在其生命的永恒之中显现出来。因此,在我看来,艺术的要旨在于:揭示历史与生命何以才能达到一定程度的透明性,并在艺术体验之中,开启自己的本质和处境的新维度。这样,艺术活动就不是人的一种外部操作活动,而是被赋予有关人的生命意义的活动。艺术直接成为人的一种特殊生存方式。

艺术是通过"符号"(语言的和非语言的)而言说。语言是人存在的家,语言是存在的启示性到来,语言是被理解了的存在,是人与存在照面的中介。艺术活动是一种通过语言的和非语言的符号而达到的心灵交流活动。海德格尔在《荷尔德林与诗的本质》中说:"诗首先使语言成为可能。诗是历史的人的原初语言,语言的本质必得通过诗的本质来理解。"更进一层看,语言又是人的为他存在方式,是人与

---

① 宗白华:《艺境·中国艺术意境之诞生》,北京大学出版社,北京,1987年,第160页。

人之间的关系,是人与人合一的努力。作家写作(言说)时,他是意义的给出者。一旦创作出作品,作品即成为一个准主体,成为一个有生命的存在,并具有了自己的历史。作品中的语言的意义不再受作者制约,而由接受者阐释和理解。他人成为意义的现实给出者。

艺术活动就其本质而言,不是模仿,而是揭示;不是宣泄,而是去蔽;不是麻痹,而是唤醒;不是对功利目的的追逐,而是对精神价值的寻觅;不是纯然的感官享受,而是积极的承诺和人类生命意蕴的拓展。艺术是人设入存在的真、善、美。艺术家作为精神的寻求者,其境遇最集中地体现了人类的真实境遇,置身于有,却苦苦追求无,处在此岸向彼岸超越的过渡漂泊状态中。艺术家们所感受的焦虑、痛苦、欢乐,感悟的天命和必须担当的使命,使他们不断地用艺术形式的创新去呼唤新生活。

人是一种超越性存在,是一种可能性,只有在创造过程中才成为自己。艺术是人的创造活动中最自由的形式,也是人的超越性的表征。只有将文学艺术同人的生命意义追问、人的生命底蕴深拓联系起来,文艺美学的研究才有新的视界,才有新的维度。

也许,我们始于迷惘,终于更高水平的迷惘。然而,寻求艺术的生命意义和人的感性审美生成的奥秘,是我们必得领有的使命。

第一章　审美活动：审美主客体的交流与统一

人与世界这两种"存在"之间，有着不可分离的密切关联。人不可能脱离世界而存在，而只能在世界之中存在着。在人与世界之间，从来没有一个孤立的、脱离世界之"我"。人和世界有着千丝万缕的联系。海德格尔在《艺术作品的本源》中说："世界不是立于我们面前让我们细细打量的对象，它从来就是诞生与死亡、祝福与亵渎的路径，使我们失魂落魄般地把持着存在。"因此，世界是人和人的世界，是人不断寻求生命意义和终极价值的世界。

存在于世界之中的人类，有各种不同的把握世界的方式，有艺术把握的方式、宗教把握的方式，以及科学的、实践—精神的把握方式。然而，人类对世界审美意义的追问，则只有通过澄明的艺术之境方能臻达。换言之，正是艺术境界的超越性，使人们从日常生活的琐屑卑微状态中挣脱出来，直面自身的灵肉处境，从而摆脱存在者的羁绊，达到本真存在的澄明之境。正是在这个意义上，可以认为，艺术是由美而求真、求善的生命感悟过程，是将真理置入艺术作品的同时赋予世界和人生全新意义的创造活动。

第一节　审美活动中的主体与客体

审美活动，作为人类审辨美丑、悲喜等这些审美对象的精神活动，乃是主客体相互作用的产物，必然包含着审美客体和审美主体两个方面。美学必须把审美活动作为一个完整的动态系统来考察，弄清审美活动的结构与特质。

任何审美活动都由不同因素的相互作用构成。在审美活动中，第一个必要因素是必须有客体的存在。审美客体极为广泛多样,充盈于人类生活的各个领域。第二个必要因素是必须有主体的存在。只有社会的人才能成为审美主体。但孤立的审美客体或孤立的审美主体都还不是审美活动。只有审美主体和审美客体在一定的境遇下相逢,形成一种对象性关系——审美关系,审美主体和审美客体的相互作用,其结果在审美主体那里产生精神上的特殊体验——审美体验,这样的活动才是审美活动。如果一个具有审美感受能力的人去欣赏大好河山、良辰美景,那欣赏的对象如云南石林、长江三峡、江上夕照等就是审美客体;而欣赏美景的人,不管是我还是别人,都是审美主体。

审美客体是客观存在的。然而世界上的客观现象之所以成为审美客体,进入人的审美活动,乃是因为它对人类具有一定的社会意义,对审美主体具有这样或那样、肯定或否定的意义。审美客体,或者具有肯定的审美价值,如崇高、优美;或者具有否定的审美价值,如卑下、丑恶。在世界上既有大好河山,也有劣山恶水,都具有审美价值,但性质却相反。前者是肯定的审美价值,而后者具否定的审美价值。

审美主体也是客观存在,是世界上确实存在着的实体。人,并不就是意识、精神,而是实实在在、有血有肉的物质。不过,这是一个特殊组织起来的物质,具有既能实践又能思维的能力。把人这个物质等同于意识、精神,这是黑格尔等人的错觉;把人这个能实践和思维的特殊物质,等同于生物之类普通物质,这是费尔巴哈的误解。现实存在的人,乃是躯体和心灵的结合、物质力量和精神力量的复杂综合。

审美活动也是客观存在着的活动。主体作用于客体,并非只是精神的外化,而是人作用于物或作用于其他人的客观活动,是具有精神能力的物质力量对于其他物质力量的作用。正是在主体作用于客体的实践活动中,主体才认识客体;反过来,又促进主体去改造客体。人类在改造客观世界的过程中,也改造了主观世界。客体对主体的作用,也是一种客观活动。在主体之外的客体,既可能是自然现象,也可能是人文现象,还可能是精神现象。这些错综复杂的现象作用于主体的感觉器官(这是一种特殊的物质),给人以客体的信息,感觉器官获得信息,又把信息传送到大脑(这是另一种更为特殊的物质),

在脑海里,新信息唤起或触发了过去早已储存着的旧信息。这种直接来自客体的信息与直接来自主体的信息(间接来自客体,因为储存在主体脑海中的信息,是过去经验中从客体获得的)相互作用,产生了一种非常特殊的、综合两种信息而又是崭新的第三种信息。在审美活动的结果中,这就是审美体验这种特殊的精神感受,美学上称之为审美感。审美感既可以是审美快感,也可以是审美反感。(马克思语)

因此,审美活动是一个建构过程。在这过程中,主体对客体的反映是通过客体对主体的作用进行的。客体对象通过主体的内部状态而折射,在脑海中形成主观映象。主体是一个有着"内心世界"的个体,在脑海里储存着过去的审美经验,并且在丰富的审美经验基础上,形成自己的审美趣味,以至更具概括性的审美理想。这些审美经验,以及在此基础上形成的审美趣味、审美理想,都是在过去的审美活动中形成的,是既往生活反映的产物。然而,这些审美经验,陆续在主体的"内心世界"中储存、保留着。一旦由现实生活引起新的审美活动,既往的审美经验就会活跃起来,参与到当前的审美活动中去。因此,由当前的审美活动所产生的审美体验,总是眼前审美感知和既往审美经验相作用的结果。即使这种审美体验由"直觉"产生,也未能和既往经验"绝缘","统觉"仍然发挥作用。

也许,这些都是些抽象的议论。那么,这里且先来分析一下我自己曾经深切感受过的审美体验,也许能从个别中引出一般。

20世纪80年代的第一个春天,在京城蛰伏多年之后,我陪朱光潜老人在昆明畅游了数天,又同李泽厚、杨辛等北大学长、美学同行结伴同游峨眉山、乐山、成都,然后穿过长江三峡东下。心情的畅快,自不待细说——这是我有生以来第一次漫游西南,有着十分新鲜的感受。然而,真正深刻感受到审美的激动,却是在我乘船出长江三峡进入枝江湖面眼看夕阳西下的那一瞬间。

江轮过了枝江大桥进入宽阔而平静的湖荡,本来聚拢在前舱赏江景的人逐渐散去。晚餐时分已到,面对江上的美景秀色,我不忍离去,不想就餐。于是,前舱里只剩了我一个人,难得的清静更使我心平似镜。枝江湖荡静悄悄,平坦而辽阔,夕阳映照湖面,令人心旷神怡,感到说不出的舒畅,我陶醉了。我正在平静地享受着这种审美的愉悦,突然,却被一瞬间的湖上奇景所激动了。只见夕阳缓慢西沉,那夕照绚丽多彩、变化多端,一会儿是琥珀色,一会儿是玫瑰色。那滚圆形越来越大,向远处湖面下坠,把整个湖面都染成了琥珀色、玫瑰色。在那水天一色的天际,夕阳终于冉冉落下。就在这夕阳西下的一瞬间,我的心灵颤动了,心潮起伏,内心深处激起了一股激情,无法平静,好像才第一次觉得人生是如此美好,禁不住在内心呼出:啊,世界多美好!

枝江夕照之所以能那样强烈而深刻地激起我的审美体验,这不仅因为这审美对象确实符合了美的尺度,而且也因为审美主体(我)对它有特殊的审美爱好,最符合我的审美情趣。

我从小生长在江南水乡,少年时代,几乎天天和河水亲近。无论是住在小镇还是住在农村,不是屋前有鱼池,就是房后有河浜。江南水乡到处有水,不管是上苏州还是去杭州,都要乘着乌篷船走水路。苏州的石湖、杭州的西湖、无锡的太湖、常熟的阳澄湖,那荡漾的湖水是多么吸引人,多少次叩动了我那少年的心扉。在芦苇荡边眼望着夕阳西下,也曾几度使我陶醉。江河湖泊在我生活中曾经发生过巨大作用,从少年时代一直到踏入青年时代,从牙牙学语到我首次走上人生道路,我都没有离开过它。我还清楚地记得,20世纪50年代第一秋,我从一个师范学生成为一个教师的时候,我任教的讲堂就在一条清澈而宽阔的河边,那河连接着更加宽广的湖荡。江南水乡的美这一客观存在,影响着我的审美趣味,使我对江河湖泊有特殊的审美爱好。随着年岁的增长,我有着更深的审美体验。60年代初的好几个夏天,我在颐和园旁参与编书,几乎天天都有机会在傍晚去昆明湖东侧,欣赏那夕阳西下的美景;我也曾几次领略过海上日出和夕阳入海的胜景,在那茫茫大海之中,日出、日落都有另一番光景,它也深深吸引着我。那枝江水面上的夕阳、颜色、形状更多地近似于海上的夕阳。我从枝江夕阳那里得到的审美体验,和过去观看海上夕阳的审美经验有相通之处;而那枝江水面的情景,又更多地接近于江南水乡的河泊湖荡。这一切都是我过去熟悉的。尽管我当时并没有意识到,我对枝江夕阳的审美体验是以过去的审美经验为基础,但在这审美活动中,我过去的审美经验实际上在发生作用。我的审美体验不自觉地、迅速地与过去的审美经验相联系。

但是,枝江夕阳的美景对我来说不仅是熟悉的,而且是新鲜的。从审美客体说,枝江夕阳的美景并不是江南水乡美景的简单重复,也不是海上日落的景色再现,它是独特的。枝江夕阳的个别因素,我过去看到过,但个别因素综合而成的整体,我过去却从未领略过,这美景是崭新的。从审美主体说,我从枝江夕阳获得的审美体验也不是过去多次审美经验的重复或再现,而是在此情此境遇下发生的一种与过去不同的新鲜感受。远离江南水乡已经30年了,不能再在那里生活,只能在回忆中重现那水乡的美景。海上日出或日落,一生中也只能有几次偶尔得见,只是美好的瞬间。在人生道路上已经走过了大半截,经历了长江三峡的急流险滩,逐渐转向平静而宽广的水面,眼看这样美好的奇景,不禁为之心旷神怡。然而在对枝江夕阳的陶醉之中,既有对青少年时代水乡生活的留恋和回忆,又有对未来生活的憧憬和追求。此时此地的审美体验,和我的审美经验、审美情趣潜在地联结了起来。我不觉察,然而实际存在。因此,枝江夕阳深刻而强烈地激起我的审美感情,引发我进入高峰体验,从内心深处萌生出这样的感受:江山如此多娇,生活应更美好!

在审美活动中,主客体相互作用,审美客体唤醒审美主体的旧经验;面对审美客体,又引发产生新经验。"旧经验制约新经验,新经验有选择地重新构造旧经验。"[1]新旧经验的相互碰撞、融合,激发产生了当下的审美体验。

在审美活动中,产生的审美体验,可能只在内心中一闪而过,稍纵即逝,未曾在脑海中留下多少痕迹;也可能作为新的信息储存在脑海中,在以后的生活中重新唤起回忆,不时回味那审美体验。在这两种情况下,审美体验都只是蕴藏在内心世界,并未外化。

---

[1] [德]W. 伊泽尔:《审美过程研究》,霍桂桓、李宝彦译,中国人民大学出版社,北京,1988年,第179页。

审美体验也可以作为新的审美经验积累起来，提高人的审美能力，从而在生活中调节自己的实践活动，按照美的规律来行动和创造，使实践活动的审美水平得到提高，甚至创造出艺术作品。因此，审美体验可以外化为审美创造。就以对夕阳的审美欣赏而言，中外古今都有许多诗人、作家、音乐家创作了以日落为题材的文学艺术作品，表现自己对日落的审美感悟。

不过，在这里谈到的只是审美活动的一种形态，人类的审美活动要远比欣赏自然美这种活动广泛得多。人类不仅欣赏自然美，而且也欣赏以至创造社会美和艺术美。人类不仅欣赏美，而且还审辨丑；不仅审辨美丑，而且还审辨悲喜、崇高与卑下等等。这些都是审美活动。由于审美客体的差异，在审美主体那里发生的审美体验也就不同。对美的享受，是审美快感；对丑的审辨，则产生审美反感。这是不同审美活动产生的不同审美体验。

第二节　作为人类特殊维度的审美

审美活动不是孤立于社会的封闭体系，它渗透在人类实践活动的各个领域。即使审美活动成了人类的独立活动，它也仍和人类其他活动联系在一起。

人类的多种多样的活动是由人们的需要所驱使而引起的。人类的需要是客观的存在，如果没有客观需要，就不会有人的活动。

人类和其他生物一样，有自己的生命活动。人存在于世，首先必须能够生活。人类最初是完全依赖自然才得以生存的，因而受制于自然，靠自然的恩赐，成为自然的奴隶。人类是自然的一部分，不能脱离自然而生活。但是，大自然不能完全满足人类的需要，人类不能全靠自然的恩赐。人类必须自己生产出满足生活需要的生活资料，因而必须进行劳动，来改造自然。

生产活动是人类最根本的实践活动。正是人类的生产活动，造成了人类同自然的关系。人对自然的关系首先是实践关系，亦即以生产活动为基础的关系，而非反映关系。人类先有实践活动，在此基础上,才产生反映活动(包括认识活动、评价活动、体验活动)。

当然,人类的实践活动,并不只限于生产劳动,实践关系也并不只是人与物的关系。人类的基本活动,除了人和物的相互作用,还有人和人的相互作用。马克思所说的交往实践,就是人和人之间的交互活动。人们在生产中不仅仅同自然界发生关系,他们如果不以一定方式结合起来共同活动和互相交换其活动,便不能进行生产。为了进行生产,人与人便发生一定的联系和关系,只有在这些社会联系和社会关系的范围内,才会有他们对自然界的关系。为了进行生产活动,人与人必须结成一定的社会关系,首先是生产关系,然后是交换关系、分配关系等等。政治关系是在经济关系的基础上产生的,并客观存在着,它也是一种社会关系。人们的政治关系同人们在其中相处的一切关系一样,当然也是社会的关系。因此,凡是有关人与人的相互关系问题都是社会问题。随着人类实践活动的扩大和发展,人类不仅有经济活动、政治活动,还有多种类型的文化活动,形成各种各样的社会关系。社会生活中有各种各样、多种多样的实践活动,正如马克思所说,社会生活本质上是实践的。

审美活动产生在人类所有的实践活动之中,并且和其他实践活动相结合。人类的生活需要促使人类从事实践活动,活动造成了人同现实的关系;社会关系反过来又成为实践活动的环境,制约着活动。而实践活动本身反过来又促进人类产生新的需要。新的需要一旦产生,又促使人类进行新的活动,新的活动又形成新的关系。审美活动产生于实践活动,审美活动形成人同现实的审美关系,反过来制约着实践活动,激发人类的审美需要,从而要求实践活动提升到审美水平。

人类并不是一开始就有审美活动。只有到人类能创造出劳动工具,能进行自由自觉的劳动活动的时候,使自然按照人类的社会需要进行改变、服从于人类的目的,人类的实践活动才能提升为审美活动。只有当人的活动转化为自由的实践,人在活动中获得了实践的自由,人把体力和智力当作乐趣来享受,实践活动本身才能提升到审美水平。

自由的实践，并不是无所约束、我行我素的任意妄动，而是人对实践对象的必然的掌握，使之服从于人类的需要。

自由，并不只是意识的自由（意志自由、认识自由、感情自由等等），更主要是实践的自由，意识自由不过是实践自由的反映。自由是对必然的认识和实践掌握。人们通过实践，只是认识了客体的规律——必然，还没有获得实际的自由。只有在实践中掌握了必然，从而去支配客体，使客体符合人的需要，这才是真正的自由、实践的自由。一个人只知道游泳的道理，从理论认识了水的特性，但是一到水里还是没有自由，甚至还会遭灭顶之灾。一位将士熟读兵法，只知纸上谈兵，还是没有自由，一到打起仗来，还会一败涂地，甚至丢失生命。只有在实践活动中，不仅认识了必然，而且在行动上掌握了必然，超越了必然，利用它来为主体服务，在实践中被主体所掌握，使它达到符合人类需要的目的，这才是实践的自由。

必然，是客体的规律，当然是客观存在。自由是主体对客体的实际掌握，也是客观存在。人的需要，是主体的，然而主体的需要并不就是主观的，而是客观的存在。人类的活动是由客观存在的人类需要引起的，人类活动是客观的活动。人的活动的目的，只是人类需要在头脑里的反映，是已意识到了的需要。人的需要引起人的活动，以满足这需要。活动的结果，形成人的关系，以及创造出能满足人类需要的物，然后才在意识中反映这些人和物，以及人与人、人与物、物与物的关系。

不仅掌握了客体的必然，而且使掌握了的必然符合人类的需要，这样的实践活动才是自由的实践，人才在实践上获得了自由。自由的实践使实践的客体和实践的主体和谐平衡，人和环境协调统一。这种和谐平衡、协调统一，并不只是自然的生物适应，而是社会的得到过改造。人类通过自由的实践，改造了客观世界，使得客观世界本身的物与物、人与物、人与人的关系得到和谐平衡。自由的实践，改造了客体，也改造了主体。而主体获得了新的本质力量，产生出新的需要，使得主体与客体的关系也在新的基础上达到和谐平衡。但人并不满足，在这基础上，又要进行新的更重要的活动来改变客体，以达到新的平衡。在自由实践中达到的平衡,当然是运动中的平衡。一切平衡都只能是相对的和暂时的,运动方是绝对的、永恒的。所以,人追求的是动态平衡。

正是在自由的实践活动中,产生了审美活动。在自由实践活动中,人获得了实践的自由,从而可以对客观进行审美评价,审别美丑,表现主体对客体的审美态度,获得审美体验。审美活动本身由自由实践活动产生,它本身也是各种精神力量的和谐统一。对美的东西作肯定的审美评价,引起审美快感;对丑的东西作否定的审美评价,引起审美反感。在这不同的审美体验中,审美评价和审美态度相一致,反映了审美客体和审美主体的和谐统一。审美活动,是调节人与环境、主体与客体的关系,使之和谐平衡、协调一致,从而促进社会发展的一种精神活动。审美活动的最终目的,就是要达到人和世界的动态平衡,使人和世界建立起和谐的关系。

盲目的实践,或者是没有掌握客体的必然,不顾客观对象的性质和规律而蛮干;或者是不懂得主体自身的需要,不顾主体的需要而盲动。这样的实践,不是按照美的规律的创造,不能使人类获得自由。竭泽而渔,不顾鱼类本身的自然发展规律,只能获得眼前的利益,其结果是造成许多鱼类的灭种。美索不达米亚、希腊、小亚细亚以及其他各地区的农民,为了得到耕地,把森林都砍光了,成了荒芜之地,从而使这些地方失去了森林,也失去了积累和贮存水分的中心。阿尔卑斯山民,在山南砍完了树林使高山变成秃岭,一遇暴风雨,汹狂洪水就倾泻而来,毁了家园。这样的实践不仅破坏了生态平衡,而且造成了人与环境之间关系的失衡。人与人之间关系的对立、冲突,更加剧了人与物之间的矛盾。损人利己、唯利是图的商人,为着个人的私利进行生产和交换时,只知道攫取利润,只顾赚钱,不去关心别人的需要和商品的后来命运。于是,需要和供给之间应有的协调,变成了二者的对立和冲突。

人在自由实践的活动中产生了审美需要,审美需要又要由审美活动来满足,审美活动调节着人与环境(自然,社会)的关系,使环境与人和谐平衡,确立审美关系,把人和世界引向动态平衡。

审美活动、审美需要、审美关系,这只有人才具有。动物也能适应环境,但这是生物适应,不是实践自由,并非审美活动。某些生物也能从自然界获得生理愉悦。花的香味招来蜜蜂的追逐,孔雀开屏引起同类的愉悦,这只是生理的愉悦、生物的适应,并非达尔文所说的爱美嗜好。审美需要和生理需要有联系,却又不相同。优美的乐曲能够吸引海豚回旋游荡,摇篮曲、圣母颂一类优美的乐曲甚至使猛兽如痴如醉,而现代的摇摆舞、爵士乐,却使它们惊恐万状,逃窜而去。愉快的音乐,能使乳牛多流奶汁,母鸡生更多蛋,小麦苗壮成长。然而,这一切都不是审美活动,动物与音乐之间只是生物适应关系,产生的只是生理愉悦,不是审美关系。只有人才能按照美的规律来活动,只有人才有审美需要和审美活动。审美活动是在生理快感基础上引发出来的,但它已把生理快感提高到精神愉悦的水平。

人类活动的不断发展,人在实践中获得自由,激起审美需要;审美需要又促使人进行活动,以满足审美需要,于是,使非审美活动逐渐成为审美活动。但此时审美活动还未独立,只是渗透在其他活动中。具有审美意义的活动,又刺激了审美需要的发展,要求有独立的审美活动来满足这个需要。于是,审美活动从其他活动中分离出来,成为独立的审美活动(如欣赏自然风光)。独立的审美活动继续发展,不仅要把人类的审美活动集中提高,而且要使人的审美活动的结果相交流,成为人类的精神财富,于是产生了艺术活动。

第三节 人类审美活动的特点

人的审美活动究竟有什么特点呢?

审美活动,是人们审辨美丑、悲喜等的精神活动。这是人为了实现主体和客体之间的和谐统一而做的自我调节活动。在人的这种自我调节中,个体与社会相统一,认识和理想相统一,理智和感情相统一,内心世界本身相协调,身心之间相和谐,从而达到主体和客体之间的和谐。审美活动,是使内心世界本身和谐,从而达到身心和谐、物我统一的自我调节活动。

人生活在世界上，必须和周围环境取得一致，也就是人与环境要达到动态平衡。为了达到平衡，人必须进行各种各样的活动，以获得人与环境的一致，这是动态的平衡。人和环境的关系，也就是主体和客体的关系。人受环境的制约，因而人具有受动的一面；但环境又是由人来改变的，人又有能动的一面。人和环境的关系，是相互作用的关系。旧唯物主义只知道人是受环境支配的，只承认客体对主体的决定作用，不懂得主体对客体的能动作用。唯心主义则是唯心地发展了人的能动方面，把主体归结为精神（主观精神和客观精神），以为主体对客体的作用就是精神决定物质。辩证唯物主义既承认环境对人的制约作用，又承认环境是由人的活动来改变的能动作用。人和环境是辩证统一的关系。但人和环境的统一，不可能是天生的，而只能是在实践中实现。

人与环境的统一，客体与主体的一致，既包括人与自然的关系，又包括人与社会的关系。人通过不同的实践活动，取得人与物之间和人与人之间的和谐。人与环境、客体与主体之间的和谐，又同作为主体的个体本身的内在的和谐相一致。作为社会的人，个体本身由于主体与客体的协调，也取得了和谐。这种个体自身的和谐，既包括身与心的和谐，又包括内心本身的和谐。而内心世界的和谐，又是极为复杂的，这里有个体意识和集体意识的统一，理想和认识的统一，感情和智慧的统一，等等。个体自身的身心的和谐以及内心世界的协调，是客体和主体在实践中取得和谐一致的结果。但它不仅是对这种结果的享受，而且，反过来又对人的实践起反作用，推进人类在从事新的实践活动中取得新的和谐平衡。审美活动就是使主体与客体、人与环境取得和谐平衡的自我调节活动。

问题的复杂性在于，人与环境之间、主体和客体之间的关系只有在一定的境遇下才达到平衡。平衡是相对的，而不平衡是绝对的。世界外部对象并不都能符合人的发展的需要，并不都能满足人。人为了要在不平衡中取得平衡，就需要改变对象、改造世界，并且在改造客观世界中改变人自己本身，这样，人与环境、客体与主体取得协调一致、和谐平衡。但是，随着人自己的本性在改造世界中发生了变化，主体本身又有了新的需要,而客体世界又不能满足已经发展了的人的需要。于是,客体与主体又发生不平衡,从而,又促使人去改造原有的客观世界。人类就是在人与环境、客体与主体的相互作用,在和谐与失谐、平衡与失衡中不断发展。审美活动正是在社会发展中起着主体的价值定向作用,引导主体和客体建立一种新的价值关系——审美关系。因而,审美活动是一种价值的评价活动。

审美活动对自我的调节,既表现在对客观世界中对人具有肯定意义的客体(崇高的、优美的)作出肯定的评价,激起主体对它的肯定态度;又表现在对客观世界中对人具有否定意义的客体(丑恶的、卑下的)作出否定的评价,激起主体对客体的否定态度。生活中美好的东西符合人的审美需要,客体对主体直接就处于和谐一致的关系中,引起主体本身的身心和内心世界达到和谐,在主体那里产生美感。对美的直接肯定,这是人与现实之间的一种审美关系。生活中丑恶的东西,违反人的审美需要,使客体与主体处于冲突、失调的关系中。然而,如果主体的审美理想、审美趣味是高尚的,就会对丑恶激起反感,在内心采取一种否定的态度。通过对丑恶的否定,间接肯定了美好。这也是人与现实之间的审美关系。

审美活动的这种自我调节活动中,当然包含着外部对象的审美信息。恩格斯在20岁那年曾漫游过德国、荷兰、英国,接触了社会人生,领略了自然风光。恩格斯所走过的地方,原野、山谷、牧场、森林、河流、海峡,都为他提供了审美信息。他从这里接受了信息,特别是在海面上所得到的信息,更为强烈。这些外来的信息,同早已贮存在恩格斯头脑中的信息(这是过去生活经验中逐步积累的)相接通,外来信息和内部信息互相作用,在脑海里这两种信息融合,使各种信息和谐统一,而形成一种新信息,这就产生了那篇散文《风景》。审美活动并不能直接在实践上使主体与客体达到和谐统一,但是,它能使主体的内心世界和谐,从而促进主体与客体之间和谐统一。

审美活动有两种基本存在形式:一是非独立的形式,它渗透在人类的其他实践活动之中。人类在进行各种各样的实践活动过程中,同时就体现着审美活动。这些实践活动一停止,审美活动也就消失。人在编织竹筐或制作木器时,会体验到审美的愉悦,但在这种劳动活动停止后,这种审美的愉悦也消失了。以后再进行这种劳动时,又可能重新体验到这种愉悦;二是独立的形式。审美活动逐渐脱离其他实践活动而分立出来,人不在进行劳动活动时,也能观赏自然的美,甚至当对象不在面前时,人也能在想象中体验到审美的愉悦。

独立的审美活动,也有两种类型:艺术的和非艺术的。艺术活动是审美活动的集中的形式。由审美活动而形成的审美文化,要比艺术文化具有更广阔的领域。审美文化包括艺术文化而又不限于艺术文化。当然,在实际生活中,这不同的审美活动经常交织在一起,并且相互强化。但从审美活动的根源上说,审美活动总是开始于各种各样的实践活动。在实践的自由和自由的实践中,才产生了审美活动。在人类生活中,广泛存在的是"依存美",而不是"纯粹美"。

第四节 审美主客体的交流契合

审美,就其现实性而言,是主客体所建立的审美关系中审美主体的能动活动。在我看来,艺术的审美活动的基本条件是主体与客体的相互作用。主体、客体缺一不可,仅仅强调某一点忽略某另一点,都会导致文艺本体论的片面性和极端性。西方当代不少文艺理论常陷入这种片面和极端。

西方当代文论占主导地位的趋势是科学主义与人文主义的融会与冲突。

科学主义提出用精确的乃至自然科学的方式从客体方面研究作品。费希纳、屈尔佩得其风气之先。费希纳、屈尔佩用实验科学的自下而上的方式建立实验美学,认为美学应建立在实验之后或之上。俄国形式主义的代表什克洛夫斯基明确地把艺术作为技巧或程序,以为对主体的研究是白费力气。雅克布逊开创了文艺语言学研究的局面,因为语言学是科学,以往的文艺学是描述,只有用语言学的科学性才能解救文艺学的非科学性,只有用"转喻"、"隐喻"、"暗喻"的概念才能替代对现实主义、象征主义、浪漫主义所作的社会学描述的一切词汇。英美新批评派文论统治欧美文论达几十年之久,核心内容是由理查兹首倡的用语义学研究文艺学。他的《文学批评原理》在这方面作了透彻的论证。比尔兹利和维姆萨特用"意图谬误"、"感受谬误"反对一切主体性的文艺理论。韦勒克和沃伦旗帜鲜明地指出:"文学研究的合情合理的出发点是解释和分析作品本身。无论怎么说,毕竟只有作品能够判断我们对作家的生平、社会环境及其文学创作的全过程所产生的兴趣是否正确。"①结构主义文论家采用语法学的方法研究文本,以反对文艺心理学的主体研究为乐事,把包括长篇小说在内的文本作为一个系统,逐级分层次加以论述,并从整体系统中抽绎出文学文体的结构。因此,卡勒认为:"结构主义者难以论证具体的诗,只不过是把它作为例子证明诗背离一般语言功能的各种方式。"②文艺符号学家如卡西勒、朗格等人虽然也清楚地看到主体的生命情感所凝聚的人类意义,但是为了体系的需要,不得不回到符号显现中去寻找文本的特质,以为对符号的构造功能的阐明可以使文艺学取得科学地位。

所有这些,都有其致命弱点:片面强调文艺的客体性、科学性,忽略了文艺的主体性、审美性。显然,这种观点是不全面的。我国在对文艺本体讨论中,曾出现过于突出文艺客体性而失落主体的观点,原因在于把文艺本来存在的主、客体的联系阉割了,抓其一点不及其他,片面性由此滋生。美学需要研究文艺的客体性,但绝不能不顾文艺的实际联系而只是抬高一面。

但只求主观精神的张扬,也不符合艺术的特性。人文主义文论流派片面地突出主体,忽略乃至贬斥客体研究,使文艺的主、客体关系朝主体这一极倾斜。

克罗齐可作为这种倾斜的始作俑者。他承袭康德学说,认为艺术即是人的直觉,艺术技巧可有可无,人的直觉是艺术的命根子。影响

---

① [美]勒内·韦勒克、奥斯汀·沃伦:《文学理论》,刘象愚、邢培明、陈圣生等译,生活·读书·新知三联书店,北京,1984年,第145页。
② [美]乔纳森·卡勒:《结构主义诗学》,盛宁译,中国社会科学出版社,北京,1991年,第183页。

大的当然是弗洛伊德。他揭示了文艺创作和欣赏主体的无意识的存在,把无意识的转化作为文艺主体的一个极其重要的因素,填充了文论史在这方面的不足。但他把文艺的本质规定为性本能的外化,无疑是相当偏颇之见。荣格从集体无意识出发,认为文艺主体申述着人类深层的那种集体无意识的意识,构造神话、巫术以降的原型模态。这一点,给弗莱以巨大启发,提出了把描写人类潜意识的原型结构作为文艺主体的创作任务。马斯洛的人本主义心理学在发展人本主义文论过程中起了推波助澜的作用,他区分需要层次和超越层次,认为超越层次的心理是一种高峰体验和审美体验,人的一切情感、审美情操便在审美体验中产生。由此可以把人从有限推向无限,把套在人身上的一切物质和精神的枷锁统统解除,恢复人的自在自为性。

20世纪的哲学家们对人本主义的哲学反思达到了更高水平。尼采认为"上帝死了",一切重新估计,"个人是一种全新的东西,创新的东西,绝对的东西,一切行为都完全是他自己的"[①]。狄尔泰把人的生命作为哲学最高问题来思考,认为文艺必须表现生命。胡塞尔的意向论,突出的是主体,一切客体是主体意向化的产物,从中可听到"我思故我在"的余音远唱。海德格尔在《艺术作品的起源》中说:"如果说艺术是作品的本源,那即是说,艺术使在作品上自然结合起来的创造者和保存者各自起源于各自的本质。"他仍然把文艺主体作为艺术品的本质和起源。

萨特在《为谁写作》一文中说:"既然作者和读者都在寻找自由,从一个世界上经过时都感到痛苦不安,那么我仍同样可以说,作者是通过对世界的某个方面的选择来确定他的读者,反过来,作家正是通过对读者的选择来决定他的主题的。"[②]萨特突出创作和阅读主体的相互关系。文艺阐释学对主体"阐释循环"的研究,也表明文艺主体研究的绝对重要性。所有这些,在推动文艺主体性研究方面是有贡献

---

① [德]尼采:《权力意志》,张念东、凌素心译,海南国际新闻出版中心,海口,1996年,第456页。
② [法]萨特:《为谁写作》,引自中国社科院外国文学研究所编:《文艺理论译丛》第2辑,中国文联公司,北京,1984年,第378页。

的,但根本缺点是轻视客体研究,视客体为主体的附属,从而不可能辩证地、科学地把握文艺的主客体关系。

文艺的主客体关系比文艺的主客体这两个单独因素更为复杂。这种复杂并不在关系的存在上,而是在关系所具有的意蕴上。因为主客体关系是所有文化的特点,任何文化形态都是主、客体发生关系的产物。克鲁克洪指出:

> 人类的生态和自然环境为文化的形成提供物质基础,文化正是这一过程的历史凝聚。这个历史过程导致选择性的产生,而选择性本身正来自于人类本性和自然环境的内蕴潜力,并受到生物学和自然性质的限制。纯粹的文化形态都具有传统的要素或随意性要素,它们在某种程度上都由历史的偶然事变造成——既包括内部事件的偶发也包括与其他民族的接触。①

实质上,克鲁克洪从历史方面申述了文化在主客体关系中产生、发展的事实。按克氏理解,这种广义的研究只能作为普遍性文化特点。此外,人们还应研究特殊性或专业性文化的特点,与其相联系的,人们研究特殊性文化的特性必须在主客体的特殊关系中进行。

文艺的主客体的特殊关系,不仅表现在主客体的统一中,而且表现在主客体的交流中。而后者是关键所在,得深入加以研究。

所谓交流,这是主客体的、特殊的交互运动。当然,这并不是说只有文艺才是主客体的交流,其他文化形态就不是。现代政治学、社会学、传播学、人才学、创造学以及人类学、文化学等把交流作为人和社会的一种规定性。联合国教科文组织总干事阿马杜-马赫塔尔·姆博写道:"交流是一切社会交往的实质。"②国际交流委员会有一本报告的开篇就说:"交流维持人们的生活,并活跃人们的生活。它也是社会活动和文明的动力和发现;它通过各色各样的探索、掌握、

---

① [美]克莱德·克鲁克洪:《文化和个人》,高佳、何红、何维凌译,浙江人民出版社,杭州,1986年,第6~7页。
② [爱尔兰]肖恩·麦克布赖德:《多种声音 一个世界》,中国对外翻译出版公司第二编译室译,中国对外翻译出版公司,北京,1981年,第15页。

控制的过程和方法使一国或多国人民从限于本能的阶段发展到富于灵感的阶段。它创造着共同的思想财富,通过信息的交换而加强人们的共存感。它把人们的想法转化为行动,反映出人们的各种情感和需要:从维持生命的最低活动直至创造性——或破坏性——的最高级表现。交流能把知识、组织和力量结合到一起,而且像一根无形的线,通过人们为改善生活而进行的不懈努力,把人类最古老的历史和最崇高的理想贯穿起来。"[1]对美学文艺学来说,这种交流理论至少有两点意义:一是确立交流作为主客体的关系意义不是没有根据的,而是有一种20世纪前沿学科的理论作为基础;二是交流是一种社会存在,为艺术创作提供了客观原料,同时,交流也是人的一种普遍心理——行为方式,对美学文艺学研究有启发性。这种启发性突出地体现在交流作为范畴比统一这个范畴有更为宽广的外延和内涵,有更为厚实的美学文艺学意味。

文艺实践表明:文艺交流至少具有两个特殊过程。

首先,从艺术思维看,艺术家在头脑中总是把艺术素材与主观创造融会起来,或者说,在艺术思维中,客观与主观是互相交织的。客观材料为主观创作提供基础,主观创作赋予客观材料以审美特性,主观的情感与理性总是与客观材料"糅合"在一起。艺术家主观的审美精神总是通过与客观材料交流而表现出来。艺术家的联想与想象不仅伴随着自己的情感、意志和理智,而且自始至终伴随着客观材料的运动而运动、飞跃而飞跃,即使艺术家对客观材料的取舍、精选,进行审美的升华与创造,也总是伴随着客观材料的。另一方面,艺术素材作为客观材料,在艺术家脑中已经是社会化了的客观材料,不是原原本本的,而是"潜客观"或"准客观"的材料。这种社会化了的客观材料既为了表现艺术家的创造精神而与主观相交流,又为了使自己获得审美定性与主观交流。由于客观材料有自己质的规定性、自己的发展变化规律、自己的运动秩序,所以它又制约了主观与它的交流活动,

---

[1] [爱尔兰]肖恩·麦克布赖德:《多种声音 一个世界》,中国对外翻译出版公司第二编译室译,中国对外翻译出版公司,北京,1981年,第3页。

使主观按照它的特点、规律、秩序来与之交流。因此,这种交流是互相创造而同时又互相制约的。这种主体客体化或客体主体化相互对象化的特殊交流,对艺术创作具有重大意义。没有这种特殊交流的对象化,根本不可能产生艺术。

其次,从艺术交流过程看,这种主客体的交流也明显存在。艺术交流过程,包括三种意义:一是作为创造主体的艺术家与艺术素材的交流;二是作为对象化了的主体的作品与作家的交流;三是作为作品的接受者与作品的交流。第一种交流,是以艺术家为中介的,它一方面是客体的反映,另一方面又是主体的即社会化的思想情感的表现。在这种交流中,艺术家的本质力量得到了充分的显示。第二种交流的中介是作品,它一方面体现了艺术家的本质力量,另一方面又表现出社会生活的发展运动的规律与特色。这样,作品成了主客体交流的最突出的符号化的审美显现,主客体交流中的主体客体化与客体主体化得到了充分的表现。因此,作品是艺术过程第一种交流与第二种交流的中介。第三种交流是以接受者为中介的交流,接受者既是作品的接受者,又是作品的阐释者,它一方面是作品这个客体主体化的对象,另一方面又是主体客体化的主体。

审美活动中,主体和客体这种由我及物的情感流向和由物及我的情感旨归,"它不仅把我的性格和情感注于物,同时也把物的姿态吸收于我……它其实不过是在聚精会神中,我的情趣和物的情趣往复回流而已"①。审美中的这种物我情感的相互回流和有机的对应,在完形心理学上被称为异质同构。也就是说,在审美过程中,欣赏者总是以自己的情绪色彩为基础,在对象世界中找到与自己情感结构相一致的客体,从而使得主体内心情感流向所形成的力场与对象的力场,达到同形同构。维戈茨基把这种主客体情感的天然契合形象地比喻为弹钢琴。他说:"审美反应很像弹钢琴:作为艺术作品成分的每一个要素仿佛按动着我们机体相应的感情之键,于是响起感情的音调或

---

① 朱光潜:《谈美》,安徽教育出版社,合肥,1989年,第27页。

声音,整个审美反应就是这种回应击键的情绪印象。"①而在审美主体的审美体验中,往往出现高度共鸣、情不能已的情境,热情顿然迸发,弥漫胸臆,从而使得主体的情感体验完全超越了客体而沉溺于对自身情感的感受与评价之中。对于欣赏中的这种借他人之酒杯,浇自己之块垒的现象,《红楼梦》第二十三回中有一段精彩的描写:

> (黛玉)正欲回房,刚走到梨香院墙角处,只听见墙内笛韵悠扬,歌声婉转。黛玉便知是那十二个女孩子演习戏文。虽未留心去听,偶然两句吹到耳朵内,明明白白一字不落道:"原来是姹紫嫣红开遍,似这般,都付与断井颓垣……"黛玉听了倒十分感慨缠绵,便止步侧耳细听,又唱道是:"良辰美景奈何天,赏心乐事谁家院……"听了这两句,不觉点头自叹,心下自思:"原来戏上也有好文章,可惜世人只知看戏,未必领略其中的趣味。"想毕,又后悔不该胡想,耽误了听曲子。再听时恰唱道:"只为你如花美眷,似水流年……"黛玉听了这两句,不觉心动神摇。又听道"你在幽闺自怜……"等句,站立不住,便一蹲身坐在一块山子石上,细嚼"如花美眷,似水流年"八个字的滋味。忽又想起前日见古人诗中有"水流花谢两无情"之句;再词中又有"流水落花春去也,天上人间"之句;又兼方才听见《西厢记》中"花落水流红,闲愁万种"之句……都一时想起来,凑聚在一处。仔细忖度,不觉心痛神驰,眼中落泪。

黛玉初"未留心去听",仅"偶然两句吹到耳朵内";然后,"止步侧耳细听",不觉点头自叹;再后,"不觉心动神摇","站立不住";最后,"不觉心痛神驰,眼中落泪"。这一个审美主体的审美体验展开图景十分清晰。情感的动力唤醒了想象的精灵,在黛玉自己的生活经验的世界里浮想联翩,从而深深陷入了自身情感的荡漾和自我观照之中了。因此,我认为,对于负载着定向情感的审美主体来说,在审美主体

---

① [俄]列·谢·维戈茨基:《艺术心理学》,周新译,上海文艺出版社,上海,1985年,第270页。

与客体的交流中,审美客体一旦叩响了他情感的琴键,一旦"激起了我们的欲望,使我们回想起自己的个人经验,我们就愈会把思想集中在自己身上,想到自己的悲欢、自己的希望与忧患,而不是去凝视观照客体本身"[①]。伴随着审美客体成为自己的独特审美对象,审美主体的地位才真正奠定。

由审美活动而生的审美体验,并非就是艺术。审美体验要转化为审美意象并符号化,方成艺术。而从审美体验到艺术形象,就是一个复杂的心理活动过程。

第五节　审美主体心灵奥秘的洞悉

如果说我们对主体以及主客体之间、主体间的"交流"和主体性特征的探讨是从一种宏观领域(文化学、哲学、人类学)出发进行的定性分析的话,那么,从心理学角度进行微观的定量分析是必不可少的。

人们已经不满足于从哲学上,或仅仅从文艺理论上界说审美主体特征以及主客体"交流"模态,而是渴望打开审美主体心灵的"黑箱",去窥视人类艺术审美创造的奥秘。于是,伴随着人们对审美主体性的呼唤,文艺美学必然要探索人类审美心理的奥秘。人们开始了一个更为艰难的探索。

然而,要更深地去探索审美主体——人的审美心理,却非易事。人们不得不承认,要想探讨流动着的充满生气的主体的精神,主体意识,主体审美意向性,主体审美走向、审美体验、审美态度等一系列问题,是无法打开艺术家和欣赏者的大脑去察看的,而只能通过大脑对审美对象的多样反映、折射、同构去模拟这一看不见的"流程"。这就规定了以探索审美主体心理诸要素(感知、想象、体验、理解)、思维运动诸方式(直观、直觉、新感性、思维向度)、心理流程初级美感(悦耳悦目)、中级美感(悦心悦意)、高级美感(悦志悦神)为其根本

[①] 朱光潜:《悲剧心理学》,人民文学出版社,北京,1983年,第26页。

特质的审美心理学,必须从自下而上的心理学角度(而非自上而下的哲学观点)出发,去研究艺术中审美主体的心理结构和凝聚在艺术作品"物化的"审美体验,以及二度创造(欣赏主体)的审美心理层次,从而揭示出文艺活动一般的和特殊的心理规律的奥秘。

令人高兴的是,我国的文艺心理学近年有了较快的发展,推动了文艺心理、审美心理的研究。文艺心理学是研究艺术创作和欣赏心理过程,以及这一心理进程的"动力学",其中包括:研究创作和欣赏活动的阶段性、每个阶段的特点、各阶段的衔接和转化的条件;研究作者、读者的审美经验、审美态度、审美知觉、审美想象的具体身心状态和过程是怎样的,它与作者、读者日常经验和心理活动、心态个性的内在外在关系如何,等等。而文艺心理学的研究方法,主要有作品分析法(对作品进行客观的心理学分析)、观察法、实验法、系统反馈研究法等。

对审美主体心理构成的探索并非自今日始,在古代就有不少哲学家、艺术家对其进行了总结和探究。诸如柏拉图的"回忆说"、亚里士多德的"净化说"、斐罗斯屈拉特的"想象论"、普洛丁的"分享说"以及马佐尼的"惊奇感"、哈奇生的"内在感受论"、休谟的"趣味说"等,都对主体心理作出了可贵的探索。我国文艺家对"味"(老子、刘勰、钟嵘),对"悟"、"兴会"、"意象"、"神思"、"虚静"、"气"的探索尤其深刻入微。到了近代,尤其是18世纪英国经验派美学,康德美学极大地凸现了审美心理特征。而19世纪费希纳的"自下而上的美学"(心理学美学),以及尼采日神精神和酒神精神的探讨、布洛的"距离说"和里普斯等人的"移情论",更使审美主体心理结构日益清晰起来。

随着人的主体性的凸现并成为"人学"的中心,人们借用多种理论去透视人,将人的内在心理放到一个特殊地位和焦点上,加以更为深入的审视。弗洛伊德创立的精神分析学,为从心理学的角度研究文艺创造开辟了一条新的途径。他发展了人类精神活动的理论,提出著名的观点:人的精神活动大部分是潜意识活动,而精神力量的原始之源"里比多"是原欲。他把人的精神分为三层次,即本我、自我和超我，并把梦和精神病的症状解释为是潜意识受到自我和超我的压抑，为寻找"代替"形式的表现而产生的冲动。弗洛伊德对人的潜意识的研究、对梦和人类心理关系的研究、对人类变态心理的研究有其独到之处。他在《达·芬奇和他的一个童年记忆》《戏剧中的精神变态性格》中采用精神分析法，以泛性主义为中心对人类的深层心理结构——无意识层次作详尽解剖，以此解释艺术家的创造和审美活动。他认为"艺术是欲望在想象中的满足"，全部关键在于作家如何把情绪投射到作品中去。弗洛伊德的著作广泛涉及一些艺术现象，给艺术的象征主义以许多有益的启示。但其泛性论和恋母情结之类有明显的错误，显然无法正确解释文艺现象。

继弗洛伊德之后对艺术心理学理论有重大发展的是荣格。他的"集体无意识"理论较弗洛伊德重视了历史的社会因素，对深入了解审美心理的社会根源有一定启发。荣格认为，不同时代和社会的艺术作品中反复出现的问题，乃是各民族的某种集体无意识原型观念，人们因被唤醒这种沉睡在心中的集体无意识原型而获得审美愉悦。他指出，伟大的作家正是接受了这种无意识的影响，才表现了能够触及他的民族之魂的伟大诗篇。荣格有一句名言："不是歌德创造了《浮士德》，而是《浮士德》创造了歌德。"这在一定程度上触及了作家作品与民族心理的关系。荣格还把文学作品分成心理型和幻觉型两类，认为幻觉型作品的素材是来自人类心灵深处的某种陌生的东西，是人类不能理解的神秘世界的原始经验。这些对了解审美心理的社会根源有一定的启发，但也显露出荣格理论的神秘主义倾向。

以阿恩海姆为代表的格式塔心理学派，主要运用格式塔心理学方法研究知觉的完型，寻找审美对象的形式与主体心理统构的对应关系。阿恩海姆认为，艺术是受视力知觉的形态和方式决定的合理认识过程，客观世界的线条、色彩、音响等形式由于与人体的活动状态和内在心理有异质的同构关系，从而相互对应而产生如感情表现、情感移入现象。因此，知觉活动并不简单是一种被动的感受和解释的活动，它随着人的期望、动机、情绪和态度的变化而发生很大的变化。格式塔对艺术心理学的贡献主要是在知觉和欣赏方面，但其学说中漠视社会历史的人类学因素，使自身又陷入狭窄的境地。但它又批判了弗洛伊德所谓艺术中的"下意识象征"等非理性观点，在审美知觉研究中有其独创性。

除了上述流派以外，现代西方文艺心理学方面还出现了以丁·伯克霍夫为代表的"实验美学"派。伯克霍夫在《审美测量》一书中强调指出，我们在任何一件艺术作品上所产生的愉悦都取决于两个变量：对象的品级（用字母"O"来表示）和复杂性（用字母"C"来表示）的量。这两个变量是对不同种类的对象采用各种不同的方法测量，但一切种类都服从于一般的公式：$M=O/C$（其中M为产生愉悦的变量）。后来艾森克发现伯克霍夫的公式$M=O/C$是错误的，他指出用乘法函数表示会更有效：$M=OC$。另外，当代西方艺术心理学还有布洛的"心理距离说"、"审美态度论"以及艺术能力的测定、艺术和心理治疗学等心理研究方法和流派。这些理论和心理流派渴望通过自己独辟蹊径的探索，揭开审美主体的心理奥秘和人类审美的终极根源。无可否认，人们的确在这方面取得了一些成绩，但要说总体性的突破，可能为时尚早。

西方审美心理学的拓进给我们许多有益的启示，为我们进一步了解审美主体心理层次奠定了坐标和基础。但因东西方文化、心态、趣味和氛围的差异，我们还必须研究中国艺术审美的独特性。也就是说，我们不能照搬"格式塔"、"心理分析"或"实验美学"的现成做法和答案，而是应该从文艺美学这一视界出发，去进一步寻找我们自己的审美心理特点之所在，从而明确我们在审美主体心理结构探究方面，有哪些问题亟待解决。可以看到，在文艺美学领域进行主体心理研究有以下三个方面的工作。

首先，研究艺术家在文艺创作活动中的心理现象。文艺素材怎样通过作者的感知、记忆表象、想象、思维和情感等心理活动，创造出审美意象，并如何将这意象体现在物质媒介之中，从而诞生出有价值的艺术作品。

其次，研究鉴赏文艺作品过程中的心理现象。怎样正确地观察、理解、感受作品的诗意内核和审美价值，从而帮助人们提高文艺欣赏水平和鉴赏能力。

再次，研究文艺作品的社会效果得以形成的心理学因素。从心理学角度对文艺作品的社会效果进行科学预测，研究在不同社会文化背景、不同社会经济体系中艺术与艺术家，以及艺术家在特定文化圈内所继承的艺术风格、技巧和艺术趣味等价值标准，以利于发挥文艺对社会的积极影响。

值得注意的是，对探讨各类艺术中的审美主体心理而言，必须把重点放到艺术心理的审美特性分析上，而不能只把文艺现象当作普通心理学研究的例证。从作品具体实际出发，环绕着揭橥文学艺术内部审美特征这一总任务，将心理学方法与传统的文艺研究方法结合起来，去历史地、具体地、科学地研究和阐释文艺的心理特征和规律，进而了解探索文艺心理学的总体结构。

文艺心理研究的总体结构由文艺创作心理学、作品结构心理学和文艺欣赏心理学三部分组成。

一、文艺创作心理学

它以创作主体的心理结构和心理流程为研究对象，研究"园中之竹"（客观物象）如何变为"胸中之竹"（审美意象）的过程。其间可以划分为三个层次。最底层是社会、民族、阶级的心理历史层次。这一社会意识、民族心理、文化传统，以至远古记忆、原始意象的深层结构，必然积淀渗透在每一个个体的心理结构中，个人情感体验方式等必然受其制约和影响；中层是艺术家个人心理构架层，对艺术家的才能、审美趣味和审美理想有较强的影响。这是创作主体自身形成的较为稳定的个性心理图式，居于研究作者心理的核心层次；表层是作者与生活直接联系的个别遭际、生活事件、矛盾冲突，更有较大的随机性。在主客体的关系中，文艺心理学着重考察艺术家的艺术观察方式、艺术感受方式、形象记忆、情绪记忆以及创作契机、灵感诸方面的特征，艺术创造心理与其他活动心理的区别和艺术创作中的变态心理等。这三个层次形成作家心理的丰富层，促进和制约作家的创作过程。深入研究各层及各层之间的心理机制系统的整体关系，具有方法论的意义。

二、作品结构心理学

这是文艺心理学研究的重要方面,也是最薄弱的方面。作品是作者心理流程的物态化、审美意识的客观化。从某种意义上说,西方文艺学中新批评"细读法"、结构主义探索原始意象、现象学探索"作品多层次结构",都十分注重客体——艺术作品的研究,各自都从某方面揭示了作品结构心理的某些规律。作品心理结构学是沟通创造心理学和欣赏心理学的中介和桥梁,可以从两个方面进行研究。一是艺术媒介。语言、音、色、线、质料、姿态是艺术作品存在的物质媒介,也是传达审美情感的符号,其中包孕着大量而复杂的文艺心理学问题。文学性、绘画性、音乐性、戏剧性的效果与媒介和艺术魅力有何关联,亟须从心理学角度加以弄清。在这个(符号)信息发生、储存、破译的系统中的心理学探讨,能够使静态研究转为动态研究。二是艺术品结构。作品的内结构和外结构的区别是什么?多种艺术如电影的蒙太奇、诗歌的分行排列、小说的情节、音乐曲式结构和媒介不同,所造成的心理体验和美感效应有何不同,艺术意象、艺术形象的构成及其深蕴的心理内涵是什么?这里是文艺心理学纵横驰骋之地,问题很多,值得好好研究。

三、文艺欣赏心理学

包括审美感受和审美态度的分析,如美、丑、悲、喜等审美感的心理强度分析,以及艺术联觉、通感和距离感、幻觉感的心理分析以及不同艺术门类的欣赏活动所要求的不同的心理态度和感知方式的研究。探索诗的欣赏态度、音乐欣赏态度、绘画欣赏态度、电影欣赏态度的不同。欣赏者心理特性研究也是其重要内容,如有分享型、旁观型、情绪型、思考型等不同心理特征。尤其要注意欣赏者的变态心理研究和欣赏者"接收"时心理"同化"、"顺应"效果研究。再次,是对社会、民族审美趣味和美学性格的考察,同时注意对"时代审美场"和"时代审美流"及其对个体欣赏的影响的研究。

对审美主体心理的研究尽管已经取得了可喜的成绩,但从总体上讲,还远远未能真正揭示主体心理的流程。这不仅直接影响了文艺美学的发展,而且使文艺形态学的研究也遇到相当的困难。

然而,人类不管面临何种困难都将不懈地去解谜,尤其是解与人本体、审美本体、艺术本体密不可分的审美主体心理内宇宙之谜。黑格尔在《哲学史讲演录》中将人类这种由外在探寻返回人自身心灵的探寻过程说得十分精彩。他说:"时代的艰苦使人对于日常生活中平凡的琐屑兴趣予以太大的重视,现实上很高的利益和为了这些利益而作的斗争,曾经大大地占据了精神上一切的能力和力量以及外在的手段,因而使得人们没有自由的心情去理会那较高的内心生活和较纯洁的精神活动,以致许多较优秀的人才都为这种艰苦环境所束缚,并且部分地被牺牲在里面。因为精神世界太忙碌于现实,所以它不能转向内心,回复到自身。"我们的文艺美学家们在当代世界已经获得类似黑格尔的感受,在探寻主体心理之谜上孜孜求索。

但是,那种以为回归到心灵的探索就是回到心理学探索的看法同样是十分幼稚的。因为审美主体性的建立问题,绝非仅靠文艺心理学所能胜任。这是一个艺术本体论课题,它必须在人类学美学基础上加以多学科整合,方能完成这重大任务。

文艺美学旨在通过对审美主体客观上的定性分析(哲学的、美学的、文化学的)的同时,又对其进行微观的定量分析(审美心理学),以期引起人们对知、情、意统一的有血有肉的活生生的人的灵魂的关注,从而从艺术这一视角去窥视人类生气勃勃的鲜活灵魂。因此可以说,文艺美学所呼唤的审美主体性是对单纯的无情感、无意欲的"知性的人"的反抗,为完整的充满生命情趣的"总体的人"——审美的人而去解答人生之谜的"诗"和主体之谜的"灵"。

第二章 审美体验:艺术本质的内核①

当我们对审美活动中主客体交流和主体性特征加以探讨以后,我们还得更进一步去追问审美主体心灵深层结构,并由此去窥探艺术本质的每个侧面或某一层面。

审美体验属于审美心理深层结构和动力过程的问题,也是当代美学关注的中心问题。那么,什么是审美体验?审美体验与审美经验有何不同?审美体验与非审美体验的关系如何?对这一审美本体论问题的探讨,可以说,中西美学史上是代不乏人的。

西方有人认为审美体验即"想象";有人认为是"灵感",或直觉;杜威认为是一种"完整的经验"②;人本主义心理学家马斯洛称为"高峰经验"(peak experience)③;卢卡契认为是"艺术创造努力上的体验"④;《大英百科全书·美学》条,认为是"充分的经验"⑤,而大多数现代当代美学家、心理学家都称之为"审美体验"。罗斯(Malcolm Ross)在其编的《审美体验的发展》一书中认为:审美体验及其审美发展问题,是当代美学中极为重要而迫切的问题,对审美体验的探讨将在美学研究中开拓一个崭新的领域。⑥多伊奇(Eliot Deutsch)进一步指出:"有关什么是艺术的一些重大理论,是同审美体验及其特

---

① 本章乃与王岳川合写,曾在《文艺研究》发表。
② [美]约翰·杜威:《艺术即经验》,英文版,1934年,第275页。
③ [美]克雷奇、克拉奇菲尔德、利维森:《心理学纲要》(下册),文化教育出版社,北京,1981年,第472页,以及马斯洛《存在心理学》,英文版,1968年。
④ [匈]乔治·卢卡契:《卢卡契文学论文集》(第1集),中国社会科学出版社,北京,1980年,第201页。
⑤ 《大英百科全书》,英文版,1977年。
⑥ Malcolm Ross编《The Development of Aesthetic Experience》序言,牛津大学出版社,1882年。

定种类的艺术密切联系在一起的。"[1]由此可见,对审美体验的探讨是解决艺术之为艺术的内在结构的带根本性的问题,同时也是研究艺术的审美特征问题的关键所在。这个问题的深入探讨,将有助于对"艺术是什么"、艺术与非艺术的根本界限这一系列关系到当代美学的核心问题作出自己的回答。

第一节 审美体验与非审美体验

心理学告诉我们,审美体验的心理过程就是大脑皮质从抑制到兴奋的过程,是相对稳定的审美经验的激发流动、重新组合的过程,是审美主体对审美对象进行聚精会神的体验时所感受到的无穷意味的心灵战栗。从其心理基础看:"人对情感的体验都是大脑皮层与各皮下中枢协同活动的结果。"[2]

从审美心理学角度看,审美体验和审美经验是一种既相联系又相区别的关系。[3]一般地说,审美经验的意义较宽泛,大体可包括一切过去和当下的审美感受的全部经验的总和。不仅是美的对象,甚至丑的、怪诞的对象也可以是审美对象。在当代西方美学中,"审美经验"一词已逐渐取代了"审美意识"和"美感",美学研究的对象从以美的本质问题为中心转到对审美主体的审美经验进行描述。但是,人们仍感"审美经验"这个词太宽泛,它包括审美感知、审美情感、审美想象、审美理想、审美感受等等,是审美主体从无数次的审美活动中获得各种审美感受和内心印象的总汇。简而言之,审美经验有积淀性、被动性和接受性特点,更重历史积淀性,更多普遍认同性,是相对静态的、一般的。而审美体验是主动的、富有创造性的、导向活动的,更

---

[1]《比较文学研究》,英文版。
[2] [苏]彼得罗夫斯基主编:《普通心理学》,朱智贤等译,人民教育出版社,北京,1981年,第400页。
[3] "体验"和"经验"在英语词形上是同一个词,即"experience"。但一般作名词时指"经验",作动词时指"体验"。可参阅 Advanced Learner's Dictionary of Current English with Chinese Translation 和 Longman Dictionary of Contemporary English。

显出审美主体的能动性和鲜明个性特征,是审美动态过程的表现。审美体验是主体审美的张力场,随着情感、想象、理解、灵感等多种心理因素交融、重叠、震荡、回流而出现各个不同形态。但审美体验又与审美经验不可分。后者是前者的基础,前者是后者的动态发展和激烈演进,审美经验更具有普遍性。如春日观花,人们大多心神怡悦;明月当空,人们皆悠然意远。而审美体验却个性色彩浓郁,如东坡"但愿人长久,千里共婵娟"(《水调歌头·明月几时有》),则对月当歌,体验到宇宙的永恒和人生的短暂,发出深重的对人生旅途的迷惘失落和人世阴晴圆缺难全的喟叹。所以,又可以说,审美体验是一种特殊的审美经验,是今人依据过去的审美经验,对当下的审美对象有感而生的新的审美感受,是审美经验强烈而深刻、丰富而高妙、充分而激烈的动态形式,并以设身处地、情感激烈、想象丰富、灵感突现、物我两忘、浑化同一为其鲜明特征。

  人类体验形式远远不止一种。除了审美体验形式以外,还有着非审美体验形式,如日常生活体验、实践体验、道德体验、宗教体验等等。审美体验是在审美活动中产生的对于审美价值的体验。在一定的境遇下,非审美体验可以导向审美体验,或转化为审美体验。而且,一般地说,丰富的人生经验的积淀,将有助于审美体验的深化,换言之,审美的深层体验,是以深度人生体验和广泛的日常生活体验为杠杆的。通过中外文学创作时的几个典型事例,我们可以获得更进一步的了解。屠格涅夫《猎人手记》中对猎狗和保护小麻雀的老麻雀的惊心动魄的记述,清楚地展示了作家从现实生活中获得崇高美的体验过程。屠格涅夫打猎归来途中,一只出巢的小麻雀被大风从巢里刮落下来:

> 我的狗慢慢地向它走去,突然间好像弹丸似的从树上落下来一只黑颈项的老麻雀,紧紧地落在狗的口边,浑身都蓬乱得不成个样子。它还是一壁哀鸣,一壁向狗的张着的大口和大齿飞撞了一回又一回。它要援救它的雏鸟,所以把自己的身子来搪塞灾祸。它的渺小的身躯在惊怖震颤,微细的喉咙渐叫渐哑;它终于倒毙了。它牺牲了它的性命。在它的心眼中狗是多么巨大的一个怪物!但是它

却不能留在安全的枝上,一种比它更强的力量把它拖下来了。我的狗站着不动,后来垂头丧气地踱回来。它显然也认识到这种力量。我唤它来到身边;我向前走过时,一阵虔敬(崇高美体验)的心情涌上我的心头。是的,请莫要笑,我在直到那只义勇的小鸟和它的热爱迸发时,心里所体验到的确实是虔敬。母爱比死,我当时默想到,比死所带的恐怖还更强有力。因为有爱,只因为有爱,生命才能支持住,才能进行。

这一段精彩的记叙,表明了作者从人生体验(生命和母爱)向审美体验(崇高美体验)的转化。

雍门周为孟尝君弹琴的故事,淋漓尽致地表现了审美体验的互相深化、互相潜沉。起初,踌躇满志、灯红酒绿、广厦高堂的孟尝君对雍门周说:"先生鼓琴,亦能令文悲乎?"似乎他完全没有"闻乐兴悲"的心境和共鸣点。但当雍门周分析国势、指出遗患,并说了以下一段话后,情况就不一样了:"有识之士,莫不为足下寒心。天道不常盛,寒暑更进退,千秋万岁之后,宗庙必不血食。高台既已倾,曲池又已平,坟墓生荆棘,狐狸穴其中。游儿牧竖,踯躅其足而歌其上曰:'孟尝君之尊贵,亦犹若是乎!'"孟尝君听罢,"喟然太息,涕泪承睫而未下。雍门周引琴而鼓之,徐动宫徵,叩角羽,终而成曲。孟尝君遂遑欷而就之曰:'先生鼓琴,令文立若亡国之人也。'"①李煜在国破之后,对人生失落的深切体验所写出的"问君能有几多愁,恰似一江春水向东流"等词句,更是将沉痛的人生体验转为了深层审美体验。而这审美体验又赖这人生体验获得诗意的内核,化为千古共鸣的审美心态。托尔斯泰《安娜·卡列尼娜》《复活》《一个地主的早晨》等作品中那种道德体验、宗教体验转化为审美体验的痕迹更是清晰可辨。甚至,爱情体验也可以向审美体验转化,"歌德《少年维特之烦恼》就是在作者本人沉重的体验影响下产生的"②。

---

① 北京大学哲学系美学教研室编:《中国美学史资料选编》(上册),中华书局,北京,1980年,第118页。
② [苏]A. 科瓦廖夫:《文学创作心理学》,程正民译,福建人民出版社,福州,1982年,第122页。

值得注意的是，具有敏感的审美感受能力的艺术创作者，往往获得审美体验对日常经验的超越。"日常经验"像任何规范一样，具有双重特性，即显明和蒙蔽。如李清照《如梦令》，在"雨疏风骤"之后，诗人晨起问卷帘人，风雨后的海棠花怎样了，侍女答曰："海棠依旧。"而清照并没有去观察雨后的海棠，抛却了常识的浮光，获得深度的体验："应是绿肥红瘦。"在侍女看来，雨后海棠依然原样，几无变化，双目似乎清晰却蒙蔽。而诗人以其"内在的眼睛"从风骤花落上面，体验到了人生短暂、如花青春易逝的真谛，完成了日常经验向深度审美体验的超越。

歌德在《浮士德》中绝妙地透露了审美体验的秘密：浮士德上下求索，在生命之烛见跋之时，抱着高度幸福的预感"享受这个最高的瞬间"，喊出"你真美啊，请停一停"，随后便倒下溘然长逝[①]。卢卡契于是指出，这是歌德借浮士德之口说出审美体验的奥秘，"把人类的祸福哀乐堆集在我胸上，用我的精神去攫取最高最深者，于是我的自身就拓展为人类的自身……"[②]审美体验的本质在于对自身局限的不断超越。审美体验，是超出常规的直觉、心灵的味觉、内在的眼睛。它必须超出日常经验（非审美体验）的常轨，心驰神往，即在生活表层上那连绵不断的因果链条的中断处深入进去，作超越时间、空间的探索。它也许暂时失落了常态，失落了日常的平衡心理，找不到安置激情玄想的秩序和归宿，但正在这表面的失落中获得本质的升华，诞生了审美意象，建构了美的世界和美的人生。

从另一个方面看，审美体验向非审美体验转化，也几乎为每个人所经验过。比较典型的"转化"在波德莱尔的散文《点心》中作了精微的描述：

> 一天，我在旅行途中，来到一处风景极美极佳的地方，我的心灵里产生了一种奇特的感觉，思想也同这景色一样飘飞起来；此时

---

① [德]歌德：《浮士德》，钱春绮译，上海译文出版社，上海，1982年，第706页。
② [匈]乔治·卢卡契：《卢卡契文学论文集》第2集，中国社会科学出版社，北京，1981年，第541页。

此刻，肉麻的爱情，低级的仇恨，一切庸俗的情感，就像我脚下山谷中的云雾一样，离我远远地飘开去了；我的心如此纯洁、宽阔，就如同这庇护我们的苍穹；一切尘世间的记忆在我脑海中都愈加显得模糊渺小，就像那听得到看不见的铃铛声，显得十分遥远，远在另一座山的背坡上。

平静的小湖，显得深邃而幽暗；湖面上不时飞来一片浮云的阴影，宛如一位行空巨人的披风掠过。顿时，我感觉到因绝对静谧的激动而涌起的罕见庄严的情潮给我带来一种充满恐怖的欢乐。总之，沉浸在这令人心酥的美妙景色之中，我感到内心中和宇宙间的绝对安宁。我身处绝妙的仙景，把尘世中的一切苦难绝对忘却，我甚至开始觉得报纸上所说的人生美好的话不再那么可笑了。

显然，大自然的美景令人陶醉，使波德莱尔赏心悦目，满足他的审美需要，人和自然融成一体。接着，他又写道：

我不慌不忙地切着面包，忽然听到一个非常细小的声音，我抬起了眼睛。在我面前，站着一个衣衫褴褛的孩子，黑黝黝的面孔，头发蓬乱，他那凹陷下去的双眼，闪着野性和乞求的光芒，正紧盯着这块面包。我听到他用低低的、沙哑的声音叹息道："点心！"

听到他给我这块几乎是白面包如此高雅的称呼，我情不自禁地笑了。我切下一片小的面包，递给了他。

他慢吞吞地走过来，目不转睛地盯着他的垂涎之物，接着一下子把面包抓过去，迅速地跑开了，就像是担心我并不真心实意地给他，或是我已经后悔了。

可是，就在这时，不知从哪里又窜出一个野孩子，和第一个长得十分相像，就像是孪生兄弟，他上前把第一个孩子推倒在地，争夺起那块珍贵的战利品来……

何必再继续描绘这场丑恶的战斗呢？其实它持续了很长时间，甚至超越了他们幼年力气所允许的程度。那块"点心"从一个人手里到另一个人手里，从一个衣袋到另一个衣袋……可是，很遗憾，它也越来越小了；最后，战斗再也不能继续下去了，他们浑身沾满血迹,精疲力竭地残喘着,住了手。而实际上,战争的原因也不存在了,面包片消失了,已成了沙粒大小的碎末,沾满了他俩全身。

这场战斗给我眼前的风景罩上了一层阴郁的乌云。我看到这两位少年之前的喜悦心情已消失得无影无踪了。我忧伤地呆了好半天,嘴里不住地念叨着:"世上有一个豪华的地方,那里面包被称作点心,这食品如此稀奇,竟能引起一场兄弟间相互残杀的战争!"①

这种由审美体验向非审美体验转化的心路历程真是历历在目,在粗涩的心灵曲线运动中,我们不也获得作者同样的体验转化历程吗?

审美体验是对万事万物的审美价值的体验。"在审美体验中,从人的体验着的各种事物本身散发出意义与价值的光芒;当我们的各种精神官能不经反省就领略到这些意义与价值,而整个心灵深处对之采取欣赏态度时,深刻的体验就随之而生。"②

第二节 审美体验的发生与层次

当对审美体验与人类其他体验方式外部关系有了初步认识以后,我们将开始探讨审美体验的内部关系,即审美主体、审美客体,和二者的动态体验层次、发生、发展过程,以及审美体验的一些独特性质。

审美体验的发生,必然涉及审美主体和审美客体两个方面。审美体验包括艺术创作审美体验和艺术欣赏审美体验两个环节。被鲁迅称为"对于文艺即多有独到的见地和深切的会心"的厨川白村认为:"诗人和作家产出底表现底创作,和读者那边的共鸣底创作——鉴赏,那心理状态的经过,是取着正相反的次序的……从生命的内容突出,向意识心理的表面出去的是作家的产出底创作;从意识心理的表面进去,向生命的内容突入的是共鸣底创作即鉴赏。所以作家和读者

---

① [法]波德莱尔:《巴黎的忧郁》,亚丁译,漓江出版社,桂林,1982年,第47~50页。
② [德]克鲁格:《哲学辞典》,台湾先知出版社,台北,1976年,第137页。

两方面,只要帖然无间底反复了这一点同一的心底过程作品的全鉴赏就成立。"①我们在这里着重考虑艺术创作审美体验中的主体和客体(静态),以及主客体相生、相发、相感、相合的运动过程(动态)。当然,在必要的时候也兼及鉴赏审美体验。

一、对审美主体和审美客体的静态考察

审美主体,是审美创造活动和审美鉴赏活动的基础,是一个由生理、心理、经历、修养等因素构成的包含了多系统的复杂整体。审美主体必须具备发生审美体验的两个主观条件:首先是必须具备审美能力,诸如审美感受力、审美想象力、审美理解力、审美情感以及审美体验的审美需要和审美心境等。作为艺术创造者的审美感受力和体验心理,还必须比一般人更容易"激活",更敏锐,具备更大的潜沉性和超越性。只有这样,他才能对审美对象进行主客融一和聚精会神的观照,从而产生审美体验。其次,他必须对审美对象特征具有相应的丰富经验(包括审美经验和非审美经验),这是因为审美体验的瞬间感受凝聚着社会和个人的审美心理史,是审美直觉与理性熔为一炉、生理快适和心理愉悦的完美结合。审美主体并不是空白着大脑去接触现实生活的,相反,他一直在消化着生活,消化着历史,酝酿着一腔纯情,随时可以调动自己的多层次经验:情感情绪经验、理性层次经验(如"积学以储宝"),乃至沉潜入生命底层的原始意象和集体无意识等深层经验。当他的丰厚的生活经验(包括审美经验与非审美经验)已为其审美体验的瞬间触发储备了能量,这时,只要他受现实生活的最新信息的触动,他就会调动自己的全部经验、意识、意志和情感的力量去推动、升华和开发自己全部生活积累和审美经验,投入到审美体验的凝神境界中去,从而如马克思所言,"感到运用身体和精神两方面各种力量的乐趣"。

审美主体的这种审美能力和审美经验构成主体的审美心理结构。从人类历史发展的角度看,审美心理结构是人类漫长历史的沉淀

---

① 鲁迅:《鲁迅全集》第13卷,人民文学出版社,北京,1973年,第91~93页。

积累成果,是人类集体的某种深层结构。人类审美心理结构的获得是一个意味深长的过程,是在有限的物质创造活动中并超越这一活动外在形式,而进入人类自身审美心理内化建构宏伟工程。而个人审美心理结构(其中重要的是审美经验和审美能力)是审美主体发生审美体验的重要条件。当他面对审美对象时,就能唤起自己的审美表象和想象,通过体验来建立一个独立的审美世界,达到审美情感与审美认识的统一。

审美客体,是审美主体的审美对象。只有当审美对象具有审美特征和审美信息刺激丛,富于美的魅力的美感兴发感动力量,从而能投合人们的审美需要,激发人们的审美情感,它才能成为人们审美活动聚精会神的中心,引起主体的审美体验。一般说来,作为艺术创作者的审美对象(如自然美、社会美)相对较分散、粗糙,因此,特别需要"发现美的眼睛"(罗丹语)。而作为艺术鉴赏的审美对象——作品,是物态化的作者审美体验,无声地显示着作者独具的审美理想,以及对外部世界的独特的审美掌握方式,是更集中、更凝练的艺术审美形式。要对艺术作品进行深层的审美体验,同样需要具有相当高的审美能力。从审美客体的角度看,艺术作品自身是一个复杂系统。在尚未与审美主体构成审美关系时,它只是以"符号"的形式储存着多样审美体验信息,仅是一个"文本",有待"实现"。

二、对主客体合一——审美体验的动态过程考察

苏联心理学家彼得罗夫斯基认为:"审美体验是十分多种多样和复杂的。美的体验从对被感知的东西轻微激动开始到对被见到的事物深刻地激动为止,经历着各种等级"[1]。"从一般的满意情感开始,人可能经过一系列的阶段一直到体验真正的美的喜悦"[2]。这种对审美体验这一连续不断演进的动态过程相对划分不同层次的方法,给予心理学理论上的支持。

---

[1] [苏]彼得罗夫斯基:《普通心理学》,朱智贤、伍棠棣、卢盛钟等译,人民教育出版社,北京,1981年,第119页。
[2] 同上。

其实，审美体验是多种心理功能（感知、想象、情感、理解）共同活动，而表现出"起兴"（初级直觉）、"神思"（想象）、"兴会"（灵感）几个不同的层面。这几个层次不同、深度有异的体验形式共同组成了完整的审美体验的动态过程，呈现出由初级层次向高级层次、由外部体验向内部体验、由浅层感受到深层体味的层递性。这一动态过程，古今美学家、艺术家早就开始了探索，并且对审美体验各层次的特点，早就注意到了。庄子在《人间世》中曾说："无听之以耳，而听之以心，无听之以心，而听之以气。"将对审美对象的感受和体验划分为三个层次：一是"耳目"感官的初级体验；二是"心意"情感的中级体验；最后是直觉精神人格对"气"的高级体验，是全身心、全灵魂、全人格的震动。南朝的宗炳也用"应目"、"会心"、"畅神"[①]三层次来阐明自己对审美感受进程的看法。李泽厚说的"悦耳悦目"、"悦心悦意"、"悦志悦神"[②]三层次也都导源于前二者，其意思大致相同。上述诸论对审美体验动态发展所作的相对层次划分有其不可忽视的价值，但我们将目光集中投向中西艺术创作过程中审美体验更深层次的范畴，就感到这个问题仍有继续探讨的必要。

审美体验的发生、发展的动态过程，微妙复杂，尚待更深入研究。这里，我们不妨先分析一两个这方面的实例。

清代画家石涛在《画语录·山川章》中说过一段很有见解的话："且山水之大，广土千里，结云万里，罗峰列嶂，以一管窥之，即飞仙恐不能周旋也。以一画测之，即可参天地之化育也……山川使予代山川而言也，山川脱胎于予也，予脱胎于山川也。搜尽奇峰打草稿也。山川与予神遇而迹化也，所以终归之于大涤也。"画家认为，艺术不是单纯描绘客观山川，也不是单纯发表主观的情思，而是面对拔地而起、气势浑莽的山川丘壑，激荡情思。"望秋云神飞扬，临春风思浩荡"，在感情体验中，把自然丘壑变成为画家胸中丘壑，然后再用完美的形式将这胸中丘壑表现出来，成为画上丘壑。

[①]（南朝）宗炳：《画山水序》，见沈子丞编：《历代论画名著汇编》，文物出版社，北京，1982年，第15页。
[②]李泽厚：《美感杂谈》，见《丑小鸭》，1984年第12期，第67~68页。

石涛用"神遇"来概括作者变"自然丘壑"为"胸中丘壑"这一过程，用"迹化"来表述把"胸中丘壑"物化为"画上丘壑"的过程。他认为，这能"贯山川之形神"的"画上丘壑"与"自然丘壑"相比，是"不似之似"。这"不似之似"就是画家在对"自然丘壑"审美体验中，以自身的审美情趣、审美理想与自然山川的审美特性融合为一，而"终归之于大涤"。

画家"神遇"过程可以分为三个层次。首先，画家面对山川丘壑，为其山势的险峻和壮美所动，悠然会心。这是对"自然丘壑"外形式（形、色、质）的审美感受，可以称为表层体验（或初级直觉）。其次，"胸中丘壑"不同于自然丘壑，已经具有画家的审美态度和审美评价，表现了画家的独特审美感情、审美评价方式和审美价值观念。这里画家从对象的耸然而立、苍苍茫茫、气势雄浑上感到一种震动心魄的力量，这就已经超越对"形"感受的表层，进入到对"势"体味的深层次。最后，眼中丘壑与画家胸中"凛风"之气相激相荡，主体将自己的情、意、德、才、识、胆统统融入山川的意象之中——它那千岩竞秀的气象、灵趣飞动的意志、冲虚简远的精神是与画家自己的性灵、襟怀抱负、独立高迈的人格、虚灵简远的精神气质同构的，那山川的气势精神正是自己情志襟抱的外现。正是审美主客体瞬间融一，从而达到"气"的感悟——高级审美体验层次，诞生出"胸中丘壑"这一审美意象。

生命是整体的，能把握到山川的整体，才能把握到山川的生命。画家面对的一山一水都是面对的整个世界，从而使他从现实的时空中超越出来，在对竹石的审美观照中看到自己，甚至在这种"凝神"境界之中，他不但忘却审美对象以外的世界，并且忘记自身的存在，"意境两浑，物我一体"（王国维语），达到一种悠然意远的"化境"。画家达到灵感高峰（高度的审美体验）时，所孕育成熟的审美意象获得了自身的生命和勃勃生气，这时，审美意象所表现的审美对象的本质，已经不完全是客观生活本身，它同时也是艺术家主体的本质。审美意象是客体本质的有关部分和主体本质的有关部分的化合。一旦形成这种"化合"、"同一"的意象，就不再完全是客体，也不完全是主体了。客体的本质为主体本质所"顺应"，转化为主体；主体本质

"同化"了客体,转化为客体,二者的化合产生了一种新的本质。

在这一审美体验进程中,我们可以清楚地看到一条明晰的脉络:初有审美经验的支持和制约(审美静观、感物);然后有现时的感触兴会;在想象力的作用下,最后获得指向未来及永恒的超越现实的审美体验(灵感)。如果此时画家把这种审美体验和审美意象用完美的形式传达出来,那么就成了具有独特审美体验的艺术品。而我们今天观赏石涛的画,就会不同程度地获得画家当时的审美体验,我们称之为"再度体验"。

艺术作品是作者审美体验的物态化,是保存作家审美体验的精神化石,也是我们借以分析、考察作者审美体验的美学标本。因为,凡是优秀文艺作品的审美信息,都与其审美主体(作者)的审美体验具有一种微妙的同构对应关系,我们完全可以通过"再度体验"去"还原"作家的原初体验过程(感物、起兴、神思、灵感,最后体验的结果产生审美意象),解剖作家心理奥秘。

"精神还仗精神觅",让我们从柳宗元《江雪》的"再度体验"中去还原作者的"原初审美体验"。这首诗仅20个字:"千山鸟飞绝,万径人踪灭。孤舟蓑笠翁,独钓寒江雪。"如果我们仅仅了解到"一个老渔翁坐在小船上,冒雪钓鱼",那么,这不是审美,而是非审美,准确地说,是审美上的"感受谬误"。如果体味到在一片一尘不染、万籁无声的境界中,诗人借隐居在山水之间的不怕寒冷、专心钓鱼的渔翁来抒发自己在政治上失意的抑郁苦闷,那么,这可以说是对作品有了表层审美体验。再进一步,可以体味到在这片接近死寂的画面上,渔翁精神世界之光扩展着、浮动着,活跃起来,传达出作者在自己理想不为世俗之人所理解时,只能摆脱世俗一往独前,坚定地去求索的那种执着精神。达到这一层,也仅仅是中层的审美体验。如果再深一层去体味,我们就会顿然发现,《江雪》一诗的视角是一个由大到小、由面到点的倒三角形,千山→万径→孤舟→渔翁→钓丝。这里,诗人以宇宙空间万象的广袤,来映衬自己饮吸无穷时空于自我的襟抱。这山川漠漠空间正是可以把诗人全身心安放进去的恒寂世界。于是诗人"身所盘桓，目所绸缪"①，以大观小，又以小观大，俯仰天地而后回归自我。这是与西方那种人与自然对立而产生的疏离感大异其趣的。

诗的首二句目击道存，目的在写出空无，但又不直写空无，而先将我们带向茫茫"千山"、幽幽"万径"这"有"的世界，而突兀地用"绝"、"灭"二字对"有"加以断然否定。于是从有到无只是瞬间的把弄，"无"的存在异常明白，体悟和暗示了"无"、"混茫"、"太虚"这创造万物的永恒运行的道。但诗人没有向无边空间作无限制的神游，而从无边世界回到万物和执着的自身，从而表明诗人当时所深切体验到的极高境界：在求索之途中，自己已经达到人迹罕至之境，不再希冀能得到别人的携助。这是诗人当初所真切体验过的从而传达出来的一切人生经验和知识所构成的终极大彻大悟之化境，使人能于实中悟虚、有中体无、少中味多。

我们今天能通过反方向的"再度体验"获得诗人当年的审美体验，以心灵的味觉去品尝诗人当年的辛酸和孤微，以内在的眼睛去观照诗人那语言所难以或没有传达出来的原初审美体验。一句话，通过再度体验去回溯诗人的原初体验，当这种"再度体验"与诗人原初体验大体相合时，我们就已窥到诗人的体验感兴过程。

通过上面的一些分析，我们可以初步对审美体验这个动态过程作一点小结。

艺术创作审美体验过程表现为相对独立的三个环节：首先是作者对审美对象产生积极的审美注意，这是一种"用志不分，乃凝于神"（《庄子·达生》）的"虚静"所表征出的一种极端的聚精会神的心理状态。陆机在《文赋》中描述为"其始也，皆收视反听，耽思傍讯"。刘勰在《文心雕龙·神思》中也说："陶钧文思，贵在虚静，疏瀹五脏，澡雪精神。"唐代书法家虞世南也指出："欲书之时，当收视反听，绝虑凝神，心正气和，则契于妙。"（虞世南《笔髓论》）这"凝神"、这"虚静"目的在于使审美主体虚心澄怀，摆脱各种日常经验中的名利

---

① （南朝）宗炳：《画山水序》，见沈子丞编：《历代论画名著汇编》，文物出版社，北京，1982年。

杂念,对审美对象作精细入微、独到殊相的审美观照。而就在这"虚静"、这"澄怀"之时,主体之心为审美对象所占——心理学上用审美注意指向性来相称(即主体运用相应的审美感官,如视觉或听觉去注意特定的审美对象,而对其他对象视而不见、听而不闻),于是凝神之瞬间,主体对客体的外在形式(色、线、形、音等)产生了直觉的审美愉悦,勃然而起一种兴发感动之情。这种感物起兴的兴发激荡,使主体迅速进入一种激情之中。因此,可以说,虚静、凝神、澄怀是艺术创作审美体验的准备阶段,而感物起兴则是审美体验的第一阶段。

其次,当兴发感动勃然而起时,主体迅速突破对审美对象外形式掌握,而去以其心灵的味觉去"体味"内形式的意蕴(如郑板桥对竹的内蕴的捕捉,柳宗元对山、径、鸟、鱼的独特的审美感受)。这时,主体就已经进入"神思"领域,以庄子的话来说,这就是"听之以心"的境界。主客体交融、重叠,于是,作者又在"神与物游"之中,"寂然凝虑,思接千载,悄焉动容,视通万里",从而"观古今于须臾,抚四海于一瞬"(刘勰《文心雕龙·神思》),具有超越时空的鲜明特点。这种"精骛八极,心游万仞"(陆机《文赋》)的对自身局限不断超越的特点,使艺术创作者能将自己所统摄的宇宙之气和内在呈现的生命之气吹入艺术对象之中,建立一个生气灌注的完整的艺术世界,达到"包括宇宙,总揽人物"(司马相如语,见《西京杂记》卷二,四部丛刊本)、激情溢满、意象纷至沓来、不可遏止的境界。

最后,最高的体验层次表征为"灵感"实现的"物化"(物我一体)境界。主客体之间所有对立面都化为动态的统一,达到主体和客体完全融合一致的境界,各种体验(人生体验、道德体验等)都归汇到审美体验这一最高体验之中。借用高宾达的话说:"更高的体验是通过将意识中不同中心、不同层次的体验一体化而达到的。"[①]心理学家波果斯洛夫称这种灵敏状态为"深刻的体验"。于是,主体与客体彻底摒弃了外部的杂沓和模拟,达到灵犀相通,"情往似赠,兴来如答",体精察微,洞奥知玄。主体在客体上注入了自己的人格和生

[①] 参见[美]卡普拉:《物理学之道》,朱润生译,北京大学出版社,北京,1999年。

命,打上了主客精神世界的印痕,甚至主体化为客体,物我不分,主体与对象之间消除了疏远和对峙,产生出一种忘怀一切的自由感,达到东坡所说"嗒然遗其身,其身与竹化"(《书晁补之所藏文与可画竹》)的化境。这种精诚专一、体味杳冥之境界,是过去、现在、未来瞬间同一。主体获得高度的精神自由解放,超越现实时空,达到一种悠远无限的"游"的境界。于是见人之所未见之"大象",听希声杳冥之"大音",以一瞬凝终古,以一花存大千。这种对宇宙人生的瞬间感悟是一种"至乐"之境,是浮士德所赞叹的"真美啊,请停一停"之境,是对现实时间和宇宙空间的超越所呈现的心灵空间和精神时间的自由融一。用德国阐释学权威伽达默尔的话来讲,就是"真正的精神潜沉(深层体验)敢于打碎它的现实性,以便在破碎的现实中重建精神的完整。能够这样携带着向将来开放的视野和不可重复的过去而前进,这正是我们称之为体验的本质"(《作为游戏、象征和节目的艺术》)。简而言之,这种最高的审美体验,就是庄子所说的"听之以气",宗炳所说的"畅神",陆机所说的"应感之会",沈约所说的"兴会",西方一般称为灵感或高级直觉。此时,艺术家往往感到一种极为强烈的情感和情绪在心中跃动并统摄整个身心,一股汹涌的心潮迫使自己去表现。这种被弗洛伊德称为"海洋般的情感"往往令人语言失色,呈现出"终不许一语道破"的模糊感受,进而体验到一种"无言之美"。

但艺术体验必须传达出来才能成为艺术品,才能将个人的体验传达给他人,实现个人体验向社会群体体验的转化。因此,处于灵感高潮时的艺术家往往情不自禁用语言或音符,或线条,或色彩等艺术媒介将自己所获得的高度审美经验传达出来。这"体验"和"传达"的关系,是一种"十月怀胎"和"一朝分娩"的关系,是一个由相对模糊的体验向清晰的审美意象[①]的转化过程。在这转化过程之中,审美体验的信息无疑将大大耗损,以至魏晋有"言不尽意"之说,刘勰有

[①] 意象,一般认为有两层含义:一是指作家心中意与象的叠合、意中之象;一是指经语言等艺术媒介物化了的艺术形象中的意象。这里的审美意象是第二层意思,即物态化的审美体验。

"方其搦翰,气倍辞前,暨乎篇成,半折心始"之叹。尽管审美体验及其体验时传达如此难以把握,但文学艺术却总是试图表现这不可表现者。审美体验于感物起兴之中获得,这时往往有"意不逮物"之苦恼,审美体验于灵感激发、兴会标举之中传达,又有"言不达意"的慨叹。对这艺术的悖论,德里达提出要打破"语言的牢笼"去解构(Deconstruction),而我们却认为艺术中这种不能表达也是一种表达,甚至人们就只在不可表达之中把精微的体验细腻地传达了,于不可言传之中传出了可言之意,说在不说之中,在二重矛盾中达到自身困难的克服。创作主体感到的"半折心始"的喟叹,在优秀作品中却往往出现了一种张力场——在文字之少和内涵之大中间造成的中间地带,既融汇有作者审美体验的澎湃激流,也留出了可供艺术接受者再度体验的广阔天地。因此,果戈理才把普希金那"极简洁而含蕴的诗"赞之为"每一个字都是无底的深渊"。巴尔扎克才在《幻灭》中断言:"真正懂诗的人会把作者诗句中只透露一星半点的东西拿到自己心中去发展。"甚至,美国著名画家安德鲁·怀斯宣称:"画面表现出的东西越少,观众接受的东西就越多。"[1]正是在这个意义上,我们完全赞同意大利文艺批评家卡斯特维特罗所说的:"欣赏艺术,就是欣赏困难的克服。"

对作者审美体验的物化品——艺术作品的再度体验,构成了一个完整的艺术审美体验系统。这种再度体验是整个审美体验的不可缺少的一部分,它是审美价值实现的唯一途径。

这里只对艺术作品再度体验作一大致描述:

首先,作品的符号的"破译",使作品外形式(色、形、音乐美的形式)"直觉"式地引起人的"应目"的初级审美体验,美感效应称这一先导形式叫做"诱导效应"——通过艺术形象的展示,把读者的审美注意力集中凝聚在审美对象上。然后,作品以情节、意境、气韵等与主体心灵(审美情感、审美想象、审美理想)交融,达到"会心"的中级审美体验,美感效应称这阶段为"启迪效应"、"震惊效应"和"感染效

---

[1] 洛舟:《安德鲁·怀斯》,《世界美术》1981年第1期。

应"——读者对作品思想的深刻的领悟和启迪,情感产生强烈共鸣,染上作品的情绪色调。这既是理智的接受,又是情感的渗透。最后,整个作品释放出全部审美刺激丛(多种美学因素的综合体),主体更是充分发挥审美体验能动性,对作品的言外之意、象外之境进行总体把握,达到"超以象外,得其环中"(司空图《二十四诗品》)境界,呈现出对客观事物必然性的瞬间感悟和对人生、理想的执着追求——"畅神"的高级审美体验,似乎灵魂受到震撼和洗涤。美感效应称此为"净化效应"——艺术的情感弥漫着读者的心灵,从而引起读者的欲念升华和功利观念的终止。这种活动已经深入到人的潜意识领域,是艺术潜移默化特点的集中表现,它在塑造人的灵魂上发挥了最深刻的作用。

第三节 审美体验的特性

通过上面的分析,我们认为审美体验这一人类独有的精神活动有下列五个特点。

一、审美体验的模糊性和直觉超越性

在审美体验发生之时(感物起兴),刹那间便感到审美对象的美,这是审美经验沉淀积累对最新审美信息的一种"诗意的直觉"(卡冈语)。这种直觉是与科学的"理性的直觉"有别的模糊性。当审美主体沉浸于审美体验中,他感到心驰神往、情牵意绕、意象迭出,"此中有真意,欲辨已忘言"(陶渊明《饮酒》第五首),呈现出静观体味言难尽意的心理状态。曹禺1936年给《雷雨》写序言说:"我并没有显明地意识着我是要匡正、讽刺或攻击什么⋯⋯在起首,逗我的兴趣的,只是一两段情节、几个人物、一种复杂而又不可言喻的情绪。"当代美学家科林伍德描述作家这种心理过程说:"首先,他意识到有一种情绪,但对这种情绪是什么,他并没有意识到。他所意识到的一切就是某种心神不定,或是兴奋,他所感受的东西在他身上继续发

展,但对它的性质,他却一无所知。"①这种模糊心态是意识与无意识的统一。正因为丰富的审美经验支撑着现时的感兴、神思、兴会,所以主体想象丰富而自由,体验精深而朦胧多义,瞬息万变,内在深质宽泛而非确定性。这正是与人类其他体验方式(科学体验、道德体验)相异之处。正如康德所论述的,"模糊观念要比明晰观念更富有表现力……美应当是不可言传的东西。我们并不总是能够用语言表达我们所想的东西。"②

二、审美体验的激情性和随机性

人类的体验形式总是对某种情感或情绪的体验。审美体验的整个过程是充满着激情的,而这种审美体验的激起、发生是随机的、偶然的、突发的,没有固定的法式和预定的轨道,也没有预期的结果。加之因不同的艺术创作者和不同的审美对象产生审美体验,可以是一花一酒、一月一影,如李白《月下独酌》;也可以是一段愁绪、一股沉醉之情,如陈子昂的《登幽州台歌》;也可以是对他人的艺术创作的再体验而进行的再创造,如杜甫《观公孙大娘弟子舞剑器行》。正是这种随机性和激情性,使不少人对创作审美体验的起兴感动、神思、兴会、灵感"来不可遏,去不可止"抱有一种神秘感。这种因时、因地、因事、因人(心境、性情、审美能力等)而异的随机性,的确有其不确定性质,但这正是艺术家获得鲜明个性特征的条件。这种审美体验随机性可以打破那种千人一面、万人一腔的僵化审美经验,而使作品显出新颖独特的魅力,获得不同风俗的审美价值。在这个意义上,审美体验的这种不确定比之于那种审美惰性的"确定",正如爱因斯坦乃至海森堡的"不确定"与牛顿的"确定"相比,是高妙得不可比拟的。

三、审美体验的流动深化性

审美体验是一个动态过程,也是一个流动的范畴。在不同民族

---

① [美]科林伍德:《艺术原理》,英文版,第109页。
② [苏]阿尔森·古留加:《康德传》,贾泽林、侯鸿勋、王炳文译,商务印书馆,北京,1981年,第113页。

的审美心理结构、不同时代的审美理想、不同个体的审美趣味的合力下,审美体验往往呈现出一种起伏发展的流动深化性。同时,从审美经验的积累发展角度看,个人审美体验在时间上,短的仅需一瞬就可体味人生执着追求和自然的终古之美,长则终身方能唤起灵肉俱释的陶醉和一念常惺的彻悟。辛弃疾《丑奴儿》中那"不识愁滋味"的少年,"为赋新诗强说愁",到老来"识尽愁滋味",却道"欲说还休"。这种审美体验的解悟的获得是以毕生经验为代价的。宋代蒋捷《虞美人·听雨》也异曲同工:"少年听雨歌楼上,红烛香罗帐。壮年听雨客舟中,江阔云低,断雁叫西风。而今听雨僧庐下,鬓已星星也,悲欢离合总无情,一任阶前,点滴到天明。"这正是康德所说审美体验中的沉醉有时是"一下子"发生的,有时则需要相当的时间。①

艺术创作中的体验如此,欣赏中的体验亦然。艾略特说:"读一首诗既是一时的体验,也是终身的体验,弥久弥深。"明代文学家刘基读杜诗的体验深化过程对此作了很好的印证:"予少时读杜少陵诗,颇怪其多忧愁怒抑之气……此五六年来,兵戈迭起,民物凋耗,伤心满目,每一形言,则不自觉其凄怆愤惋,虽欲止之而不可,然后知少陵之发于性情,真不得已。而予所悟者,不异夏虫之疑冰矣。"②足见审美体验的深入过程,是与读者人生体验的深入进程同步的。审美体验的流动深化性,不仅在文学创作和欣赏进程中表现出来,在绘画、书法的审美体验中也显出其特性。李贽在《读史·诗画》中记载:"吴道子始见张僧繇画,曰:'浪得名耳。'已而坐卧其下,三日不能去。庾翼初不服逸少,有家鸡野鹜之论,后乃以为伯英再生。"③可见审美体验的深化是现代著名心理学家皮亚杰所说的个体心理不断地"同化"和"顺应"的过程,是由耳目感官愉悦向心灵的精神沉醉的拓进过程,是一种体会宇宙精神、把握人生境界、渗透自然之气、讲求灵肉内修的流动过程。因而只有体味了宇宙人生中那无法名状、不可言

---

① [苏]阿尔森·古留加:《康德传》,贾泽林、侯鸿勋、王炳文译,商务印书馆,北京,1981年,第191页。
② (明)刘基:《诚意伯文集》(卷五),上海古籍出版社,上海,1987年。
③ (明)李贽:《焚书》(卷五),中华书局,北京,1984年。

喻的"无声之和",才能求索到生活内在而质朴的意蕴,获得真正的审美的人生态度和审美体验深度。

四、审美体验的双向建构性

人认识大千世界需要工具,望远镜、显微镜等是工具。有了工具,就在人(主体)和世界(客体)中造成了中介。这中介就是一个认识世界、推动世界发展的支点。阿基米德为找这个支点而苦闷:"给我一个支点,我就能推动地球。"而审美主体与审美客体之间,也有一个"支点"(日本文艺美学家滨田正秀称之为"第三点"),这就是审美体验。滨田正秀说:"这个第三点是介于主、客体之间使两者相互沟通的一种媒介体。我们以这一审美体验为线索,就能在了解自身的同时了解作品。"[①]审美体验就是主体精神世界与客观世界的一个支点,借助这一支点,小宇宙推动了大宇宙,实现了"天人合一",进而通过个人(小我)的审美体验反映了人类(大我)精神。对于这一点,卢卡契认识相当深刻:"人类绝不能与它所形成的个体相脱离,这些个体绝不能构成与人类无关存在的实体。审美体验是以个体和个人命运的形式来说明人类。"[②]作为主客体的中介——审美体验过程,既是认识世界,又是认识自我(内部世界)的过程;既是创造(推动)客体,又是创造(推动)主体的过程。这是一个以审美体验为核心的双向建构过程,不仅建构了具有审美价值的艺术作品,而且纯净、升华了人的审美意识,创造出了艺术个性和美的心灵。

五、审美体验的二象性特征

审美体验不是一个神秘的精灵,它就藏在艺术过程中,并物化在艺术作品里。审美体验既是主客体交互作用的产物、发展运动的审美形式,又是最后生成为艺术作品意蕴的内容。也就是说,这种审美体验具有双重价值,一方面构成激情,此为艺术的细胞——审美意象;

[①] [日]滨田正秀:《文艺学概论》,日文版,玉川大学出版部,1977年。
[②] [匈]乔治·卢卡契:《审美特性》上册,德文版,卢赫特汉出版社,1963年,第248页。

另一方面,是艺术创作的原动力,激起创作热情,并伴随创作过程而发展、丰富、展开。这样,艺术作品的内容既不单纯是客观的现实,也不单纯是主体的心灵,而是主客体融一的审美体验,是主体心灵传达出对象的心灵内容,是内在生命所获取客观的审美价值。这种既是激情运动(感物起兴、神思、兴会)的形式,又是物化为作品内容的特点,构成审美体验的二象性特征。表面上看,这有些像心理学上的"双象图"。其实,这二象性说明了审美体验是人的关于审美方面的本质力量本真地敞开,是人的多种多层体验的瞬间融合。这呈现为艺术作品,是内容直接表现为形式,形式直观地表现为内容。形式和内容本来就不可截然分开,正如尼采所说:"对于他人来说是形式的东西,相反,对于艺术家来说却是内容。"①因此,在这个意义上,我们可以说审美体验构成了艺术内容的特质:它是区分艺术与非艺术的双刃宝剑,它是文学研究、文学批评的出发点,它更是文学创作和文学欣赏的出发点和归宿。从纵向看,它贯穿于整个文艺过程的始终;从横向看,它属于所有表现艺术和再现艺术的核心层次。它的独特价值已经引起中外美学家、艺术家越来越强烈的兴趣和积极的研究。

对审美体验的研究尚待深入,下定义似乎为时太早。海敦(Glen Haydon)曾对审美体验下过这样一个定义:"审美体验包含着一个在主体-客体状况下的一种内在价值的感知,在这种主体-客体状况下,体验的感觉到的诸素质是被认为属于客体的。"显然,这个定义是不完备、不理想的,并没有穷尽审美体验的全部内涵和特性。因此,对这一问题的研究,尚待进一步深化和发展。

总之,通过上面分析,我们完全有理由认为,审美体验问题是属于文艺创作和文艺欣赏核心层次的问题,它贯穿于整个艺术过程的始终。在我们看来,审美体验是艺术作品之所以为艺术的根本依据,是区分艺术与非艺术的主要标志,是解决当代美学中艺术与非艺术问题的一个突破口。审美体验涉及审美心理学、审美社会学和艺术哲

---

① [日]今道友信:《关于美》,鲍显阳、王永丽译,黑龙江人民出版社,哈尔滨,1983年,第167页。

学等,问题相当复杂。因此,对中西美学中的审美体验论加以比较研究,是有必要的。

第四节 审美体验的层次性和拓展性序列

审美体验作为心灵活动中的一种特殊的心理过程,一种主客体相互作用的精神现象,被中西美学家、艺术家研究着。人们从不同的审美文化背景、不同的宇宙观、不同的美学角度出发,或多或少地接触到"审美体验"的某些方面的性质,并提出各种不同的(有时甚至表面上十分对立)的范畴。这些审美范畴或审美理论都从某个侧面揭示了审美体验的某些特征,但都不能完全囊括审美体验内涵的全部。

在审美体验"心物"之轴上,西方或是偏向物的一端(模仿说竟延续了近2000年),或是偏向心的一端,现代移情说、想象说、灵感说、表现说、直觉说、孤立说、心理距离说,以及现代主义回归自我等占了优势[1],表明了西方文化深刻的内在矛盾:在解"历史之谜"、"美学之谜"这两大结构方程时总是走极端,或者是"镜",或者是"灯"[2];经历了由再现说(模仿,像镜子一样反映)到表现说(像灯一样放射光辉)、由古典主义到现代主义的历史大跨度,其审美价值观和审美范畴也在两极摆动。关于这种"镜"与"灯"对立的美学观,《美国百科全书》说得十分绝对:"模仿说的艺术概念一直统治着18世纪的美学观念。以后,美学观念逐渐转为以表现说的艺术为其基础。"

审美体验在心理发达、感情丰富的中华民族的艺术心灵中,具有鲜活的风貌。中国以中和为本,在审美体验"心物"两极之间获得辩证统一,这是一种"镜"(再现)与"灯"(表现)的统一。中国美学对文艺审美特性的认识是一以贯之而富有变化的。但这变化是一种深化,不是一种断然的否定;是中和、节制、自律的进程,围绕"心物"一轴上下波动("感物说"在中国美学上具有重要的地位)。只有循此出发,

---

[1] [波]塔塔尔凯维奇:《六观念史》,英文版,1980年,第325~334页。
[2] [美]艾布拉姆斯:《镜与灯》,郦稚牛、张照进、童庆生译,北京大学出版社,北京,1989年。

才有可能找到中华民族的诗心、文心,才能感触到文明古国的心路历程。那种西方是再现、中国是表现的说法,只是得之皮毛,不符合中外美学的实际。

从审美体验这一流动发展的过程着眼考察,就可以发现中西审美体验理论和范畴在这一光谱上,有的具有相当接近的色调,有的看似不同而其实十分相似。因此,我们打算拈出西方"移情"、"想象"、"灵感"这几个最为关键的范畴来,与中国美学中审美体验属于核心层次的"兴"、"神思"、"感兴"放置一处,略作些比较,从中也许可以获得一些宝贵的启示。

一、"兴"与"移情"

我们在审美体验这一动态过程中拈出"兴"与"移情"来进行比较,其实是颇费踌躇的。简单地说,它们的"可比性"并不大。但虽不大,因都与激发创作者与欣赏者的情感、对主客体之间的审美活动的发生和进行有着相似的功用,所以就依这点儿"相似",把这对异国美学范畴放置一处,稍作比较。

"兴",在中国是个含义十分丰富,而又歧义颇多的概念。从《周礼》,汉儒解经,经钟嵘、刘勰、朱熹、李仲蒙,及至后世王夫之、闻一多、朱自清,对"兴"的注释,时有推进。到了现代,研究者对这一范畴发生了更大的兴趣。陈世骧就专门写过一篇《原兴:兼论中国文学特质》;叶嘉莹在其《迦陵论诗丛稿》《王国维及其文学批评》的专著中,都反复提到要深入研究中国诗歌"兴"的兴发感动作用;周英雄在他的近著《结构主义与中国文学》中提出"兴"的应用是研究中国诗词的核心问题的观点。

"兴"在汉代经学家那里主要有两种意思,一是认为是《诗经》的一种表现手法,如毛亨;二是认为"兴"是一种"譬喻",如郑玄。到了齐梁时,刘勰《文心雕龙·比兴》说,"比显而兴隐"。钟嵘则认为"兴"即"文已尽而意有余"。至宋,朱熹认为"兴者,先言他物以引起所咏之词也"。李仲蒙则把赋、比、兴看作是表现感情的三种手法。后世中外学者对"兴"也颇多歧义。概括地说,古往今来对于"兴"意的看法有如下四种：

第一，"兴"就是感兴起情，就是兴起、发端之意。法国霍尔兹曼（D. Holzman）也持这种看法，认为孔子的"兴于诗"，"指的是'发端'"①。

第二，"兴"是感物兴情，由景到情。法国韦利持相同看法，认为"兴"是"激发人们的情感"②。法国的理雅各稍有不同，认为"兴"是"感发人们的意志"③。

第三，"兴"，被视为"诗教"的方法（孔颖达）。徐复观《释诗的比兴——重新奠定中国诗的欣赏基础》同意此说，并进一步指出，以"见今之失"或"见今之美"分"比兴"是不行的。

第四，"兴"是隐喻的形象。"比显而兴隐"，有隐喻"无迹可求"甚至"诗无达诂"之意。

这些看法都是有某方面的正确性。但"兴"作为中国美学中的审美体验的重要范畴，其精义尚待进一步发掘。有人认为中国的"比兴"就是中国美学的"移情说"④。其实，"兴"与"移情"既有相似的一面，又有若干差异。

中国的"兴"的第一个鲜明特点就是在于它是感兴起情。当审美主体面对其审美对象时，会因原有的心态模式与景、物对应，激发而勃然起情。刘勰《文心雕龙》说："原夫登高之旨，盖睹物兴情。情以物兴，故义必明雅；物以情观，故词必巧丽。"明代的谢榛《四溟诗话》说："凡作诗，悲欢皆由乎兴，非兴则造语弗工。……悲感诗，兴中得者更佳。至于千言反复，愈长愈健，熟读李杜全集，方知无处无时而非兴也。"可见兴的"一情独往"，使主体的审美体验能突破景物的表面层次而进入较深层的审美体味。

"兴"的第二个鲜明特点是审美体验的初级直觉，有其感兴深拓性。当代日本著名美学家今道友信曾说："兴"是一种情感的"兴

---

①[法]霍尔兹曼：《中国文学入门》，英文版。
②同上。
③同上。
④林同华：《美学漫谈》，江苏人民出版社，南京，1984年，第175页。

腾"——"垂直地兴腾起来",不需要各种关卡层次缓慢演进,而是带有一种"直觉性",是"垂直地面向超越者","直观事物的内核"。今道友信还指出孔子的"诗可以兴"的兴,有极其深刻的含义,指的是一种"精神觉醒"和对现实的"神游式的超越"。[1]我们认为"兴"有两个层次:一是诗人感物、触物而兴情,我们称之为初级的直觉或是情与物初步相契;二是高级直觉,尤其是对审美体验能力强的人(如敏感的艺术家),在感物的瞬间马上就达到了"神游式的超越",即达到灵感程度,所以不少人触物兴怀而吟出千古绝唱。如陈子昂《登幽州台歌》:"前不见古人,后不见来者。念天地之悠悠,独怆然而涕下。"诗人登台,神思徜徉,极目四望,目击道存,于是兴发感动(怆然涕下),对宇宙时空永恒和个人的孤独获得强烈的审美体验。故而他那冲口而出的诗句,负荷了人类心灵的共感而千古感动人心。

"兴"的第三个鲜明特点是具有审美体验第二层"神思"过渡和交叉的趋向。"兴"在起初主要是激发起作家的创作冲动,通过外物、景物抒发、寄托、表现情思。所以方东树说:"诗重比兴,兴则因物感触,言在于此而义寄予彼。……兴,最诗之要也。文房诗多兴在象外,长以此术求之,则成句皆有余味不尽之妙矣。"因此,兴可以因起初的动发兴腾,上升到"神思",最后达到一种"兴会"(灵感)境界,这是向人类的深层心理的拓进,是诗歌生命力、表现力广阔驰骋的疆场,也是诗人们言情托意、感物兴怀的一种重要的方式。正是在这个意义上,我们说"兴"具有真正的美学价值,是诗词创作的不二法门,是写出具有自己独特个性(因每人触物感受绝不雷同)和永恒审美价值的艺术作品的"度人金针"。同时,沿着"兴"发展轨迹溯流而去,在这寻根溯源的"反求工程"中,我们可以窥见中华民族远古族类的审美体验,原始审美活动以及处于集体无意识的巫术图腾活动,从审美心理——审美体验的角度去探索人的审美的发生。这一切,构成了今日美学对"兴"的强烈兴趣,同时,也给研究者提出了严峻的课题。

---

[1] [日]今道友信:《东方的美学》,蒋寅、李心峰、刘海东等译,生活·读书·新知三联书店,北京,1991年。

西方所说的"移情",确乎与中国的"兴"有类似之处,具有某些可比性。这里,我们以"移情说"主要代表人物里普斯的观点为依据,进行些分析。

里普斯最著名的贡献是审美"移情说"。休谟和博克的"同情说"、赫尔德的"美是在艺术对象和自然对象中生命与人格的表现说",以及浮龙·李(Vernon Lee)的"审美移情"、巴希(Victor Basch)的"同情说"和谷鲁斯(Karl Groos)的"内模仿说",对里普斯都产生过不同程度、不同方面的影响,他吸取了有用的成分而使移情说系统化了。

里普斯从三个方面界定了审美移情的特征:一是审美必须有对象,这对象不是与主体事物相对立,而是一种体现,受到主体灌注生命的、活动而有力的、自我对象化了的形象;二是审美必须有主体,但绝不是与对象对立的、实用的自我,而是在对象里生活着的、观照的自我;三是主体与对象要有所关系,有着主体生活在对象里,对象从主体受"生命灌注"从而表现了人的生命思想感情的统一关系。总述三点,事实上移情作用就是主客体两个相关联的方面一次达成的特殊效果。他在《空间美学》中举了希腊建筑中道芮式石柱的观照为例:一方面仅从力量、运动、活动、倾向等方面来观照对象所引起的主体"耸立上腾"、"凝成整体"的感觉,这称为"机械的解释";另一方面是以人度物、化物成人的"人格化解释",造成一种身外物的自身类比。于是,本来相对立的主客体,在审美移情作用中得到了统一。同样道理,颜色获得了它们的性格和人格,音乐获得了它们全部的表现力,人的肉体外貌成了他们内心生命的表征。

中国美学的"兴"的感物起情,与移情说主体将生命灌注对象而情感化有某种相似之处;审美移情的主体生活在对象里,大有"情往似赠,兴来如答"的味道。这点又与"兴"的情感勃发、物我皆染上情感色彩十分相近;当"兴"达到高潮时,所呈现的物我一体,如李白"相看两不厌,只有敬亭山",又与移情论第三个特点"对象受到生命灌注"从而表现了人的生命思想情感的统一关系暗合。这样看来,都是主客体相交,都是情感投射,都是表现为感情互置和兴奋。的确,中国的"兴"与西方的"移情说"有"同"的一面。但深一层再细加分析，就会发现二者之间乃"同中有异"。

首先，里普斯的移情说是能动的主体，主动地将自身情感外射（project）；而中国的"兴"却强调体验、兴发，重物我的交流以及亲和感受性（empfindung）。

其次，移情说过分强调主观性、对象的人格化。以人度物，化物成人，以"人格化解释"，造成一种身外物的自身类比。而"兴"却重点在起兴，然后一情独往，超越物的现象，而体味到宇宙时空无限和自身的情怀。也就是说，"兴"的跨度更大，可从一物而至整个生命、世界、宇宙。

再次，移情说强调分析，推论出三大规律（整一律、多样统一律、主从律）。而"兴"却重在直观感物，重整体的功能，重由外向内的拓进，达到很高的层次。

最后，移情说在里普斯《空间美学》中主要举出古希腊建筑的例子为自己的理论支点，所以是以一种"错觉"的"飞腾感"来说明移情；而"兴"却是面面观，视点是不固定的，是随情所至，"俯仰自得，游心太玄"，对万物及宇宙一视同仁，主客体相亲相近。

总之，"兴"与"移情"是同中有异、异中有同的，不能全然等同。

二、神思与想象

中西审美体验过程的另一对范畴是神思和想象。"神思"一词最早见于汉末。韦昭《鼓吹曲》："建号创皇基，聪睿协神思。"（宋人郭茂倩编《乐府诗集》卷18）这里的"神思"主要用来状人物的精神面貌。到了刘勰则将其作为文学创作的一个审美范畴。此后运用"神思"一词就很普遍了。

最早提出"想象"一词的是亚里士多德，他在《心灵论》中说："想象和判断是不同的思维方式。想象是可以随心所欲的。""想象"一词出现虽早，但却为古希腊文学理论所忽视，亚里士多德《诗学》中就没有"想象"（只有阿波罗尼阿斯对"想象"评价甚高是一例外）。直到18世纪以后"想象"才得到广泛运用。这也可以看出中西两大诗潮的某些不同走向。近些年来，古典文论界有一种倾向，将"神思"等同于"想象",认为"神思就是想象"①;也有人把"神思"概念扩大,认为"神思"即艺术构思。这些说法仍有再探讨之必要。作为审美体验重要部分的神思和想象,因中西文化的不同而显示出同中有异,绝难完全等同。鉴于中西美学对这对范畴论述颇多,难以尽述②,这里仅将刘勰"神思论"和陆机有关文思问题的精见与柯尔立治、科林伍德的"想象论"(必要时也涉及杜威、卡西勒、里博的想象论)加以比较,以明了中西审美体验中这对相近范畴的本质和异同。

先谈"想象"。

柯尔立治关于想象的理论集中在《文学生涯》一书的第十三章和第十四章中。他说:

> 我把想象分为第一位和第二位的两种。我主张,第一位的想象是一切人类知觉的活力与原动力,是无限的"我存在"中的永恒的创造活动在有限的心灵中的重演。第二位的想象,我认为是第一位想象的回声,它与自觉的意识共存,然而它的功用在性质上还是与第一位的想象相同的,只有在程度上和发挥作用的方式上与它有所不同。它溶化、分解、分散,为了再创造;而在这一程序被弄得不可能时,它还是无论如何尽力去理想化和统一化。它本质上是充满活力的,纵使所有的对象(作为事物而言)本质上是固定的和死的。幻想,与此相反,只与固定的和有限的东西打交道。③

柯尔立治在第十四章接着说:

> 诗人(用理想的完美来描写时)将人的全部灵魂带动起来,使它的各种能动按照相对的价值和地位从属。他散发一种一致的情调与精神,藉赖那种善于综合的神奇的力量,使它们彼此混合或(仿佛是)溶化为一体,这种力量我专门用了"想象"这个名称。这

---

① 王元化:《文心雕龙创作论》,上海古籍出版社,上海,1984年,第95页。
② 西方对"想象"的研究,休谟、康德、朗格贡献尤为突出。而柯尔立治、华兹华斯、佛斯科洛、马佐尼,以及克罗齐、萨特、科林伍德、里博、瑞恰兹的研究也时有新解。
③ 刘若端编:《十九世纪英国诗人论诗》,人民文学出版社,北京,1984年,第61页。

种力量,首先为意志与理解力所推动,受着它们的虽则温和而难于察觉却永不放松的控制。①

柯尔立治用分析的方法,不仅区分了"想象"和"幻想"的区别,而且把想象分为两种,即第一位想象和第二位想象。那么什么是第一位想象呢?文中指出:一切人类知觉的活力与原动力,是无限的"我存在"中的永恒的创造活动在有限的心灵中的重演。简而言之,想象即是作为主体的人在其创造活动中的一种能动的知觉能力。也就是说,具有这种知觉能力的人能对客体进行认识和体验。这种客体"本质上是固定的和死的",是无生命的物。想象就是对能动的主体和无生命的客体进行综合的一种力量。第二位想象与第一位想象性质上几乎相同,但第一位想象是在不自觉的情形下进行的,而第二位想象则是一种有意识的活动(它与自觉的意志共存),而且为了进行"再创造",它要"溶化、分解、分散"客体,即主体这"充满活力的"、"善于综合的神奇的力量"——想象,要对这"本质上是固定的和死的"客体进行重新组合和创造。这一想象创造之中,理智贯穿其全过程,并伴之以"热忱与深刻强烈的感情",这主体的理与情(生命力)投射在没有生命的客体上,从而终于达到主体与客体、人与自然的融一。这种第二位想象较之第一位想象的创造更高级,更具有理性的力量。

在柯尔立治眼中,自然是没有生机和灵魂的,只有"人的心灵是那些分散在自然界的各种形象中的智力光线的焦点"②。想象力具有"统一性",自然只有等待。诗人从自己的精神中把一个有人性的、有智慧的生命转移给它们的时候,而诗人自己的这种精神是"将它的生命贯穿于天、地与海洋的"③。这说明,想象力所具有的创造力,可以超越时空。

柯尔立治对想象力的获得问题的看法具有鲜明的天才论色彩。他说:"在灵魂中没有音乐的人,绝不能成为真正的诗人。……音乐

---

① 刘若端编:《十九世纪英国诗人论诗》,人民文学出版社,北京,1984年,第61页。
② 同上,第100、74页。
③ 同②。

的快感和产生这种快感的才能是想象力的赐予……绝对不是学来的。"①换言之,一个人的天赋决定了一个人是否具有想象力。

表现论美学家科林伍德的想象论,从另一个侧面反映了现代西方表现说对想象的看法。科林伍德把想象的理论作为其审美体验的基础。他认为,艺术是一种想象活动:"在想象体验的水平上,那种粗野的、肉体水平的情感会转化成一种理想化了的情感,或所谓审美的情感。"②同时,他认为,想象是一种有意识的活动,艺术家想象着并知道自己在想象。没有想象活动,他就不能是个艺术家。对作家、艺术家而言,这种想象活动就是一种审美活动。

实用主义美学家杜威对想象的看法,比柯尔立治更坦率,"审美的经验是想象的"。"想象是指激发和渗透一切创造和观察过程的一种性质。它是把许多东西看成和感觉成为一个整体的一种方式。它是广泛而普遍地把种种兴趣交合在心灵和外界接触的一个点上。"③也就是说,想象是审美主体和审美客体之间的一种调和成整体的方式,是心与物的交合。杜威接着说:"想象力是结合艺术品里一切因素的能力,它把各个不同的因素造成一个整体。我们在其他经验里着重表现和部分实现出来的因素,在美的经验里都融合在一起。在这个一下子全都完整的经验里,我们的各种因素完全融合为一,各别之处融化了。我们意识里不觉得有任何别的因素。"④

当代符号学美学家卡西勒在想象问题上也持与柯尔立治相似的看法,而略有发展。他认为:"当一位抒情诗人与物(对象)相接触时,常予物以内在的生命和人格形态,从而使天地有情化。"⑤

综合西方"想象说",大致有以下要点:

第一,想象是有意识、有生命的人(主体)对"固定的和死的"无

---

① 中国社会科学院《外国文学研究资料》丛刊编委会编:《欧美古典作家论现实主义和浪漫主义》(一),中国社会科学出版社,北京,1980年,第277页。
② [英]科林伍德:《艺术原理》,英文版,1937年。
③ 中国社会科学院《外国文学研究资料》丛刊编委会编:《外国理论家作家形象思维》,中国社会科学出版社,北京,1979年,第198、199页。
④ 同上。
⑤ [德]卡西勒:《人论》,德文版,1947年。

生命的物（客体）加以重新组合和再创造的，使之主客为一，成为一个整体的过程。

第二，想象是一种作用于主体和客体之间的"综合的神奇的力量"。艺术创造是想象力主动运行的过程（柯尔立治），是主体给予客体对象生命和人格的过程（卡西勒）。

第三，想象的全过程都是有理性和情感共同参与的。在科林伍德看来，审美想象（体验）所具有的非功利性，可以将生理的肉体的情感转换（升华）为理想化了的感情。

第四，在杜威看来，在审美体验——"完整的经验"中，想象具有使主体心灵超越时空、澄怀专一的力量（"我们意识里不觉得有任何别的因素"）。

第五，在柯尔立治看来，想象的获得是属天才论的，后天的学习是无济于事的。

我们再来看陆机的"文思"、刘勰的"神思"论。

首先遇到的困难是被刘勰誉为"驭文之首术，谋篇之大端"的"神思"到底是什么意思？文学创作的"思"为何用一个"神"来加以形容？这些问题都是正确理解"神思"所必须加以解决的。

"思"在刘勰那里，主要是指审美体验中思绪如泉涌这一现象。《镕裁》篇中说："凡思绪初发，辞采苦杂。""神"，从审美体验的心理活动看，是主体的一种心灵活动以及活动功能、作用。刘勰说："文之思也，其神远矣。"这种心灵活动是一种激荡的、神秘的、高妙的体验过程，故称为"神"。刘勰《神思》篇说：

> 古人云：形在江海之上，心存魏阙之下。神思之谓也。文之思也，其神远矣。故寂然凝虑，思接千载，悄焉动容，视通万里；吟咏之间，吐纳珠玉之声；眉睫之前，卷舒风云之色；其思理之致乎！故思理为妙，神与物游。神居胸臆，而志气统其关键；物沿耳目，而辞令管其枢机……夫神思方运，万涂竞萌，规矩虚位，刻镂无形，登山则情满于山，观海则意溢于海，我才之多少，将与风云而并驱矣。

《神思》开篇,刘勰借《庄子·让王篇》中的"身在江海之上,心存魏阙之下",点明神思的本质就在于当作者的心情兴起勃发之时,可以超越现实时空,悠游于心灵所独创的时空中奇思妙想,无远弗届。"神思"之妙,就在于身在此而心在彼,可以由此及彼,不受身观局限,停止感官知觉以凝神妙想。在时间上,情思能无限无碍地悠游到过去、未来;在空间上,可窥到四荒八极,而意象纷呈。这样诗人就在来如潮涌响起、去如景灭声逝的神思之顷,捕捉到永恒和无限。神思的这种超越时空的重要特点,对后世影响很大。清代的李执中就曾经写过这样一段话:"究神思之隽,则寸心所汇,千里非迢。"除超越时空的特点以外,在艺术构思过程中,情感体验的强度占有核心地位,可以增强、鼓舞、引导审美体验的强度和方向。当激情兴发之时,诗人"登山则情满于山,观海则意溢于海"。不仅如此,当神思使主体的体验潜沉到灵肉之深处时,就会"思涉乐其必笑,方言哀而已叹","谈欢则字与笑并,论戚则声共泣偕",人格精神受到震动。因此,情感的激发性是神思的又一特点,其重要处在于"神用象通,情变所孕",并制约着"志气",统领着文思开塞的关键。对此陆机早有会心,他在《文赋》中是这样描述神思过程的:

> 其始也,皆收视反听,耽思傍讯,精骛八极,心游万仞。其致也,情曈昽而弥鲜,物昭晰而互进,倾群言之沥液,漱六艺之芳润,浮天渊以安流,濯下泉而潜浸。于是沉辞怫悦,若游鱼衔钩而出重渊之深;浮藻联翩,若翰鸟缨缴而坠曾云之峻。收百世之阙文,采千载之遗韵。谢朝花于已披,启夕秀于未振。观古今于须臾,抚四海于一瞬。

陆机将这种艺术体验中文思喷涌的过程分成相互依存的三个阶段。第一阶段,"其始也"将游离的精神集聚起来,摒绝外虑,以自由的心神驰骋于穷高极远的空间,突破上下古今的限制,做无限的追求。第二阶段"其致也",感情由隐晦而趋鲜明——激情不可遏止;物象交互重叠渐趋明晰——意象纷至沓来。第三阶段"沉辞怫悦",殚竭心智以求美妙的文辞,以独特的体验贯穿时空,出之新颖别致的语言，发挥自己之意旨。这一段话，十分生动地呈现了诗人在艺术创作中，由体验到表现的全部过程的神思活动，与刘勰共同揭示了神思的重要特点：在凝神、虚静中超越现实时空而进行的以"神"为主的心灵悠游，同时，又需要用语言将其神思的情感意象完美表达出来。

在心物关系上，刘勰强调缘情感物的"神与物游"。中国诗人往往将自己作为自然的一部分，与自然有一种亲和关系。创作实践中，艺术家往往以主体之生气，体会自然之气。岚容川色、一花一石都成为艺术家澄怀味象的对象而与道相通，在自然（物）的形质上能看出它的灵趣和生命，看出它有其由有限以通向无限之性格。自然是创作的无言宗师，也是艺术之灵感的渊薮。因此，刘勰十分强调缘情感物的"神与物游"。神与物游的深刻处在于，作为主体的人在"志"（情志）和"气"（血气、元气）的共同作用下，透过耳目，与作为客体的物一起交感同游而成。这"物"（自然）是有其本身的精神和生命的（自然之魂），然而却是无言之"大美"，是隐含的、内敛的，须经过一番寂然凝虑、收观反听的"虚静"，才能体认感兴，才能感受到自然之灵的内在之气和永恒生命，达到物与神合、神与物游的境界。一切伟大艺术家所追求的正是这种可以完全把自己安放进去的世界，从而使主体的人生和精神获得完全的自由。

要达到"神与物游"、"物我合一"的那样"寂然"、"悄焉"的直觉体认的心灵状态，是不容易的。神思之来临，与诗人的"志气"通塞关系极大。陆机《文赋》曾对这个问题作过清楚的描述："若夫应感之会，通塞之纪，来不可遏，去不可止。藏若景灭，行犹响起。方天机之骏利，夫何纷而不理。思风发于胸臆，言泉流于唇齿。……及其六情底滞，志往神留，兀若枯木，豁若涸流。"最后，陆机只好叹曰"吾未识夫开塞之所由"。而刘勰在这一点上也颇有同感，认为创作通塞的关键是"志气"，即主体的思想、感情的畅达，"神居胸臆，而志气统其关键；物沿耳目，而辞令管其枢机，枢机方通，则物无隐貌；关键将塞，则神有遁心"。

正是因为认识到文思通塞与"志气"的关系，刘勰提出了"养气说"，强调"陶钧文思，贵在虚静，疏瀹五脏，澡雪精神"。事实上由构思到"其辞"必求"巧丽"的过程是需要才气的。刘勰说:"我才之多少,将与风云而并驱矣。"但刘勰并不是用才去反对后天的学。他明确地表示出先天后天并重,才气积学兼顾:"积学以储宝,酌理以富才,研阅以穷照,驯致以怿辞。"陆机除了重视积学以外,还重实践:"伫中区以玄览,颐情志于典坟。遵四时以叹逝,瞻万物而思纷。"这是十分正确的看法。由此可见,"积学"和"玄览"、"瞻万物而思纷"和"疏瀹五脏,澡雪精神"并重的养气之法,的确是激发人神思妙然的重要途径。

概括陆机、刘勰有关神思方面的论述,可以这样说:

第一,神思是充满生命活力,具有秉道之心的主体(人)与有生命灵性、有人格形态的元气氤氲的自然(物)之间的一种神妙的共同感应交合作用。

第二,神思可以分为三个阶段,从虚心澄怀以纳万物始,进而到激情难遏、意象纷呈,最后语言物化以成篇止。

第三,神与物游包括虚心接纳以体认自然之气(入)与主动投射以获得精神自由(出)的先后两个过程,最后达到主客交融、物我合一,即金圣叹在《鱼庭闻贯》中描述的"人看花,花看人。人看花人到花里去;花看人花到人里来"的"物化"境界。

第四,从神思的获得来看,与人的"志"、"气"密切相关,因此,养气为神思获得必要之条件。

第五,重视"积学"、"玄览"和感物并重,才气和学习缺一不可。

对中西"神思"与"想象"都有一定的认识后,再作比较就较为清楚了。

先从神思与想象二者的"相似点"看,西方的柯尔立治、科林伍德和我国陆机、刘勰都认识到神思或想象的发生,审美主体(人)和审美客体(物)是必不可少的条件,此其一;他们都看到神思或想象具有超越时空、设身处地的体验特征,此其二;都看到神思或想象既有情感的激发特点,也有理性的制约特点,此其三;中西美学家都看到艺术审美体验活动中神思或想象是艺术创作成败的关键,是创作深化的动力,如雨果就曾说:"想象就是深度,没有一种心理机能比想象更能自我深化,更能深入对象,它是伟大的潜水者。"此其四;神思或想象,由感物到心物一体,最后外化为文字而成为文学作品,会因人、因事、因时、因地的感发和神思、想象的深广不同,而呈现出不同的个人精神风貌,此其五。这些相同或相似之处,说明中西美学家、艺术家在对人们审美活动中的审美体验(神思、想象)的探讨中,共同发现了重要美学规律,并各自加以总结,纳入自己的审美体验论和艺术原理之中。

但相似或相近,并不等于相同。再作一点具体的分析,深究下去,我们就会发现神思和想象之间的相异处。

首先,作为神思和想象的主体和客体差别显著。神思之"物"是生气勃勃的有生命之物,当神思风发之时,生命主体和客体就发生"神与物游"。神与物感应交合所达到的境界,是一种"游"的境界。这"游"是一种孔子所说的"游于艺"之"游",也是庄子艺术精神中那种精神自由解放之"游"。

在中国美学中,人与自然不是像西方那样的对立关系,而是一种亲和关系。中国诗人都将自己看成自然的一部分,因此,宇宙自然不是人以外的外在世界,而是人在其中的宇宙整体。人与自然是和谐的。宇宙是大化流行、生生不已的,是以无为本、以气为本的,是"有情的天地万物"(徐复观语)。气不仅是万物之根本,也是人之根本。因此,生气灌注的宇宙自然是生命之根、生化之源,是人可亲可近、相交相游、俯仰自得的亲和对象,而不是像西方那样令人恐惧、压迫的具有敌对威慑力量的对象。对于这一点,宗白华先生体会最深。他说:"中国人抚爱万物,与万物同其节奏",而"深广无穷的宇宙来亲近我、扶持我,毋庸我去争取那无穷的空间,像浮士德那样野心勃勃,彷徨不安"。"西洋人……的视线失落于无穷……这无穷空间是追求的、控制的、冒险的、探索的。"[①]这一根本宇宙观的不同,涵盖了中西美学的各个层面,暗中规范着人们审美心理结构和审美体验的方式,从而显示出中西美学鲜明的不同色调。因此,"神思"的"神与物游"可以达到主客不分、相亲相交的心醉神迷状态:"觉鸟兽禽鱼,自

[①] 宗白华:《美学散步》,上海人民出版社,上海,1981年,第68、86、94、95页。

来亲人"(刘义庆《世说新语》);"我见青山多妩媚,料青山见我应如是"(辛弃疾《贺新郎》);"举杯邀明月,对影成三人"(李白《月下独酌》);甚至进一步"我化为物",成为"自我的化身",而憩息于神游的境界。于是陶渊明吟道:"有客常同止"(陶渊明《饮酒》)。这个与"我"常同止的"客"均为自我,"主客只代表陶渊明的'醒的我'和'醉的我'罢了"(梁宗岱《诗与真·诗与真二集》)。苏东坡也有"与谁同坐,明月清风我"(苏轼《点绛唇》)之句,这是由"游"所达到的沉醉或超越。在这里,物与我、自然与人是没有界限的,都是有生命元气的,以至可以相交相游、相亲相近,达到了"天人合一"。这是双向的交流,是主体仰观俯察,用整个身心去体验感应,是以虚静之心纳受万物之精魂,再将自身人格元气投射于物的相容相受的双向过程,就是被刘勰称之为"情往似赠,兴来如答"的过程。

柯尔立治的"想象"中的客体却是"僵固而死的",是与有生命的主体相对立的。客体只能被主体"一、二位想象"主动"扩散、溶化、分解"以后,加以主观的再创造而成为"另一个世界"。这是一个主体生命气质单向投注"转移给物"(柯尔立治语)的过程。于是物为主体精神所掩盖、变形,失去了物之本真。这种"想象"的"统一性",是以客体(物)分解、扭曲为前提的。这种"分解"之后又再"统一"起来之物,只不过消极地变为盛放主体情感的容器。这种主观单向投入(柯尔立治语)与"主体的给予"(卡西勒语)可以说是西方现代表现论的一大特色,这与其坚持主客体对立的哲学宇宙观分不开。这种主客体的对立,使西方人面对自然时,感到一种"痛苦的物我交流"[①]。新小说派的罗伯-葛利叶说:"人看着世界,而世界并不回敬他一眼……他为物质的目的而利用世界"。"人淹没在物的深度里,终于看不见物了。他的作用仅限于以它们的名义去体验一些纯粹人化了的印象与愿望。"[②]总之,"神思"和"想象"中的客体上的差异,构成了主客体之间不同的关系。这种或亲和或疏离的关系,反过来使得"神

---

① [法]罗伯-葛利叶:《自然、人道主义、悲剧》,见伍蠡甫主编:《现代西方文论选》,上海译文出版社,上海,1983年,第325、332页。
② 同上。

思"和"想象"本身的差异相当明显:"想象"因其主客体的对立,而成为一种作用于对峙着的主客体之间的综合力量或媒介力量;而"神思"却因主客体的亲和而成为一种将有生命的主客体涵盖统摄起来的神妙活动。

其次,神思论十分重视审美体验中的激情。如"登山则情满于山,观海则意溢于海","情而弥鲜,物昭晰而互进","谈欢则字与笑并,论戚则声共泣偕","思涉乐其必笑,方言哀而已叹","神用象通,情变所孕","悲落叶于劲秋,喜柔条于芳春"。但是这种情感喜悦和喷涌是"乐而不淫"的,是有"思理"参与的,讲求情理同一的,符合我国"以理节情"、"和而不违"的美学原则。但柯尔立治的"第二位想象"似乎更偏重于理性的力量。他在《文学生涯》中说:它(第二位想象)"善于综合的神奇的力量","首先为意志与理解力所推动",并受其"永不放松的控制"。科林伍德也认为"想象是一种有意的活动"①。但现代法国心理学家比奈却认为,艺术想象往往采取非语言的形式,因此"想象与思维是对立的"②。这就把想象看成完全是非理性的东西了。这种情理两极性与中国的情理统一性,在"神思"和"想象"上,也显示出中西两大诗学的差异来。

还有,中国的神思说天赋与学习并重。刘勰认为:"才有天资,学慎始习。"陆机也说过:"伫中区以玄览,颐情志于典坟……诵先人之清芬;游文章之林府……"刘勰还归纳出五种培植、激发神思的方法。首先是:"疏瀹五脏,澡雪精神",也就是"养气";其他四个是,"积学以储宝,酌理以富才,研阅以穷照,驯致以怿辞"。而西方的想象说却更重天赋,现代主义文学与艺术尤其如此。那么柯尔立治呢?如前面分析的,他是重天赋,轻后天学习,因为他认为天才的才能"绝对不是学来的"。

再者,在内涵的大小和范围的宽窄方面,"神思"与"想象"的差异也十分明显。神思,是一种神妙的精神活动,它来无踪去无影,打破

---

① [英]科林伍德:《艺术原理》,英文版,1937年。
② [法]里博:《无意识生活和运动》,法文版,1914年,第14页。

时空限制，思绪纵横驰骋，意象纷至沓来，并伴随着强烈的情感，承兴发感动而来，又上升为感兴、兴会；它是一种由志、气所制约的积极活跃的思想感情活动，是综合了思维、想象、感情的审美体验的复杂形式。因此，神思不等于想象，但包括了想象；同时，它也并不等于艺术构思，因为，艺术构思是随时都可以进行的，具有可控性，而神思是"来不可遏，去不可止"的，具有随机性，并且只表现为艺术构思中"文思泉涌"的状态。所以，"神思"只是艺术构思的一个重要内容，并居于审美体验的核心层次。

最后，中西对"神思"、"想象"这一精神现象的总结上，各有不同的美学风貌。陆机《文赋》、刘勰《神思》虽为专门的探讨神思和文艺在创作构思中问题的文论，但并没有去对"神思"作思辨的分析、条分缕析的解剖，而是以敏锐的艺术心灵对神思这一流动范畴进行直观的动态感受、直觉的把握和精细入微的体验，并把这些整体的、综合的经验感受加以审美地描述，缺点是缺乏理论深度和严密性。而科林伍德、柯尔立治以及杜威等对"想象"的研究，尽管不是专门进行探讨，只是在其美学著作和诗论中略略提到，却有较强的思辨色彩，并且，以其分析为主要手段。如柯尔立治就首先将想象与幻想剥离开来，重想象而贬低幻想，后又将想象二分（其实意义并不大），表现出相当浓厚的机械论色彩。另外就是在语言的表述上，显得较分散和玄奥，有的地方较难理解。当然，中西这种差异不是孰高孰低的问题，而是民族美学思维性格使然。

三、兴会与灵感

"兴会"和"灵感"问题是个极为复杂的问题。在审美体验过程中，它是属于深层体验的范畴，标志着由起兴感发到神思飞跃，最后达到的一种身心高度兴奋，精神、人格震动的境界。中西这一范畴的研究，不仅有相当久远的历史，而且有共同的发现和鲜明的不同特点。

我国古典美学中，没有直接拈出"灵感"这个词，但对灵感这一审美心理深层体验现象却早有研究，并形成一系列的范畴，如"感应"、"天机"、"神助"、"灵光"，以及"自来"、"灵气"等等。这可以说是中国美学的灵感论。最早从心理学上提出"灵感"的是战国时期的荀况,他在《荀子·正名篇》中从人与自然的心物关系角度提出了"精合感应"说。他已经看到了人在感物之时,物必动心,情与物合的瞬时相契融一,而体味出物(自然)的深层意蕴这一"灵感"特点,并作了唯物主义的解释。把心物"精合感应"具体应用于文艺创作中去,并揭示出艺术灵感的是晋代的陆机。他在《文赋》中所说的"来不可遏,去不可止"的"应感之会",就是对灵感现象的一种十分精彩的描述。自此以后,论述创作中灵感现象的就相当多了。因此,我们可以说,中国对灵感的研究是历史久远的,而且与西方灵感论相比毫不逊色,并显示出中国美学的鲜活风貌,以至于西方文艺研究者冈布里奇也在其《艺术与幻觉》一书中承认:"中国古代艺术渊源比起任何一种渊源来,都更强调对灵感的探求。"这里为了比较方便,我们从我国古典美学涉及灵感的概念中拈出"兴会"一词,作为中国各种灵感范畴的概括,而与西方的灵感特点进行一些比较。

西方"灵感"一词的出现,是在古希腊(古希腊文为hεπυ-εστcd),其原始意义是"神的灵气",用来指一种神性的着魔状态(enthousiasmos),因而主要是一种神学上的含义。"灵感"一词用于文学创作时,也仅仅指诗人创作时自己的灵魂被缪斯或其他神灵吹入了神的灵气,诗人失去了自己的理性,成为神意的传达者,才能创造出完美的作品。这作品其实就是一种超自然能力所赐予的神的诏语。这一点德谟克利特最先看到。他认为,"没有一种心灵的火焰,没有一种疯狂式的灵感,就不能成为诗人"。"荷马由于生来就得到神的才能,所以创造出丰富多彩的伟大的诗篇"。[1]"一位诗人以热情并在神圣的灵感下,所作成的一切诗句,当然是美的"[2]。苏格拉底也说:"诗人写诗并不是智慧,而是一种天才和灵感,他们就像那种占卜或卜课的人似的。说了很多很好的话,但并不懂得是什么意思。"[3]而柏拉图

---

[1] 朱光潜:《西方美学史》上卷,人民文学出版社,北京,1984年,第36、37页。
[2] 北京大学哲学系外国哲学教研室编译:《古希腊罗马哲学》,商务印书馆,北京,1961年,第147、107页。
[3] 同上。

在《伊安篇》中说得更为清楚:"诗人不得灵感,不失去平常理智而陷入迷狂,就没有能力创造,就不能作诗或代神说话。……优秀的诗歌本质上不是人的而是神的,不是人的制作而是神的诏语。诗人只是神的代言人,由神凭附着。"

"灵感"一词到了公元12世纪以后,就主要偏重于从艺术灵感的意义上加以使用,而减弱了"神的诏语"的成分。如阿贝拉德(P.Abelard,1079~1142)就公开承认,创作灵感不是"陷入迷狂"去"代神说话",而是"生而易感"的艺术家"面对自然环境时,产生一种激情冲动,鼓舞着文艺创作的强烈兴奋"①。到了黑格尔那里,灵感问题被进一步剥去神的外衣。黑格尔说:"如我们进一步追问艺术的灵感究竟是什么,我们可以说,它不是别的,就是完全沉浸在主题里,不到把它表现为完满的艺术形象时决不肯罢休的那种情况。"②他甚至进一步将想象看作灵感:"想象的活动和完成作品中技巧的运用,作为艺术家的一种能力单独来看,就是人们通常所说的'灵感'。"③到了19世纪的浪漫主义时代,灵感被认为是天才的一种特有素质,是天才的一种同义词。浪漫主义者想从主体内部去寻找天才、灵感的原因,并不想背对现实而重睹"神启灵感说"。

现代审美心理学研究的深入和"天才"概念内涵的变化,导致了"灵感"概念的内涵进一步变化。用阿诺·里德的话来说,就是:"如果我们说阿诺德处于灵感之中,那就并非指他从缪斯那里吸入灵感……也非某种存在物令其吸入一种灵气,而是诗人自己的生命气息在吐纳。"④这种由"代神立言"到"自我表现"的灵感论,反映出西方"灵感"这一范畴发展的轨迹。但是屠格涅夫称灵感为"神的昵近",别林斯基称之为"神秘的灼见",以及黑格尔、马利旦对理念、直觉的种种看法,反映出近代灵感问题上的起伏性和复杂性。

对中西"兴会"、"灵感"说的历史发展脉络有了一定的了解以

---

① [法]阿贝拉德:《是与否》,法文版。
② [德]黑格尔:《美学》第1卷,朱光潜译,商务印书馆,北京,1979年,第356、354页。
③ 同上。
④ [英]阿诺·里德:《美学研究》,英文版,1931年,第159、3页。

后,我们可以来看看它们所具有的特点。

中西美学的灵感、兴会,首要特点是突发性和不由自主性。

中国美学对这一特点的经验描绘,例证很多:

> 若夫应感之会,通塞之纪,来不可遏,去不可止。
>
> (晋)陆机《文赋》

> 文之为物,自然灵气,惚恍而来,不思而至。
>
> (唐)李德裕《李卫公文集》残集卷三

> 夫作诗者一情独往,万象俱开,口忽然吟,手忽然书,即手口原听我胸中之所流。
>
> (明)谭友夏《谭友夏文集》卷八

> 当其触物兴怀,情来神会,机栝跃如,如兔起鹘落,稍纵即逝矣。有先一刻后一刻不能之妙。
>
> (清)郎廷槐《师友诗传录》

> 凭空何处造情文,还仗灵光助几分。奇句忽来魂魄动,真如天上落将军。
>
> (清)张问陶《论诗十二绝句》

这种对兴会的突发性(偶然性)和不由自主性特点的直观描述,不胜枚举。这说明兴会爆发时所体验的情感和意象,是霎时而至又倏然而去,忽隐忽现,忽存忽亡,转瞬即逝。所以必须在兴会到来的一刹那间,赶紧将其"捉着",稍一迟钝,它就会遗失。对这一点,西方美学家、文学家也有共同的发现。费尔巴哈就说过:"灵感是不为意志所左右的,是不由钟表来调节的,是不会依照预定的日子和钟点迸发出来的。"①尼采在自传小说《瞧,这个人》中也说自己的诗作《查拉斯图特拉如是说》是一种灵感的产物:"突然有一种东西以无法形

---

① [德]路德维希·费尔巴哈:《费尔巴哈哲学著作选集》下卷,荣震华等译,商务印书馆,北京,1984年,第504页。

容的正确性和微妙性,震撼着心灵深幽之处。……它像一道闪电,以迅雷不及掩耳之势呈现脑海,不容你有任何选择的余地。"这种突发的、不由自主所能拾到的灵感爆发状态,在艺术家创作中,暗暗地显示出内在力量。英国小说家伍尔夫说:"我简直难以承认我的书是我自己写出来的,它似乎是一种不可知物控制和占有了我。"① 英国小说家萨克雷(Thackeray)说自己写作时"好像有一种不可知的魔力来移动着自己的笔"②。中西作家、艺术家的创造实践证明,兴会(灵感)的确是存在的,并且是稍纵即逝、难以控制的。灵感来时文思如泉涌,下笔如有神;灵感将遁,则文思不畅,落笔艰难。这说明了灵感是创作的关键,是审美体验的最高层次。在这一点上的认识,中西美学显示了较大的相似性。

中西审美体验中的"兴会"与"灵感"的第二个特征是激情性和想象性。

柏拉图就直言不讳地宣称灵感是人理性的丧失,是一种激情喷涌、不能自已的迷狂。这种激情式的"迷狂"能够"感发心灵",造成一种"兴高采烈,神色飞舞的境界"。"他从眼睛接收到美的放射体,因它而发热……在这个过程中,灵魂遍体沸腾跳动,正如婴儿出齿时牙根感觉又痒又痛,灵魂初生羽翼时,也沸腾发烧,又痒又痛。"③ 在柏拉图看来,迷狂中的诗人们一方面处于类似酒神信徒们的"狂欢"里,另一方面又任想象在"诗神的园里"汲取美的精英。因此,没有激情和想象,就没有真正的诗。"若是没有这种诗神的迷狂,无论谁去敲诗歌的门,他和他的作品都永远站在诗歌之外。"激情正像"拉克勒斯磁石"④一样具有吸引力。诗神这"磁石"之所以可以将诗人这"铁环"和诵诗人、听众这些"铁环"连接起来,靠的就是灵感的激情作用。总之,在柏拉图那里,激情迷狂是其灵感说的核心,被骚动

---

① 吉贾利姆:《创作过程》,英文版,1952年,第194页。
② 霍丁:《灵感分析》,英文版,1942年,第15页。
③ [古希腊]柏拉图:《柏拉图文艺对话集》,朱光潜译,人民文学出版社,北京,1959年,第118、127页。
④ 同上,第118、11页。

的情感霸占、垄断了诗人之时,诗人就已经成了情感奴隶——神的代言人。对审美体验的灵感激情性,近代作家认识似乎更正确一些。钱伯斯(E.K.Chambers)认为,作家创作中处于深刻体验的灵感之中,常常与他的人物化为一体。他举莎士比亚创作《李尔王》为例:"在紧张的精神状态下写作,莎士比亚的精神几乎像李尔王一样疯狂。"①果戈理创作悲剧《剃掉一撮胡须》时感到为灵魂的激情所席卷,想象分外活跃,"脑子里的意象像一窝受惊的蜜蜂一样蠕动起来,想象力越来越敏锐……使我全身都感到一种甜蜜的战栗,于是忘掉了一切"②。可见审美体验的高层次是激情瞬涌、想象冲撞、意象运动的最广阔的领域,这也是灵感的鲜明特征。

中国美学中艺术创作和鉴赏达到兴会高潮之时,激情和想象的强度往往不是呈现为外在的生理反应,而是进一层达到心灵、人格的深处,具有震动心魄的效果。这种"情感的真实",不仅促进体验的深化,而且能直接成为审美体验的内容,从而使这种激情性质揭示出时代生活的本质,超越时空局限,而为不同时代的读者产生共鸣。这种"兴会"突发的激情是艺术创作母体,是艺术作品中真与假的关键。没有激情的创作,连自己也不能被打动,况乎他人?

中西审美体验中的兴会或灵感的第三个特征是物我一体、瞬间感悟(直觉)性。这是具有特别敏锐的观察力和体验心态层次的审美主体方能进入的境地。中国美学将这种审美主体与审美对象瞬间合一的境界,称为"畅神"、"物化"境界,这是超越世俗耳目感发之乐的"听之以气",以求得宇宙本源之类而来的人生根源之乐。这是艺术地成就人生和艺术地成就作品的"游乎天地之一气"的与道合一,是审美体验的最高层次。对此,得稍微多谈几句。

苏东坡在《书晁补之所藏文与可画竹》中曾说过一段很著名的话:"与可画竹时,见竹不见人。岂独不见人,嗒然遗其身。其身与竹化,无穷出清新。庄周世无有,谁知此凝神。"这说明艺术家在创作中,进入

---

① [英]钱伯斯:《威廉·莎士比亚》第1卷,第85~86页。
② [苏]魏列萨耶夫:《果戈理是怎样写作的》,蓝英年译,辽宁教育出版社,沈阳,1998年,第11页。

虚静凝神之境，身心俱遗，物我两忘，达到主客体完全融一的境界。这种艺术创造兴会中的物化境界，就是庄子所说的"物化"境界。从庄子"庖丁解牛"来看，这一解牛过程是人与牛对立的消解、心与手对立的消除。加之人"以神遇而不以目视，官知止而神欲行"，手与心的距离消解了，于是解牛成为一个自由的无拘无束的精神观照和游戏。技进乎道，由技术的解放而达到一种自由感，就是解牛的全部精神意志，完全被吸收到他的对象中去了，因而只感到牛即存在的全部。更进一层看，当一个人因忘怀而与物随化时，物化之例也就是存在的全部，这就是物化。《达生篇》中"削木为鐻"的梓庆由"静物"到"辄然忘吾有四肢形体"，忘欲、忘知、忘自身、忘世遗意的高度，其虚静之心，呈现出神明般的审美直觉体验，"用志不分"而达"以天合天"（即用所致的虚静天性与之自然天性冥合融一）。在凝神的直觉中，需造之进入精神之内，于是只需以手合心中精神（而不异于自我的外在的）之以天合天、主客合一，创成"惊犹鬼神"之。可见物化境界就是兴会达到最高层次。而庄子的"激流中的蹈水者"、"工倕旋而盖规矩"等谈的也是物化问题。总括其意，即都是打开自己生命的遮碍，以与天地万物生化不已的生命融成一体。自己的精神也就与天地精神相合，自己的心灵的自由活动，也就是独与天地往来，这就成了最为充实的精神和生命。此时的生命，就成为"天地与我并生，而万物与我为一"（《庄子·齐物论》）的生命。之所以如此，是由忘欲、忘知、忘形、忘世的人的虚静达到的，虚而能一，这样的"一"，不粘不滞，一意贯精。所以，宋元君对那位后至的"儃儃然不趋，受揖不立……解衣般礴、裸"（《庄子·田子方》）的画者，赞之曰："是真画者也。"何也？原因是这位画家完全进入创作虚静（心斋）之境，他的举止不是无礼，更非盛气凌人，而是达到忘欲（"庆赏爵禄"）、忘知（"非誉巧拙"）、忘形（"解衣般礴"）、忘世（"裸"）境界，进入一个精一凝神、视而不见、听而不闻的自由自在的艺术世界里去了。

《庄子》的物化思想，对我国古典美学影响很大，以至将其作为审美艺术创造的最高水准。审美体验兴会中的这种与对象物化现象，属于一种高层境界。这是历来中国艺术家所苦苦追求的目标。

与此相似，西方的作家在创作灵感中，也有这种主客体瞬间感情、物我一体的体验。陀思妥耶夫斯基在谈到自己的创作人物时说："我同我的想象，同亲手塑造的人物共同生活着，好像他们是我的亲人，是实际活着的人；我热爱他们，与他们同欢乐，共悲愁。有时甚至为我的心地单纯的主人公洒下最真诚的眼泪。"里普斯也认为："审美体验并不是对象享受（enjoyment of an object），而是自我享受（enjoyment of self），它乃是一种在自身之内所经验到的直接的价值感（an immediate feeling of a value），而这种感情无关乎对象。在这种情形下，享受的自我和那使得自我经验到享乐的东西，简直像'物我合一'似的，无从区分。"可见，作家和他的人物交融，已经达到了真正"溶化"的地步。

在更深一层的讨论中，我们可以看到，中西审美体验中兴会或灵感的物我合一瞬间感悟有其鲜明的哲学和心理学根源——表征为对"气"的特殊重视。

西方灵感说根源于"灵气"说，spirit就是指一种"灵气"。作为一种气，一方面，柏拉图认为神赐的灵感除非通过诗人的传达，否则就无法达到人类的世界；另一方面，作为一个诗人，一个神的代言人，他并不仅仅机械重复神性的启示。神并不是一切事物的因，而只是美好事物的因。诗人却可能会说错话，因此自己要对缪斯给予他的美感负责。缪斯并不能完全支配他的舌头。而且诗人在灵感所占有的情况下，也并不能完全丧失他的人的特征。换言之，他的元气、个性、兴趣和人格仍在一定程度上起着作用。因此，在人与神的交往中，神性的启示经过诗人的传达，是很容易被伴随着诗人自己对神启的误解。[1]

我们知道，柏拉图的灵感论是伴随回忆论、模仿论一同提出来的。柏拉图认为，理性与情感，是人性中相互对立的两种心理活动，理性是十分高贵的，而情感呢，却相当卑下。这是因为情感人人都有，而理性却只有那些经过各种训练修养的奴隶主贵族才有。柏拉图为了肯

---

[1] [古希腊]柏拉图：《柏拉图文艺对话集·法律篇》，朱光潜译，人民文学出版社，北京，1959年。

定被人们认为低下的情感，于是将神祇的外环套在情感上，从而使人的情感变成神的感情，人反而失去创诗的权利，只能成为神的代言人。因此，灵感就出现两重性：神性和人性。人的气质、血气、生气、生命之气是存在的，要表现出来；但在神的光环里，这气只能由神吹入，人只能吸入。人不能随便将自己的"气"——生命之气、灵魂之气表现出来，所以他表现的"灵气"（spirit）不是自己鲜活的生命力，而只是代神说话。人神两重性的存在是会破坏神的诏语的。于是诗人只有丧失理智，成为没有理性的、"发着迷狂的代言人"。诗人自己的勃勃"生气"被窒息了，他本有的灵气却失落了，他只能成为神的传声筒，而且是一个没有头脑的（因为他竟迷狂了）传声筒。"神驱遣人心朝神意要他们走的那个方向走"。在这"威力无比"的"驱遣"之下，诵诗人、演戏者、舞蹈者、大小乐师，以及观众、听众朝着"神"要（即强迫）的方向走去了。终于，诗人在失去了"表现"（express）的权利之后，又失去了表现自己灵气的能力，还失去了表现自己那一团生命力的氛围。最后，诗人失去了诗人之所以为诗人的本质，变成了诵诗人。

西方的美学和艺术发展到近代，人们打破神曲光环，于是自己那一腔浪漫之气要敞开出来，而且实实在在地表现了出来。神灵退去，失落的诗人的元气、灵气又寻找回来，于是灵感获得了人性的、表现的、创造性的内涵。因而现代的艺术家、美学家认识到了，灵感来临就是生命力、思维力的勃发，就要把自己整个身心的灵气、精神，甚至人格吹入作品。"灵感"就是两种生命的转换、两种体验的转化，即人的一般情感体验转化为审美激情体验的过程。只有通过这种活生生的、有血有肉、有情有义的生命投入作品，艺术作品才能成为一个有灵气、有生命、有自由精神（而不是神的诏语）的"完整的世界"。维谢尔（F. Vischer, 1807~1887）认为："作者的心灵越丰富，便含的美越多。观念的最高形式是人格为对象的东西。"[1]让-保尔·萨特认为，"表象可以成为实际对象的，它实际上是一个内部对象，是我精

---

[1] [俄]列夫·托尔斯泰：《什么是艺术》，何永祥译，江苏美术出版社，南京，1990年，第27~28页。

神的产物。一旦意象形成了,它就成为'我'的一部分——我的内在生命的一部分。"①这种体验中的物我一体(生命投入)和瞬间感悟,在史班德那里体味更深。他说,创作时摒绝外虑,心神作着自由的无限追求,达到凝神(concentration)的地步:"这是相当特殊的一种心神灌注和感悟,它使诗人洞悉一个意象环绕的精义和它的展开。"②杜夫海纳认为:"作者全力以赴的不是描写或是模仿某一预先存在的世界,而是唤起他所再创造的世界。"③

中国古典美学重感物兴象说,对兴会感物特别讲求一个"气"字。因此,"气"贯穿于兴、神思、兴会这一体验动态过程的始终,是其生命力所在。"气"是中国哲学、美学的一个极为重要的范畴。英国李约瑟博士认为:"在希腊人和印度人发展机械原子论的时候,中国人则发展了有机宇宙、哲学即气一元论的自然观。"但我国历来对"气"的解释众说纷纭,莫衷一是。仅在就审美体验及其艺术创作中,就有气韵、气势、气质、元气、神气、生气、气力,以及骨气、意气,等等。气的多义性,增加了对其把握的困难度。一般说来,可分为三个方面:

第一,源于中国古代哲学的宇宙之气,或称为"元气",是古代哲学中认为的"最细微最流动的物质,以气解说宇宙,即以最细微最流动的物质为一切之根本"。"中国哲学中元气论,则谓一切固体皆是气之凝结"。④而这种气是大化流行,生生不已的。太虚即气,气即物质,气生万物,形气相化。在太极图里那象征着一团元气的圆圈里面,只因有中间那条"S"形的分割线,就成了阴阳二体,就有了运动,有了生命,犹如两条首尾相衔的鱼,你中有我,我中有你,互相排斥,又互相依存,成既对立又和谐的统一体。这"S"形曲线,就是元气的流动线,就是生命流动线、宇宙流动线。

第二,审美体验主体之气。《孟子》:"气者,体之充也。"《淮南子》:"气者,生之充也。"王充《论衡》认为:"气凝为人","人以气

---

① [法]萨特:《想象心理学》,英文版,1978年,第141页。
② [英]史班德:《评论集》,英文版,1920年。
③ 同上。
④ 张岱年:《中国哲学大纲》,中国社会科学出版社,北京,1982年,第39页。

为寿","精神本以气血为主,血气常附形体"。宋应星《论气》认为:"所食之物皆气所化。"郭熙、董其昌所说的气韵,常指主体之气以及人品的某种内在力量的呈现。倪云林说写胸中之逸气。如言气质,大多指先天禀赋,而道及人品之气,则常指后天所养而成。审美体验带有整体性特点,古人用"气"来表达,包容了情、志、意、德、才,这些属于艺术家身上的精神因素的全部。宇宙元气是无穷无尽的力量源泉、生命源泉,也是灵感的源泉、美的源泉。中国诗人以整个自然界作为自己的对象,以取之不尽的宇宙元气作为自己的养料,就能胸罗宇宙、思接千古、感物起兴,使宇宙浑然之气与自己全部精神品格、全身心之气进行化合,才能产生审美体验的元气(激情),呈现出兴会的生命,从而全身心都投入艺术创作,用整个身体和灵魂进行表现,一字、一音、一线、一笔,都是艺术家生命燃烧的元气运动的轨迹。尤其是绘画,更是强调身心一致,凝神静气,气沉丹田,以气运笔。"下笔千钧之力"其实非全身之力,而乃全身之气凝到毫巅,这是一种力能扛鼎的控制力。

第三,作品内在之气。曹丕首次指出:"文以气为主。"谢赫提出:绘画应"气韵生动"。张彦远《论画》也说:"真画一划见其生气。"萧衍论书法:"梭梭凛凛,带有生气。"[1]袁皴论诗说:"我诗有生气,须人捉着,不尔便飞去。"徐上瀛论音乐说:"泠泠然满弦皆生气氤氲。"气是有规律、有节奏的运动,反映在艺术作品中,就是其自身节律感以及韵味感。以气贯之的中国画的线,是一种有情有气的生命的线。而且进一步看,那墨气氤氲的线条不是平面的线,而是一种浑圆的、立体的、起伏流动的线,是气韵生动的活的线、生命之线,生机勃勃运动着的线。这就是充满音乐感的气的灌注和运行。

气,在审美体验全过程,起着极为重要的作用。庄子认为最高的审美境界是"听之以气"的境界。元僧觉隐说:"吾常以喜气写兰,怒气写竹。"刘勰提醒人们情气不可分,要"情与气偕"。元朝书法家陈绎曾

---

[1] 北京大学哲学系美学教研室编:《中国美学史参考资料》(上),中华书局,北京,1981年,第211页。

在《翰林要诀》中讲:"喜则气和而字舒,怒则气粗而字险,哀则气郁而字敛,乐则气平而字丽。"郑板桥画竹,也是心有"勃勃生气"才激发起兴,产生创作冲动,倪云林说他的画是逸笔草草,不求形式,"聊写胸中逸气"。这是一种奔放不羁、犹如天马行空之气,是一种充满活跃生机的运动之气。

另外,中国画背景空白,空白就是大气,就是宇宙。正是画中的空白,打破了画幅边界,起着把画中之气引向画外、把画外之气引向画内的作用,使宇宙之气与画之元气融合为一。这空、无、白、虚,就正是中国艺术意境深远、境界广阔的奥秘所在。所以王夫之才断言:"有形发未形,无形君有形。"(王夫之《古诗评选》卷二)这有形为画中之笔墨图像,诗文之意象意义;未形则是图面没有、文字没写的;而无形就是这空、白、虚的意境,是整个艺术的关键,是其"君"者!宗白华先生在《艺境》一书中说过一段极重要的话,认为宇宙之气在中国艺术中有其特别之处:"空间、时间合成他的宇宙而安顿他的生活","时间的节奏率领着空间方位,以构成我们的宇宙,所以,我们的空间感觉随着我们的时间感觉节奏化了、音乐化了";"一个充满着情趣的宇宙(时空合一体)是中国画家、诗人的艺术境界"。

总之,气在审美体验中有决定性意义。其一,气是统帅审美主体神、情、意、趣、形、骨、韵、势的枢机。气是审美主体全身之心气的微妙契合。其二,气是兴的内在机心,兴是气的外在形式。无气之兴则易流于狂乱,而缺乏深度和厚度;有气无兴则没有审美体验的发生。所以,气激发、引导兴的感发,规范神思的正确方向,给兴会灵魂从有限之"有形"引向"未形",最后导向无限、永恒的终古之美。其三,气是形成创作主体审美个性、人格风貌、精神气质的关键,也是文思通塞的关键。其四,气是艺术之为艺术、画之为画、文之为文、乐之为乐的重要条件。有情有气的作品,必然充满音乐的韵律感,具有深层审美体验价值,是一种有生气的、具有永恒魅力的艺术杰作。无气无兴,则浮墨满纸,谬语厌人,其诞生就是死亡。这兴中之气是作品好坏的标准。

通过对中西审美体验中兴会或灵感的比较,我们可以看到,对审美体验的作用、价值,在艺术创作中的地位,以及瞬间突发性、激情性、物我合一的直觉性上,有许多共同的看法。但在这个"同"中,我们也发现了不少中西迥异其趣的音调和色彩。尤其是在兴会、灵感的激情性和物我合一的直觉感悟性上,差异更明显,对这因中西文化差异所造成的"同中之异"进行实事求是的比较,找出中西美学、中西诗学的不同特点和不同性格,以便更好地认识中西美学特点,是大有裨益的。

从审美体验兴会灵感这一角度看,中西美学有以下几点差异:第一,中国审美体验强调兴会说,注重和谐与物我交流,并在审美活动中,注意一种特有的"虚静"状态。通过有限去获得无限,从而体认生生不息的宇宙之"道",显示出感物兴怀、寄托情操的特点。而西方(尤其是古代)则强调"灵感说",认为诗失去理智后,成为神的代言人(如柏拉图、德谟克利特),情感上往往表现出一种"迷狂",具有较浓厚的上帝或神的宗教色彩(如柏拉图、马利旦)。第二,中国人注意"物化",讲求物我相亲相授,把人看作是自然的一部分,并表征出一种亲和关系,即万物亲近我、扶持我,而人与山水的关系也是"万象为宾客"(张孝祥《念奴娇·过洞庭》)的"天人合一"关系。而西方相对地说,人与自然是一种对立的关系,物主要成主体情感、意志的容受对象,强调人的主动性和自我性(如柯尔立治、罗伯-葛利叶)。第三,中国在审美体验中往往以理节情,注重向内心体味和向无限的超越,情感上要求达到"乐而不淫"、"和而不违",讲求"中和之美",尤其重视质朴、内在的美——玉的内在光辉美。而西方更讲激情和狂热,注重向外探索,强调美的多样性和新异性。第四,中国审美体验的最高范畴是"听之以气"、"畅神"、"悦志悦神",更重视内在美的人格修养和谐之美。西方最高的美是上帝——神(如柏拉图和马利旦)。因此,中国更重视正常审美趣味和对道体、人格力量的美的追求。西方则在某些方向偏向于非理性、下意识等变态的美(如黑色幽默、意识流、新小说、荒诞派、达达主义等等)。在灵感来源问题上,中国讲究感物起兴,由物引起情思的喷发,并通过物将象征(兴)引出来。而西方的灵感,是对神的"回忆"(柏拉图),是对理念的认识(黑格尔)。对灵感的培养问题,西方一般重视天才、天赋和先天能力。而中国天赋与学习并重,讲求"读书破万卷",方能"下笔如有神",十分重视"积学"。西方讲创作"一团热火袭击脑门"(巴尔扎克《论艺术家》),激情不可遏止。中国讲"养气",重虚静,协调内心,不致过度激烈,不过也有例外,如张旭、郭沫若。当然,这种差异是相对的,有的甚至是双方都在相互渗透的。因此,这种差异只是不同民族历史文化传统和美学艺术渊源造成的,没有必要去争一个孰高孰低。

审美体验是审美活动中极为复杂的现象。中西美学在解释这种心理现象时,各有自己的理论范畴,能否对此作比较研究,至今仍有人持怀疑态度。阿诺·里德就说:"审美体验和审美对象,是一种无从捉摸而微妙的东西,稍一接触它就消散了。我们认为,我们的对象是实体的、有色的、能引起共鸣的,但我们碰到的却是一块潮湿而正在消散的云雾,或只能闻到一息正在飘走烟的雾。"[①]不错,对这种复杂而微妙的心理现象,要作出理论概括是困难的,对这种理论作比较研究更为困难。但我们并不悲观,经过许多人的共同努力,相信必将产生硕果。

---

① [英]阿诺·里德:《美学研究》,英文版,1931年,第159页。

第三章 审美超越：艺术审美价值的特质

艺术作为人类审美体验的物化形态，具有不可忽视的精神价值和审美价值。在对艺术的审美价值本质的追问中，我们得逐步揭示出艺术的意义所在。那么，这样一些问题就必然提到我们的面前：文艺与审美是一种什么关系？艺术与非艺术的界限究竟何在？如果说，文艺与审美之间存在着一种辩证的关系，那么这种辩证关系是如何表征出来的？进一步说，艺术审美价值的本质特征是什么？文艺美学必须回答这一系列问题。在本章里，我们将初步地加以探索。

第一节 艺术与审美

文学艺术和审美活动有什么关系？

我们的文艺学，曾经长期不谈文艺与审美的关系，似乎文艺与审美是两个毫不相干的领域。甚至，我们常常满足于认为文艺与哲学、科学等的区别仅在于文学艺术是对现实的形象的反映，而其他意识形态、科学体系则是抽象的反映。于是文艺的审美特征、文艺与审美的关系这诸多问题，长时期落在文艺学视野之外。

逐渐，情况有了变化：我们的文艺学终于也开始接触文学艺术的美学问题了。文学艺术需要美，文艺和审美有密切关系，这些渐渐地被认识到了。于是，我们的文艺学逐渐深入到对文学艺术作美学的探索。

意识到文艺与审美有密切关系，着手探索文学艺术的审美特征，这向揭示文学艺术的奥秘进了一步。可是，文艺与审美究竟是一种什么关系？这就有各种各样的说法。

我们常常可以听到这样一种说法，文艺和审美有关，文艺需要美，美在形式上。文学艺术，只有艺术形式才有美不美的问题；至于艺术内容，那是真不真或善不善的问题，同美不美无关。比如说，一幅画，画太湖，画得像不像，这是艺术真实与否的问题，同审美无关。如果在这幅画里，表现了进步的思想或落后的思想，那就有了善不善的问题，这也同审美无关。但是，画家的绘画技巧有高低，画出来的画，有的美，有的不美，这画的艺术形式就有美不美的问题了。按照这种说法，文学艺术也要求真、善、美统一，但这说的是：艺术内容要真和善，艺术形式要美。于是，对文学艺术作美学的研究，也就只是归结为对艺术形式的研究；至于对艺术内容的研究，只好让给社会学、政治学、伦理学、哲学去做了。

然而，这样的说法给人留下不少疑问，使人困惑：难道只有艺术的形式方面才与审美有关，而艺术的内容并无审美价值？艺术内容只是真和善，不需要美吗？艺术的真和善是和美毫无关系的纯粹的政治、伦理、哲学、科学问题吗？艺术的真不真、善不善和美不美之间究竟是什么样的关系？

我们的美学意识到了这些问题，并且开始了艺术内容的美学研究，探索艺术内容的审美特征；但是对于艺术内容的审美性质，也是见解不一，众说纷纭。

着眼于艺术内容中的再现因素，就有人从描绘对象上来证实真、善、美的统一：文学艺术的内容，是实际生活的反映，实际生活中，既有真的，又有善的，也有美的，所以文学艺术就既描写真的，又描写善的，也描写美的。不同的文学艺术，由于描绘对象有异，艺术内容的着重点也不同。有的文学艺术作品着重写实际生活中的政治、道德等现象，所以善的因素就突出；有的文学艺术作品着重写实际生活中的无关政治、道德的现象，真的因素就突出；有的文学艺术作品着重写实际生活中的一些美的现象，美的因素就突出了。按照这种说法，文艺上的反映论被狭隘地归结为"模仿说"，把反映只简陋地等同于认识或再现，而感情、意志、理想、想象等都被排除于反映论之外。于是，文学艺术对于生活的反映，只归结为对实际生活的描绘和再现。但这并不是马克思主义的反映论。能动的反映，既内含着认识，又包括了体验，诗意的反映就不能只归结为认识、再现。按照这种狭隘的理解，虽也看到了文艺与审美在内容上有关，但只限于同描绘美的现象的作品有关。于是，对文学艺术的美学研究，倒并不只限于艺术形式的研究了，而是也去研究艺术作品中再现了一些什么美的现象，花、鸟、虫、鱼的美，还是山、水、人体的美，等等。

然而，这样的说法仍然令人困惑：难道只有描写了美的现象，艺术内容才有审美价值吗？描写政治、道德现象的文学艺术作品，其艺术内容就同审美无关吗？

文学艺术是有思想倾向的。作品在描绘生活中各种现象时，总是要表现作家、艺术家自己的倾向，作出诗意的裁判。着眼于文学艺术中的思想倾向，就有人从思想倾向上来论证真、善、美的统一：文学艺术综合了各种思想，哲学的、政治的、道德的、科学的、宗教的、审美的等等，文学艺术就是各种思想的综合的表现。我们要求文学艺术既表现真的思想，又表现善的思想，也表现美的思想，真的、善的、美的思想综合在一起。按照这种见解，美的思想应在艺术内容中占有一席之地，美的思想和真的思想、善的思想在一起，组成了艺术内容，于是对文学艺术的美学研究，也要研究艺术内容中的美的思想，而关于真的思想、善的思想，则由社会学、政治学、伦理学、哲学等去研究。

无疑，要探索艺术内容的审美特征，不能不研究作品中的思想倾向，但是，在艺术内容中，思想倾向和对象描绘是结合在一起的，艺术内容是再现客体和表现主体的统一。对文学艺术的美学研究，只有把再现和表现这两个方面结合起来，才能揭示出艺术内容的审美特征。描绘假的、丑的、恶的现象，这作品却不一定必是假的、丑的、恶的艺术；描绘真的、善的、美的现象，这作品也并非必是真的、善的、美的艺术。艺术内容中再现和表现的辩证关系是极为复杂多样的，不能只顾一端。审美判断在这里起着关键作用。还有，在艺术内容中，无论是再现还是表现，这两方面都有真的东西、善的东西、美的东西。或者说，有审美的因素，又有非审美的因素。那么这些审美的因素和非审美的因素在艺术内容中是如何统一起来的呢？难道艺术的内容，只是真、善、美的并列吗？显然不是。艺术内容中审美因素和非审美因素的辩证关系，确应成为美学探索的重要课题。

文艺和审美，既在形式上有关，又在内容上有关。正是文艺具有独特的审美内容，才要求有独特的审美形式来表现。因此，要弄清文艺和审美的关系，就要既研究文学艺术的形式特征，又要研究文学艺术的内容特征，并且把两个方面结合起来，探索美的形式如何按美的规律表达美的内容，从而确定文学艺术作品的价值。

文学艺术的创造，本身就是人类的一种活动方式。艺术活动这种方式同人类其他活动方式有什么联系和区别？艺术活动本身就是一种审美活动吗？如果是，艺术这种审美活动又和非艺术的审美活动是什么关系？艺术审美活动和非艺术审美活动的联系和区别何在？这使得文艺和审美的关系更加复杂了。

我们可以从"微观"上来解剖文学艺术的个别现象，找出一部作品或艺术品的审美特征，在艺术形式和艺术内容的综合分析中，确定文艺与审美的关系。我们也可以从"宏观"上来考察文学艺术这种活动方式及其结果，弄清它在人类所有活动中的地位和作用，确定它的坐标和方位。对文学艺术的美学研究，需要把"宏观"和"微观"的研究结合起来，作综合的研究。这里，我先尝试从"宏观"上来探索文艺与审美的关系，而这首先则必须追问艺术与非艺术的界限何在。

第二节　艺术与非艺术

在这五彩缤纷的大千世界里，我们怎样来分清艺术和非艺术？

文学艺术，它是属于人工创造的人文现象，而不是天然形成的自然现象。清代学者章学诚把世界万物之"象"区分成天地自然之象和人心营构之象。文学艺术所创之"象"，应属人心营构之象。这是我们要首先分辨清楚的。仅就这点来说，就可以知道，审美现象、审美活动并非即是艺术现象、艺术活动。

天然的东西，也有审美价值。风吹草低见牛羊，这草原风光是美的；清泉十里出蛙声，这天然景色也是美的。辽阔海洋，蔚蓝天空，原始森林,未开垦的处女地,空气、阳光和水,即使没有经过人工的改造,但进入了社会生活,和人发生了社会联系,也就可能具有审美价值。当然,这些天然的东西,如果同人类不发生任何关系,与社会生活毫无联系,是"自在"的天然,那就既说不上美,也谈不上丑。可是,天然的东西,即使未经人工改造,却进入了人类生活,同社会发生了关系,那么,它就对社会的人具有这样或那样的客观意义,"自在"的就成为"为人"的自然存在。事物,不管它是自然的还是社会的,一旦进入社会联系之中,它对于社会的人就具有不以人的意志为转移的客观意义,我们称之为价值。不过,价值是有各种各样的,有不同层次的价值。天然事物也可能有交换价值,但交换价值不同于使用价值。随着商品经济的发展,有些文学艺术也成了商品,因而具有交换价值,于是使用价值和交换价值的矛盾,日益突出起来。马克思严格区别了使用价值和交换价值,尽管两者都是客观存在着的。天然物的使用价值,"不是以劳动为媒介"而同人类发生关系的。即使未经人的劳动改造,但天然事物仍可以成为"社会需要的对象,而进入到社会联系中",因而具有使用价值。天然事物的使用价值也有不同形态,例如,它可以有实用价值,能满足人类的物质需要;也可能有审美价值,能满足人类的审美需要。前者是实用,后者是虚用,但都属使用价值。

  价值产生并存在于人和世界的相互作用和关系中,但并不是所有的价值都只能归结为关系本身。使用价值存在于人和对象性的关系中,但它本身并不等于关系。马克思在《资本论》的第四卷《剩余价值理论》中说得很清楚,"作为与使用价值等同的财富,它是人们所利用的并表现了对人的需要的关系的物的属性",使用价值乃"表示物的对人有用或使人愉快等等的属性"。马克思甚至举出实例:"珍珠或金刚石所以有价值,是因为它们是珍珠或金刚石,也就是由于它们的属性,由于对人有使用价值。"[①]但商品价值却和使用价值不同,绝不能把使用价值和商品价值、交换价值混为一谈。对此,马克思说道:"商

[①] [德]马克思、恩格斯:《马克思恩格斯全集》第26卷Ⅲ,人民出版社,北京,1974年,第176页。

品作为价值,是社会的量,因而,和它们作为'物'的'属性'是绝对不同的。商品作为价值只是代表人们在生产活动中的关系。"①使用价值虽也处在人和对象的关系中,但却是在关系中的对象属性,可称之为关系属性或价值属性,但不是关系本身。大自然的美就是人和自然关系中的关系属性,或价值属性。

尽管,自然之美有它自己特殊的魅力,不能为其他美所替代,但是,自然之美究竟不是艺术之美。我们常说"风景如画",但风景究竟不是艺术。当然,自然风光和文学艺术都有审美价值,两者都以审美性质而联系起来,具有共同点。人们不辞辛苦,长途跋涉,赶到西山去观赏那霜林红叶,并不一定有实用目的,而是为了获得审美享受。这是人类独有的一种特殊活动——审美活动。然而,这种审美活动并非就是艺术活动。欣赏自然风光,这只是审美主体(在这里是欣赏者)对于审美客体(在这里是自然风光)的一种特殊的精神反映,亦即审美反映,属于精神活动。文学艺术的创造却就不只是一种精神活动,而且还是一种实践活动。文学艺术的创造,是双重的创造,它不仅是审美主体对客观世界在脑海中所做的精神上的虚践,而且也是审美主体(艺术创造者)对于审美客体(物质材料)的一种实践上的改造,是一种符号实践或符号生产。特殊的活动方式产生出特殊的活动结果,形成文学艺术作品。

艺术的现象,首先是人工创造出来的人文现象。然而,人工创造出来的人文现象,却并非都是文学艺术。人类的活动方式多种多样,活动产品千姿百态,并非全有审美价值,更不一定美。人类的活动,创造了崇高和优美,却也制造了罪恶和丑陋。剥削制度造成了畸形和贫困,人与人、人与物的关系都发生了异化,把人降低到动物水平,让人过着非人的生活,这样的生活不可能是美的。但是,人类又能按照"美的规律"来创造,使生活变得美好。

文学艺术活动,应是按照"美的规律"创造的审美活动,一种审

---

① [德]马克思、恩格斯:《马克思恩格斯全集》第26卷Ⅲ,人民出版社,北京,1974年,第139页。

美创造。文学艺术的创造,应是一种创美实践活动。

那么,按照"美的规律"的创造,这都是文学艺术的创造吗?这却又未必。

在按照"美的规律"的创造中,必须区别出两种不同的审美创造:艺术的审美创造和非艺术的审美创造。

人类的审美创造,是按照"美的规律"进行的精巧而美妙的实践活动。人通过实践而作用于客观对象,改造世界,可以在掌握"必然"的基础上达到"自由"掌握的水平,从而进入审美的境界。于是,这种活动本身就成为审美享受,具有审美活动的性质,更是一种创造美的活动。

能工巧匠,行家里手,在各自的活动领域里都可能把自己的活动上升为审美活动。庖丁解牛,主体(庖丁)通过工具(刀)作用(解)于客体(牛),这是实践活动。由于庖丁不仅对牛的生理结构了如指掌,而且熟练地掌握操作工具的高超技艺,所以在解牛时,运用自如,得心应手,主体和客体和谐一致,达到了"自由"境界。于是,庖丁解牛这样的实践活动,上升为审美活动,从中获得审美享受。开荒治河、驾马驱车、体育活动、棋艺比赛、水中游泳,都可以达到这种审美境地。

人对物的掌握能如此,人对人的交往活动又何尝不如此!高明的教育家,把人陶冶成崇高、美好的人,其教育活动本身就是一种审美创造,按照"美的规律"在进行。即使是人对人的斗争,如政治斗争、军事斗争,高明的外交家、军事家,使得政治上或军事上的敌人归于失败,那高超的斗争技艺使主体获得"自由",进入审美的境界,以至,我们竟把这种活动赞为"艺术":外交艺术、军事艺术。显然,这里说的"艺术",正如外科艺术、烹饪艺术、缝纫艺术、象棋艺术等一样,并非文艺学上所说的艺术,只不过是技艺而已,但的确可以达到审美的境界。

这些精巧而美妙的实践活动,在某种程度上都可以称之为审美的创造,然而,这是依附在物质生产中的依存美,却不是文学艺术的创造。

无疑，艺术的创造也是一种审美创造。一切属于"表演"领域的艺术，如音乐、舞蹈、戏剧，其活动的结果和活动的方式紧密结合在一起，艺术创造在"表演"活动中得到体现，才算完成。这些表演活动本身就是一种审美创造。但是，并非一切表演活动都是艺术创造。杂技、体操、武术等表演活动，也要按照"美的规律"来进行，成为审美创造，但并非必然都成为艺术表演。这绝不是说杂技、体操、武术的表演不可能成为艺术。两种表演可以互相转化，体操可以是艺术的，也可以是非艺术的，杂技、武术亦然。

那么，同是审美创造活动，什么是艺术的审美创造，什么是非艺术的审美创造，就需要探索其界限所在。

正如审美创造活动有艺术的和非艺术的两类一样，审美创造的结果也有艺术的和非艺术的两类作品。

人类的物质生产，如果按照"美的规律"来创造，就能产生美的产品。精制的家具、华美的房屋、漂亮的器皿，这些都是美的物品，然而，我们却不能说这就是艺术品。这些物品具有审美价值，能够满足人的审美需要，给人以审美享受。但它的审美价值却不是这些物品的主要内容。实用价值才是这些物品的主要内容，主要满足人的物质需要，供人物质享受。审美价值在这里是次要的，它服从于物品的实用目的，属于"依存美"。因此，这些物质产品无论怎样精美，它终究不是艺术，而属于物质文化的领域。

可是，实用物品，如建筑、器皿等也能成为艺术作品，这就是建筑艺术、实用艺术、装饰艺术。建筑艺术、实用艺术，既有实用价值，又有审美价值，而且，审美价值上升为重要因素。然而，非艺术的东西变为艺术的东西，这不仅是审美价值和实用价值这两种因素的比例变化，而且是一种新质的审美价值的创造。在建筑艺术、实用艺术中，同样具有非艺术的建筑、器皿、家具那里存在着审美外观，因而保留着物质文化的审美特征。但它们之成为艺术而与非艺术相区别，乃是又创造了一种新质的审美价值。在建筑艺术、实用艺术那里，那美的物品作为物质形式，体现了一种精神内容。精神内容与物质形式相结合，形成一种独特的新东西——艺术形象。在不同的艺术样式中，精神内容和物质形式之间的结合比例和方式各不相同，因而形成不同的艺术形象。但不管什么类型的艺术，都需要创造出一种具有审美价值的物体，作为物质形式，用来体现一种精神内容，构成艺术的意蕴。这种精神内容是艺术所必不可少的东西，它使得艺术具有新的审美价值。正是文学艺术的这种精神内容，使它又具有精神文化的性质。

那么，文学艺术的这种精神内容是什么呢？

依我看来，这不是一般的思想意识，而是如同上一章所说的按审美理想、审美观念、审美趣味所组织起来和系统概括化了的审美体验，这些被组织起来的审美体验，在艺术作品中生成为艺术的意蕴。

在实际生活中，人在从事各种各样的实践活动时，都可能产生这样或那样的审美体验。面对自然风光，会有审美体验；面对社会人生，也会有审美体验；甚至回忆和想象，也能产生审美体验。审美体验，这是人对生活的一种反映，是审美主体对审美客体所作的复杂反应，它饱含着感知、理解、想象、感情等多种心理因素。但是，在日常生活中，我们对生活的审美体验是零散的，未经加工整理，而且也未创造出一种符号形式，使之固定。文学艺术的创造，则依照一定的审美理想、审美观念、审美趣味，按照美的规律，把生活中那些零散的审美体验组织起来，集中概括，予以系统化，从而构成一种新的审美体验，并且把它固定于一种符号形式。因此，文学艺术的创造，是人对世界的特殊把握方式，是组织人类经验的特殊方式。

这种被概括化和系统化了的审美体验，不是普通的日常生活意识，而是和哲学、政治、道德、宗教等属于同一序列的高级的意识形态。

然而，文学艺术终究又是一种特殊的意识形态，它既区别于科学的思想体系，又区别于哲学等意识形态。这是因为，文学艺术的精神内容是概括化和系统化了的审美体验，而不是普通的哲学观点、政治观点、道德观点、宗教观点的总和。不错，文学艺术也要描绘政治、道德、哲学等现象，表现政治、道德、哲学的观点，但是，这些东西都要经过审美体验的折射而转化为自己的审美体验，在艺术作品中表现为意蕴，这才是真正的艺术内容。

同样是用优美的语言文字作为物质形式，体现的精神内容可以是审美的，也可能是非审美的。科学著作、历史传记、新闻特写所用的语言文字也应该很优美，所体现的精神内容也可能富于形象性，描写生动逼真、有声有色，然而却不一定是艺术作品。传记文学、科学小说、艺术特写，同那非艺术的作品区别何在呢？这不仅在于文学是对生活的形象反映，而且还是审美的反映。马克思的《资本论》和巴尔扎克的《人间喜剧》，其不同不仅是抽象和形象的差别，而且还是掌握世界的方式不同，反映的性质不一样。

何止文学如是，其他艺术也是这样。绘画、雕刻、摄影、电影、电视等等，可以成为艺术，但也不必然都是艺术。我们的文艺学，曾长期把摄影排斥于艺术之外，把它作为造型艺术的对立面。其实，摄影可以是非艺术的，也可以成为艺术的，关键在于它是否对生活作审美的反映，或者说，对生活作出了什么样的诗意裁制。

对生活作审美的反映，不仅再现了审美客体的状态，而且还表现了审美主体的状态；既表现了对生活的审美评价，又表现了对生活的审美态度。审美体验，作为审美反映的结果，反映的是现实中的一种价值关系，即在人类实践生活中客观存在着的人与现实的审美关系，人和世界所具有的独特的关系。

文学艺术的创造，就是把这种复杂而独特的精神内容体现于符号形式中，形成艺术形象，这就是文学艺术的作品。这样的东西，既有物质文化的性质，又有精神文化的性质，但它既不是普通的物质文化，又不是普通的精神文化。它把特殊的精神内容和独特的物质形式融为一体，具有特殊的审美价值，从而生成为艺术价值。

第三节 艺术与审美的辩证关系

马克思主义经典作家告诉我们，文学艺术是意识形态性的上层建筑，它具有一般社会意识形态的共同特点，是经济基础的反映，通过政治并最终反作用于经济基础。艺术是特殊上层建筑和意识形态，它不仅不同于政治，也不同于哲学、科学、道德、宗教。艺术是对世界进行精神把握的特殊方式。这种把握，既不同于从理论概念上把握，也不同于宗教式的形象的把握，而是用审美意象来对审美对象加以审美把握。这是一种特殊的实践思维，应称之为意象思维，始终带有主体的强烈情感、想象和意向性质。艺术有着自己独特的反映对象和内容，它反映的是人和世界的一种独特的价值关系，不仅是再现世界的状态，也不是只表现自己的主观状态，而是呈现了人和周围世界的关系状态。在艺术中，人和周围环境的关系是作为一个整体呈现的，而不是相互分离的。恩格斯说得好："当我们深思熟虑地考察自然或人类历史或我们自己的精神活动的时候，首先呈现在我们面前的，是一幅由种种联系和相互作用无穷无尽地交织起来的画面。"[1]艺术创作，把作家、艺术家和这个世界的价值关系作为一个整体呈现出来了。

在我看来，文艺和审美是一种辩证的关系。

首先，审美活动是人类活动中的特殊形态，是随社会的发展而发展的。人类的审美活动，产生于人类实践活动中，是人类特有的辨别美丑悲喜等审美现象的精神活动。在实践中，人与自然、社会首先形成了价值关系、实践意识关系和理智认识关系。在此基础上，当社会发展到人们不以直接的功利态度、实用态度对待自己的产品时，才出现了比较成熟、比较独立的审美关系。因此，人对自然美、社会美的审美，是由物质功利性到精神功利性发展的。

人对自然美、现实生活美的审美活动与非审美活动（如科学活动、认识活动等）相比，具有非实用性、想象性、愉悦性等不同的特点。也就是说，审美活动具有非功利性（如听音乐会，并非是对音乐的占有，而是一种对音乐的审美体验，是自己对音乐美感的自我享受和确证）。审美活动的想象性，表明它与非审美活动的不同之处在于其超越性。审美活动已经从狭窄之境、功利之用超越出来，从而具有精神价值的愉悦性，而非"囿于粗陋的实际需要的感觉"。艺术活动（艺术创造和艺术欣赏活动）本质在于审美创造性，不同于一般审美活动（对自然美、社会美观照），是一种特殊的审美活动，是审美活动

---

[1] [德]马克思、恩格斯：《马克思恩格斯选集》第3卷，人民出版社，北京，1995年，第359页。

的高级形态。它也是从人类实践活动中产生的,和实践思维有着密切的联系,但可以而且应该高于普通的实际生活。

其次,艺术活动是审美活动的集中表现形态。

艺术活动,本质上是审美活动,具有审美的一般属性,但又有与一般审美不同的特点。我们可以从以下几个不同的方面对其特点加以把握。

从审美活动与艺术活动的性质看:审美活动是主体对客体的审美感受、审美评价,是一种精神活动。如对西湖的游览、赏西山红叶、庖丁解牛都可以是审美,但不是艺术。艺术创造除了在审美体验中形成审美意象外,还要借助物质手段将这审美意象物化出来。艺术活动是精神活动与实践创造活动的统一。所以我们说,艺术是一种审美创造活动,而审美活动却不一定是艺术活动。是否能创造出艺术符号来进行艺术传达(即艺术符号化)是艺术与审美的分水岭。

从审美活动与艺术活动的关系看:审美活动领域比艺术活动领域更广,而艺术属于审美创造的高级形态。生活美与艺术美相比,各有优长,不能相互替代。生活之美也不必然比艺术之美低,有些生活是艺术永远比不上的。但是,普通的实际生活,虽然具有无比的生动丰富性,可以称得上是一切艺术的源泉,但它毕竟是原始的、粗糙的、分散的,远不如艺术美来得那样集中、典型,那样理想。郑板桥的墨竹,比现实的竹更鲜明、更美。而且生活美要受时间、空间的限制,稍纵即逝,而艺术美是审美体验的物化,是一种将瞬间神态、动态凝定下来的美(如徐悲鸿的奔马、齐白石的虾)。优秀作品具有永恒的魅力,而且艺术欣赏中强烈的共鸣也远比对现实美的体验来得更强烈。这是在感知、理解、情感、想象的更高、更自由的程度统一起来所达到的艺术审美体验。所以,只有当艺术作为一种独立的社会意识形态出现以后,人对现实的审美关系才算真正地从人对现实的实践关系、人对现实的其他各种精神关系中独立出来。

从审美活动和艺术活动的对象看:自然事物主要是作为实用性目的而存在(但也可作为审美对象),在不作为审美对象时,仍可作为实用对象发挥它的作用。"马"可以拉车,"虾"可以作肴馔,"竹"可作器物，而艺术美是专供人们作为欣赏对象而产生的。艺术内容本身不是现实，它是精神产品，具有精神价值。艺术美比现实更易拉开审美距离，更易培养人的审美态度和审美能力。

再次，文艺是审美体验的典型化、物态化，具有一般审美事物所不具备的特殊的审美价值。从艺术生产的性质看，文艺是一种精神生产，其精神内容是一种审美理想、审美感悟、审美体验。因此，艺术美是内容美（即意蕴美，包括审美的理想、感悟、体验等）与形式美的统一、主题与题材的统一、再现与表现的统一。艺术美是审美化、典型化的艺象之美。从艺术消费的性质看，作为特殊的上层建筑，艺术美具有一种其他审美类型（如自然审美、社会审美）所不能代替的特殊价值。

艺术美在提高人们的审美能力和审美趣味、陶冶人们的思想感情、求美反丑方面，具有特殊价值。而且，更进一步说，艺术美具有审美教育作用，能在人们心中燃起为实现美好理想生活而创造的火焰，通过改变人们精神面貌，达到推动社会生活前进的最后目的。

艺术和审美的关系可表现于多个层次：一是在艺象或符象层次，语言符象或其他艺象的创构都存在美与不美的问题；二是在意象层次，对象再现或情感表现，可能优美、崇高，也可能丑恶、卑劣；三是意境、意蕴层次，或高尚，或卑下，决定作品的整体价值。所以，在艺术中，美既可在意象，也可在意境，亦可在艺象。艺术之美不能只归结为意象之美，尽管艺术美也包含着意象美。

总之，文艺与审美的关系是：人类的审美活动，并不就是艺术活动，审美的东西并不就是艺术的东西，但是，艺术活动是审美创造活动的特殊方式；艺术作品具有特殊的审美价值，不仅艺术的物质形式具有审美价值，而且艺术的精神内容（意蕴）也有审美价值；艺术文化的审美特征，不同于普通的物质文化，也不同于普通的精神文化。美妙的艺术，不仅是形美、声美，更重要的是意美。

第四节　艺术审美价值的本质和特征

需进一步探讨的是，当我们弄清了文艺与审美之间的辩证关系以后，我们还得问，究竟什么是艺术的审美价值？它的本质和特征是什么呢？

艺术审美价值，狭义地讲，是指在艺术创作活动中，以符号的形式真实地反映了作家、艺术家这个主体对世界审美关系所形成的精神价值。但宽泛地说，这还涉及艺术接受在通过艺术审美（欣赏）所获得的审美体验（二度体验）中，不断形成的新的审美趣味和审美心理结构，也就是对人的审美塑造——最高的审美价值。因此，艺术价值不仅在于完成作品，而且更在于完成对人的灵魂的铸造，从而改造人的个性心灵，影响他的感觉、情感、理智和想象。

我们知道，艺术具有创造性和不可重复性。这表明，在艺术价值中，人的自由自觉的创造达到全新的高度。然而，艺术价值并非纯粹主观意志的产物，艺术价值的产生和存在是以审美活动的客观规律为依据的。只有当人"按照美的规律"进行创造的过程中，在对现实世界进行审美反映时，不时在这反映中渗透、融入作者的审美体验，艺术品的审美价值定向才能形成。由此看来，人对世界的审美关系，在艺术价值中得到最为充分的体现和物化，艺术价值成为一种更新的、更复杂的审美价值。正是在这个意义上，应该赞同斯托洛维奇的看法："审美理想不仅在描绘审美价值的形象中，而且在描绘反价值的形象中，在艺术品的整个结构中被揭示出来。体现在艺术作品中的审美理想获得新的价值性质，它成为艺术价值。"[①]

艺术作为一种特殊的意识形态，其"特殊"之处在于，艺术并不是对哲学、政治、道德或科学思想的特殊形式的简单重复。艺术作品的世界与人的生命世界同构，它有可能包含哲学、道德的思想，包含通过活生生的艺术形象传达的世界审美的多样性。可以说，艺术作品

---

① [苏]列·斯托洛维奇：《审美价值的本质》，凌继尧译，中国社会科学出版社，北京，1984年，第160页。

中所包括的现象的宽广范围是其他任何文化现象所不能比拟的。政治集中在阶级之间的关系上,哲学集中在思维与存在的关系上,而艺术则将自己的视界投注在人与世界的整个关系上,即人与自我、人与他人、人与社会(人类)、人与自然四个层面上。和理论上去掌握世界的方式不同,艺术从形象上、整体上综合地掌握世界,人和世界的审美关系具体地反映了现实中的这些关系,这些关系比一些思想体系还要复杂和丰富。这多个层面所展示的广度和深度,表现出艺术所发掘出和展示出的人性广度和深度。这是艺术价值的根本所在。

艺术始终要面对人与自我的关系。正是艺术使人直面自己的灵魂,去追问:我是谁?我从何处来?到何处去?从而将自己的全部心灵秘密揭示出来。艺术荡涤着灵魂中的黑暗一面,使人的心灵渗入生命意义之光。因此,真正的艺术家敢于揭示自己的生命的真实,哪怕那里有恶欲,有污脏,有晦暗,他用解剖刀一般犀利的笔,将自己意识和潜意识的冲突、人性和兽性的冲突、真善美与假丑恶的冲突揭示出来,并艺术地描绘出来。艺术成为人将自己心灵袒露到何等程度的直接标志。这里,心灵的辩证法的底蕴正在于——"唯情不可以为伪"。

艺术价值的重要一维还体现在它对"人与他人"的关系的深切关注上。舍斯托夫说得好:"这种我与你的关系,相当普遍的表述是'看一看别人的灵魂'。凭艺术直观感受则呈现分明,而想凭理性去考察却模糊不清。试设想弯身于别人的灵魂之上,你们将什么也看不清,在那巨大而又幽暗的灵魂深渊中,结果只是体验了眩惑。我们力所能及的只是据外部情况推断内在体验,从眼泪推断痛苦,由苍白推断惊惧,由微笑推断欣喜,等等。……总之,无所畏惧,直面灵魂,以自己那同样深不可测的陌生的眸子去探测灵魂的深渊。"[①]艺术,正是通过我与你的对话,达到人类心灵相通的程度;正是通过灵魂相契,达到深切的理解。艺术,使人们认识到,追求生命、生活的意义,是人的价值所在。正是在追问生命答案过程中,人类对真、善、美追求的意义才得到揭示。

---

① [俄]舍斯托夫:《开端与终结》,俄文版。

艺术不仅关注"我与你",而且也关注"我与人类"的关系。它使你、我、他、我们大家通过审美体验而沟通。"艺术的重要人道主义意义就在于,它通过自己的杰作证明:历史的进步不仅应该通过人的努力来创造,也是为人的利益服务的,这种进步不应违背个人的意愿,而只能通过个人并服务于个人来实现。肯定个人自身价值成为使个人社会化的附加推动力。"①可以说,艺术将存在的真理昭示出来,唤醒人生。作品的现实层次虽面向当前的社会,但它的深层次则诉诸整个人类,正唯此,才使艺术作品从本体论上富有长久的地位。因为作品从整体来说不只是对具体的、现实的当代状况的反映,而且是关注整个人类根本处境和终极价值,为了表现人类总体的长久的生活走向和价值取向。

艺术价值同时表征在人与自然的关系上。这不仅标示出人对宇宙洞悟的程度,也标志着人关于存在本质的最高哲学的艺术解决。鲍列夫认为:"对艺术所塑造的人的活动的一切类型,个人与世界的各种关系,艺术都是从它们的审美意义和它们与人的相互关系的角度加以把握的。这就决定着艺术的人文性质,揭示出艺术的审美特性的本质。"②真正的艺术品所体现出的"形而上的品质"③表明,艺术对人与世界总体关系的揭示,使人达到一种对人身处其间的世界的透明性洞悉。艺术使人与世界的意义凸现出来,人通过艺术既认识了世界,又认识了自己。

艺术审美价值的本质不仅表现在以上四层关系的揭示上,而且集中表现在艺术的超越性、艺术与未来的接通上。可以说,艺术是人超越有限存在而与人类大同远景"先行对话"的中介活动。鲍列夫认为:

> 艺术中存在问题有三种尺度,过去、现在和将来。在艺术作品

---

① [苏]鲍列夫:《美学》,乔修业、常谢枫译,中国文联出版公司,北京,1986年,第325页。
② 同上,第274页。
③ [波兰]罗曼·英伽登:《文学的艺术作品》,英文版。

中既有人类对他的过去历史的追忆,也有对未来的预测。艺术家既面向他自己的社会环境,面向同时代人和"亲近的人",又面向"遥远的未来人",面向整个人类。艺术家努力介入今天的关系,同时又力图切断当代的界限,把自己时代的经验用于未来,用永不过时的全人类价值的数据来测量当代。这里既有永久的伦理标准(善与恶),又有全人类的审美价值(美与丑)。①

艺术是指向未来的,也就是说,艺术超越今天而指向明天。然而,有不少人并没有认识到艺术价值的超越本质,仅仅看到艺术是时代的产儿,没有看到它也是未来启示性的到来。康定斯基说得好:"艺术仅仅是时代的产儿,无法孕育未来。这是一种被阉割了的艺术。它是短命的,那个养育它的环境一旦改变,它也就立刻在精神上死亡。除此之外,还存在着一种能够继续发展的艺术,它同样也发源于当代人的感情。然而,它不仅与时代交相辉映,共鸣回响,而且还具有催人醒悟、预示未来的力量。其影响是深远和广泛的。"②因此,在我看来,艺术不仅关注现实世界,也关注未来世界;不仅关心今日人生境况,也关心未来人性新维度。

艺术审美价值的本质特征在于:艺术具有审美超越性,它使人不是在现实生活中沉沦,而是坚定地超拔出来,达到人格心灵的净化。艺术以其不断的创新为人类开拓出一片澄澈的境界,实现完美创造的图景。艺术是由美而求真的进程。它将真理置入艺术作品的同时,对个体人生和整个人类重新加以塑造。艺术的审美价值存在于艺术创造和人格塑造的双重创造之中。

---

① [苏]鲍列夫:《美学》,乔修业、常谢枫译,中国文联出版公司,北京,1986年,第276页。
② [俄]康定斯基:《论艺术的精神》,查立译,中国社会科学出版社,北京,1987年,第16页。

第四章　艺术掌握：人与世界的多维关系

人对世界，并不只是被动适应，而且还能主动掌握。人只有在实践中才能掌握世界。但是，人在实践中掌握世界的同时，也单独发展了从精神上掌握世界的不同方式。马克思在谈到从理论上去掌握世界的方式时，提出了这样一个著名论断：对世界的理论掌握方式，是不同于对世界的艺术的、宗教的、实务精神的掌握的①。这个论断，从人对世界的掌握方式上区别了艺术、科学、宗教和实务精神，这就为我们理解这些复杂的意识形态的基本特征提供了钥匙。因此，马克思的这一著名论断越来越受到文艺美学界的注意。

引起文艺美学界特别关切的问题是：人对世界的艺术掌握方式究竟是怎样的？艺术掌握与理论掌握、宗教掌握、实务精神掌握之间，怎样相互联系而又相互区别？这里，我想以艺术掌握方式为中心，从它和其他一些掌握方式的比较中探索艺术掌握方式的基本特征。

第一节　人对世界的审美掌握

人生活在世界上，首先通过实践活动和世界发生关系。经由实践，人从物质上和精神上积极主动地去驾驭、控制、支配和改造世界。人同世界的关系，本质上是实践关系，而不是直观关系。世界上只有人才能掌握世界，动物的活动不过是本能活动。人的实践活动，是人所特有的有意识的生命活动。人类最基本的实践活动是物质生产活动，它决定其他一切实践活动的生产和发展。但整个生活世界的实践活动多种多样，交往、教育都是实践活动，生活实践更是丰富多彩。

---

① [德]马克思、恩格斯：《马克思恩格斯全集》第46卷（上），人民出版社，北京，1979年，第39页。

艺术活动为什么也是社会实践的一种形式？艺术活动同其他实践活动有什么共同之处？

人的实践活动是受人的意识支配和调节的。人的实践活动是精神活动和物质活动的统一；人对世界的实践掌握，是精神掌握和物质掌握的统一；人对世界的实践关系，是精神关系和物质关系的统一。这里要说明的是：人对世界的实践掌握，首先是物质的掌握，是人的客观的物质活动，其结果必然要引起世界的某种客观的、物质的变革。任何实践活动，都是人——作为主体的物，对于客体的物（也可以是人）的一种客观的、物质的作用，是一种物质力量（人）对另一种物质力量（人或物）的物质活动，结果产生物质的变动。在生产斗争中，人通过实践，利用工具（器物）作用于客体，从而改造了客体，使客体适合于人的目的。人就是这样去掌握世界的。人对世界的艺术掌握，是通过实践，创造出艺术"作品"才得以实现的。要生产出艺术的"作品"，也像任何物质生产一样，必须由实践的主体（人），运用一定的工具（器），改造一定的材料（物），造成一个新的东西（物）。实用艺术的创造和实用物品的制作存在着共同的规律，这毋庸赘述。就是非实用艺术的创造，也同物质生产的规律有着共同性。艺术生产和物质生产有共同性，并不等于把艺术生产看作物质生产。艺术生产还是精神生产。人对世界的艺术掌握，也是精神掌握和物质掌握的统一，这同人的其他的实践活动是一样的。但是，艺术掌握同生产斗争这样的实践活动相比，不仅其物质掌握有自己的特殊性，而且，其精神掌握也有自己的特殊性。人对世界的艺术掌握，是特殊的精神掌握和特殊的物质掌握的特殊统一。

人对世界的实践掌握日益发展，人的实践活动不断从简单到复杂，物质产品也从粗糙到精致，日益完美。人的实践活动可以达到这样的水平：按照"美的规律"来创造出美的东西。自古至今的能工巧匠所创造出来的物品，不仅有实用价值，而且有审美价值。人对世界的艺术掌握，是在人类物质生产实践活动的基础上发展起来的。在物质生产的实践中，逐渐按"美的规律"进行创造，因而物质生产本身就已经孕育着、包含着人对世界的审美掌握。只是，这种与物质生产和物质活动交织在一起的审美掌握,还没有独立出来。在物质生产中,生产的主要目的是创造出实用价值,以满足人的物质需要;审美价值是次要的,只附带满足人的审美需要。随着人类实践活动的发展,在实践活动中逐渐单独分化出一种实践活动,以创造审美价值为主要目的,专门满足人的审美需要。人类这种特殊的实践活动,就是艺术活动。

艺术活动有多种多样,从其他实践活动中分离、独立出来的程度并不一样,因而其产品有实用艺术和非实用艺术(观赏艺术)之分。但是,一切艺术活动都是人对世界的审美掌握,尽管人对世界的审美掌握并非都是艺术活动。

艺术活动的结果是要创造出艺术作品。艺术作品不是普通的实用物品,而是审美物品。艺术家为了要创作出美的物品,不能不按照"美的规律"去改造一些物质对象,用工具(器)去作用于物,把物和物结合起来,成为一个美的物品,就像能工巧匠制作漂亮的器皿用具、精巧的刺绣织品一样。不按照"美的规律"从物质上去掌握客体,艺术家就绝不能创造出艺术作品。因此,艺术活动本身就必须具备能控制、支配、驾驭、改造客观对象的高超技巧。每门艺术都有历史上长期形成的技法体系,概括着艺术从物质上对客体作审美掌握的丰富经验,成为人类审美经验的一个组成部分。艺术活动的这一个方面,近几年来,我们的美学和文艺学把它忽视了。

然而,艺术的生产并不只是要创造出美的物品。美的物品的创造也并非都是艺术的创造。古代那些高明的手工艺生产,创造了美的物品,但只是"半艺术式的活动"(马克思语);这些能工巧匠,也只是"艺术的奠基人"(高尔基语)。艺术生产和非艺术生产的区别,在于前者主要是创造审美价值,满足人的审美需要,后者则主要是创造实用价值,满足人的实用需要。艺术作品不只是以物品的美去满足人的审美需要,而且,还要通过物品的美来表达艺术家的审美意识,从而去影响人的审美意识。在艺术作品中,物品的审美价值,只是构成艺术形式的要素,只是形成艺术的形式美,它的目的是要完善地表现艺术的内容美。在艺术作品中,形式美只有从属的意义,内容美才是主要的东西。因此,艺术中的形式美的物质结构本身,也要依从表现内容美的需要而作新的变动。这就使得艺术中的形式美本身,也就同非艺术品的物质结构有了区别。绘画的构图并不全同于物质的结构,音乐的曲式也不同于自然的声音结构,戏曲的程式也不完全同生活的动作结构一样。高尔基说得好:"我所理解的'美',是各种材料——也就是声调、色彩和语言的一种结合体,它赋予艺人的创作——制造品——以一种能影响情感和理智的形式。"①艺术作品和美的物品都能满足人的审美需要,都有审美价值,这是共同的。但艺术作品自有特殊性:它主要是以形式美(物的美)表现出来的内容美(意蕴美)去满足人的特殊的审美需要,它具有特殊的审美价值。

正是为了能生产出这样特殊的产品,人对世界的艺术掌握,就不只是从物质上去对客体作审美掌握,而且要从精神上对世界作审美掌握。人对世界的艺术掌握,是这两种审美掌握的统一。只是,在这两种审美掌握的统一中,矛盾的主要方面是从精神上对世界的审美掌握,它构成艺术活动的本质。

由此可见,艺术活动是一种复杂的实践活动,它交织着人的物质活动和精神活动。它确确实实是一种实践活动,像克罗齐那样只把心造的意象看作是艺术,艺术即直觉,则是闭眼不看事实。艺术不是纯粹心灵的创造,它需要物化,需要从物质上对世界作审美掌握。我们既不能像费尔巴哈又不能像黑格尔那样去理解实践活动。费尔巴哈确实想要研究跟思想客体不同的感性客体,但是,他没有把人的活动本身理解为客观的活动,而是把理论活动看作是人的真正活动,对于实践则只是从它的卑污的犹太人活动的表现形式去理解和确定,似乎只是吃喝玩乐这些和动物共有的活动才是实践。费尔巴哈既不了解生产斗争、革命斗争这样的实践活动,也不了解艺术和科学这样的实践活动。黑格尔也不知道真正现实的、感性的活动,反而把艺术实践中的精神活动看作是人的实践活动,把精神掌握当作物质掌握,把精神上的审美掌握当作物质上的审美掌握,颠倒现实关系。我们的文艺

---

① [苏]高尔基:《高尔基选集·文学论文选》,孟昌、曹葆华译,人民文学出版社,北京,1958年,第263页。

美学不能再重复历史上的错误。"艺术实践即生产实践"[1]论的错误，依我看，并不在于像有些人所说的那样，错把艺术活动看作实践活动。恰恰在这点上是正确的：艺术活动正是一种实践活动。毛泽东在《实践论》中，甚至把文学艺术、科学实验和生产斗争等并列，视作人类基本的实践活动。"艺术实践即生产实践"论的错误在于：(1)把物质生产和艺术生产这两种不同的实践活动混为一谈，把艺术实践活动等同于物质生产活动；(2)把艺术活动中的精神活动、精神掌握也看成了物质活动、物质掌握，混淆了两种不同的审美掌握；(3)把精神掌握方式中的艺术的、宗教的方式和实务精神的方式混为一谈，以为艺术的、宗教的掌握方式只是实务精神掌握的一种方式。

人类有三大生产领域：一是物质生产，二是精神生产，三是人自身的生产。艺术生产属于精神生产领域，主要是从精神上对世界作审美的掌握。既然人对世界的艺术掌握主要是从精神上对世界所作的审美掌握，是人对世界的精神掌握的特殊方式，那么，马克思主要是从精神掌握的方式上来谈艺术、科学、宗教和实务精神的不同，这就毫不奇怪了。

第二节 艺术掌握与意象思维

人为了从实践上掌握世界，就必须从精神上掌握世界。人对世界的实践精神掌握，就是在人的实践活动中产生和发展起来的，并且，它就在实践活动中和人对世界的物质掌握交织在一起。这种直接和

---

[1] 早在20世纪60年代，朱光潜先生在《美学研究些什么？怎样研究美学？》《美学中唯物主义与唯心主义之争》《生产劳动与人对世界的艺术掌握》等文章中提出："生产劳动就是一种改变世界实现自我的艺术活动或人对世界的艺术掌握。"把人在物质生产活动中的审美掌握和艺术活动混为一谈，"生产实践就是艺术掌握"。其次，又把"对世界的艺术的、宗教的、实践精神的掌握方式"同"科学理论的方式"相对立，认为前三者是实践，而后者是认识。有时，又把艺术的、宗教的方式全归入实践精神的方式之中。到80年代，朱光潜先生进而明确："作为活动，思维本身就是一种实践，一种生产劳动"；"就文艺来说，这种思维活动是一种精神生产活动，首先是一种实践"。(见朱光潜：《形象思维在文艺中的作用和思想性》，《中国社会科学》1980年第2期)

物质活动交织在一起的意识,常被哲学家们称为实践意识或实在意识,而这种意识对世界的精神掌握,就是实践精神的掌握,或者说,实务精神的掌握。随着人类实践活动由低级到高级、由简单到复杂的不断发展,人对世界的实践精神掌握也从简单的模仿性再现,一直到复杂的创造性反映,可以达到很高的水平。只要人在实践活动中对世界作精神掌握,并和物质掌握交织在一起,这就是实践精神掌握。那些极为复杂的创造性的活动中,就有人对世界的实践精神的掌握。但是,这并不意味着人对世界的艺术的、科学的、宗教的掌握,仅是实务精神掌握的一种方式。随着人类的脑力劳动和体力劳动的分离、分工的出现,人的意识活动也从物质活动中分离出来,发展成为独立的精神掌握的方式。艺术的、科学的、宗教的掌握世界的方式,就这样产生和发展了。只是,在人对世界的艺术掌握等方式中,仍然综合着实务精神掌握的方式而已,因而,在人对世界的艺术掌握中,也具有实务精神掌握的特点。

人对世界的实践精神掌握,是对世界的能动的反映。如果说,人的实践是人把对象(物或人)在现实中加以改造,那么,人的实践精神就是人把对象(物或人)在头脑中加以改造。人对世界的实践精神掌握,是在感性认识和理性认识的统一中的思维的复杂改造。人的实践活动越复杂,感性认识和理性认识的统一就越需要在更高的水平上进行。人类的创造性活动,像建造雄伟的人民大会堂,不仅需要有高深的科学理论作指导,而且,还要有丰富的审美经验作基础。多少高明的科学家、杰出的艺术家、优秀的建筑师和能工巧匠的心血和才智都融化进了这个创造性的活动之中。

人在对世界的实践掌握中,最初产生和发展起来的是形象思维,这是人的感性认识和理性认识的最初结合。

人和动物一样,开始并没有意识,只是在活动。马克思说得好:"人,首先是要吃、喝等等,也就是说,并不'处在'某一关系中,而是积极地活动。"①通过活动来取得一定的外界物,从而满足自己的

---

① [德]马克思、恩格斯:《马克思恩格斯全集》第19卷,人民出版社,北京,1963年,第405页。

需要。由于活动的不断重复、发展,于是,在活动中产生了意识。这种意识,还不是概念的意识。但是,在这种意识中已有最简单的思维活动:分析、综合,甚至还有了比较、概括。直到科学发达的现代,人的思维的最基本的活动仍然还是分析与综合。不过,原始人的这种思维活动不是概念思维,而是形象思维:只能对可感知的对象(物或人)作分析、综合、比较、概括,还不能把可感知的对象抽象为概念,从而用概念来思维。许多逻辑学家、语言学家承认这也是思维,但这是形象思维,或称前概念思维或前语言思维。这种无概念的形象思维,直到今日还存在着,不过是在更高的历史水平上发展了而已。显然,这种无概念的形象思维只是人类的"狭隘的意识",只凭这种意识固然可以从事些人类简单的实务活动,但无法从事创造性的实务活动,更无法从事艺术活动、科学活动。

随着人对世界的实践精神掌握的进一步发展,产生了概念、概念思维。在人们的需要和人们借以获得满足的活动形式增加了,同时又进一步发展了以后,人们就对这些根据经验已经同其他外界物区别开来的外界物,按照类别给予各个名称。这种语言上的名称,就是用来表示概念的。概念产生后,人就能以概念为材料进行思维,产生概念思维。概念思维不像无概念的形象思维那样,而是以语言为思维的物质手段的,语言学家把它称为语言思维。

概念思维的产生,使人的思维能力有了新质的飞跃的发展。但是,概念思维并不排斥、消灭形象思维。相反,人的形象思维因为概念思维的影响而得到了改造,因而具有了新的性质,成为与无概念的形象思维不同的东西。人的概念开始参与、影响、制约形象思维的进行。人借助于语言和概念,把形象思维提高到了更高的水平。有概念的形象思维,仍是形象思维而不是概念思维。由于概念的参与、影响、制约,原先在无概念的形象思维中作为思维材料的感性映象(感觉、知觉、表象),不再是单纯的感知或表象了,而是被思维化了,或者和概念相联系着了,被改造成为思维化了的映象。这种被概念改造过的思维化的映象,应该叫做"意象",即有意之象,意中之象,以区别于单纯的感知或表象。这样,在概念思维的基础上改造过了的形象思维，思维的基本材料已不是表象，而是意象。这种以意象为思维材料的思维，性质已不同于无概念的形象思维，应称它为意象思维，以区别于无概念的形象思维，又区别于概念思维。

人对世界的实践精神的掌握，就是在这种意象思维和概念思维的结合中实现的。人的实践活动是有意识、有目的的活动。这个目的在人的脑海中出现时，不能只是个概念。马克思说得好：生产实践的前提，必须在劳动之先"创造出生产的观念上的内在动机"。物质生产的目的是要创造一个物质满足人的物质需要，也就是为了消费。"消费在观念上提出生产的对象，作为内心的意象、作为需要、作为动力和目的。"生产的动机和目的，在劳动者的头脑中，是以"内心意象"的形态出现的。这是因为，生产实践的目的是要创造活生生的可感的物，不是空洞的抽象。这，只有意象才能做到，单纯的概念则无能为力。这个意象支配着劳动过程，制约着劳动如何进行，决定着活动的方式和方法，使自己的意志服从于这个意象。

在实践活动开始之初呈现的这个"内心意象"，在实践活动之中继续得到加工、改造，意象不断得到完善。人在生产实践中，要把实物创造出来，就必须对所用的材料和工具有所认识，而且要把这些认识和内心的意象不时对照、比较，从而才能确定实现目的的手段，找到活动的方式。如果材料和工具不足以造成"内心意象"所规定的未来物品，那就需要修改自己的"内心意象"。如果材料和工具与"内心意象"相符，那么，就需要"窥意象而运斤"。经过人的有目的、有意识的活动，造出了物品，人的"内心意象"也就物化在产品中。正是人对世界的实践精神掌握表现在物质成果上，所以，人的物质产品也打上了人的精神烙印。物质实践如此，精神实践中的思维就更复杂了。

意象的形成、深化和物化过程，是意象思维和概念思维的交替、结合的过程。最简单的意象也是概念和表象的结合，复杂的意象则是概念和表象的更加复杂的结合。但是，概念和表象的结合，可以有多种多样的方式，基本上有两种类型：一是表象图解概念；一是表象隐含思维。这两种不同的结合的方式，可以发展成为两种不同的意象：一种是科学图像，一种是审美意象。在人对世界的实践精神掌握中，随着实践活动的目的和性质不同,可以着重向某一类型的意象发展,也可以把两者很好地融为一体。复杂的创造性活动,不仅在活动之先要有十分严密的科学图像,而且也要有鲜明突出的审美意象,概念思维和意象思维相互交替、结合。在人的实践活动中,人对世界的物质掌握和精神掌握、科学掌握和审美掌握交织在一起。春秋战国时代,齐人所作的《考工记》一书中记载了当时许多物质生产的状况。许多能工巧匠生产出来的物品、器具,既是实用的,又是审美的。在制作一些更复杂的物品如钟(礼器)、鼎(食器)、鼓、磬(乐器)等时,意象思维和概念思维的结合,要在更高的水平上进行。制造这样的精美物品,不仅需要较为发达的科学思维,也需要较为发达的审美意识。人对世界的实践精神掌握,就是这种意象思维和概念思维的结合。

如果说,在人对世界实践精神的掌握中,各种精神掌握,如科学的、审美的、宗教的方式还是未加分离、相互交织着的,那么,随着人对世界的实践精神掌握的日益发展,艺术的、科学的、宗教的方式在实践精神掌握方式中分离出来了,得到了独立的发展。这些精神掌握的方式是在人对世界的实践精神掌握的基础上发生的。这些精神掌握的方式一经发生和发展,也反过来作用于实践精神的掌握。我们常说精神反作用于物质,认识转化为实践,其实,都必须以实践精神的掌握为中介。科学、艺术、宗教对人的实践(生产的、政治的等等)的影响,是在实践活动中去影响实践精神,从而通过实践精神转化为实践行为。科学、艺术、宗教等对世界的精神掌握,都不能直接转化为物质生产力,而只有通过实践精神的掌握,去影响人对世界的实践掌握。

人对世界的艺术掌握,区别于物质实践,自成一格,可称之为精神实践活动,乃是物质掌握和精神掌握的统一。它不仅同其他实践物质掌握有着共同的规律,而且同其他实践精神掌握也有着共同规律。艺术实践在从物质上对物品作审美改造的同时,也要从精神上对物的映象作改造,对世界作实践精神的掌握。人的实践活动要使人、手、器、物协调一致,最后,必须"得心",也就是受意识的支配。艺术实践也是如此,必须得"心"应手:先要有一个"内心意象",在活动中不断完善这个"内心意象",最后"内心意象"物化为艺术形象。艺术创作,即使是即兴之作,必先在脑海中浮现出"内心意象"。这个"内心意象"(宋·郭熙《林泉高致》)当然是现实的反映,所谓"自然有列于心中,不觉见之于笔下",但不是现实中的物象本身。这个"内心意象"用笔画出来,就成了艺术形象。

但是,人对世界的艺术掌握又有不同于人对世界的实践精神掌握的特殊规律。

人在实践精神掌握中需要的"内心意象",不同于人在艺术掌握中所需的"内心意象"。实践精神掌握所需的意象,是要创造出实用物品的意象。这种实用物品的意象,也可能是有审美价值的,是审美意象,但是,这种审美意象必须是未来实际存在的实用物品的意象。人要创造出一个机器人,必须在头脑中先有一个机器人的意象,把脑海中已有的关于人、物的意象结合而为复杂的意象。这个意象,必须是即将实际存在的机器人的意象。但是,艺术作品的"内心意象",是要创造出审美物品的意象。这种审美物品的意象,必须是审美意象,但是,这种审美意象并非未来实际存在的实用物品的意象,而是想象中的审美意象。按列宁的说法,艺术并不要求把它的形象当作现实[①]。雕塑家罗丹塑造的"马人",是个半人半兽的怪物肯淘洛伊,下半身是匹马,上半身是个人,人的头和双手拼命向上挣扎,竭力要想从马身中挣脱出来。这个雕塑的意象,是一个现实中并不存在也不可能存在的想象中的事物的意象。现实中不可能有"马人"的存在。但是,正是这个意象却是创造美妙的艺术形象所需的审美意象。在这个意象中表现了罗丹渴望人类能从兽性中摆脱出来,挣脱开兽的地位的审美理想,给人以审美享受,在想象中,满足审美需要。

艺术掌握和实践精神掌握所需意象的不同,必然造成在艺术实践中对材料的加工和工具运用技巧的不同,造成在实际操作中的精神掌握的自己的独特规律。艺术家在"意匠惨淡经营中"雕琢作品,产生了一套"意匠"经营的规律,例如在绘画中特有的形似与神似的

---

① [苏]列宁:《列宁全集》第38卷,人民出版社,北京,1986年,第66页。

辩证法，文学中的赋、比、兴等。自然，这种"意匠"经营离不开"意象"经营，只是"意匠"经营是直接和人的动作联系着的，是艺术中的实践精神掌握。

人对世界的艺术掌握，不仅在"意匠"经营上同实践精神掌握有区别，而且在"意象"经营上同实践精神掌握有区别。艺术实践中的"意象"创造不同于实践精神掌握中的"意象"创造，更和科学掌握方式相区别。于是，我们就把比较转向人对世界的艺术掌握和科学掌握这两种方式。

第三节 艺术思维与科学思维

人的艺术活动和科学活动，都是社会实践的不同形态。艺术掌握和科学掌握，同实践掌握、实践精神掌握有共同之处。艺术掌握和科学掌握也都有实践掌握、实践精神掌握的一些特点。但艺术掌握和科学掌握主要是独立的精神掌握方式，所以，这里不必再从实践掌握和实践精神掌握的角度来作比较，而只从精神掌握方式上把艺术思维和科学思维作对照，探索一下艺术思维的特征。

艺术和科学对世界的精神掌握，区别于物质实践，自成一格，可称之为精神实践活动，乃是由艺术思维和科学思维来实现的。艺术思维和科学思维，是对世界能动的反映，都是概念思维和意象思维相互交织、结合的复杂的思维活动。但是，在艺术思维和科学思维中，不仅概念思维和意象思维的主从关系不同，而且概念思维和意象思维的结合方式有别。如果说，在人对世界实践精神掌握方式中，概念思维和意象思维还是较为平衡地进行，那么，在人对世界的艺术和科学的掌握方式中，意象思维和概念思维则分别得到了高度而特别的发展。

在人对世界的实践掌握中，已经具有审美掌握的性质，在人对世界的实践精神掌握中，已包含有特殊的精神掌握——审美掌握。而艺术思维，正是要把实践精神掌握中的审美掌握独立出来，单独加以发展，以便反映人与现实的审美关系。处在审美关系中的主体（我）和客体（人或物），都是活生生的、感性的、独特的个性；主体和客体的审美关系，也是生动的、感性的、独特的关系。艺术思维要能反映出这样的审美关系，没有别的途径，只能采用这样的方式：创造出特殊的审美意象——艺术意象。在这特殊的审美意象中，不只是再现或想象出客体的审美属性（它只能存在于映象中），而且表现了主体对客体的审美评价、感情态度。正是艺术意象，融合了人的审美认识和审美感情，表达了人的审美体验。艺术家的创造，固然要借助于概念思维的帮助，但主要还是依赖于意象思维的运用。因此，正是因为艺术是要从审美上去反映世界、从精神上对世界作审美掌握，所以艺术思维必须主要运用意象思维。

在人对世界的实践掌握中，已经具有科学掌握的因素；在人对世界的实践精神掌握中，也已包含有另一种特殊的精神掌握——科学掌握。而科学思维，正是要把实践精神掌握中的科学掌握因素独立出来，单独加以发展，以便反映在主体（我）之外的客观世界本身的关系。客观世界本身的现象和关系，在感性可见的关系后边，都存在着、隐藏着感官所不可直接感知的关系（本质的关系也属于这种关系，但它不是唯一的关系）。科学思维要在这些可直接感知的现象、关系中寻找出隐藏于其中的不可直接得知的关系，就必须使用概念。只有概念，才能把在主体（我）之外的客体（人或物）本身的无法为人直接感知的关系揭示出来。在这些科学的概念中，不容许主体（我）的感情态度的融入，不能把主体（我）对客体（人或物）的特殊关系反映到科学概念中去。科学概念的形成，固然也要借助于意象思维的帮助，但主要还是依靠概念思维的运行。因此，科学思维之特别需要概念思维，也是由人对世界的科学掌握的特殊需要所决定的。

艺术思维和科学思维一样，都要对头脑中的生活印象（感性映象）从思维上作加工、改造。这些感性映象是以直观或表象的形态存在于头脑中，其本身并不就是科学思维，也不就是艺术思维，它们需要思维的加工。高尔基说："观察、比较、研究，借助于它们，我们的'生活印象'和'体验'才被哲学加工并形成思想，被科学形成假说和理论,被文学形成形象。"①只有借助于这些思维活动,直观和表象被思维加工改造成为概念或形象,感性认识转化为理性认识。这是艺术思维和科学思维共同遵循的规律。但是,直观和表象如何被思维加工改造,却有不同的方式,经由不同的途径,达到不同的结果。

在科学思维中,对感性映象加工改造的第一段路程是"完整的表象蒸发为抽象的规定"。这就是由感性的具体上升为理性的抽象,完整的表象上升为抽象的概念。任何事物都是"一般"与"个别"的统一,在表象里也反映了事物的"一般"和"个别"的统一。但是,在表象里,"一般"和"个别"是混成一片、未加分析的。人运用抽象,把表象中的"一般"和"个别"分析出来,把表象中的"一般"同过去经验中的其他许多表象作比较,从而把许多表象中的"一般"联系起来,把"一般"综合加工成抽象的概念。这个抽象概念,就是从表象中抽象出来的"一般"的综合。在这个抽象概念中,可能是综合了非本质的"一般",也可能综合了本质的"一般"。"一般"并非都是本质。真正的科学思维是要在抽象概念综合表象中的本质的"一般";伪科学则把非本质的"一般"当作本质的"一般"综合进抽象概念。

在艺术思维中,对感性映象加工改造的第一段路程是:完整的表象转化为审美的意象。这段路程相当于科学思维中的具体上升为抽象。但是,在这里,表象不是上升为概念,而是上升为与概念联系(或结合着)的意象。人运用思维能力,把完整表象中的未加分析、混沌一片的"个别"与"一般"从思维上予以区别,也需要把表象中的"一般"同过去经验中的表象作比较,同其他表象中的"一般"联系起来,从而能更清楚地区别出表象中的"一般"和"个别"。但是,艺术思维并不需要把这些不同表象中的"一般"抽取出来,综合而成抽象概念。艺术思维从思维上把表象中的"一般"与"个别"区别、分析出来之后,进而也要综合,但这是一种不同于抽象概念的综合:把分析出的"一般"又回到完整的表象中去,和那个"个别"相综合,将"一般"予以突出、强调,使"个别"能更充分地体现出这个"一般",却又不失

---

① [苏]高尔基:《论文学》,冰夷等译,人民文学出版社,北京,1979年,第316页。

去这个完整表象的独特"个别"。这种区别于"个别"与"一般"的未加分析的混沌表象的新东西,既不是表象,又不是概念,而是意象。它就是从思维上分析了表象中的"一般"和"个别"而后又作的综合。典型形象的创造需要把本质的"一般"和"个别"相综合;而非本质的"一般"同"个别"相综合,产生的是非典型形象。这个意象中的"一般",可能是审美属性,也可能是非审美属性。艺术思维需要抓住审美属性,形成审美意象,而不是一般的非审美意象。

可见,在对直观和表象加工改造的第一段路程中,艺术思维和科学思维就已见差别:科学思维把表象上升为概念,具体上升为抽象;而艺术思维把表象上升为意象,这是具体上升为抽象的特殊形态。

但是,艺术思维和科学思维的差别主要不在于此。这只是艺术思维和科学思维在初级水平上的差异。艺术思维和科学思维的更重要的差别,是在下一段路程,是在更高的水平上。

科学思维不能只停留在从"完整的表象蒸发为抽象的规定",还要进而使"抽象的规定在思维行程中导致具体的再现"。在这段路程中,概念从抽象上升为具体,抽象概念转化为具体概念。这种"从抽象上升到具体的方法",被马克思看作"科学上正确的方法"[①],科学思维的特点才在这里得到充分的表现。这是个概念不断运动的过程,是概念思维不断深化和转化的过程。在概念思维中,思维的基本材料是概念,人运用思维能力,使概念和概念不断结合,从概念和概念的联系中得出判断,从概念到概念的转移中推理,概念与概念不断转化,抽象概念转化为具体概念,概念与概念综合为范畴或概念体系。这个由概念思维造成的具体概念、概念体系把客观世界对象的整体反映出来了。这不是完整表象所反映出来的混沌一片的整体,而是揭示了世界对象的本质关系的整体。因此,概念思维的基本特征,就是运用思维(分析、综合是最基本的思维活动),使概念和概念不断结合,使概念运动不断深化,抽象概念上升为具体概念(范畴)或概念(范畴)体系,形成科学理论。

---

① [德]马克思、恩格斯:《马克思恩格斯选集》第2卷,人民出版社,北京,1965年,第103页。

艺术思维也不能只停留在从表象上升为意象，还要由审美意象上升为艺术意境。在这段行程中，意象从简单的上升为复杂的、初级的转化为高级的、局部的上升为整体的。这种从意象上升为意境的方法，是艺术思维的主要方法，是创造艺术意境（以至艺术典型）的正确方法，艺术思维的特点在这里才得到了充分的表现。这是个意象不断运动的过程，是意象思维不断深化和转化的过程。在意象思维中，思维的基本材料是意象，人运用思维能力（最基本的是分析、综合的能力），使意象和意象不断结合，简单意象综合为复杂意象，单一意象综合为复合意象，初级意象综合为高级意象。意象思维不断运动的结果，是形成完整的艺术意境（艺术典型是其一种形态），或统一的意象体系。在这个意象体系中，出现了许多艺术典型。因此，意象思维的基本特征，就是运用思维（分析、综合是最基本的思维活动），使意象和意象不断结合，使意象运动不断深化，意象上升为意境或艺术典型、意象体系，形成艺术创造。

依我看，艺术家主要是用这种意象思维进行艺术创造，思想家主要是用这种概念思维进行理论研究。注意，是主要，不是唯一。在科学思维中，主要是概念思维，但并不排斥意象思维。在进行科学思维时，特别在从抽象上升为具体的过程中，概念不时要和表象联系起来，形成意象，有时还需要把不同的意象结合起来，进行想象。科学上的假说，离不开意象，需要创造性的想象。但是，在理论方法中，意象的浮现，意象思维，都只是为了配合概念运动的进行。在这里，意象思维服从概念思维，它只有从属而无独立的意义。并且，科学思维中的意象思维只是为了图解概念思维，只是概念的例证，它有时也能成为科学论证中的事实材料，但不是概念思维的基本材料。同样，在艺术思维中，主要是意象思维，但并不排斥概念思维。在进行艺术思维时，艺术家不仅必须把表象和概念联系起来，形成意象，而且在把意象和意象结合时，需要借助于概念，甚至有时还需要进行概念思维，作一番判断、推理。当然，这要视具体情况而定。如果一个艺术家对生活中的一些问题早在艺术思维之前已有深思熟虑，那么，在进行艺术思维时，意象思维迅速进行，意象与意象按照已很成熟的考虑自然地结合。如果一个艺术家对所写的对象——生活并不理解,那么,在进行艺术思维之时,意象思维的进行就会缓慢(所谓"难产"),甚至还要暂时停下来作一番概念思维,以求得对生活现象有个正确的理解。但是,在艺术思维中,概念思维只是配合、从属于意象思维,它不能代替意象思维。怎么高明的概念思维也不能创造出艺术意境或艺术典型,而只能依靠意象思维。在艺术思维中,概念思维应该而且可以成为意象思维的推动力量,引导意象思维走向艺术家所需的方向,但意象思维本身仍需按自己特有的规律进行。

艺术中的意象思维,同科学思维中的意象思维,不仅地位、作用不同,而且性质、方法各异。意象思维,是按照思维(分析、综合、对照、比较等)把表象和概念联系起来,造成意象,进而以意象作思维材料,经由思维(分析、综合、概括等等)而把各种意象结合起来。在意象思维中,联想和想象的活动,无疑起着重大作用。没有联想和想象,就不可能在脑海中唤起生活印象,就无法产生许多意象,更不能把各种意象结合起来。意象和意象的结合,可以有多种方式,但最基本的是两种:一是意象与意象的联结,一是意象与意象的融合。无论是联结还是融合,都需要有联想和想象的参与,只是在联结的方式中,联想的作用特别重要,而在融合的方式中,想象更为重要。但是,在科学的意象思维中,联想和想象是按照概念思维的思维方式和思维逻辑进行的,只是思维的材料是意象而已。在这样的意象思维中所进行的是推理的联想和想象,不过是用意象作为材料的推理、判断、论证。这样的意象思维,只是概念的图解、论证的例证。有人把联想和想象说成就是形象的推理,这是以偏概全,心目中只看到这种推理的联想和想象,就以为所有的联想和想象都只是推理,其实,这种推理的联想和想象只是联想和想象的一种方式,为科学中的意象思维所运用。艺术的意象思维也需要有推理的联想和想象,特别在所谓推理小说、推理电影中。但是,如果仅仅依靠这种推理的联想和想象,并不能创造出艺术意象和艺术意境。艺术的意象思维更需要依靠有些心理学上所说的感情的联想和想象。在这种感情的联想和想象中,不同意象的联结和融合,不是由于推理而来,而是由于这些意象在我们心中引起相同的内心情感。俄国著名心理学家、教育家乌申斯基在解释感情的联想时说道:"假如诗人看出海的啸声和人们的吼声相似,诗人从明亮眼睛中看见闪电的光辉,从树林发出的声音中听到诉泣,从美妙生动的风景中看到微笑等等,那么,在实质上这不过是相似的联想,不过这种相似不是由理性揭露的,而是由人的诗意情感揭露而已。"①这话不无道理。在艺术的意象思维中,把各种意象联结、融合为意象整体、艺术意境的,正是这种感情的联想和想象。感情,更确切地说,审美感情是把各种意象综合为艺术意境的"混凝土"。不过,对乌申斯基的话要稍作些补充,那就是,这种感情的联想和想象,并非不要"理性",相反,它必须以"理性"作基础。审美感情必须经过思维的整理,是思维化的感情。所以,心理学家巴甫洛夫把艺术家称作是"感情地思考"的人。

概念思维是有思维逻辑的。概念思维的思维逻辑有两大类型:一是高级的思维逻辑,即辩证逻辑;一是初级的思维逻辑,即形式逻辑。意象思维也有思维逻辑。否定这一点,实质上就是否定意象思维也是思维。意象思维的思维逻辑也有既有联系又有区别的两大类型。一类是辩证逻辑,这是任何思维所共有的思维逻辑。意象思维和概念思维都要遵守辩证思维的逻辑,诸如认识中的辩证法:主观与客观相统一、个别与一般相结合、感性与理性相结合、相对真理与绝对真理、具体与抽象的转化等等。只是,辩证逻辑在意象思维和概念思维中各有特殊的表现。例如,分析与综合,在意象思维中是对意象的分析与综合,而在概念思维中是对概念的分析和综合。从抽象到具体的上升,在概念思维中是从抽象概念上升到具体概念,在意象思维中则是从意象上升到意境(或典型)等等。但除了辩证逻辑外,意象思维还有自己特殊的逻辑。科学中的意象思维,基本上是用的形式逻辑,即推理、论证的逻辑,不过是形象的推理而已。这种意象思维的逻辑同概念思维的形式逻辑属于同一类型。但是,艺术中的意象思维却有另外一种类型的思维逻辑。在这种意象思维中,意象被感情的联

---

①[俄]乌申斯基:《人是教育的对象》第1卷,李子卓等译,科学出版社,北京,1959年,第243页。

想和想象所联结、融合为意境、典型,也要按照逻辑进行,但联结律、融合律都要受到感情逻辑的支配,这就使得这种意象思维的独特逻辑更加复杂起来。对于感情的逻辑,对于感情的联想和想象所运用的联结律和融合律,我们的文艺美学还没有多少研究,有待各方的共同探索。但是,我们不能把艺术中的意象思维逻辑仅仅归结为想象的逻辑,它要比单纯的想象逻辑复杂得多。意象思维的逻辑无疑是从生活中总结出来的,正如概念思维的逻辑是从生活中总结出来的一样。但不能把意象思维就归结为生活逻辑。艺术是按照生活逻辑创造的,这个论断并未解决任何实际问题,难道科学不也是按照生活逻辑来思维的吗?问题在于,在同一的生活土壤上,既产生了辩证逻辑,也产生了形式逻辑。艺术的意象思维又产生了另一种不同于形式逻辑的思维逻辑。我们说艺术思维有逻辑,既指辩证逻辑,又指这种独特的逻辑,姑且称它为意象逻辑。

总括起来,人对世界的艺术掌握,只就其精神掌握方式而言,是能动地反映世界的审美掌握。这种精神掌握,是由艺术思维来实现的。艺术思维主要是运用同概念思维相统一的意象思维。艺术的意象思维过程是审美感情和审美认识相结合的过程,结果是产生艺术意象体系或艺术意境,有的则创造了艺术典型。

意象思维不是无概念的形象思维,它需有概念,或与概念有联系。意象思维也要以语言为物质外壳,而不是只用形象(这里的形象,是说的实物,不是说的表象或其他感性映象)。如果常说的"形象思维",是说的那种不用语言、无概念的表象思维,那我要说,意象思维不是这种形象思维。意象思维也是有逻辑的思维,概念思维不过是有逻辑的思维的一种形态而已。因此,逻辑的思维不是只指概念思维,不能把逻辑思维只归在概念思维名下。概念思维不只产生抽象概念,而且产生具体概念。对于科学理论来说,具体概念比抽象概念更重要。因此,我们也不能把科学思维只归结为抽象思维,把抽象思维等同于概念思维。

艺术思维所以和科学思维有不同的特点,乃因所达的目的不同。文学艺术是要表达人对人生的感悟、体验,而科学则要表达人对客观对象的理论思考。目的不同,手段也就不一样了。俄国文艺评论家杜勃罗留波夫较早看到了艺术家、思想家的不同思维的特点:艺术家注意"对世界的感受",而思想家则重在"理论思考"。不同的艺术家,不管有多少不同的风格,但都有共同的特点,那就是"对世界的感受"。这种对世界的感受,只有通过生动的形象才能表达出来,"若是竭力把这种感受引到一种确定的逻辑组织里去,把它用抽象的公式表现出来,这却是徒劳无功的"。艺术家具有敏锐而强烈的感受力,"看到了某类事物的最初事实时,他就会惊异万分"。"他虽然还没有作过理论上的思考,能够解释这种事实;可是他却看见了,这里有一种值得注意的特别的东西,他就热心而好奇地注视着这个事实,把它摄取到自己心灵中来,开头把它作为一个单独的形象,加以孕育,后来就使它和其同类的事实与现象结合起来,而最后,终于创造了典型。这个典型就表现着艺术家以前观察到的、关于这一类事物所有个别现象的一切根本特征"。[①]思想家也是从观察生活开始的,却并不只注视个别事实,而是积累很多事实材料。"由于以前聚集在他的意识里,不知不觉地在他的意识里保存下来的个别现象丰富多样,就使他能够一下子用它们组织一个普遍的概念。这样一来,这个新的事实,就立刻从生动的现实世界中,转移到抽象的理性领域里去了。"[②]艺术家把表象改造成意象、典型,而思想家把表象抽象成概念、范畴,思维走向不同的途径。

其实,就是科学思维或理论思维,也仍然需要意象思维相配合。马克思在谈到理论思维时说得好:"就是在理论方法上,主体,即社会,也一定要经常作为前提浮现在表象面前。"社会科学和人文科学要面对错综复杂的社会现象、人文现象,不时在脑海中浮现这些现象,然后才能探索这些现象的发生、发展规律。只是,意象思维在理论探索中不占主要地位,而在艺术创造中却举足轻重,绝不能忽视。

---

①[俄]杜勃罗留波夫:《杜勃罗留波夫选集》第1卷,辛未艾译,上海文艺出版社,上海,1959年,第273、274页。
②同上。

第五章　艺术本体之真：生命之敞亮和体验之升华

文学艺术中"江山如画"和"意境逼真"之争由来已久。看来，"如画"与"逼真"这一艺术真实的问题还将继续争论下去，因为，文艺真实性这一命题关涉文艺和美学本体论。如果这一争论不断向深入发展，从而能使人正确地把握艺术真实的含义，理解"真"的不同维度，进而对艺术生命之真上蒙受的种种积垢予以解蔽、去蔽，那么我们也愿对艺术真实的论题进行一番探讨。

第一节　艺术真实即艺术生命的敞亮

对艺术真实性问题的解答，从来都是艺术家、理论家孜孜以求和追索的目的。千百年来，人们为这一命题所缠绕、所苦恼。而对这个谜作出哲学意义上的界定的，可以说要数康德和苏格拉底最为精当。

康德在"三大批判"和《人类学》中，实际上提出了这样一个问题：人的认识如何成为可能？也就是说，人只能把握客体的现象而难于把握藏在现象背后的本体。而现象是不可信的、充满偶然的、虚饰的、假的东西，只有本体才是真。康德实际上宣布了人对客观世界的把握永难达到纯粹的真，甚至人要把握"真"（本体）是不可能的。可能性问题成了真实性问题难以迈过的限度，从而使人对客体之真的探求受阻。而在主体方面呢？也就是说，人不能最终达到对象之真的解，那么人能达到人自身的主体之真的解吗？苏格拉底说：认识你自己。苏格拉底是将这作为哲学的重大命题提出来的。在他看来，认识外部世界无疑是重要的，但认识人类自己却是最困难的。主体精神的黑箱直到今天也没有解开，主体灵魂之奥秘乃依旧是一个众说纷纭而又莫衷一是的"奥秘",主体潜意识、无意识、良心、内在冲动、生命底蕴乃是"广阔的秘境"(滨田正秀语),可望而不可即。这些,无疑证实了人要认识自己、要真正了解自己、要揭示自己存在和生命的真实存在绝非易事。

认识客观之真和认识主体之真竟然如此困难,难怪真实性问题的争论千年而不衰,也许正是人类"知其不可为而为之"的本性使然吧。那么,真实性、主客体双重真实性、文艺真实性真的就无法揭示,无法达到吗?不!我们不是不可知论者,我们认为真实性问题是可以解答的。然而解答又是充满困难的,因为人自身就包括在这谜团之中。

看看先哲们对文艺真实性的求解过程会对我们有些启迪。

亚里士多德说,诗歌起源的原因之一,在于"人从孩提的时候起就有模仿的本能(人和禽兽的分野之一,就在于人最善于模仿,他们最初的知识就是从模仿得来的),对于模仿的作品总是有种快感。经验证明了这样一点,事物本身看上去尽管引起痛感,但惟妙惟肖的图像看上去却能引起我们的快感"[1]。法国著名作家巴尔扎克对真实也有自己独特的见解,他说:"当我们在看书时,每碰到一个不正确的细节,真实感就向我们叫着:'这是不能相信的!'如果这种感觉叫得次数太多,并且向大家叫,那么这本书现在与将来都不会有任何价值了。获得全世界闻名的不朽的成功的秘密在于真实。"[2]看来,他们都认为越是逼真肖形的作品,其审美价值就越高;而越是再现生活中的事物,人们就越是欣赏。

但是艺术创作实践对再现性和模仿性真实观进行了挑战。《聊斋志异》的神怪故事,离奇之极,毫无"真实"可言,可是却写出了生活之根、人物之神,又可谓真实之极。《雪里芭蕉图》将春、夏、秋、冬四季所开的花卉移于一幅画面之内,可谓虚假之极,然而却又使人感到画出了自然之魂、花卉之神,不可说不真!而一些月份牌和广告画,或照片,或粉描,或如西方现代的蜡像画或雕塑,与真人一般大小,完全

---

[1] [古希腊]亚里士多德:《诗学》,陈中梅译注,商务印书馆,北京,1996年,第11页。
[2] 段宝林编:《西方古典作家谈文艺创作》,春风文艺出版社,沈阳,1980年,第308页。

可以乱真,但丝毫不能给人以美感,反倒使人感到这真是徒有形而无灵魂的物件,凉冰冰、死气沉沉,十分令人害怕和恶心。于是,对象真实在现代派画家康定斯基、毕加索那里就成为逆转向另一极的运动,艺术家的"内在需要"成为第一性的,而物质对象的"视觉符号"——对生活的模仿再现部分——真实与否是不重要的。① 这就是说,艺术只需要作家"情感的真实"或"想象的真实"就可以了,外在的对象真实在艺术中没有地位,可以忽略不计。

然而,这种说法所始料不及的是,这一事实仍然不能成立,因为"情感真实"的弹性太大,以至于可以认为婴儿的啼哭、疯子的呓语,其情感不可谓不真实,然而与艺术创作完全无关。而且,黑格尔认为情感是主体活动的一种图式,具有主体属性,却不具有客观的意味:"情感就它本身来说,纯粹是主观感动的一种空洞的形式。这种形式有时本身可以是很复杂的,例如希望、哀伤、乐观和欣慰。有时这些复杂的情感可以涉及种种不同的内容,例如正义感、道德的情感、崇高的宗教情感等等;但是,这种内容尽管出现于不同形式的情感,它的基本的确定的性质却不因此就显现出来,仍然仅仅是我的一种主观感动,在这主观感动里面,具体的内容消逝了,就像挤在最抽象的圆里一样。"② 黑格尔进而指出:"艺术作品之所以为艺术作品,既不在它一般能引起情感(因为这个目的为艺术作品和雄辩术、历史写作、宗教宣传等等所共有,没有什么区别),而在它是美的。"③ 这就是说,艺术美的关键不在于是否有情感,而在于其艺术内容的理念化(或心灵化)。

现代美学家罗杰·弗莱从艺术欣赏的角度,也对作家情感愈真作品则审美价值就愈高的观点进行了驳难。他说:"我们实际经历的情感由于与我们靠得太近了,以致我们不能明显地体验到它们。在某种意义上说,它们是难以理解的。而在想象的生活中,恰恰相反,我们既

---

① [英]赫伯特·里德:《现代绘画简史》,刘萍君译,上海人民美术出版社,上海,1979年。
② [德]黑格尔:《美学》第1卷,朱光潜译,商务印书馆,北京,1979年,第41、42页。
③ 同上。

能体验到情感,也能审视情感。当我们在剧场里真正被感动时,我既在观众席里审美,又自始至终在舞台上与演员共同体验。"①这样一来,情感的真实为艺术真实的根本含义似乎还需加以理性的参与和审美的距离,从而使自然情感化为审美情感方有可能。

那么,"想象的真实"可以成为艺术真实的解吗?毋庸讳言,想象的真实在某种程度上已经把握到了艺术的一些本质精神,触及了艺术思维的独特性——形象思维。当代著名批评家麦卡锡在分析梅瑞狄斯、康拉德、詹姆斯和哈代的作品时,把他们的意象世界比作想象虚设的"气泡",指出他们"吹过巨大的内容丰富的五彩缤纷的气泡,他们所描写的这些气泡中的人物当然和真实的人物有可认知的相似处,但只有在那气泡的世界中,他们才获得充分的真实性"。②在麦卡锡看来,艺术的真实性体现在想象虚设的像气泡一样美丽而空虚的世界里,也就是说,艺术真实性与现实存在的"可认知的相似处"③毫不相关,只有虚构的想象作为内在尺度才使得艺术获得一种非规定的真实性。这一类例子在中国艺术实践中并不少见。如《牡丹亭》写杜丽娘痴情而一往情深,故"生者可以死,死可以生。生而不可与死,死而不可复生者,皆非情之至也。……嗟夫!人世之事,非人世所可尽,自非通人,恒以理相格尔。第云理之所必无,安知情之所必有耶"④。尽管"想象的真实"无可否认已经触及了艺术的某些内在规律,但它仍难以尽如人意地解释艺术真实奥秘。因为,它自身也有两个困境而无法超越。其一,"想象的真实"与"现实的真实"不能截然分开,因为它们在生活的本质上和人的本性上具有同向性,这就是为什么许多现实主义作品中想象成分并不强,却仍然感到艺术真实的原因(如纪实小说,报告文学等)。其二,想象的真实不具有形成艺术品及其艺术真实的充分条件。我们知道,想象的真实可以运用于宗教(想象中真切地感到上帝的存在和上帝之子的悲悯)。而艺术则不同,

---

① 转引自[美]莫里斯·韦兹:《美学问题》,译文载《美学译文》第2期,第54~55页。
② 《人物肖像》,英文版,1931年,第75页。
③ 同上。
④ (明)汤显祖:《牡丹亭记题辞》。

它不能缺少"想象的真实"(如虚构、夸张、浪漫主义等等),但又不仅仅是"想象"。"想象的真实"不能穷尽艺术真实的内涵,而只是它的必要条件之一。想象真实并不能使艺术真实与生活真实有何质的差异,而且,艺术想象的真实性既不在其描摹的逼真性,也不在单纯的离奇性,而只能在于"极富含义"性,即审美主体的多层生命意识的导入而产生的复杂意味。

那么,涉及艺术本体论的"艺术真实性"究竟是什么?它有哪些层面和维度?它与现实的真实、科学的真实有何关系?这一系列问题需要我们作深入的探讨,方能对艺术真实性问题上的种种迷惑加以澄清。

但有一点,我们敢肯定,那就是艺术真实并不仅仅是艺术认识论问题,而且是艺术本体论问题,它贯穿整个艺术过程,形成:(1)审美主体的真实(作家主体审美体验和评价的真实);(2)审美主客体所形成的审美关系物态形式——艺术作品的真实;(3)艺术欣赏者二度体验的再创造的真实。而将这三点囊括为一点,即人在自身的存在中,对审美理想的感情而达到超越性的真空状态。滨田正秀对此深有体悟。他说:

> 人说文学是虚构和杜撰出来的,又说它是一种虚构的写作。歌德在写自传体的《诗与真》一书中说,"诗"是一种最容易使人想起和再现"真实"的技巧。真实在何处?又何谓真实?在主体文学是虚构之前,首先必须弄清真实之所在。柏拉图说现实并不是真实,只是真实的影子。海德格尔认为真实是隐藏着的东西,需要使之敞亮。我们周围的现实有不少并不真,为很多偶然的东西以及假象和片断所歪曲。文学是一种使现实更接近于真实的努力,它要把被歪曲和掩盖着的东西发掘出来,创造出更具价值的东西,并使全部生命得以复活。真实不是别的,乃是生命的真实。

生命的真实是艺术真实性的关键所在。不管情感真实也好,想象真实也好,模仿的逼真也好,认识生活、反映生活真实的"生活透视论"也好,都只不过把握了艺术本体真实的一个侧面、一个片段、一个维度。只有生命的真实——人的本质的总体投注,人的知、情、意全面介入,人的意识和无意识的完全融合,才能使艺术创作主体的体验之真贯穿于作品之真而使欣赏者达到再度体验之真。这样,作为人的审美本质的对象化的艺术就臻至如此一个境界:艺术作品的存在就成为真理的显现、存在的澄明,人生就诗意般地敞亮、揭示出来。

第二节 真的世界的两极:艺术与科学

艺术真实的谜底在于生命(体验、感知、理解、感情、灵魂觉醒等)的真实,在于主体精神与对象内在之"气"的整合而形成的审美关系。那么科学的真实与艺术的真实有何不同?我们如何判断二者的差别呢?

这些问题必须回答,不能回避。

艺术真实问题较复杂。现在一般只把艺术反映客体的真实与否,看作是艺术真实的全部,艺术真实只是说艺术描绘客体,符合生活中的本质,至于通过描绘的真实而表现出来的思想感情,归为倾向性,同艺术真实是两回事。对于这种理解,我不反对。这真实性,现在大家理解成对客体描绘的真实,这一来,艺术的真实性就不是文学艺术的全部问题了,艺术真实就只是艺术成败与否的一个问题,因为还有倾向性问题。所以,有人认为,文学要求的不仅仅是真实。其实,所谓艺术形象,就是真实性与倾向性的结合。文学艺术中的真实描绘,已经渗透了思想倾向,这已经结合了真实性和倾向性的艺术形象,它真实反映了现实中主体和客体的关系,而不仅仅是客体。这里包括了至少这些内容:(1)对客体的描绘、再现是否真是自己的认识,是真知灼见,还是人云亦云。(2)这真知灼见是否真实再现、描绘了客体本身的美或丑、悲或喜、崇高或卑鄙等等,是否再现了现实本身的社会关系。(3)是否表现了主体本身审美态度、情感的真诚、真挚,而不是虚假的、伪造的,或从别人那里搬来的审美态度和感情,即真情实感。(4)这真挚的、真诚的态度和感情是不是和历史发展的必然要求相一致。

因此，我理解的艺术真实，就是文学艺术真实地反映了现实中主体和客体的审美关系。这有两个层次：一是它反映了作家这个主体和客体的真正存在的审美关系，是作者自己的真实的体验，而不是伪造的、搬来的；二是作家与客体的审美关系，是和历史发展必然要求相一致的，是合理的存在，是人类理应如此的关系。荒谬的思想是不正常社会关系的产物，正确的思想是正常社会关系的产物。

科学真实、艺术真实有共同性，又有特殊性。科学的真实是主体本身的认识是否符合客体的实际存在。可是，在文学艺术作品中，作者这主体和客体之间的关系，却必须反映出来。义愤出诗人，诗人必须表现出对客体的义愤，表现自己的主观态度。这义愤、这态度，就反映了诗人主体和对象客体的关系：肯定的还是否定的关系，和谐的还是对抗的关系，自由的还是不自由的关系。

文学艺术却不能只是摹写客体，而且还要表现主体，反映客体与主体的关系。高尔基说巴尔扎克小说表现了对人的爱，这不是说他对他所喜爱的人物直接表现了自己的爱，而且也表现在他对他所憎恨的人物的恨，从而间接表现了对生活、对人的爱。作家、艺术家这个主体和周围世界是什么关系，在艺术中反映出来了。

因此，在我们看来，艺术真实与科学真实的根本差异，在于二者掌握一般本质的思维方式和思维途径不同。求索科学之真，必须扬弃个别而掌握一般，也就是说，对现实生活中的个别的偶然的现象加以剥离、扬弃，从而形成抽象的概念和范畴，去对生活或反映对象的本质规律加以掌握。而艺术真实所要求的恰恰是不抛弃个别和偶然，而是运用个别以丰满地、精确地把握本质规律，即选择并抓住人们现实生活中丰富多彩而又独具特征的现象进行典型概括和提炼，从而创造出表现生活普遍必然的本质的艺术形象，使人们透过艺术形象而获得审美体验，感悟到生活和生命的真实。

马克思在《资本论》中对商品本质的寻求过程，就是逐步扬弃个别的过程。当把商品众多个别现象之中的共同一般本质抽象出来形成概念时，个别在形式上消失了，但却并没有被消解。因为个别中的规律性的本质的东西，都已经被概括留存到抽象的一般概念中去了，这是理论思维中扬弃个别而掌握一般、扬弃现象而掌握本质、扬弃偶然而掌握必然的过程。当然,"在分析中达到越来越简单的概念,即从表象中的具体达到越来越稀薄的抽象,直到我达到一些最简单的规定"之后,"于是行程又得从那里回过头来",从抽象上升到具体。亦即将"完整的表象蒸发为抽象的规定",然后将"抽象的规定在思维行程中导致具体的再现",这就是"从抽象上升到具体的方法"或"思维用来掌握具体并把它当作一个精神的具体再现出来的方式"。[1]这一方法,被马克思称为是获得科学真实(本质规律)的正确的方法。

而艺术真实的求索途径与此有极大的差异,它获取本质真实却又不扬弃个别现象,而是抓住个别,运用艺术典型化方法使之更为充实、丰富和富有魅力,并运用这个被强调和充盈的个别(这一个)去掌握一般。黑格尔在《美学》中说:"理想就是从一大堆个别的偶然的东西之中所捡回来的现实","诗所提炼出来的永远是有力量的本质的,显出特征的东西"。别林斯基对艺术需要剥开非本质现象、突出本质现象的真实观也提出了自己的看法。他说:"诗人从所写的人物身上采取最鲜明最足以显示特征的面貌,把不能渲染人物个性的一切偶然的东西都一齐抛开。"可以说,艺术家所要寻找的真实,常常被许多不真实的假象和虚饰的迷雾所遮蔽,艺术家必须调动生命的多种能力去剥离假象,使本真、本质显露出来。

艺术与科学形成人类真的世界的两个极点。艺术家通过个别又突破个别,进而将个别典型化,在主体审美体验中使事物的一般、必然、本质进入到这重构的个别之中。其起点是个别,终点仍是个别,但这个个别是审美体验所包裹、所界定的"这一个",即艺术典型。而与艺术真实相联系又相对立的,处于真实另一极的科学真实,则是起初突破个别,然后扬弃之,使个别消解于一般的概念之中。其思维过程的起点是个别(即事物的偶然现象),终点是概念(即概念所表现的一般的必然本质)。因此,人类不仅需要科学去认识世界的本

---

[1] [德]马克思、恩格斯:《马克思恩格斯选集》第2卷,人民出版社,北京,1995年,第103页。

质真实,又需要艺术的体验去感悟这个"生活世界"(狄尔泰语)、这个"生命宇宙"(尼采语)的意味,去感受自身真实的存在和处境。至此,科学与艺术成为人类不可缺少的境界,正是借助于它们,人类才能把握世界本真那一"广阔的秘境"。

第三节　艺术真实在于作家主体体验评价的真实

艺术是一个创造和再创造(二度创造)的过程。这一创造过程的起点即是艺术家的审美体验和物化。这一阶段的艺术真实鲜明地体现在审美体验中创作主体的情感和意象的真实上。

但是,艺术家在创作开始时,他是怎样寻求一种求真的角度?他是如何使小我一己的体验与人类大我的精神历程相贯通,而达到"文章者,天下之公器"、真理的喉咙之境呢?他又是如何克服自己的有限性、狭隘性,以人类良心的眼睛去发现那真理的光辉的呢?

毫无疑问,处在生活之中的作家与艺术创作者是同一个人,但正是这同一个人,不仅在现实生活中生存,又在艺术世界中遨游,这"生活世界"和"艺术世界"是既相联系又有本质区别的两个世界。因此,艺术家在创作中,一方面要依赖现实生活所提供的材料,另一方面又要摆脱对生活的被动依附,使现实所提供的一切在自己心灵中重新组合。简言之,作家艺术创作过程的真正逻辑起点是生活和艺术二者之间的矛盾。一旦进入艺术构思和艺术过程中,这一矛盾就立即转化为作家与生活的矛盾,很多伟大作家身上都存在着多种矛盾。而歌德却以最精当的语言将这类形形色色的矛盾表述出来:

> 艺术家对于自然有着双重关系,他既是自然的主宰,又是自然的奴隶。他是自然的奴隶,因为他必须用人世间的材料来进行工作,才能使人理解;同时他又是自然的主宰,因为他使这种人世间的材料服从他的较高的意旨,并且为这较高的意旨服务。①

---

① [德]爱克曼:《歌德谈话录》,朱光潜译,人民文学出版社,北京,1978年,第137页。

这种生活世界与创作世界的矛盾集中表现在创作主体自身的矛盾性上，并由此而引发出两种不同的艺术观。其一，可称之为"主体逃遁式"，可以艾略特为代表。他认为：艺术创作中，艺术家"不是抒发感情，而是逃避感情，不是表现个性，而是逃避个性"①。也就是说，创作中的主体与生活中的主体毫不相关，因此，作者的精神气质、个性特征和情意体验丝毫没有汇入作品，作家只是一个冷冰冰的、不动情感的被动传达者而已。与此相反，出现凸现主体性的"主体同一式"，这可以席勒的观点为代表。席勒认为："不必把我作为一个诗人来赞赏，而是要把我作为一个正直的人来尊重。"从而把处于生活世界和艺术世界的作者本人完全等同，把艺术创作的审美体验与日常生活体验等同起来。这不仅把创作过程当成艺术家自我展示的过程，而且在这一过程中，不知不觉取消了两个世界的分界地带。这两种非此即彼、坚执一端的观点不符合艺术创作的实际。

其实，作为两个世界临界点上的作家是身在现实世界而又超越其上的。一方面，他的主体能动性使他对生活的认识和体验常有强烈的主体色彩和个性特征，而他所反映的生活已不是原生态的形式，而是一种主体化了的生活变形，是一种心理化了的生活折影。这就是说，艺术家首先是一个人，在他创作的审美体验中，他尽管可以"思接千载"、"视通万里"，可以内在设置不同现实的时空、环境氛围和人物关系、人与自然的关系、人与社会的关系，但他绝不可能完全割裂为两个心灵世界、两种人格。换言之，他的审美思维是建立在他同常人一样的日常生活思维基础之上的。因此在创作活动中，作家乃是以他自己的眼光、心态、人格气质、思维方式去统摄、汰变诸多事物，从而使艺术品上鲜明地留下艺术家个人的东西，印上作者本人的影子。而另一方面，艺术家在创作中选择生活的同时也服从着生活的选择。他在表现自我时就是对一种价值的体验和肯定，这样的"表现"就在某种层次上挣脱了自我本能驱使的轨迹和纯粹个人性情的羁绊，而迈向

---

① [美]艾略特：《艾略特论文选》，周煦良等译，上海文艺出版社，上海，1962年，第21页。

由情感向精神、由本能向价值的社会化转化之途,从而使他在作品中达到自我表现和感情真理的双重超越性:在坚持个性并惊人坦诚地向世界敞开自己的同时,因精神的超越性,又使小我情意和个性体验升华而获得一般的美学意义,使个性心态处在普遍审美意义的光辉之下。只有这样,他才能将自己的心声化为人类的声音,才能将人类的苦乐悲欢由自己的喉咙吁呼,才能使小我情思意绪转化为普遍美感,并升华为社会的情感而获得"美"的价值。如果没有这一"转化"过程,那么作家仍是一个必在日常生活之中的本能表现者,他只有越过日常生活与艺术世界的临界点,才能使创作成为个性主观自我与客观现实生活的完美统一,使主体意识照亮两个世界而又"大象无形"。那种露骨地暴露本能兴趣和一味"代天地立言"的说教文学都是作家无法超越两个世界的佐证。

真正的艺术,正在于由生活世界进入艺术世界时,保存了生活世界的生命力和丰盈性,又获艺术世界的超越性和净化价值,从而使作家获得一种巡视内心世界和外部世界的自由视界而观察反思生活,在入乎其内又出乎其外之时窥见到人生的真谛、世界的本真和生命的本质。乔伊斯对临界于两个世界的作家的转化过程作了精彩的描述:"艺术家的人格,最初不过表现为一声喊叫或一种节奏或一种短暂的情绪,接着它却变成了滚动闪烁着光辉的叙述,最后它更使自己升华而失去了存在。或者可以说,使自己非人格化成了一个艺术家,和创造万物的上帝一样,永远遁迹于艺术品之内、之后或之外。人们看不见他,他使自己升华而无处不在。"[①]当然,处于艺术创作中的作家永远处在矛盾之中,他无法回避,他别无选择,他只能以超越而使自己的精神与真善美的终极价值接通。作家心灵构成的真实程度将直接标示出艺术真实的一个维度。因此,在我看来,生活的心灵化和心灵的生活化是一个不可分割的双向流动过程。在这个双向流动过程之中出现的某种最初契合,不仅表征为艺术创造过程的真正起点,同时也象征

[①] [爱尔兰]詹姆斯·乔伊斯:《一个青年艺术家的画像》,李靖民译,浙江文艺出版社,杭州,2009年,第254页。

为艺术家对真善美统一的审美价值的求索过程。

作家审美体验的真实是作品真实和作品人物形象真实的条件。虚浮的情感只能写出歪曲化的生活,而有本真之心的体验却可以写出人物生命的真实。

作家审美体验的真实和真切程度直接影响整个艺术过程(创作过程,作品本体存在、作品欣赏过程)真实性程度,因其为两个世界的在审美体验参与下的"最初契合",所以关乎艺术生命真实主导倾向。因此,创作就成为一件极为严肃、极为重要的事。中国古典作家讲求要在"如骨鲠在喉,不吐不快"之时动笔,方能写出真情、真思、真境。而西方作家这类论述也不少见。诗人里尔克也说:"创作的前提之一,就是坦白地问自己,如果不让你写作,会不会痛不欲生。特别是首先要在更深夜静、万籁俱寂的时候扪心自问:我非要写吗?要从你自己身上挖出一个深刻的答复来。"①可见,艺术家为了获得艺术生命的真实,对自己本质力量的真实作了多么严格的要求:情感体验必须发自肺腑,真率诚挚犹如水晶,而绝不稍加掩饰扭曲、掺假作伪。要达到如此之真,则作家非得要体验得深,爱得真、恨得切,体味人生真切入微,表现自己的真情挚意,才能"一情独往,万象俱开",达到对对象内在真实和世界真假的真切把握。只有主体审美体验的真,才能最后创作出真情挚意的艺术作品。

第四节　艺术真实是作品反映主客体的审美关系的真实

当作家将自己的审美体验化为审美意象,最后以艺术符号的方式物化凝定下来时,就形成艺术作品。艺术作品是艺术家审美体验的真实的物化形态。

在艺术作品本体中,创作动态过程相对地积淀为作品存在的静态形式。而这一静态形式的内在结构与创作动态过程相比,也有一个转化向度。首先是艺术家的情绪意象、审美态度、审美意象已经转化

---

① 伍蠡甫主编:《现代西方文论选》,上海译文出版社,上海,1983年,第164页。

为作品的内在意蕴和深层结构;其次,作家澎湃激荡的思绪情怀和强烈的灵肉统一的审美体验转化为稳定的感性形象系统。这种深层结构和形象系统建构出真正属于艺术家所独创的、不可重复、不可取代的审美意象世界,人们可以看出这一世界和经验世界的部分重合,但是从它的自我连贯的可理解性来说,它又是一个与经验世界不同的"独特的世界"。正是这个"独特的世界",蕴含了人生的真实况味和人类生命的心灵历程。

那么,我们要问,艺术作品本体世界是否存在着艺术的真实性?如果有,那么这种真实是如何表征的?而且我们还要问,艺术作品为什么会具有真实性?

在回答这些问题之前,我想先来分析一下艺术作品的本体层次。

艺术作品是一种具有多种层次结构的有机整体,要分析这一有机体,必需考察它的多种层次及其相互关系。我们认为,艺术作品的构成可以分为四个层次:(1)文艺作品的存在方式(即物化形式);(2)文艺作品中再现客观世界部分(即艺术家所描绘的对象事物);(3)文艺作品中表现主体情思部分(即艺术家的审美态度、审美体验);(4)艺术作品中的深层意蕴(即人生感、历史感、宇宙苍茫感)。下面稍加分析。

作为构成艺术作品第一层的"作品存在方式",主要可以归结为艺术语言问题,诸如文学语言、音乐语言、绘画语言、舞蹈语言、建筑语言。当然,语言不能穷尽作品存在方式的各个方面,但主要方面是艺术语言。要传达主体审美体验、审美意象之真,则必须要求艺术语言准确、鲜明、生动。语言准不准是衡量作品美不美、形象真不真的重要标志。清代诗人袁枚说:"一切诗文,总须字立纸上,不可纸卧字上。人活则立,人死则卧,用笔亦然。"① 这里将语言的动态鲜明、生动有趣的特性说得十分清楚。西方当代美学家、文学家刘易斯也说:"语言不像钢铁和木头,不像煤和水,它们的特性是不变的,它们的种种作用,可以计算出来。语言的功能却极容易改变,哪怕由

---

① (清)袁枚:《随园诗话补遗》卷五。

于词的位置极小的移动,它们就会获得力量,以及力量的种种微妙的变化。置于它们前面的词,正给它们抹上色彩,而位于它们后面的词,却已经将它们渲染了。"这些足见语言的准确生动对于艺术真实性的重要。

艺术作品的第二层即再现客体层。传统的艺术本体论认为,艺术作品之所以为作品本体的原因取决于艺术家描绘的客体事件,所以这类自然主义作家十分强调艺术作品的再现部分要"真实",要"以生活的本来样子再现生活",并以"可然律或必然律"原则要求文艺作品中再现的生活必须是"类"的生活。然而,这与创作实际并不相符合。艺术作品的本体真实,不是生活真实,也不尽是模仿、再现的真实,因为"艺术并不要求人们把它的作品当作现实"[①]。

艺术作品的第三层是再现艺术家主体情思部分。这主体审美体验是感于物而起兴的,因此,也可以说是一种主客体关系中的真实体验。作品保存了作家创作激情、艺术直觉等主体能动性成果,使得作品所积淀的主体审美体验具有较强的主观真实性。这主观真实性在于作家借助自己的情感和想象创造出不同于现实的,但却是可能存在的或应该存在的艺术世界和艺术形象。因此,艺术家以情感的逻辑为标尺,选择生活中的各种事物、人物,杂取种种,将其打碎重新组合,创造出不同于现实世界的艺术世界,以及不同于真实人物的艺术形象。鲁迅对此了悟于心。他说:"所写的事迹,大抵有一点见过或听到过,但决不全用这个事实,只是采取一端,加以改造,或生发开去,到足以几乎完全发表我的意义为止。人物的模特儿也一样,没有全用一人,往往嘴在浙江,脸在北京,衣服在山西,是一个拼凑起来的角色。"[②]这种选择、打碎、重建,都是按艺术家的主观体验进行,同时都经过总体构思、整合而对原生态人与事加以变形,以达到一种主体理想的真实。这不仅是对真人真事的汰变过程,也是充分发挥主体能动性、创造性的过程。对此,苏联作家费定的话发人深省。他说:"当

---

① [苏]克鲁奇科娃编:《列宁论文学与艺术》(一),人民文学出版社,北京,1960年,第41页。
② 鲁迅:《鲁迅全集》第4卷,人民文学出版社,北京,1973年,第394页。

然,我过去和现在都知道1910年到1919年间俄国现实中的很多生活事实。可是,只有摆脱掉这些事实而突入到想象的广阔天地里去,我才能创造出我在生活里从未见过、从未碰到过,但似乎绝对存在的一些人物。"①这样,作品中的形象就染上了主体的情思,成为具有主观真实的形象。在这个意义上,我们认为艺术中的再现(作品第二层)与表现(作品第三层)不是对立的。再现中有表现,表现中有再现,再现与表现是统一的,再现,归根到底是为了表现,是由于表现。

作品最高层次——第四层,属于作品中的深层结构,从而使优秀的作品具有一种"恒定因素"。美学家帕克认为艺术作品都有一种"深层意义",它是"藏在具体的观念和形象的后面的更具有普遍性的意义"。②这种深邃意义常有浓烈的生命底蕴意味,成为作品更为深层、更具有普遍性的成分。我以为,最恰当的还是称之为"意蕴"。这是由感悟、体验人生而升华出来的人生意味。陈子昂的《登幽州台歌》"前不见古人,后不见来者。念天地之悠悠,独怆然而涕下",绝非一种小我的一己悲叹,更非转瞬即逝的情愫,而是趋向、包孕着更为深蕴、更具总体人生意味的悠远深长、怅触无边的人生苍茫感。同时这人生感在浩渺的宇宙中升华为人类历史感。人生是个体的生命活动过程;历史,是类族的总体生命历程。个体与族类的统一那是完整意义上的人类。作品的这种深层结构,是对于作为整体而非片断的人生和由人类群体共同形成的历史的喟叹和感悟。这种总体人生历史感,已经突破对一人一事一物的具体有限的悲欢离合的格局,而进入一种远为高迈苍凉、趋向无限的对整个宇宙人生的慨叹和感悟。正是在这个意义上,不少美学家认为,作品的深层结构具有形而上的品质(罗曼·英伽登语);艺术可以在有限的形象中展示无限的理念内容(黑格尔语);艺术不仅可以表现人类历史的现象界,而且能够表现(直觉到)那种人类认识所难以达到的本体界(谢林语)。"艺术作品惟独向我反映出其他任何产物都反映不出来的东西,即那种……绝

---

① 转引自[苏]米·赫拉普钦科:《作家的创作个性和文学发展》,上海人民出版社编译室译,上海人民出版社,上海,1977年,第96页。
② [美]帕克:《美学原理》,张今译,商务印书馆,北京,1965年,第47页。

对同一体。"①毫无疑问,作品深层所达到的对人类历史的感悟,正是作家所能达到的最高点:透过作品对整体人生和历史的深邃而神秘的理性直观。

艺术作品的深层意蕴是艺术具有永恒魅力的关键所在。人们常从表面现象上认为艺术只不过是感性的、使人感到愉快的。然而,殊不知,艺术这一积淀了理性的感性中包含着最深邃的意蕴。艺术感性形式下潜藏的抽象性决定了它的普遍性和永恒性。"国家不幸诗家幸,话到沧桑句便工",艺术的真髓真正根源于人生的艰难历程。因此,从当代艺术发展趋向看,艺术家对作品中的人生感和历史感的追求显得愈来愈自觉。时至今日,各种部类的艺术作品的深厚意蕴得到了更大的关注和强调,甚至在不少现代派作品中有突破、摆脱第一、二、三层次的趋向。某些西方艺术家为了表现特定的人生孤独感、失落感和历史苍凉感,以至于不惜舍弃感官媒介必要的愉悦性,而以荒诞的人事代替生活的如实再现和恰如其分的表征。这种趋向值得我们重视和研究。

综上所述,艺术作品的四个层次构成艺术作品的本体。这一作品本体世界在更高层次上显示出生活的本质,达到一种艺术本体的真实性。这种真实性是在再现和表现的统一中达到对人生历史的深刻感悟而表征出来,并通过准确、鲜明、生动的艺术语言传达出来。艺术作品之所以具有真实性的原因在于作家将自己的情感体验与人类总体历史进程融合无间,以至于最终达到对整体人生和人类历史的深邃而神秘的理性直观高度。简而言之,艺术真实是作品反映主客体的审美关系的真实。只有清楚地理解这一点,才能真正解释作品本体的真实性。

艺术真实与否、艺术真实的程度和水平,归根到底是由艺术家这个主体同周围世界这个客体的关系是否符合全人类社会发展要求而决定的。艺术家与周围世界的关系越丰富、越符合人类发展的必然

---

① [德]谢林:《先验唯心论体系》,梁志学、石泉译,商务印书馆,北京,1976年,第274页。

要求,越是自由的关系,他的艺术越符合真实。如果一个艺术家的生活很狭窄,或者只从狭窄的"自我"同客体相处,那么,他的艺术就会是枯萎的、缺乏生命力的。别林斯基说得对,任何伟大的诗人之所以伟大,是因为他们把痛苦和幸福深深地植根于社会和历史的土壤里,他从而成为社会、时代以及人类的代表。对于只发挥自己个人哀愁的人,我们可以借用莱蒙托夫的话来说:"你痛苦不痛苦,与我有什么关系!"

因此,艺术真实,照我看:第一,它是真实地反映了主体和客体的关系。主体和客体是什么关系,艺术家就如实地反映出这种关系,这就是所谓说真话,你认为丑,就在艺术中说丑,你认为美,你就在艺术中说美,不要伪装,不要作假,把真实感受,真情实感写出来。第二,主体与客体的关系,本身应该是真实的,也就是人类"理应如此"的,是社会发展的必然,而不是违反历史要求的。也就是说,艺术家要说真话,而这真话又是符合社会真实的,是真话,又是真理。

艺术真实是指向未来的,也就是说,真正的艺术总是超越现实之上,而对未来人类处境予以启迪性昭示,是未来与现在的"先行对话"。可以说,人类就是在现实世界中通过对美和艺术的追求而达到不断超越、不断前行的。因此,艺术真实,表达了人类的审美理想的真实。

第六章　艺术的审美构成：作为深层创构的艺术美

第一节　艺术创造是美的创造

人类创造的文学艺术并不都美。但是，文学艺术应该而且可以创造出美。生活中存在着美，可称之为生活美；文学艺术创造的美，应称艺术美。早在延安时代，毛泽东就说过，"两者都是美"，但人民在生活美之外，还要追求艺术美。艺术美并不都高于生活美，但艺术美应该而且可以优于生活美。

艺术美（包括亚美形态）和生活美具有不同的风貌和特性，但艺术美却比生活美更集中、凝练地标示出人的存在的深度和觉醒的程度。甚至可以说，艺术往往与生活中的评价相反，艺术通过深情冷眼的"直观"和秉持真理的"反思"，使人存在于生活之中又超越于生活之上。

对艺术是否需要美这个问题，美学史上存在各种不同的看法。俄国著名作家托尔斯泰，创作出不少惊世杰作，然而在理论上激烈否定艺术应该追求美，这不能不使我们对这一问题再作深思。

托尔斯泰否定"艺术目的在美"的种种说法，猛烈抨击德国古典美学家对艺术美的评价，特别是对黑格尔的观点表示异议。集德国古典美学之大成的黑格尔，高度重视艺术美，洋洋百余万言的美学巨著，就是围绕着艺术美为中心而展开。在黑格尔看来，艺术应该美，人类需要文学艺术，就是为了欣赏美和创造美。托尔斯泰却不以为然。依他之见，艺术与美无必然联系，而只同善有关。托尔斯泰浏览了自古至今的许多艺术论和美学著作,历来对艺术所下的定义,多不胜数,他都不满意,为什么?"这原因在于:艺术的概念是以'美'的概念为基础的。"①

那么,究竟谁的话有理?这要作具体分析。

黑格尔对美的理解并不正确。"美是理念的感性显现"②,他所说的"理念",就是"客观精神",正是它,构成世界的本原,世界万事万物,都是这种"理念"的外化。尽管这种"理念"被黑格尔看成是客观的,但这仍然是对世界的唯心主义解释。为了区别于主观唯心主义,我们把这称作客观唯心主义。把美看成是"理念"的感性显现,用"理念"来解释生活中的美,显然是荒谬的,因为在客观世界中并不存在这种"理念",并无这种世界本原。然而,黑格尔对艺术美的理解却很精辟,抓住了艺术美的重要特征,我们可以透过唯心主义的外壳看到那合理的内核。比如,依黑格尔之见,艺术美的要素可分为两种:一种是内在的,即内容;一种是外在的,即形式。外在形式的价值就在指引向内容,显现出"意蕴"。艺术的价值就在借助物质外在形式,"显现出一种内在的生气、情感、灵魂、风骨和精神,这就是我们所说的艺术作品的意蕴"③。当然,黑格尔并不懂得作为艺术内容的这种"意蕴",就其本原而言,乃是生活的反映。然而他并不把艺术美只理解为形式美,而是看到了,只有通过外在形式显现出艺术家"心灵的最高旨趣",才会有艺术美。黑格尔美学的重心,更多是放在艺术内容的探索。无疑,这种方法是正确的。

如果把艺术美理解为内容美和形式美的统一,那么,托尔斯泰对艺术美的蔑视就缺乏根据。不过,西方当时流行的美学观,把艺术美仅仅归结为形式美,美即形式,不涉内容。托尔斯泰极为厌恶这种形式主义的见解,激烈地反对把艺术归结为形式。在托尔斯泰看来,艺术只追求形式的美,就会堕落成为满足感官快感的低级工具,艺术应

---

① [俄]列夫·托尔斯泰:《艺术论》,耿济之译,人民文学出版社,北京,1958年,第43页。
② [德]黑格尔:《美学》第1卷,朱光潜译,商务印书馆,北京,1979年,第142页。
③ 同上。

该成为崇高的事业,就必须在内容上表现高尚的感情。因此,托尔斯泰蔑视艺术美,其真正的涵义是在维护艺术内容的同时又反对孤立追求形式的美。然而,当托尔斯泰把艺术内容归结为善的时候,无意中也就承认了艺术的美只是形式,把艺术美等同于形式美。至于托尔斯泰把艺术内容的善归结为宗教感情,则更是值得商榷。幸而,托尔斯泰在《艺术论》中具体分析艺术现象时,从他那丰富而真实的艺术感受出发,一再阐明:艺术的内容,应是传达艺术家自己体验到的"审美感",只有"审美上的感情",才是艺术的真正内容。这是真理的火花,由此可以更深一层指明,艺术不仅要求形式美,而且要求内容美。可惜,托尔斯泰最终用宗教感情代替了审美感情,艺术内容最终被归结为表现宗教感情,内容美被取消了,于是,真理又变成荒谬。

文学艺术应该按照美的规律来创造,艺术的创造乃是美的创造。诚然,文学艺术是否是人类审美活动的最高形态,尚可继续讨论,但是,艺术价值是审美价值的集中而凝练的形式,这看法赢得越来越多的人的承认。因此,问题不在于艺术要不要美,而在于如何理解艺术美。

第二节　艺术美构成的三个层次

那么,什么是艺术美呢? 我认为,艺术美的构成可分三个层次:

(1)艺术美是形式美和内容美的完美统一;

(2)内容本身各要素的统一(包括描写什么和表现什么,涉及情感、认识,作者的审美评价与审美理想的统一);

(3)形式本身各要素的统一。

任何文学艺术作品都有形式和内容这两个必不可少的因素。形式是外在的,内容是内在的。面对一件作品,我们首先接触到的是直接呈现给感官的外在物质形式,然后领会这种物质形式所指引出来的内在意蕴。但作为艺术创造的结果,每件作品都是一定的形式和一定的内容的结合。有的作品,形式和内容结合得好,完美统一;有的作品,形式和内容结合得差,无法统一。

艺术形式的创造，需要一定的物质材料，比如绘画用线条色彩，音乐用旋律音调，舞蹈用形体动作，文学用语言文字。但是，物质材料本身还不是艺术形式，只有把物质材料按照美的规律予以改造，结合为整体，使它具有表现力，物质材料才能化为艺术形式。高尔基在说到文学需要美的语言时涉及了艺术形式美："我所理解的'美'是各种材料——也就是声调、色彩和语言的一种结合体，它赋予艺术的创作——制造品——以一种能影响情感和理智的形式，而这种形式就是一种力量，能唤起人对自己的创造才能感到惊奇、骄傲和快乐。"①

艺术形式具有相对的独立性，每种艺术形式提供一种特殊的乐趣，不同的艺术形式产生不同的表现力。英国美学史家鲍山葵这样说道："任何艺人都对自己的媒介感到特殊的愉快，而且赏识自己媒介的特殊能力。这种愉快和能力感当然并不仅仅是在他实际进行操作时才有的。他的受魅惑的想象就生活在他的媒介的能力里；他靠媒介来思索，来感受，媒介是他的审美想象的特殊身体，而他的审美想象则是媒介的唯一特殊灵魂。"②艺术形式是躯体，艺术内容是灵魂，两者相对独立，而又结成一体。

文学艺术的价值在于用美的形式完美地体现美的内容。形式脱离了内容，孤立的形式美，不是艺术整体之美，艺术价值不高。形式美完全地表现了内容美，才会有艺术整体之美。

作为已经完成的产品形态，文学艺术作品本身有它自己的内容和形式。这里谈的已经不是艺术和生活的关系，而是另一层次的问题。由作家、艺术家创造出来的文学艺术作品，是把反映生活的结果物化在物质手段中，或者说，把脑海中的构思外化为物质符号。内在的构思体现于作品，成为文学艺术的内容，而外在的物质体现则是文学艺术的形式。

只是停留在脑海里而还没有得到物质体现的构思，还不成其为

---

① [苏]高尔基：《论社会主义现实主义》，引自《高尔基选集·文学论文选》，孟昌、曹葆华译，人民文学出版社，北京，1958年，第263页。
② [英]鲍山葵：《美学三讲》，周煦良译，上海译文出版社，上海，1983年，第31页。

艺术内容,只有体现在作品中的构思成为意蕴,才是艺术的内容。艺术构思的完美,体现在作品中,形成艺术内容的美。

艺术的内容美,就是意蕴之美,用鲁迅的话说,乃是"意美"。

依鲁迅的见解,文学艺术是用思理以美化天物,总称美术。不仅雕塑、绘画、建筑、音乐等是美术,而且文学、戏剧等也是美术。文学艺术的功能,在于"发扬真美,以娱人情"。鲁迅和蔡元培一样,提倡美育,关心美术,以期"发美术之真谛,起国人之美感"[①]。用思理以美化天物,创造出来的作品,具有意美、形美、音美。绘画、雕塑、建筑等是视觉可见的美术,有形美。音乐是听觉可闻的美术,有音美。有的美术只有形美,有的美术只有音美,有的美术则兼有形美、音美,而意美却为一切美术所共具。我国的汉字,本身就兼有形、音、意三美,用汉字创作的文学,更集形、音、意三美于一身:"意美以感心,一也;音美以感耳,二也;形美以感目,三也。"[②]形美、音美,属于文学的形式美,而意美,则是文学的内容美了。

高尔基把艺术的内容美,更是归结为心灵美的体现,内容美来自心灵美:

> 文学的任务、艺术的任务究竟是什么呢?就是人身上的最好的、优美的、诚实的,也就是高贵的东西用颜色、字句、声音、形式表现出来。[③]

文学艺术要用物质形式表现出人身上高尚的、优美的东西,这并不是说文学艺术只许描写优美的题材,而是说,文学艺术要表现美好的心灵。

那么,所谓美好的心灵又是什么呢?

---

① 鲁迅:《拟播布美术意见书》,引自《鲁迅全集》第7卷,人民文学出版社,北京,1973年,第274页。
② 鲁迅:《汉文学史纲要》,引自《鲁迅全集》第8卷,人民文学出版社,北京,1973年,第257页。
③ [苏]高尔基:《给皮雅特尼茨基》,引自高尔基:《文学书简》,曹葆华、渠建明译,人民文学出版社,北京,1962年。

崇高的、美好的审美理想、趣味、观念,这应是美好心灵中一些最重要的东西。

当然,作家、艺术家的美好心灵,乃是作为主体的人(在这里就是作家、艺术家)同作为客体的周围环境(自然和社会)相互作用的结果,是实践活动的产物,绝非天生就有。因此,作家、艺术家的美好心灵也是由社会生活决定的,是反映生活的结晶。不过,美好的心灵一旦在生活中形成,并成为作家、艺术家的一种品性而相对固定起来,它就反过来制约着艺术创造。这个头脑具有的是美好的心灵还是丑恶的灵魂,必然影响到这种反映的性质,并参与到创作中去。因此,文学艺术的内容,既包含着客体的再现,又包含着主体的表现,是二者的统一。

艺术内容中再现因素和表现因素的相互关系,在不同作品,有着错综复杂的变化,这就使得艺术美的问题更加复杂。描绘美好的事物,并不意味着这艺术作品必定是美的;描绘丑恶的事物,这艺术作品也不必定是丑的。车尔尼雪夫斯基十分重视文学艺术中的再现因素,甚至把描绘大海的作品归结为只是把海洋再现出来,让没有见过海的人也能看到海。但是,他还是说出了这样的话:"美好地描绘一副面孔和描绘一副美的面孔是两件全然不同的事。"普列汉诺夫在《艺术与社会生活》里也说过类似的道理:完美地描绘一个白髯老人,并不就是描绘一个美的白髯老人。文学艺术作品不限于只描绘美好的东西,然而却必须完美地描绘作家、艺术家所感兴趣的东西。艺术内容的美与不美,不只决定于再现客体的完美,也决定于表现主体的完美。具体作品必须具体考察,从再现和表现的是否完美统一中来掌握艺术的内容之美。

也就是说,艺术内容的美必须要具备这样三个层次:

(1)题材本身的美丑;

(2)主题本身的崇高、美好;

(3)题材是否完美地体现了主题。

第三节　艺术内容与美丑对照

文学艺术是否美，不只表现在它写了什么，而且也表现在怎样写。

描写美好的事物，可以是美的艺术，也可以是丑的艺术；描写丑恶的事物，可以是丑的艺术，却也可以是美的艺术。

德国启蒙时代美学家鲍姆加登说得好："丑的事物，单就它本身来说，可以用美的方式去想；较美的事物也可以用一种丑的方式去想。"①用丑的方式去描绘美好的事物，这是丑的艺术；用美的方式去描绘丑的事物，这仍然是美的艺术。这一点康德说得更明确："美的艺术正在那里面标示它的优越性，那它美丽地描写着自然的事物，不论它们是美还是丑。"②

美的艺术既可以描写美，也可以描写丑。雨果就力主在作品中再现生活中的美丑对照，既描写美，也描写丑。在社会生活中，"丑就在美的旁边，畸形靠近优美，丑怪藏在崇高的背后，美与恶并存，光明与黑暗相共"③。他认为，戏剧再现生活也就应该"把滑稽丑怪结合崇高优美而又不使它们相混"④。在雨果看来，美丑对照是生活和戏剧的普遍法则："生活难道不是一出奇异的戏剧，里面混杂着善与恶、美与丑、高尚与卑劣？这一法则作用难道不是遍及一切事物？"⑤英国戏剧家莎士比亚、英国作家弥尔顿、意大利诗人但丁，他们的创作，就遵循了美丑对照的原则，所以为雨果所称颂。比如，莎士比亚的戏剧，"融和了滑稽丑怪和崇高优美、可怕与可笑、悲剧和喜剧"⑥；弥尔顿写《失乐园》，但丁写《神曲》，"他们和他竞相地把我们的诗渲染上

---

① 引自北京大学哲学系美学教研室编：《西方美学家论美和美感》，商务印书馆，北京，1980年，第144页。
② [德]康德：《判断力批判》，中国社会科学出版社，北京，1999年，第158页。
③ [法]雨果：《〈克伦威尔〉序》，引自雨果：《雨果论文学》，柳鸣九译，上海译文出版社，上海，1980年，第30页。
④ 同上。
⑤ [法]雨果：《论司各脱》，引自雨果：《雨果论文学》，柳鸣九译，上海译文出版社，上海，1980年，第4页。
⑥ 同③，第40、44页。

戏剧的色彩,他们像他一样,把滑稽丑怪和崇高优美互相混合"①。

雨果在自己的创作中就有意识地运用了美丑对照的原则。美丑对照,这不仅是同一作品中不同人物之间的对比,而且是同一人物本身的对比。雨果的长剧《克伦威尔》,写出了许多人物之间的对比,也写出了同一人物身上的美丑对比。这出戏的主人公克伦威尔,就是既滑稽丑怪又崇高优美的复杂性格。这位英国17世纪声名煊赫的历史人物,在雨果以前的历史学家和作家的笔下,只是一个凶恶、阴险的野心家形象,但在雨果的笔下,克伦威尔则是"一个复杂的、混合的、多样化的个性,充满着矛盾,混杂着善与恶,兼有天才和渺小,是一个悲喜剧的人物,整个欧洲的暴君,自己家庭的玩偶,这个老弑君者凌辱各国君主的使臣,却被自己信仰王权的小女儿折磨,他习性谨严而沉郁,但常在身边豢养四个弄臣"②。他既是一个粗鲁的军人,又是一个精明的政治家;他疑心病极重,总是令人恐惧不安,但残酷的时候却很少;他对亲近的人粗暴傲慢,对他所害怕的党徒则怀柔讨好,他既虚伪,又狂热。这是个结合着崇高和滑稽、优美和丑怪的悲喜剧式人物。

美丑对照,确实是创造美的艺术的重要原则。但是,美丑对照的目的最终还是为了肯定美,描写丑只是成为创造艺术美的一个手段。正如雨果所说,"滑稽丑怪却似乎是一段稍息的时间,一种比较的对象,一个出发点,从这里我们带着一种更新鲜更敏感的感受朝着美而上升。"③描绘美,是为了肯定美;描绘丑,则是为了否定丑。美丑对照的描绘,必须蕴藏着作家、艺术家的审美评价和审美态度,才能创造出美的艺术。

---

①[法]雨果:《〈克伦威尔〉序》,引自雨果:《雨果论文学》,柳鸣九译,上海译文出版社,上海,1980年,第40、44页。
②同上,第47、35页。
③同②。

第四节 否定性艺术形象的审美价值

艺术价值是审美价值的集中凝练形式。生活丑不能激起人的美感,而艺术中的丑却能成为审美对象,具有特殊的审美价值。这是因为,否定性艺术形象是通过对生活丑的否定,达到对艺术的审美价值的肯定。作者审美体验和审美理想是创造艺术内容审美价值的关键。

我们知道,生活是复杂的,有美有丑,文学艺术既可以描写美的现象,又可以描写丑的现象。描写美可以是美的艺术,也可以是丑的艺术;描写丑可以是丑的艺术,却也可以是美的艺术。问题的关键不在于写什么,而在于怎样写。而怎样写与作家有无崇高或美好的心灵,对所描写的对象作什么样的审美评价和持什么样的审美态度关系极大。

同时,艺术内容与艺术描写对象之间是不能等同的。作者选择丑恶(描写对象)作为材料,描绘丑恶只是一种手段,不是目的。艺术对象的性质不能决定作品的美丑性质,因为艺术作品的美决定于艺术家的创作性劳动,创造才是艺术美的生命。当他对丑恶进行批判、否定时,他所表现出对丑恶的愤慨,对美的追求和向往的审美理想、审美态度、审美评价就被编织到艺术整体中去了。因此,艺术内容——审美体验的美丑是构成艺术作品审美价值的关键。莫泊桑在《俊友》中写一个卑鄙无耻的投机者如何飞黄腾达,对丑恶表现了厌恶的审美态度,具有很高的审美价值;后期《我们的心》等小说中,转而为对丑的欣赏,作品便失去了审美价值。另外,不同人描写丑,因心灵美丑不同,也就有高低美丑之分。

进一步地说,生活丑不可能激起人们的美感,但当生活丑一旦进入艺术领域,成为反面艺术典型,就取得了一种独特的审美价值。首先,艺术家通过观察、研究、分析,深刻地认识到生活丑的本质及其背后所隐藏的社会意义,将它真实地反映出来,体现了合规律的真,同时,当生活丑成为一种渗透艺术家的否定性评价的艺术形象,便从反面肯定了美,体现合目的性的善;再者,生活丑获得了和谐优美的艺术表现形式,就构成了具有审美价值的艺术形象。这是一种以其艺术的存在否定自身现实存在的美。

那么,否定性艺术形象的特殊审美价值主要表现哪几个方面呢?我认为主要有以下几个方面:

第一,美丑对照。如前所述,雨果的《克伦威尔》写出了不同人物之间的美丑对比,也写出了同一人物身上的美丑对比。美丑对照的目的是为了肯定美,描写丑只能成为艺术创造的一个手段。美丑对照的描绘,必须蕴藏着作家、艺术家的审美评价和审美态度,才能创造出美的艺术,所以高尔基认为:艺术的目的是夸张美好的东西,使它更加美好,夸大丑的东西,为引起人们的厌恶,激发人去消灭它。《巴黎圣母院》人物之间美丑对照都引向一个目标:否定丑,肯定美。

第二,化丑为美。在对丑的直接否定中,间接肯定了美。丑的艺术形象因被批判、否定,而获得审美价值。果戈理《钦差大臣》里虽然没有高尚人物直接出场,却有一个高尚人物隐约贯穿全剧,这就是作者自己对人间丑态的嘲笑。在对丑的嘲笑、揭露和批判的背后,隐藏着作者的理想和美好心灵。如果我们从罗丹的《老妓》松弛下垂的肌肤上,看不到生活巨掌残酷的搓揉和压榨,如果低首塌肩的体态不能使人分明地感受到她那强烈的内心痛苦和无言哀诉,那么,这就成了丑的展览。而我们所感到生活的压榨和她的哀诉,正是作者审美化、典型化的结果,这里我们感到了作者的义愤和鲜明的审美态度。于是,《老妓》成了对实际生活中丑的否定,对资本主义造成这种畸形的控诉,否定丑,肯定美,从而具有了审美价值。

第三,生活丑进入艺术成为否定性艺术形象,对于拓展艺术领域的广度和深度,有重大价值。别林斯基把现实主义时代称作"把全部可怕的丑恶和全部庄严的美一起揭发出来"的"新艺术时期"。生活丑进入艺术,也是对美学和艺术理论的挑战,艺术审美价值观念发生了重大变化,使人们对艺术本质和规律有更深了解,导致艺术生产和艺术审美理想的进一步发展。艺术美,从此变得复杂了,也更深刻了,获得了更高的审美价值。

在我看来,否定性艺术形象只有具备社会认识价值、伦理教育价值和情感愉悦价值的高度完美统一,才能激发深刻美感,把审美对象转化为艺术美。但却必须避免对丑恶的描写停留在生物水平,引起人的生理反应,从而破坏了审美价值。当然,那种以丑为美,成为对丑的欣赏,对丑恶现象和心理大展览,使艺术成为追求丑的工具的现象,是严肃的艺术所不能容许的。

第五节　艺术美构成的层次

从艺术美的审美构成来看,任何艺术品的内在结构或内容美都是再现与表现的统一。再现艺术不排斥表现,表现艺术也不排斥再现。再现与表现是不可分割地结合的。没有不表现的再现艺术,也没有不再现的表现艺术。但在一种艺术中,可能是再现因素占主导地位,也可能是表现占主导,或二者平行,于是就有再现艺术、表现艺术、综合艺术之分。

"再现"、"表现"具有广阔的传达领域。再现既可以指艺术家以外的社会物质生活,也可以指艺术家本人的个人物质生活;而表现既可以指艺术家以外的社会精神生活,也可以指艺术家本人的个人精神生活。作家、艺术家所面对的整个生活世界,都可成为创作的题材。

再现和表现都可以看作一个多层次系统。

对艺术来说,人的内部活动,人的心灵、内心体验、内在本质、内在生命等等,比人的外部活动,人的外形、行动与事件更为重要。按照马克思主义的观点,内部活动、社会意识、精神生活,归根到底是外部活动、社会存在、物质生活高度发展的产物。人的外部活动固然是最基本的人类活动形式,但它最终必然"内化"、"投射"到心灵里,成为内心所体验到的"内在形式",即成为人意识到的存在。

艺术是诉诸人类心灵的精神产品,它只有真正传达出对象的心灵内容、内在生命,才具有审美意义。因此,任何艺术都应当通过对象的外部活动的"再现"而最终"表现"出对象的内部活动、内在生命、内在本质。

强调内在生命,并不意味着轻视外部活动。艺术应当通过对外部活动的再现,最大限度地表现出内部活动、内在生命。而且,并非任何内部活动的表现都具有审美价值,而只有当这种内部活动形象能充分体现出使它得以产生的外部实践、物质生活、社会存在时,即能够使读者由于它而引导到它本身之外时,它才可能具有审美价值。艺术就应当这样来传达出人的外部活动与内部活动的这种"共同的结构"。

在任何一部艺术品中,再现与表现的统一、外部活动形象与内部活动形象的统一,最终必须体现为题材与主题的统一。题材,即作品中描写的所有外部活动形象(再现)与内部活动形象(表现)的组合的总称。

主题,就是同审美情感结合着的审美思想,即别林斯基所谓的"情致",中国美学称为的"意蕴"。优秀艺术品,无论是抒情小品还是鸿篇巨制,都能以这种上升到对社会存在、社会意识的高度自觉的理性把握来产生出强烈的或永久的艺术魅力,把读者引向对社会存在、社会意识本身的体验之中。

主题是包容在题材中,由题材本身体现出来的同审美情感结合着的审美理想。内在结构,应当是这种题材,与主题有机统一。题材是血肉之躯,主题则是它的灵魂。题材只有在主题的统帅下有机地排列组合起来,环环相扣,彼此依存,才能组成一幅完整的生活图画,完美的整体。

综上所述,艺术美的构成是内容美与形式美的统一,内容本身各要素的统一,形式本身各要素的统一。艺术之美,乃是作家、艺术家按照美的规律创造出来的。艺术创作把内容和形式的各种因素组织为一个整体,美在整体。

第七章　艺术形象：审美意象及其符号化①

第一节　艺术形象与非艺术形象

艺术形象，是艺术地掌握世界、艺术创造的结果。我们可以信手拈出无数例证，也许无须费劲就能说出，凡是文学艺术作品中出现的人物、情景、事物、故事等等，都是艺术形象。这些人物、情景、事物、故事，就像在实际生活中存在的那个样子呈现在我们面前。所以，我们面对艺术形象，就像接近生活一样，如闻其声，如见其人，如临其境。

然而，列举事实说明什么东西是艺术形象，并不等于在理论上阐明了艺术形象是什么，是什么东西使得它成为艺术形象。意识并非实在，艺术形象不是生活现象。艺术形象同生活现象的联系和区别何在？而这个问题的解决又同另一个问题相联系着：艺术形象同非艺术形象又有什么异同？

艺术以形象反映生活，但并不是对生活的任何形象反映都是艺术。我们看到的科教影片、电视新闻、地理图册、人体挂图，以至还有一些科学仪器（地球仪、人体像等），这里表现的对象（人、物或事）不也像在生活中那样具体吗？甚至那些为人的肉眼所看不到的隐含的东西（人的经络、细胞）也都揭示和呈现出来了。这是形象，然而却不成为艺术。更有一些历史实录、人物传记、新闻记事，所写的人物、

---

①《艺术形象》一章，最先刊载于《文艺论丛》第12辑，上海文艺出版社（1981）；后为中国社会科学院文学研究所收入《中国新文艺大系·理论一集》（1988）。又为美国美学家布洛克和中国美学家朱立元合编的英文版《中国当代美学》所收，介绍给英语世界。——作者

事件、实物，比起许多文学作品来，甚至更加具体、详尽，更接近生活本身的样子，然而，这些能说是艺术形象吗？还有许多自称或被称为"艺术"的作品，描绘、模仿生活中的对象"酷似"到"乱真"的地步，却也并不成为艺术。鲁迅说得好："刻玉之状为叶，糅漆之色乱金，似矣，而不得谓之美术。"①为什么？我看，这些东西虽也造出了形象，但并非艺术形象。相反，中外古今的许多神话、传说、童话中，出现了实际生活中并不存在的事物的形象，中国小说中的孙悟空，欧洲传说中的美人鱼，埃及金字塔前的狮身人面像，都是生活中所不可能有的，然而却是绝妙的艺术形象。

艺术和非艺术的界限不只在形象和概念，而且还在艺术形象和非艺术形象。有了形象并不就是艺术。"新闻上的记事，拙劣的小说，那小说，却并非文艺。"②在鲁迅看来，新闻记事和拙劣小说都不具有艺术的性质，不是艺术。新闻记事、拙劣小说并非毫无形象，为什么不是文艺？我看，就是因为这些形象并非艺术形象。概念化的作品，图解一种概念，既有思想，又有形象，但不是艺术形象，这正如一切拙劣小说一样，不具艺术的性质。概念化、一般化、公式化的作品，也许因其揭示了某种现象的本质或阐明了一种先进理论而具有政治、道德或科学上的思想价值，然而却缺乏或很少艺术价值。

艺术形象的有无，是区别艺术还是非艺术的标志。现代西方一些文艺学根本否认艺术是生活的反映，因而干脆否定艺术形象之说③，完全用符号论和自我表现说来解释艺术，难以使人赞同，姑置勿论。但是对于艺术形象的阐明，不能停留在泛泛而论，一般地谈论形象与概念的区别，应该深入揭示艺术形象区别于非艺术形象的独特本质，即它的"质的规定性"。这种探索，对于繁荣艺术创作和发展艺术理论都有其必要：只有首先分清什么是艺术赝品，什么是艺术真品，从而才有可能进一步在艺术真品中找到艺术珍品。

---

① 鲁迅：《鲁迅全集》第7卷，人民文学出版社，北京，1973年，第271页。
② 鲁迅：《鲁迅全集》第6卷，人民文学出版社，北京，1973年，第247页。
③ 例如，在国外广为流行的美国艾布拉姆斯所著的《文学术语辞典》，根本无"艺术形象"一词的立足之地。

艺术形象，这是文艺学的基本范畴，正如审美是美学的基本范畴一样。

艺术形象，既是艺术创作的直接目的和必然结果，又是艺术欣赏的直接对象和当然起点。艺术生产的直接目的就是要创造艺术形象。如果艺术生产者不能创作出艺术形象，正如物质生产者不能创作出实用物品一样，那就不能说完成了自己的生产。艺术典型之所以不同于社会典型，也不同于科学典型，正在于它首先是艺术形象。撇开了艺术形象的独特本质，一般地谈论典型的共性和个性，只能夹缠不清，不得要领。不只艺术典型，就是社会典型、科学典型都是共性和个性的统一。如果不阐明共性、个性两者如何在艺术形象中特殊地统一起来，艺术典型问题还是得不到解决。艺术生产过程中要运用形象思维，为什么？正是因为艺术生产的目的是要创造艺术形象，所以需要的不是普通的形象思维，而是特殊的形象思维——艺术思维。人在任何实践活动中都需要进行形象思维，艺术生产所需的形象思维同它们既有共同性又存特殊性。艺术欣赏的性质大体也如此。

艺术表现人的感情，也表现人的思想，因而，艺术成了社会意识形态、上层建筑，成为社会意识的特殊形态，特殊的上层建筑。艺术的思想和感情只存于艺术形象之中，离开了艺术形象的思想和感情就不是艺术的思想和感情。几十年来，对于艺术与政治、道德的关系问题，我们的文艺学谈论过不少，这并不是过错。问题在于，离开了艺术形象本身，不去揭示艺术的独特本质，只是重述艺术与政治、道德的共同本质，不去阐明各自的特殊本质以及二者的联结，能够说得清楚艺术与政治、道德的关系问题吗？艺术有规律，艺术生产必须尊重艺术规律，这个道理越来越得到了重视。然而，什么是艺术规律？艺术规律有哪些？至今未见有系统的概括。规律，按列宁的说法，无非就是现象之间的本质关系，或是本质与本质的关系。规律离不开本质，要寻找艺术的规律，就必须先揭示艺术的本质。艺术和其他意识形态、上层建筑有共同的本质，但艺术又有其特殊的本质，并且，正是在特殊本质中表现共同本质，共同本质寓于特殊本质。这种共同本质和特殊本质的联结，正是在艺术形象中才得以实现的。因此，要阐明艺术的本质，必须从分析艺术形象入手，正如要了解资本主义的本质，必须解剖商品这个东西一样。同样，要阐明艺术的规律，要阐明艺术与政治、经济等的关系，也必须从艺术形象的特性出发。如果我们的文艺学不只是要复述历史唯物主义一般原理（哲学已经做了），而是要以此为方法去研究艺术的特殊原理，那就不能不先对艺术形象作些必要的探索。

世界上有许多现象，初看起来似很简单，细加思索又觉复杂。美，就是生活中常见的普通的现象，我们经常可以碰到，并不神秘。人人几乎都有审别美丑的能力，无须懂得多少美学理论。

然而，知道什么东西是美的，并不就是从理论上说明了美是什么。曾对美学有过卓越贡献、作出了"美在关系"这个著名论断的狄德罗说得好："人们谈论得最多的东西，每每注定是人们知道得很少的东西，而美的性质就是其中之一。"①历史上，美学家们写了不少美学论著，对美作过许多探索，但美的本质究竟是什么，至今还没有得到圆满的解决。

艺术的本质、艺术形象问题也许要比美的问题解决得好些。但是，艺术的本质、艺术形象的特性却与美休戚相关。艺术美和生活美，是美的两大基本形态，而且，艺术美比起生活美来并不更加简单。艺术的美只存在于艺术形象之中，存在于艺术形象的内容与形式及其统一之中：艺术形象的形式要美，内容也要美，并且形式要完美地表现内容，按照美的规律，结合为一个有机整体。艺术形象，无论是内容还是形式，都离不开美的问题。人类的物质生产要按"美的规律"进行。艺术生产、创造艺术形象就要按更为复杂的"美的规律"进行。艺术形象是一种审美品，是比生活中的美的物品更为复杂而特殊的审美品，人类用它来表现审美体验。人类正是为了要把审美体验告诉别人、相互交流，所以才要创造艺术形象。艺术形象当然也要表现人的政治观点、道德观点以至哲学观点，但是这都必须融为审美体验，化在艺术形象中。人们可以对艺术形象作科学的分析，指出其中

---

① [法]狄德罗：《美之根源及其性质的哲学研究》，《文艺理论译丛》，1958年第1期。

的政治、道德、哲学的观点，作出政治、道德的评价。但是，如果仅限于此而不阐明这些观点是如何表现在艺术形象中，政治、道德、哲学观点是如何融化在审美体验中，那还不能成为科学的批评。艺术形象是作家、艺术家对生活的审美体验的结晶，具有审美性质。文艺学应该在理论上阐明艺术形象的审美性质。

不只艺术形象的审美性质应该阐明，而且艺术形象的逻辑结构也应得到揭示。艺术形象的内在结构（心理结构）和外在结构（物质结构）得不到揭示，艺术形象的独特本质仍然不能完全说清。这就涉及美学、心理学、逻辑学以至语言学和各种工艺学上的许多问题。因此，对艺术形象问题的探索，不能只限于文艺学，而需要美学、心理学、逻辑学、语言学、工艺学各方面的共同努力。

第二节　艺术形象与审美意象

艺术形象，在各种艺术样式和不同艺术作品中有复杂的表现形态，千姿百态，形神各异。从抒情短诗、即兴小曲、素描写生，到宏伟史诗、长篇巨著，创造的艺术形象各不相同。我们需要从艺术形象的各种复杂表现形态中找出艺术形象所共同具有的东西，而不管它究竟具体表现为人妖兽怪还是事物情景等形态。我们且以郑板桥画竹为例。

> 江馆清秋，晨起看竹，烟光、日影、露气，皆浮动于疏枝密叶之间。胸中勃勃，遂有画意。其实，胸中之竹，并不是眼中之竹也。因而磨墨、展纸、落笔，倏作变相，手中之竹，又不是胸中之竹。[①]

生活里客观存在着的美的事物都有形象，所以有人说美在形象。但是，此形象非艺术形象，而只是物的形状和模样，是物象。园中之竹可以是美的，是美的物象，却并非艺术形象。可见，美的形象不就

[①]（清）郑燮：《郑板桥集》，上海古籍出版社，上海，1983年。本节所引郑板桥语，均见此集，不再一一注明。

是艺术形象。

"眼"中之竹也不是艺术形象,而只是园中之竹映入人的眼帘在脑海中形成的视觉映象。郑板桥感知(感觉和知觉)那园中之竹,竹子经由眼而在脑海中形成竹的映象,这就是郑板桥的"眼"中之竹。这种"眼"中之竹在脑海中形成后,可以在竹子不直接呈现于眼前时,也能在脑中唤起,形成表象。"眼"中之竹,不管表现为知觉还是表象,都只是竹的映象。不过,既然人的任何意识正如列宁所说都"只是外部世界的映象",我们就有必要把感觉、知觉和表象的映象同概念、判断、推理的映象相区别。因而,我们不妨把感觉、知觉和表象称作感性映象。"眼"中之竹是园中之竹的感性映象,它在两重意义上说都还不是艺术形象:它还没有经过思维的加工改造,尚未上升为一种特殊的理性认识;而且也还没有和感情相结合,并予以物化成为审美品。

"胸"中之竹也并非就是艺术形象。"胸"中之竹已是"眼"中之竹在人的思维中的进一步加工,已经不是纯粹的感觉、知觉或表象,思想、感情参与了其中。但是,"眼"中之竹在思维中的加工改造可以经由两种途径,产生两种结果。感性映象经由思维的分析、比较、综合,抽象而为概念。概念的继续运动,使概念与概念联结为判断、推理,最后成为科学理论、概念体系。感性映象也可经由思维的分析、比较、综合,具象而为意象。意象的继续运动,使意与象融合,意象与意象联结为意象体系或复合意象。因此,"胸"中之竹,作为"眼"中之竹的思维加工的结果,可能是竹的概念,也可能是竹的意象。郑板桥说"胸中勃勃,遂有画意",此时在他脑海中浮现的该是竹的意象。意象,按照中国传统的说法,它应是意中之象、有意之象、意造之象,不是表象,不是纯粹的感性映象,但它又不是概念,保留着感性映象的特点。意象,这是思维化了的感性映象,是具象化了的理性映象。意象一旦得到物化,就可以转化为形象。但是,并非任何意象都可转化为艺术形象。意象,有审美意义的,也有非审美意义的。"胸"中之竹,可以是审美意象,也可以是非审美意象;"胸"中之竹,可能是已经完成了的意象,也可能是正在形成中的意象。"胸"中之竹,并非就是艺术形象,它有待定形、物化。只有当意象是审美的,并且审美意象得到物质表现,才成为艺术形象。

如果"胸"中之竹确是审美意象,经过画家之手把它定型、物化在纸上,那么"胸"中之竹转化为"手"中之竹,艺术形象就诞生了。"手"中之竹是"胸"中之竹的进一步的加工和改造。首先,这是精神的加工,就如郑板桥所说,他在落笔画竹时,"倏作变相",要把"胸"中之竹又作改动,使审美意象最后定型、完成。而在把这"胸"中之竹物化为艺术形象时,同时还要进行另一种加工、改造,那就是用笔把墨汁固定于纸上,这就不仅是精神的改造,而且是物质的加工了。只是,这种物质的加工,要受画家的思想变动的支配。郑板桥说他画竹时,"我有胸中十万竿,一时飞作淋漓墨"。这就是说,"胸"中之竹可以有无数,但要化为"手"中之竹,"飞作淋漓墨",却只需出现墨竹一丛成几枝,恰如郑板桥所说:"一两三枝竹竿,四五六片竹叶。自然淡淡疏疏,何必重重叠叠。"郑板桥笔下的这几枝墨竹,正是他胸中万竿竹的"变相"和"迹化"。

只有当"胸"中之竹转化为"手"中之竹、笔下之竹、画上之竹时,才形成艺术形象。当然,并不是任何"手"中之竹都能成为艺术形象。无意识的信手乱涂,或者把墨汁、颜色随手泼在画布、画纸上,任其自流成形,我们恐怕不能承认它是艺术形象。"手"中之竹成为艺术形象必须符合两个基本条件:一是"手"中之竹必须是个审美物象;二是"手"中之竹这个审美物象表现了审美意象。因此,艺术形象是审美物象和审美意象的统一:审美物象是艺术形象的形式,审美意象则是艺术形象的内容。艺术形象就是表现、传达了审美意象的审美物象,就是物化、固定于审美物象的审美意象。只有这个统一体的一面,不能成为艺术形象。

艺术形象必须是个审美物象,这点并不为所有美学、文艺学所肯定。意大利的克罗齐不只认为艺术的本质就是直觉,审美意象也只是直觉,而且认为审美意象只有不用物质手段表现出来时,才是最纯粹的艺术。克罗齐把物质表现排除在艺术之外,于是艺术成了看不见、听不到、摸不着的直觉。诚然,艺术形象并不仅是个审美物象,但它必须由审美物象来构成它的形式。这个审美物象可能是诉诸视觉的空间形式,也可能是诉诸听觉的时间形式。《左传》中说季札在襄公二十九年听雅乐时,称赞它"曲而有直体";后人注释云,这是"论其声如此"。声音也是一种物,具有时间形式,诉诸人的听觉。任何艺术形象必借审美物象才得以存在。绘画,必须把色、线、形等物质手段按美的规律造成视觉上可见的审美物象,才算有绘画的艺术形象。音乐,必须把音调、节奏、旋律等物质手段按美的规律造成听觉上可听的审美物象,才算有音乐的艺术形象。文学,也必须把语音、词汇、辞章等物质手段按美的规律组成语言的审美物象,才能有文学的艺术形象。

为要创造审美物象,不仅需要物质材料和物质工具(绘画需要以画笔为工具,颜色、线条为材料,雕刻需要刻刀作工具,石头、金属为材料,等等),而且需要技巧经验。每门艺术都有自己的特殊材料和工具,也都有自己特殊的技法。我国古代文论、诗话、乐论、词话、画论、曲话以及口头流传的艺术口诀、歌诀,保存着我国传统艺术的丰富的技法经验,应该得到整理、继承和给予新的总结。可惜,我们的艺术创作和艺术理论多年对此不予重视。数十年前,高尔基曾经感叹,作为文学的根本材料的语言,它的意义长期被文学批评评价得过低,大声疾呼应重视语言技巧。各种艺术如何把材料、工具结合,运用什么样的技法创造出各自需要的审美物象,应该成为文艺美学研究的一个课题。

可是,工具、材料、技法本身都还不成其为审美物象。物象材料必须经过艺术家的加工改造才变为审美物象。高尔基说得好:"我所理解的'美',是各种材料——也就是声调、色彩和语言的一种结合体,它赋予艺人的创作——制造品——以一种能影响情感和理智的形式。"①由各种材料的结合体构成的审美物象,同日常生活中的其他审美物品(如漂亮的器皿用具、精巧的刺绣织品)有着共同性,它们都要求美,能满足人的审美需要,但作为艺术形象的形式,这个审

---

① [苏]高尔基:《高尔基选集·文学论文选》,孟昌、曹葆华译,人民文学出版社,北京,1958年,第263页。

美物象却又不同于日常生活中的审美物品。人类创造各种各样的物品,首先且主要是为了实用目的,其次方是为了审美需要。艺术形象需要有审美物象作为自己的形式,却并不仅仅是以形式美去满足人的审美需要,它首先且主要是以这个审美物象来表现、传达特定的精神内容——审美意象,从而把审美体验交流给别人,影响人的思想和感情。审美物象,在艺术形象中只是表现审美意象的形式。并不是生活中的任何审美物象都能符合表现审美意象的这个特殊目的,只有经过艺术家特殊加工过的审美物象才能做到。因此,作为艺术形象形式的审美物象,又具有不同于日常生活中的审美物象的特殊性,作为艺术形象的形式,审美物象有自己的形式结构。绘画的构图、音乐的曲式、戏曲的程式、文学的格局等等,都有各自的结构原则。为什么要这样结构而不要那样结构,这既受工具、材料和技法水平的限制,更受审美意象的制约。鲁迅说得好,只有"用思理以美化天物",才得称之为美术(一切艺术之总称)。"倘其无思,即无美术"。世界上美的物品多得很,但并非都成美术,"象齿方寸,文字千万,核桃一丸,台榭数重,精矣,而不得谓之美术"[①]。为什么这些精美物品不是美术?就是因为"无思",没有表现思想感情,确切地说,就是没有表现审美意象。作为艺术形象的形式,这个审美物象同生活中精美物品的不同就在于:它表现审美意象,并且围绕着审美意象来确定自己的形式结构。为了把这种作为艺术形象的形式的审美物象和其他精美物品(在日常生活中大量存在着)相区别,有的美学理论把它专称为模象(用来模仿内心意象)或仿型。更精确地说,这种作为艺术形象的形式的审美物象,应叫审美模象,它以模拟人内心的审美意象为专任。

　　人类的实践是有目的、有意识的活动,要受意识的支配。在劳动活动还未开始时,劳动者脑海中已有劳动产品的表象出现。这个表象和劳动者对于劳动产品的知识和人自己的目的相结合,就可以成为意象。这个关于未来产品的意象,包孕着劳动者想在产品中实现的目的、意图,也包含着劳动者关于产品的知识。这个意象支配着劳动过

[①] 鲁迅:《鲁迅全集》第7卷,人民文学出版社,北京,1973年,第271~272页。

程,制约着劳动如何进行,决定着劳动方式和方法,并且使劳动者的意志服从于它。可见,人的物质生产都离不开意象,人的精神生产就更是如此了。刘勰在《文心雕龙·神思》中说到文章的构思时,曾以工匠制作物品为喻,说明了文章的谋篇定墨,也要像工匠一样,"窥意象而运斤",依循"意象"而运用技巧。写文章是这样,创作艺术作品就更需要意象的支配。并且,创造出作品的目的就是要表现意象,用这个意象去影响人的精神,满足人的精神需要。作为一种特殊的精神生产,艺术创作就是要创造出一种审美模象(审美物品的特殊形态)来完美地表现人内心的审美意象(意象的特殊形态),这就是艺术形象。

正是这样,对于艺术形象的探索,就不能不把注意力主要集中于审美意象问题上。

第三节 审美意象的特性

那么,审美意象的独特本质在哪里?

现实的同一对象,在不同的人那里,甚至在同一个人那里,会引起不同的反应。这决定于那个客观对象在具体实践中向这个人显示出了什么客观属性,也决定于这个人在具体实践中能感受到什么客观属性,最终,还决定于这个人同那个客观对象处于什么样的关系。

审美意象,乃是包含着审美认知和审美感情的心理复合体。

审美意象包含着认识,但这是特殊形态的认识——审美认知,体现着感性认识和理性认识的特殊统一。

审美认知,是对于现实对象的审美价值或审美属性(美或丑、崇高或卑下、喜或悲)的认识。现实对象的审美属性只存于对象本身,竹子的美或丑,只有面对竹子才能被人认识到。离开了现实对象的感性外貌,离开了竹子的形状、颜色、体态,竹子的美或丑就无从感受,不可捉摸。因此,要认识美、丑等审美属性,不能没有感知,不能不把对象的感性外貌重现为感性映象(表象也在内)。但是,对象的审美属性却不是仅能靠感知、表象而被人认识的,还需要理解、思维。审美认知中的理解、思维,并不是表现为概念、判断、推理、论证,而是表现为对感知、表象等感性映象的思索，直接地理解到了、捕捉到了包孕于对象中的审美属性。一个人要能感受到对象的美或丑，必须以长期积累的审美经验为基础。要认识到对象的审美属性，必须把眼前感知的对象的映象和过去经验中的表象和概念联系起来，进行比较。车尔尼雪夫斯基说："一个物象显示出或者使我们忆起生活，一如我们所了解于生活的那样，我们觉得它美；因此，要觉得物象是美的，我们就必须把它同我们对生活的了解对照起来。"①与过去的审美经验毫无联系的所谓"直观"，恐难审别美丑。审美认识并不限于"直觉"，但"直觉"也可以成为审美认识，问题在于如何理解这个"直觉"。"直觉"，其实就是心理学上常说的直接的理解（与间接的理解有区别）。依巴甫洛夫的看法，直觉的主要特征就是："人记得最后的结论，却在其时不计及他接近它和准备它的全部路程。"②在直觉中，思索、理解的过程极为迅速、隐秘，因此显得好像没有思索似的。其实，这是因为过去有了审美经验，对那对象早有思索和理解。正是因为郑板桥过去有无数次赏竹的审美经验，所以在看竹时很快就对竹产生审美认识，掌握对象的审美特性。

人的创作并不只限于再现现实对象的审美属性，而且还可以想象或虚构出具有审美意义的意象。孙悟空大闹天宫、贾宝玉梦游幻境、嫦娥奔月、夸父逐日，这都不是现实中实有的，而是人的想象虚构的。我们不能把这些称作现实对象的再现，然而却都是现实对象的想象或幻想的反映。《红楼梦》里不仅再现出了封建末世许多实际存在的社会现象，而且还想象出了封建末世许多可能存在和并不存在的社会现象。这些再现和想象出来的现象，既有优美的、善良的、悲剧的，也有丑恶的、卑下的、喜剧的。巴尔扎克的《人间喜剧》既再现了资本主义社会中已经出现的现实，又虚构了即将出现、可能出现和未必出现的种种错综复杂的社会现象，特别对充斥当时社会的丑恶

---

① [俄]车尔尼雪夫斯基：《当代美学概念批判》，引自车尔尼雪夫斯基：《美学论文选》，缪灵珠译，人民文学出版社，北京，1957年，第72页。
② [俄]巴甫洛夫：《巴甫洛夫论心理学及心理家》，赵璧如等译，科学出版社，北京，1955年，第11页。

的、卑鄙的、喜剧的现象,作了淋漓尽致的描绘。历史上的这些优秀作品,里面包含着真实而深刻的审美认识,至今还能帮助我们从审美上去认识过去的社会。就是像《西游记》《聊斋志异》这些主要以幻想为特征的艺术作品,里面也包含着作者对当时社会的审美认知。不能笼统地否定艺术的认识意义,但必须阐明,这不是科学上的认识意义,而是审美上的认识意义,而且,审美认知也只是使艺术具有审美价值的一个方面因素。

审美意象的另一个更为重要的因素是审美感情。

人在感受美丑时,同时作出审美评价,伴随着对美丑的审美感情,对美丑等审美属性持肯定或否定的态度。审美感情和审美认知在审美意象中结合在一起,融为一体。我国古典美学中常说的"情景交融"、"思与境偕",其实就是审美感情和审美认识结合为审美意象。这里的"景"或"境",并非生活中的实景,而是生活实景在人脑中的反映所构成的情中之景、意中之境、心造之境,也就是西方美学中所说的规定情境或虚拟情境。这些"心"想、"意"造之境,就是审美认识,它和审美感情相结合,就成了审美意象(意境,是审美意象的一种形态,当另论)。审美感情和审美认知,都是对客观现实的反映。审美认知是人对客观对象审美属性的反映,而审美感情则是人对现实对象的审美属性是否满足人的审美需要而作出的反应,它是审美客体与审美主体之间关系的反映。

没有感情就没有诗。何止诗需要感情,一切艺术都需要感情。前人说得好:"以无情之语而欲动人之情,难矣。"(清人沈德潜《说诗晬语》)其实,人的实践活动本身也都需要有感情活动,就是科学研究活动也是如此。正如列宁所说,没有人的感情,则过去、现在和将来永远也不可能有人对真理的追求。但是,艺术中的感情和科学中的感情,无论在作用和性质上都是不一样的。在科学研究中,人的感情,对于所从事的事业抱什么态度,主要起着推动或阻碍人去追求真理的作用。一个人对探索一门科学的真理采取肯定还是否定的看法、积极还是消极的态度、热爱还是憎恶的感情,这能决定和影响这个人能否获得真理。感情的这种作用,在艺术创作中也存在。对艺术创作事业持漠不关心、冷冰冰的态度，怎么能创作出像样的东西来！但是，在科学研究过程中，由科学抽象到得出理论结论，概念和概念相联结，决不容许感情参与其间，更不容许由感情来支配概念运动。艺术创作则不然，在整个创作过程中，都需要有感情的参与，并支配着意象的运动，甚至还要用"移情"或"拟人"的方法，用感情去改变意象。"晓来谁染霜林醉，总是离人泪。"霜林非人，怎么会醉？秋树叶红，亦非泪染。如果依科学观点说，都不合物理。然而，这种"移情"和"拟人"却符合情理，成功地创造了审美意象。科学研究所需要的感情，主要是一种理智感。我们读一部精彩的科学著作，也会引起理智感。艺术创作，所需要的则是审美感。我们从艺术作品中感染到的，也是审美感。审美感、理智感和道德感一样，都是属于人的感情的高级形态，不同于日常生活中普通的感情形态。但审美感同理智感、道德感，既相互联系而又各有区别。

　　我们在对人的理智活动作出评价的时候，同时也能体验到理智感。道德感是人对道德活动作评价时产生的体验。它是和道德思想、道德评价联系着的感情态度。审美感则是对现实的审美属性（美、丑等等）作审美评价时所产生的感情态度，同审美思想、审美评价联系着。审美感、理智感和道德感在人的实践活动中是相互联系、交织在一起的。艺术作品，特别是那些描绘了广阔而复杂的社会生活的小说、戏剧、电影，表现的审美感，是和那道德感、理智感紧密地联系和交织在一起的。历史上出现了许多哲学小说、科学幻想小说和"推理电影"，理智感更是具有突出的地位。托尔斯泰、雨果的许多名著，中国古典小说如《红楼梦》《水浒》《三国演义》，杜甫、白居易的诗，都洋溢着浓烈的道德感。但是，在艺术中，这些理智感、道德感不能代替审美感，而是只能通过审美感表现出来。社会生活中的政治、经济、道德现象，只有从审美上去反映，给予审美评价，经过审美体验，才有可能成为艺术作品。

　　审美感和理智感、道德感一样，都是对现实对象的感情所作的满足或不满足的反应。感情上的满足，可以产生精神愉悦，这不是一般的生理快感，而是精神快感。但审美感所包含的精神快感还有自己的特点,它是审美快感,一种特殊的精神愉悦。人去行善修好,从事道德活动,并不是去追求精神上的愉悦之感。为了做善事、反恶行,人还要遭受苦难,舍生取义,牺牲自己极为宝贵的东西,带来的不一定是精神愉悦。人去追求真理,探索奥妙,从事科学研究,也并非为了获得精神快感。真理,对有些人说来并不令人愉快,而是令人厌恶(资产阶级历史学家发现了阶级斗争规律,但并不喜欢它)。但是,人要创造艺术,却总是要叫自己或别人得到审美享受,产生精神愉悦,不管这艺术是喜剧还是悲剧。艺术可以再现或想象出各种各样的丑的或美的、卑下的或崇高的、喜的或悲的现象,但还是要给人以精神愉悦。在审美意象中包含着的审美感,就具有这种给人精神愉悦的特性,这是审美快感。罗丹的著名雕塑《老妓》,那衰老的欧米哀尔是丑陋的,不能令人愉快,但罗丹用欧米哀尔的自惭形秽、无限哀伤的表情,表现出了对丑的否定,这是对资本主义造成这种畸形的控诉。否定了丑,也间接肯定了美。我国古代艺术家很早就懂得这个道理。《左传》宣公三年,记周大夫王孙满的话说:在夏代,"远方图物,贡金九牧,铸鼎象物,百物而为之备,使民知神奸"。古代艺术家塑像,"公忠者雕以正貌,奸邪者刻以丑形,盖亦寓褒贬于其间耳"(宋人吴自牧《梦粱录》)。这样,在雕塑家和画家的审美感情中,不仅是对丑的憎恶感情,而且还有对美的肯定感情。而这背后正隐藏着艺术家的审美理想。正是因为艺术能反丑为美,在否定中肯定了美,表现了审美理想,所以喜剧能给人精神愉悦。别林斯基说得对:任何否定,如果要成为生动的、诗意的,都应当是为了理想而否定。悲剧再现和想象出了崇高的、善良的人物的毁灭,这使人产生悲痛之感。然而,悲剧在把真、善、美的东西毁灭给人看时,洋溢着对这些东西的赞美之情,在真、善、美的毁灭中激起追求真、善、美的热情。这样,悲剧给人的不只是悲痛之感,而且令人愉悦,给人精神快感。鲁迅在《阿Q正传》中表现出来的审美感则更为复杂。审美感情和审美认识相结合而为审美意象,再表现在完美的物质形式中,形式完美地表现了内容,当然就更能激起人的审美快感,使人得到审美享受了。

审美意象中包含着审美感情,使得艺术不仅具有审美认识作用,而且具有审美教育作用。

审美感情在审美意象中是同审美认知紧密结合着的。只有在理论抽象中才把它分解出来，分别论述。在实际的审美活动中，很难分开。我们所说的审美体验就是把这两者融合在一起的复杂心理过程。审美感情和审美认知都产生于对现实的审美体验。如果自己没有亲自体验到，只是道听途说、人云亦云，无法形成审美感情和审美认知。所以，在创造审美意象时，必须具有"真情实感"和"真知灼见"。有了亲身经历和切身感受，才有"真实情感"和"真知灼见"。不过，所谓亲身经历，并不是非得亲身所作所为，所遇、所见、所闻也在内。正如鲁迅所说，写杀人不一定自己杀过人，写妓女并非自己去卖淫。艺术家的创作材料，大半还是来自经验，不一定都是直接经验。但是，对于艺术家说来，直接经验特别重要。只有当那些间接经验由自己的直接经验所证实，并吸收、改造，与直接经验结合起来时，才能进行艺术创作。没有自己的直接经验，没有"真情实感"和"真知灼见"，间接经验只是一堆死材料。正是艺术家从自己的亲身经历和切身感受出发，有"真情实感"和"真知灼见"才把那些间接经验和自己的直接经验相融合，改造成为栩栩如生的艺术形象。

"真情实感"，就是真实的情感，实际的感受，不是"矫情"，不是凭空的臆想。审美感情要求真挚而深刻，是从切身感受中产生的，不是虚假的、伪造的、做作的。"真知灼见"，就是真切的看法，独到的见解，不是人云亦云、鹦鹉学舌。审美认识要求真切而独到，是艺术家自己从实际生活中认识到的，有独特的见解和发现。别人的思想、现成的结论，可以帮助艺术家去认识生活，但不能代替自己的思想；艺术也不是图解现成的思想。正是这样的审美感情和审美认识结合而成的审美意象，是艺术形象的真正内容。它是艺术家的独特创造。法国著名的印象派画家莫奈，曾应邀去伦敦画教堂，他根据自己的亲身感知和切身感受，把伦敦的雾天画成了紫红色，这引起了伦敦人的惊愕和愤慨：怎么搞的？雾本是灰色的嘛，莫奈竟把它画成紫红色的！然而，这恰恰是莫奈的独特发现。当人们看过莫奈的画再去看伦敦街头的浓雾，终于发现：它确是紫红色的。原来，人们平常并不细察，只是大概地感知雾是灰色的,却不知伦敦的烟尘很多,加上砖房泛红,通过折射,雾就成了紫红色。莫奈从亲身经验、独到感受出发,画出了伦敦雾的独特色彩,这是画家的独特发现,所以人们把莫奈称为"伦敦雾的创造者"。其实,世界上的人和物都是有自己的独特个性的,正如歌德所说"一棵树上很难找到两片叶子形状完全一样,一千个人中也很难找到两个人在思想感情上完全协调"。作为审美客体,每个现象都是特殊的;作为审美主体,每个人也是独特的。那么,审美主体对于审美客体的反映,无论就反映活动还是反映结果来说,必然也就是独特的。所以,歌德断言:"艺术的真正生命正在于对个别特殊事物的掌握和描述。"①

作为艺术形象的内容,审美意象就是这种来自亲身体验和切身感受的审美感情和审美认知的心理复合体。但是,审美感情和审美认知在审美意象中究竟是以什么方式结合着的?审美意象的结构方式究竟是什么样的?这需要作进一步的探索。

第四节 审美意象的结构方式

审美意象的结构方式多种多样、错综复杂,这依审美感情和审美认知以什么方式结合而定。

审美感情和审美认知的结合为审美意象,可突出审美感情,以抒情为主,也可以突出审美认知,以造型为主。文艺学上有时把艺术分成两大类型:造型艺术、表情艺术。这种分类当然同艺术所用的物质手段有关,但主要根据是艺术形象的内容——审美意象的心理结构特点:造型为主,还是表情为主。其实,任何艺术,都既要表情,又要造型,审美感情要和审美认识统一。只是,在这统一中,表情艺术,如音乐、舞蹈、建筑、装饰艺术等,表情的特点突出;而造型艺术,如绘画、雕塑等,造型的特点突出。因此,这种划分是相对的。至于像电影、戏剧、小说等,虽然也归入造型艺术,但表情和造型的结合更为复杂,更难绝对地分入哪一类。而且,就在造型艺术或表情艺术中,

---

① [德]爱克曼:《歌德谈话录》,朱光潜译,人民文学出版社,北京,1978年,第10页。

审美感情和审美认识的结合方式,也并不是相同的,必须具体分析。但造型艺术和表情艺术两大分类,却大致区分了审美意象结构方式的两个基本类型,从中可以看到两者的基本差别。

造型艺术的审美意象是以形寓情。在这里,任何审美感情都只有寄寓在感性映象中,感情转化为造型。为了造型,审美认识的作用突出起来。表象、联想、想象的活动积极起来,受感情的支配,结合起来,趋向一个目的:构成再现性或想象性的映象,这是个意造的、心构的映象,亦即是经思想感情"变相"(改造)了的映象,现代西方美学中,有时把它称为"客观投影"。

艺术家所要表现的审美感情的"客观投影",它可以是再现了现实生活中的人、事、情、景,也可以是想象出来的生活中从未有过的虚构的情境(或是人、事,也可能是妖魔鬼怪、神仙活佛)。而审美感情就隐藏在这种"客观投影"中,本身并不出现。但因为这"客观投影"全是为审美感情所支配而由感性映象的"变相"(改造)而造成,所以,当这些"客观投影"一出现,就能使人产生逼真的幻觉,以为是真实存在的事物,同时,感受到这个"客观投影",以唤起艺术家在构造那"客观投影"时的审美感情。在造型艺术中,审美感情的表现,只有通过这种"客观投影"才能做到,没有别的途径。直接造型、间接表情,这是造型艺术的特点,正因为表情在这里是间接的,所以使人产生一种错觉,以为造型艺术只是表现审美认知,不表现审美感情,其实不然。

表情艺术的审美意象是使情具形。在这里,审美感情直接表现出来,而对于客观对象的描绘或造型处于辅助地位。为了表情,当然也需要造型,模拟客观现实中的一些动作(如舞蹈模拟动物的动作或形状)或声音(如音乐模拟自然界的声音),但这种模拟、造型都是因情而设,引向一个方向:表情。为此,那些模拟、造型本身都染上了感情色彩,成了感情的外射。这就像我国古典诗论中所说的那样,"情无定位,触感而兴"(明人徐祯卿《谈艺录》);"有深情蓄积于内,奇遇薄射于外"(清人钱谦益《牧斋初学集·虞山诗约序》)。这种感情外射,并不是把现实的客观对象主观化了,而是使反映现实对象的映象都赋予了感情。于是,表情艺术中的那些模拟、造型本身也都成了感情的直接表现。这种表情的直接性，是表情艺术的特征。这决定了在表情的方式上，感情外射和"客观投影"有所不同。

音乐，是表情艺术里最为典型的现象。在音乐美学史上，音乐是表情的这种说法占着优势。但如果说音乐只表情而不造型，只是审美感情而非审美认识，这又把音乐绝对化了。其实，音乐的审美意象也是表情和造型相结合、审美感情和审美认识相结合，只是结合的方式不同而已。就在音乐本身，审美意象的结构方式也有两种基本类型，俄国著名音乐家柴可夫斯基称之为"客观"的和"主观"的。这位以"主观"抒情见长的音乐大师公正地指出："我发现交响乐作曲家的灵感可能是二重的，即主观的和客观的。在第一种情况下，他在自己的音乐中表现自己的欢乐和痛苦的感觉，一句话，就是像抒情诗人一样，所谓吐露自己的心情"；"但当一个音乐家在读一部富于诗意的作品或者有感于大自然的景色，想用音乐的形式来表现燃烧起他内心的灵感的那种题材，这就是另一回事"。柴可夫斯基认为这两种类型的音乐，各有所长，不能代替，"我真不了解那些仅仅承认两种情况中的一种的先生们"①。应该说，一切艺术的审美意象都是客观现实的主观映象，都是主客观的统一。但是，主客观的统一，在不同种类的音乐中可以是不同的：一种以表现客观现实所引起的主观感受为主；另一种则以描绘那燃起主观感受的客观现实的映象为主。在《二泉映月》里，很难说哪些音调描绘了惠泉的流水声或惠山的草木声，至于那泉中映月根本不可能由声音来造型，但在那如诉如怨的乐音中直接表达出了这位盲人音乐家的审美感情。这种审美感情不是通过对现实对象的声音的模拟表现出来的。在《百鸟朝凤》里，直接出现了现实对象本身的声音模拟，大自然里的鸟声、蝉声，这些声音直接描绘了现实对象。但是，这些鸟声、蝉声在整个乐曲中都带上了感情色彩，并用来表情，它们本身也都只是作为唤起、燃起审美感情的材料，起触发感情、导向感情、衬托感情的作用。

作为语言艺术，文学既不能简单归结为造型艺术，也不能简单归

---

① [俄]柴可夫斯基：《与梅克夫人通信集》第1卷，俄文版，第531页。

结为表情艺术。小说是综合了造型和表情艺术的特点的。诗歌则向来被称为表情艺术。诗以抒情见长,就是叙事诗、戏剧诗也是如此,这是无可置疑的。中国传统诗论,历来讲"诗中有画,画中有诗",诗、画是相通的。在抒情诗中,审美感情和审美认识的结合也有两种基本方式:一种是王国维所谓的由"无我之境"造成的"客观的诗"。这种诗其实也并非"无我"或只有"客观",只是直接出现的是对对象的描绘,而情则寓于其中,间接表现。斛律金的《敕勒歌》"天似穹庐,笼盖四野。天苍苍,野茫茫,风吹草低见牛羊",展现的是一片草原风光,没有一个字是专来抒情的。然而,这里展现的美景中,也包孕着诗人的美感,只是审美感情蕴藏于审美认识中,不外露而已。这种诗很像绘画。还有一些好诗,更有接近雕塑的,写景不只写平面,且有立体感。王维的《终南山》就是这样:"太乙近天都,连山到海隅。白云回望合,青霭入看无。分野中峰变,阴晴众壑殊。欲投人处宿,隔水问樵夫。"山景的远近、上下、前后、高低,每一面都呈现出来了,又像电影蒙太奇从各种不同角度照的镜头。可是,就在不同角度镜头的剪接中,表现了诗人的审美感情。这些所谓的"无我之境",其实就是表现诗人审美感情的"客观投影",是渗透着审美感情的审美认识。抒情诗中还有另一种类型,就是王国维称之为创造了"有我之境"的"主观的诗"。所谓"主观的诗",并非只有主观,它也是客观现实的反映,只是直抒胸臆,不重写景状物而已。《诗经》中的《黄鸟》:"彼苍者天,歼我良人。如可赎兮,人百其身。"这是诗人真情的直接迸发,他在呼天喊地,天啊,天啊,为何杀害这些好人!如能抵赎,愿以百人赎身。这是对当时的统治者的暴行(杀人殉葬)所发的愤慨之声。这类"主观的诗",在我国古典诗歌中出现不少,也能成为佳作。贺裳在《皱水轩词筌》中云:"小词含蓄为佳。亦有作决绝而妙者,如韦庄'谁家年少足风流,妾拟将身嫁与,一生休!纵被无情弃,不能羞'之类是也。"这类诗词,直抒胸臆,淋漓尽致,感情真切,发自肺腑。这里并无对对象的客观描绘,但是那种感情的心理状态则具体地呈现在面前。王国维在《人间词话》中说到意境(意象的一种形态)时曾云:"境非独谓景物也。喜怒哀乐,亦人心中之一境界。"把人的感情状态喜怒哀乐也称作一境界，这不无道理。感情也有状态，是心理状态，而且还有过程，是心理过程。如果把这个状态和过程具体描绘出来，使人可以捉摸，那么，这种心理状态过程的描绘本身也就构成了意象。至于那引起这种感情状态和过程的客观对象，虽然也需要交代，但只起"触物起情"的作用，要触及那对象，却并不去描绘，只是由触物而兴起感情，然后好去描绘这感情状态和过程本身。"谁家年少足风流"，只是点出了少女愿嫁的是风流少年，是什么样的风流少年，风流到什么程度，却不必具体描绘，起点缀对象的作用就可以了，重点在抒发那少女的爱的心理状态。

其实，不仅抒情诗，就是散文，也都有这样两种基本类型。自陆机《文赋》开始，把韵文分成两大类：诗"缘情"，赋"体物"。后来的文论，也常把散文分成"缘情"和"体物"两大类。这正如诗之分为"客观"、"主观"两大类，来自审美感情和审美认知的结合方式不同。

审美感情和审美认知的结合方式不同，形成审美意象的不同类型，具有不同的结构形态。审美意象的两种基本结构方式，既表现为艺术之分为造型、表情两大部类，也表现为每一部类下的艺术样式都有两种基本类型。但这里列举的只是审美意象的两种基本结构方式，在这两极的中间，还存在着无数复杂的结构方式，特别像小说、戏剧、电影这样的较为复杂的艺术，审美感情与审美认识的结合方式，更是复杂纷繁，不可一概而论。具体样式需要作具体研究。

艺术作品的审美意象，通常不是只由一个单一的意象构成，而是由许多意象结合而成的复合意象或意象体系。曹雪芹的《红楼梦》、托尔斯泰的《战争与和平》、紫式部的《源氏物语》，都出现了好几百个人物。众多的人物的相互关系和活动，形成种种场面和事件。这些错综复杂的性格、场面和事件相互结合，成为更为错综复杂的意象体系。单一意象和复合意象（或意象体系）本身都是审美感情和审美认识的统一，只是复合意象（或意象体系）的结构方式当然也就要更复杂。

审美意象，不管是单一的还是复合的，都是对生活印象的一种概括。文学艺术对"生活印象"和"体验"的加工改造过程和结果，同哲学、科学有别，但都必须对生活本身进行观察、比较、研究，都需要思维。艺术家在创作时,不可能也不必要把所有的"生活印象"和"体验"都照搬到审美意象中,而是经过了选择、取舍,选取并突出了印象和体验中的某一些,而舍弃、省略了另一些。要对生活印象和体验作选择,就必须先对它们进行分解和比较,这都需要艺术家的理智活动。然后,还要把经过选择的生活印象和体验综合起来,集中起来,亦即进行概括,才能成为审美意象。

这种经过思维的分解、比较而选取出来的生活印象和体验,再经过思维的综合而得到进一步的艺术概括。综合的方式多种多样,最基本的有两种。

一是联结。这是把不同的生活印象和经验联结在一起,成为一个整体。这种联结可以按时间的统一性进行,也可以按空间的统一性进行;可以按类似关系来联结,也可以按对比关系来联结;联结起来可以形成并列的关系,也可以形成主从的关系。这种联结在各类艺术中都存在,而在电影艺术中最为普遍。电影中的蒙太奇,就是镜头的剪辑和组合,把各种不同的映象(远景、近景、中景、全景和特写等)联结而为一个综合的审美意象。这种联结各种映象而成的新的映象,不是各种映象的简单相加,而是在质上与各别映象有所不同的新东西。"凤去台空江自流",这是由"凤去"、"台空"和"江自流"三个映象联结成的,但形成的新的意象,却包含着诗人李白的审美感受,江山长在,人事已非。阿芙乐尔号巡洋舰上的一声炮响,冬宫水晶玻璃吊灯的不断摇晃,这两个映象联结起来,就形成了一个新质的意象:十月革命爆发了。苏联早期著名电影大师爱森斯坦说:"把无论两个什么镜头对列在一起,它们就必然合联成一种从两个对列中作为新质而产生出来的新的表象。这两个对列的镜头,不像是数学上的二数之和,就在于对列结果在质上(如用数学术语,那就是在'次元'上)永远有别于各个单独的组成因素。"①

二是融合。这是把不同时期的生活印象和经验融合为一体。融合

---

① [苏]爱森斯坦:《蒙太奇在1938》,引自《爱森斯坦论文选集》,魏边实、伍菡卿、黄定语译,中国电影出版社,北京,1962年。

不同于联结，不是把几种映象排列、连接在一起，而是把不同的映象合而为一，就像氢氧离子结合成为水分子一样。这就是鲁迅说的"缀合"，杂取众多的现象，合成一种现象。《祝福》里的祥林嫂就是融合不同人的遭遇而形成的。托尔斯泰在《战争与和平》中创造的女主人公娜塔莎，也是融合不同的印象造成的。托尔斯泰自己说，他把他妻子索尼亚的映象，和他妻妹丹尼亚的映象，融合在一起，就出来了一个娜塔莎。歌德笔下的浮士德、塔索，都是他生活中长期积累起来的生活印象经由思维而融合起来的。歌德自己说："有塔索的生平，有我自己的生平，我把这两个奇特人物和他们的性格融合在一起，我心中就浮起塔索的形象。"①塔索是16世纪一位意大利诗人，在一个小公国的宫廷里经历了大半生，最后被幽禁放逐。歌德把塔索的生平和自己的生平结合起来，融合为《塔索》一剧中的意象，以抒发自己身在宫廷而渴望自由的思想感情。融合不同映象，不仅能创造出现实中可能存在的东西，而且可以创造出现实中不可能存在的东西，如孙悟空、猪八戒、美人鱼、狮身人面像、飞毯等都是由融合而生成的。无论是联结还是融合，各种心理因素都在起着作用，感知、表象、思维、联想、想象等都积极活动。只是，有些心理因素，如联想，在联结的过程中起特别大的作用；而想象，则在融合的过程中，起显著的作用。创作过程中二者往往相互交替，彼此结合。但是，支配着联结和融合的决定性因素，还是审美感情。许多长篇巨著，人物众多，事件纷繁，场面浩大，是什么东西把它们统一而成为艺术整体？历史有多种多样的回答。有人以为，这是因为作品中出现的总是同样的一些人物，一切都安排在同一个矛盾冲突上面，或者，作品所描写的都是一个人的生活等等。托尔斯泰则不同意这些说法，认为这是"不能深入体会艺术的人"的错误说法。托尔斯泰提出了自己的看法："把任何一部艺术作品联结成一个整体，并因此而产生了反映生活的幻觉的那种'士敏士'绝不仅是人物和情境的统一，而是作者对待的那种独特的、伦理上的态

---

①[德]爱克曼：《歌德谈话录》，朱光潜译，人民文学出版社，北京，1978年，第146页。

度的统一。"①托尔斯泰并不否定在作品中人物和情境的统一,但这并不是把作品各部分意象统一为整体的决定性因素。只有贯穿在作品中的感情态度上的统一,才是把作品各部分统一起来的决定因素。托尔斯泰的这种看法,是同他在《艺术论》中阐明的整个观点一致的:突出感情在艺术中的特殊作用,感情是艺术的生命。普列汉诺夫作了一点补充,指出艺术不仅表现感情,也表现思想。托尔斯泰把道德、宗教看得高于艺术,所以把伦理态度上的统一说成是艺术作品统一的基础。我说,不只是伦理态度上的统一,而且是审美态度上的统一,造成了艺术作品的统一。

任何艺术作品都有主题思想,它是作品的灵魂。但是,艺术的主题思想,既不同于科学的抽象概念和具体概念,也和新闻纪实、历史传记中的主题思想有区别。艺术的主题思想,是蕴藏在审美意象中的审美观念。审美观念不是离开感知、表象、想象等孤立存在的抽象,不表现为概念,它就存在于意象和意象体系里。特别是,审美观念是饱含着审美感情的思想,正如别林斯基所说,在艺术中,思想消融在情感里,情感消融在思想里。他把这种思想和情感结合在一起的东西叫做"情致",有时又称之为"具体思想"。这种"具体思想"或"情致",不能和艺术作品以外的到处都有的思想混为一谈。巴甫洛夫把艺术家称作"有感情地思考着的人"。艺术的主题思想,正是有感情地思考的结果。为了和非艺术作品的思想相区别,恩格斯把这种只存在于艺术形象中的思想和感情的结合,称之为"倾向",并且指明,倾向要从场面、情节中自然流露出来。这个"倾向",不是概念,而是审美意象中的思想和感情的结合。正是因为艺术的主题思想是审美感情和审美思想的结合,它只能存在于审美意象中,要了解艺术的主题思想,只有去亲自体验那艺术形象,别无他法。我国古典美学中常谈到"意蕴"。我觉得用"意蕴"来标示文学艺术作品中的这种审美观念,最为精当。任何对艺术形象的概念解说、概念转述,都不是艺术

---

① [俄]列夫·托尔斯泰:《莫泊桑文集序言》,引自《俄罗斯作家论文学》第11卷,俄文版,第104页。

的主题思想本身。有人问歌德《浮士德》表达了什么思想？歌德的回答是：要了解它的思想，只有亲自去体会，若要用概念来表达《浮士德》的思想，那就需要写另外的书。《浮士德》的主题思想不能离开书中那些"从天上下来，通过世界，下到地狱"的场面、动作、情节而抽象存在。文学与科学不仅在表达方式上不同，而且在所表达的内容上也并不完全一样。清人叶燮看到了这一点，在《原诗》中这样说过："可言之理，人人能言之，又安在诗人之言之？可征之事，人人能述之，又安在诗人之述之？必有不可言之理，不可述之事，遇之于默会意象之表，而理与事无不灿然于前者也。"叶燮举出了许多例证，说明文学要揭示出独特的情、理、事。杜甫有"碧瓦初寒外"之句，说的是碧琉璃瓦在"初寒"之外。"初寒"是无象无形的，亦无内外之别；"碧瓦"是有形之物，却并无感觉，无从感知冷暖。初寒、碧瓦，只有人才能感受到，但这是极平常的感受，并非诗人所特有。杜甫的独特之处就在于把"碧瓦"同"初寒"作了特殊的结合，把"碧瓦"说成在"初寒"之外，这就不仅揭示了瓦和寒的特殊关系，而且抒发了诗人的特殊感受：初冬虽寒，而碧瓦却在初寒之外，那庙顶碧瓦庄严肃穆，不使人寒，而使人暖。诗人的这种独特的感受、独特的思想，无法用概念表达。然而诗人用"碧瓦初寒外"之句创造了一个审美意象，把"不可言之理、不可述之事"寓于意象之中，把当时的情景和感受融为一体再现出来。于是，这情景"恍如天造地设，呈于象，感于目，会于心。意中之言，而口不能言；口能言之，而意又不可解。划然示我以默会想像之表，竟若有内有外，有寒有初寒，特借碧瓦一实相发之"（叶燮《原诗·内篇》）。意象有如此独特妙用，无怪高尔基在《俄国文学史》序中，把形象说成是"组织思想之最经济的方法"。

　　艺术的倾向，寓于情节、场面之中，不必特别说出。文学，作为语言的艺术，有时也会出现作者的直接议论。但是，"议论须带情韵以行"（清人沈德潜《说诗晬语》）。思想必须同感情在意象中结合起来，成为意象的灵魂，它支配着意象的结构，决定着意象联结、融合的方式。艺术的主题思想，正是这种成为艺术灵魂的审美观念与审美感情的结合。它就像把每颗珍珠贯穿成为项链的金线一样，使得单个意象联结、融合而为复合意象,构成艺术整体;但金线本身却隐藏在每颗珍珠的里边,不露痕迹。主题思想正寓于这种审美意象之中,它就是文学艺术作品的"意蕴"。

第五节　审美意象的符号化

　　审美意象毕竟还只存在于审美主体的内心世界,要转化为可见、可听、可感的艺术形象,需要用一定的物质符号加以外化。作家、艺术家在人生中所感悟、凝聚的审美意象用艺术符号外化出来,形成艺术形象。

　　艺术符号,由于使用不同的物质材料,基本上可以分成两大类型:一是语言的,运用语言这一特殊的物质;二是非语言的,运用语言以外的其他物质,如人体、色彩、光线等等。不同艺术符号有不同的功能,但它们有共同的使命。罗素在谈到语言时说道:"语言有两种互相联系的优点:第一,它是社会性质的;第二,它对'思想'提供了共同的表达方式,这种思想如果没有语言恐怕永远没有别人知道。如果没有语言或者某种先于语言而近似语言的东西,我们对于环境的知识就会局限于我们自己感官所告诉我们的知识,加上那些我们天生的身体构造赋予我们的推理方法;但是有了语言的帮助我们就能知道别人所说的话,还能说出在感觉上已不属于现在而只存在于记忆中的东西。……如果没有语言,那么可以传达给别人的东西就只有大家具有相同感觉的那一部分生活,而且这一部分生活也只能传达给那些由于环境条件而能共有的感觉的人。"[①]同理,如果没有艺术语言,审美意象将失去载体,也不复长远存在,更不能广为人知,为人们提供审美享受,其中的审美内容也将随之消失。

　　从这个意义上说,艺术语言和符号是文艺的一种生命力。20世纪的西方文论在对文艺符号的研究上,作出了可贵的贡献。雅克布逊、兰色姆、理查兹、托多罗夫、热奈特、巴特、德里达、朗格等人在这方

[①] [英]罗素:《人类的知识》,张金言译,商务印书馆,北京,1983年,第71页。

面写下了不朽的著作。而我国文论界热衷运动和论争,使这方面的扎实、新颖、深刻的研究至今仍为缺憾。一般说来,符号有两种:论述性符号和显现性符号。论述性符号表述对客观世界进行反思所必须用的概念、范畴、词汇、文字,依据约定俗成的辞书规则和语法规则予以合逻辑合规律的传达,具有严密的逻辑结构;显现性符号与此不同,它是审美体验化的结果,不一定时时处处与客观世界形成对应和具有严密的语法规则和逻辑规则,却具有浓烈的意象色彩及其情绪性,是一种有意味的形式。

苏珊·朗格写道:"艺术符号是一种有点特殊的符号,因为虽然它具有符号的某些功能,但并不具有符号的全部功能,尤其是不能像纯粹的符号那样,去代替另一件事物,也不能与存在于它本身之外的其他事物发生联系……那些真实的生命感受,那些互相交织和不时地改变其强弱程度的张力,那些一会儿流动、一会儿又凝固的东西,那些时而爆发、时而消失的欲望,那些有节奏的自我连续,都是推论性的符号所无法表达的。主观世界呈现出来的无数形式以及那无限多变的感性生活,都是无法用语言符号加以描写或论述的,然而它们却可以在一件优秀的艺术品中呈现出来。一件艺术品就是一种表现性的形式,凡是生命活动所具有的一切形式,从简单的感性形式到复杂奥妙的知觉形式和情感形式,都可以在艺术品中表现出来。"①如"枯藤老树昏鸦,小桥流水人家,古道西风瘦马。夕阳西下,断肠人在天涯",以一系列鲜明独到的审美意象的并置,传达出天涯孤旅的惆怅,尽管几乎没有用一个动词,却有强烈的审美意向性,在艺术上属优秀之作。

同时,审美体验具有强烈的虚幻意识,使艺术品在虚幻中诞生,上自无人问津的天国,下至地狱,纵自远古及未来,横至尚无人知晓的虚构世界,乃至被人格化的动植物世界,都能用艺术符号予以显现。川野洋写道:文艺"所表现的感情,不是活生生的实际感情,而是

---

① [美]苏珊·朗格:《艺术问题》,滕守尧译,中国社会科学出版社,北京,1983年,第127~128页。

假象的虚有感情,也可以说是一种感情印象,是意味的感情。实际上,具体存在的感情,当然只有人类和与人类接近的生物才有,但显示性符号其表现假象的感情,在无生命的自然中也同样存在,一根线条尚且能被客观化(被表现),那么,它就能像语言表现意味的宽泛一样,为我们自由开阔的想象世界造型。开拓反映超现实形象的意境,这正是显示性符号所要表现的。"[1]因此,"艺术作品是符号而不是信号,所以它表现的完全是想象的有感情的形象和意味"[2]。而且,读者并不希望从艺术品中找到合对象的词汇,倒是企图从中获得一片空灵的享受,体验到非现实的快慰,感受到非逻辑的情感渲染,体会到不可尽说性的魔力。艺术符号中有许多空白,然而这也许正是伊塞尔所说的"召唤结构",希望读者进入其间,用自己的体验填充它。尽管文学有时需要按语法规则制造出来,但文学到处是含蓄的隐喻和丰富的想象,仍然必须采用显现性符号才能表达文学的意象。文学意象的真和美是审美体验的真和美,因此,它不必用论述性语言表达,仍得用显现性符号表现。

文艺的意象与符号相交融形成一个完美的有机体,这两者相辅相成,犹如生命之肌肤与血肉的关系,彼此绝对不可分离。在艺术生产过程本身中,审美体验及其外化活动把显示性语言变成审美意象的躯体,使之具有生命力,并按照审美意象的需要不断地予以变形、改造和表现。同时,因为显示性符号具有生命力,所以,它能够与审美意象互相配合,互相渗透,合血合脉,构成意象符号,从而诞生了活生生的文艺。

因此,朗格在《艺术问题》一书中写道:"艺术品作为一个整体来说,就是情感的意象。对于这种意象,我们可以称之为艺术符号。这种艺术符号是一种单一的有机结构体,其中的每一个成分都不能离开这个结构体而独立地存在,所以单个的成分就不能单独地去表现某种情感。……在一件艺术品中,其成分总是和整体形象联系在一

---

[1] [日]川野洋:《符号与艺术》,引自《美学文艺学方法论》,文化艺术出版社,北京,1985年,第493页。
[2] 同上,第495页。

起组成一种全新的创造物","就像'生命'与生命体的关系一样,是密不可分的"。任何人都不能因为逻辑的分述而错误地认为文艺的意象与符号是二维的、悖逆的。恰恰相反,作为文艺的独特本质的意象符号是活生生的艺术生命本身。

第六节 艺术形象是有机整体

为了阐明艺术形象的独特本质,不得不在结构上把它分解为几个方面。但艺术形象不是这几个方面的简单相加,而是辩证的统一。艺术形象把这几个方面综合为一个有机整体。因此,必须从整体上来了解艺术形象。

艺术形象是内容和形式的统一。艺术形象的形式是审美物象,而不是任何的物象,但也不是任何审美物象本身就可以成为艺术形象。只有当审美物象是为了体现审美意象,两者结合起来时,内容和形式相统一,才形成艺术形象。艺术形象的内容是审美意象。审美意象本身,对于现实的审美关系来说,又只是形式,因为审美意象是审美关系的反映,内容是审美关系。但这是另一层次的问题,此处不谈。审美意象对于表现它的审美物象来说,是内容,而审美物象只是形式。既然艺术形象的形式是审美物象,为了创造艺术形象就产生了两个层次的"美的规律":一是审美物象怎样才能美;二是美的物象怎样才能完美地表现审美意象。后一层"美的规律"支配着前一层"美的规律",起决定作用;前一层"美的规律"有相对独立性,但必须服从后一层"美的规律",不然,就会走向形式主义。艺术形象的形式应该是美的,但形式的美只是为了表现内容的美的一种手段。因此,仅就创造艺术形象的形式来说,它同一切创造美的物品的劳动有共同的规律,又有它自己的特殊规律(表现审美意象的规律)。描绘人体解剖的图像,构图也要按"美的规律"使它美,然而这个构图并非表现审美意象,创造的不是艺术形象,而是科学图解。作为艺术种类的文学,无疑需要采用美的文体,但并非一切美的文体都是文学。历来产生过多少诗、赋、曲、词,有许多可称得上语言优美、声调铿锵、洋洋洒洒、朗朗上口，但并非全是艺术的文学，因为这种用语言造成的美本身并不是判别是否艺术的决定性因素，而要看它表现的是否是审美意象。汉代的许多长篇大赋，语言有很美的，但并非文学，它没有用语言之美来创造艺术形象。因此，不能依照文体、体裁的是否美来定艺术与非艺术的界限。采用了诗的文体，不一定就成艺术，更不一定是优美的艺术。写小说、编剧本，并非都成了艺术。决定艺术与非艺术的界限是：是否用美的形式表现了审美意象。创造的形式，越能完美地表现这个内容，那么，艺术性就会越高。

审美意象本身又是各种心理因素综合而成的复合体。它是审美认识和审美感情的统一。但审美认识本身又是感性认识和理性认识的审美的统一；审美感情则又同审美思想密切结合。在审美认识和审美感情的统一中，联想、想象起着重要的作用，它们把各种映象（感知、表象）联结或融合为意象，又把各种单一意象联结、融合为复合意象或意象体系。但是，同审美思想结合着的审美感情在审美意象中处于主脑、灵魂的地位，它支配着联想、想象，制约着意象的如何联结、融合，而且，这种联结、融合就是为了抒发这种审美感情。艺术的主题思想，既不是抽象概念，也不是具体概念，而是在审美意象中的审美感情和审美思想的结合。在审美意象中蕴藏着艺术家的政治、道德、科学、宗教的观点等，但这些观点都已转化为审美感情、审美思想，融在审美意象的总体中。艺术不是政治上层建筑（它是所谓的第一上层建筑，比起其他上层建筑来，最接近经济基础），却是观念上层建筑（它是所谓的第二上层建筑，中间隔着政治上层建筑，同经济基础不一定有直接关系）。一切上层建筑、意识形态，包括艺术在内，都产生并反作用于经济基础。但是，观念上层建筑，意识形态与经济基础的相互作用，要以政治上层建筑为中介。艺术作为观念上层建筑之一，作为意识形态的特殊种类，它同其他上层建筑具有共同规律，不可避免地要同政治发生密切的联系。但是，艺术是特殊的上层建筑、意识形态，它不仅不同于政治，也不同于宗教的那种形象的掌握，而是用审美意象来作的掌握，是特殊的形象思维、感情、思想和幻想的特殊结合。艺术，作为上层建筑、意识形态，可以成为阶级斗争的工具，但这是特殊的工具,不同于科学、哲学、道德、宗教这样的工具。所以,鲁迅说:"木刻是一种作某用的工具,是不错的;但万不要忘记它是艺术。它之所以是工具,就因为它是艺术的缘故。"[1]

为着创造审美意象,艺术家必须调动自己的一切精神能力——感知、情感、理智、联想、想象、意志,并且要统一为一个完整的东西。在这里,至少产生这两个层次的"美的规律":一是审美感情如何和审美思想相统一。审美意象的统一性,首先表现在艺术家的审美评价的一致性和连贯性,而这,又受艺术家的审美理想的制约。艺术家从审美理想上来评价和对待生活,这种审美理想既表现在对崇高的、优美的、悲剧的东西的肯定态度中,又表现在对卑下的、丑恶的、喜剧的东西的否定态度中。二是审美感情和审美认识的结合为主题思想,是怎样通过规定情境完美地表现出来的。这规定情境也就是意造的映象,它可以是再现现实生活中的情境,也可以虚构出生活中未必有的情境。这种规定情境如能完美地表现出审美感情和审美思想,艺术性就高;反之,则艺术性就低。其实,不仅诗人如此,小说、戏剧、电影等等,也都要"意"造、"心"构出规定情境,来表现主题思想。不过,在复杂的艺术作品中,这种规定情境要复杂得多,它可能是错综复杂、尖锐激烈的人与人、人与自然的斗争,也可能是细致、微妙的心灵变化和内心的发展历程。但无论是简单的还是复杂的规定情境,要能完美地表现出审美思想和审美感情,其本身就要达到清晰、完整。纷繁复杂的事件、众多的人物、大小场面,不仅必须历历在目、栩栩如生,而且必须组成一个完整机体,这个完整体恰好能表现艺术家所要表现的审美感情和审美思想,亦即我国古典诗论中说的"中的"。在这整体中,局部服从整体,细节适应总体。为了使意象成为完整体,罗丹宁愿把雕得太美的巴尔扎克像的手砍掉,因为那手的美影响了雕像整体的美。艺术意象本身各个部分越鲜明,组成的整体越完整,就越有艺术性;反之,艺术性就越低。

在把感知、表象的感性映象改造为审美意象,把单一意象联结、

---

[1] 鲁迅:《鲁迅全集》第13卷,人民文学出版社,北京,1973年,第151页。

融合而为复合意象或意象体系的过程中,想象起着特别重要的作用。想象力,是人类一切创造活动所必须具备的能力。但艺术的想象迥然不同于包括科学的想象在内的其他一切想象。艺术的想象,在把表象进行改造时,是服从于表现审美感情和审美思想这个特殊目的的,因此,艺术的想象本身就渗透着感情,并且受感情的支配,是带着感情的想象。艺术家随着感情的变化而组织自己的想象。这种想象随着感情的发展,可以变化无穷。李白的《清平调》,从现实中的人的衣裳和面容的视觉映象出发,勾起对"云"与"花"的联想:"云想衣裳花想容";接着,又从"云"与"花"联想起"春风","春风拂槛露华浓",使得花的意象更加清晰、具体;然后,再由那花的形态、性质又想象到那不是人间所有,或是天下少有,因而虚构了"群玉山头"、"瑶台月下"的幻想情境:"若非群玉山头见,会向瑶台月下逢。"这样,想象就从现实世界进入幻想世界。但是,李白的这种想象,正是依循着感情而来;而且,正是在想象中,把自己的感情移入于那花的幻象中,那花的幻象正是为了表现那对人的赞美感情,是抒发自己的美感。艺术创造中常见的拟人、移情,都不只是想象,而是感情和想象的共同作用,其结果是产生审美意象。科学中的想象,却是构造理论抽象的手段。表象与表象的联结、融合,在科学研究中只是为了图解理论。牛顿从抛出石块的运动和发射子弹运动的表象,联想并想象出行星环绕太阳的运动规律,得出物理学原理,却不是让想象去构想一种生活中不可能产生的东西。科学中的假说,总是从已知的理论,经过推理,推断出一种有待证明的理论。在这中间,需要想象,然而这是推理的手段。科学理论为了使理论具体化,有时,也需要形象,如生物挂图、人体解剖图像、历史挂图,但这些都是科学原理的图解,或科学理论的例证,是从属于、附属于理论抽象的。科学家可以把人体内部的血液循环系统用具体的形象(图表)显示出来,脉络分明,清楚可见,但这种形象不是艺术形象,创造这种形象的想象,也不是艺术的想象。

尽管艺术的想象有其特殊性,而且想象在创造审美意象中有特殊作用,但我并不把审美意象只归结为想象,也不把想象就等同于艺术的形象思维。审美意象是人的多种心理因素交织成的复合体,是感情、理智、想象等的相互作用的融合物；艺术的形象思维，也是感情、理智、想象等心理活动相互交错的过程。没有理由只把审美意象归结为想象，把艺术的形象思维只归结为想象。在这些心理活动的交互作用中，审美感情还是起主导作用，它支配和调节着想象的展开。

艺术要有感情，这个道理一向为我国传统的古典文艺理论所重视。从《乐记》《诗序》等开始，历代文论、诗话、乐论、画论、曲话等一直很突出感情在艺术中的作用，就连那主张诗要讽喻、服务于政教的白居易，在《与元九书》中也承认"感人心者，莫先乎情，莫始乎言，莫切乎声，莫深乎义。诗者，根情，苗言，华声，实义"。感情是艺术的根本。这种"根情"说，同欧洲文艺理论中的传统的"模仿"说不大一样。当然，在欧洲，除了从亚里士多德的诗学中所说的"模仿"说以外，也还有另一种传统："表情"说。近代西方也有许多美学家十分重视艺术中的感情，值得我们注意。例如鲍山葵的使情成体说（《美学三讲》），科林伍德的情感表现说（《艺术技巧》），朗格的情感表现说（《情感与形式》）。托尔斯泰这样的艺术大师，更是艺术表情说的著名代表。在托尔斯泰看来，艺术与非艺术的区别就在于是否传达感情。艺术感染的深浅决定于三个条件：一、所传达的感情具有多大的独特性；二、这种感情的传达有多么清晰；三、艺术家真挚程度如何，换言之，艺术家自己体验他所传达的那种感情的力量如何。[①]托尔斯泰一再说明，这是区分艺术与非艺术的条件，却并非区分艺术的好坏的条件，好的艺术与坏的艺术则另有其他条件。托尔斯泰的说法有一定道理。如果需要像普列汉诺夫那样补充的话，那就是：不只是感情，而且还有思想，必须把两者结合，或者说，感情需要受理智的制约。感情经过了理智的整理，才宜写诗。感情未经理智的整理，就无法把记忆表象和想象表象结合起来，就构不成审美意象。狄德罗在《论演员》中曾说过这个问题：亲人刚死是写不好哀悼诗的，因为这时感情太激烈！只有当激烈的哀痛已过去，当事人才想到幸福遭到折

[①] [俄]列夫·托尔斯泰：《艺术论》，耿济之译，人民文学出版社，北京，1958年，第150页。

损,估计损失,记忆和想象起来,去回味和放大已经感到的悲痛。

感情、理智、想象等如何相互交错、配合作用而构成审美意象,这应该成为文艺学研究的重要课题。艺术批评,是"行动着的美学",当然应该重视对审美意象的分析。

需要特别加以说明的是:审美感情和审美思想是有具体的社会内容和性质的。把什么东西看成美的,把什么东西看成丑的,喜欢什么,不喜欢什么,这受到不同的人的不同的审美趣味的影响。人的审美趣味,不仅在量上有差别(发达的还是低能的,广泛的还是狭隘的),而且在质上有对立(趣味有好坏、高下)。审美趣味的好坏、高下,决定了艺术是进步的还是反动的,是这个阶级还是那个阶级的,是艺术的标志。艺术的使命,按高尔基再三阐明了的说法,"就是把人身上的最好的、优美的、诚实的,也就是高贵的东西用颜色、字句、声音、形式表现出来",或者说,"就是力求用词句、色彩、声音把您的心灵中所自豪的、优美的东西,都体现出来"①。但是,什么是真的、善的、美的,不同的人有不同的看法。从主观意图上说,都是想把自己以为美的思想和感情通过美的形式表现出来,是想创造出艺术美来,但实际效果如何,就不一定了。艺术上常出现这种情况:在一些人看来是丑的,却被另一些人当作美的来描绘;在一些人看来是美的,又被另一些人当作丑的来描绘。这反映了艺术的多样性,也表现了艺术家审美趣味雅俗高低的不同。

审美趣味的优劣高下,决定艺术情趣的性质。但区别艺术与非艺术的界限不在政治上、思想上的好坏,而在于艺术形象的有无。先进的政治理论、科学学说,不是艺术,它们具有另外的社会价值。有的作品,政治上反动,但也可能是艺术;有的作品采用了艺术体裁,却不一定是艺术,有的作品并未用艺术体裁,又可能是艺术。人的审美体验如果组织为审美意象并用审美形式表现出来时,就成为艺术。王维的《山中与裴迪秀才书》,是一封信,写信目的是邀请朋友来家

---

① [苏]高尔基:《文学书简》,曹葆华、渠建明译,人民文学出版社,北京,1962年,见《给皮雅特尼茨基的信及亚米采娃的信》。

做客遨游。如果只是告诉友人，叫他来家做客，几句话就可以了。然而，王维为了打动友人的心，却在信中把他冬日游山所得的审美享受也写出来了。王维先说冬日山中风光之美、乐趣无穷："辋水沦涟，与月上下"，"深巷寒犬，吠声如豹。村墟夜舂，复与疏钟相间"；然后又写他室中独坐，回想过去共游的欢乐，进而又写他的想象，明春山景当更美妙："当待春中，草木蔓发，春山可望，轻鲦出水，白鸥矫翼，露湿青皋，麦陇朝雊"；最后才说："斯之不远，倘能从我游乎？……然是中有深趣矣，无忽"。这样的信，不仅再现出了王维过去游山所见的美景，而且还想象出了明春山景更美，同时又把自己的审美感情熔铸其中。这是信，又是很好的艺术作品，并不比王维的一些名诗逊色。"人闲桂花落，夜静春山空。月出惊山鸟，时鸣春涧中"（《鸟鸣涧》）；"飒飒秋雨中，浅浅石榴泻。跳波自相溅，白鹭惊复下"（《栾家濑》）。这里表达的审美感受，形成的审美意象，不正和那信很相近吗！我国古代许多优秀的散文，不仅文字优美，而且完美地表现了审美意象，是艺术，应该在文学史中占有一定的地位。

　　艺术可以描写真人真事，但新闻纪实、人物传记、历史实录并非艺术，尽管这里也可能有人物、事件、环境的具体形象。艺术所创造的是艺术形象。《三国演义》以汉末三国争霸的历史作题材，但它不是历史实录，也不是人物传记，而是艺术创造。从历史事实看，曹操其人，正如鲁迅所说，"是一个很有本事的人，至少是一个英雄"[1]。但在小说中，却是一个"托名汉相，实为汉贼"的"奸雄"。诸葛亮，虽史有其人，却也并不像小说中想象的那样。在陈寿《三国志》中，刘备三顾茅庐，只"凡三往而乃见"五个字。在《三国志平话》中，也只用数百字来写三顾。到了《三国演义》中，则成了四五千字的洋洋大文。这是罗贯中的创造性想象。小说不仅把历史上的人物形象作了改造，而且重新改变了人物之间的关系，把这场三国争霸的政治斗争按照作者的认识作了不同于历史的安排。从历史事实说，三国之中，以曹操和孙

---

[1] 鲁迅：《魏晋风度及文章与药及酒之关系》，引自《鲁迅全集》第3卷，人民文学出版社，北京，1973年，第380页。

权的力量最大,刘备势力最小,曹、孙的争夺比刘、曹的争夺要更重要。古代一些重要史籍,如司马光的《资治通鉴》、陈寿的《三国志》等,都是以曹操为封建正统代表,以他为中心展开斗争。然而,《三国演义》却突出了刘备的力量,写出了只有这位刘皇叔才应是汉王朝的真正继承人,并且把刘备与曹操的斗争放在斗争的主要地位。这些都并不符合历史的事实,因此受到了历史学家的指责。清代史学家章学诚不满《三国演义》:"七分事实","三分虚构",惑乱读者,不近情理。其实,只从历史科学的观点来看艺术是不行的。问题根本不在于实事和虚构在数量上比例多少,而在于艺术虽可以真人真事为基础,但从整体上说是艺术的虚构。金圣叹看到了小说不是历史实录,而是艺术创作,评论就较符合实际。在他看来,小说的创作是"因文生事",历史实录是"以文运事"。"以文运事"必须符合历史事实,"先有事实如此如此,却要算计出一篇文字来",这文字就是记载历史事实,不能虚构。"因文生事"则不然,"只是顺着笔性去,削高补低都由我",可以虚构,不必照录事实。为什么《三国演义》要这样虚构?为什么要把曹操等人物作这样的描写?为什么要把三国争霸的政治斗争作这样的安排?就是因为作者罗贯中在《三国演义》里是写他的审美认识和审美感情,而不是写他对三国争霸的科学解说或实录历史事实。罗贯中有自己对现实和历史的看法和态度,那就是:赞美仁君贤相,憎恨暴君奸臣。罗贯中是从他的审美理想出发来改造历史题材的。他把他对暴君奸臣的感情和看法,集中在刘备、诸葛亮这样的形象身上,并且带着自己的感情态度来描绘三国争霸的政治斗争。《三国演义》并不违背三国争霸的历史真实,蜀还是失败了,魏还是胜利了,但罗贯中的同情是在蜀。所以,刘备、诸葛亮被处理为悲剧(有价值的东西的毁灭),而曹操则常被作者喜剧化(把无价值的东西撕破给人看)。

艺术的虚构可以达到很高的程度,创造出陶渊明诗中的桃花源这样的理想境界,乃至《西游记》里那样的神话世界。这样的审美意象,是对现实的曲折反映,却并非现实生活的直接再现。在这样的审美意象里,审美感情已把生活现象改造得和现实生活的样子离得较远。这里不仅直接表现了审美感情,而且直接表现了审美理想。孙悟空就是个高度理想化的艺术形象,不是现实中的人,也不是现实中的猴。文艺学不必去考证这是属于哪一类猴,也不必去研究它是属于农民阶级还是市民阶层,但是,分析孙悟空这个艺术形象,却可以了解作者的审美理想、审美感情和审美思想是属于哪个时代、哪个阶级的,反映了什么样的时代和阶级要求,从而,最后方能理解这样的艺术形象反映了作者与现实的什么样的审美关系。从现实的审美关系到艺术形象,这是一个复杂的反映过程。

第八章　艺术意境：艺术本体的深层结构

在文艺美学中，意境是一个标志艺术本体的审美范畴。然而，对于艺术意境的诠释和理解，历来众说纷纭，迄今尚无定论。就古代而言，有认为源于"疆界"意，有认为与佛经传播有关，有认为意境源于形神说、言意说、诗味说等。就现代而言，则更是言人人殊：有的说，意境即是艺术形象，意境不过是艺术形象的中国称谓，或云，意境并非一般艺术形象，而是典型形象；有的说，情景交融、意与境浑所构成的形象，即是意境，或云，意境并非形象本身，而只是形象引起的情调、气氛，因而只有象外之意方是意境；有的说，意境即诗意，为诗歌所特有，或云，意境并非诗歌所特有，一切优秀艺术都可以创造出意境等。

如何界定意境范畴的诗本体性质，寻绎出作为艺术（广义的诗）本体范畴的意境的生成之途，探索意境的深层结构和审美特征，从而进一步把握中国艺术精神的意境和风神，是摆在文艺美学面前的重要任务，这里，本章不可能全面展开论述，那是需要多卷本专著方能完成，本章只从几个方面来谈谈意境，力求对这一范畴的研究有所推进。

第一节　艺术意境的审美生成

中国诗人和诗哲在玉洁冰清、宇宙般幽深的山水灵境中陶冶了自己一腔真气纯情，因而诗人之思往往以虚灵的胸襟吐纳宇宙之气，从而能表里澄澈、一片空明，建立最高的晶莹的审美意境。因此，意境范畴的出现是晚于意境诞生于诗章之中的。也就是说，先有了具有"意境的诗章"，才有人们对意境范畴的理论总结。清人潘德舆就说过:"《三百篇》之体制,音节,不必学,不能学;《三百篇》之神理,意境,不可不学也。"(《养一斋诗话》)看来清人是不否定《诗经》中具有深邃的意境。近人王国维论意境也论到《诗经》的诗章。他说:"《诗·蒹葭》一篇,最得风人深致。"而宗白华先生进一步认为:"中国艺术意境的创成,既须得屈原的缠绵悱恻,又须得庄子的超旷空灵。缠绵悱恻才能一往情深,深入万物的核心,所谓'得其环中'。超旷空灵,才能如镜中花,水中月,羚羊挂角,无迹可寻,所谓'超以象外'。"①看来诗歌艺术创作中意境的出现早于人们对意境范畴的概括是毫无疑义的。

那么,意境范畴的生成在中国美学史上究竟标画出一条什么样的曲线呢?

境界一词最早见于《诗·周颂·思文》"无此疆尔界",但仅出现一个"界"字。而《战国策·秦策》载"楚使者景鲤在秦,从秦王与魏王遇于境",出现了一个"境"字。但这里的"境"或"界"均没有作为艺术本体范畴的意境含义,而是均指疆土的范围。而后出现的班昭的《东征赋》有云:"到长垣之境界,察农野之居民。"其中已将"境界"合为一词,但仍指疆界,与意境审美本意无涉。

看来,仅仅从字面上去找意境的出现意义并不大。正因为意境范畴与中国古代美学的许多重要命题、范畴和概念都有广泛的联系,所以将视野扩大,才能发掘意境以及与其紧密相关的范畴的丰富而深刻的内涵。

我国的意境说,从历代讨论"开山的纲领"(朱自清《诗言志辨序》)的"诗言志"开始,就始终将从感性世界向理性世界和情感世界的拓展作为自己生命意蕴之所在。西周至两汉的意象说、物感说、比兴说、言不尽意说,虽内涵有异、角度有别,但都在寻绎艺术审美中的情感本质和追求视觉形象的内在意味上与意境说的发生、发展有千丝万缕的联系。

《易传》中"象"的范畴的出现值得注意。《易传·系辞上》云:

---

① 宗白华:《美学散步》,上海人民出版社,上海,1981年,第65页。

"圣人有以见天下之赜，而拟诸其形容，象其物宜，是故谓之象。"说明"象"是主客观因素的统一，并具有包蕴性和层次性。"范围天地之化而不过，曲成万物而不遗"。"圣人立象以尽意，设卦以尽情伪，系辞焉以尽其言，变而通之以尽利，鼓之舞之以尽神"。"象"的包蕴性体现在它是生生不尽的，"生生之谓易"。而"象"可以尽意，也就是它包含了这样一个重要思想，借助形象，可以表达概念所无法表现和说清的思想。这一思想与《易传》的"观物取象"的思想对中国美学思想有极大的影响。同样，"象"的包蕴性、层次性和"立象"可以尽意等特点与后来意境说的包容性、层次性以及形象（或氛围）可以传达情意特点有内在精神的一致性。

与意境说生成有紧密关系的"比兴说"同样值得注意。晋人挚虞说："赋者，铺陈之称也；比者，喻类之言也；兴者，有感之辞也。"（《文章流别论》）他突出了比兴之间的差异而以感发人的精神意志去解释"兴"的内在含义。而到了刘勰，更将"比"同"象"联系起来，并用《易传》描绘易象性质的语言来解说"兴"："比显而兴隐"，"比者，附也；兴者，起也。附理者切类以指事，起情者依微以拟议。起情故兴体以立，附理故比例以生"（刘勰《文心雕龙·比兴》）。在刘勰的见解中含有兴体即立体之意，所以他解释比兴时说"兴体以立"。可以看出，刘勰已经注意到比兴在显与隐、感与类之上的各个重要差别，即情与理的差别。比乃附理，兴即起情。"兴"因而更具有文学现象的情感性的特点和感发意志（形象性）的倾向。刘勰的"比兴说"使人们认识艺术的本质特征和注意到诗的自身规定性（层次和结构）方面，达到一个较高的层次。同时，他首次将"意象"概念引进文艺理论，提出"窥意象而运斤"的美学命题，也标志着艺术审美理论发展到了一个新的水平。可以说，刘勰为意境范畴的形成奠定了重要的理论基础。

唐代出现的意境理论，在很大程度上与魏晋乃至唐代美学思想中出现的形神论、言意论、诗味说有相互关系，尤其是诗味说更值得重视。以味论诗在魏晋南北朝时就相当普遍。陆机《文赋》说："阙大羹之遗味。"他将诗文的艺术感染力比之于美妙的肉羹之味，实属新颖。到刘勰的《文心雕龙》，则多次以"味"论诗文。如《宗经》

云:"至于根柢槃深,枝叶峻茂,辞约而旨丰,事近而喻远,是以往者虽旧,余味日新。"《情采》云:"繁采寡情,味之必厌。"《隐秀》云:"深文隐蔚,余味曲包。"《物色》云:"四序纷回,而入兴贵闲;物色虽繁,而析词尚简,使味飘飘而轻举,情晔晔而更新。"等等。他所说的"味",与艺术的善于状物、情感真切、有言外之意等都有密切联系。而钟嵘更以"滋味说"作为品评诗歌审美特征的标准。"诗味说"已经从诗歌的意与情的总体氛围中把握到诗艺的审美精神,而与意境理论关系相当密切。可以认为,它已经从艺术审美本体的角度演示出意境理论的某些方面。

意境理论的探索,到了唐代更为自觉。盛唐的殷璠《河岳英灵集》选诗标举一家宗旨,首次对"盛唐诗人惟在兴趣"的艺术现象进行了概括总结。他以"兴象"这一概念加以表述,"兴"是感情,"象"是物象。殷璠选诗的标准就是视其有无"兴象"。殷璠从诗歌美学角度首次提出"兴象"的概念,重情思与物象的契合,已触到了"境界"的一个侧面,它标志着艺术理论思维的深化,它意味着人们越来越接近用规范、稳定的术语探索境界问题。

稍后不久的王昌龄更明确地提出了"物境"、"情境"、"意境"的概念。然而,遗憾的是,王昌龄首创了"意境"这个词,却并未阐发意境的构成及其基本含义。将比兴说、意象说、诗味说进一步融合起来,从本质上揭示意境范畴的是唐人皎然。

皎然《诗式》中明确地将诗歌构思作为立意和"取境"的过程。他说:"诗人之思初发,取境偏高则一首举体便高,取境偏逸则一首举体便逸。"又云:"不要苦思,苦思则丧自然之质。此亦不然。夫不入虎穴,焉得虎子。取境之时,须至难至险,始见奇句……有时意静神王,佳句纵横,若不可遏,宛若神助。"同时,他认为诗歌韵味是超越于文字和诗人形象之上的。不仅如此,皎然进一步认为诗人在取境和追求诗味的创作过程中,有其精神主动性和驾驭自然的能力。这样,皎然比前人更胜一筹,更进一步地触及境界的美学内涵,并且已经从几个不同的方面(取境、兴象、意中之静)把握到意境自身特性。皎然之后,对诗境本体特性进行多方面研究的不乏其人。最主要的有司空图、严羽、王夫之等人。

司空图对意境的重要贡献在于他对意境层次的深刻体悟和独到研究,他综合刘勰、皎然的思想,将"意境"理论的重要内涵"象外之象"、"味外之旨"提了出来,并作了极为精当的阐释,从而见出诗境之象的不同层次。他在《与极浦书》中说:"戴容州云:'诗家之景,如蓝田日暖,良玉生烟,可望而不可置于眉睫之前也。'象外之象,景外之景,岂容易可谭哉?然题纪之作,目击可图,体势自别,不可废也。"他更上承钟嵘的"滋味说"、刘勰的"神用象通"思想(传神说)及皎然的"德体风味说",将"韵味"作为品诗的最高艺术标准。在《与李生论诗书》中说:"辨于味而尽可以言诗",言诗应该"知其咸酸之外醇美者"即"韵外之致"、"味外之旨"。他认为诗达于此可为诗的最高境界。司空图还通过《二十四诗品》形象地解说了诗歌艺术风格和不同的诗境风貌。所举各"品"都涉及诗歌境界那种不即不离、在有意无意之间的特殊品质,并以"象外之象"、"景外之景"作为诗境的内在的精神。司空图以"外"(超以象外、象外之象等)清晰划出了象外之象的层次,他已经从理论上意识到"境界"是一种超感性、超具象、生成于具体艺术媒介之外的美学范畴。也就是说,他的主要功绩在于以兴象为核心研究了意境中"象"以外的两个层次——"象外之象"和"神"("不知所以神而神")。

严羽以"兴趣说"将司空图的"象外之象"加以进一步发挥和完善,使之成为一种专门化的对诗的审美追求。严羽较司空图深刻之处在于他把问题提到诗歌特性的意义上来理解:"诗有别材,非关书也,诗有别趣,非关理也。然非多读书,多穷理,则不能极其致。所谓不涉理路,不落言筌者上也。"(《沧浪诗话》)这里的别趣当然就是兴趣。与理路相对者当然就是"情路"。他所说的"言有尽而意无穷"正兴法之谓,点明了兴趣说的实质。而且严羽已经朦胧地感觉到诗歌境界应有一种圆融、玲珑的美学特质,它通体透明而又难以从直观上把握,它借助于一定物质实体,如语言、形象存在而又空灵虚幻、不可捉摸,如镜花水月般的"可望而不可置于眉睫之前"。毫无疑问,严羽已经明确地感到诗歌艺术所追求的美学极致就是"透彻玲珑,不可凑泊"的意境。除了"兴趣说"以外，严羽还用"妙悟"来界定意境的特性。他说，"大抵禅道惟在妙悟，诗道亦在妙悟。"意即在诗歌的意境创造过程中，其思维的对象不是书本知识和抽象的理念，而是充满生机和活力的客观形象世界，内心在外物的偶然触发下产生诗思，这就是"妙悟"。可以说，严羽的"空中之音，相中之色"与司空图的"象外之象"等是一脉相承的，而"外"与"中"都意在说明"象外之象"不同于"象"，"相中之色"也不等于"色"。于是，对诗歌意境的两个层次即"象外之象"与"味外之旨"愈加自觉，更为清晰。

王夫之是通过"情景关系"来对意境审美特性进行阐发的。如果说，司空图、严羽对意境范畴的探讨主要是在意境两个层次各自的特点方面进行，那么，王夫之则主要是在意境各层次的整体构成方面展开。他试图以情景关系为纲对意境之象的各层次不断生成的性质给予一个必要的解释。他认为诗之"圣境"是由具有特殊对立统一关系——情与景构成，而且，情景处在一种相依相存的关系之中。"景中生情，情中含景，故曰，景者情之景，情者景之情也"（王夫之《唐诗评选》卷四），指出情与景的互相生发和互相包含的关系。那么，怎样达到情景"妙合无垠"呢？王夫之认为诗人达情时要先存有一种"写景之心理"，即要善于把抽象的情思转化为形象的景物，将"情语"变成"景语"。这里，所谓"写景之心理"就是诗人独特的艺术思维方式。诗人经过主体情思与对象形态相交相感，就达到了"情不虚情，情皆可景，景非滞景，景总含情"的境地。在情景融合无迹、妙然天成之中，也就诞生了诗的意境。综上所论，可以认为，王夫之已经看到了诗歌意境具有因情景交融、互相生发而且有不断生成的特点。这样，他从诗的特性的高度解释了意境自身不断生成的特性，认为意境并非单纯在客体（审美景象），也并非在主体（审美情思），而在主客体的相交相融、相感相融之中。同时，意境不是静态的空间，而是不断生成着的时空同一体。正是在对意境本性的清晰把握下，他才能够对意境的层次结构特点作出极其深刻的概括："有形发未形，无形君有形。"（王夫之《古诗评选》卷二）首次以明确的语言标举出意境的三个层次，即有形、未形和无形。这在中国意境探索史上具有极其重要的美学价值。

尽管以后叶燮、王士祯、梁启超对意境也作了可贵的探索，但在意境范畴上集大成者当数王国维。王国维明确地把"意境"作为中国诗歌的最高美学范畴，完成古典美学意境论的探讨，诞生了理论化的"意境论"。

王国维的重大贡献在于他第一次以最明确的语言规定了意境的诗本体性质。首先明确用"境界"概念论词，并把它作为中国古典诗词的最高美学范畴。《人间词话》说："词以境界为最上，有境界则自成高格，自有名句。"意境的有无是诗词成为真正艺术的标志，是显示诗之为诗的"诗本体"特质。王国维以"本"、"末"的质的差异性标示出意境范畴诗艺的中心地位，并进一步揭示出"境界"的独特美学内涵。他说："何以谓之有意境？曰：写情则沁人心脾，写景则在人耳目，述事则如其口出是也。古诗词之佳者，无不如是。"（王国维《宋元戏曲考》）最后，王国维将意境分为"造境"、"写境"、"有我之境"、"无我之境"等，同时，将意境范畴上升到文学艺术的普遍适用性和艺术本体论上加以认识，他说："文学之事，其内足以摅己，而外足以感人者，意与境二者而已。……文学之工不工，亦视其意境之有无，与其深浅而已。"（王国维《人间词话·附录》）至此，王国维的意境探索达到中国古典文艺美学意境论探索的新高度，标志着传统意境论的完成。

第二节　审美意境构成的三个层面

审美意境的生成历史标示出中国艺术精神中审美意识的自觉。而意境的蕴藉隽永、余味无穷使人们总要去窥探它内部的奥秘，以揭示其内层构成。那么人们就必然要问：意境的审美构成呈什么形态？它有几个维度或几个层次？各层次之间的关系怎样？这样，通过弄清审美意境的本质构成，我们就有希望揭示其审美意蕴。

在现代中国文艺美学研究中，不少人对意境本质构成提出了看法：有的认为意境是诗人与读者共同创造的，可分为主观之境和客观

(作品)之境两层;有的认为是意与境的融合,有情随境生、移情入境、物我情融三个层次等。这些尽管对意境的构成方面有不同程度拓进,然而却令人感到缺乏哲学层次论意味。而从哲学层次论角度把握意境的是宗白华先生。

宗白华先生在《中国艺术意境之诞生》中明确提出:艺术意境不是一个单层的平面的自然的再现,而是一个境界层深的创构。从直观感相的摹写、活跃生命的传达,到最高灵境的启示,可以有三层次。蔡小石在《拜石山房词》序里形容词里面的这三境层次极为精妙:

夫意以曲而善托,调以杳而弥深。始读之则万萼春深,百色妖露,积雪缟地,余霞绮天,一境也(这是直观感相的渲染)。再读之则烟涛汹洞,霜飙飞摇,骏马下坡,泳鳞出水,又一境也(这是活跃生命的传达)。卒读之而皎皎明月,仙仙白云,鸿雁高翔,坠叶如雨,不知其何以冲然而澹,倏然而远也(这是最高灵境的启示)。

我们可以看到,宗先生将艺术意境分为三层:第一层"直观感相的渲染",特点在于其呈现为静态的实像;第二层"活跃生命的传达",特点在于其飞动而虚灵;第三层"最高灵境的启示",特点在于超迈而神圣。宗先生所指出的意境构成的重要特征,对我们极有启发意义。

王夫之曾从中国哲学的角度对意境的层次结构进行了极精辟的概括:"有形发未形,无形君有形。"明确地指出意境有三个层次,第一层即"有形",第二层即"未形",第三层即"无形"。这里,我们可以看到,宗白华先生的意境三层次与王夫之的意境三层次惊人地相似。第一层"有形"(境,象内之象,或象本身),即"直观感相的渲染",可以借用人的眼耳感观视听的静而实的形象,属于表层次;第二层"未形"(不见其形,象外之象,境中之意),即"活跃生命的传达",这是难以凭借感官看到或听到的"动而虚"的情感精神意向,属于中层次;而第三层"无形"(大象无形,无形的道体光辉,境外之意),即"最高灵境的启示",是超越情与象、宇宙本心、天地之道,具有神圣的特点。这样,意境构成就呈现下面三个层面:

第一,境(象内之象)。表征为审美对象的外部物象或艺术作品中的笔墨形式和语言构成的可见之象,也即是作品中的对物象实体的再现部分。如"小桥流水人家,古道西风瘦马"中直接对对象(风、道、马)反映或折射的部分。这象内之象在空间上是有限的,在时间上存在一瞬(过程),这种审美客体之"象"具有鲜明的感官性、再现性、此岸性。但仅仅是象内的象远远不能构成完整的意境,甚至也不能成为真正的艺术,审美客体须打上审美主体的精神美印记,才能构成艺术。"无情有恨何人见,月晓风清欲堕时",这与其说是诗人为白莲花"再现"其形,毋宁说这是物化在白莲花上的赏花人的情思意绪。而"古道西风瘦马"也通过"西"、"古"、"瘦"三个修饰语传达出一片苦寂凄清的断肠人之情,达到审美客体之景与审美主体之情的统一,才是意境的关键。

第二,境中之意(象外之象)。表征为审美创造主体和审美欣赏主体情感表现性同客体对象现实之景与作品形象的融合(包括创造审美体验和欣赏的二度体验)。刘禹锡的"境生于象外"(刘禹锡《董氏武陵·集记》),皎然的"兴乃多端",司空图的"象外之象,景外之景",王夫之的"景外设景"(王夫之《唐诗评选》卷四)、"景外取景"(王夫之《唐诗评选》卷三),严羽的"兴趣说"之"水中之月"、"境中之象"等均指此而言。意境的这一层次不能脱离意境的第一层而独立存在,但可以与第一层共同构成诗意境类别。一般谈意境的人谈到第二层就感到谈尽了,而处于象外之象,或象外所生之"境"时,物带有了人的性格:"气之动物,物之感人,故摇荡性情,形诸舞咏。"(钟嵘《诗品·序》)而客体与主体之间存在着亲密无间的精神交流:"山沓水匝,树杂云合;目既往还,心亦吐纳。春日迟迟,秋风飒飒;情往似赠,兴来如答。"(刘勰《文心雕龙·物色》)至此心物交流之妙境(超越客观物象而生的主客体统一的象外之境)时,人就能感到"春山如笑,夏山如怒,秋山如妆,冬山如睡。四山之意,山不能言,人能言之"(恽格《南田画跋》)。因此,人们在意境层次上着重注意探讨如何处理情与景、思与境、意与象的关系,而情景相融,思与境谐,意与象应,心物相契。心已完全化为物,物也完全化为心,情景心物妙合无垠被视为意境高超的象征。

然而,意境之所以是诗本体的范畴,或者说是诗的本体论,或本体论的诗的范畴,必定还有它更深一层的终极原因。可以说,表现主体的精神美并不是中国传统美学的最后目的,它的最后目的是达于"天",即达于那个统摄心物、化育万有的天地之道。审美主体的心之所以宝贵,是因为人之心乃天地之精。这样必然就还要透过情与景寻找更高的层次,寻找渗透在情与景背后的宇宙灵气的流行、道体的光辉。

第三,境外之意(无形之象)。这集中代表了中国人的宇宙意识,"于空寂处见流行,于流行处见空寂"。唯道集虚,体用不二,这构成了中国艺术家的生命哲学情调和艺术意境的灵性。"无形大象"居于意境的最高一个层次,但它自己并不能独立存在。它要依赖于意境的前两个层次,所以它自己并不形成意境的一个单独的类型。它体现在意境的两种基本类型之中,是真正的诗所必不可少的要素。这种"超以象外,得其环中"的无形之象达到一种"无"的哲学本体高度,是对于道体(气)光辉的传递。而只有秉承了宇宙之气的生命心灵,方能于"澄怀味象"和"含道哄物"(宗炳《画山水序》)之中,而"听之以气"(《庄子·人间世》)。也就是说,通过意境的最高一层无形大象、宇宙大化流行,以道体光辉——气作为天、地、人"三才"的共同本性,以宇宙之气"通三才"(天地人)而两之(气贯阴阳)。如此,气就不仅成为天、地、人的本体,而且成为艺术的本体,使意境在"天人合一"之中臻至妙境。艺术的境界,既使心灵和宇宙净化,又使心灵和宇宙深化,使人在超脱的胸襟里体味到宇宙的深境。如果我们不能从马致远"古道西风瘦马"(《天净沙·秋思》)的词句中感受到天荒地老、宇宙荒寒、人生苦寂而怅触无边;如果不能从陈子昂《登幽州台歌》中感到宇宙无限、人生短暂,从而顿然感悟人生宇宙,那么,我们就无法理解诗作,也无法理解自己,更无法理解这个世界。因此,只有"以追光蹑景之笔,写通天尽人之怀"(王夫之《古诗评选》卷四),才能把握道,使艺术境界既在情景交融中,又超越情景之外;只有"听之以气"才能通过作品之气去感受诗人之气(本体),而上达宇宙之气（本体），从而在人与人、人与物、人与自我、人与宇宙的四重关系中完整地把握意境，创造意境。这样的意境才不会是情与景简单相加，而是在广度、深度、高度上进入一个人生的诗化哲学境界。这样的意境就是景、情、道在人生审美体验中的统摄、聚合、交融，也就是说，在一个艺术表现里情和景交融互渗，因而发掘出最深的情，一层比一层更深挚的情，同时也透入了最深的景，一层比一层更晶莹的景。景中全是情，情具象而为景，因而涌现了一个独特的宇宙，崭新的意象，为人类增加了丰富的想象，替世界开辟了新境。正如恽南田所说："皆灵想之所独辟，总非人间所有！"这是我的所谓"意境"。[①]可以说，象内之象的境、境中之意（象外之象）和境外之意（无形之象）是构成艺术意境的三个不可或缺的层次、三个彼此不分离的维度。明乎此，方能领悟"诗者天地之心"的幽意，方能体味意境的生命本原。那么，构成意境的天（宇宙之道、气）、地（自然物象）、人（主体情思）三层之间是一种什么关系？是各层截然分离，还是互相融为一体？是一种三维并列的关系，还是一种层级序列关系？是一种静态并置，还是动态过程？

我们认为，意境天、地、人三层的关系不是平行的关系，而是一种由低到高、由物到心、由物质到精神的超越关系，"有形发未形，无形君有形"已经十分清楚地展示出三层的辩证统一的关系。

"有形"之物象（景象、形象）必须经过主体情思，方能染上一种意绪，一种氛围。换言之，"未形"（意象，主体审美体验）是由物感发诱导，心之所动，根源在于由物之所引。《乐记》说："凡音之起，由人心生也。人心之动，物使之然也。感于物而动，故形于声。"钟嵘《诗品·序》也称"气之动物，物之感人，故摇荡性情，形诸舞咏"。因此，"未形"是由"有形"感发出来的，而这种由"有形"（主观物象）所感发、深化出来的"未形"（意象情思）又具有极大的能动性，以至于使人感到是主体情思使客观之景染上主观之精神（西方"移情说"即从这一视界出发去谈审美主客体关系），明人唐志契《绘事微言·山水性

[①] 宗白华：《艺境》，北京大学出版社，北京，1987年。

情》更提出:"凡画山水,最要得山水性情";"得其性情",则"山性即我性,山情即我情","水性即我性,水情即我情"。说明主体审美境界的动态流行性和想象虚拟性。然而这并非审美境界和艺术意境的全部,因为"有形"(景)除了感染兴发主体情思以外,更成为主体情思所寄、意绪所蕴的象征。

除了"有形发未形"以外,还有更高一层,"无形"去给"有形"以灵魂和生命力。一个"君"字,表达了那统摄万物、化育万有的天地之道(无)在心与物之上的至高地位。艺术之魅力正在于其剥落一切肤浅表皮,而表演生命本体(人生感、历史感)和宇宙的创化。白居易说:"天地间有粹灵气焉,万类皆得之,而人居多。就人中,文人得之又居多。盖是气,凝为性,发为志,散为文。"(《白居易集》卷五九)"无形"君"有形"之所以在艺术中成为可能,首先在于秉天地之气的人能在体验之中直接把握到天地境界——或"忘怀万虑,与碧虚寥廓同其流"(米芾);或"神领意造……默以神会,自然景皆天就,不类人为"(宋迪);或"深情冷眼,求其幽意所在"(黄子久)。同时,"无形"君"有形"(物)的意蕴还在于"有形"不能离开"无形"而存在,"无形"(道)也不能离开"有形"(物)而存在。因此,道依存于物,物被道所统摄。对"无形"(道)的体认只能"以神遇而不以目视",可得于心、应于手,而"口不能言"。道存于万物之中,由物及道则需人"目击而道存"。在艺术中则表现为:山水万物体现着天地之道,而移山水于尺幅,观山水于画卷则是为了赏玩山水之象以解悟天地之道。这里不仅有一往情深,深入万物的核心"得其环中"氤氲情境,又有于拈花微笑中领悟色相的微妙禅境。出于自然(有形,象内之象),又复归自然(无形,象外之无),这是艺术意境的极境。道具象于人的生活,而且这生活被人所折射在艺术中时,灿烂的"艺"赋予"道"以形象和生命,"道"给予"艺"以深度和灵魂。在艺术意境中天、地、人融于互摄互映、互生互观的华严境界,即那种人以己之心参物之神,心物妙合而达于天道的即人即物又无人无物的浑然一体的天人之合的境界。天、地、人三者的辩证关系尽在于此。而中国文艺美学就是标榜这种在艺术中以自然为本,"以一管之笔,拟太虚之体"(王微《叙画》),达到一种无为而无不为的天道为圣境至美的艺术审美思想。

可以这样说,如果不理解艺术意境中这种天、地、人(无形、有形、未形)之间的辩证关系,就无法理解《乐记》"音者,生于人心者也","而乐者,天地之和也",以及对"希声之大音"何以要"听之以气"。如果不理解象、象外之象、无形之象三者的同一性,则无法理解为何中国艺术无笔墨处(虚)却是缥缈无定的化工境界,就无法从生气流行的空白处,感到鸢飞鱼跃的风神。如果不理解境、境中之意、境外之意三者的对立统一,就无法理解王夫之所说的"无人也,人即天也,无物也,物即天也","以知人知物知天,以知天知人知物"(王夫之《庄子解·则阳》)的哲思内核。那种以为会吟点押韵之句、会写点长短句就是诗人的看法,何其幼稚!那种认为情与景结合成以情染物,即可产生有意境的诗,或产生诗的意境,同样将作为艺术之为艺术的本体性消解了。如果这样,那么婴儿的啼哭,或无聊诗人的呓语,情感不可谓不强烈,但却不能成为诗境。诗人的情感不是动物式的情感发泄,而是一种内心灵性的战栗,这是关乎人生有限而求无限之思的起点。

意境的审美本质藏在意境自身之中,而意境的谜底就在于寻求作为过程的人生的意义和作为永恒的宇宙根据。艺术意境将人的瞬息存在与永恒结合起来了。这一结合是基于一种人生哲思的冲动,然而诗人创造意境的历程导致了他与哲人的同归而殊途:创造意境的过程就是一种由形入神、由物会心、由景至境、由情到灵、由物知天、由天而悟的心灵感悟和生命超越过程。这是一个变有限为无限、化瞬间为永恒、化实景为虚境的过程,一个个人心灵与人类历史沟通的过程,一个诗人的直觉、想象、体验、启悟途径而与本体(天、地、人)沟通的过程。这一过程具有无终结性、不确定性,及其意境各层次相生相对的特点,使意境成为一个召唤结构而幽深浩渺,难以穷尽。

第三节 艺术意境的审美特征

从意境的发生、发展,可以了解人类诗之心的演进和艺术本体的确定,由意境的层次论可以明乎艺术意境作为一种召唤结构的奥秘所在,然而要揭示意境的诗本体性质,则必须先探究出意境的审美特征。

意境究竟具有什么样的特性?或者换句话说,中国艺术的意境为什么会有观之不畅、思之有余的不确定性,而不是像典型形象那样相对地确定?为什么重表现性而不重再现性?为什么使真力弥漫、万象在旁的主体心灵超脱自在,于抟虚成实中领悟物态天趣,在造化和心灵的凝合中创造意境,而不像西方为情节、结构、典型形象而铺排写实,以形象清晰性、结构确定性和情节完整性为其孜孜以求的目标?要回答这些问题,绝非易事。为了不使文艺美学的艺术意境的探讨陷入纯思辨的境地,我们将以大量的艺术创作实践过程,以及各类艺术作品为例来进行一些较为具体实际的探讨。

艺术实践的结果证实了绘画、摄影等造型艺术可以创造意境,音乐、舞蹈等抒情艺术也能创造意境,戏曲、小说、电影等综合了抒情、叙事、戏剧因素的艺术可以创造意境,接近于实用艺术的园林艺术也未尝不能创造意境。这里意境作为艺术本体,已经深入各门艺术中,成为各种艺术的一种内在结构和意蕴。但究其实,我国古典诗歌却更鲜明地体现出对意境的审美追求,并在这种对意境的追求中显出中国特色的诗人之思和诗化的感觉方式,使意境成为中国诗哲的诗意地自我沉醉的本体。

下面我准备从古典诗词,尤其是通过一代诗圣杜甫、一代诗仙李白的诗来阐明诗人之思是如何凝结而成诗化形态,而这诗的意境又呈现出什么样的审美特质。

一、虚实相生的取境美

虚实结合这一创造意境的艺术手法,在诗人杜甫手中,得到充分的运用,收到了以少见多、以小见大、化虚为实、化实为虚的意境美的效果。

杜甫的《月夜》诗:"今夜鄜州月,闺中只独看。遥怜小儿女,未解忆长安。香雾云鬟湿,清辉玉臂寒。何日倚虚幌,双照泪痕干。"妙就妙在诗人不写战乱中自己如何思乡,而说家人怎样想念自己。化实为虚，化景物为情思。抽象的情感（思念妻子）附丽于具体的形象（对月怀人）画面上，令读者驰骋想象于虚实之间，从诗人对妻子念之深去推想妻子对丈夫思之切。再如，《自京赴奉先县咏怀五百字》的"忧端齐终南，澒洞不可掇"。把无形无象心理之"忧"，进行感情物化，说自己的忧愁堆积如同终南山一样高，像无边的茫茫大水那样无法收拾，化虚为实。"写一代之事"的巨构《北征》："平生所娇儿，颜色白胜雪。见爷背面啼，垢腻脚不袜。床前两小女，补缀才过膝……"这里，诗人没有写战乱带来的灾难，没有写自己的深悲，只写爱子的饥色，写他们啼哭、垢腻等生活的状态，但诗人的内心的悲痛却淋漓尽致地表现出来。

"朱门酒肉臭，路有冻死骨"，杜甫的这两句诗是人们非常熟悉的。两句诗将截然不同的两个画面摆到一块，不仅互相映衬顿增张力，而且从字面上呈现出第三个画面的意义：朱门内外仅一墙之隔，却是如此不同的两个世界，这是一个不合理的社会！这里，形象的直接性提供了联想的线索，发人深思：荒野上那冻死的穷人的骸骨，为"朱门"敲骨吸髓的剥削所致；朱门的酒池肉林，是"损不足以奉有余"的社会制度所造成的。这些情理，在作品里并没有从字面上说出来，但读者根据自己的生活经历与审美感受去补充和丰富诗的想象，就深刻地感受到了。杜集中这类剔骨析肌地洞穿社会病根的诗句还有："富家厨肉臭，战地骸骨白"（《驱竖子摘仓耳》）；"甲第纷纷厌粱肉"（《壮游》）；"犀箸厌饫久未下，鸾刀缕切空纷纶"（《丽人行》）；"彤庭所分帛，本自寒女出"（《唐诗归》卷二一）等等。这不是诗人对现实简单的感受和反应，而是诗人取境的审美把握中感情浓缩的表现，是融合真、善的审美评价。可见对社会的本质揭示得越深刻，概括的程度越高，作品的境界越高、大、深，其美学价值也就越大。

　　国破山河在，城春草木深。感时花溅泪，恨别鸟惊心。烽火连三月，家书抵万金。白头搔更短，浑欲不胜簪。

这首杜甫的名诗《春望》，创造了一个独特的境界，自成意境。诗中写景、抒情结合得很完美，真正是情景交融。但是，诗里出现的不只是情和景,而且还有事和人。写景、状物、叙事、绘人,各种因素综合为一个独立天地,恰好完美地表达诗人的思想和感情。在这由景、物、事、人等结合而成的"境",和诗人所要表达之"意",完美地融为浑然整体。蕴含着诗人对于国破家亡无限悲痛幽怨之情和忧国思家之意。有限之境,无穷之意,完美结合,融合无垠,这就成了意境。前人曾云"古人为诗,贵于意在言外,使人思而得之",举出的典型例证就是这首《春望》。"'山河在',明无余物矣;'草木深',明无人矣;花鸟,平时可娱之物,见之而泣,闻之而悲,则时可知矣。"(司马光《续诗话》)诗人的不尽之意,正是在这有限之境表现出来,意深藏在境中,使人思而后才能得之。

而唐代大诗人李白也善于在自己的诗篇中以虚实相生的手法创造一种独特的境界。我们仅以他的一首小诗为例,看诗人是怎样通过28个字也有虚有实、以实带虚、以虚寓实创造意境的。

李白乘舟将欲行,忽闻岸上踏歌声。桃花潭水深千尺,不及汪伦送我情。(《赠汪伦》)

这首诗是李白在天宝十四年(755)游览安徽泾县桃花潭后临别赠友之作。当诗人登舟欲行之际,"忽闻岸上踏歌声"。妙就妙在未见其人而先闻其声,以歌声代人,以虚寓实,而虚实相生。诗人轻舟待发,而送行者踏歌相送(一边唱,一边用脚顿地打拍子),"忽闻"表现出这踏歌相送对诗人来说实出意外,而就诗来说,也是绝巧的意外之笔,使诗承首句铺叙之后陡起一笔,不仅使此景、此歌、此情犹如耳目,其人物情状呼之欲出,丰富了诗境的视听(时空)感,并显出情感心曲的回流。没有以虚寓实是难以臻此妙境的。

"桃花潭水深千尺"非一般浅潭小流可比,然而,千尺之深的潭水比起汪伦那种诚挚、朴素之情来,是远远"不及"的。而汪伦所"送我情"到底有多深,诗人留下了大片空白(虚),任人情思去度量、去驰骋。汪伦情意之深,豁然于人眼目之中,让人回味良久。后二句这种触物感兴、即兴象征以丰富诗的意蕴境界之法看似平易,道的眼前景,写的意中情,然而却是非扛鼎之笔所难以道出。李白诗之不同凡响,就在于他那"妙境只在一转换间"(沈德潜《唐诗别裁》),而"不及"二字是其关键。这种托物即兴、以物象征、化抽象的情谊(虚)为具象的形象(实),将难以丈量的无形情愫借用"眼前景"加以比较度量,这一"转换"使诗别开生面,空灵有趣,余味涵包,新颖警人。

全诗仅28字,却首以"忽闻"为波折,使歌声以及送行人之姿犹如耳目之前;再以"不及"为另一波折,李白运用虚实相生的手法,使人透过形象潭水千尺去体味到诗人与歌者之间的情谊。这样使诗的画面有动有静,跳跃转换,灵动自然;情感曲线有起有伏,将诗人的若明若暗、瞬息转换的情感形象展现出来,而为人们所激赏。通过上述诗篇的分析,可以看到诗歌艺术的意境往往是与"虚实"关系紧密。唐代刘禹锡说"境生于象外"(刘禹锡《董氏武陵集记》),指出艺术意境所具有的"象"(实)与"境"(虚)的两个不同层次。通过"象"这一直接呈现在欣赏者面前的外部形象去传达"境"这一象外之旨,从而充分调动欣赏者的想象力,由实入虚、由虚悟实,从而形成一个具有意中之境、"飞动之趣"的艺术空间。

二、意与境浑的情性美

意境者,意与境的结合也。"文学之事,其内足以摅己,而外足以感人者,意与境二者而已。上焉者意与境浑,其次或以境胜,或以意胜。苟缺其一,不足以言文学。"王国维的这番话,言之成理,持之有故。意与境的结合方式,可以是意与境浑,但也可以是以境胜,或者以意胜。不论哪一结合方式,都能构成意境。不过,意与境的结合,必须达到完整统一、和谐融洽,自成一个独立自在的意象境界。这个意象境界是现实生活的反映,然而却并非是实在世界本身。正是在这意象境界里,蕴含着无穷之味、不尽之意,可以使人思而得之,玩味无穷。请看孟浩然的《春晓》:

春眠不觉晓,处处闻啼鸟。夜来风雨声,花落知多少?

诗人因春眠而失晓,一觉醒来,不知不觉天已破晓,只听得外边到处是叽叽喳喳的鸟叫声。诗人由不觉而觉,不由得想到,昨夜一场风雨,花朵不知吹落了多少?诗人的心境,又从似觉而到不觉,任其所至。全诗形象单纯,一看就懂。然而,诗意无穷,不尽之意至今还很难为人用语言、概念来说完道尽,以至前不久还曾发生公开的争议:它抒发的,是惜春伤时惋惜花落春短之情,还是赞美春景,欣赏大地春晓的美景?它表现的,究竟是恬静、闲适,还是哀愁怨惜的情趣?由于欣赏者的审美体验、审美趣味的不同,从中得到的享受也就各异。所以对同一事物,在不同的欣赏者那里,会产生不同的反应。但是,事物本身具有美的特性,并不因欣赏者而转移。《春晓》一诗创造了美妙的意境,它既有对春晓美景的赞美,又有对花残春短的惋惜。对美景的肯定和对美景被摧残的惋惜,在诗人的审美感受中是一致的,并不冲突。而且,这种复杂而微妙的审美感受,被诗人巧妙而完美地编织进诗的意境里,使人读了玩味无穷。正是因为《春晓》创造了深远的意境,所以才广为传诵,脍炙人口,至今还有艺术魅力。

在意与境的结合中,"境"是可以多种多样的。可以写景,可以叙事,可以状物,可以绘人,也可以多种因素综合,都能创造出意境。

千里莺啼绿映红,水村山郭酒旗风。南朝四百八十寺,多少楼台烟雨中。(杜牧《江南春》)

这是写景以抒情,寓情于景。诗句中没有直接抒情,全是写景,但在直接写景中,间接表情。

蜀国曾闻子规鸟,宣城还见杜鹃花。一叫一回肠一断,三春三月忆三巴。(李白《宣城见杜鹃花》)

这是咏物以抒情。诗中直接写了物,又从咏物引向抒情,达到物情交融。

打起黄莺儿,莫教枝上啼,啼时惊妾梦,不得到辽西。(金昌绪《春怨》)

这是绘人以托情,通过对人的外在动作的描绘,表达出人的内心感情。

> 公无渡河，公竟渡河。坠河公死，当奈公何！（古乐府《箜篌行》）

这首传说是汉代朝鲜白首狂夫之妻所作的古诗，完全是用"公"悲剧动作的叙述来抒发她自己的悲悼之情。狂夫不能渡河而竟自渡河，终至坠河而死，酿成悲剧。这个悲剧性事件，被叙述在诗中，诗人通过叙事而直抒胸臆，叙事和抒情完美结合，构成意境。

从这些实例看来，就是诗的意境，也不仅只有抒情因素，其他因素，如戏剧的、叙事的因素也能融化进来。只是这些戏剧的、叙事的因素，在诗的意境中都被抒情化了。

意与境的结合，"意"中必含有情，情是意境的基本要素，无情不能成意境。有些诗词，独抒性灵，专作情语，所成意境，堪称"情"境。沈雄《柳塘词话》云：

> 尽人谓言情不如言景，然赵秋官妻所作《武林春》则云："人道有梦怎教成？"纯乎情矣。

这首纯乎抒情的词，看似有情无境，实际上还是描绘了苦恋情深的具体情状："夜夜思量直到明。"从夜到明，辗转反侧，连梦境也无从进入。这种内心感情的外在动作，不正是宛然在目、清晰可见吗？外在动作和内在感情的完美结合，融洽和谐，构成了此词的意境。这类直抒胸臆、专作情语而成意境的诗词，王国维《人间词话》曾列举出不少，而且对此作了理论上的解释：

> 境非独谓景物也。喜怒哀乐，亦人心中之一境界。故能写真景物、真感情者，谓之有境界。否则谓之无境界。

只要写出了真感情，就可以称之为有境界。这里所谓的"真感情"，乃是说真挚的或真诚的感情，是诗人真实具有的，而非矫饰的、虚伪的。

"意"必有情，而又不限于情。意境中的"情"是以"理"为基础并受"理"的控制，感情和思想联系着，这是情思。有些诗词，还发议论,带有说理。清人沈德潜曾列举许多实例,《大雅》、《小雅》几乎无处不有议论,杜甫的古体诗《自京赴奉先县咏怀五百字》《北征》《八哀》诸作,近体诗中《咏怀》《诸葛》诸作,都带议论。这种带有说理、夹有议论之诗,也可以创造意境,只是情理必须结合,抒情和说理融化在形象中。沈德潜《说诗晬语》讲得好:

> 人谓诗主性情,不主议论,似也而亦不尽然。……但议论须带情韵以行,勿近伧父面目耳。

正是因为说理和抒情结合得好,自然地融化在形象中,所以像《蜀相》这样的诗,也能造出意境:

> 丞相祠堂何处寻,锦官城外柏森森。映阶碧草自春色,隔叶黄鹂空好音。三顾频烦天下计,两朝开济老臣心。出师未捷身先死,长使英雄泪满襟。

情理在形象中的完美结合,不尽之意蕴含在整个意境中,景物灿然,幽情远思,所以能感动后人。宋宗泽在临死前,还在诵念这诗的结尾两句。

以理入诗,是宋诗的一大特点。许多诗,以理语代诗,不足取,但也有虽说理而创造了意境的诗,至今还为人传诵。如苏轼《题西林壁》:

> 横看成岭侧成峰,远近高低各不同。不识庐山真面目,只缘身在此山中。

这是说理的诗,但全诗构成深远的意境,理与情融,化在意境之中。朱熹的"半亩方塘一鉴开,天光云影共徘徊。问渠哪得清如许,为有源头活水来"(《观书有感》),陆游的"山重水复疑无路,柳暗花明又一村"(《游山西村》),都在意境中蕴含理趣。

既然艺术的意境是由意和境结合而成,那么,它是艺术反映现实的一种独特形式。人们渐渐习惯于把意境称作主客观的统一。如果以此来解释意境是对现实的独特反映,也未尝不可。但是,目前有许多论著是这样来说意境的:"境"是物,即客观,"意"是心,即主观;意与境结合,就是心和物的结合,亦即主客观的统一。这种解释,恐非马克思主义的反映论,不足对意境作科学说明。意境中的"意",无疑是诗人心中思想感情的表现,属于"心"的领域。但是,这心中的思想感情却是现实的生活关系的反映,是客观生活在诗人心中引起的主观反应。所以,意境中之"意",本身已是主客观的统一,并非只是主观。至于意境中之"境",根本不是"物",不是客观生活本身,而是"物"在"心"中的反映,是客观生活在诗人头脑中产生的主观映象,意境之境,乃心中之境,也属"心"的领域,也是主客观的统一。在意境中出现的人、事、物、景,虽和现实中客观存在的真实现象一样,但并不因此而可以把它看作生活本身。因此,艺术的意境,乃是"心"中之"意"和"心"中之"境"的结合,并非"物"和"心"的结合。只是,由"心"中之"意"和"心"中之"境"结合而成的意境,乃是客观生活的主观反映,所以称之为主客观的统一。

艺术的意境,可以是客观生活的主观再现,也可以是客观生活的主观创造,甚至是幻想的创造。所以,意境是"人心营构之象"(章学诚语)。古人早就懂得这个道理。

> 世谓王右丞画雪中芭蕉,其诗亦然。如"九江枫树几回青,一片扬州五湖白。"下连用兰陵镇、富贵郭、石头城诸地名,皆寥远不相属。大抵古人诗画,只取兴会神到,若刻舟缘木求之,失其旨矣。(王士禛《池北偶谈》)

王维把根本不能在雪中生存的芭蕉画在雪中,这是诗人的创造性的想象,用以表现诗人的思想感情。王维的诗,把生活中不相连属的景、物、事、人凝结起来,构成意境,也是创造性想象的产物。陶渊明诗中所造的桃花源,看来很像现实生活,其实是诗人虚构的理想境界。

艺术所造的意境,甚至可以是与现实生活相去甚远的幻想境界。"女娲只解补青天,不解煎胶粘日月。"(司空图语)诗人嫌岁月匆匆,怨日月匆逝,责怪女娲只知补天,不懂煎胶,好把月亮、太阳粘住,不让流逝。在实际生活中，既无女娲补青天，更无法煎胶粘日月，但诗人的自由幻想，造成了一种独特的幻想境界，以表达诗人的理想。"羲和敲日玻璃声，劫灰飞尽古今平"（李贺），心造的也是幻想境界。这种幻想境界，是对现实生活的曲折反映，并非实际事物的直接再现。

三、深邃悠远的韵味美

艺术的意境，是"心"中之意和"心"中之境的独特形态的结合，在意与境的和谐统一中，产生了一种新的"东西"，我国古典美学称之为"韵味"。

什么叫"韵味"呢？这却是个自古至今未曾说清的复杂而微妙的问题。

> 故人西辞黄鹤楼，烟花三月下扬州。孤帆远影碧空尽，惟见长江天际流。（李白《黄鹤楼送孟浩然之广陵》）

李白送友人孟浩然乘船去扬州，那孤帆的远影已经在水天相接的地方消失不见了，只剩下长江在天边滚滚地流。这里由烟花、天际、孤帆、碧空、江流等意象构成直接境象，虽未直接叙述李白和孟浩然是如何告别的，也未直接抒发二人的友情有多深。然而，这些直接境象，却引发、导向比直接境象更为广阔、丰富的间接意象，使人不仅仿佛看到了送别的场面，而且深切感受到离别之情是如何深沉。正是这种直接境象以及由它所引发出来的间接意象的结合，构成了这诗的意境，并在这意境里，产生出来一种"韵味"。别离是痛苦的，使人难过，因别离而生的一股淡淡的哀愁之情，在诗中自然流露出来。然而，玩味这别离的哀愁，却又引发出一种超越于哀愁之外的心情，叫人欣感愉悦。这种叫人欣感愉悦的情趣，使诗产生了"韵味"。

诗要有韵味，而韵味产生于意境。"韵"，本来说的是声有余音，运用于艺术，说的是有余意。诗味就蕴含在这"余于象"的"意"中，而不在直接意象中。所以，韵味存在于直接意象和间接意象的和谐统一中。诗要有韵味，必须"言有尽而意无穷"。直接意象却要使人思而得之。古人早知道诗的这种奥秘："作诗之妙，全在意境融彻，除音声

之外,乃得真味。"(朱承爵《存余堂诗话》)

诗中的味是和诗人的趣密切联系的。诗人在生活中对某种现象有所感,如果这种感受正与诗人心中早已蕴藏着的审美趣味以至审美理想相合,于是就产生了一种带有欢欣愉悦的独特的感情状态。

> 结庐在人境,而无车马喧。问君何能尔?心远地自偏。采菊东篱下,悠然见南山。山气日夕佳,飞鸟相与还。此中有真意,欲辨已忘言。

这是陶渊明的名诗《饮酒》中最好的一首。诗人在东篱下采菊,当看到南山云气、日夕归鸟的一刹那间,因为所见、所感,正和诗人自己的趣味、理想相合,所以触发了诗人内心深处的感情,于是诗人就将自己的审美趣味、审美理想渗透进去,贯注其中。这种把诗人的审美趣味、审美理想引入并渗透进去的审美体验,正是诗人自己说不出也说不清、"欲辨已忘言"的"真意"。诗人要把自己的这种美感体验表现出来,就创造出了这首诗的意境。陶渊明在这首诗中想写的,既非纯是南山物景,又非山下"人境",而是一种与自然和谐一致的理想境界。这里呈现出来的,虽然也有山景之美,但主要是在抒发诗人由此触发出来的美感体验,所谓"超然物表,遇境成趣"是也。前人评此诗云:"渊明不为诗,写其胸中之妙尔。"(陈师道《后山诗话》)这胸中之妙,也就是诗人的"真意"。

为了想把"只可意会,不可言传"的诗味说清楚,古人曾作过各种比喻,恐怕要数司空图的比喻最为贴切、精当了:

> 古今之喻多矣,而愚以为辨于味而后可以言诗也。江岭之南,凡足资于适口者,若醯,非不酸也,止于酸而已;若鹾,非不咸也,止于咸而已。华之人以充饥而遽辍者,知其咸酸之外,醇美者有所乏耳。(司空图《与李生论诗书》)

醋之味酸,盐之味咸。这酸、咸之味,是从醋、盐两物中直接感觉到的,是物的客观属性引起人的直接反应。酸、咸之味,可以供人物质享受,但非审美享受,因为其中缺乏"醇美"。醇美之味,乃在咸酸之外，司空图称之为"味外之味"，我们今天把它称为审美趣味。

这种"味外之味"说，运用于艺术文学，就出现了"象外之象"、"景外之景"、"言外之意"、"弦外之音"、"味外之旨"、"韵外之致"种种说法。其实，这说的都是艺术的直接意象以外的间接意象，在间接意象和直接意象的统一中蕴含的"意"、"味"，前人曾以画为例来解释司空图所说的这种现象。

> 人画山水亭屋，未画山水主人，然知亭屋中必有主人也，是谓超以象外，得其环中。（孙联奎《诗品臆说》）

在画面上出现的山水亭屋，是直接意象，未在画面出现而思而得之的主人，是间接意象。正是在这间接意象和直接意象的统一中，才能捕捉住画意。王国维说："'红杏枝头春意闹'，著一'闹'字而境界全出；'云破月来花弄影'，著一'弄'字而境界全出矣。""红杏枝头春意闹"（宋祁《玉楼春》）是写春景，"云破月来花弄影"（张先《天仙子》）是写夜景，为什么"闹"字、"弄"字能使境界全出？一个"闹"字，把红杏枝头的状态、颜色和它的运动、声音联结了起来，把视觉意象和听觉意象、动觉意象连通了，构成一幅完整而独立的春景。不仅如此，一个"闹"字，把诗人的感情也表现出来了，红杏枝头也有人意，在那里争闹。这样，一个"闹"字，使诗的直接意象引发、导向间接意象，融洽和谐，构成意境。"云破月来花弄影"，也是运用类似的方法来构成意境的。在古典诗词中，常用通感、联觉、联想、移情、拟人、物化等手法来创造意境，使直接意象扩大、延伸、增殖、引发，导向间接意象。

在艺术意境中统一起来的直接意象和间接意象，互通有无，虚实相生，从而使"象外之意"产生了一种既不同于直接意象，又不同于间接意象的新质。直接意象也有"意"，但这只是严羽所说的"第二义"，未有深意。直接意象延伸、增殖、扩大而生间接意象，在两者的统一中产生新质的"意"，就是严羽所说的"第一义"。诗只落第二义，终非上乘，要有第一义，方为上品。但是，这第一义又离不开第二义。直接意象是基础、基体，没有它，皮之不存，毛将焉附？诗要创造出意境，还是要着力于用形象的语言呈现直接意象。"然必神游象外，方能意到环中"（王绂《书画传习录》），诗人心中要有深意，并且化在艺术形象中，这就要使直接意象延伸、扩大、增殖，就需要直接意象和间接意象相结合，互通有无，虚实相生。自然主义的艺术，只重那直接意象，只落"第二义"，只执一端。象征主义的艺术，着重间接意象，追求"第一义"，但忽略直接意象，使人难以捉摸。"神韵"派的诗，想捕捉"第一义"，但在实践中却不懂得如何通过直接意象来引发间接意象，艺术形象缺乏生动、鲜明的确定性，流于空泛，不知所云。这就像鲁迅讽刺宋以来盛行的一些写意画那样，"两点是眼，不知是长是圆，一画是鸟，不知是鹰是燕，竟尚高简，变成空虚"（鲁迅《记苏联版画展览会》）。因此，我赞同宗白华先生的看法："诗的意境就是诗人的心灵，与自然的神秘互相接触映射时造成的直觉灵感，这种直觉灵感是一切高等艺术产生的源泉。"①

第四节　艺术意境的品类

艺术意境，品格多样，形态不一，难以尽言。大体上说，可以有优美之境、壮美之境、悲境、喜境等。诗人风格的不同，可以造成不同风格的意境。"骏马朔风漠北"和"杏花春雨江南"，就是不同风格的意境，一壮美，一优美。苏轼的"大江东去"（《赤壁怀古》）和柳永的"寒蝉凄切"（《雨霖铃》），一豪放，一婉约。辛弃疾的"万事纷纷一笑中"（《鹧鸪天》）和李清照的"凄凄惨惨戚戚"（《声声慢》）风格迥异。而杜甫诗歌也因一种悲壮崇高的意境品格而独步诗坛，雄视百代，具有很高的审美价值。

悲剧是崇高美的重要表现形式之一。我们认为，作为美学意义上的悲剧给人的美学效果，绝不应该是悲惨、悲哀，而应该是悲愤、悲壮。杜甫诗歌就较完美地体现了这种悲愤、悲壮之美。这样的诗篇，往往具有不可低估的社会价值。如三吏、三别、《醉时歌》《自京赴奉

---

①宗白华：《艺境》，北京大学出版社，北京，1987年。

先县咏怀五百字》《北征》《哀江头》《同谷七歌》《负薪行》《岁晏行》等大家熟悉的名篇,多以时代悲剧的题材入诗,塑造了悲惨命运的形象:饥饿倒毙的稚子、抛泪话别的征人、应役弃家的老妇、残年从军的老翁,以及抒情主人公自己那哭泣泪血的形象。于是写出了把"美好的东西毁灭给人看"的悲剧。他的不少作品描绘了广阔复杂的社会生活画面,直接地表现某一事件、某一过程。

杜甫晚年在夔州精心结撰的七律《登高》,悲而不伤,超拔沉郁:

风急天高猿啸哀,渚清沙白鸟飞回。
无边落木萧萧下,不尽长江滚滚来。
万里悲秋常作客,百年多病独登台。
艰难苦恨繁霜鬓,潦倒新停浊酒杯。

诗人登山临水,秋风飒飒,猿啼叶枯,不由悲从中来。三、四句宏壮之景映衬襟怀的空阔,参悟到人世生生不已,宇宙运行无穷,对未来具有无限的希望。正是在这一点上,作为美学范畴的崇高和伦理学上的崇高统一起来。就在这声和色跳荡起伏的秋的节奏中,白发多病的诗人沉重而迟缓地登上高台,构成了一开阔、悲怆而又壮观的画面,使人直视到诗人一生的曲折艰难的经历,同时也看到诗人创作实践的严峻过程。客观现实无疑是铸成诗人这种审美观念的无言宗师。诗人的情怀从乡思绵绵、个人伤感中超脱出来,而进入壮志难酬、老骥伏枥的悲慨境域。全诗把个人的身世同国家命运联系起来,而具有一种无与伦比的美的意境,拨动了千百年来人们的心,被人称之为"古今七律第一"。(胡应麟《诗薮》)

以悲壮美为主要特色的杜诗,也不乏壮美、优美之作。其早期的诗,如《望岳》的"造化钟神秀,阴阳割昏晓","会当凌绝顶,一览众山小",表现了诗人青年时代抱负非凡的襟怀。再如《观公孙大娘弟子舞剑器行》:"观者如山色沮丧,天地为之久低昂。㸌如羿射九日落,矫如群帝骖龙翔。来如雷霆收震怒,罢如江海凝清光。"诗的意境是一种清雄奔放的阳刚之美,一种飞动的美。而其晚期(避难成都时期)的诗歌意境又明显地表现为一种轻松明快的阴柔之美,一种优美的意境。如"风含翠篠娟娟净,雨裛红蕖冉冉香"(《狂夫》),"仰蜂黏落絮,行蚁上枯梨"(《独酌》),"芹泥随燕嘴,花蕊上蜂须"(《徐步》),诗中的一花一鸟,都负荷着诗人赤子般的爱心。但是,我们也必须看到,杜诗意境中的阴柔之美的出现,时间是短暂的。"花近高楼伤客心"(《登楼》),诗人到底是在干戈遍野中度过天涯沦落的日子,"永夜角声悲自语……关塞萧条行路难"(《宿府》),悲壮的情怀仍然笼罩在诗人心头。诗人生命之烛已经见跋,但诗歌意境仍是激昂凄切、悲歌慷慨的。可以说,诗人在生活、创作、评论、鉴赏诸方面,都将悲与壮的意境的追求,作为自己的审美活动贯注一生。比起王、孟、高、岑等人,这是难能可贵的。悲壮崇高之美,是杜甫全部诗歌创作的主要特色,其他壮美和优美的特色都包孕在其中。

而被人们称为"诗仙"的李白,具有一种与杜甫迥然相异的审美风貌。他独能以凌迈卓绝的天才,豪放飘逸的胸怀,乘了庄子想象的大鹏,"燀赫乎宇宙,凭陵乎昆仑",挥斥八极,而与飞鸿共翱翔,正如司空图所说,"吞吐大荒……真力弥满,万象在傍"。透过他的"揽之不盈掬"的"回簿万古心",他从"海风吹不断,山月照还空"的飘忽喧腾的庐山瀑布认出造化的壮观,从"众鸟皆飞尽,孤云独去闲,相看两不厌"的敬亭山默识宇宙的幽寂亲密的面庞。他的诗中,常常展示出一个旷邈、深宏,而又单纯、亲切而华严的宇宙,犹如一勺水反映出整个星空的天光云影。

但是,一代诗仙李白的诗也并非一味豪放、超然。他的诗的意境也具有多种品质,显出不同的意境风貌。如他的《静夜思》就以清丽缠绵的优美意境取胜,我们可以稍稍多花点笔墨来细加分析和玩味:"床前明月光,疑是地上霜。举头望明月,低头思故乡。"诗人从透过窗棂的如水月光落笔。"床前明月光",清泠泠的月华穿窗度户,轻轻地洒落地上。诗人也许短梦初回,也许久难成眠。这时,他被这一片如水月色所触动。"疑是"二字,把映入诗人眼帘的月华洒地的晶亮、轻柔,以及诗人心灵深处瞬间恍惚迷离的审美心态传神地描绘出来。诗人由疑而兴发感动,又由兴发而释疑,原不是一地泠泠秋霜,而是一轮娟娟素月,挂在清空,辉满苍穹。

清秋月魂，引起过多少游子思乡心曲。《乐府诗集·子夜吴歌》说："夜长不得眠，明月何灼灼，想闻散唤声，虚应空中诺。"月成了情人们口儿相呼、心儿相契的中介。白居易所感慨的"共看明月应垂泪，一夜乡心五处同"（《望月有感》），道出对月怀乡、望月思人这一人类千古艺术情感的母题。李白抬头望月，透过一轮素魂，由观月到感月，由感月到感悟，他仰承月华的头缓缓地低了下去，最后整个身心沉浸在"思故乡"的情愫之中。诗人的心灵波动、情感起伏的一切秘密都在这一举头一低头中传达了出来，这仰头与低头之间，包容着诗人极深的辛酸和思绪。

　　我们应该看到，诗人在其举头凝望和低头沉思的刹那之间，沉浸于乡情然而又超越了思乡，而进入一个更为广阔深邃的世界，那就是对宇宙时空永恒和人生短暂的深切体验。当诗人面对皓月苍穹之时，他极目四望，神思徜徉，月华澄照的宇宙的空阔使诗人顿时感到自我存在的孤独。月光所及的宇宙，是广漠无边、难以穷尽的。而月华如水，正如逝水流年让人感到"古人今人皆流水"，只有这"江月年年只相似"。宇宙、月华的无限和永恒，瞬间触及诗人敏感的心灵，使自己顿时沉浸于乡情悠悠以及瞬间与永恒的沉思之中。由月光引发起兴的心绪澎湃震荡，最后在月华的轻抚下，将胸中所感、所思、所触、所困扰的一切人生体验，都化为具有无穷包容性的无言，使这首诗具有一种超越自身内容的历史具体性，而成为人类心灵各个层面（或对月怀人的人生母题，或对月顿悟永恒与瞬间的人类共感）的象征。

　　构成这首诗的如此美妙的意境与其诗结构关系极大，我们可以看到，《静夜思》的结构是一种链形结构。诗人由梦回初醒而见地上皎洁月华，由疑是秋霜而醒悟是穿窗月光，由无意见月，到有心望月，由抬头望苍穹皓月，而低首——思故乡，一环紧扣一环，最后超越了"月色怀人图"的直接性而进入境外之境：在对月怀人的核心中，透出对宇宙时空永恒和人生如旅短暂易逝的深切体验。沈德潜有所会心，他评这首诗说："旅中情思，虽说明不说尽。"这"不说尽"中包孕了诗人怀乡思人之情思，当然也包孕了诗人对历史和人生的反思，诗人在这"不说尽"中，就把他的全部审美体验传达给我们，以至于我们在进行二度审美体验时与诗人共同创造了一种无比清丽的审美境界。

至于优美诗境词境，在中国古典诗词曲中举不胜举。下面以窥秦观《浣溪沙》而见优美境界之一斑：

漠漠轻寒上小楼，晓阴无赖似穷秋。淡烟流水画屏幽。自在飞花轻似梦，无边丝雨细如愁。宝帘闲挂小银钩。

整首词写得轻灵剔透，含蓄蕴藉，六句都在写景，然而人的感情是通过景物形象的描绘渗透出来的，清丽无比。虽是早春清景，给人的感受却是一阵广漠的轻寒，充塞了整个宇宙空间。"漠漠"二字写得轻寒浓重，实际上却表现人对轻寒的感觉，使楼上之人倍添孤寂。落笔处虽点明在清晨，却轻轻换形移情，推出浓云密布之色，在这种气候下的人的感受，只能感到无聊而产生恼恨，用"无赖"来形容天气，加重了感情色彩。床头的画屏，画着"淡烟流水"，环境的幽静寂寞，增加了愁寂的气氛。接着词人进一步突出"花轻似梦"、"雨细如丝"的境界。窗外飞花袅袅，飘忽不定，迷离惝恍；细雨如丝，迷迷蒙蒙，迷漫无际。这两句的景象更能唤起读者丰富的想象。迷离中飞花进入梦中，还是梦中幻化成片片飞花，似乎亦虚亦实。梦、愁本是抽象的事物，难以捉摸，诗歌中一般常以具体比拟抽象，而此词却反其一般规律，以具体的"飞花"、"丝雨"反比，实际上正表现了他那"梦似飞花"、"愁如丝雨"的感情。一种漠漠的愁思，淡远寂寞的春梦，不正是主人公在此氛围境况中的感情吗？神韵俱在，何等细腻，又是何等情意真挚！最后一句以室中宝帘景物作结，进一步唤醒全篇，使帘外的种种愁境，帘内的愁人，更为分明了。词中不言春愁闺怨，而春愁闺怨自现了。景中有情，情融化渗透在景物描写之中浑然天成，塑造了一个轻悠空灵的艺术境界，犹如一哨清亮的绿笛，唤醒一个不能达到边缘的回忆。这可以称作优美之境，清丽、澄澈而又略含清寂的幽境之美。

而宋人张于湖《念奴娇·过洞庭》较之秦观的清丽来又别有一番意境。

洞庭青草,近中秋,更无一点风色。玉鉴琼田三万顷,著我扁舟一叶。素月分辉,明河共影,表里俱澄澈。悠悠心会,妙处难与君说。

应念岭表经年,孤光自照,肝胆皆冰雪。短发萧骚襟袖冷,稳泛沧溟空阔。尽挹西江,细斟北斗,万象为宾客。叩舷独啸,不知今夕何夕!

这里,万尘息吹,一直孤露,以独有空间("尽挹西江,细斟北斗,万象为宾客"——对空间之维的超越)、时间("叩舷独啸,不知今夕何夕"——对时间之维的超越)意识扩大了词境,使全词意境高超莹洁而具有壮阔幽深的宇宙意识和生命意蕴,很好地传达了中国诗人心灵的宇宙情调,呈现出一片华严境界。

诗词的意境,可以意与境浑,也可以以境胜,也可以意胜,都能使意境深远。意境可隐可显,不限一端。刘勰说:"隐以复意为工,秀以卓绝为巧。"隐就是含蓄,"意"不要直说。"言之秀矣,万虑一交。动心惊耳,逸响笙匏。"(刘勰《文心雕龙》)这是直抒胸臆,慷慨陈词。王国维说诗词有"专作情语而绝妙者"。如牛峤的《菩萨蛮》之"甘作一生拚,尽君今日欢",造出了情人欢娱愁夜短的艺术境界。其实,陈子昂的《登幽州台歌》、古乐府《华山畿》等,也是专作情语而创造了意境的好诗。这样的诗,直抒胸臆,一泻无遗,心"意"好像全倾吐出来了;但这些情语带有抒情主人公的独特个性,从这个性化了的情语中,可以引发抒情主人公的意象,使人感到意味无穷。所谓"至真之情,由性灵肺腑中流出,不妨说尽而愈无尽"(况周颐《蕙风词话》),好像已说尽的情语,又引出无尽之意,构成意境。

诗词的意境,必须表现真情实感。但是,由于诗人的审美趣味和审美理想有高下、优劣之分,于是造成不同的意境。同是《忆江南》,情趣不同,意境亦异:

兰烬落。屏上暗红蕉。闲梦江南梅熟日,夜船吹笛雨潇潇。人语驿边桥。(皇甫松《梦江南》)

深夜里，蓝色灯烬已经落下，屏风上，鲜艳的美人蕉也已幽暗。悠闲无事蒙眬入睡，梦见江南梅子成熟的时光，"夜船吹笛雨潇潇。人语驿边桥"。诗人没有说一句忆江南的话，然而就在那夜雨闲游的境象中，寄寓着诗人怀念故乡的情思，情景交融构成独特的意境，但这意境显得狭小，流露出富家子弟的情趣。

　　江南好，风景旧曾谙。日出江花红胜火，春来江水绿如蓝。能不忆江南？

　　白居易这一首词，虽然前人曾因结尾"能不忆江南"之句，嫌辞太直，说它失韵味，但我还是说，诗人因想到的是"日出江花红胜火，春来江水绿如蓝"，景较开阔，有天然气息，趣味不像上一首窄小。

　　颓废、消极、没落的情趣，造成诗的意境的低下，如古诗十九首中的一些诗：

　　昔为倡家女，今为荡子妇。荡子行不归，空床难独守。
　　何不策高足，先据高路津。无为守贫贱，轗轲长苦辛。

　　王国维说，这些诗句，"可谓淫鄙之尤。然无视为淫词、鄙词者，以其真也。五代北宋之大词人亦然"。这些诗表现的是诗人的真感情，但趣味低劣，意境低下。

　　高尚、积极、健康的审美趣味和审美理想，则使诗的意境高尚：

　　死去元知万事空，但悲不见九州同。王师北定中原日，家祭无忘告乃翁。

　　这首《示儿》是陆游临死前所作的遗嘱。在离开人世之前，诗人想的不是教儿子如何守财、争权，也不是要儿子及时行乐，而是要儿子关切祖国的命运。在诗里，说理和抒情相结合，构成意境，感慨万千，余意未尽，十分感人。更重要的是，在诗里表现了诗人高尚的审美趣味和崇高的审美理想，所以流传千古。

　　正因为艺术意境中所表现的"意"，具有不同的社会性质（这决定于诗人的审美趣味、审美理想）。所以，它并不是衡量艺术的思想标准,而只是衡量艺术工拙的艺术标准。艺术意境,可能是典型形象,也可能不是典型形象,因此,艺术意境,是比艺术形象更高的、深一层的范畴,但不是艺术的最高范畴。艺术需要意境,但需要的是具有人生感悟意味的意境。

第五节　艺术意境与人生感悟

对意境的研究是文艺美学的重要任务,是文艺本体的奥秘所在。通过对作品本体的研究去把握意境的诗本体性质,并将意境作为联系创作者与欣赏者的中介。中国诗人创造了意境,意境也塑造一代代中国诗心、文心和人格襟抱。

保罗·瓦雷里(Paul Valéry)曾说:有的作品是被读者创造的,另一种却创造了它的读者。真正的文艺欣赏,绝非肤浅地寻绎出作品的主题思想(所谓主题只不过是作品之一维),而是要深深地为作品通体光辉和总体的意境氛围感动与陶冶,甚至更进而为对作者匠心的参化与了悟——在一片恬然澄明之中,作者与读者的灵魂在宇宙生生不息的律动中对话,在一片灵境中达至心灵间的默契。艺术的幽妙处全在于一片玉洁冰清、宇宙般幽深的意境,而意境之胜则在于说不出所以然的弦外之音,在于将自身融入意境的宇宙意识和生命情调之中。于此,诗、艺术与哲学合而为一,在光明鲜洁、晶莹朗澄的意象灵境中,深得本体论的诗的精华。可以说,只有虚灵的襟抱心怀,才能表里澄澈、一片空明,建构最高的晶莹的审美境界。在意境的创造中,人的这种精神上的真自由、真解放,才能使我们的灵肉摆脱世俗的束缚,接受宇宙和人生的全景,了解它的意义,体会它的深沉的境地。

具有意境的作品必定具有一种超越原作者的意旨和情愫的弹性与昭示的张力场,使人于其间迂回尽致地回味、探寻和顿悟。读王维那诗中有画的诗,如果不去诗中寻画,而是透过词面、画面而跨入禅机,就豁然通达一种微妙隽永的诗中禅境(诗的本体论),从而感到境与神会,真气扑人。真正饱蕴意境的佳作,能给欣赏者以双重感应:形骸俱释的陶醉和一念常惺的彻悟。一切伟大的诗都是直接诉诸我们的整体：灵与肉、心灵与官能。它不独要使我们得到美感的悦乐，而且要指引我们去参悟宇宙和人生的奥义。而所谓参悟，又不独间接解释给我们的理智而已，而且要直接诉诸我们的感觉和想象，使我们全人格都受它感化与陶冶。

值得注意的是，在"意境"的研究过程中，我们不赞同将中国文艺美学的意境范畴等同于西方文学理论的"典型"或者"艺术形象"，但完全可以对两者进行同与异、心态与观点的多角度比较，使文艺美学进而上升到比较诗学、比较美学的高度。我们认为，"意境"与"典型"，一个是从偏重于表现的中国艺术传统中总结出来的理论，一个是在偏重于再现的西方文学传统中建立起来的理论。由于艺术的表现与再现并不能截然分开，所以两者之间定有某种共通的东西。但是我们更应该通过细致的比较，从不同的历史背景和文化传统来认识它们各自的特点。这种特点是由不同的心理素质和审美经验凝聚而成的。比较研究的结果，不仅可以尽快地建立起我们有自己特色的美学理论，而且也会更深地把握中国艺术精神，探寻到中国独特的诗心、文心，从而丰富世界艺术宝库和美学理论。

意境，在中国艺术文化中是一个属于诗本体的核心范畴，它的这一特点，使得人们在研究中往往因其宽泛性、广博性和包容特点而与其他相关范畴，如意象、神韵、兴趣、性灵、韵味等同起来，甚至以意境代替其他范畴，这种意境就成了无所不在、无所不包的东西，其自身的质的规定性（本体）被遮蔽，意境也就消解了。这种因意境的宽泛性而消解本体性的做法实不可取。另一方面，有的人又将意境范畴界定得比较狭窄，认为意境只不过是"意"与"境"相加，不过是虚实相生，或者认为意境不等于境界，意境只是境界之一，而境界除了意境以外还有"物境"、"情境"等。这就显得过分拘泥了，而且使意境的根本特色受到削弱。其实，应该从中国艺术文化的总体系统中来把握意境，揭示其特质。意境从总体上说是"有形发未形，无形君有形"（王夫之《古诗评选》卷二）的，是虚与实的统一、显与隐的统一、有限与无限的统一、瞬间与永恒的统一，而意境与意象、神韵、兴趣、性灵、韵味、物境等范畴是相互联系、相互作用、相互制约，但却不能相互代替。

当代文艺美学在审视世界艺术潮流发展动向中,注意到这样一个事实,西方现代派的艺术家将目光投向了古代东方艺术,尤其是中国的表现性、抽象性艺术。他们自古希腊以来的"空间信赖感"而产生的团块、立体的模仿艺术,已经开始走向"空间恐惧"的线条化、二维平面上的表现艺术,西方现代艺术的出现无疑有其历史和现实的客观可能性和现实性。如果从其注重主观内心思想感情的表现,不讲究形似而追求传神,甚至以其变形和对现实的抽象化看,西方现代艺术与中国传统艺术有其明显的相近、相似之处。更多的当代艺术家将笔触转向了人的内心世界乃至无意识领域,抒情性、哲思性、表现性加强了,有不少作品不像过去那样注重完整的故事情节、形象和典型性,而只是渲染出一种意绪、一种氛围、一种情调,更注意一种情景交融的抒情线条勾勒,一种内部世界与外部世界相生、相交、相浃、相谐的律动的境界。这用西方的"典型形象"理论来看就感到十分困惑,而用中国丰富的意境理论来看,则完全可以理解。这就是为什么"追西方文化精神不可不知建筑,悉中国艺术则不可不究书法"的道理所在。因为其中蕴含了艺术发展的某些规律。

可以说,艺术的发展显示出这样一种趋向,越到现代、当代,越注意心灵,注意抒情性,注重意境。因为人的生命意绪、人的精神情态从根本上是律动的、抒情的,充满勃勃生气的生命节律,因而也是充盈着氤氲的意境的。在这种情形下,加强对"意境"这一诗本体的审美范畴的研究,无疑具有极为重要的意义。

第九章　艺术形态：艺术形态学脉动及其审美特性

在前面几章，我们将艺术作为一个整体加以探讨，力图在艺术审美体验、艺术形象和意境的审美特征以及艺术美构成等方面去寻绎出艺术的共同规律。然而，事实上，艺术现象本身纷繁多样，具体的艺术作品总是属于一定的艺术种类。而整个艺术系统详细划分又可分为不同的类型、门类、品种、体裁和样式，它们都有各个不同的特殊规律。因此，对艺术世界的内部结构的研究，即对艺术形态学的研究关系到整个文艺美学建立，应该引起足够的重视。

第一节　对艺术形态分类的自觉

人类艺术的发展，是有某种"形态学脉动"（卡冈语）的，因此社会审美心理结构和审美体验的嬗变，不仅引起对艺术掌握世界的新方式的需求，而且使过去很显赫的某些艺术形式、品种、种类和体裁失去了社会价值。在这个意义上说，艺术世界的界限既在拓展又在缩小。

对各类艺术加以分类，精确把握艺术世界的内部结构，掌握各门艺术的不同审美特征，是艺术形态学研究的中心。

"形态学"一词并非为苏联美学家卡冈在《艺术形态学》一书中最先使用。20世纪初期，季安杰尔写过一本《长篇小说形态学》，本意是对小说这一形式的特殊性加以研究。普罗普把他的一部广为人知的学术著作称为《童话形态学》。而当代著名美学家托马斯·芒罗在他的《走向科学的美学》一书中，专章论述"审美形态学"问题，认为:"我们所说的'形态学'一词,是专门指对于艺术作品可以观察到的形式的研究。在描述艺术作品时,我们必须自始至终地考察艺术作品是怎样对观赏者产生感染力的,它们起到了什么社会作用等等。"芒罗还进一步强调进行艺术审美形态学研究的重要价值,他说:"过去,由于我们急于从理论上去确立什么是艺术,结果忽视了对它的实地考察;我们急于决定是否喜欢艺术,结果未能认真地观察艺术。我们让无休止的理论的和抽象的争论分散了注意力,而不能观察艺术作品的本身。审美形态学使学者或批评家的注意力回到他面前的具体物体上来,并使他推倒拦在他和实际的绘画、诗歌或奏鸣曲之间的由联想的概念和争论构成的屏障,清晰透彻地观看或聆听作品的本来状态。随着每个观赏者都试图客观地报告他所看到或听到的东西,艺术形态学便能自始至终都对艺术作品进行详细的分析和观察。通过对许多观赏者的发现进行比较,审美形态学正在逐步确立有关艺术形式及形式类别的经过验证的知识体系。有了这种体系,我们就能进一步研究每一种艺术是如何在人类经验中发挥作用的,即它在各种生活条件下,都具有哪些实际的或可能的功能和效果。"①

艺术形态学研究的集大成者,是苏联著名美学家卡冈。他出版于1972年的《艺术形态学》一书,是苏联美学中第一部专门分析艺术世界内部结构的著作。全书分为三编:第一编是学术发展史和方法论,纵观古今世界美学思想研究这一问题的历史;第二编是历史,展示艺术文化发展过程中各种艺术样式如何成熟和相互影响,并且形成新的综合艺术;第三编是理论,探讨整个艺术世界内部结构的规律性,即艺术各个类别、门类、样式和品种,以及种类和体裁的相互关系。卡冈认为,艺术形态学的任务在于:"(1)显示艺术创作活动分类的所有重要水准;(2)揭示这些水准之间的坐标联系和隶属联系,以便了解艺术世界作为类别、门类、样式、品种、种类和体裁的系统的内部组织规律;(3)从发生学的观点研究这个系统形成的过程:历史研

---

①[美]托马斯·芒罗:《走向科学的美学》,石天曙、滕守尧译,中国文联出版社,北京,1987年,第285页。

究——研究这个系统不断演变的过程,预测研究——研究它可能发生的变易的前景。"①

尽管"形态学"一词是在20世纪才提出,但艺术形态的分类却在美学史上很早就提出来了。亚里士多德在《诗学》中就根据艺术模仿的对象、模仿的方式和模仿的手段来区别不同种类的艺术。在亚里士多德看来,一切艺术无不是对现实的模仿和反映,艺术的特点在于模仿对象客观特性。但同时,亚里士多德又认为,不同的艺术种类在模仿对象方面有不同的侧重和手段,如,雕塑是以模仿人的外面形貌和姿态造型为旨归,用石头或大理石为其表现手段;而音乐却不重外部模仿,而只是通过模仿各种声响,借音调、旋律、节奏来反映生活。所以,雕塑和音乐因其不同的特征和表现方法而互相区别。

黑格尔在艺术分类方面提出了自己的标准,在他看来,建筑、音乐、诗歌、绘画等各类艺术不过是"绝对观念"的不同异化形式,因此,他从艺术是理念的感性显现这一观念出发,把艺术从总体上分为三大类型,即象征主义、古典主义和浪漫主义。黑格尔认为,建筑艺术属于象征主义艺术,是理念在感性形式中的一种不确定、不完善的显现,其中理念找不到合适的感性形象,因而物质多于精神,形式大于内容,内容和形式未能达到完美和谐的统一,所以是最低的艺术。而雕塑属于古典主义艺术,理念在感性形式中达到谐调的显现,物质和精神、形式和内容臻于完美的统一。而诗歌、绘画、音乐、戏剧等属于突破古典主义的浪漫型艺术,它们打破了精神与物质、内容与形式的平衡关系,形成同象征型艺术截然相反的风貌:精神溢出物质,内容大于形式。艺术形态发展至此就到了艺术发展的顶峰,从此,艺术将衰落,精神也要脱离艺术而发展为宗教、哲学阶段。黑格尔的"艺术消亡论"我们不敢苟同,但他通过艺术内容与形式的辩证关系对建筑、雕塑、诗歌、绘画、音乐、戏剧的艺术审美特征的分析,值得我们研究和借鉴。

---

① [苏]卡冈:《艺术形态学》,凌继光、金亚娜译,生活·读书·新知三联书店,北京,1986年,第16页。

继黑格尔之后，艺术形态学研究方面的状况愈加纷纭复杂起来，出现了多种流派，诸如思辨-演绎流派、心理学流派、功能流派、结构流派、历史-文化流派，以及经验主义流派，这些流派都从各个不同的方面提出自己的艺术形态水准和基本理论，而且，它们都认为艺术的形态学分析不仅是可能的，而且是必要的，问题的焦点在于：(1)为何要进行艺术分类？也就是说，艺术分类的美学意义是什么？(2)怎样进行艺术分类，或者说艺术分类的标准是什么？

要回答这两个问题绝非易事，上述各家各派在这两个关键问题上从来也没有统一过，因而使得在艺术分类上出现了一种反形态学的怀疑主义派，这一派以意大利美学家根梯勒为代表。他说："艺术的多样性等于艺术得以实现的技术的多样性。"因此，艺术"不是五种、六种，也不是一百种，它的数量是无限的，因为艺术作品的数量是无限的"[1]。显而易见，这种反形态学的怀疑论不足取，因为艺术作品数量的无限，并不是说其所属种属分类的可能性不存在，只要运用辩证的观点，就能把握各种艺术形态的本质特征。

第二节　艺术分类的美学原则

如果艺术分类是可能而必要的，那么，问题就必然归结为，为什么要进行艺术分类？或者，艺术形态分类的美学意义是什么？

首先，文艺美学的中心任务是揭示艺术的一般的审美规律和各门艺术的具体特性审美规律。因为，文艺美学以整个艺术世界为自己的研究对象，而不仅仅研究艺术世界的某个维度或一两个方面。同时，也只有分析艺术世界的内部结构，以及它与人的活动相联系的现实世界的多种关系，才能够充分准确地标示出艺术这一美的世界的疆界。

其次，对艺术形态学的研究将有助于美的本质和艺术本质等美学基本命题的正确解答。这是因为，艺术形态的分类根据和水准线与艺

---

[1] 转引自奥尔德里奇：《艺术哲学》，德文版，1934年，第123、186页。

术本质的理解密切相关，前述的亚里士多德、黑格尔、卡冈等人的艺术分类理论都直接关系到他们有关艺术本质、美的本质的根本观点，正是在这一点上，我们同意鲍山葵的艺术分类有关美的奥秘这一说法。

第三，艺术形态学是美学同其他部类艺术理论紧密联系的中介环节。艺术形态学可以从本体上揭示各艺术形式的相互联系的状况（或如卡冈所说的"光谱系列"），从而结束各门艺术除一般艺术规律以外互无联系的情形。同时，能对艺术进行系统的总体的研究和把握，从而消除研究每种艺术发展那种孤立的、相互隔绝的状态。

第四，艺术形态学的研究，将有利于艺术美的创造和欣赏。因为只有对各个艺术形态的独特规律有深入的认识，并掌握了这种规律，才能创造出独具特征的艺术作品。同时，作为欣赏者，也只有掌握了每门艺术的不同特征，才能正确欣赏和体验作品的审美价值和艺术风貌。

然而，我们还将面对这一问题：怎样进行艺术分类呢？换言之，艺术分类的标准是什么呢？

我们知道，美学思想史早已表明，艺术的分类可以按各个不同的标准来加以比较和划分：

第一，以艺术形象的存在方式作为分类的标准，从而将艺术划分为空间艺术、时间艺术和时间-空间艺术三类。空间艺术包括建筑、绘画、雕塑等；时间艺术包括音乐、文学；时空艺术有舞蹈、戏剧、电影等。可以看到，这种分类属于本体论标准，即按作品中艺术形象存在方式这个最为根本的水准加以划分。这种存在本体论的标准，不但制约了对艺术形象的感知方式（如视觉艺术必然是空间艺术；听觉艺术的形象要在时间中展开和完成，所以听觉艺术必然是时间艺术；而舞蹈、电影虽是视觉艺术，但其舞蹈形象、电影画面要在时间中展开和完成，所以又是时空艺术），而且标示出艺术形象的展示方式（动态艺术和静态艺术等）。

第二，以艺术形象的感知方式作为分类的标准，从而将艺术分为视觉艺术、听觉艺术和想象艺术三类。视觉艺术包括绘画、雕塑、建筑、工艺等；听觉艺术有音乐；想象艺术主要是文学。艺术是感性审美的,因此,人们用眼睛看绘画、雕塑等,所以绘画等是视觉艺术;用耳朵听音乐,所以音乐必然归于听觉艺术之列。但文学形象并非眼睛所能看见,也非耳朵所能听见,而文学欣赏者只能通过自己的想象,去感受和体验,而如见其人,如闻其声,恍然如身历其境,面接其人,因而文学可以说是一种想象的艺术。

第三,以艺术形象的展示方式作为分类标准,可以把艺术分为静态艺术和动态艺术两类。静态艺术包括绘画、雕塑;动态艺术包括音乐、舞蹈、戏剧、文学等。可以看到,这种分类方法与艺术形象的存在方式密不可分,因为艺术形象的存在方式决定了艺术形象的展示方式。德国18世纪美学家莱辛在《拉奥孔》一书中,以艺术形象存在方式作为艺术分类原则,而论证了"画与诗的界限"。莱辛认为,绘画、雕塑等空间艺术只适宜表现静止的物体,而诗只宜于叙述动作。作为空间艺术的形象,往往以静止凝练的方式展示出来,所以称静态艺术;而作为时间艺术的形象,总是以运动的方式展示出来,所以称动态艺术。进一步说,艺术形象的展示方式不仅与艺术形象的存在方式相关,而且与艺术形象的感知方式相关。卡西勒(又译作卡西尔)指出,艺术作品存在的特殊形式"不仅表现它的构成的形式,而且表现它的真实涵义"。也就是说,贝多芬的"直觉"(感知方式)本身是音乐的(动态的、时间的),维吉的"直觉"是造型的(静态的、空间的),弥尔顿的"直觉"是叙事的,而歌德的"直觉"是抒情的。[1]可以说,有什么样的感知方式,就会创造出相应的作品存在方式和艺术形象展开方式,反之,有什么样的作品存在方式,就会有什么样的艺术欣赏感知方式,甚至可以说,作品存在方式和形象展开方式,制约了欣赏作品的艺术感知方式。

第四,其他一些分类方法。除了上述三种分类法以外,还有按作品对现实的反映方式的不同,将艺术分为表现艺术(重在表现审美主体的审美体验和情思,如音乐、舞蹈、抒情文学等)和再现艺术(重

---

[1] [德]卡西尔:《人文科学的逻辑》,中国人民大学出版社,北京,1991年,第206~208页。

在反映现实世界的境况,如绘画、雕塑、戏剧、叙事文学等);按艺术作品的物质材料或表现媒介的不同(如语言、声音、石头、油彩、动作)而把艺术分为造型艺术(绘画、雕塑)、音响艺术和语言艺术(文学)。还有的依据艺术功能的不同,将艺术分为单功能艺术和复功能艺术(卡冈),将具有实用功能的工艺美术和建筑艺术称为实用艺术,将其他纯艺术形式称为美的艺术。在这一点上,卡冈认为,不能认为美的艺术是高级的,实用艺术是低级的,而将其逐出艺术世界。"因为问题在于,艺术价值可能作为具有对人产生艺术影响的唯一功能而被创造出来,也可能在另一种价值——功利价值——的基础上被创造出来,如建筑、实用艺术和工业艺术中的价值;演讲艺术和广告艺术等宣传艺术的价值;各种宗教仪式中的祭仪价值;艺术体操或花样滑冰等体育运动的价值;艺术摄影、艺术特写、纪实艺术影片中的纪实-新闻价值;科学普及体裁的文学、电影读物中,或者是历史、民族志等博物馆中作为陈列品的造型艺术的科学教育价值。艺术存在的这两种形式在文化史的不同阶段和艺术世界的不同区域的相互关系也不相同,但是它们总是作为艺术创造活动的两种必不可少的方法在平等、等价值和同样为人所需的原则下存在于艺术世界之中。因此,既不能把它们等同起来,也不能把它们完全分割开①。

上述几种分类方法各有所侧重,各有所长,但是,艺术现象是复杂的,各种艺术的审美特点和异同关系是多方面的,有时甚至很难明确地加以划分。如果硬性地将各种艺术人为纳入自己设定的分类模式,就会损害其丰富性和独特性,而出现以偏概全的倾向。如从感受方式区分的视觉艺术、听觉艺术、想象艺术,就仅注意以审美主体的感受和知觉方式,而忽视艺术形象的存在方式和对现实的反映方式;而从作品存在方式划分的时间艺术、空间艺术、时空艺术,注重作品的存在的形式方面,却又忽略了艺术作品的内容——审美体验和艺术反映(表现与再现),而将艺术区分为造型艺术、音响艺术、语言艺术

---

① [苏]卡冈:《艺术形态学》,凌继光、金亚娜译,生活·读书·新知三联书店,北京,1986年,第178页。

的分类法，虽然强调了艺术物质形式的差异，却又忽视艺术内容的重要性的倾向。

艺术形态正确的分类原则应从审美主体与审美对象、艺术内容与艺术形式的辩证统一中去把握，只有从艺术本质的高度去认识艺术分类问题，才能使这一问题上的历史遮蔽物解蔽，从而使真理敞亮出来。毋庸讳言，艺术是一种特殊的意识形态，它既区别于科学的思想体系，又区别了哲学等意识形态。这是因为，文学艺术的精神内容，是概括化和系统化了的审美体验，而不是普通的哲学观点、政治观点、道德观点、宗教观点的总和。不错，文学艺术也要描绘政治、道德、哲学等现象，表现政治、道德、哲学的观点，但是，这些东西都要经过审美体验的折射而转化为自己的审美体验，这才是真正的艺术内容。对生活作审美的反映，不仅再现了审美客体的状态，而且还表现了审美主体的状态，既表现了对生活的审美评价，又表现了对生活的审美态度。文学艺术的创造，就是把这种复杂而独特的精神内容体现于物质形式中，形成艺术形象，这就是文学艺术的作品。这样的东西，既有物质文化的性质，又有精神文化的性质，但它既不是普通的物质文化，又不是普通的精神文化，它具有特殊的审美价值。可以说，艺术作品本身就包含着客观和主观情感体验、艺术再现与艺术表现的统一。只有从客体和主体、内容和形式的统一中把握艺术分类原则，才有可能正确揭示其审美特征。

从艺术认识论角度看，艺术是再现和表现的统一；另一方面，从艺术存在方式的本体论角度看，艺术又是时间和空间的统一。作为艺术内容主要方面的再现和表现，其目的不在于在作品中去重造、模拟一个实在的现实，那样的现实既不可能又没有必要，而是要在作品中通过主体的审美体验，表达对现实的审美评价和创造一个新的境界，新的世界——现实的再生。没有绝对的再现，因为任何再现都含有表现的成分。所以，表现和再现的区分也是相对的，就此而言，我们可以将艺术分为再现艺术和表现艺术两大类。然而，这只是对艺术内容方面的概括，而另一个方面——艺术形式方面——尤不可忽视。"一切存在的基本形式是空间和时间，时间以外的存在和空间以外的存在,同样是非常荒诞的事情。"①时间和空间是任何一种艺术种类存在的形式,因此,任何一件艺术作品既处在时间之中又处在空间之中,单纯处在时间中和单纯处在空间中的作品都是不可思议的,所以,我们只能从相对的意义来理解所谓空间艺术和时间艺术的区别。时间和空间是艺术存在的本体论原则,艺术作品的这种时空存在方式是它的本体论状态,是它的现实存在的主要基础和条件,同时,也是它的直接的感性直观的面貌,我们认为,艺术不是物质现实本身,而是对现实的反映,是现实的形象模式。分别空间-时间连续性的现实的、物理的统一,模拟从空间关系中抽象出来的时间关系,或者从时间关系中抽象出来的空间关系,或者再现它们的现实统一。

根据上述认识,可以认为艺术形态的分类可以有艺术内容(认识论)和艺术形式(本体论)两种标准,而作为存在本体论的三种原初的艺术类别标准是:时间艺术、空间艺术和时空艺术。作为体验和反映的艺术认识论的三种艺术类别标准是:表现艺术、再现艺术和再现表现艺术。由于艺术三种本体论和三种认识论的交叉,于是在内容和形式的统一上产生出七种艺术门类。列表如下:

认识论的原则	本体论的原则		
	时间艺术	空间艺术	时空艺术
表现艺术	音乐	书法、工艺、建筑	舞蹈
再现艺术	戏剧	绘画、雕塑	电影
再现-表现艺术			语言艺术(文学)

因此,简单地说,艺术形态可以大致分为以下七类:

(1)时间的表现艺术:音乐;

(2)空间的表现艺术:书法、工艺、建筑艺术;

(3)时空的表现艺术:舞蹈;

(4)时间的再现艺术:戏剧;

(5)空间的再现艺术:绘画、雕塑;

(6)时空的再现艺术:电影;

(7)语言艺术:文学。

---

①[德]恩格斯:《反杜林论》,吴黎平译,人民出版社,北京,1970年,第49页。

第三节　作为整体序列的艺术种类

按照本体论原则和认识论原则，可将艺术分为上述七类。不难看出，语言艺术既表现时间又表现空间，既能再现外部世界又能表现主体情思。因此，人们不断地抬高文学的地位，以至认为语言是万能的，并以此为理由使语言艺术凌驾于艺术创造的其他所有类别之上。如马涅维奇就说："文学在其本质上是包罗万象的和综合性的，文学在同类艺术中独占鳌头"，因为"语言既支配时间，又支配空间，它既能够表达色彩，又能够表达体积，还能够表达音乐"①。但是，在艺术大家族中，没有凌驾在其他艺术之上的基本形态。而且，这里还要指出，正因为文学性对其他艺术的逾越，使得艺术中出现了一股对抗势力，电影界呼吁驱除电影中的文学性，重建作为电影本体的"电影性"，绘画也将剥离文学性，不再讲故事，而是重视其自身的"绘画性"，当前的音乐新潮更响亮地提出，使音乐真正具有"音乐性"，成为心灵交流的工具，而不是成为文学似的理性的工具（卡塔切夫《忘忧草》中引布宁语）。"一切都可以用语言描绘，但是仍然存在着纵令最伟大的诗人也无法逾越的界限，永远有不能用语言表达的东西，对此切不可忽略。"

那么，我们要问各类艺术在艺术总体系中相互之间是怎样一种关系？它们是如何构成艺术谱系的？或者说，作为整体序列的艺术种类处在一种什么关系中？这些问题不仅关联我们对各类艺术审美特征的把握，同时还关联我们对作为艺术文化重要之维的整个艺术系统正确理解的程度。我们已经说明了，文学艺术的创造，是审美创造和审美反映的结合，文学艺术的作品，是精神内容和物质形式的结合，因此，文学艺术既有物质文化的特点（表现在物质形式上），又有精神文化的特点（表现在精神内容中）。但是，文学艺术吸取和发展了物质文化和精神文化的特点，予以综合，形成了另一类型的文化层次，可以称之为艺术文化。

---

①[苏]马涅维奇：《电影和文学》，俄文版，1966年，第17页。

艺术文化作为人类创造的第三文化，文学艺术的多种多样种类，自成体系，构成艺术文化系统。在这艺术文化系统中，每一种类的艺术样式，其精神内容因素和物质形式因素所占的比重不同以及结合方式的差异，形成了不同层次的序列，因而同物质文化、精神文化之间的关系也就不一样。

西方美学史上曾有许多美学家探索过不同艺术种类之间的相互关系。在文学艺术史上，各种艺术种类的发展是不平衡的。在某个时代里，某一种或几种艺术得到优先和突出的发展，处于艺术文化的中心地位，而其他的艺术种类则退居次要地位，处于边缘地带。在另一个时代，某一种或某几种艺术又发生了变化，地位相互转换，主次关系又不同了。处于某个时代的艺术文化的中心地位的，时而是文学，时而是绘画，时而是音乐，时而是戏剧，时而是实用艺术，时而又是电影，等等。因此，历史上许多美学家，时而抬高某种艺术种类的地位，时而又把另一种艺术种类列为上乘。达·芬奇把绘画看作"最高"的艺术；许多启蒙主义者则把戏剧看作"最高"艺术；浪漫主义者抬高诗歌和音乐；俄国革命民主主义者则把文学看作是"最高级的、最完美的艺术"，文学的规律，包含着"艺术的全部理论"，像车尔尼雪夫斯基这样著名的美学家，有时竟也把文学的特殊审美规律，当作所有艺术的普通审美规律，以偏概全。

德国古典美学家黑格尔曾想寻找不同艺术种类发展不平衡的规律。不同艺术种类在文学艺术发展上分别占主导地位的历史次序，如前面我们谈到的黑格尔，他认为：首先是建筑，其次是雕塑，再次是绘画，又次是音乐，最后是文学。当然，黑格尔是从客观唯心主义观点来解释这种不平衡发展的：精神高于物质，精神因素越多的艺术种类，地位就越高。文学高于其他艺术，因为在文学里，精神的因素比起在其他艺术里，表现得更纯粹，更能摆脱物质形式的束缚。叔本华在《作为意志和表象的世界》中构造了一种体系庞大的艺术哲学，这种哲学把艺术按等级加以排列：建筑艺术处在最底层，其次是雕塑、绘画、诗歌和音乐。按照这种等级，这些艺术越来越表现出人类在终极的非理性的现实中的困境，艺术的目的就在于摆脱和解除这种困境。

我们不能简单地把艺术种类分成高级的和低级的。每门艺术都是历史地形成和变化的。由于不同艺术种类内部的精神内容因素和物质形式因素相结合的结构不同，每门艺术都有自己的审美特征，具有独特的审美价值，不能相互代替。例如，不管文学是怎样自由的艺术，它所具有的描写和表现的可能性如何广泛，但它不能像绘画那样揭示物质世界的审美性质，也不能像音乐那样表现人的内心世界的独特的丰富性。反过来，绘画和音乐也不能去替代文学和其他艺术对世界的掌握。每门艺术，都有自己在物质形式、精神内容上的审美特征、长处和短处。

如果把艺术文化放到人类整个文化领域中来考察，我们就会发现：一些艺术种类靠近物质文化这一边，物质形式的审美特征更为突出；而另一些艺术种类靠近精神文化那一边，精神内容的审美特征更为显著。艺术文化在和精神文化、物质文化的不同联系中，形成不同的艺术层次。

在艺术文化和物质文化相接的这一边，最靠近于物质文化的艺术种类是建筑艺术、实用艺术。建筑艺术、实用艺术直接从建筑、工艺等物质文化中分离出来，独立为艺术，用来体现人对生活的审美体验。但是，在建筑艺术、实用艺术中，这种审美体验还较为宽泛，不像在其他艺术中那样较为确定，其物质形式的特征比精神内容的特征更为显著。建筑艺术、实用艺术是物质文化向艺术文化的过渡，本身带着物质生产和艺术生产的两重性。下一层次的艺术类型，是造型艺术，如绘画、雕塑、摄影等艺术。造型艺术离物质文化远了一层，而同精神文化近了一步。它摆脱了建筑艺术、实用艺术的实用目的，受物质生产的束缚相对要少些，精神内容的扩展的可能性增加了，因而能体现更为丰富、复杂的审美体验。在造型艺术的下一层次，是舞蹈艺术、哑剧艺术。它们用人体自身的动作、姿态、手势来体现对生活的审美体验，其精神内容有了进一步扩展的可能，因而更显著地具有精神文化的特点。

在艺术文化和精神文化相接的那一边，最接近于精神文化的艺术种类，是那直接和哲学、政治、道德、宗教等意识形态相联系的

"实用"文学,例如文学杂文、艺术政论、文艺随笔等等。这些"实用"文学,是用语言作为物质手段的艺术,具有艺术的审美性质,体现人对生活的审美体验,但它同时直接具有哲学、政治、道德、宗教等的功利目的,和这些意识形态的关系较为直接和紧密。"实用"文学和其他运用语言作物质手段的精神文化还很接近,刚从精神文化中分离出来,艺术文化的特点还不显著,艺术特点还不突出。"实用"文学,可说是精神文化向艺术文化的过渡,正如实用艺术是物质文化向艺术文化的过渡一样,"实用"文学的下一层次,是真正意义上的艺术的文学(有的美学称之为美文学),这就是诗歌、小说等等。艺术的文学,不只是物质形式的审美性质较突出起来,而且其精神内容的审美价值增加了。它已不是直接服从于政治、道德、哲学、宗教的"实用"目的,而有了独立的艺术价值,不同于其他精神文化。艺术的文学是语言的艺术,在体现精神内容方向具有最大的自由。下一层次的艺术种类是音乐艺术,物质形式的因素比语言的艺术更加重要,精神内容受物质形式的限制较多,离物质文化更近一些。

处在艺术文化体系最中心的是综合的表演艺术:戏剧艺术、电影艺术、电视艺术等等。在这些综合表演艺术中,物质形式的因素和精神内容的因素得到了综合的平衡,审美创造活动和审美反映活动得到均衡的发展。

艺术文化的发展,既受物质文化的制约,又受精神文化的影响。过去如此,今后还将这样。这就使得我们有可能并不固持一种艺术分类标准和方法进行艺术分类。而要花大力气去重新研究各门艺术的审美本性究竟发生了哪些变化,并在对某种艺术形式独特本质研究之上,进一步转入对构成各种艺术的最共同的本质的研究,因为艺术分类与"艺术是什么"这一根本美学问题是密不可分的。

第四节　艺术诸形态的审美特性

不同形态的艺术门类有着不尽相同的审美特征。下面,我们择其要者而述之。

一、书法艺术的审美特征

中国书法真可谓"玄之又玄,众妙之门"。

书法艺术是我国的一种独特的"线的艺术",它兼备具象和表现两种功能,无色而具备画图的灿烂,无声而有音乐的和谐。在书法作品中,可以看到笔法墨法相兼相润,使得字体肥瘦枯润,巨细收纵,变化无穷。而汉字从殷商的甲骨文、金文,经过秦始皇时小篆发展为隶书、草书、楷书、行书。它的自由而多样的线条曲直运动和空间构造,表现和传达出各种形体、情感和气势,形成中国的具审美风貌的书法艺术。

1. 书法艺术本体论之辩

书法是一种什么样的艺术?书法艺术的本质是什么?

这一书法艺术本体论问题千百年来引得不少书法理论家去孜孜求解。

概括地说,中国古代的书法美学理论在这一问题上,存在两种不同的看法:一种是再现说;另一种是表现说。而表现说在传统书论中称之为抒情说,汉代就被鲜明地提出来。

扬雄《法言·问神》中说:"言,心声也;书,心画也。"这已经得到了书家内心世界是书法的源泉。而汉代的蔡邕,则更深一层地触及书法艺术的抒情本质。他在《笔论》中说:"书者,散也。欲书先散怀抱,任情恣性,然后书之。若迫于事,虽中山兔毫,不能佳也。"蔡邕强调"情"、"性"、"怀抱"在书法创作中的重要价值,对书法美学思想具有深远意义。而唐代书法理论家孙过庭,对书法抒情性、表现性作了全面精辟的探讨,认为书法能"达其情性,形其哀乐",充分传达书家的个性风貌、情感意绪。他并以书圣王羲之的书法为例,细加阐释。《书谱》认为:"写《乐毅》则情多怫郁,书《画赞》则意涉瑰奇;《黄庭经》则怡怿虚无,《太师箴》又纵横争折;暨乎《兰亭》兴集,思逸神超,私门诫誓,情拘志惨。所谓涉乐方笑,言哀已叹。"孙过庭已经看到了书法与情感的某种对应的内在关系,并作了诗意的描绘。而清代的刘熙载也是书法表现情感的倡导者,他在《艺概·书概》中说:

"写字者,写志也。"又说:"笔性墨情,皆以其人之情性为本。是则理性情者,书之首务也。"可以看出,表现说注意到书法与人的关系,从某方面把握了书法美的实质。

而与书法表现说相对的是再现说。认为书法产生于自然,有现实万物形象才有形有势,有形有势才有书法。因此,中国古代书法理论强调"外师造化,中得心源",很重视观察生活和事物的形象。王羲之《笔势论》说:"夫着点皆磊磊,似大石之当衢,或如蹲鸱,或如科斗,或如瓜瓣,或如栗子,存若鹗口,尖如鼠屎。如斯之类,各禀其仪。"他认为,书法应从自然万物的形象中吸取笔意和具象因素。唐代张怀瓘《书断》更进一步提出书法再现的形象性观点,认为:"善学者乃学之于造化,异类而求之,固不取乎似本,而各挺之自然。"而历代书家确乎从自然形象中获得诸多感情:王羲之从白鹅曲颈中悟得线条的流美变化;张旭观公孙大娘舞剑而促其草书境界大进;赵孟𫖯深领鸟飞之形的动态美,使"子"字有鸟飞的动态形象之意。这些,可以看出,中国古代美学不仅重视书法的情感表现性,而且也重视书法的再现性。

到了当代,对书法艺术本体论的认识达到一个新的高度。美学家、书法家对书法是一种什么性质的艺术展开了热烈的讨论,形成了"具象说"和"抽象说"两种不同的观点。

书法"具象说",兼存古代"再现说"的精神,而又带有时代的气息。其中一种典型的说法是:"书法艺术同一切种类的文学艺术一样,是一定的社会生活在人类头脑中的反映的产物。具体来说,书法艺术的美,是现实生活中各种事物的形体和动态美在书法家头脑中的反映的产物",因为"中国文字的点画书写能够造成各种同现实生活中的形体(线动态)有类似之处的形体","所以我们在面对这些形体的时候,就如面对着现实的形体一样,会产生一种美或者不美的感觉"[1]。也就是说,书法属于形象(具象)艺术范畴,反映的是现实生活中存在的事物形体和动态美。与此相类,有人认为,可以从书法与汉字的关系上来看书法艺术性质,"汉字,是书法艺术唯一的造型对

---

[1] 刘纲纪:《书法美学简论》,湖北人民出版社,武汉,1979年。

象","现在,汉字虽早已不是象形文字了,但是,那由'象形'发展而来的汉字形体,却仍具有造型的意义",据此,作者认为:"书法就是汉字造型艺术","是形象的艺术"。①

与上述观点相反,不少人坚持书法是情感的抽象艺术。其中一种典型的看法是:汉字只不过是一种符号而已,而书法艺术是"抽象符号的艺术"。因为,书法"画的是行为一种交流符号的汉字,而不是画事物,所以它是抽象的",并明确认为:"从现实生活中去寻求书法美感的来源","只是停留在现象上,没有深化下去,简单化了"。②与此相类,有人提出:"判断一门艺术是抽象的还是具体的根据,并不是造型对象是什么,也不是造型起源于什么。这些都是形成它的艺术面貌的手段或出发点,行为判断根据应该是既成的艺术本身。书法是由抽象的点画字形组成的,它就是抽象艺术。"③同时,有人进一步认为书法是"表现艺术",因为在书法中,"文字,只不过是表达主观激情的原始材料,以此所形成的抽象线条,表达了生命最深处难以言状的律动","与客观事物特征的距离那样遥远,所引起联想的视觉形象是如此朦胧而不确定,它是纯东方式的,极富于表现个性时充分发挥意象的表现艺术"。④

总括起来说,中国书法美学在书法艺术本体上的争论,反映了我国书法审美意识的自觉和书法艺术精神的高扬。这一论争的继续深入将对书法艺术美的揭示作出开拓性的贡献。

当然,在我看来,仅仅将书法艺术归结为具象或抽象、再现或表现、造型或情感都是值得商榷的。因为,书法不可能只单纯地反映客观,也不可能只展示情感。书法艺术是艺术家在"外师造化,中得心源"这一主客观整合中所营构出的最为生动丰富的无限之象——生命之美。书法之魂是力之美、气之美、体验之美。正如宗白华先生所说:书法中的"字已不仅是一个表达概念的符号,而是一个表现生

---

① 白谦慎:《也论中国书法艺术的性质》,《书法研究》,总第8辑。
② 姜澄清:《书法是一种什么性质的艺术》,《书法研究》,总第5辑。
③ 陈振濂:《书法是抽象的符号艺术》,《书法研究》,总第11辑。
④ 周俊杰:《书法艺术性质谈》,《书法研究》,总第13辑。

命的单位","有了骨、筋、肉、血,一个生命体诞生了。中国古代的书家要想使'字'也表现生命,成为反映生命的艺术,就须用他所具有的方法和工具在字里表现出一个生命体的骨、筋、肉、血的感觉来。但在这里不是完全像绘画,直接模示客观形体,而是通过较抽象的点、线、笔画,使我们从情感和想象里体会到客体形象里的骨、筋、肉、血,就像音乐和建筑也能通过诉之于我们情感及身体直感的形象来启示人类的生活内容和意义"。①"书法,尤能传达空灵动荡的意境。……虚空中传出动荡,神明里透出幽深,超以象外,得其环中",它"代表着中国人于空虚中创现生命的流行的气韵"②。

因此,在我看来,我们不能固持一端又无视另一端,也没有必要在书法艺术的情感与造型、具象与抽象上进行非此即彼的选择。其实,具象与抽象作为两个极点,并非要将我们的注意力仅仅集中于两个"极点"之上,而是要展示出这两个极点之间的广阔中间地带。艺术不是"极点"的标举,而是两个"极点"之间的辩证"两极间运动"。因此,书法既非单纯反映外部世界,也非仅仅表现人的情感,而是表现出人的生命感、运动感和形体结构。

按照"格式塔"心理学美学观点看,审美知觉并非诸感觉的总和,而是对整体的感知。人的心理与外部世界两个"场"相互作用,形成"心理-物理场",因而,知觉也是一个"场",一个定型,精神现象与物质对象存在着同形同构的关系(韦特墨《关于运动知觉的实验研究》)。"主体与客观事物的形式所表现的力的式样,有一种同形同构的关系。"③毫无疑问,作为与人的生命体、生命感对应的书法艺术,其线条的流变作为人的生命气韵的"轨迹",充分显示出人的本质力量和心理状态,它的字形结构与人的生理、心理具有一种"同形同构"关系。人们将自己的情感意绪、生命情丝、诗意憧憬演化为或纵或收、或浓或淡、或枯或润的线条,并通过这些笔墨线条的枯润浓淡

---

① 宗白华:《艺境·中国书法里的美学思想》,北京大学出版社,北京,1981年。
② 宗白华:《艺境·中国艺术意境之诞生》,北京大学出版社,北京,1981年。
③ [美]鲁道夫·阿恩海姆:《艺术与视知觉》,滕守尧、朱疆源译,中国社会科学出版社,北京,1984年。

的个性因素,反映出人的审美经验。因此,书法的线条与人的审美体验之间有一种"张力场",形成了一种审美关系。人通过书法去表现自己的生命情思,又从书法线条中看到自我,看到自己的审美趣味和审美追求。线条与创作者的这种同态对应关系在吕凤子那里表述得极为清楚透彻:

> 根据我的经验:凡属表示愉快感情的线条,无论其状是方、圆、粗、细,其迹是燥、湿、浓、淡,总是一往流利,不作顿挫,转折也是不露圭角的。凡属表示不愉快感情的线条,就一往停顿,呈现出一种艰涩状态,停顿过甚的就显示焦灼和忧郁感。有时纵笔如"风趋电疾"、如"兔起鹘落",纵横挥斫,锋芒毕露,就构成表示某种激情或热爱、或绝怨的线条。①

正是在书法与人的生命同态对应的意义上,我们认为以二度空间表现出来的流动的书法线条,是传导生命节律的艺术。

2. 书法艺术美特征

书法艺术具有很高的艺术价值。诚如苏轼《论书》所说:"书必有神、气、骨、肉、血,五者阙一,不为成书也。"具体说来,书法艺术的审美特征主要有以下几个方面。

(1)姿态美。书法艺术的姿态美包括两个方面:一是取之于具象的书画和结构所体现的一定的形体美;二是取之于偏于抽象的"形势",即动态美。书法以点画和结构反映事物的具象美,点如"高峰坠石",横如"千里阵云"。一般说来,汉字字形结构在书法创作者有意识的布局中,可以形成一种间接曲折的艺术效果。加上对自身人格生命的反映,使点画笔墨形成一种用笔之力、运笔之势,而反映出生命的动态美。孙过庭对书法的具象美与动态美统一所形成的姿态美非常赞赏,惊叹道:"悬针垂露之异,奔雷坠石之奇,鸿飞兽骇之资,鸾舞蛇惊之态,绝岸颓峰之势,临危据槁之形",这里,既有具象美,又有动态美,其"异"、"态"、"势"就是书法姿态美的不同层次和维

---

① 吕凤子:《中国画法研究》,上海人民美术出版社,上海,1978年,第3~4页。

度。在书法作品中，篆书的回环曲折的用笔，给人一种字若飞动、流畅飞扬美。而结构整饬统一，分行布白的圆匀齐整，觉舒飞动的姿态美，令人赏心悦目；而隶书和楷书的各种上、下、左、右挑起成拖曳的笔势，能给人在安定中以飞动流美的审美感受；草书、行书以富于运动感的点线去表现生命运动的或轻盈，或敏捷，或矫健的动势，都具动态美。如王羲之《兰亭序》，具有一种浑然天成、洗练含蓄、萦回玲珑的秀润美；颜真卿的《祭侄季明文稿》，字字挺拔，笔笔奔放，圆劲激越，诡异飞动，锋芒咄咄逼人，渴笔和萦带处历历在目；张旭和怀素的草书，意态飞舞、放纵跳脱，笔势连绵回绕，酣畅淋漓，运笔如骤雨旋风，飞动圆转，笔致劲骨天纵，而又出神入化，他们在草书中追求"孤蓬自振，惊沙坐飞"的险绝美，达到动人的姿态美的高峰。

（2）表情美。孙过庭《书谱》说："情动形言，取会风骚之意；阴惨阳舒，本乎灭地之心。"将书法的表情美特征揭示了出来。我们已经说过，书法并不对现实事物进行亦步亦趋的模拟和复制，而是出自天地自然的人心营构之象，是由"象形"而直至"虚像"——"心画"的。对于这一点，张怀瓘《书断·序》作了精辟的论述："尔其初之微也，盖因象以瞳眬，眇不如其变化，范围无体，应会无方，考冲漠以立形，齐万殊而一贯，合冥契，吸至精，资运动于风神，颐浩然于润色。"因此，书法是一种人格心灵的写照，是生命力度的外在化。书法从不以复制现实为己任，相反，它从写字到作为一门艺术生成的全过程就是努力挣脱现实世界和现实形式强制的过程，它是中国人独特的审美文化创造形式，显示出独立于万象之表的"书魂"。书法不依附于物象和字意的独立性与创造性，使其艺术的灵便性获得充分解放，更能自由而超迈地发现书家满腔激情和诗意情怀。反过来说，书法的表现性又离不开书法的物象和形质，形质成而情性见。

我认为，孙过庭所谓的"达其情性，形其哀乐"是理解书法表情美的关键所在。那么，字与情之间出现了怎样的虽抽象却又具体、虽明确而又朦胧的"对应"关系呢？陈绎曾在《翰林要诀》中说："喜怒哀乐，各有分数。喜即气和而字舒，怒则气粗而字险，哀即气郁而字敛，乐则气平而字丽。情有重轻，则字之敛舒险丽亦有深浅，变化无穷。"看来,字与情,书法与生命之间确乎存在某种"力的对应"模式,只看书法鉴赏者灵性深婉,便能于书法的筋骨血肉之中准确地把握书家的意向性。周星莲秉承"达其情性,形其哀乐"说,认为字如其情,书如其人。他在《临池管见》中说:"王右军、虞世南字体馨逸,举止安和,蓬蓬然得春夏之气,即所谓喜气也。徐季海善用渴笔,世状其貌,如怒猊抉石,渴骥奔泉,即所谓怒气也。褚登善、颜常山、柳谏议文章妙古今,忠义贯日月,其书严正之气溢于楮墨。欧阳父子险劲秀拔,鹰隼摩空,英俊之气咄咄逼人。李太白书新鲜秀活,呼吸清淑,摆脱尘风,飘飘乎有仙气。坡老笔挟风涛,天真烂漫。米痴龙跳天门,虎卧凤阙。二公书横绝一时,是一种豪杰之气。黄山谷清癯雅脱,古澹绝伦,超卓之中,寄托深远,是名贵气象。凡此皆字如其人,自然流露者。"当然,我们不能按图索骥地对情感与点画之间进行硬性规定或求索,那无异于将艺术的不确定性、朦胧性和弹性结构同定化。

"感情的对象就是对象化的感情……因此感情只是向感情说话,因此感情只能为感情所了解——因为感情的对象本身只是感情。"①毫无疑问,书法的笔墨线条在一定程度上留下了书家的情感活动的痕迹,浸染着书法家的人格心灵、情感意绪、趣味意向。而这种情感化了的线条笔墨,就能对欣赏者产生情感对应效应,唤起相近或相应的审美体验,由"玩迹探情"而感领到书家的人格襟抱和喜怒哀乐,得到美的陶冶和审美享受。

(3)意境美。著名书法家沈尹默说:"中国书法是最高艺术,就是因为它能显示惊人奇迹,无色而具画图的灿烂,无声而有音乐的和谐,引人欣赏,心畅神怡。"②书法的意境美是书法作品的总体审美意向和审美氛围,是书法艺术的灵魂所在。一幅有意境的书法作品,除了书法的形质(筋骨血肉)以外,还有动态美和表情美(人格、气势),更重要的是它必须体现出作者的某种审美理想和美的追求,也就是

---

①[德]费尔巴哈:《基督教的本质》,引自《十八世纪末—十九世纪初德国哲学》,商务印书馆,北京,1975年,第551页。
②上海书画出版社编:《现代书法论文选》,上海书画出版社,上海,1980年,第123页。

说，在有形的字幅中，荡漾着一股灵虚之气，氤氲着一种形而上的气息，使作品超越有限的形质，而进入一种无限的境界之中。书法艺术意境美之所以是书法的最高境界，因为这一境界，"是诞生于一个最自由最充沛的深心的自我。这充沛的自我，真力弥满，万象在旁，掉臂独行，超脱自在，于是'舞'是它最直接、最具体的自然流露。'舞'是中国一切艺术境界的典型。中国的书法、画法都趋向飞舞"[①]。书法意境美的创造，取决于书法家思想感情、审美趣味、审美理想以及其人格襟抱。如王羲之《兰亭序》所体现的"清风出袖，明月入怀"的平和自然之美，正是其随顺自然、委运任化的人格心灵的体现。而唐代颜真卿书法在审美理想上追求"肃然巍然"、大气磅礴的境界，使得其书法具有端庄宽舒、刚健雄强之美，给人一种酣畅淋漓、凛然正气的感受。而郑板桥的"六分半书"，则是那样不衫不履、天性自然，于其中透出其人格心灵的率真与活脱。而正在我国兴起的"现代书法"，更从现代文化思潮中去反思我国传统书法的得失，并以现代人的审美体验，寻求书法的新表现手法，创造全新的意境。现代书法，将不再寻绎单一意境和风格，不再去津津乐道晋人尚韵、唐人尚法、宋人尚意、明人尚趣，而是将前人的韵、法、意、趣熔为一炉，并从传统书法的境、韵、气、神、理等哲学内核骨质上加以新的拓展和创新，以表现出中华民族在当今世界的拼搏与腾飞的时代精神，创造出一种全新的书法作品风貌。这种从文化哲学的高度对中国书法的继承和创新，体现出现代书法的风骨，并将创造出全新意境的书法美，在其中，现代情韵与灵魂、当代人的追求与神采将得到完美展现。

总而言之，意境美是书法艺术高低的标尺。有意境，则成高格；无意境，则成"奴书"。

二、建筑艺术的审美特征

建筑被谢林称为"凝固的音乐"，这已是人人皆知的了。但为何将建筑称之为"凝固的音乐"？这种比拟性称呼具有何种美学意义？

[①] 宗白华：《艺境·中国艺术艺境之诞生》，北京大学出版社，北京，1987年。

把建筑称为"凝固的音乐",首先,表明建筑作为空间艺术,却可以在欣赏中逐渐还原或转化为时间感受(音乐感)。当观赏者改变角度、视界等欣赏点,可以使人在空间景物不断变化、不断更替中感到情感的流动与变化,这样,在移步换形、景随情转中,三维空间的建筑艺术,具有了四维空间的魅力——空间时间化了。其次,建筑如同音乐一样,具有象征的寓意,可以激发观者不同的审美体验。如哥特式建筑给人以向上飞腾之感,而故宫却给人以方方正正、严格中轴对称的整齐严肃的感受。再次,建筑的艺术手法与音乐有许多近似之处。由建筑的节奏、基调、重复等建立在科学合理的数的关系上的艺术手法,使建筑犹如具有生命一般。

黑格尔说:"建筑是与象征型艺术形式相对应的,它最适宜于实现象征型艺术的原则,因为建筑一般只能用外在环境中的东西去暗示移植到它里面去的意义。"[①]这就是说,建筑并非是现实的反映,它只是一种象征的艺术形象,这种象征形象,通过结构构件、装饰手法,特别是空间组合而激发人的悬念、联想,造成宁静、高亢或崇高的艺术体验。

建筑遵循形式美法则。但有的理论家却将建筑形式美法则推到极点,认为建筑全部是形式。英国"第三代建筑师"、建筑理论家菲利普·约翰逊就这样说:"形式因循形式,而不是功能","对我说来,建筑全部是形式"。"我知道房子的功能会影响设计,在这个意义上我也是个功能主义者。但我仍然认为,你如果过于重视功能,就只能盖出蹩脚的房子"。[②]我们认为,建筑不仅仅是形式,但建筑的形式美的确相当突出,诸如统一、平衡、比例、对称、韵律、和谐等的合理运用,可以使建筑达到和谐统一、有鲜明特色的造型形象。同时,任何建筑思想主题的表达,都是在建筑的形体、质地、虚实、形象、色彩与周围环境协调的情况下,在具有连续流动变化的空间整体美中获得的。

---

① [德]黑格尔:《美学》第3卷(上册),朱光潜译,商务印书馆,北京,1981年,第29页。
② 转引自《世界建筑》,1981年第4期。

建筑不是"居住的机器"。现代建筑家勒·柯比西耶认为房屋应当像机器适应生产那样适应居住要求。在我看来，这有某种程度上的正确一面，也有值得商榷的一面。建筑不仅具有实用功能（俗人居住），而且也有审美功能，是实用与审美的统一。因此，仅仅把建筑看成居住的机器，是没有看到建筑表现建筑师思想感情的一面，没有看到建筑具有审美价值的一面。恩格斯曾提出建筑的审美价值，"希腊建筑表现了明朗和愉快的情绪，回教建筑——优美的哥特式建筑——神圣的忘我。希腊建筑如灿烂的阳光照耀的白昼，回教建筑如星光闪烁的黄昏，哥特式建筑则像是朝霞"①。可以说，建筑是一部用石头写成的史书。雨果在《巴黎圣母院》中说，一座大教堂是历史的见证，"这是人民的贮存；这是世纪的积累；这是人类社会不断蒸发而剩下的沉淀。总之，这是一种体系。每一个时间的波浪都增加它的砂层，每一代人就堆积这些沉淀在这个建筑物上"。古希腊建筑的明快优美、哥特式建筑的高耸的塔尖和光怪的装饰、法国古典建筑、洛可可风格的建筑、巴洛克式建筑以及现代建筑、后现代主义建筑都准确反映出各个社会历史阶段的时代精神，反映出不同历史时期人的审美趣味和历史氛围。建筑，的确是石头写成的历史。

建筑是物质和精神的统一、技术和艺术的统一、功用和审美的统一。建筑的象征之美与环境之美交融时，便产生一种独具深蕴的审美意境，一种总体象征意味。法国诗人梵乐希写道：那座小庙宇，"它是一个珂玲斯女郎底数学的造像呀！这个我曾幸福地恋爱着的女郎，这小庙很忠实地复示着她的身体的特殊比例，它为我活着。我寄寓于它的，它回赐给我"。"人在它里面真能感觉到一个人格的存在，一个女子的奇花初放，一个可爱的人儿的音乐的和谐。它唤醒一个不能达到边缘的回忆"。②建筑在诗人的笔下，已经具有了人的生命，成了一个人格的象征。

---

① 转引自李泽厚：《美学论集》，上海文艺出版社，上海，1982年，第396页。
② 转引自宗白华：《艺境·中国古代的音乐寓言与音乐思想》，北京大学出版社，北京，1987年。

三、绘画艺术的审美特征

美术（包括绘画与雕塑，我们这里主要谈绘画）又称"视觉艺术"或"空间艺术"，是运用造型手段反映生活美丑属性、表现作者审美体验的艺术形式。

美术最重要的审美特征是造型性。它运用形、光、色以及点、线、面等造型手段，构成一定的艺术形象，使人在审美欣赏过程中，通过联想，将凝定的画面或塑像还原为活动的情景和事物发展的过程，从而感受到作品所具有的审美意义和艺术意味。

绘画艺术长于描绘静态的物体，其主要审美特征是具有可视性。与雕塑的区别在于，它只占有一个平面的二度空间，使人在审美过程中通过对其绘画语言的直观理解，由二度空间产生三度空间感。也就是说，绘画具有瞬息美，长于把握生活中富于意味的瞬间，撷取事物运动的一刹那，通过静止的平面和三维空间塑造完美丰满的艺术形象。

绘画以线条、色彩、构图等"有意味的形式"去完成内在心灵情愫的审美物化。

绘画线条的本质在于它与生命的某种异质同构，通过线条的起伏、流动，通过线条的粗细、曲直、干湿等变化，通过线条的轻重坚柔、光润滞涩、枯硬软柔的变化，传达出人的心灵的焦灼、畅达、甜美、苦涩等情感意绪。可以认为，线条中流动着画家的缕缕情思和细腻丰盈的艺术感觉。绘画线条是艺术家通过想象和概括出来的创造性的可视语言，法国浪漫主义大师德拉克洛瓦认为："只有想象力，或者换一种说法，只有感觉的细腻性，才能使人看到别人所不曾看到的东西。"[1]一言以蔽之，线条的审美特性在于，它传达出画家的生命情调和审美体验，反映了作者的风格、品格和精神意志。因此，中国古代著名画家几乎无一例外地都特别讲究线条的美。像晋代顾恺之就以其绘画线条的敛约娴静、萧散出尘，映衬出画师的简远淡泊、宁静致远的个性风貌。

---

[1] [意]利奥奈洛·文杜里：《西欧近代画家》（上册），钱景长等译，人民美术出版社，北京，1979年，第100页。

色彩同线条一样,有鲜明个性特色和审美标准。印象画派将绘画从古典主义的绛红色调子中解放出来,让斑斓色彩流动在整个画幅之上。霍夫曼在《二十世纪绘画》中这样写道:"画家就像一个音乐家变换七个琴键,他将根据他的意图调整线条、调子和色彩。使色彩和线条服从于激发他的感情,画家因此就成了一个诗人,一个创造者。"现代著名画家康定斯基认为:"色彩形式应该在画布上处理得像管弦乐谱的音符那样清楚","色彩不仅在表达人的情绪上而且在表现外界环境的情绪方面,都是和外在有联系的——黄的是泥土,蓝的是天空;黄的是粗率的和讨厌的,令人烦恼,蓝色是纯净的和永恒的,意味着外界的和平"[1]。现代艺术家马尔克对色彩的审美意向性作过富于个性的论述。他说:"蓝色是男性原则,强壮而精神。黄色是女性原则,文雅、安详、肉感。红色是物质,粗鲁而沉重。假如你把阴沉而富有精神性的蓝色与红色调和起来,你就把蓝色提高到一种无法忍受的悲痛的表现上,一种抚慰的黄色如果与紫色形成互补关系,就变成必不可少。"[2]可以看到,康定斯基和马尔克对色彩的象征性解释,不仅说明现代画家将色彩本身的重要价值提到相当的高度,而且标示出人们已经在新的高度注意到绘画色彩的本质在于其情感意义。

除了线条和色彩以外,绘画语言还有一个重要因素,那就是构图。一般说来,构图的主要任务是物体空间的组织、取舍和匠心安排。如果画面作横向线式构成,通常表现出宁静、平和、闲适之感,而斜线式构成,通常蕴含着运动、张力和痛苦的意味,金字塔构图表示稳定或僵化,倒三角形显示出危机和倾颓坍落感,而圆形构图则往往表现出完满、圆转和充盈感。一幅画采用不同的构图,就会表现出不同的审美意向性和气势氛围。

毋庸讳言,绘画线条、色彩、构图等共同凝定为绘画的"有意味的形式",并表现出绘画美的本质所在。这是一种经过审美净化了的形式,一方面表现了自然界的规律(合规律性),同时,又表现了人的

---

[1] 转引自[英]赫伯特·里德:《现代绘画简史》,刘萍君译,上海人民美术出版社,上海,1979年,第109页。
[2] 转引自[德]汉斯·霍夫曼:《二十世纪绘画》,第121页。

情感体验规律（合目的性）。这种绘画形式感是人们在艺术创作和欣赏过程中，不断开创新的绘画境界，并不断生成新的绘画感觉力的重要根据。绘画美的本质，正在于通过对这形式意味的把握和创造，将人的灵魂意绪安顿在一个完美的形式结构中，从而由不确定走向确定，并由确定再次走向不确定。因此，在我看来，只有将绘画艺术形式与人的生命情调联系起来，才能真正洞悉绘画艺术的审美特征和审美本质。

四、文学的审美特征

文学（诗、散文）作为语言艺术这一独立的形式与整个艺术并列，所以，人们常常将"文学艺术"相提并论。

文学与其他艺术的区别，关键是媒介材料的区别。文学所用的语言（词）较之其他艺术媒介（音符、色彩、石头等等）有更为复杂的结构和独特的本质。词比起色彩、音符来，要显得更具"透明性"和"穿透性"，因为词所传达的符号不再需要转换成思想，它自身就是思想。语言是思想的直接现实。因此，文学是一种精神性的存在。

以语言（词）为媒介的文学，运用词进行思维，所以能深入到一切思想所能达到之境。正因为如此，费舍尔和哈特曼把由语言的意义所唤起的想象直观，作为文学本来的形式或表现手段，视其为"想象艺术"。此后，迈尔和狄索瓦等人主张，文学是以语言为媒介的艺术——语言艺术。因此，语言成了文学的第一要素。要将作者头脑中的审美意象完美地转化为文学形象，文学语言应尽量做到准确、鲜明、生动，尤其应努力臻达形象鲜明、凝练含蓄的境界，使作品的思想深入各个方面，使作品显出透明性。

文学语言是文化传统的产物，具有明显的区域国别性。一个不懂汉语的人，无法直接欣赏李白的诗和曹雪芹的《红楼梦》；反过来，一个不懂英语的人，亦无法鉴赏莎士比亚原作的精神、风貌。但尽管不懂德语、法语，全世界都可以欣赏贝多芬的音乐和米勒的画。这其中的奥妙就在于文学语言这一媒介缺乏其他艺术所具有的形象直观性。然而，文学语言所具有的精神穿透性和性质的确定性，使之显出一种纵横驰骋、上天入地、忽古忽今、无所拘忌的自由境界。而且,语言精神性给文学带来的一种"诗境",其深邃、含蓄、警彻,往往是各门艺术追求的对象。

文学作品的精神性意义因其复杂而多层,所以成为一个"召唤结构",而表现出最大的魅力。伽达默尔说:"只有从艺术作品本体论出发,文学的艺术特性才能被把握。……文学的存在,并不是某种异化之存在的死气沉沉的延续,这种延续在未来派中本来是提供给某个未来的时代之体验真实的。实际上文学就是一种精神性保存和流传的功能,而且它因此就把隐匿的历史举到了每一个现时之中。"①

对文学作品的意义的理解,"需要我们在一种既是理性的,又是情感的方式中去把握整个意义"②。理查兹和奥格登在他们所著的《意义的意义》一书中认为,诗应该力求传达语言所能传达的那种最复杂的意义,它一旦突破了传递复杂意义的困难,它也就能表现出最大的魅力。因此,诗的内容往往是蕴藏在读者心中的、想说而又无能力加以表达的东西。正是在这个意义上,伽达默尔断言:"文学,就是投注到最生疏事物中去的精神理解力。没有什么东西像文字一样是如此纯粹的精神足迹,即没有什么东西像文字一样是如此被引向理会着的精神的。在对文字的理解和解释中产生了一种奇迹,即某些生疏的东西和不起作用的东西转变成了无条件的熟悉的和亲近的了。"③

文学是语言艺术,然而使用语言的却并不一定就是文学。因此,这就需要划出文学语言和非文学语言的界限;同时,还需要划出文学形象和非文学形象的界限。罗曼·英伽登认为,文学作品是由一个多层次结构统一综合所组成,其全部审美价值存在于互为异质的诸存在的"多声调和"中。

文学是语言的艺术,这是说,它是运用语言这个东西作表达手段

---

① [德]伽达默尔:《真理与方法》,王才勇译,辽宁人民出版社,沈阳,1987年,第237页。
② [美]托马斯·芒罗:《走向科学的美学》,石天曙,滕守尧译,中国文联出版社,北京,1987年,第346页。
③ 同①,第241页。

的艺术。语言,在这里既指口说的——口语,也指书写的——文字。文学,可以是像古今中外著名作家那样用文字写出来的长篇巨著,也可以是像民间无名作家那样未用文字书写、只用口语朗诵的民间创作。

任何一种艺术,建筑、舞蹈、音乐、雕刻、绘画、戏剧,或是电影,都需要有"物质"作表达手段,才能把艺术家的艺术构思表现出来,成为"作品"。比如,音乐用的是声音这样一种"物质"。音乐家的"乐思"通过声音的表达手段,创造出了为人们可以听见的音乐形象,才成了音乐作品。绘画用的是线条、色彩这样的"物质"。画家的"画意"通过这种表达手段,创造出了人们看得见的绘画形象,才成了美术作品。文学也要采用一种"物质"作为表达手段,表现作家心中的"文思",创造出人们感受得到的文学形象,才成为文学作品。文学所用的表达手段,是不同于其他艺术所用的一种特殊的"物质"——语言。

不错,文学之外,有些艺术如戏剧、电影,也要用语言作为表达手段。但是,我们不把这些艺术称作语言艺术。因为这些艺术的表达手段,主要不是语言,语言在这里不起决定的、主导的作用。不用语言,电影依旧可以成为电影——默片,戏剧照样可以是戏剧——哑剧。语言,对于文学说来,却不是这样了。没有语言作为表达手段,文学就不成其为文学。如果一个作家有成竹在胸,可是没有用语言表达出来,还未下笔成文,那就不能说已有了文学作品。如果这个胸中的"成竹"表达出来了,但用的却是别的物质手段,不是语言,那就只能说是音乐作品、美术作品或者别的什么作品,却不是文学作品。

文学是唯一只用语言作表达手段的艺术。语言对文学说来是如此重要,以至语言艺术大师高尔基把它称为"文学的第一要素"。世界上许多文学巨匠都十分重视语言技巧对于文学的意义。

但是,不管语言在文学中如何重要,它毕竟只是一种手段。文学作家运用这种手段要达到的目的,是要创造出形象,从而形成文学作品。运用语言这种手段来达到什么目的,是创造形象还是表达理论,这是区别文学作品和科学论著的关键之处。政治学、经济学、伦理学、心理学、哲学、史学、美学,一切科学,虽然都用语言文字来表述,但我们不能称之为文学,因为它不是创造具体的形象,而是表达抽象的理论。

文学和艺术创造出来的是形象。可是,形象是什么呢?根据反映的原则,现实对象具体反映在人的头脑中,就会出现一般称之为"映象"的东西。"映象"存在于内心世界,形态不一,复杂多样。它可能是现实对象的单纯再现,成为再现性表象,它也可能是现实映象的复杂结合,构成创造性想象。文学和艺术创造出来的形象,正是一种特殊的"映象"。这种特殊的"映象",我国古典文艺理论称之为"意象"。这是已经融合了作者的思想、感情、意志,经过创造性想象改造,而又以生活的具体样子呈现出来的综合映象。这种"意象"如果只是作为内心映象在人的头脑中存在时,我们是看不见、听不到、摸不着的;一旦用物质手段使之"物化","意象"就成为可以感受到的形象。形象就是这种内在"意象"和外在表现的统一。文学形象也正是这样。唐代诗人王之涣在鹳雀楼登高远眺,只见白日斜靠着一片晋南山岭,阳光映照着滚滚的黄河,黄河之水从西北天际一泻千里流向东南,奔腾入海,现实对象在诗人心中留下了深刻印象,此情此景,历历在目。诗人的耳闻目睹,唤起了心中的生活经验,在内心引起了反应,不禁使心潮起伏,思绪万千,激起了诗情。诗人心中的多种映象和思想感情融合在一起,经过创造性想象的改造,在心中构成"意象"。"在心为志,发言为诗",心中"意象",用语言表现,外化为形象,于是就产生了那首千古流传、脍炙人口的名诗《登鹳雀楼》:"白日依山尽,黄河入海流。欲穷千里目,更上一层楼。"正因为文学使用语言手段创造出来的是这种具体的形象,所以才称为语言的艺术,同科学论著相区别。

目的各自不同,手段也就相异。文学作品的语言必须服从形象化的规律,以适应创造形象这一目的。这样,文学作品的语言也就具有自己的特点,不同于科学的、政治的语言,这就是我们常说的艺术语言。艺术语言是形象的、优美的语言,具有美的性质,能够完美地表现"意象",能由它的触发而把读者引入艺术胜境。语言艺术家运用这样的艺术语言来创造形象,"状难写之景,如在目前;含不尽之意,见于言外"。元代作家马致远在他的散曲《天净沙·秋思》里,只用寥寥数语,就把旅途的愁人秋思描写出来。"枯藤老树昏鸦,小桥流水人家,古道西风瘦马",这里仅出现了九个词语,连接成三个短句,便使旅人愁煞的秋景,跃然纸上,如在目前。"夕阳西下,断肠人在天涯",这两个短句,更进一层把沦落天涯、秋旅彷徨的情景勾画出来,旅人的悲思愁情,见于言外。这里的秋天景物,也都染上了这种悲愁的感情色彩,情景交融、浑然一体。这样的艺术语言,优美动人,使人读了回味无穷,激起共鸣。

文学是用美的语言来创造形象的艺术。中外文艺理论中都称为艺术的文学,或称为美的文学。

对于文学是语言艺术这种认识,中外都经历了漫长的历史发展过程,才逐渐明确。

在中国,"文学"的涵义曾有几度变化。在先秦时代,"文学"是"文章"("文")和"博学"("学")的总称,"文学"包括了整个文化,先秦诸子的哲学、道德、政论文章,都被说成是"文学"。到了秦汉时代,"文学"还是总括"儒学"和"文章",但二者渐趋独立,"文学之士"逐渐分离为二:一类归"文苑",一类属"儒林"。像司马相如这类从事辞章诗赋创作的文人,和那些专门研究儒学经术的学者分开来了。发展到魏晋时代,"文学"和经学、玄学、史学分立发展。到了齐梁时代,更进而把"文学"细分为"儒"和"学",把"文章"细分为"文"与"笔"。史传、奏议这一类文章归入"笔",屈原、宋玉、枚乘、司马相如等人辞章诗赋一类算作"文"(梁元帝萧绎的《金楼子·立言篇》对此有所阐明)。"文"、"笔"的划分,表明了齐梁时代对于文学的了解逐渐深入。对于"文"和"笔"的解说,前人众说纷纭,有些学者常把有韵的称"文",无韵的称"笔"。其实,"文"与"笔"的原则,不只在有韵无韵,也不只在言辞的美,还在于有无情采。齐梁时代就有人把"事出于沉思,义归乎翰藻"的"文"和一般的文章区分开,"文"不仅要有特殊的言辞,而且要有特殊的情采,即所谓"流连哀思"、"情灵摇荡"。这种对"文"的看法,很接近于今天所说的艺术的文学或美的文学的意思了。"文"和"笔"的区分,把艺术的文学或美的文学同其他文学(其实是文章)从内容和形式上区别开来了。可惜,齐梁时人常常只把诗赋一类视作"文",而小说一类却排除在外。在创作实践中,齐梁文学的情采,也只局限在贵族上流社会的狭小天地,偏向于追求"翰藻"的华美,形式主义弊祸严重。到了隋唐时代,为了反对形式主义,出现了古文运动,取消了"文"、"笔"之分,甚至以"笔"为"文","文学"变成了"明道"之器,不区别艺术的文学和道德文章了。发展到宋代,"文学"干脆成为"载道"之具,道学代替了"文学"。幸而,自先秦以来,历代对于"诗"的看法一直较接近于艺术的文学或美的文学这种意思。自唐代开始,"诗"和"文"的区分更加明显,语言艺术的特点在唐诗中得到了充分的发挥,在戏曲、小说和一些散文中也日益明显地表现出来。但长期以来,封建文人把戏曲、小说之类看作雕虫小技,不能列入"文学"殿堂,那些并无语言艺术特点的文章却被尊为"文学"正宗。只是到了现代,人们终于把这些具有语言艺术特点的诗歌、小说、剧本和散文称为文学,而把那些并无语言艺术特点的文章列在文学之外。于是,文学是语言艺术的涵义就确定下来了。

在国外,"文学"涵义的变化,也经历了类似的途径。古希腊时代,史诗、悲剧早已很发达,但"文学"并不专指这类东西,而是总括一切文化。西方用拉丁文Littera一语来表示一切书写的东西,小至一个字母,大到整个文化,包括具有语言艺术特点的东西,全包罗在内。中世纪时,神学统治一切,包罗万象,文学被淹没在神学之中。文艺复兴以后,特别是启蒙运动以来,科学的发展、学术的细分,使得政治学、经济学、伦理学、史学、美学等都独立出来,成为专门科学。剩下那些不能归入科学之列的诗歌、剧本、小说等,独立出来,称之为文学。

《美利坚百科全书》(1963)里说道:文学"词源上的意思是一切书面的或印刷的东西"。直到现在,"还流行着关于文学的两种对立的观念。一种观念认为,一切说得好的东西都是文学,认为文学风格标志文学和非文学的区别";"另一种看法认为,文学的核心和基本的特点是在于它是想象的表述形式,一切文学都是虚构的"。日本《万有百科大事典》(1973年版),也把文学分为广、狭二义:"广义的文学是一切用文字书写的东西";"就狭义来说……亦即与文艺同义"。这说明今人对于作为语言艺术的文学的本质和特征,认识越来越精确,越来越深刻。

五、戏剧艺术的审美特征

戏剧美学作为文艺美学的一个分支,专门研究戏剧艺术的审美特征及其规律。

亚里士多德在《诗学》中,用大量的篇幅论述悲剧的审美本质以及其净化心灵的审美作用。他认为:"悲剧是对于一个严肃、完整、有一定长度的行动的模仿;它的媒介是语言,具有各种悦耳之音,分别在剧的各部分使用;模仿方式是借人物的动作来表达,不是采取叙述法;借引起怜悯与恐惧,来使这种情感起卡塔西斯(净化)作用。"①莱辛认为:"在剧院里我们应该学习的,不是这个或那个个别的人曾经做过什么。而是每一个具有特定性格的人在一定的环境里将要做什么。悲剧的目的远比历史的目的更富于哲学性。"②

黑格尔在《美学》中对悲剧问题展开全面论述,集中阐发了他的由冲突到和解的美学观点,论述了悲剧冲突的必然性③。德国戏剧家瓦格纳认为,戏剧的本质特征在于歌、舞、诗三者的融合,因而被人称为"三T主义"(因诗、乐、舞三个德文字的第一个字母都是"T"而得名)。戏剧理论家萨赛(1827~1899)认为戏剧的本质在于:"观众的存在,谁谈戏,谁就一定要谈起看戏的观众。不能设想没有观众的戏剧。"④"这是一种不容争辩的真理:不管是什么样的戏剧作品,写出来总是为了给聚集成为观众的一些人看的,这就是它的本质,这是它的存在的一个必要条件。"⑤"没有观众,就没有戏剧。观众是必要

---

① [古希腊]亚里士多德:《诗学》,陈中梅译注,中国戏剧出版社,北京,1986年,第12页。
② [德]莱辛:《汉堡剧评》,张黎译,上海译文出版社,上海,1981年,第101页。
③ [德]黑格尔:《美学》第3卷(下册),朱光潜译,商务印书馆,北京,1981年,第283~297页。
④ 汪流等编:《艺术特征论》,文学艺术出版社,北京,1984年,第451~453页。
⑤ 同上。

的、必不可少的条件。"①而美国当代戏剧理论家霍华德·劳逊认为:"戏剧的基本特征是社会性冲突——人与人之间、个人与集体之间、集体与集体之间、个人或集体与社会或自然力量之间的冲突;在冲突中自觉意识被用来实现某些特定的、可以理解的目标,它所具有的强度应足以导致冲突到达危机的顶点。"②可以看到,对戏剧本质的探讨,从亚里士多德的"模仿说",到萨赛的"观众"主体说,发生了由对象式客体求索向主体人追寻的转化。人们对戏剧本质的把握越来越自觉,尽管这种本质求索将永远不会结束。同样值得珍视的是中国的戏曲文化遗产。我认为,中国戏曲蕴藏着丰富的美学宝藏,有很多精辟的美学思想有待发掘,如果站在更高的美学基点上去反观中国戏曲,必将会有新的审美发现。

那么,简单地说,戏剧艺术的审美特性究竟是什么呢?

首先,戏剧是一种综合性的舞台艺术。戏剧既非过程性的表情艺术的绘画化,也非直观性的造型艺术的情节化,而是由演员扮演角色,运用多种艺术手段,在舞台上当众表演故事情节的一种新的艺术样式。戏剧的产生,反映出人们在审美领域一种共同的综合性的需要。著名导演黄佐临认为:"话剧包容了哲理、心理、文学、绘画、演技、舞蹈、音乐七种成分,这七种成分不能脱离戏剧艺术的特点而存在,相反,它们服从戏剧特性,互相联系,融为一体,成为一种浑然一体的艺术形式。"③英国戏剧家马丁·艾思琳认为:"戏剧是艺术能在其中再创造出人的情境、人与人之间的关系的最具体的形式","戏剧是最具有社会性的艺术形式;就它的性质本身来说,是一种集体的创造,因为剧作家、演员、舞美设计师、制作服装以及道具和灯光的技师全部作出了贡献,就是到剧场看戏的观众也有贡献"。可以说,戏剧这种综合艺术形式,不是多种艺术简单的相加,而是将各种艺术整合为一个统一体时,产生了单门艺术所不具有的特性,生成一种新

---

① 汪流等编:《艺术特征论》,文学艺术出版社,北京,1984年,第451~453页。
② [美]霍华德·劳逊:《戏剧与电影的创作理论与技巧》,邵牧君、齐宙译,中国电影出版社,北京,1978年,第213页。
③ 黄佐临:《戏剧剖析》,中国戏剧出版社,北京,1981年,第10、27页。

的审美素质,改变了各种艺术独立时的形态和规律。总之,戏剧作为综合艺术,只有以整体的舞台形象呈现在观众面前,才能使戏剧的审美价值得到实现。

其次,戏剧具有直观性和具体性特点。戏剧是由演员表演的艺术,与其他艺术相比,在感性直观上更接近于现实生活。因此,人们置身于剧场氛围之中时,往往获得强烈的审美直观感受,并不知不觉地进入戏中的境界,与剧中人物休戚相关,甚至恍然有如这就是生活本身,而非虚构的戏剧。这样,戏剧史上不乏悲剧出现。司汤达在《拉辛与莎士比亚》中记载了一则真实故事:1822年8月,法国巴尔的摩剧场上演莎士比亚著名悲剧《奥赛罗》,当演到被忌妒冲昏了头脑的奥赛罗扼死妻子苔丝蒙德纳时,一位执勤的白人士兵竟向演员开了一枪,使扮演奥赛罗的演员手臂受伤。可见戏剧因其直观性和具体性所获得的巨大艺术感染力。当然,那位士兵由审美心理激情转化为生理的幻觉,从审美转向非审美是不足取的,但这种"认戏为真"的心理体验却是可以理解的。只要控制在一定的理性范围内,就能收到回肠荡气的戏剧演出效果。

再次,戏剧是通过表现矛盾冲突来展开情节和塑造人物的,也可以说,戏剧的本质在于它能够直接而集中地反映社会的矛盾冲突。戏剧必须表现矛盾冲突,没有冲突,就没有戏剧。那么,戏剧冲突的核心是什么呢?在我看来,冲突的核心是典型人物之间具有社会意义的性格意志冲突。可以说,这种由矛盾冲突引起的具有强大审美魅力和艺术感染力的性质,就是人们所称之为的戏剧性。

英国戏剧理论家阿·尼柯尔认为:"戏剧性这个词对作者讲述的对象——公众来说,其涵义则指意外的事件,同时也暗示某种震惊;这种震惊可能出于奇妙的巧合,或是由于所叙事件背离日常生活的普遍规律。"[①] "在任何一出戏里,大小震惊安排得越巧妙、越有力,这

---

① [英]阿·尼柯尔:《西欧戏剧理论》,徐士瑚译,中国戏剧出版社,北京,1985年,第37页。

出戏就越富于强烈的戏剧性。"①戏剧冲突引起人们震惊、怜悯或恐惧,使戏剧具有扣人心弦的艺术力量。而剧情的恐惧、巧合、误会、悬念、延宕、惊变等艺术手段,都能构成剧情的波澜与冲突,获得强烈的戏剧性效果。可以认为,只有由冲突引起的戏剧性事件和场面,才具有较高的艺术审美价值。

六、音乐艺术的审美特征

音乐,是声音的艺术,以音响为材料。音乐通过旋律等音乐语言组成的运动形式,表现作者的审美体验。当欣赏者聆听乐曲以后,对音乐作品产生再度体验,从而达到审美体验的传达,激起美感,得到陶冶和感染。

对音乐艺术的反思促使人们认识到:"乐的境界是极为丰富而又高尚的,它是文化的集中和提高的表现。'情深而文明,气盛而化神,和顺积中,英华发外。'这是多么精神饱满、生活力旺盛的民族表现。'乐'的表现人生是'不可以为伪',就像数学能够表示自然规律里的真的那样,音乐表现生活里的真。"②也就是说,音乐是生命力的表现,它昭示了人类灵魂的真。

钱锺书先生《管锥编》中认为,"音乐不传心情而示心迹",从而将音乐艺术上升到与人类本体同体的高度。音乐不是一般情绪的发泄或心情的外达(因为婴儿的啼哭也是强烈的情绪、情感外达,但绝非音乐),而是人类生命存在和生命力运动的表现。罗曼·罗兰在《论音乐在世界通史中所占的地位》中说:"音乐的实质,它的最大的意义不就是在于它纯粹地表现出人的灵魂,表现出那些在流露出来之前长久地在心中积累和动荡的内心生活的秘密吗?……音乐——这首先是个人的感受,内心的体验,这种感受和体验的产生,除了灵魂和歌声之外再不需要什么。"因此,我们认为,音乐本质上是一门直接表现人类生命力、表现人类灵魂的艺术。"音乐始于词尽之处,音乐能说出非语

---

①[英]阿·尼柯尔:《西欧戏剧理论》,徐士瑚译,中国戏剧出版社,北京,1985年,第40页。
②宗白华:《艺境·中国古代的音乐寓言和音乐思想》,北京大学出版社,北京,1987年。

言所能表达的东西,它使我们发现我们自身最神秘的深奥之处。"①

1. 当代音乐美学的发展

作为文艺美学组成部分的音乐美学,近年来在我国发展很快,而且,在关涉音乐本质的诸多问题上,有了新的反思和新的突破。

首先,人们在"音乐形象"一词上,进行了认真的考察。这一范畴自20世纪50年代从苏联引进,一直成为音乐美学的最高范畴,并作为音乐批评的主要价值标准,长期盛行于音乐理论界。然而,当人们对音乐的特性及其审美特征有了愈来愈清醒的认识以后,看到了"音乐形象"与音乐本身特征并不完全吻合,因而"形象"理论因套用"形象思维论"而显得这一理论缺乏透明性。于是,强调情感就一度成为音乐美学的主潮。

人们通过对音乐形象的分析,认为"艺术形象和音乐形象这两个概念,无助于揭示各门艺术的共同特征和音乐艺术的独有特征,因而是不科学的",因此,"应扬弃艺术形象、音乐形象,而代之以艺术意象,音乐动象这样的范畴"②。我们认为,艺术意象和音乐动象概念的提出,有其重要的美学意义。当然,"音乐形象"尽管未能完全抓住音乐的本质,但仍是音乐本质的一个不可缺少的方面。因为音乐不是哲学(尽管在黑格尔和叔本华那里,音乐已经接近于哲学③),它仍需要人感性地审美把握。因此,形象不能完全否定,但也不能不加发展。我倒觉得,"音乐艺术意象",是触及了音乐的根本本质,值得深入研究。

如果说,音乐形象的讨论,着重点是在音乐作品本体范围内展开,意在解决音乐艺术表现方式的特殊性,那么,当代音乐美学对"自律"和"他律"的探讨,就真正触及音乐美学的核心了。

自律与他律的概念,最早出现在康德的伦理哲学中。康德认为,人的伦理意识不是由外在原因决定的(他律),而是一种先天的"绝

---

① [法]圣·桑:《和声与旋律》,转引自[苏]布隆汾编:《法国十九世纪音乐美学》,中央音乐学院教材。
② 蔡钟翔:《形象·意章·动象》,《乐府新声》,1986年第2期。
③ 叔本华就说过:音乐是"真正的哲学",引自何乾三编:《西方哲学家文学家音乐家论音乐》,人民音乐出版社,北京,1983年,第122页。

对命令",伦理意识是自律的。德国美学家费利克思·卡茨在《音乐美学的主要流派》一书中,认为音乐美学发展中存在互相对立的两种流派,即自律论与他律论。认为那种只能在音响结构自身中去理解音乐本质,只能从音乐自身中去把握音乐,换言之,制约着音乐的法则和规律不是来自音乐之外,而是在音乐自身之中的理论,就是所谓音乐自律论。而音乐他律论,则认为音乐的音响是一种次要的形式,音乐的内容或决定音乐之所以为音乐的东西是他律的,主要是情感与观念。自律与他律之争,关键在于说明音乐究竟是有自身存在的价值呢,还是仅仅作为一种手段而为其他外在目的服务。在音乐美学发展的过程中,有的偏重于自律论,注重对音乐内在特性的研究,认为音乐自己有其存在的价值,本身便是目的,并不为其他的功利目的服务。有的偏重于他律论,认为艺术是一种形象的认识,可以作为宣传的工具,为政治或经济服务。还有的美学家认为两种目的同时并存,即音乐是自律与他律的统一。

当代中国音乐美学,在音乐自律与他律这一有着相当重要的音乐本体论意义的问题上,也作出了自己的回答和探索。有的研究者针对音乐自律与他律两大派的缺陷,而提出一种弥合二者不足的新见解——"合律"说[①]。然而,这种合律说,并未真正解决自律与他律统一的问题,而只是提出了一系列新的问题,需要更深入地探讨才行。

由此看来,音乐美学方面的探讨路程还很长,也可以说是刚刚才触及音乐艺术本体论问题。迄今为止,我们还没有一本像样的音乐美学专著问世,许多基本理论问题也还有待朝纵深方面拓展,才能真正形成有一定理论深度的音乐美学体系。

2. 音乐艺术的审美特征

音乐艺术作为时间的艺术,以音响作为自己的表现手段,以表现审美体验为基本特色,使音乐与其他艺术具有以下不同的审美特征。

首先,音乐艺术的时间动态性和听觉性特点。音乐具有时间性和

[①] 李曙明:《音心对映论——〈乐记〉"合律论"音乐美学初探》,《人民音乐》,1984年第10期。

运动性特征，这使得音乐表现出来的审美意象是不断发展、变化和流动的。在音乐的变化运动中，音乐犹如人的生命一样流动着，它的节律、它的律动与人的生命和谐共振。庄子说："无声之中，独闻和焉。"音乐使我们沉醉其间去把握世界生命万千形象里最深的节奏的起伏。作为动态艺术的音乐，以其舒张紧散的节奏和纤徐激烈的旋律反映出人的生命感中的悲愁欢愉。音乐的力度和人的生命力度相应相和；正如苏珊·朗格所说："音乐本来就是最高级生命的反应，即人类情感生活的符号性表现"；"音乐的最大作用就是把我们的情感概念组织成一个感情激动的非偶然的认识，也就是使我们透彻地了解什么是真正的情感生命"。[1]音乐作为时间艺术，与人类的生命律动相应和，因为音乐的律动及其在时间中的展开，演示出人的生命活动的不断消亡和不断重建的过程。音乐艺术结构与人的生命结构的相似之处，"使它们看上去像是一种生命的形式"[2]。

其次，音乐语言的表情性及其不确定性与不具体性特征。

海涅说："音乐也许是最后的艺术语言。"也有人甚至说：音乐是上帝的语言，它是不需要翻译的。的确，音乐语言（包括旋律、节奏、和声、复调、配器、调式、曲式的表现手段）是没有国界的，它不像文学语言需要翻译才能听懂，它也不像绘画语言，通过视觉而作用于感官。音乐是通过听觉而直接作用于心灵的语言。从敏锐的直感、生动的想象和情感的体验达到对音乐语言的领悟和语言意义的理解。

音乐美学家H.埃泼逊认为："音乐是超验的象征性语言，音乐象征是处于经验和非称名之间的东西，它是属于现在的，但同时也可以永恒地存在下去。"[3]为什么音乐语言可以在现在和未来"永恒地存在下去"呢？为什么音乐具有超验的象征意味呢？

这是因为，音乐语言具有不确定性和不具体性之故。音乐语言与人类语言相比，缺乏语言那种明确的概念性，没有语言文字那种固定

---

[1] [美]苏珊·朗格：《情感与形式》，刘大基等译，中国社会科学出版社，北京，1986年，第146、55页。
[2] 同上。
[3] 《美国美学杂志》，1979年第19卷，第4期。

不变的单义性词汇,它的最基本单位——动机是无限多样的,这就为其理解的创造性留下更多的不定点。同时,音乐语言具有共同性,是一种世界性的艺术语言,能够超越它本身的民族性和阶级性。威柏说:"音乐的语言本身包含着如此多的不确定的东西,它给个人的感情以如此宽广的独立感受的境界,以至只有个别的、谐调到共鸣的个人,才能与作者齐步沿着他的感情所走过的道路前进。"[①]正因为音乐作品是一个"召唤结构",可以让人从有限见出无限,从"一"把握到"多"。当然,我们也不能将"不确定性"绝对化,音乐也有其总体倾向性,也就是说,有其确定性一面。正因为其不确定,才能通过二度创造获得确定的意向性;又正是这确定性,才使音乐作品成为每个作者生命情调的呈现。

第三,音乐具有直接的灵魂震撼作用。著名美学家、哲学家阿多尔诺认为:现代音乐以其固有的特征能够间接地挽回人在现实中失去的美好希望,从而唤醒麻木的灵魂,起到拯救绝望的作用。在阿多尔诺看来,现代音乐具有一种"先期出现的幻想要素",也就是说,它展示了一种与现实不同的希望,展示了一种现实还未有,但期望它出现的人。尽管阿多尔诺对现实决然加以否定,或对传统音乐否定过多,这些都值得商榷,但其音乐美学思想中无疑都有其极深刻的思想存在。

音乐,已不再是花前月下的小曲,而是一种唤醒人的艺术力量。音乐不再只为人们提供美的享受,它也直接参与了改造人的感受力、改变人的审美心理结构的过程。音乐未来的发展,将以铸灵性为己任,它在艺术中所禀有的超验本质,使其将以动人心魄、唤人奋起的力量去塑造新的人生。

七、舞蹈艺术的审美特征

舞蹈艺术究竟是什么?它具有什么样的审美特征?要回答这些问题,绝非易事。

苏珊·朗格认为:舞蹈的"姿势是生命的运动。舞蹈是一种完整

[①]转引自[苏]克列姆辽夫:《音乐美学问题概论》,人民音乐出版社,北京,1983年,第103页。

的、独立的艺术,舞蹈就是创造和组织一个由各种虚幻的力量构成的王国"。①朗格的看法是具有一定道理的。一般说来,舞蹈是一种以经过提炼、组织和美化的人体动作姿态为表现手段,表达审美感情和反映生活审美属性的艺术形式。而表现生命的力度是其最为根本的规定性。

舞蹈起源于远古人类的生产劳动。诗、乐、舞是人类历史上最早产生和互相结合形成的艺术形式。东汉傅毅《舞赋》将汉代舞者的精妙舞艺及其精神超迈、意象旷远刻画得历历在目:

> 轻柔的罗衣,随着风飘扬,不时左右地交横,飞舞挥动,络绎不停,宛转袅绕,也合乎曲调的快慢。她的轻而稳的姿势,好像栖歇的燕子,而飞跃时的疾速又像惊弓的鹄鸟。体态美好而柔婉,迅捷而轻盈,姿态真是美好到了极点,同时也显示出了胸怀的纯洁。舞者的外貌能够表达内心——神志正在杳冥之处游行。当她想到高山的时候,便真峨峨然有高山之势,想到流水的时候,便真泽泽然有流水之情。她的容貌随着内心的变化而改易,所以没有任何一点表情是没有意义而多余的。……她的气概真像浮云般的高逸,她的内心,像秋霜般皎洁……②

可见,舞蹈艺术是以抒情性为其本质特征的。同时,舞蹈的节律,反映了人的生命的节律,舞蹈的造型性,使人通过对动作姿态的美化,传达出情思(气若浮云,志若秋霜)。而且,舞蹈者既是创造者,也是其物质材料的承担者,又是被创造的审美对象。可以说,舞蹈这种时空综合性艺术,长于抒情,拙于叙事,是有很大虚拟性的表现艺术。

---

①[美]苏珊·朗格:《情感与形式》,刘大基等译,中国社会科学出版社,北京,1986年,第213页。
②这段译文由王世襄译出,刊载于音乐出版社《民族音乐研究论文集》第一集。傅毅《舞赋》见《昭明文选》,原文如下:"罗衣从风,长袖交横,骆驿飞散,飒擖合并。鹍鹏燕居,拉揩鹄惊。绰约闲靡,机迅体轻,姿绝伦之妙态,怀悫素之洁清。修仪操以显志兮,独驰思乎杳冥。在山峨峨,在水汤汤。与志迁化,容不虚生。……气若浮云,志若秋霜……"

舞蹈,是表现性艺术。它用人体的动作、姿态、手势来体现艺术家对生活的审美体验,其重心也在表现思想感情。但比起音乐来,舞蹈的再现性、造型性可能要更明显些。黑格尔的《美学》虽然没有对舞蹈辟专章论述,但他在谈到音乐和雕刻时,曾把舞蹈看作是音乐和雕刻的统一,"舞蹈把音乐和雕刻统一起来了"。音乐是富于表现性的,而雕刻则已属于造型艺术,重再现性。舞蹈是结合了时间和空间的艺术,它不像音乐主要是时间的艺术,而雕刻主要只是空间的艺术。舞蹈要重视造型,这就和雕刻接近。但是,雕刻的造型是静止不动的,不能直接再现动态。舞蹈却不然,它要在运动中造型,动态和静态的造型相结合,而动态造型更是主要的。舞蹈重在动态性造型,在运动这一点上,使它和音乐更加接近,所以,舞蹈更多具有表现性,而与雕刻有别。

既然舞蹈主要属于表现性艺术,那么,舞蹈内容的美,当然主要就在于它表现了美的感情、美的观念、美的趣味、美的理想等等。为了表现美的感情、美的观念、美的趣味、美的理想,舞蹈也需要再现生活中美的对象,但这种再现是从属于表现的。

戴爱莲创作的《飞天》,其题材取自佛教中关于香音神的传说,而造型则是根据敦煌壁画飞天乐舞伎的形象,予以创造而成。《飞天》中女神在安详的静睡中苏醒,挥舞着长长的彩带翩翩起舞,这是很美的造型。但这种美的造型,正是为了表现艺术家的美好的感情和理想,艺术家用寓意、象征、比拟的手法,表现了刚刚取得解放的中国人民对于现实、自由、幸福的肯定和对于未来的美好憧憬。

作为表现性艺术,舞蹈的动态造型,比起音乐来也许更能表现审美感情的外在形态。但是,舞蹈表现的也仍然是较为概括、宽泛的内容,相对于再现性艺术而言,舞蹈的形式美,也较为显著和重要。构成舞蹈形式的动作、姿态、手势等,最早可能来源于对现实对象的模仿,但它已经不是生活中的自然形态的东西,而成为表现内容美的手段。傣族舞蹈中有许多动作、姿态、手势,是从模仿孔雀的喝水、嬉水、照水、走路而来的;朝鲜族舞蹈中有许多动作、姿态、手势,是从模仿白鹤的样子而来的;蒙古族舞蹈中有许多动作、姿态、手势,是从模仿驯马的动作而来的。但那些自然形态的东西，变为舞蹈的"语言"，已经由人加以美化改造过，成为相对稳定而独立的东西。当艺术家把这些手段用来构成舞蹈形式时，它就表现了某种内容。我国传统戏曲中的兰花手势，也许来源于女红活计，如纺纱、绣花的动作，但艺术家把这些动作加以美化，改造为艺术表现手段，如"含苞"、"瓣"、"垂丝"、"吐蕊"等，它就有了相对独立的审美价值。正是这种由人体动作、姿态、手势等综合而成的形式美，构成了舞蹈所特有的美，不能为其他艺术所代替。而舞蹈的内容，就凝练、积聚在这种形式美中，使我们在欣赏到它的形式美时，也掌握了它的内容美。我想，舞蹈的美，仍应是形式美和内容美的统一，这也是一切艺术所共有的特点。当然，不同种类的艺术，在内容美和形式美的结合上，是有它不同特色的。

八、电影艺术的审美特征

电影是人类文化中唯一能知其准确诞生日期的一门艺术，它从19世纪末诞生直到今天，还不到一个世纪，而其他艺术都有数百年以至数千年的悠久历史。但是，电影在创造能够广泛地把握现代生活的动态的视觉形象方面，要比戏剧、文学、绘画优越，这是由于电影艺术最符合人们意识活动的特征，即高度逼真性、高度假定性以及艺术综合性。因此，列宁说："在所有艺术中，电影对我们是最重要的艺术。"电影是综合艺术，它将文学、戏剧、绘画、音乐、摄影等艺术手段集于一身，而按照电影自身的特性去创造性地运用这些手段，以创造完美统一的音画形象。毫无疑问，电影是随历史、文化的发展而发展，经历了几个发展时期。与此相应，电影美学也有几个发展阶段。而且，电影美学的研究对象也随着电影艺术的发展过程而有所变化。

1. 电影美学思潮的嬗变

电影美学思潮并非单纯地指一般的电影流派，而是指从世界电影美学的高度去寻绎出来的有过深远国际影响，并在电影艺术发展中代表一定阶段的电影美学思想。电影美学思潮往往与时代思潮、哲学思潮和艺术思潮紧密相关，而且在电影艺术领域，电影思潮往往最先发生变化，然后逐步影响开来，使电影理论、艺术风格、摄影手法、编导演的技法和观念也逐步发展衍变。对电影思潮有了明晰的了解,方能正确地把握电影艺术发展的规律。

一般认为,电影美学思潮大致可分为三个阶段,即电影早期发展期、电影美学探索期,以及电影有机综合期。

(1)电影早期发展期

从电影诞生到第一次世界大战。当电影刚刚诞生时,人们还没有意识到它究竟在生活中具有何等重要的意义,但银幕上各种活动影像使观众十分惊奇,赞叹不已。被公认为电影之父的路易·卢米埃尔拍摄的第一部影片是《工厂大门》,拍摄腰系围裙的女工和推着自行车的男工不断走出大门。以后,他除了拍摄日常生活的纪录片以外,还探索纪录电影的各种原始样式。由于卢米埃尔紧紧抓住电影最为根本的特性——活动照相性,使他成为早期电影发展的三大流派之一:强调电影照相性的纪实派。然而,简单的"活动照相"很快使观众失去了新奇感,电影面临危机。这时,电影导演艺术的创立者乔治·梅里爱把戏剧美学引入电影,创立了戏剧电影学派。他认为,电影必须讲故事,有人物活动,有戏剧式冲突。他对卢米埃尔的"逼真性"表示否定,紧紧抓住"假定性"不放,在摄影棚里拍出一部部戏剧化影片。他因把摄影机固定在一个地方对类似舞台表演进行拍摄,所以又被人们称之为"乐队指挥"的视点,舞台剧的复制。

在电影的"逼真性"和"假定性"上各走极端的卢米埃尔和梅里爱因违反电影本性而告失败。美国著名导演格里菲斯(1875~1948)吸取两派所长,避其所短,而成为这场"决斗"的"仲裁者"[①]。格里菲斯从综合整体的电影观念出发,把纪实主义美学和戏剧美学熔为一炉,着力于探求电影特性,特别是摄影构图和蒙太奇,并力图将其他艺术(小说、诗歌、音乐、绘画等)的诸因素置于电影特性的基础上。他创造了平行交替蒙太奇和特写镜头,发挥电影的时空跳跃性,在剧作结构上,格里菲斯勇敢地打破戏剧的"三一律",最先确立了电影所特有的时间、地点、动作"三不一律",充分利用蒙太奇时空跳

[①] 参阅资料:《电影艺术史》,第23页。

跃性，突破历史限制的大胆剪辑，把电影语言发展和推进到一个新的境界，使电影既有别于照相，又有别于舞台剧。

毫无疑问，电影原始发展期的三位探索者代表了三个不同的流派，即：电影纪实派，强调照相性；电影戏剧派，强调电影的假定性；电影综合派，强调各门艺术在电影中的综合运用。从电影思潮史角度看，电影诞生阶段的三个流派有其重要意义，因为20世纪电影风格纷繁复杂，变幻莫测，但追根溯源，往往是这三种基本学派的不同变种。

（2）电影美学探索期

这一时期大致从第一次世界大战结束到20世纪60年代中期，其特点是电影展示出其综合艺术的优势，向诗、戏剧、散文、意识流文学学习，吸收其有用的因素，使电影发生重大的变化和飞跃。

20世纪20年代是默片的黄金时代。无声电影以诗美学为理论基础，掀起"诗电影"思潮。一战结束，正当达达主义和超现实主义艺术在整个欧洲大陆横扫时，爱森斯坦以《战舰波将金号》震动了世界影坛，标志着苏联"诗电影"的兴起。默片时期，电影主题思想无法依靠人物对话和复杂情节来体现，而只能通过对象的造型比拟来表现，这就使得默片只能以诗美学为基础，将电影隐喻作为重要表现手法。当然，电影隐喻因直观、夸张而产生强烈的感染力，但因无声而有极大的局限性。20世纪30年代初，声音进入银幕，从此依靠人物语言和复杂情节来体现主题的"散文电影"逐渐取代了"诗电影"。

"散文电影"指以语言为主要手段，围绕一定的戏剧冲突，表现人物性格及其心灵过程，塑造活生生的有血有肉的人物形象的影片。"散文电影"以自己新的美学追求，不仅对电影的编、导、演进行大胆改造，而且探求斯氏体系在电影中的运用。这段时期，拍出了一批经典性影片，如《夏伯阳》等。

这一时期，除了侧重于塑造人物性格的苏联电影以外，还有两种类型的电影，即侧重于"讲故事"的美国电影和侧重于造成气氛和意境的法国电影，各自在电影美学史上都留下自己审美追求的轨迹。

但是在摄影棚里编造谎言，使电影最根本的真实性特征荡然无存。因此，以罗西里尼为代表的电影艺术家决心进行电影美学的变革,以打碎好莱坞电影的虚假程式,让电影直面现实生活,在创作中贯彻纪实性美学原则,于是出现了"新现实主义电影运动"。在"还我普通人"的口号下,艺术家们将镜头对准现实生活,去描绘普通工人、农民、小市民和城市知识分子的生活和苦乐,拍出了一系列优秀的影片,如《罗马——不设防的城市》《偷自行车的人》《罗马十一时》与《橄榄树下无和平》等。新现实主义电影著名的理论家剧作家柴伐蒂尼响亮地提出"把摄影机扛到大街上"的口号,认为要缩短演出与生活之间的距离,最好用真人真事,尽可能少作艺术加工,而到生活本身中去发掘冲突和情节。而且,倡导多拍实景外景,取消舞台化的照明技术,使影片力求臻于"接近新闻片的质朴"之境,显示出意大利新现实主义全新的美学理想。

法国著名电影理论家安德烈·巴赞(1918~1958)总结了新现实主义电影美学思想,提出了法国纪录派的总体美学思想。巴赞用"总体现实主义"来概括自己的电影美学思想。他对爱森斯坦的典型化方法进行攻击,认为它破坏了生活真实,把导演自己的主观看法强加给客体,使观众失去了自由选择的权利。在巴赞看来,电影艺术家的任务,在于原封不动地保全客体的外部完整性,保全事物原来的"时、空连续体",只有这样才是真实反映生活。巴赞说:"在默片时期,导演用蒙太奇表达出自己想说出的意图,在1938年,电影是描绘生活,而现在终于可以说,导演直接用摄影机'写作'。"巴赞强调镜头的时空连续性,并在镜头内进行一定的组织,重视镜头纵深调度和摇镜头,从而提出了"长镜头"理论,开创了一种全新的电影美学观(详后)。

20世纪50年代末,当新现实主义电影思潮趋于式微,而"新浪潮"(现代派电影)却掀起高潮。"新浪潮"电影的产生,是现代主义哲学思潮、现代主义美学思潮与"内心现实主义"电影美学思潮结合的必然结果。"新浪潮"的代表人物,如戈达尔、特吕弗、夏勃罗等人,深受巴赞"纪录派"的影响,在50年代初期和中期,宣扬"纪录的现实主义",注重外部真实,拍过一些朴素真实的纪录片;50年代后期,受弗洛伊德和存在主义的影响,逐渐接近心理主义而背离纪实主义原则,声称是"主观的现实主义"、"银幕的意识化",致力于表现人物心理迷乱和错综复杂的下意识。这类"新浪潮"影片有《$8\frac{1}{2}$》(费里尼)、《广岛之恋》《去年在马里昂巴德》(雷乃)、《红色沙漠》(安东尼奥尼),其基本特征是无人物、无结构、非情节,并以此作为现代电影的标志。

(3)电影有机结合期。

到了20世纪60年代末和70年代初,电影艺术发展进入了一个新的时期,随着结构主义美学思潮和"政治电影"的兴起,电影在审美观念、艺术风格、创作方法、艺术结构等各个方面,都发生重大转变。

与"新浪潮"电影那种让人物耽于自我心灵的"闭锁系统"去反复内省不同,20世纪70年代,电影走了一条现实主义的"开放系统"道路,在政治电影衰落以后,代之而起的是"社会电影",如《噩梦》《砂器》《人证》《克莱默夫妇》这类影片,并不设置一些令人眼花缭乱的情节,而是以人们所关心的现实问题为线索,写出普通人的悲欢离合,通过演员细腻真实的表演和情感的矛盾起伏,去打动观众的心灵。

电影有机综合期具有不同于电影诞生期和电影美学探索期的诸多特征。现代电影思潮有几个不同的美学走向,有的研究者将其归纳为哲理化美学思潮、纪实化美学思潮、心理化美学思潮和综合化美学思潮[①]。这种多元走向,显示出当代电影美学是一个开放系统,它从来也不准备达到一个"完满的圆圈"境界,它也不屑于固守在任何一点之上。电影美学随历史、社会和人类审美需要而发展。从结构主义电影美学思潮、电影符号学、政治电影、社会电影,到"新法国电影运动"、"思想电影"、"美国新电影"、"科幻电影",电影美学思潮更是波澜起伏,蔚为壮观。尽管对于综合期的当代电影作出肯定或否定的结论尚为时过早,但可以相信,电影这门年轻的艺术,一定会找到自己真正的本性,从而为塑造人的审美新感性,拓展一个新的维度。

2. 电影艺术本体论

电影艺术是一门什么样的艺术?电影的本性是什么?这些问题一直困扰着美学家和电影理论家。有人认为,电影是一门综合艺术,电

---

① 参阅罗慧生:《世界电影美学思潮史纲》,山西人民出版社,太原,1985年,第18~21章。

影的本性是文学性。有人说是戏剧性或绘画性是电影的本性。还有人认为"电影就是电影"。苏珊·朗格认为:电影"是一种新的诗的形式"。"电影像梦,则在于它的表现方式:它创造了虚幻的现在,一种直接的幻象出现的秩序。这是梦的方式。""摄影机就等于观众的眼睛,观众取代了做梦者的位置。电影作品就是一个梦境的外现,一个统一的、连续发展的、有意味的幻象的显现。"①朗格还进一步指出电影与戏剧的分野:"银幕上梦境化的现实之所以能前后变化,是因为它实际上就是一种永恒的、无处不在的虚幻的现在。而戏剧行为所以要不可逆转地向前发展,是因为它创造的是一种未来,一种命运,而梦的方式(电影),则是一个没有尽头的现在。"②欧洲先锋电影运动的阿倍尔·甘斯认为,电影表明"画面的时代来到了"!他说,电影"应当是音乐,由许多互相冲击、彼此寻求着心灵的结晶体以及由视觉上的和谐、静默本身的特质所形成的音乐;它在构图上应当是绘画和雕塑;它在结构上和剪裁上应当是建筑;它应当是诗,由扑向人和物体的灵魂的梦幻的旋风构成的诗;它应当是舞蹈,由那种与心灵交流的、使你的心灵出来和画中的演员融为一体的内在节奏所形成的舞蹈"③。这些说法都带有一定的比拟性和随意性,还不能构成严谨的理论探讨,因而也不能作为我们分析和追求的基础。

如果我们从电影美学的角度来加以考察,那么,我们可以发现,真正的电影理论家都对电影本性之谜作出了自己的回答。一般说来,对"电影的本性是什么"这一问题,大致有以下几种看法。

第一,电影的本性是"蒙太奇"。

欧纳斯特·林格伦在《论电影艺术》一书中写道:"蒙太奇重现了我们在环境中随注意力的转移而依次接触视像的内心过程。电影是用画面纪录物象和重现运动的,它能使我们看到栩栩如生的景象;它应用了蒙太奇后,就能准确地重现我们通常察看事物时的方式。这说

---

① [美]苏珊·朗格:《情感与形式》,刘大基等译,中国社会科学出版社,北京,1986年,第480~481、483页。
② 同上。
③ 参阅邵牧君:《西方电影史概论》,中国电影出版社,北京,1982年,第108页。

明了为什么现代的电影能如此生动、有趣和逼真,能远胜那些局限于不自然、不真实的舞台方式的初期影片,这是整个蒙太奇理论的关键点,而且也是整个电影表现技巧的关键点。"蒙太奇能把各个孤立的画面进行重新组合,以体现一种新的意义。从这个意义上说,"电影创作者也是一个电影诗人,他能在事件平凡的和混乱的表面运动中,看出一种潜伏内在的节奏,像运用其他艺术手段的艺术家一样,他也能诱致观众去一丝不差地重温他的体验"①。

所谓"蒙太奇",是法语montage的音译,原是建筑学术语,意为构成、装配。后转引为电影艺术术语,意为剪辑、组合,即把各个镜头组织、剪辑起来,使之产生连贯、对比、联想、衬托、悬念及各种节奏效果。蒙太奇主要特点是形成画面之间以及画面和音响、画面与色彩之间的组合关系,造成影片快慢、紧张、舒缓的艺术节奏和氛围。同时,把在不同时间和不同地点拍摄的片段有机地组接起来,使影片中的时间与空间的变换具有令人信服的真实感。蒙太奇最初出现于格里菲斯的影片中,20世纪20年代以后,由苏联电影导演普多夫金和爱森斯坦以"库里肖夫效应"为基础,将其上升为较为完整的电影美学理论。

爱森斯坦在电影蒙太奇的研究中,提出了"蒙太奇思维"这一概念,并指出"蒙太奇思维是与整个思维的一般思想基础分不开的"②。爱森斯坦认为,"蒙太奇——这是镜头内部的冲突首先发展为两个并列镜头之间的冲突;镜头内部的冲突是潜在的蒙太奇,随着冲突的加强,它终于冲破了那个四角形的细胞,而把自己的冲突扩展为各个蒙太奇镜头之间的蒙太奇撞击。然后,冲突进一步贯串于一系列镜头之中,利用这些镜头,我们可以把已经分解的事件重新组合为一个整体,但这种组合已经依据于我们的观点,依据我们对现象的态度……蒙太奇单位——细胞就这样分散为一连串的分裂体,然后重新组合为新的统一体——组合为体现出我们对现象的具体概念的蒙

---

① [英]欧纳斯特·林格伦:《论电影艺术》,何力等译,中国电影出版社,北京,1994年,第89页。
② [苏]爱森斯坦:《爱森斯坦论文选集》,魏边实、伍菡卿、黄定语译,中国电影出版社,北京,1962年,第258页。

太奇句子"①。可以认为,爱森斯坦强调了蒙太奇的有机性和典型化职能。他拒斥自然主义,坚持艺术家应以自己的观点去分解素材,加以取舍,然后综合成新的生命体,以反映出艺术家的"世界观概念形象"。

普多夫金与爱森斯坦紧密配合,成为蒙太奇美学理论的奠基者。他通过电影与戏剧、散文、诗、绘画等艺术形式的比较,发现蒙太奇兼有戏剧性(强烈表现矛盾冲突和人情感的冲击力)、散文性(时空大幅度转换、在广阔的时间空间维度中展开情节)和诗性(蒙太奇并列产生的隐喻和象征,凝练地体现主题)的艺术功能,而电影正是上述三种艺术功能的有机融合,故具有独特的艺术感染力。普多夫金总结说:"借助于电影技术而发展到极完善形式的分割和组合方法,我们称之为电影蒙太奇"②。"蒙太奇就是要揭示出现实生活中的内在联系"③,而"正是电影,能够在银幕上表现出完整的、直接作用于感官的感性生活图景,把生活作为极端复杂的辩证过程来加以描绘"。普多夫金反对自然主义和形式主义,反对简单模仿生活现象的表面层次,强调蒙太奇的美学本性在于重视电影的概括性和典型性,通过蒙太奇以揭示生活的本质联系和内在规律。

在蒙太奇手法的运用中,必须坚持"感性因素与逻辑因素的统一"④。爱森斯坦本人早年过分强调"激情"("杂耍蒙太奇"),而后来却过分突出理性,甚至准备拍摄《资本论》,企图不通过人的感性活动去体现作品思想("理性电影"),其结果却背离了电影本性、蒙太奇的辩证性质和电影艺术的综合性。因此,蒙太奇在苏联电影中曾经历两个"极端":一是蒙太奇就是一切,二是蒙太奇"无用"。爱森斯坦在《蒙太奇在一九三八》中指出:"在我国电影界,有一个时期蒙

---

① [苏]爱森斯坦:《爱森斯坦论文选集》,魏边实、伍菡卿、黄定语译,中国电影出版社,北京,1962年,第260、261页。
② [苏]多林斯基编:《普多夫金论文选集》,罗慧生等译,中国电影出版社,北京,1985年,第151、136页。
③ 同上。
④ [苏]爱森斯坦:《爱森斯坦选集》(六卷本),俄文版,第2卷,第120页。

太奇被宣称为'一切'。而现在，认为蒙太奇'没有什么'的时期已经接近尾声。在既不认为蒙太奇'没有什么'，也不认为它是'一切'的时刻……我们的确应该重新地、坦率地来探讨一下蒙太奇问题。"这段话对我们极有启发，我们既不能因蒙太奇所具有的"隐喻"性，把各个孤立的点、面进行重新组合，以体现一种新的意义，就认为蒙太奇万能，将其看作电影的唯一本性，也不能像某些"散文电影"理论家那样，认为"蒙太奇无用"。

我们认为，蒙太奇的综合性、隐喻性使电影具有直观性、浓缩性、夸张性、省略性、象征性、对比性等美学特点，但蒙太奇并不能全面概括电影的全部可能性。而且蒙太奇的隐喻功能毕竟有限，人们对某些常见的隐喻已生厌倦，对蒙太奇在高度假定性上面的"逼真性"也不能感到满意，因此，蒙太奇就不可能是构成电影或优秀影片的一种不可或缺的要素。

第二，电影的本性是"长镜头"理论（或"场面调度"理论）。

20世纪50年代初，巴赞倡导的"长镜头"理论，作为一种新兴的电影美学思潮，向蒙太奇理论提出挑战。巴赞强烈反对那种按照主题去处理的蒙太奇，也反对纪录电影中按照逻辑联系去处理的蒙太奇，认为这两种蒙太奇既破坏生活真实，又违反电影本性，因此，提出为表现"未经组织的"空间和真实的"时间之流"，"蒙太奇应予禁止"[①]！

在巴赞看来，蒙太奇理论是"非常突出的反电影的过程"。由于电影蒙太奇强调单个镜头仅仅是"细胞"和"素材"，叙述的含义是在镜头片段之间通过剪辑、组合关系产生的，因而是主观的、人为的。他认为，现实生活极为复杂，自然的客体充满暧昧性、多义性，而蒙太奇理论却把单一明确的含义强加于任何一个生活现象，势必会简化、扭曲、贬低它所描绘的现实。这样，由于事物的客观性为蒙太奇的主观性所统摄，含义的多义朦胧为单一明确所代替，观众就成了一种被动接受的机器，失去自由判断和审美评价的主体地位。因此，巴赞认

---

① 参阅[法]安德烈·巴赞：《电影是什么？》，崔君衍译，中国电影出版社，北京，1987年。

为,电影应当由较长的、对所拍摄的事件有可靠真实性的镜头所组成,他在全盘否定蒙太奇理论基础上,提出"长镜头理论",掀起了一场被西方电影理论家称之为"电影美学的革命"。

巴赞的电影现实主义是建立在他的基本美学前提——照相本体论上的。巴赞认为,电影表现的基础是视觉和空间的现实,也就是自然的世界。电影在纪录物体与场景的空间性方面拥有得天独厚的条件。他说:"唯有摄影机镜头拍下的客体影像能够满足我们潜意识提出的再现原物的需要,它比可乱真的仿印更真切,因为它就是以这件实物为原型的。"①也就是说,电影的最根本特点在于,它能最有效地把观众直接送到现实本体之前。自然现实现象本是意义含混的、不确定的,电影要表现客观现实的真实性,关键在于表现出现实这种内在含混多义性,而完美地把本身含义多以朦胧的现实场景与事件进程表现出来,则正是电影活动照相性所擅长。

巴赞认为,长镜头,即以一个较长的镜头,连续地对一个场景、一场戏进行拍摄,并通过场面调度,不割断事件发生的时间、空间,把现实的深刻结构展示出来。因为,现实主义的风格正是要在一个完整的空间——场面中来展现事件的变化,这样才可以使客观现实自然而然地出现。也只有保持现实景物在银幕上的时空完整性,才能再现现实的内在含混多义性。我们可以明显地看到巴赞的现实本体论追问的思路:存在着客观的现实世界;人只有通过艺术再现某一现实世界的永恒冲动;电影提供了最好的手段来满足这一冲动——准确地再现这一现实,办法是在电影制作中巧妙地运用长镜头技法;长镜头和景深镜头可以保证完整地再现这一现实的时空性;这样,我们就可以通过电影达到最终的实在——"现实"。②据此,我们认为巴赞的理论的主要观点是:第一,"照相本体论",认为这是使电影成为现实的一种"渐近线"的关键。因此,通过深焦距摄影和长镜头摄影,既可以保存住情境的空间完整性,又可以保存住情境的时间完整性,从而达到

---

①参阅[法]安德烈·巴赞:《电影是什么?》,崔君衍译,中国电影出版社,北京,1987年。
②参阅李幼蒸:《当代电影美学思想》,中国社会科学出版社,北京,1987年,第98页。

电影的客观性。第二，现实无须解释。巴赞强调电影艺术的总体性，主张保持现实中的多义性和暧昧性。第三，蒙太奇运用的界限。巴赞认为："若一个事件中主要内容要求两个或多个动作元素同时存在，蒙太奇应被禁用。"[1]因为，蒙太奇句式中的长镜头一般不单独表现一个完整的动作或事件的含义，不具备独立叙述的职能。蒙太奇的叙述职能产生于镜头与镜头之间的相互关系中。因此，要在一个统一的时间、空间中不间断地展现一个完整的动作或事件则非"长镜头"莫属。

巴赞的上述观点得到了法国电影理论家齐格弗里德·克拉考尔的支持和进一步推进。1961年，克拉考尔发表电影美学专著《电影的本性——物质现实的复原》。他认为，应该强调电影的照相本性和纪录功能，只有充分发挥照相性和纪录性才有电影性。克拉考尔明确指出："本书的目的是深入考察照相性质的影片的真正本性"[2]，"它的立论基础是：电影按其本质来说是照相的一次外延，因而也跟照相手段一样，跟我们的周围世界有一种显而易见的亲近性。当影片纪录和揭示物质现实时，它才成为名副其实的影片。因为这种现实包括许多瞬息即逝的现象，要不是电影摄影机具有高强的捕捉能力，我们是很难觉察到它们的。由于每种艺术手段都自有其特别擅长的表现对象，所以电影可想而知是热衷于描绘易于消逝的具体生活——倏忽犹如朝露的生活现象、街上的人群、不自觉的手势和其他飘忽无常的印象，是电影的真正食粮"[3]。

克拉考尔力求从本体论角度，从电影形象存在的实质、电影素材与拍摄对象以及与现代人感受的关系中去揭示电影的本性，因此，他从三个方面表明自己的观点：一、电影是照相的外延，而非剪接；二、除照相本性以外，电影还有技巧性，即具有揭示的功能；三、电影的本

---

[1] [法]安德烈·巴赞：《蒙太奇运用的界限》，引自《电影是什么？》，崔君衍译，中国电影出版社，北京，1987年。
[2] [德]齐格弗里德·克拉考尔：《电影的本性·自序》，邵牧君译，中国电影出版社，北京，1981年，第1、3页。
[3] 同上。

性是物质现实的复原，"电影所攫取的是事物的表层。一部影片愈少直接接触内心生活、意识形态和心灵问题，它就愈富于电影性"①。因此，电影创作应尽可能局限于把现实材料无动于衷地摄录在胶片上，而不要对现实进行任何解释。

克拉考尔将照相本体论的电影美学推到极端，认为："一部影片只有当它是以电影的基本特征作为结构基础的条件时，它在美学上才是正当的。这就是说，跟照相时一样，影片必须纪录和揭示物质的现实。"②在克拉考尔看来，只要通过电影再现了现实的含混意义，就会在观众心中引起相应的、意义含混的心理反应，电影艺术的使命也就完成了。这是因为"电影——我们的同龄者——跟诞生它的那个时代有一种明确的联系，它迎合了我们内心最深藏的要求，这正是因为它可以说是破天荒第一次为我们揭示了外在的现实，从而深化了我们跟'作为我们栖息所的这块大地'的关系"③。

我们认为，巴赞和克拉考尔的电影美学理论触及了电影艺术一些带有根本性的问题。而"照相本体论"与"形象本体论"之争，长镜头"理论"与"蒙太奇"理论之争，对电影本性的把握和揭示都起到了推进作用。然而，无论任何理论推到极端都会显示其严重的局限性和缺陷，"长镜头"理论也并非无懈可击，它存在的一些问题也日益引起理论工作者的注意。

第三，电影本性发展论。

将电影本性仅仅局限于"蒙太奇"或"长镜头"是不可取的，在理论上缺乏透明性，在实践上易出现走极端的弊病。这些情况，使我们认识到，要想以偏概全，以某个具有电影特性的手段作为电影的本性是行不通的，将某种理论冠以"本性"之名，也是名实不符的。毫无疑问，"长镜头理论"的倡导者所主张的保持现实生活画面的完整性和

---

① [德]齐格弗里德·克拉考尔：《电影的本性·自序》，邵牧君译，中国电影出版社，北京，1981年，第1、3页。
② [德]齐格弗里德·克拉考尔：《电影的本性》，邵牧君译，中国电影出版社，北京，1981年，第46页。
③ [德]齐格弗里德·克拉考尔：《电影的本性·自序》，邵牧君译，中国电影出版社，北京，1981年。

复杂性,以加强影片的真实感和可信度,的确有其相当的美学价值,但这一命题不能推到极点,并以此反对蒙太奇,"打倒蒙太奇",因为蒙太奇也是电影艺术的一种特性,从广义上讲的选择、阐明、组合的蒙太奇,是任何艺术都必须要有的,而且任何"长镜头"再长,也都不可能不需要剪辑;任你再"纪实",影片也不是"现实",而只是对现实的反映,因为任何反映和创造都要艺术家审美体验融注其中,因此,世界上不存在没有蒙太奇的电影,而且亦很难出现只有几个镜头的影片。我们应当看到,"所谓'蒙太奇理论'和'长镜头理论',并不能概括说明爱森斯坦和巴赞理论的实质。爱森斯坦没有拒绝采用长镜头,而巴赞也不是压根就反对蒙太奇,只是说蒙太奇的运用有它的界限"①。因此,我们应从电影非此即彼的探讨中超越出来,用发展的眼光来重新审视这一问题。

在我看来,正如"艺术是什么"尚无定论一样,"电影是什么"也将永远苦恼着孜孜不倦的探索者。这是因为,电影与其他艺术一样,它的"本性"的概念是发展的、生成的,因此过早地概括出它的"本性",或者认为它有一种持久不变的本性,都将与电影美学的发展和电影事业的历史相背离。当然,有人也正因为这一点而陷入不可知论,认为电影的本性是永远无解,而只能"不了了之",如吉·麦斯特在《什么不是电影》中就认为:"鲁道夫·爱因汉姆、巴赞、斯坦利·卡维尔、爱森斯坦、克拉考尔、麦茨、明斯特贝格、欧文·帕诺夫斯基、吉恩·扬布拉德等,都未能阐明电影到底是什么。电影理论方面的另一个中心争端是试图区别电影艺术不同于一切其他艺术的独特性质。……但这些争端,也在一大堆含糊其词的定义和站不住脚的推论中不了了之。"②我们不同意那种电影本体虚无论,我们坚持电影本性发展论。

电影本性的发展变化,可以从以下几点找出其轨迹。

首先,是蒙太奇运用的发展。从电影发展史看,默片时期的电影因无对话,所以主要靠较短的镜头之间的剪辑以表现情节含义。而有

---
①中国艺术研究院外国文艺研究所编:《世界艺术与美学》(四),文化艺术出版社,北京,1985年,第272页。
②[美]吉·麦斯特:《什么不是电影》,《世界电影》,1982年第6期。

声电影的剪辑,即蒙太奇,因人物的讲话而增加镜头的长度,这时单构图镜头也就复合成了充满场面调度的多构图镜头,或称景深镜头,因此,从广义上说,长镜头也属于蒙太奇的范畴,因此,将"蒙太奇"与"长镜头"对立起来,似无必要。

其次,拍摄方式的发展。现代电影的发展趋势是拍摄方式的多样化和全方位。摄影机的精密化和轻便化使之在展示生活情境方面产生了亲临其景、面接其人的真实感。格拉西莫夫对此有精辟的见解:"电影摄影机镜头仿佛跟场面参加者之一融为一体,从他的观点来摄录所发生的事情,并跟他一起移动。在运用这一手法时,电影摄影机的视点因而也是观众的视点就变成剧中人物之一的视点。观众用这个人物的眼睛看到所发生的一切,和他手牵着手前进。"因此,现代电影在导演和处理演员时有新的突破,不太着重排演,而强调表演中的偶然性和即兴性,以取得更真实、更自然的效果。

第三,情节结构的发展。现代电影不再满足于"说故事",也不太追求"情节紧凑",相反,强调情节组织应按照事件发展本身来进行,以至出现"非情节化"、"非戏剧化"倾向,可以看出,20世纪五六十年代以来,电影剧作从观察向分析发展,从再现生活到采用隐喻和象征手法,从重视"文学性"到重视画面感"电影性",就产生出各式各样的新结构形式。这就导致电影造型表现力的发展,画面造型结构在当代受到极大的重视,造型领域日益拓宽,使现代电影别富新意。

电影是所有艺术形式中最年轻的艺术。"它是现在还活着的那些人们所生活的那个年代里发展起来的唯一的艺术。"[1]它生成和培养了观众的一种新的鉴赏习惯,这种鉴赏习惯和方式与其他艺术(绘画、音乐、小说、诗)显然有别。电影作为第七艺术,有着不可限量的发展前景,它的本性在自身的发展变化中、在自身的历史中。

---

[1] [美]欧文·帕诺夫斯基:《电影中的风格与媒介》,《当代电影》,1995年第1期。

第十章　艺术阐释接受：文艺审美价值的实现

艺术家所创作出的艺术作品，是艺术家审美体验的物化形态。艺术作品创作出来并非艺术审美过程的终点，而是需要人对其进行欣赏，以构成一个完整的审美活动过程。可以说，只有通过艺术欣赏过程中欣赏者的审美阐释接受，艺术作品的审美价值才能得以实现。只有通过艺术审美阐释和接受，进行二度体验的欣赏者才能达到同作者进行心灵"对话"的境界。

第一节　艺术阐释学和接受美学的意义

在现代美学和文艺学中，艺术阐释学和接受美学思潮产生了极大的影响。因此，有必要对其稍加介绍。

阐释学（Hermerneutik）一词古希腊就已经出现，意在用某物来说明其他事物。中世纪后期，出现了阐释有关《圣经》经文和法律条文的释义学（Exegesis）。近代德国浪漫派哲学家施莱尔马赫标举一般解释学，希冀通过批评的解释来揭示某个本文中的作者的原意。后来海德格尔及其学生伽达默尔对这种客观主义阐释学大为不满，认为任何一个人都存在着历史性，因此，在本文的理解活动中，不可能揭示某个本文的原意，而只能带有理解者自身的印痕。这样，他们创立了现代哲学阐释学，强调对象意义的历史性和相对性以及理解活动的历史性和相对性。在他们看来，理解的历史性同时也就构成了理解者的主观偏见，而主观偏见又构成了解释者的特殊视界。因而理解者的视界与对象内容所包蕴的过去视界在理解中达到"视界融合"，使得理解者和理解对象都超越了原来的视界，达到一个崭新的视界。从这个意义上说,本文的真正意义是和理解者一起处于不断生成之中,本文意义的可能性是无限的。

当伽达默尔将哲学阐释学理论运用于艺术研究,对艺术经验中真理问题的研究,便形成比较系统的艺术阐释学理论。

在我看来,伽达默尔是将理解与真理的关系作为其艺术阐释学的核心的。在古典阐释学那里,理解本文意味着对本文原意的趋近,理解成为阐释者达到理解对象的方式和手段,其全部要旨在于真实、客观、正确地理解对象本身。然而,作为现在之人去理解历史(过去)的对象,如何才能消除这历史的鸿沟、摈弃主观的偏见而达到对象的真实呢?这种"客观的真实"可能吗?伽达默尔认为,要消除历史性和主体性,无偏见无主观性地"理解"根本不可能。因为,艺术解释活动就是主体参加的理解和体验活动,必然带有一定的主观性,这种主观性是对艺术作品本文加以理解不可缺少的"前结构",正由于有这个"前结构"所蕴含的主观性,作为解释活动的结果的"意义",就不可能是纯然客观的,而一定会有主体的"偏见",也就是说在理解活动中,作品产生了新的意义。

这种艺术作品理解阐释活动中所产生的新的意义,恰恰说明理解是生成的,理解便是主体的选择,先行具有、先行看见和先行掌握决定了理解的目的性。理解绝不是理解与对象的绝对吻合,相反,理解是人存在的本体活动,是"人生存论的结构之一"(海德格尔语)。理解充分体现出人的精神存在的能动性与创造性,它在理解者主观前见中去照亮作品本文,在对作品的体验、感悟中揭示作品的意义,这种对作品意义的寻求活动本身就是人精神生命的实现和拓展,是人在世的基本模式。一言以蔽之,"理解,是人类生活本身存在的原始特性"[①]。

伽达默尔认为,艺术审美经验最为充分体现了人类理解的这种本体论特征。艺术以体验为其本质,"在体验中所表现出的东西就是生命,这一点只是告诉我们,体验中所表现出的东西就是我们回到其

---

① [德]伽达默尔:《真理与方法》,王才勇译,辽宁人民出版社,沈阳,1987年,第230、94、99、237页。

中的逝去的东西"。①"体验概念对确定艺术的立足点来说就成了决定性的东西。由此,艺术作品就被理解为生命之完美的象征性再现,每一种体验似乎正走向这种再现,因此,艺术作品本身就被表明为审美经历的对象,这便得出一个美学结论:所谓的体验艺术则是真正的艺术"。②艺术体验是对人生存在意义的敞亮,它昭示出人的精神生命的真实,这就是艺术的终极意义所在,也就是艺术所阐扬的真理性所在。真理即意义。理解、体验是通达人的存在真理的关键。

伽达默尔认为:"不涉及接受者,文学的概念根本就不存在。文学的存在,并不是某种异化之存在的死气沉沉的延续,这种延续在未来派中本来是提供给某个未来时代之体验真实的。实际上文学就是一种精神性保存和流传的功能,而且它因此就把隐匿的历史带到了每一个现时之中。"③在伽达默尔看来,不仅要把艺术作品作为一个本文去理解,而且艺术作品的意义是不能脱离接受者的,是依赖于理解者的理解传导的。他在《美学与阐释学》一文中进而指出:艺术作品"对每个人诉说,似乎是专为他而说"。正是对理解者或接受者的重视,正是对作品意义的寻求中强调理解者与作品的"视界融合",正是把读者的体验和理解看成是对艺术作品本真意义的揭示,伽达默尔才提出了"效果历史"这一重要范畴。他认为:"在任何情况下,每一个经验着艺术作品的人都整个地把这种经验纳入到自身中,即纳入到他整个的自我理解中,艺术作品在这自我理解中才对他来说意味着某种东西。"并指出:"理解从来不是一种达到某个所给定'对象'的主体行为,而是一种达到效果历史的主体行为,换句话说,理解属于被理解物的存在(sein)。"④可以认为,伽达默尔所理解的"效果历史"是理解者和理解对象相互作用、相互融合的历程。本文的真正意义就产生于与理解者一起处于不断生成的运动过程之中。毫无疑

---

① [德]伽达默尔:《真理与方法》,王才勇译,辽宁人民出版社,沈阳,1987年,第230、94、99、237页。
② 同上。
③ 同上。
④ [德]伽达默尔:《真理与方法·第二版序言》,王才勇译,辽宁人民出版社,沈阳,1987年。

问,这直接启示了接受美学,并为其奠定了坚定的理论基础。

接受美学以现象学和阐释学为其理论基础。伽达默尔的一些核心概念,诸如"期待视野"、"视界融合"、"效果历史"等在尧斯的理论中都占有重要的地位。而伊塞尔的理论则受现象学美学家罗曼·英伽登影响,甚至"未定性"、"具体化"等重要范畴就是直接借用英伽登的。可以说,接受美学是以现象学和阐释学为理论基础,以人的接受活动为中心的理论体系。

接受美学的创立导致了文学研究中心的转移,即由过去以本文为中心置换成以读者为中心,从而使文学研究的趋向发生了根本的变化。

接受美学理论家尧斯认为,本文的历史本质在于:本文存在于文学视野中,存在于时间系列中,视界的不断演化生成中,所谓绝对的独立的本文并不存在,本文不过是文学效应史中永无止境的显现。因此,接受美学强调读者的能动作用,阅读的创造性和重视接受主体性建立。接受理论认为,文学本文的接受是一种阐释活动,作品的意义是读者在阅读活动中从本文发掘出来的。在阅读之前的作品,存在着许多"空白"和"未定点",而读者阅读的"具体化"活动填补了"空白",生成了作品的意义。

尧斯认为,作品的意义来源于两个方面:一是作品本身,一是读者的赋予。作品具有"隐含的读者",欣赏必将作品中的空白与意义的不确定性"填充"与具体化或定型化,读者对作品意义的"赋予"是主要的、决定性的。他认为,仅仅从作者角度研究作品的意义,是一种"作品拜物教",这种研究越深,作品的意义便越混乱。事实上,这本身不是在研究作品,而是读者或研究者把自己的各种因素在研究作品时具体化了,也就是说,它本质上仍然是读者的赋予。

接受美学重视对审美对象的特殊性方面的研究。伊塞尔(又译作伊瑟尔)写道:"效果及反应既非本文固有的所有物,也不是读者固有的所有物;本文表现了一种潜在性,而它在读者阅读过程中得到现实化。"① 也就是说,没有本文表现出来的潜在性,读者阅读时难以

---

① [德]沃尔夫冈·伊瑟尔:《阅读活动——审美反应理论》,金元浦、周宁译,中国社会科学出版社,北京,1991年。

现实化。既然如此，本文的潜在性就不是可有可无的。伊塞尔（又译作伊瑟尔）认为：作为审美对象的文学作品有许多"不确定性"与"空白"。伊塞尔用不确定性与空白来说明本文之所以能被读者接受的前提条件，他认为"作品的意义不确定性和意义空白促使读者去寻找作品的意义，从而赋予他参与作品意义构成的权利"[①]。也正是这些空白，使读者能发挥想象，用自己的知识、经验、情感"填补"这些空白。这样，意义不确定性与意义空白就成了本文的基础结构或审美对象的基础结构，也就是伊塞尔高度重视的所谓本文的"召唤结构"。

这种召唤结构自然会产生读者阅读理解所产生的对本文的不同的或接近的或相同的意义，同一部作品，有人这样看，有人那样看，意见分歧很大。在接受美学看来，造成这种现象的原因不仅是读者的知识结构，而且还有审美对象本身的模糊性与不确定性以及所存在的空白点。因为审美对象用的语言是描写性语言（darstellende sprache），其他科学本文用的是解释性语言（er; aitermde sprache）。描写性语言比解释性语言具有更多的意义的不确定性与空白，造成人们理解上的不一致。西方人常说："一千个读者就有一千个哈姆雷特"，实际上正是《哈姆雷特》本身的不确定性与意义的空白"隐含"了这些不同意见的读者，伊塞尔把它叫做"隐含的读者"。

尧斯提出的"期待视野"观点认为，读者阅读作品时往往具有一种期待视野，当读者阅读的作品与自己的审美经验和期待视野一致的时候，读者反而会失去阅读这部作品的兴趣，但是，当读者阅读的作品超出了、校正了期待视野的时候，读者往往会欣然有所感，认为它提高了自己的审美水平，丰富了自己的审美经验，拓展了自己的期待视野，为自己建立了新的审美标准。他说："作品的期待视野允许由推测的听众对作品的接受的方式与程度来决定它的艺术性格。如果有人把给定的期待视野和新作品出现的期待视野之间的审美距离进行了很不一致的描绘，他的接受通过否认他熟悉的经验或结

[①] [德]沃尔夫冈·伊瑟尔：《本文的召唤结构》，引自瓦尔宁编《接受美学》，德文版，威廉芬克出版社，1975年，第236页。

合新的经验提高意识水平的方法,可能出现一种'视野的变化',这样,这种审美距离可能在听众的反应与批评的判断的范围内历史地具体化。"①他还说:"一部文学作品在它发表的历史时刻以何种方式适应、超越、辜负或校正读者的期待,显然为确定它的美学价值提供了一种标准。"也就是说,在人类文化生活中,人类对文学作品的接受永远存在,人类对作品的认识经过不断加深、巩固、发展或修改乃至推翻,成为一个无限变化的过程;同时,随着读者视野的变化,一些名不见经传的作家作品可能会名震千古,一些昙花一现的作品可能久被遗忘,读者的期待视野可以树立一种审美尺度。而且,即使对同一作品,不同时代的读者的期待视野不同,也会对这部作品进行新的认识。

毫无疑问,艺术阐释学和接受美学对艺术欣赏中接受主体地位的重视,对读者中心论的强调,以及将作品意义看作是在接受过程中生成的等观点,对我们的文艺美学研究有新的启示。毋庸讳言,艺术作品创作出来都是为了给人看、读、听的,因此,艺术创作是为读者创作的。读者是作品的直接阐释和接受者,作品的意象与表现形式有赖于读者完成,读者本身是文学艺术的一个不可或缺的部分。艺术的阐释和接受,无疑是艺术作品审美价值实现的唯一途径。只有对艺术的接受(欣赏)加以重视和研究,才能使艺术的作者、作品、读者成为一个完整的系统。

艺术阐释学和接受美学注重读者的作用、重视理解者的视界与对象内容所包蕴的过去视界在理解中达到"视界融合"、重视"效果历史"和对"未定点"、"空白点"的具体化,以生成作品的意义,使读者的主体地位凸现出来,这对当前的文艺学和美学研究具有重要的意义。但是如何将艺术阐释学和接受美学的一些观点运用于文艺美学研究中,尚值得很好地研究。这里,我仅想从艺术阐释接受的视角,去对艺术欣赏主体心理作一点分析,并对审美欣赏中主体性特征作一些探索。

---

① [德]尧斯:《试论接受美学》,德文版,麦纳苏泰大学出版社,1982年,第25页。

第二节　艺术欣赏（二度体验）的心理特点

艺术欣赏是一种审美再创造活动，是一种对作者审美体验物化形态——艺术作品进行二度体验的过程。

在我看来，艺术欣赏的美学意义在于读者与作品本文在欣赏接受过程中相互作用，作品的意义从阅读过程中诞生。任何欣赏活动都是在时间之域展开，都离不开历史与未来的调节，离不开视野的改换和对作品意义的重新阐释。从这个意义上说，艺术欣赏活动是调动欣赏者整个审美经验对作品的"空白"结构加以想象性补充、充实的过程，是一种融注了欣赏者感知、想象、理解、感悟等多种心理因素的一种艺术形象再创造活动。

这一能动的再创造、再体验过程，有何审美主体性特征？欣赏者在阐释接受中有何心理特点？我以为，这些都是文艺美学中较为关键的问题。

黑格尔说："艺术美是诉之于感觉、感情、知觉和想象的……我们在艺术美里所欣赏的正是创作和形象塑造的自由性。"[1]艺术欣赏作为读者与作者的"对话"，表现出极大的体验性和新感性。这种欣赏过程不是一种单纯物欲的占有，而是一种精神超越的心灵占有。艺术是让艺术作品作为对象而自由独立存在，"只应满足心灵的旨趣"，以使人的感性不至于深陷日常感性的麻木、萎缩之中，而是获得充满勃勃生命力的新感性。艺术欣赏是一种复活现代人活生生感觉的方式，是灵魂对话的特殊形式。正是在这个意义上，我们同意黑格尔的意见："艺术作品不仅是作为感性对象，只诉之于感性掌握的，它一方面是感性的，另一方面却基本上是诉之于心灵的，心灵也受它感动，从它得到某种满足"。[2]"在艺术里，这些感性形状和声音之所以呈现出来，并不只是为着它们本身或是它们直接现于感官的那种模样、形状，而是为着要用那种模样去满足更高的心灵旨趣，因为它们有力量

---

[1] [德]黑格尔：《美学》第1卷，朱光潜译，商务印书馆，北京，1979年，第8页。
[2] 同上，第44、49页。

从人的心灵深处唤起反应和回响。这样,在艺术里,感性的东西是经过心灵化了,而心灵的东西也借感性化而显现出来了"。①艺术欣赏作为一种心理活动而言,是人类一种特殊的心理活动形式。这是融注了欣赏者全生命、全人格的"整体震颤",是调动整个丰盈的生命力总体投入的"高峰体验"。在这里,主体与客体、感情与理性、具体与抽象、形象与思想、有限与无限达到一种"整合"状态,消解了其间的对峙和鸿沟,达到一种"瞬间同一"境界。可以说,艺术欣赏具有以下几个心理特点。

首先,是欣赏者全部心理因素的总体投入。格式塔心理学派将人的审美心理看作一个完整的整体心理,是一种艺术与人的生命的异质同构关系,而不同意那种将心理整体现象人为肢解为情感、意象、知觉等因素。这无疑抓住了审美心理的关键。艺术欣赏时,并非仅仅是单纯的想象,或仅仅是情感、知觉在起作用,而是一种所有心理因素都完全激活,都参与其中的生命活动。艺术欣赏中那种对存在真理的感悟和敞亮,使人见其所不能见,感其所不能感,在心驰神往、激情充盈之时,顿时领悟作品的意义。这种艺术体验不涉理路,也不违理路;不落言筌,也不离言筌;虽不可凑泊,也并非不可捉摸。这种全部心理因素的总体投入,使人的生命力获得了诗意的光辉。

其次,艺术欣赏是情与理相统一的体验活动。艺术欣赏具有强烈的情感性,以至使欣赏者整个身心完全沉浸到艺术境界之中,"宛若身当其处,而几忘其事之乌有;能使人快者掀髯,愤者扼腕,悲者掩泣,羡者色飞"。②甚至,在艺术欣赏中,有人会因体验的震撼而达到激情喷涌,不能自已的程度。

> 《牡丹亭》杜丽娘死于梦,《疗妒羹》小青死于妒,二者不外乎情,然皆切己之事也。晤江宁桂愚泉,力劝勿看《红楼梦》,余询其故。因述常州臧镛堂言,邑有士人贪看《红楼梦》,每到入情处,必掩卷冥想,或发声长叹,或挥泪悲啼,寝食并废,匝月间连看七

---

① [德]黑格尔:《美学》第1卷,朱光潜译,商务印书馆,北京,1979年,第44、49页。
② (明)臧懋循:《元曲选序二》,引自《元人百种曲》卷首,博古堂藏版。

遍，遂致神思恍惚，心血耗尽而死。又言，某姓女子亦看《红楼梦》，呕血而死。[①]

艺术欣赏而能令人激动、共鸣而由生而死，这看来似乎是不可思议的事，但这正好说明艺术体验这种浃肌透髓的情感力量之摄人心魄，以至于情感压倒理智。

然而，艺术欣赏中这种情形毕竟不多，一般而言，欣赏过程仍是情与理相统一的。在体验的过程中，人们总是"深情冷眼"地去品味那醇厚的情愫和那情愫中蕴含的深层意味。可以说这是一种融理入情，情理交融的过程。这种情感喷涌或深情冷眼的艺术欣赏，表明读者对作品的创造性是多么巨大。任何文学本文都具有未定性，是一个多层面的未完成的图式结构。它的存在本身是一个"召唤结构"，具有很多"空白点"，当读者将自己的体验、人生沧桑感、生命苍茫感以及独特的生命意义置入本文，通过活生生的体验对本文进行具体化，将作品中的空白处填充起来，这时，作品就不是独立的、自为的，而是相对的、为我的。作品成了我的作品，作品的艺术世界成为我的世界，成为我的生命意义的投射和揭示。正是在读者情理融合之中，在将自己的生活经历、生命情态投入其中，作品中的未定性得以确定，使文学作品的审美价值获得实现。可以说，没有读者的阅读，没有读者将本文具体化，那么就没有文学作品审美价值的实现。因此，不同的读者在作品中投入不同的情与理，就会产生不同的审美接受和意义阐释，这些阐释和体验既可因人因地而异，也可以因时代因心境变化各有不同。但任何一种阐释都有其存在意义和价值，都有其合理性。谁都不能说自己所欣赏的《红楼梦》，才是最正确的体验和最完美的解释。正是不同的解释使《红楼梦》的意义宽泛深远起来，永远不可能完全穷尽，因为，作品的效果史在永无完成之中展示出来。

再次，艺术欣赏中的共鸣与移情心理现象。黑格尔说，艺术欣赏

[①] 一粟编：《古典文学研究资料汇编·红楼梦卷》第2册，中华书局，北京，1980年，第345页。

中,"群众有权利要求按照自己的信仰、情感和思想在艺术作品里重新发见他自己,而且能和所表现的对象起共鸣"①。在艺术欣赏活动中,共鸣具有极为重要的作用。当艺术作品中潜在的审美情感激发出读者相近的审美体验,以至主体情思与作品情感产生一种生命共感现象,达到物我两忘,身心俱释的境界,这是艺术共鸣现象。厨川白村对此体味精深,他说:

> 读者和作家的心境贴然无间的地方,有着生命的共鸣共感的时候,于是艺术的鉴赏即成立。所以读者看客听众从作家所得的东西,和对于别的科学以及历史学家哲学家等的所说之外不同,乃是并非得到知识。是由于象征,即现于作品上的事象的刺激力,发现他自己的生活内容。②

厨川白村将艺术共鸣现象看成艺术欣赏得以成立的重要条件,并认识到读者和作家之间的心灵对话的"贴然无间",从而生发出一种"生命的共鸣共感"。这对我们理解共鸣是有启发意义的。

与共鸣现象关系紧密的艺术移情现象,同样是艺术欣赏中一个重要的心理特征。简单地说,移情现象指艺术欣赏过程中因主体情感投射,使主体生命活动的"自我"与对象的形象"非自我"达到物我不分、直接同一,客观形象负荷了主体情思,而成为主观体验的情感表现。里普斯认为:"在对美的对象进行审美的观照之中,我感到精力旺盛、活泼、轻松自由或自豪。但是我感到这些,并不是面对着对象或和对象对立,而是自己就在对象里面"。③"审美的欣赏并非对于一个对象的欣赏,而是对于一个自我的欣赏。它是一种位于人自己身上的直接的价值感觉"④。因此,在里普斯看来,"移情作用所指的不是

---

① [德]黑格尔:《美学》第1卷,朱光潜译,商务印书馆,北京,1979年,第314页。
② 鲁迅:《鲁迅译文集》第3卷,人民文学出版社,北京,1959年,第45页。
③ [德]里普斯:《移情作用、内模仿和器官感觉》,引自伍蠡甫主编:《现代西方文论选》,上海译文出版社,上海,1983年,第3、4、13页。
④ 同上。

一种身体感觉,而是把自己'感'到审美对象里面去"①。艺术审美活动中移情现象是比较普遍的。"感时花溅泪,恨别鸟惊心"(杜甫),诗人所感之中,花能哭泣,赋予花以人格生命;"有情芍药含春泪,无力蔷薇卧晚枝"(秦观),也将主体情思移情于无情无感的花木之中,使之成为心灵的一种象征。这种通过拟人化的移情手法寓情感于景物之中,化景物为情思,极大地丰富了艺术表现力,使接受者在艺术欣赏活动中获得全新的审美体验。

我认为,共鸣与移情现象,是优秀文艺作品通过加大作品的未定性和空白度,以留给欣赏者更大的情感体验空间,而激发出的特殊的再创造过程中的心理现象。因此,读者成了没参加创作的作者。通过共鸣和移情,作品的艺术价值得到实现,作者和欣赏者达到心灵的交流。

艺术欣赏中还有诸如:心理距离特征、内模仿特征、想象特征、无意识特征,等等,对这些心理特征的研究将进一步有助于揭橥艺术审美活动的奥秘。

第三节　艺术接受与艺术主体性特征

艺术的阐释接受活动是审美主体对艺术作品的二度体验活动。作为感性个体的审美主体,在艺术再创造活动(即艺术欣赏过程)中,会因其审美体验的差异性、审美心境和审美氛围的不同,而对同一个审美客体(艺术作品)的审辨有不同的视角、不同的取舍、不同的感受方式、不同的共鸣程度和不同的体悟程度。由这一差异性进行"反求工程"式的追问,必然触及审美主体特性这一重要问题。弄清这一问题,不仅可以更进一步地揭示创作主题的千差万别的内在情感层次,更可以了解欣赏主体的"一千个读者就有一千个哈姆雷特"的奥妙所在。这是因为:审美主体的审美体验是实现艺术作品内在价值的唯一途径,是使"本文"成为作品——实现作品潜在要素和历史

---

① [德]里普斯:《移情作用、内模仿和器官感觉》,引自伍蠡甫主编:《现代西方文论选》,上海译文出版社,上海,1983年,第3、4、13页。

生命的重要中介。

从艺术文化高度看,创作主体和欣赏主体在主体性这一命题上有内在的一致性。也就是说艺术创作过程也并不终止于艺术品完成之时,只有欣赏者的介入才能使由艺术家开始的创作过程最后完成。这时,创作主体与欣赏主体通过作品沟通了。在艺术实践中,创作主体在创作前和创作中就已经意识到欣赏主体的存在了。塞尔维亚作家伊凡·拉利奇曾相当生动地展示出这一境况:"当作家坐在一张白纸面前写作的时候,他(读者)的影子俯身站在作家的背后,甚至当作家不愿意意识到影子存在的时候,影子也还是站在他的背后。这个读者在那张白纸上打上他那看不见的磨灭不掉的标记,写上证明他的好奇心的证词,写上证明有一天他想拿起写完的作品先睹为快的难于表达的愿望的证词。"①而法国作家萨特更从哲学的角度去审视艺术生产和欣赏这一系统,他认为:"因此,一切文学作品都是一种吁求",创作就是一个审美主体向另一审美(欣赏)主体吁求自由和对自由的渴望,正是通过作品世界,艺术创作主体和欣赏主体之间建构起一种新型的"盟誓"关系,他们在艺术这另一世界中互相吁求自由。"因为写作的人不惜劳驾动笔去写,这个事实就说明他承认了他的读者的自由,又因为读书的人仅凭他翻开书本这个事实,就说明他承认了作家的自由。因此,艺术创作,不管你从哪个方面探讨它,都是一种对人的自由寄予信任的行为"。②

所以,在文艺美学始终关注的审美主体性上,我们可以说作品是创造主体的创造活动的终点,又是欣赏主体鉴赏活动的起点,正是作品沟通了两个主体世界。因而,从本质上说,创作活动就是一种寻求对话(心灵对话)的活动,这本质上就是一种对话,即使在审美主体的审美体验过程中(也就是还没有将体验物化出来)作者与读者这两个主体间也进行着潜对话。正因为如此,在那巨大的对自由和对话的渴求中,在创作的审美体验中,艺术家往往心驰神往,身心交瘁。当福

---

① [苏]米·赫拉普钦科:《作家的创作个性和文学的发展》,上海人民出版社编译室译,上海人民出版社,上海,1977年,第125页。
② 柳鸣九主编:《萨特研究》,中国社会科学出版社,北京,1981年,第22页。

楼拜在桌前端坐四小时而文思不达难以下笔时,他痛苦地喊道:"这种工作真难!艺术!艺术!你究竟是什么魔鬼,要咀嚼我们的心血呢?为着什么呢?"①罗曼·罗兰也深有感叹地述说撰写《约翰·克利斯朵夫》的艰巨和痛苦:"请相信我,其中每一卷都使我的头发变白了(或者说得更正确一些,都使我的头发脱落了),我的主人公所经历的一切危机把我震动得和他一样——甚至,比他更厉害。"②美国作家菲茨杰拉德在《四月的信》中说得更精辟:"我每写一篇小说,就要注进我的一滴什么——不是眼泪,不是精血,而是我内心更本质的东西,是我所有的精华。"于此可以看出,艺术家主体的情感、直觉、想象、意志等审美心理结构在其中起着举足轻重的作用,而审美主体的人格、气质、灵魂等主体要素在创作中的介入标示出主体性的深度。因此,创作主体性是审美主体内在自由(审美体验)和外在自由(艺术物化)这双重自由的统一,主体性作为创作中的开放性审美意识(审美心理)结构是不断建构,不断超越的。这一过程,本质上标志着主体性建立到何种程度以及审美创作主体的创作生命展开到何种程度。创作过程就是以艺术家主体性实现为结果,而主体性的实现就是艺术创作过程的完结。明乎此,就能理解托尔斯泰的作家自画像:"我每一次用笔蘸墨水,都在墨水瓶里留下了自己的一点血肉。"

作为审美创作主体的艺术家的审美心理结构,已经不再是一只"黑箱"。现代审美心理学已经在很大程度上展开了对作家心灵奥秘和创作心理机制的研究,而且更深一层地触及这样一些重要问题,诸如:主体创造力与审美心理定势;创作激情与心理变态;艺术直觉与无意识;艺术知觉与作家个性;意象思维与情感运动等等。这一系列问题的不断探索和解答,将对创作主体性结构的认识有重要意义,对文艺美学发展也有重大的促进作用。

艺术创作主体性是艺术品的生命所在,而艺术欣赏的主体性同样是艺术存在的重要维度。审美主体对艺术品的欣赏并非一种线性因

---

① 段宝林编:《西方古典作家谈文艺创作》,春风文艺出版社,沈阳,1980年,第400页。
② 中国社会科学院外国文学研究所编:《外国理论家作家论形象思维》,中国社会科学出版社,北京,1979年,第533页。

果关系的链式反应,而是能动的艺术审美再创造过程,是一个极为复杂的审美主体内在建构过程。一方面是艺术作品(审美对象)的审美特性心灵化过程,另一方面是审美主体审美能力外化的过程。这是一种在审美实践中发生的主客体之间的相互作用,是从客体到主体和从主体到客体这样一种双向运动审美掌握过程。

"一千个读者就有一千个哈姆雷特",说明审美欣赏主体的能动性和个体差异性。这些构成审美主体的特征:

首先是能动性。

审美欣赏活动不仅是对审美客体直观掌握的审美体验过程,也是对审美对象进行再创造(二度创造)的过程。它要求欣赏者充分调动主体能动性,激活自己的想象力、直观能力、体验能力和感悟力,通过对作品符号的解码、阐释,不但把创造主体所创造的艺术形象中所包含的丰富内容复现出来,加以充分地理解、体验,而且还渗入自己的人格、气质、生命意识,重新创造出各具特色的艺术形象,甚至能够对原来的艺术形象进行开拓、补充、再创,见人之所未见,言人之所不能言,体味到艺术家在创造这个艺术形象(或审美意境)时不曾说出,甚至不曾想到的东西,深化原来并不很深刻的东西,从而使艺术形象更为丰富、鲜明。因此,强调欣赏活动中的主体的能动性至为关键,当审美主体用自己那颗在体验中跳动不安的心灵去激活那些文字、那些画面、那些音符,使它们成为主体情感、意志、生命感和灵肉的载体,诞生出新的审美意象,这时,主体的能动性,已经超越单纯欣赏客体和对客体进行再创的境界而迈入对主体自身审美心理结构(情感、意志、趣味、生命感)重新建构、重新吐纳的境界。正如维戈茨基在他的《艺术心理学》中所说:"单是真诚地体验作者的情感、分析作品的结构是不够的,还必须创造性地克服自己的情感,使它得到净化。只有这样,艺术的作用才能充分显示出来。"一言以蔽之,欣赏活动中审美主体的能动性的程度标志出审美活动中主体性所达到的高度。能动性是审美主体性特征最为重要的特点。

其次,个体性特征。

本质上说,艺术欣赏活动是审美主体以自己的感性血肉之躯的各种感官去看、去听、去触摸、去品味、去体验，因而个体性标明欣赏者作为主体对审美对象一种全面的精神把握和特殊占有，主体的各种特殊心理活动，独特的心理感受、情感意志、想象理解都将在客体上打下鲜明个性的印痕。审美主体在作品中所体验到的只是他那颗灵魂才能体验到的，他在作品中寻求到的是他自己才能找到的。他通过作品与作者的"对话"是富于个性化的，对于其他欣赏者来说不具备必然性和普遍有效性，他以自己的独特的感性（新感性）和经验模式介入和参与着对作品的审美把握，从而表征出个体美感的属人的特性。他对作品个性把握是他自身灵魂的写照和心路历程，是他所独具的对世界、人生存在方式的一种精神照亮和持存，一种审美掌握和艺术占有，是主体生命丰盈中的一种外在投射，一种人格力量的自我确证，一种内心世界与外在世界的叠印认同。

毋庸讳言，人们在艺术中经常遇到诸如"形象大于思想"、"客观思想大于主观思想"的境况，这正说明作品中形象一旦脱离作家之手，便自己具有了生命气息，而脱离作家创作时的特殊角度、特殊氛围、特殊维度而成为像生活本身那样丰富的、立体的、多维的、多向的艺术生命体。而欣赏者将自己的个人生活经历、个性趣味、审美偏爱、特殊心境投入这一艺术形象，再创造出的艺术形象更为栩栩如生。无数审美欣赏主体共同创造的艺术形象，总体上比作家赋予的主题要深邃得多，全面得多。更进一步说，艺术欣赏（艺术接受）过程是艺术品的永恒创造的过程。正是在这一生生不息的创造过程中，历代读者把自己富于个性、民族性、时代性的审美体验赋予了艺术品，从而对作品作出特殊的阐释。这种赋予和阐释又成为后代接受的基础，不停地积淀，并影响着后代人们的艺术接受。这种不断的全新赋予和重新阐释，使作品内蕴不断创化、建构，使得其意义与指示形成越来越大的螺旋体，从而赋予艺术品以永恒的艺术魅力。

再次，体验性特征。

詹姆斯曾以一个心理学家的精辟这样描述过情感体验的状态："当美激动我们的那一瞬间，我们可以感到胸际的一种灼热、一种剧痛，呼吸的一种颤动、一种饱满，心脏的一种翼动，全身的一种摇撼，眼睛的一种湿润……以及除此而外的千百种不可名状的征兆。"①审美体验中蕴含着完全不同于科学认识的一种深层情感，它在欣赏活动中表现为每一个审美主体都以自身特殊的情绪和情感模式介入审美过程。当达到体验的深层结构时，审美主体往往呈现情往似赠、兴来如答、物我两忘、情感兴奋的状况。《硎房蛾术堂闲笔》曾载有这样一个真实的故事："杭有女伶商小玲者，以色艺称，于《还魂记》尤擅长。尝有所属意，而势不得通，遂郁郁成疾。每作杜丽娘《寻梦》《闹殇》诸剧，真若身其事者，缠绵凄婉，泪痕盈目。一日演《寻梦》，唱至'待打并香魂一片，阴雨梅天，守得个梅根相见，盈盈界面'，随声倚地。春香上视之，已气绝矣。临川寓言，乃有小玲实其事耶？"②而《莼乡赘笔》也记载："枫泾镇为江、浙连界，商贾丛积。每上巳，赛神最盛。筑高台，邀梨园数部，歌舞达旦。曰：'神非是不乐也。'一日，演秦桧杀岳武穆父子，曲尽其态。忽一人从众中跃登台，挟利刃直前，刺桧流血满地。执缚见官，讯擅杀平人之故，其人仰对曰：'民与梨园从无半面，一时愤激，愿与桧俱死，实不暇计真与假也。'"③这种体验可谓以生命为底色而显示自己的血性、襟抱、心灵。但女伶小玲是属于审美体验者，她在深层的共鸣中投入了自己的全部情感，在艺术创造中奉献了生命！而后者，那位登台杀死扮演秦桧的演员的人，情感中更大部分是非审美体验，他因把艺术当成生活本身而没有保持适当的审美距离，从而激发出自己的伦理体验和情感义愤，以致误杀演员。可见在欣赏艺术中的情感体验是多么复杂强烈。

作为审美主体要真正树立自己的主体性，必须在审美活动中培养自己的审美能力（审美感受力、审美想象力、审美理解力、审美情感，以及去进行审美体验的欲望或心境），同时，还必须对审美对象特征有相当了解和一定的审美体验，才能打破自己狭窄的审美之域，保持一定的审美趣味，更好地进行艺术享受，完善审美主体的心理结构。

当我们清楚地了解了审美主体特性以后，我们不禁要问，固然能

---

① [美]詹姆斯：《心理学原理》第1卷，英文版，1890年，第470~471页。
② （清）焦循：《剧说》卷六。《中国古典戏曲论著集成》（八）。
③ 同上。

动性、个体性、体验性是构成审美主体条件不可或缺的三维,但为什么"一千个读者就有一千个哈姆雷特",而不是有的人读出来是"哈姆雷特",有的却读出来是李尔王或其他什么人物形象呢？其实,这恰恰说明了,主体的能动性、个体性、体验性中,存在一种内在制约性,它使得审美欣赏（接受）主体的再创造不至于出现随意性、非理性以及伪审美性。而这种制约性集中表现在审美客体中艺术形象或艺术意境的形式结构对主体的走向导引上。这种虚实结合的艺术形象或意境为欣赏者规定了一定的欣赏活动范围、方向和途径。同时,客体（审美形象）作为再现（客观物象）与表现（主观意象）的辩证统一,规定了它是明晰的确定性与非确定性的统一。这种明晰的确定性,使审美欣赏者入乎其内,探幽索奥,准确把握；作品形象的非确定性,又使接受者出乎其外,寻找不定点,进行二度创造。

毋庸讳言,艺术正是在两个审美主体（即创作主体和欣赏主体）之间呈现出自己的本质：艺术是主体客体交互运动的审美交流、审美体验过程。没有对审美客体的能动再创造,艺术的目的就达不到,审美主体也就不能成立；没有客体对主体的制约性,作品就会成为人们随心所欲理解的一堆文字。苏珊·朗格对这种过多地在艺术欣赏中掺杂个人随意性进行了尖锐的批评,认为："这就是在粗暴地对诗进行践踏,因为这无疑是强行从诗句中挤出的陈述,无疑是将诗的意义扩大到了面目全非的地步。这样一种作法只能对诗产生致命的后果,使它听上去毫无真实之感或令人啼笑皆非。"① 因此,我们可以说,只有主体能动性、个体性和体验性,才是审美主体性的真正建立,而随意性是审美主体性的丧失。

---

① [美]苏珊·朗格：《艺术问题》,滕守尧译,中国社会科学出版社,北京,1983年,第147页。

第十一章　艺术审美教育：人的感性的审美生成

当我们考察了艺术对人的灵魂唤醒，艺术接受对人的审美主体性确定的特性以后，我们还将从人的潜能实现以及人的全面发展的维度去进一步考察艺术审美教育的特质和价值所在。

文艺美学远远不止是研究艺术内部结构和规律，同时它也要回答：艺术与人是一种什么关系？艺术对人的价值取向、精神超越究竟有什么作用？艺术审美在人的全面发展上、在人的审美心理结构塑造上有何独特之处？艺术在人的感性的审美生成上、在社会新人的塑造上是否有其不可取代的功能和价值？这些问题，都必须加以回答。

中外历史上，将艺术同人、艺术同社会结合起来谈的不乏其人，甚至不少哲学家主要看到了艺术审美活动的社会效用方面。孔子指出艺术的"兴、观、群、怨"作用；席勒看到艺术对人的"人性复归"功能；王国维认为艺术可收"情育"之效；蔡元培提出"以美育代宗教"；马尔库塞则以为艺术可以获得"人性解放"，可以"反抗现存秩序"，生成"新感性"。可以说，将艺术本体与人的本体联系起来，并置入文化哲学背景之下加以考察，是当代美学的一个新的价值取向。

人们普遍认为，这种将艺术本体与人的本体联系起来，去揭示人的感性的审美生成潜在规律的是艺术的人格心灵审美化——美育的功能。

那么，究竟什么是审美教育？什么是艺术审美教育？不少人认为，美育即审美教育，即通过艺术和其他审美活动形态净化和升华人的情感意绪、人格襟抱，并与德育、智育、体育结合起来，去培养全面发展的人或促进人的全面发展。其中，艺术是进行审美教育最重要的方式和最凝练的形式。

美育不仅是审美情感的教育，也是审美经验（或审美体验）的教育，即通过人类在长期的审美活动中所积累的审美经验，去培养新一代人的艺术感受力和审美意识，使其日常感性不断升华为艺术感性，使其人生达到澄明之境，而走上审美超越之途。可以认为，审美教育所独具的形象性、情感性、体验性，使其所达的人生诗化之境不复是生活的直接表象，更非现实利害的直接反映，而是超功利、超利害性的，即不引导个体对物质利欲的求索，而是迈向高级的情感和理想的精神境界。

艺术对灵魂的塑造、对情感的净化、对理想境界的吁求，使艺术在人的感性审美生成之途，勇敢地担当起自己的使命。

第一节 从文化哲学的高度看艺术审美教育

人，是世界上最宝贵的财富。人，不仅能改造自然，也可以改造社会，还能按照美的规律，培育自身，成为完整的人。

马克思在《政治经济学批判大纲》中说得好："财富不就是充分发展人类支配自然的能力，既要支配普通所说的自然，又要支配人类自身的那种自然么？不就是无限地发掘人类创造的天才，全面地发挥，也就是说发挥人类一切方面的能力，发展到不能拿任何一种旧有尺度去衡量的那种地步么？不就是不在某个特殊方面再生产人，而要生产完整的人么？"马克思在这里从总体角度考察了"财富"——人类社会发展到较高阶段所创造的全部物质财富和精神财富的总和（即总体文明）与总体的人——"完整的人"所具有的极为密切的关系，并且在这一基点上来阐释自己的人的全面发展观。

由马克思的这一表述，我们可以看到总体的人在总体文明中所占的地位，可以说，马克思是把"生产完整的人"这样一个人的全面发展问题，从哲学（包括美的哲学和道德哲学）、政治经济学、科学社会主义以及教育学、心理学上进行的总体把握，从而揭示出未来社会是以

"每个人的全面而自由的发展为基本原则的社会形式"[1],这宏大精深的思想内核,展示出马克思的人的全面发展的历史风貌。正是在这一意义上,我们认为把"总体的人"放入"总体文明"中进行考察十分必要。

总体文明是精神文明与物质文明的对立统一。而总体的人——全面发展的人——则是这个统一体的主要标志。纵观马克思"全面"发展思想,可以得知,马克思将历史内容"蒸发"掉,而抽象出一组规定作为衡量标准,从逻辑上赋予人全面发展的两个规定,其一,是要求人的一切潜能(生理、心理机能的形成和发展)最充分的发展,决不能限定人的发展的开放性前景。而这多种潜能的最充分的开发,必然要在人的实践活动中展开。因此,马克思把被人们抽象化的人放到了实践领域进行考察,从而提出人的全面发展的第二个规定,人的对象性关系的全面生成(即人的对象的多维多面关系)和个人社会关系的高度丰富。这是因为,人的全面性体现在人的活动和需要的全面性上。"在再生产的行为本身中,不但客观条件改变着……而且生产者也改变着,炼出新的品质,通过生产而发展和改造着自身,造成新的力量和新的观念,造成新的交往方式、新的需要和新的语言。"[2]从根本上说,人类的实践活动,表现为人的本质力量对象性,这是一个意义无限的历史过程,是双重意义上的创造。作为客体的自然是人类历史中"生长着的自然界",作为主体的自然(人的手、脑、五官感觉以及审美意识等)——人的本质力量也日益发展和丰富起来。人的自我创造和升华,这比"自然的人化"更为重要,是人在为生存的有限目的而奋斗的社会实践中,创造出、并超越了有限目的的更为重要的人类文明的过程。总体文明与总体的人就这样密不可分地联系在一起。而且在这种联系中,作为文明化积极标志的总体的人就在总体文明中鲜明地凸现出来。

---

[1] [德]马克思、恩格斯:《马克思恩格斯全集》第23卷,人民出版社,北京,1972年,第649页。
[2] [德]马克思、恩格斯:《马克思恩格斯全集》第46卷上,人民出版社,北京,1979年,第494页。

从文化哲学的高度看,一部人类文明史,就是一部掌握真以实现善并创造美的历史。美的历程与人类文明历程相一致。人类千百万年的实践活动以及这些活动的成果——物质文明和社会文化,反过来作用于人的生理和心理。正是在这个意义上,马克思指出:"五官感觉的形成是以往全部世界历史的产物。"①

人类实践活动创造了美,推动了文明前进,同时也从能动的、外化的两个方面发展了人类自身——发展了人健全的体魄(外化的),构成人高度发达的心理文化结构(智力结构、伦理道德结构与审美心理结构。内化的)。审美心理结构建立在智力、伦理结构之上而又包含一定的知和意的内容,并有着积极能动作用。

要造就"完整的人",需要有个人得以全面和自由发展的环境。

人是社会关系的总和,人要得到全面而自由的发展,必须和周围环境建立全面的、丰富的关系。可是,人与环境的关系却受到历史的制约而在变化。

在以自然经济为标志的农业社会中,人与自然环境有着密切的联系。自给自足的生产方式和生活方式,迫使每个劳动者必须通晓从事生产的全过程,必须与经济和自然打交道,与大自然建立直接和密切的关系。在大自然面前,人对大自然的感受比较丰富。然而,农业社会中人与自然的关系,只是属于"原始的丰富",自足自给的经济,造成了个人只是在有限的地域同自然发生关系,这种关系是封闭的、狭隘的。人与人的关系更局限在狭隘的范围之中,"日出而作,日落而息"、"鸡犬相闻,老死不相往来"。在这样的环境中,"无论个人还是社会,都不能想象会有自由而充分的发展"。

随着以商品经济为标志的工业社会的到来,这种自给自足、自我圆满的"原始的丰富"被打破了。原始丰富的个人被分工裂解,自我创造被分工所撕破。生产已不是以人为目的,人被降低为手段。片面的分工造成了人的片面发展。一些人只能劳动,不能享受;另一些人

---

① [德]马克思、恩格斯:《马克思恩格斯全集》第42卷,人民出版社,北京,1979年,第126页。

则只管享受,不事劳动。专事劳动的人,也被撕成了碎片,成为畸形的人。"它人为地培养工人的片面的生产技能,并且压抑他的生产志向和才能"。劳动者成了机器的奴隶,结果,造成了这样的恶果:"工人创造的对象越文明,工人自己越野蛮。"不仅是工人,从事其他活动的人,也都因分工而被自己活动的工具所奴役,片面地发展,丧失了个性的完整。恩格斯说得好:"一切'有教养的等级'都为各式各样的地方局限性和片面性所奴役,为他们自己的肉体上和精神上的近视所奴役,为他们由于受专门教育和终身束缚于这一专门技能本身而造成的畸形发展所奴役。"

工业社会的分工,以牺牲人的全面发展为代价,促进了社会生产力的发展。但是,社会生产力的巨大发展,却为人们提供了全面发展的一些条件,优裕的生活和更多的自由时间,将使人的全面发展成为可能。社会主义将使社会生产力控制在社会手中,可以按照人民的意愿,在保证社会劳动生产力极大发展的同时,又保证人类最全面的发展。人的自由而全面的发展就成了目的本身。

但是,合适的环境只为人的全面发展开辟了可能,却不能自动造就"完整的人"。要使人的全面发展由可能变为现实,需要通过教育的途径。教育,正如马克思所说,"它不仅是提高社会生产的一种方法,而且是造就全面发展的人的唯一方法。"

审美教育直接培育人的心灵,使人的个性得到和谐而完美的发展。通过审美教育,唤醒了人在现实生活中受到束缚而沉睡着的潜在性能,激活这种潜能,从而在新的实践中得到发挥。审美教育不能直接影响实践,不可能直接去创造美的环境,而只能直接塑造美的心灵,而且它是逐步改变人的心理结构才能做到这一点的。通过审美教育,人的心灵受到潜移默化的影响,不知不觉中心理结构发生了变化,多种心理因素发生了变化,得到和谐的发展,踏上完美个性的途径。

经由审美教育,在人的心灵世界中建造了审美心理结构。这个心理结构的构成因素,包括了人的审美理想、审美需要、审美能力、审美感情、审美观念、审美趣味,综合起来,标志出一个人或一个社会的精神风貌。

审美心理结构是人类所创造的内在精神文明的极为重要的组成部分。它包括人的审美观念、审美需要、审美能力、审美情感,反映在人的生活、创造和审美活动等多方面,直接标示出一个人、一个社会的精神风貌和文明程度。审美心理结构是人类漫长历史的积淀成果,是人类集体的某种深层结构。而艺术则是这种心理结构的物态化的对应品,是一本翻开的人类审美心理学。人类审美心理结构的获得是一个意味深长的过程,是在有限的物质创造活动中(物质文明)并超越了这一活动的外化形式,而进入人类自身审美心理内化建构的宏伟工程。因此,它标志着人们的文化教养和文明程度,并随时代、社会的发展而不断地演进。作为个体的人无须重演人类漫长建构过程,他只需经过一定的教育,就可以尽快地获得这种重要的心理文化结构。总之,人的审美心理结构(以及智力、伦理结构)的建构过程,就是那些蛰伏于胎胞中的种种要素逐渐得到伸展、生长的过程。这样马克思关于人的全面发展的第一个规定就在审美心理结构中获得较高的实现,并且这种"实现"开始向第二个规定延伸。

作为审美心理结构这个总结构中关涉情感的某种子结构是审美。"审美带有令人解放的性质"(黑格尔语)。审美活动,担负着创造美的对象和创造主体的审美意识的双重职能。这是人类按照"任何物种尺度"和"内在固有尺度"这两个尺度去塑造物体的伟大实践。马克思从哲学——美学角度出发,把创造性视为与"自由活动"等价的范畴。创造在双重意义上体现了自由:它体现了主体对外在必需的摆脱;同时,又体现了主体对客观的必然性、对象的尺度的掌握和驾驭。"创造"所体现出的人类的自由,最为充分地表现在人的审美活动中。从根本上说,人是一种处在不断的创造和不断自我创造实践过程中的活动存在物。创造(双重超越)是人的全面发展趋向的最高目标。而人的审美活动作为创造精神价值的活动,同样也是人类创造自身的伟大实践。

审美心理结构中的能动部分是人的审美需要。人的审美需要决定于社会实践的发展。人的需要是社会创造出来的。人的审美需要,是人类全面伸张自己本质力量的要求和心理积淀物（在长期的历史实践中形成的），在审美过程中由潜意识转化为自觉意识，与以往审美经验、观念相结合而形成审美理想。在这个意义上，人类美化、创造自身的目的是被意识到了的人的需要，是主体对全面伸张自己本质力量——形成人的审美价值走向，发展人的审美创造能力的自觉追求。而这种对美的需要和追求，又是通过克服外在世界的疏远性（即通过"创造"）来实现的。

从艺术符号学角度看，一个人的审美能力与其大脑的信息储存密切相关，换言之，他的美感能力取决于他的审美信息储存。具有了丰富审美文化信息，他就能对审美对象进行更自由的选择，使自己与审美对象构成一定的审美关系，进入审美心理结构之中。这种所谓审美文化信息选择表现为将自己的审美趣味（判断力）指向真正具有审美价值（美的信息量丰富）的审美对象。只有通过审美教育和审美活动，个体才可能获得这种审美文化信息选择能力，而成为多向度的人。没有这一审美能力（或这一审美能力不充分）的人则是单向度的人。今天，人类已经进入信息时代，信息是囊括了一切人类智慧的产物。对人类而言，信息是扮演了负熵的角色，在一个耗散结构中它意味着反抗无序，增进系统的组织化程度。因而，人类处理信息（其中当然包括审美文化信息）成为人类文明程度的测度，也是人类发展的重要标志。审美所具有自由自觉的创造性质，所表现出的"判断力"（选择信息）的形式，无疑在人类发展中，将对人脑的发展和进一步完善起到巨大的推动作用。因为我们知道：脑是负熵之源，是创造力之源。大脑的全部价值就在于它的创造性，有创造才有负熵。

这里，我们发现总体的美与总体教育在美的价值和人的价值上统一了起来。这是因为人的审美心理结构诸要素：人的审美需要、人类的审美创造（生产）和欣赏（艺术消费），以及人的审美能力（审美信息选择）的伸展、生长，绝非个人自身的现象，而是带有美的总体性、规律性问题，是与人的发展、教育密不可分的。一句话，作为总体文明、总体的人集中表现形式的总体的美和总体教育最终立足在人的美（广义）的教育上，因为只有教育才是造就全面发展的人的唯一方法。

总体教育(全面发展的教育)以其充分发展人的一切潜能和各种对象性(创造)关系为其质的规定性。而人的审美需要自由展开,人的创造力、想象力的充分伸展,人的审美信息选择(价值走向)正是总体教育达到较高级的形式。因此,属于审美教育的内容也鲜明地显现为总体教育的内容,在这个意义上说,审美教育本身也是一种全面的教育,一种塑造新人的全面教育。

第二节 艺术审美教育与精神文明的关系

人类社会的发展经历了漫长而艰苦的岁月,进入文明社会已经有几千年的历史了。今天,人类已经进入以电子计算机为标志的现代化科学社会。历史表明:由落后到进步,从低级到高级,从不文明到文明,再向更高的文明的发展,是社会发展的规律。

人类社会总是依靠物质文明和精神文明这两个时代车轮的推进而发展的。文明是进步、开化的意思,是善的、美的含义,它与蒙昧、野蛮、丑恶相对立,标志着人类社会历史的一种进步,象征着人类的光明。物质文明一般是指社会的生产技术、生产关系、经济状况、生活水平诸方面;社会主义精神文明既包括教育、科学、文化知识等文化方面,同时又包括理想、道德、纪律观念等思想方面。社会的精神文化建设,是人类文明发展的一个崭新的历史阶段的产物。它的内容比以往任何时代的精神文明都要丰富和高尚。

在社会精神文化建设中,美育有其不可低估的价值和作用。它是通过培养人对自然美、社会美、艺术美的审美观和鉴赏力的教育,掌握美的本质和规律,提高人们的审美能力和审美情操。从某种意义上说,美育是把美学基本理论,变为美化自身和美化外部世界的积极实践。同时,也是按照马克思所说的从"美的尺度"来造就一代新人的重要途径。

精神文明与审美美育有着内在的不可分割的联系。社会主义精神文明有其特有的内涵,主要涉及社会主义社会中人的意识、思维和心理方面，在很大程度上，主要表现了人的"精神美"。人类需要美学，不仅仅是为了揭示客观存在的美的规律，认识和把握美的形态，更重要的是让人类自觉按照美的规律，从事改造世界的伟大实践。因此，我们可以说，美是推动社会主义精神文明发展的一种力量，是人的本质力量在对象中的形象体现。美育，是建设社会主义精神文明的重要因素，同时，美育的程度往往又成为社会文明的一个显著标志。

审美教育是同文明一起产生的。美育是人类历史的产物。它的出现，可以追溯到学校组织形式出现以前的原始社会教育中，我们应该以历史唯物主义观点去批判地继承和发展。

早在虞舜之时，就有"夔典乐而教胄子以九德"的传说。奴隶社会对"六艺"的美育作用尤其重视。孔子说："兴于诗，立于礼，成于乐。"（《论语·泰伯》）荀子说："夫声乐之入人也深，其化人也速"，"移风易俗，天下皆宁，美善相乐"（荀子《乐论》）。自春秋战国以来，重视诗乐的审美教育作用已为儒家的教育传统而延续下来。古代希腊雅典学校提出了"身心既美且善"和谐发展的思想。柏拉图和亚里士多德都注意到艺术的美育作用。欧洲资产阶级文艺复兴时期的人文主义思想家、教育家维多利诺、蒙田、拉伯雷，以及18世纪的狄德罗、卢梭、席勒等都十分重视审美教育。19世纪俄国革命民主主义者别林斯基和车尔尼雪夫斯基，要求把美育同智育、伦理教育和政治教育联系起来，反映出一种全新的审美教育的思想。20世纪初，西方资产阶级美学思想影响渗透进来，中国传统的封建主义美育思想发生了很大变化。五四运动时期，蔡元培从"教育救国"的宗旨出发，提出"教育上应特别注意美育"的主张。他在《文化运动不要忘了美育》《美育实施的方法》等文章中，把美育同体育、智育、德育并列为四育。他认为："美育者，应用美学之理论于教育，以陶冶感情为目的者也。"[1]鲁迅也曾指出"美伟强力"的艺术力量，足以达到"美善吾人之性情，崇大吾人之思理"（鲁迅《摩罗诗力说》）的目的。同时，他还看到了美育与德育的关系："美术可以辅翼道德。"（鲁迅《拟播布美

---

[1] 参阅顾明远：《教育大辞典》下册，上海教育出版社，上海，1998年，第7页。

术意见书》）鲁迅的美学思想，今天仍有其现实意义。

在人类总体文化价值取向中，美育与其他三育（德、智、体，特别是与德育）的关系究竟应该怎样摆？这是一个长期争论、尚未澄清的问题。在我看来，美育与德育、智育、体育的关系是既有联系，更有区别；既有共同性，也有特殊性。美育中若干因素或职能是可以在其他三育中完成的，但美育有它的独特职能，这就不是其他各育所能完成的。

"美"和"善"之间有着辩证的联系，但是，"美"并非必然依赖"善"而存在。它有其相对独立性。一般说来，德育的主要目的，是培养学生对"善"与"恶"的辨别力和正确处理自己与别人、集体的关系等等，属于伦理道德范畴。这当中，对善与恶的分析主要是诉之于逻辑思维，是晓之以理，以理服人（当然，也不排除有时具有一定的感情成分）。而美育的目的在于培养人鉴别美与丑。其方式首先是通过形象思维，动之以情，在美的欣赏中，使人陶醉入神。其次用各种美的形象去触动人的情感，以情动人，以情化人。通过这种耳濡目染，收到潜移默化、以情育人的效果。这往往是说理教育和行为训练所难以达到的。可以说，审美教育的一个重要特点，就是把思想品德教育寓于美的形象之中。它不像德育是以"概念"进行说理，教育人们不干坏事，而是通过对审美趣味的培养，使人们对坏事根本就不感兴趣。一个人的审美情感永远是同他的世界观和道德观相联系的。别林斯基有句名言："道德和美是亲姊妹。"这是指美和善的同一性。对于道德的行为认为不但是好（善）的，而且是美的；对于那些不道德的行为认为不但是恶的，而且是丑的。惟其如此，所以高尚的道德情操和道德行为，往往与追求美的理想统一起来，密不可分。

智育和美育是互相渗透、密切联系的，但并不能互相代替。智育传授文化科学知识，主要是认知的问题。而美育固然有认知的因素，但更重要的，是诉诸情感的问题。智育在增加审美知识和艺术创作能力的培养上有帮助，但不能完成审美情感和能力的培养，一般地说，科学知识水平和文化修养越高，审美能力也会越高。除了艺术作为审美教育主要对象外，科学知识中也充满着美的因素，各门学科都可以发掘出美的因素。从另一方面看，鉴赏过程具有丰富的想象和联想，这种能力的培养，对于敏捷地思考问题，解决科学方面的难题，形成空间想象力和形象思维力，无疑具有重要作用。正如列宁所说：甚至在数学上也是需要幻想的，没有它就不可能发明微积分。随着科学技术事业的飞跃发展，随着量子力学、相对论、分子物理学、控制论的广泛运用，对美育的要求越来越高。在这个意义上说，脱离智育的美育失之于浅薄，脱离美育的智育失之于僵滞。爱因斯坦在《培养独立思考的教育》中说得好："用专业知识教育人是不够的，通过专业教育，他可以成为一种有用的机器，但不能成为一个和谐发展的人。要使学生对价值有所理解并且产生热烈的感情。"美育同时兼有智育和德育的作用。它在情感教育的同时，又负有思想品德教育、传授知识等特点。它与德、智、体三育密切相联系，处于协调各方面的地位，至于体育，亦含有美育的成分：运动员的健美、青春勃发的造型美、动态美等等，都是美的体现。但是，显然体育也是不可能代替美育的。

总之，德育、智育、体育含有美育的内蕴和因素，但均不能代替美育。这是因为审美知识的传授、审美意识的养成、审美能力和创作能力的提高，都需要有特殊的教育措施和美学课程来承担，并通过各种美育途径来完成。这样，在培养教育一代新人时，既晓之以理，又动之以情；既从概念、推理、判断上提出问题，引人猛省，又以新鲜生动的艺术形象去感染学生，拨动他们美的心弦，在他们心中耸立起一座美的丰碑，就会收到十分可喜的审美教育效果。

审美教育不同于德育、智育、体育，除了思维方式不同，情感化、形象化不同以外，另一重要之处就在于美的对象的不同。即美是鉴赏的对象，而不是认知的对象（真），或道德实践的对象（善）。但真、善、美既相互区别又紧密联系。概言之，美是自由运用客观规律（真）以保证实现社会目的（善）的中介结构形式。明乎此，就能正确认识社会主义审美教育的特点，把美育同人们的道德行为、知识技能、身体锻炼、社会实践、日常生活联系起来，以审美教育引导人们自觉地依照美的规律创造社会的物质文明与精神文明，并在实践活动中进行审美教育，从而达到智、德、体与真、善、美的统一。

一个人对美的欣赏和创造的能力以及对美的追求的情操，不可能自然而然地形成，而有赖于长期的审美熏陶、陶冶和培养。优秀的艺术作品塑造出生动的艺术形象，鞭挞丑恶，颂扬美好，因而可以培养人的高尚的审美趣味，帮助人们提高识别美丑妍媸的判断力，从而趋善避恶，崇美厌丑。艺术审美能够使处于日常感性中的人获得全新的审美体验，从而超越日常生活中的平庸、麻痹，而感到一种新的感性、新的境界。他的精神和生活情趣在不断形成的充满生命力的审美趣味中，呈现出一种崭新的风貌。从这个意义上说，美的艺术形象总是能够鼓舞人们产生一种向上的意愿。艺术美能雕塑一个人的美的灵魂。美育的作用就正在于它能充分发挥美那种震荡人心的力量，对社会生活发出巨大而深刻、广泛而持久的影响。积淀多种美的因素，形成人们的感情、思想、心理、意志和道德品质。

王国维在《论教育之宗旨》中说："完全之人物不可不备真善美之三德，欲达此理想，于是教育之事起，教育之事亦分三部，智育、德育（即意志）、美育（即情育）是也。"美育与德育、智育在塑造"完整的人"方面有不可忽视的作用，三者形成一个有机的整体，可以互相补充、互相促进，却不可以互相代替。

美育作用的充分发挥，在于美育任务的完成；而美育任务的完成，又在于美育地位的确定。翻开人类历史的画页，可以看到：凡是一个社会处在上升时期，文化教育事业越昌盛繁荣，美育就越受到重视，地位也就越高。可以说，美育在整个教育体系中的地位直接反映出一个时代的科学、艺术的发展水平，同时也反映出一个国家、民族的精神文明的程度。美育是随人们生活需要而产生，也随社会历史的发展而发展。那种夸大美育的作用，抬高美育的地位，把美育与德育、智育对立起来的作法，实质上是取消了美育。同样，忽略美育的作用，降低美育的地位，把美育变成德育和"情育"，也是错误的。美育在社会精神文明建设中不是包容一切的核心部分，它的任务、作用，决定了它的地位只能是有机的组成部分。当然，随着社会文明化程度的提高，它的地位、作用将愈加显著。

第三节　艺术审美教育的过程与特性

审美教育的领域甚为广阔,并不只是艺术教育。在生产活动、社会交往、日常生活领域中,都可以进行审美教育。但无可否认,通过文学艺术来进行审美教育,确是最好的途径。艺术教育是审美教育的集中而典型的形式。为此,我们将以艺术教育作为重心,来考察审美教育过程的独特性。

审美教育作为一个过程,与审美创造正好走着相反的路程。

艺术的创造,如果说是走着"顺向进程",由现实美(物)→艺术家的审美体验(心)→艺术作品(心的物化);那么,艺术的审美教育,却是循着"反向进程"发展,由读者、听众或观众的感受(心)出发,通过艺术作品(物),激发审美体验,影响心灵。

为了弄清审美教育过程的独特性,我们将从静力学和动力学两个方面,考察它的"静力学上的状态"和"动力学上的状态",然后再作综合。

先作静态考察,分别从审美教育过程中的客体(作品)和主体(读者、听众或观众)两个方面分析。

就客体说,艺术作品自身有其特点。巴尔扎克说:"艺术作品就是用最小的面积,惊人地集中了最大量的思想。"它是物化了的作者审美意识的"集成块"。作品,凝结着作者的个性,独特的内心世界。但当它还只在静止时,在尚未与审美主体构成审美关系时,它只是以"符号"的形式储存着多种审美信息,仅是一个"文本",仅仅具有审美教育的"潜能",要实现其"审美教育效应",有待于进入审美活动这一过程之中。

就审美主体(读者或听众、观众)分析,一个审美主体是一个由生理、心理、经历、修养等因素结构成的包含了多系统的复杂系统整体。他必须具有审美能力,对艺术作品抱有一种审美态度(而非科学态度或伦理态度),以在面对艺术形象时,能唤起自己审美表象和想象,来建立一个独立的审美世界,达到审美情感与审美认识的统一。总之,作为审美主体的审美心理结构功能状态与文艺作品的信息状态应该具有一种微妙的对应关系。

再作动态分析（审美主体与审美客体的关系）。

静态分析，仅仅解决了文艺作品对有审美信息"接收"能力的审美主体所具有的审美感染可能性和陶冶教育潜在能量而已。要使"文本"还原为"作品"，使审美信息流激活主体审美感受中的感知功能、想象功能、情感功能、理解因素，使审美教育"潜能"化为现实"美感教育"的巨大心理能量，还必须依赖于主体的审美实践的不断运动。主体借助于一定的手段，运用一定的实际动作使审美主客体交互作用，作品的美学结构与主体的审美心理结构（图式）达到默契相合，这时，就产生文艺作品的"美感效应"。

首先，作品的符号的"破译"，使作品外形式（色、形、音等美的形式）"直觉"式地引起人的"悦目悦耳"的初级美感，美感效应把这一先导形式叫做"诱导效应"，即用形象的展示，把读者的注意力和思维引向预定的路线，这是一种巧妙的宣传效果；然后，作品以情节、意境、气韵等与主体心灵（审美情感、审美想象、审美理想）交融，达到"悦心悦意"的中级美感，美感效应称这阶段为"启迪效应"、"震惊效应"和"感染效应"——读者对作品思想的深刻的领悟和启迪，情感产生强烈共鸣，染上作品的情感色调。这既是理智的接受，又是情感的渗透，是思想教育与情感陶冶统一的综合效果。最后整个作品翻译出全部审美刺激丛（多种美学因素的综合体），主体更是充分发挥审美能动性，对作品的言外之意、意外之境进行总体把握，达到"超以象外，得其环中"境界，呈现出对客观事物必然性的瞬间感悟和对人生、理想的执着追求——"悦志悦神"的高级美感，似乎心灵运动受到震撼和洗涤。"美感效应"称此为"净化效应"——艺术的情感弥漫着读者的心灵，从而引起读者的欲念升华和功利观念的中止。这种活动已经深入到人的潜意识领域，是艺术潜移默化特点的集中表现，它在塑造人的心灵运动上发挥了最深刻的作用。

审美活动与审美教育是一个进程的两个方面，这是一个完整的系统，一个变量参数众多的复杂系统，它所具有的系统性、多因性和动态性等特征，是很难作定性定量的分析，只能借助多值逻辑思维

进行总体把握。但我们通过粗略的分析,已经窥到审美教育过程这一"黑箱"的某些奥秘:

第一,审美教育是以审美系统活动的结果形式出现的,即以美的诱导(愉悦)为先导,以审美情感为内驱力(中介),最后获得深入人的潜意识深层领域的陶冶净化效应。换言之,这教育之果是在审美这一过程中开花的,是由对形式美的愉悦进入到对人生、理想的使命感、神圣感的感悟的;是由初级美感向高级美感升华的。它表现为沉淀了理性的直觉,融合了理性的感性形象,把握了一般的个别——达到真、善、美的统一。这种灵魂震撼中的陶冶,与智育、德育的用概念、推理以认识真、善不同,显示出审美教育的独特的本质特征。

第二,审美教育的作用,是精神的、社会的、整体性的。这是一种作用于心灵情感的强效应。正如高尔基所说:"文学艺术的教育作用是巨大的,因为它以同样的强度既作用于思想,又作用于感情。"[1]但我们也应看到,美育的作用不是无限的,审美教育的实现,关涉到审美对象的美育潜能的储藏量(所以选择优秀的艺术品为美育对象是有方法论的意义)以及审美主体的深层审美心理、智力结构和伦理结构、审美趣味个性以及审美心境和时代的审美心理"场",现时审美心理流以及政治经济斗争的形势等多种因素。那种认为或期望仅仅只需美育一育之功就可以使人全面发展的想法是不切实际的。

第三,审美教育是一种自由自觉的教育过程,是在倾心赏美中变现出的乐意受教。审美教育活动这一逆向过程(作家审美意识←作品←读者)使得读者能通过艺术形象直接同作者对话。通过这一主客体反复运动,读者可以在潜移默化中将自己的审美意识升华到作者的审美意识高度。经过不断努力,就将以审美趣味的方式表征出自己的精神文明面貌。在审美教育过程中,读者不再是受教师支配的教育的对象(客体),而是能动地去获得教育的主体。这是一种由"教"达到"不教"的高度的精神自觉,是充分唤醒主体自我意识的情感思想自

---

[1] [波]卓菲娅·丽莎:《论音乐的特殊性》,于润洋译,上海文艺出版社,上海,1980年,第172页。

我运动,以获得审美教育价值潜能的实现。正是基于这种广阔的审美教育观,我们认为美应当是进行自我教育的重要手段。优秀的艺术就是这样一位催人自我教育、自我完善的"审美教员"。

我们知道,审美教育是通过对美的认识、理解,即在美的观念的满足中感到愉快。它往往是寓教于乐,使人在愉悦中受到教育。这是一种潜移默化的过程,是审美者内心的愿望和要求,采取自由的方式进行的,表现为审美主体观照审美客体时的一种感性上的倾心赏美的积极反映,达到对美的肯定与摄取,对丑的否定与抵制,从而受到感化,而不是通过硬性灌输的被动接受。美育的特点,一般认为是形象性、情感性、个性显示性和综合。

审美教育是实现精神文明的中介和桥梁,这就决定了它有如下几方面任务:

(1) 树立正确的审美观。

所谓审美观就是人的世界观在审美实践中的具体体现。这是世界观的组成部分,制约着人们的审美方向。树立正确的审美观,正确地看待文学艺术和生活中的美,恰当地把握美的本质和认识形式美与内容美的关系,泾渭分明地辨别什么是真、善、美,什么是假、丑、恶。

美是价值,是对人的本质力量的肯定。美是客观存在,然而只对人存在着。人只有在社会实践中才产生审美能力,发现和创造美。美的规律是人的整个实践规律的一个组成部分。只有那些符合美的规律的事物才是美的。

美感是通过主观心理活动方式对审美对象中审美价值的观照。美感来源于客观世界中属于各种审美关系之内的客观事物。但审美能力却是人的实践的产物。美感是深深地受社会制约的,它反映社会的审美意识,随时代的变化而变化,随时代的发展而发展,但同时也带有人的个性的特征。审美感受是共性和个性的统一。

(2) 培养和提高审美能力。

首先是审美感受能力的培养。即培养人们这样一种特殊能力:能够感觉其周围事物形式、颜色、乐音的美,辨别现实生活中的美与丑、悲与喜、崇高与卑下,形成"有音乐感的耳朵,能感受形式美的眼睛",以对审美对象有敏捷的感知,更好地获得美的享受,促使审美观念、审美趣味的正确发展。

其次是审美鉴赏能力的培养。在审美感受能力的基础上进一步发展审美鉴赏能力,使审美者凭审美趣味、艺术修养和生活经验,对审美对象进行观察和审美体验,从中获得美感和教育的一种能力。在对艺术作品的欣赏、鉴别中,选取最优秀的艺术作品尤为重要。歌德认为:"鉴赏力不是靠中等作品,而是靠观赏最好的作品才能培育成——所以我让你看这好的作品,等你在最好的作品中打下了牢固的基础,你有了用来衡量其他作品的标准,估价不至于过高,而是恰如其分。"①也就是说,人的审美趣味的高下与作品审美趣味的高下关系极大,尤其是在新人培育方面,给他们以高雅健康而又经受住了历史汰变的优秀作品,可以使其获得正确的艺术鉴赏力。然而,我们应该看到,艺术鉴赏力不是一两部作品就能培养起来的,恰恰相反,只有多看多读多听,才能有比较,有比较才能有鉴别。"操千曲而后晓声,观千剑而后识器",只有不断地进行审美体验,才能逐渐培育起主体的审美能力,才能鉴别艺术作品的粗精、美丑、高下,才能使鉴赏能力逐步由初级的鉴赏达到复杂的高级鉴赏。反过来说,"如果您想得到艺术的享受,你本身就必须是一个有艺术修养的人"②。

再次是审美判断力的培养。亦即在培养鉴赏力的基础上,提高对审美对象的性质、价值进行分析评价的能力。审美判断用以进行判断的是在审美知觉中所形成的事物形象,具有相当浓烈的主观因素,这是与逻辑判断以概念进行判断、排斥主观因素的不同之处。但是,实践是检验其判断的真理性标准。这一原则,却同样适合于审美判断和逻辑判断。审美判断受每一个人的文化修养、道德观念和审美能力影响,不正确的判断,往往会颠倒美丑。这就是需要培养人们对美丑的正确分析、综合评价等判断能力的原因所在。

---

① [德]爱克曼:《歌德谈话录》,朱光潜译,人民文学出版社,北京,1978年。
② [德]马克思:《1844年经济学-哲学手稿》,人民出版社,北京,1979年,第108~109页。

（3）造就能创造美的完美个性。

审美者在具备了审美感受力、鉴赏力、判断力的基础上，就需要把培养人们表现美、创造美的能力作为一项重要任务来完成。

人的生命活动是有意识的，能思维，会想象，能审美，会创造。人既要有精神生产又需要有精神生活，这深刻地展示着美的本质总是与人的本质相联系，美的规律与人的精神需要相联系，并同人的本质力量对象化在根本上是一致的。

当代美学和文艺美学研究人对现实的审美关系，揭示客观的美的规律，根本目的正是为帮助人们掌握和运用这一美的规律，能动地改造世界。因此，培养和表现美、创造美的能力，一方面是在现实生活中，学习美化自己的生活和环境；另一方面在体验生活、学习各种艺术创作经验和技巧的同时，努力对社会和自然中的原始素材进行提炼、加工、想象和构思，去创造新的美的艺术形象，发展自己的创作个性，逐步形成自己的风格。

审美教育在外国开展得相当普遍，而我国的美育（包括艺术美育）却是远远不能令人满意的。我认为，除了诸多客观原因以外，主要是我们的教育观念存在着问题。一言以蔽之，在培养什么样的人，以及怎样培养这两个问题上需要澄清认识。如果一个社会仅仅重视有知识、获得某种技能的人，却不去进一步让人去追求一种美的人生境界、获得一种诗意的人生趣味，不促使人在获得审美鉴赏力的基础上去追求智慧，那么，这个民族的发育将是不健康的。只有既求知识、又获智慧；既有技能，又有审美心灵的人，才称得上完整的人，这样的社会，才可称之为健康的社会。因而，在当代美学与教育学中强调美育（主要是艺术美育），不但能变革现代教育观念，也能在某种程度上使人生境界艺术化。

第四节 艺术审美的铸灵性和人的审美生成

当代美学家、艺术家已经意识到，艺术在人的灵魂唤醒上，有着特殊的作用。不少学者不再仅仅将艺术看作是现实的反映，而是从艺术本体与人的本体的关系上入手,把握到艺术与人那密不可分的复杂关系。

人,为什么需要艺术?艺术对于人究竟有什么价值或作用?这些问题苦恼着每一个正直的艺术家和美学家。巴金回答法国《解放》杂志"您为什么写作"的一席话,值得我们深思。他说:

> 人为什么需要文学?需要它来扫除我们心灵中的垃圾,需要它给我们带来希望,带来勇气,带来力量。
>
> 我为什么需要文学?我想用它来改变我的生活,改变我的环境,改变我的精神世界。
>
> 我五十几年的文学生活可以说明:我不曾玩弄人生,不曾装饰人生,也不曾美化人生,我是在作品中生活,在作品中奋斗。

我完全赞同巴金的看法。因为在我看来,文艺绝非仅仅是一种"娱乐品",或一种遁世的手段。相反,文学艺术是作用于人的灵肉的,是作家与读者的一种心灵对话。艺术家把自己的生命意识和审美体验融入作品之中,读者通过作品获得二度体验。这种由一个生命进入另一个生命(甚至另一类生命)之中的"对话",使艺术成为一种感性生命的创生和传达,成为主体间的一种深层精神活动。就这个意义而言,艺术成为人们心灵沟通的渠道,成为人的灵魂净化之所,人的精神家园。

艺术与人生难以分离,可以说艺术就是由人创造并为了人而存在的。文艺美学在研究艺术的审美本质、审美规律和审美特征时,永远是同人的审美意识、审美体验、审美意向性结合起来的,甚至文艺美学的最终目的就在于探索人与艺术二者的哲学意义和人通过艺术而达到人生的感性审美生成。

蔡元培先生正是看到了这一点,才提出"以美育代宗教"的命题。在我看来,他的这一审美人生哲学的命题,有其极为深刻的哲学含义。他将艺术提到人生所赖以安身立命的高度去看,认为:"纯粹之美育,所以陶养吾人之感情,使有高尚纯洁之习惯,而使人我之见、利己损人之思念,以渐消沮者。……破人我之见,去利害得失之计较,则其所以陶养性灵，使之日进于高尚者，固已足矣。"①蔡元培先生所谈及的美育对人生的心灵铸造和人生超越作用，对我们的文艺美学研究极有启发意义。因此，将艺术（美育的重要方面）与人的审美生成结合起来，是文艺美学关注的中心所在。

将艺术看作是塑造"新人"的重要维度，已为"西方马克思主义"哲学家美学家所重视。西方马克思主义的文化革命以造就改变世界的"新人"为宗旨。卢卡契、葛兰西认为，人必须通过文化（包括审美文化）"净化"，这种"净化"过程，是人的自觉意识、主体意识的形成过程，也是"新人"的形成过程。而马尔库塞则认为，只有借助于艺术，才能把人从日常的平庸和公式化中解放出来，因为"艺术的激进性质，即它对现存现实的控诉，以及它所唤起的解放的美的意象，正是基于艺术对现存社会决定的超越"②。如果按照列斐伏尔的"日常生活批判"理论，所谓"新人"，是那种摆脱了现实异化、从而达到"人和他本身的统一的全面的人"，从而消解了"存在与本质，客观化与自我肯定、自由与必然、个人与族类之间的矛盾"。可以认为，西方马克思主义呼唤新人，甚至想通过对日常感性的批判和对"新的感受力"的强调来造就新人，以审美和艺术等"净化"之途来促成新人的成长，其苦心完全可以理解。但他们不恰当地将政治、文化领域变革问题置入艺术文化对人的心理结构革命之中，并把心理本能的改变作为社会经济以及政治革命的前提，这样不仅使艺术和审美无法展示自己的特性，而且使"新人"的那种诉诸自我意识的革命也显得虚幻化。

我绝不认为艺术可以代替政治革命和经济革命，但真正的艺术，也绝不只是政治的工具或经济的手段。艺术是人自我认识、灵魂唤醒的本真生命活动，是人的一种寻求生命意义和自我审美生成的过程，是人的一种生命超越形式。

文艺美学将在对艺术本性的揭示中担当起审美之思的使命，将

---

① 蔡元培：《蔡元培教育文选》，人民教育出版社，北京，1980年，第30～32页。
② [德]马尔库塞：《论美》，1977年，第6页。

在时代的审美思潮中,重视艺术审美教育的功能,以美育去更新传统教育观念,形成新的总体教育体系,去培养人的诗意之思,促进人的感性的审美生成,造就有真血性、真情怀的华夏审美人格。

艺术,不仅是人对世界的一种反映方式,它也直接是人的一种生存方式和实践形式。

艺术,不仅是人对世界的一种审美掌握,它也直接是人的感性审美生成。

只有在艺术本体与人的本体紧密相契之处,文艺美学才有可能真正展开其垂天之翼。

参考文献

[1] 宗白华. 美学散步[M]. 上海：上海人民出版社，1981.

[2] 宗白华. 艺境[M]. 北京：北京大学出版社，1987.

[3] 梁宗岱. 诗与真·诗与真二集[M]. 北京：人民文学出版社，1984.

[4] 钱锺书. 谈艺录[M]. 北京：中华书局，1984年.

[5] 朱光潜. 西方美学史[M]. 北京：人民文学出版社，1984.

[6] 朱光潜. 悲剧心理学[M]. 北京：人民文学出版社，1984.

[7] 王朝闻. 审美谈[M]. 北京：人民出版社，1984.

[8] 北京大学美学教研室. 中国美学史资料选编[G]. 北京：中华书局，1980.

[9] 胡经之. 中国古典美学丛编[G]. 北京：中华书局，1988.

[10] 北京大学哲学系外国哲学教研室. 古希腊罗马哲学[M]. 北京：商务印书馆，1982.

[11] 康德. 判断力批判[M]. 北京：商务印书馆，1987.

[12] 黑格尔. 美学[M]. 朱光潜，译. 北京：商务印书馆，1979.

[13] 爱克曼. 歌德谈话录[M]. 朱光潜，译. 北京：人民文学出版社，1978.

[14] 列夫·托尔斯泰. 艺术论[M]. 丰陈宝，译. 北京：人民文学出版社，1958.

[15] 李普曼. 当代美学[M]. 邓鹏，译. 北京：光明日报出版社，1986.

[16] 伊泽尔. 审美过程研究[M]. 霍桂恒，等，译. 北京：中国人民大学出版社，1988.

[17] 卢卡契. 审美特性[M]. 徐恒醇，译. 北京：中国社会科学出版社，1986.

[18] 今道友信. 关于美[M]. 鲍显阳，王永丽，译. 哈尔滨：黑龙江人民出版社，1983.

[19] 艾布拉姆斯. 镜与灯[M]. 郦稚牛，张照进，童庆生，译. 北京：北京大学出版社，1989.

[20] 卡西尔. 人论[M]. 甘阳，译. 上海：上海译文出版社，1985.

[21] 斯托洛维奇. 审美价值的本质[M]. 凌继尧，译. 北京：中国社会科学出版社，1984.

[22] 鲍列夫. 美学[M]. 乔修业，常谢枫，译. 北京：中国文联出版公司，1986.

[23] 康定斯基. 论艺术的精神[M]. 查立, 译. 北京: 中国社会科学出版社, 1987.
[24] 苏珊·朗格. 艺术问题[M]. 滕守尧, 译. 北京: 中国社会科学出版社, 1983.
[25] 卡冈. 艺术形态学[M]. 凌继尧, 金亚娜, 译. 北京: 生活·读书·新知三联书店, 1986.
[26] 伽达默尔. 真理与方法[M]. 王才勇, 译. 沈阳: 辽宁人民出版社, 1987.
[27] 阿恩海姆. 艺术与视知觉[M]. 滕守尧, 译. 北京: 中国社会科学出版社, 1984.
[28] 苏珊·朗格. 情感与形式[M]. 刘大基, 等译. 北京: 中国社会科学出版社, 1986.
[29] 杜夫海纳. 美学与哲学[M]. 孙菲, 译. 北京: 中国社会科学出版社, 1985.
[30] 克罗齐. 美学原理美学纲要[M]. 朱光潜, 韩邦凯, 罗芃, 译. 北京: 外国文学出版社, 1983.
[31] 伍蠡甫, 胡经之, 等. 西方文艺理论名著选编[G]. 北京: 北京大学出版社, 1987.
[32] 胡经之, 张首映, 等. 西方二十世纪文论选[G]. 北京: 中国社会科学出版社, 1989.
[33] 萨特. 想象心理学[M]. 褚朔维, 译. 北京: 光明日报出版社, 1988.
[34] 德索. 美学与艺术理论[M]. 兰金仁, 译. 北京: 中国社会科学出版社, 1987.
[35] 奥尔德里奇. 艺术哲学[M]. 孟程辉, 译. 北京: 中国社会科学出版社, 1986.

文无止境

（修订后记）

北京大学出版社要我把《文艺美学》修订后再版。可我正在为迎接香港回归和"深港"学术文化交流的一些事奔忙，没法长久静坐下来，只能抓住空隙，断断续续地进行修增。改后深感学海无涯，文无止境。言不尽意，意犹未尽，再略补几句。

《文艺美学》一书完成于10年前。本是在北京大学为文艺美学研究生所开课程的讲稿，整理成书出版，后又重印过，但一直未有机会修订。此次修订再版后，正好可以作为我培养文艺学博士的教学参考。这本《文艺美学》，加上我和王岳川主编的《文艺学美学方法论》，我和张首映合著的《二十世纪西方文论史》，正好可作文艺学博士学位课程的入门。我主持编过《中国现代美学丛编》（王一川、陈伟、丁涛参编）、《中国古典文艺学丛编》（王一川、陈伟、丁涛、李健参编），以及多卷西方文艺理论资料的选集，都只是些供人进一步作学术思考的理论资料。我希望后来人早些入门，进入情况，快些登堂入室，然后探索一些重大理论问题，目的是为建设和发展中华当代文艺学做出贡献。

人们常说，文学艺术是人类的一种生命活动，这当然不错。然而，人类的生命活动，丰富多样，形态各异。从最简单的生理反应到复杂的心理变化，一直到最高尚精美的创造活动，都是生命活动的表现。文学艺术究竟是一种什么样的生命活动？

人类的生命活动，并不只是实践活动。但是，实践活动无疑在人类活动中居于首要的地位。正是实践，提升了人类整个生命活动，才使人与其他的生命有了本质的区别。人的生命活动，本质上是实践的。文学艺术的创造，无论是做成作品，还是付诸表演，都是一种实践活动，其中交织和凝结着精神活动与物质活动。写作、绘画、书法、作曲、塑像、唱歌、跳舞、演戏……这都是在进行艺术生产，即运用一定的物质手段，去改造一定的物质材料，产生出一定的物质形式。因而，这是实实在在的实践活动。

人类的实践活动，领域广阔，形态多样，不只是生产实践，还有生活实践、政治斗争、道德行为、科学实验、艺术创造等，都是实践活动的不同形态。实践活动，既包含着人的物质活动，又包含着人的精神活动，是物质活动和精神活动的交织和结合。这是实践活动的共同性。不同形态的实践活动，又各有特殊性。物质生产这种实践形式，乃是主体运用生产工具这种物质手段去改造物质客体，制造出物质产品，主要满足人类的物质需要。精神生产这种实践活动，仍然需要运用一定的物质手段来改造一定的物质材料。不过，这却不是普通的手段和材料，而是语言、文字、声音、色彩、线条等这样特殊的物质，作为精神符号，用来进行精神的创造，生产出精神产品，主要满足人类的精神需要。精神产品仍然要以物质形式出现，或是作品，或是表演，但这种静或动的物质形式，只是精神的物质载体，运用符号目的还在表现、传达、承载那精神内容。这是精神生产不同于物质生产的根本所在。精神实践和物质实践还应有所区别。

艺术生产，不属物质生产，应是精神生产。但艺术生产又不是一般的精神生产，而是一种独特的精神生产，自有其独特的个别性。这种独特的精神生产的个别性，对于所有文学艺术（音乐、舞蹈、绘画、雕塑、戏剧、电影等等）来说，却又是普遍性。文艺美学所要着重探索的，就正是艺术生产的这种共同性和普遍规律。

依我看来，文学艺术的创造，既是对既存现实的精神把握，又是超越现实的审美创造。艺术生产，就是要生产出一种美的物质形式，用于表达一种特殊的精神内容：对人生的审美体验和感悟。

人们也常说，对文学艺术作品说来，不该区分内容和形式。确实，文学艺术作品一旦完成，本身就是一个浑然整体，形美、音美、意美是紧密结合在一起的。为了研究分析的需要，在理论上将其予以区分，实乃不得已而为之。然而,在学术上又不能不作某种区分。即使不用形式与内容这种区分方法,只说艺术符号,可艺术符号所传达的信息又是什么呢?仍然逃不出艺术符号和艺术信息的关系。

艺术生产是一个过程。在文学艺术作品中,这个活动过程沉淀下来,用物质形式固定下来。在表演艺术中,这种活动过程还在延续进行,只有表演活动结束,才告完成。在一切艺术生产中,那完成了的物质形式,无论是语言的还是非语言的(形、音、色等等),都只是艺术的符号。而人类之所以要创造符号,正是为了传达信息,区别只在于:不同的符号,传达不同的信息。

那么,艺术符号和其他符号相比,自身有什么特点?所传达的信息,又有什么特殊的内容呢?

艺术符号不同于一般符号,它本身必须是美的,是美的符号。这艺术符号本身的美,就成为艺术的形式美。这种美,正如语言艺术大师高尔基所说:"是各种材料——也就是声调、色彩和语言的一种结合体,它赋予艺人的创作——制作品——的一种能影响情感和理智的形式,而这种形式就是一种力量,能唤起人对自己的创造才能感到惊奇、自豪和快乐。"[①]这是一种按照美的规律来改造一定物质材料(语言的和非语言的)而创造出来的物质美,构成艺术的形式美。这种形式美,在艺术中有相对独立性,在实用艺术中,这种形式美是附带的,居于次要地位。但在装饰艺术中,这种形式美就居重要地位了。这种形式美,本身就能引发人的美感,唤起人的美好感情,使人感受到对象的美。因此,形式美本身也潜在地具有表现功能,是"有意味的形式"。不过,这种形式美直接引发出来的美感,不同于艺术内容中所包蕴的审美感。美国著名美学家帕克看到了形式美和内容美引发的不同感情的微妙差别:

> 审美经验中的感情要素可以分为两大类:一类是朦胧的感情,每当感情同感官媒介直接联系起来的时候,情况就是这样;另一类是明确的感情,每当这种关系以观念为中介的时候,情况就是这

[①][苏]高尔基:《论文学》,人民文学出版社,北京,1978年,第321页。

样。通过观念的中介,感官媒介就获得了内容和意义。①

诚然,当我们只是在欣赏文学艺术,陶醉在艺术享受中,我们不会,也毋需去区别这两种不同的感情。但当我们要做科学考察时,我们就会细微地觉察到,文学艺术中,那艺术符号所传达的信息和表现的感情确有两类:一是由形式美直接引发的美感。这种形式的美,以及直接引发的美感,较为朦胧,却较单纯。二是由形式美间接唤起的内容美,表现的是较为确定的感情(和观念相结合),但很复杂,蕴含有复杂的审美内容,引发的并不只是美感,而是广泛、复杂的审美感(美感之外,还有崇高感、悲剧感、喜剧感等等)。

在这里,艺术创造的困难在于:这种直接诱发朦胧感情的"有意味形式",怎样才能传达出深广、复杂而又确定的审美信息,唤起更为复杂而确定的感情?那就需要在创造那"有意味的形式"时,这形式中直接引发出现的"意味",本身就蕴藏着能唤起更为复杂的"意蕴"的潜能,那形式的"意味",必须和蕴藏着丰富、复杂的审美信息的"意蕴"相一致。李清照词的名句,"寻寻觅觅,冷冷清清,凄凄惨惨戚戚",三句一连串的叠字,音调声韵,本身就构成一种音美,透露出一股朦胧的愁怆之情。正是这种"有意味的形式"中的"意味"又和作者所要传达的"意蕴"相接通,传达出一种明确的感情:"这次第,怎一个愁字了得"。于是,这首词的"意境"就甚为深远,它饱含了诗人的人生的深切的审美体验。

优秀的、高明的作家、艺术家,善于将自己对人生的体验、感悟表现在有限的物质形式中,以有限的艺术符号,传达出丰富复杂的审美信息。文学家就要掌握语言艺术,创造出一种独特的语境,由这语境而引出意境。但在实际的艺术实践中,物质形式和精神内容常常不能和谐统一。有的作家、艺术家,对人生的体验、感悟甚为深广、丰富、复杂,但不善于运用物质手段把这些丰富复杂的体验表达出来。辞不达意,文不逮意,创造不出一种独特的语境,因而也无从引发出意境,关键在掌握不住艺术符号。有的作家、艺术家掌握物质手段较

---

① [美]帕克:《美学原理》,张今译,商务印书馆,北京,1965年,第54页。

熟练，熟悉艺术符号，但缺乏对人生的深刻领悟、丰富体验，因而言之无物，无病呻吟，创作成了文字游戏、滑向形式主义。文学艺术的创造，乃是把形式和内容的双重创造融为一体。形式创造，尽管是符号的创造，也是作家、艺术家按照美的规律对物质材料的实际改造，是精神实践掌握。内容的创造，却是作家、艺术家按照美的规律对人生经验作精神上的改造，是对世界、人生的精神掌握。这是两种不同的掌握，需下不同的功夫。只有优秀的、高明的作家、艺术家才能把这两种掌握完美结合起来，创造出内容和形式完美结合的艺术整体。

作家、艺术家生活在这个世界上，实践着、活动着，也体验着，感受着，积累着人生经验。世界上各式各样的人和物，反映在头脑中，经过意识而成为意象储藏在大脑信息库中。一旦进入艺术创作状态，根据自己的创作目的、美的观念，就会唤起所需要的意象，按照美的规律进行构思，把脑中的意象加工、整理、重合，甚至构筑意象体系，创造出一个艺术世界。这种构思，其实就是中国传统美学中所说的意象经营，而要把这在心中构筑出来的意象世界物化为外在形式，又需下功夫进行意匠经营。意象和意匠这两种经营在一些作家、艺术家那里是合二为一、浑然不分的，但我们作理论研究时，仍应予以区别。即使不愿区分形式和内容、符号和信息，只突出艺术作品是一个有机整体，是一个结构，但实际上，这里仍然存在着形式结构和意象结构的区别。艺术有机体，不只是形式结构，它是意象结构和形式结构的统一。

在这里，必须触及一个深一层次的问题，那就是：文学艺术中的意象世界，和生活中实际存在的现实世界是一种什么关系？

这个意象世界，乃是现实世界的审美反映。这不仅仅是说，不管这意象世界如何曲折离奇、虚无飘渺，其最后的根源，都是从现实世界中来；而且，这是说，这个被作家、艺术家创造出来的意象世界，反映出了人和现实的审美关系。

人生活在这个世界上，必然要和周围环境发生关系。人和环境之间，不时进行着物质、能量、信息的交换，形成各种关系。首先是实践关系，然后在这基础上又产生交往关系、精神关系等各种复杂的关系。审美关系即是其中之一。世界上不仅存在着真、善、美,而且存在着假、丑、恶。作家、艺术家在现实中面对这些审美对象,会从一定的审美观念出发给予审美评价,引发审美体验,从而反映在文学艺术中。

人,来到这个世界上,一要生存,二要发展,三要完善。人不满足于现实,理想使世界变得更美好,便要按照美的规律来改造世界,使人和环境得到动态平衡,主体和客体在更高的水平上和谐一致,建立起美好的关系。文学艺术就是按照美的规律来改造人自身的主观世界,使人自我完善,从而可以更好地去改造客观世界,使世界变得更美好,更符合人类美好的理想。诚然,文学艺术的创造,并不仅仅是一种精神活动,而是一种融精神活动于其中的层次很高的实践活动。艺术实践,这种掌握世界的特殊方式,不仅是精神创造,也是实践创造,融合而为一种精神实践。所以,研究文学艺术掌握世界的方式,不仅涉及反映论,也涉及实践论、价值论。在艺术实践活动中,当然也包含着精神活动,而且是一种精微而复杂的精神生产,不仅只是包含认识活动,而且还有情感、想象、意志、理想等相互作用。但不管多么复杂和精微,人对人生的感悟、体验、理想,归根到底,都只是世界在人的头脑中的反映。客观存在着的世界,反映在人的头脑中,成为认识、意志、感情、想象等心理形式。"反映"的内容,远广于认识,认识只是反映的一种形态而已,情感、意志、理想都也是反映的不同形态。显意识与潜意识、理性意识与非理性意识也都是现实的反映。文学艺术,是人从审美上对人生的感悟、体验的一种外化(用物质形式、用物质符号予以物化)。而人对人生的感悟、体验,归根到底也是世界在人头脑中的反映,不过这是一种复杂而精微的反映,是现实中客观存在着的主体和客体的审美关系的反映。因此,文学艺术对现实的反映,不同于科学理论,它不仅反映了客体状况(再现对象),而且反映了主体状况(表现创作个性),更是反映了主体与客体在现实中客观存在着的关系。其实,文学艺术的根本作用是在意识中价值定向,在精神上引导人和世界建立一种精神关系。在文学艺术中就反映了创作主体和虚拟客体之间的关系。巴尔扎克、莫泊桑、托尔斯泰、杜甫、李白、曹雪芹、郑板桥等的创作,都反映了人与现实的审美关系。

人和环境如何才能和谐?这是美学要研究的根本问题。当代文艺学、美学若抓住这个根本,就能高屋建瓴,气势磅礴,容纳古今,包容乃大。中国古典美学中有许多精彩之论,也就可以吸收用来充实当代文艺学。儒家美学看重人与社会的和谐,道家美学钟情于人和自然的和谐一致,禅宗美学则沉湎于人自身内心的心理平衡。当代文艺学、美学则可以予以改造,取其精华,去其糟粕。古典美学一向重视的艺术辩证法,意与境偕、言意统一、形神兼备、情景交融、虚实结合等等,更应为我们吸收、发展。意象、意蕴、意境等在古典美学中经常出现的一些概念,甚至可以改造、发展成为当代文艺学的基本范畴。依我愚见,中国古典美学、文论的研究,不仅要确证历史事实,弄清我们祖上究竟留下些什么历史资源,有些什么样的思想体系和基本范畴,而且,要进而探讨古典美学、文论的当代价值和价值转换,研究哪些思想和范畴可以改造,发展成为当代文艺学的有机成分,开发历史资源,用来建设和发展中国当代文艺学。

西方美学、文艺学仍应引起我们的关注,而且应有全面而深入的研究。西方当代的美学、文艺学,五花八门,新招频出,使人眼花缭乱。常常是抓住一点,不及其余,各执一端,不顾整体;甚至,点滴真理,跨出一步,又入谬误。但所接触的矛盾,提出的问题,会促使文学艺术的研究在一些领域引向深入。也许,这些矛盾和问题,随着社会的变迁,我们亦将无可奈何地碰上,引发我们的困惑和思考,从而,作出我们自己的结论。

无论是中国古典美学、文艺学,还是西方的美学、文艺学,我向来以为,都只是建设和发展中国当代文艺学的思想资料或理论材料。既然,我们要建设和发展的是当代文艺学,就不能不顾当代的文学艺术的实践本身。必须密切关注当代文学艺术实践中出现的矛盾和问题,探索文学艺术实践本身的规律。只要存在社会,就存在文学艺术这种社会现象。中外古今的文学艺术实践,会有共同的普遍的规律;但不同时代、不同文化系统的文学艺术实践,又必然会有各自特殊的规律。因此,要建设和发展当代文艺学,就既要研究当代文学艺术实践中古今中外共有的特性和规律,又要探索当代文学艺术实践中独具的特殊规律。

开放改革既促进了物质生产力,又促进了精神生产力的解放,使文艺学获得了飞跃发展,成绩卓著。一是学科向多方位拓展。文艺心理学、文艺美学、文艺社会学、文艺价值学、艺术文化学、比较文艺学、文艺批评学等都有不同程度的发展。二是探索向多层次深入。文艺学不仅研究艺术作品本身,而且探索艺术家的创造,文艺的传播,社会的接受,触及文艺活动的多个环节。仅就艺术本体而言,艺术意象、艺术结构、符号等层次,也有了较多的研究。三是研究方法的愈趋多样。传统方法之外,运用现代方法渐多,成功的虽无多,但开阔了学术视野,拓展了学术视角,并且日渐懂得,文艺学的发展,也需要多种方法的互补和整合,历史辩证法仍然是根本方法。当代文艺学的建构,日益立体化了。

发展并不都能一路顺风。介绍、评析西方当代文艺理论,一破长期封闭,本应有益发展。不料,西学涌来,不少仅成点缀,有的甚至新辞滥用,反而成灾。深究起来,还要看到我国文艺学的发展尚不够坚实有力,大多重在面上拓展,就像基本建设一样,在铺摊子,尚缺实在的建构。我们的文艺学,在一些最基本的理论问题上,深入的研究尚少;文艺理论如何面对现实,探索更少。现实生活,日新月异,文学艺术,瞬息万变,我们的文艺学岂能岿然不动,以不变应万变?

看来,为了现实急遽发展的需要,文艺学也要调整自身,改善自己的研究,实行三个转变:一是从粗放向精密提高;二是从滞后向超前发展;三是要融别人(洋人、古人)的话语说自己的话语。

当商潮还带着浓厚的资本原始积累色彩粗俗地袭来时,一些文艺为迎合粗俗的趣味完全沦为金钱的奴婢。这不能不引起我们深思:难道,文艺从仅是政治斗争的工具、道德说教的手段这狭窄的山谷中走出来之后,就必定沦落到更为可怜的境地?我们的文艺应向何处去?

无疑,随着社会发展的日益现代化,商品生产将越来越繁荣,文学艺术作品会越来越多地走向市场作为商品来交换,因而具有交换价值。那么,文学艺术的本性和使命是否因此变了?文学艺术是不是不再成为使精神升华的审美教育的手段,而仅只成为满足感官刺激的娱乐工具?现代科技的发展,商品生产越趋标准化,并在市场上服从交换价值法则。那么,艺术创造还需要按照美的规律来进行吗?创作文学艺术,和其他生产相比,究竟还有没有自己的特殊规律?

活生生的现实向我们提出了不少研究课题。当代文艺学如果不能回答现实中提出的许多重大问题,恐怕很难成为真正的科学。

人和世界的关系越来越复杂和丰富,作为人去把握世界的一种特殊方式,文学艺术本身也日益丰富多彩,形式多样。但文学艺术无论是物化为一种产品(书画等作品),还是外化为一种活动(表演等活动),其实质都是以一种美的物质形式来表现人类的一种特殊的精神内容。这特殊的精神内容就是文学艺术创造者从审美上对于人生的体验和感悟,而在对人生的体验和感悟中,还蕴含着创作者的审美判断或审美评价,是对人类生活的"诗意的裁判"。这是对人生的一种特殊的价值评价:肯定还是否定真、善、美,鞭挞还是赞赏假、丑、恶。而艺术的真正使命感就是:弘扬真、善、美,鞭挞假、丑、恶。文学艺术的价值,也正在于美的内容和美的形式的完美结合之中。可惜,有一些文学艺术,仅仅为了追逐交换价值,不顾审美价值;或者只求在形式上玩弄花样,以娱乐吸引人。更有甚者,在内容上对假、丑、恶津津乐道,予以美化,对真、善、美冷落、嘲笑,予以丑化。审美判断的颠倒,反映了主体(创作者)和客体(现实生活)的审美关系的扭曲。

正因为文学艺术不只徒具物质躯壳,而且还有精神意蕴,所以亦应归入意识形态之列。但得立即说明,这是一种特殊的意识形态,是上层建筑中悬飘于高空的那种。艺术的意蕴,虽然和哲理、科学、政治、道德相通,但和而不同,相通而却不相同。这是创作者对于人生的审美体验、审美感悟的结晶,其中蕴含审美判断。在文学艺术中,政治倾向、哲学思想、科学判断、道德评价等等,都要以审美为中介,渗透其中,转化为审美判断;真和善,都要转化为美。艺术之美,按鲁迅所说,应是形美、声美和意美等的统一体,不仅只是形式美,更重要的是意蕴美,是两者完美的结合。文学艺术给人的是审美教育,我们欣赏文学艺术是为了满足审美需要。正如马克思所说:"一个歌唱家为我提供的服务,满足了我的审美的需要"①,哲理、政教、道德、科学,都寓于审美教育中了。文学艺术,是审美意识形态。

文学艺术一旦作为商品在社会流通、交换,就有了交换价值。交换自有价值法则,不以创作者的意志为转移。但交换价值的变动,并不改变文学艺术的审美价值的实质。真正的文学艺术家不必跟着交换价值的变幻而疲于奔命,还是需要潜下心来,按照美的规律来创造,创作出更多更美的作品来,以满足人民的审美需要。就是在古代,像郑板桥为人画画,明码标价,却也决不降低所卖画的审美价值,难道我们今天反而要牺牲艺术的审美价值以迎合粗俗的趣味吗?

于是,问题就转向这里:艺术的创造,怎样按照美的规律进行?艺术生产和其他生产(物质生产以及其他精神生产)相比,究竟有什么特殊规律?这些,我们的研究就更需深入了。

任何生产,目的都在产生使用价值,以满足人类各种需要。物质生产主要产生实用价值,而精神生产主要产生精神价值。艺术生产的目的,则主要产生审美价值——一种特殊的精神价值,不同于科学价值、道德价值、宗教价值。不同生产,目的不同,手段和方法自然也就不会完全一样。艺术的功能不在实用,而在虚用。

文学艺术,作为人类掌握世界的一种特殊方式,通过审美的体验、感悟去把握世界。而对世界的这种精神掌握,又要用一定的物质手段表现出来。这样,作家、艺术家又必须掌握一定的物质手段和实践操作方法。这是物质掌握,却又离不开对世界的精神掌握。人对世界的精神掌握,广阔无限,自由驰骋;但对艺术手段的物质掌握却十分有限。怎样以物质手段的有限,来体现精神掌握的无限,这是艺术创造者无法逃避的难题。

艺术创造的心理分析,已使我们懂得艺术创作心理的多种复杂因素。但各种心理因素(理智、想象、感情等)如何形成合力,按照什么

---

① [德]马克思、恩格斯:《马克思恩格斯全集》第26卷(上),人民出版社,北京,1972年,第436页。

心理规律进行创作？我们知道得还不多。在艺术创造中，究竟有没有一种不同于概念思维的意象思维的思维方式？如果有，那么，意象思维运动有没有自己的逻辑？如果能找出意象思维的逻辑，那就把握了艺术创作的重大规律。为了掌握艺术的物质手段，并把它转化为真正的艺术形式，其间有没有一种和意象思维很接近却又并不雷同的形象（形式）思维？如果有，又有什么特点和规律？这都有待深入探索。

面向新的世纪的即将到来，中外文化关系必将日益发展。国外的研究，我们不忘借鉴。但我们的当代文艺学是否应把更多注意转向对现实问题的思索？

吸取中外古今美学、文艺学的有价值成果，研究当前文艺学实践的新问题，既要具有国际视野，又要面向中国自己的实际，中华当代文艺学的建设和发展，在21世纪必将走向新的天地，创造新的辉煌。

1997年6月，香港回归前夕，深大新村

文艺美学散论

第一辑
文艺美学谈

文艺美学随谈

我国对文艺美学的研究正在逐渐兴起。今春,我在昆明的中华美学学会成立会期间,提出要发展文艺美学,下半年我在北大开了一门新课,就叫文艺美学。那末,什么是文艺美学呢?在谈什么是文艺美学之前,先简单地说说什么是美学。

美学,研究人类所有领域中的审美活动的共同特点和一般规律。也就是,既要研究审美活动中的客体:美、丑、崇高、卑下、悲、喜等等,也要研究审美活动的主体:人的审美理想、趣味、能力,更要研究审美活动中主体和客体的相互关系,主体如何反映了客体,从而产生了审美体验,使人获得审美享受。

文学艺术,作为独立而特殊的审美创造活动,早就成为美学的重要研究对象,黑格尔的《美学》、丹纳的《艺术哲学》,主要就是研究文学艺术。但是,随着美学的发展,文艺美学作为专门研究文学艺术特殊本质和独特规律的科学,也和哲学美学、心理美学等分离而独立出来。

文艺美学至少可以包括这三个方面的内容:

一、文学艺术所独具而其他审美创造活动所未有的特殊本质和规律：艺术的特殊内容、艺术的特殊形式、艺术形象的独特构成、艺术的特殊魅力、艺术的特殊价值等等。文学艺术这种独特的审美创造活动的特殊本质和特殊规律，是文艺美学研究的主要对象。

二、文学艺术与其他审美活动所共有的本质和规律在文学艺术中的特殊表现：哲学美学、心理美学等所研究的审美活动共有的一些特点、规律，在文学艺术中也具有，但通过特殊形态表现出来。文艺美学也研究其特殊表现。

三、文学艺术领域内不同艺术样式所独具的审美特点及审美创造规律：文学、电影、戏剧、音乐、舞蹈、绘画、雕塑、摄影、书法等，因不同的艺术手段而产生不同的特点和规律。文艺美学的不同部门，戏剧美学、电影美学、音乐美学……分门别类研究每门艺术的特点和规律。文艺美学则可以而且应该对不同艺术的特点和规律作综合的研究。

文艺美学和文艺学都是以文学艺术为研究对象。但是，文学艺术是一种极为复杂的现象，文艺学可以用不同的方法去研究它们的不同方面，文艺理论、文艺史、文艺批评都是文艺学的范围。就是文艺理论本身，文艺社会学从社会学视角研究文学艺术的社会性质，甚至可以从政治、道德或宗教方面去研究它；文艺心理学从心理学视角研究文学艺术的心理内容。文艺学是个广泛的领域。文艺美学研究文学艺术的审美本质和审美创造规律，它与文艺学异中有同，同中有异，互有交叉，密切联系。

1980年冬，北大燕园
（原载《工人日报》，1980年12月15日）

"文艺美学"是什么?

胡经之老师:

我是一个中文系学生,即将毕业。我写过诗歌、散文和文艺评论,爱好音乐、美术和戏剧,有志攻研美学,极想报考您的"文艺美学"研究生。写信向您请教,是想弄清楚:文艺美学、美学和文艺学,它们不是都研究文学艺术吗,究竟有什么区别呢?希望给予指点。

苏一平

不错,文艺美学、美学和文艺学都要研究文学艺术,但研究的方面、重点,却各有不同。

社会中的现象很复杂,一个对象,它与其他对象处在多方面的联系中,具有多方面的属性,需要有许多门科学来研究它。比如,人,就有许多门科学在研究着。生理学研究人,心理学也研究人。我们常说文学是人学,其实,许多社会科学都要研究人,不过研究的方面不同而已。政治经济学研究人与人的经济关系(生产关系、交换关系、分配关系等等),政治学研究人与人的政治关系,伦理学研究人与人的道德关系,都是从一个方面去研究人。

文学艺术这种社会现象,也为好几门科学研究着,文艺学研究它,美学也研究它。

文学艺术向来是美学研究的重要对象,但不是唯一对象。依我看来,美学研究的对象极为广泛,人类所有的审美活动和创造活动都应在内,遍及整个社会领域。作为审美创造活动的一种独特形态,艺术活动当然也是美学研究的对象。但是,人类的审美活动中更多的却是非艺术的审美活动。美学的研究对象,应该是包括艺术的和非艺术的全部审美活动在内。美学的使命,是在艺术的和非艺术的审美活动中，寻找出审美活动的共同本质和普遍规律，人类怎样按照美的规律进行创造。

任何审美活动，都有审美客体为一方，审美主体为一方，由两方的相互作用而产生。审美客体作用于审美主体，审美主体那里发生了一种审美反应，给予审美主体以审美享受。这种审美活动是精神性的。美学要研究这种审美反映，就不仅要研究审美客体，而且要研究审美主体，更要研究审美主、客体之间的能动关系。美学在长期的历史发展过程中，就逐渐形成两个部门，以研究审美活动的两个方面：美的哲学（哲学美学）和审美心理学（心理学美学）。美的哲学研究审美客体的本性，首先是美的本质，其次是美的对立面——丑的本质，再次是美、丑的变体：崇高和卑下以及悲和喜等等的本质。审美心理学研究审美主体的状态：在生活中逐渐形成的审美理想、审美观念、审美趣味、审美需要等等。审美客体在审美主体那里产生什么样的审美反映，这种人类最微妙而复杂的心理活动，更是审美心理学所感兴趣的研究对象。

然而，人类不仅有这种类型的审美活动，而且有另一种类型的审美活动，那就是：审美主体不仅反映审美客体，而且还按照"美的规律"在实践中去活动或创造出具有审美价值的产品，这就是审美创造活动。这不是单纯的审美活动，而是内含着审美活动的实践创造活动，需按"美的规律"来创造。按照"美的规律"的创造，贯穿于我们整个人类的物质文明和精神文明。美学不仅要研究审美活动，而且要研究审美创造活动。人类的三大生产，物质生产、精神生产和人自身的生产，都需要而且可以按美的规律来进行。

近代美学的发展很快，发展出了不少新的美学部门，但我认为最基本的还是这三个部门：审美哲学、审美心理学、审美社会学。无论是审美哲学、审美心理学还是审美社会学，都是研究审美活动（审美反映和审美创造）的共同本质和普遍规律。美学向纵深发展，一方面要对人类整个审美活动作更高水平的综合研究，一方面又要对各别的特殊审美活动作分析的研究。现代美学的领域不断在扩大，例如，生产美学、技术美学、生活美学，更为具体的各种实用美学都在兴起，分别探索不同的、各别的审美活动的特殊性质和特殊规律。

文艺美学，就是研究文学艺术这种特殊社会现象的美学，它应该研究艺术的审美创造活动和非艺术的审美创造活动的联系和区别，探索艺术审美创造活动的特殊性质和特殊规律。比如，艺术生产和非艺术生产（精神生产、物质生产）的异同，艺术作品和非艺术作品（物质产品、精神产品）的异同，艺术接受和非艺术接受（物质享受和精神享受）的异同等等。文艺美学的研究更下一层次，就会进入不同艺术部类的个别性质和个别规律，形成更多的美学部门：文学美学、音乐美学、舞蹈美学、建筑美学、绘画美学、戏剧美学、电影美学……

文学艺术这种社会现象同其他社会现象处在相互联系之中，同经济、哲学、政治、道德、宗教等等，相互作用，彼此影响。文学艺术本身具有多种属性、多种功能。对文学艺术的研究，不只是美学、文艺美学，还可以有其他科学，用其他方法来探索它的不同方面性质和功能。文艺学，是专以文学艺术为研究对象的科学，它可以用不同方法，社会学的、政治学的、伦理学的、符号学的、心理学的方法来研究文学艺术的不同方面；既可以是历史的研究，又可以是逻辑的研究。因此，文艺美学不过只是文艺学的一个部门，正如它也只是美学的一个部门一样。

这里，我不可能展开我的论述。如需进一步了解，我希望你看一看李泽厚最近新发表的《美学的对象与范围》一文（载《美学》第三期）。他把美学研究归纳成三个方面：美的哲学、审美心理学、艺术社会学。我则以为，美的哲学，范围太窄，应是审美哲学，不只研究美的特质，也研究丑、悲、喜、崇高、卑下等的特质。至于艺术社会学，则并非美学，似不必把它列为美学的第三领域，列入文艺学则可。我写有《论文艺美学及其他》（载北京大学出版社《美学向导》）一文，有兴趣可一阅。看法与李泽厚有异，但并无争鸣之意，只是各抒己见，因而未能深思，容后再细考虑。

1981年冬，北大燕园

（原载北京大学《大学生》，1982年第1辑）

文艺美学及其他

文艺美学，顾名思义，当是关于文学艺术的美学。它的研究对象，自然是文学艺术。然而，文艺美学究竟研究些什么问题，它要解决什么特殊矛盾？深究起来，却要颇费口舌。

文学艺术，无论是作为人类一种独特的实践创造活动，还是作为这种活动的特殊产物，都是一种社会现象。这种社会现象，看似寻常，实则复杂，因而，向来被好几门学科研究着。文艺学和美学，就是所有研究文学艺术的学科中最重要的两门。

文艺学和美学的深入发展，促使一门交错于两者之间的新的学科出现了，我们姑且称它为文艺美学。文艺美学是文艺学和美学相结合的产物，它专门研究文学艺术这种社会现象的审美特性和审美创造规律。

那么，文艺美学和文艺学、美学之间是什么关系？它们之间的联系和区别，究竟何在？

一

文艺美学和文艺学紧密相连，可说是文艺学的一个特殊门类。因此，要弄清文艺美学和文艺学的联系和区别，不能不先了解文艺学的对象和内容。

文艺学，专以文学艺术为研究对象，对它作全面的、综合的、系统的研究。诚然，其他一些学科也要研究文学艺术。例如，哲学、史学、社会学、经济学、政治学、伦理学、宗教学、心理学、语言学、符号学，以至工艺学、色彩学、音响学等等，也都这样或那样地研究文学艺术现象。然而，这些科学只是研究文学艺术的某一方面，揭示其某种关系和某种特性。文学艺术，在这里只是说明某门科学范围内的特殊规律的材料。这些科学分别研究社会规律、心理规律、物理规律等等，其中也包括了文学艺术这种现象的社会性质、心理规律、物理规律等方面。然而，对于这些科学说来，文学艺术不是其主要研究对象，更不对文学艺术作综合的、全面的、系统的研究。专以文学艺术为对象，对它作综合的、全面的、系统的研究，很早就构成了一门独立的科学——文艺学。

文艺学有广、狭之别。广义的文艺学，研究对象包括所有的文学艺术；狭义的文艺学，只研究文学，成为关于文学的科学，而与艺术学相区别。我这里所说的文艺学，是广义的，既包括艺术学，又包括文学学。

文艺学的日益发展，本身也分成了许多部门。文艺学的主要部门有三个，那就是：文艺理论、文艺史和文艺批评。

文艺批评，是三个部门中最活跃的一门，它和文艺实践有着最密切的关系。文艺批评不是一般意义上的认识活动，而是一种评价活动，对文艺价值作评价。它紧随着作家、艺术家和文学艺术作品，对其作出这样或那样的评价，从而以自己的评价去影响读者、听众和观众。文艺批评，反过来又作为读者、听众或观众的呼声，对作家、艺术家发生作用，使得作家、艺术家重视社会的需要，从而影响着今后的创作。因此，文艺批评是文学艺术作品的作者和受者之间的桥梁，是创作者和欣赏者之反馈关系的中介。每个时代的文艺批评，受那个时代的文艺历史和文艺理论的制约，从一定的文艺思想、文艺史观出发去评价文学艺术；文艺批评反过来也影响着文艺理论和文艺史观。文艺批评，按别林斯基的说法，是"行动的美学"，直接或间接地表现了那个时代的美学观点、思想。历史上有许多文艺批评著作，本身就既是文艺批评，又是文艺理论，并且还是美学著作。法国：伏尔泰的《论史诗》，狄德罗的《论戏剧艺术》，雨果的《〈克伦威尔〉序》；德国：莱辛的《拉奥孔》《汉堡剧评》，歌德、席勒的一些评论；俄国：别林斯基、车尔尼雪夫斯基和杜勃罗留波夫的大量文艺评论，是对许多具体文学现象所作的批评，但也阐发了自己的文艺理论和美学见解，文艺批评史、文艺理论史和美学史，都要研究它们。在中国，自古至今大量涌现的诗话、词话、文论、曲话、剧说、乐论以及小说评点等等，大多是即兴随感的文学艺术品评，和西方的文艺批评相比，缺乏严密的逻辑论证，少有系统的理论体系。但就是这种即兴随感式的艺术品评中，也不时闪耀着文艺理论和美学思想的光辉，并且缓慢地在形成着自己独特的体系。文艺理论、美学思想在文艺批评中逐步发展，并且和文艺批评密切结合，这，也许是中国的传统文艺理论、美学思想的显著特点。但从世界范围看，文艺批评发展到近代，由于它同文艺创作实践的关系如此紧密和直接，已日益显示出它的独特趋向：文艺批评，作为一种文艺价值的评价活动，和文艺理论及文艺史的区别越来越明显，它既不属于历史科学，又不属于理论科学，而成为类似文学艺术活动的特殊形态，越出于文艺学之范围。如果说，文艺批评仍然还是一门科学，那也是应用科学，是行动的美学，它有自己的历史。苏联的库列肖夫在20世纪70年代所撰的《俄国批评史》，把文学批评作为一门专门学问予以考察，系统地阐明了俄国文学批评的历史发展过程。美籍捷克学者韦勒克在20世纪五六十年代撰写的《近代文学批评史》，更为详尽地叙述了西方近代的文学批评历史发展过程。在中国，"五四"以来曾陆续出现了好几部中国文学批评史的书籍，尝试把中国自古以来的文学批评的历史理出一个线索。郭绍虞不满于此，在撰写中国文学批评史的基础上，还曾尝试撰写中国古典文学理论批评史。但是，文学批评和文学理论尽管紧密相连，毕竟还是有区别，随着科学研究的逐步深入，包容好几门学科的中国文学理论批评史，势将分解成单独的中国文学批评史、中国文学理论史、中国美学思想史等等。

　　文学艺术史，作为历史科学，又作为文艺学的一个部门，研究文学艺术本身的历史发展过程。世界上的文学艺术，从中到外，古往今来，浩如烟海，不可胜数。因此，对于文学艺术历史的研究，不得不分门别类地进行。如果以艺类分，有对某一艺术种类的历史研究，如文学史、音乐史、绘画史、戏剧史、电影史，等等。而对下一层次艺术体裁的历史研究，就出现了小说史、诗歌史、散文史等属于文学史的更为具体的部门。甚至，每一艺术体裁还可以细分：小说史中又有白话小说史、文言小说史、长篇小说史、短篇小说史等等；绘画史中又有版画史、水彩画史、连环画史等等。这些是由上而下的历史研究。自下而上，也可以对几个艺术种类作综合的历史研究，例如，把绘画史、雕塑史、工艺美术史等综合研究，就有了美术史。如果对所有艺术种类作综合的历史研究，就成了包容一切艺术的艺术史。综合的艺术史，产生在对各门艺术的分门别类的历史研究基础上，反过来，又促进各门艺术史向更深入发展。如果以国别分，就有各别国家、几个国家和整个世界的文学艺术史。研究中国的文学艺术，就有中国文学史（细分，又有中国小说史、中国诗歌史等）、中国戏曲史、中国美术史（细分，又有绘画史、雕塑史等）、中国音乐史等等；研究欧洲地区的文学艺术，就有欧洲文学史、欧洲美术史等；研究阿拉伯诸国的文学艺术，就有阿拉伯文学史、阿拉伯美术史等。对世界各国的文学艺术作综合的历史研究，就形成世界文学史、世界音乐史、世界电影史等等。如果从时代分，就有文学艺术的断代史、通史。在中国，就有中国先秦文学史、魏晋南北朝文学史、唐代文学史、宋代文学史等。研究欧洲的文学艺术历史，也可以按不同时代来进行：古希腊罗马时代、中世纪、文艺复兴时代、启蒙主义运动时代等等。无论研究各别国家还是世界诸国的文学艺术，也可以采取通史的形式，例如俄国艺术通史、欧洲音乐通史、世界美术通史等等。

　　对文学艺术作历史研究，如黑格尔所说，"它的任务在于对个别艺术作品作审美的评价，以及认识从外面对这些艺术作品发生作用的历史环境。"①文学艺术史，作为历史科学，从历史现象出发，理出历史线索，展示历史过程。然而，文学艺术史还要进而探索文学艺术的历史发展规律，作出理论说明，历史和逻辑相结合。"在这种主要是历史的研究里，会出现不同的观点……像在其他从经验出发的科学里一样，这些观点经过挑选和汇集之后，就形成一些一般性的标

---

① [德]黑格尔：《美学》第1卷，朱光潜译，商务印书馆，北京，1979年，第26页。

准和法则，经过进一步的更侧重形式的概括化，就形成各门艺术的理论"。①

文艺理论主要运用逻辑的方法研究文学艺术。逻辑的方法，就像恩格斯所说，"无非是历史的研究方式，不过摆脱了历史的形式以及起扰乱作用的偶然性而已。"②在从历史上升为逻辑的过程中，文艺学产生了一些处于历史科学和理论科学的过渡形式，例如比较文艺学、文艺发生学等等。这些科学，很难说只是历史科学，它也要作理论研究。在研究各别国家文学艺术的基础上，进而把不同国家的文学艺术作比较研究，探索异同，找出规律，这是历史研究，又是理论研究。如果说，比较文艺学中的法国学派，侧重于"影响"比较，因而富于历史科学的意味；那么，美国学派，扩大了研究范围，注意于"平行"比较，甚至发展为不同艺术种类之间的比较研究，这就更具理论科学的性质了。

由于文学艺术的样式、体裁、种类复杂多样，文艺理论可以分门别类地发展：文学理论、戏剧理论、电影理论、音乐理论，等等。例如，在欧美较为流行的《文学论》（韦勒克、华伦著），在苏联一版再版的《文学原理》（季莫菲耶夫著），都是文学理论的著作，并非囊括一切艺术的文艺理论。但是，文艺理论也可以把所有文学艺术作为一个整体对象来研究，探索文学艺术共有的性质、功能、规律，这才是确切意义上的文艺理论。

把文学艺术作为一个整体对象来研究，并不妨碍文艺理论本身的多样。不仅由于研究对象的复杂，而且也由于研究方法的多样，促成了文艺理论本身向多面发展，形成不同学科。文艺理论同其他科学有紧密联系，特别同哲学、社会学、心理学和美学的关系最为密切。文艺理论侧重于同哪一科学的联系，着重于用某一种方法来研究文学艺术的某个方面，便形成了文艺理论的不同学科。于是，艺术哲学、文艺社会学、文艺心理学和文艺美学，就分别或交错出现了。

---

① [德]黑格尔：《美学》第1卷，朱光潜译，商务印书馆，北京，1979年，第19页。
② [德]马克思、恩格斯：《马克思恩格斯选集》第2卷，人民出版社，北京，1972年，第122页。

过去出现过的"艺术哲学",有的是美学(如黑格尔的),有的却只是从一般哲学上探讨文学艺术中的哲学问题,法国丹纳(泰纳)的《艺术哲学》就是如此。居友的《从社会学观点看艺术》,也是从一般社会学观点来研究文学艺术的社会规律,弗里契的《艺术社会学》、哈拉普的《艺术的社会根源》,都是如此。关于丹纳、居友,蔡仪有过较中肯的评价:"无论泰纳也好,居友也好,他们从社会学的见地去考察艺术,至多只能是艺术研究,不能是美学;换句话说,只是艺术的属性条件的考察,而不是艺术的本质的考察。"①

对文学艺术作心理学的研究,使文艺理论深入到文学艺术的创造和欣赏过程中去,接触到这种复杂现象的更微妙的方面。但是,从心理学上来研究文学艺术,有的是近于美学,例如朱光潜的《文艺心理学》;有的属于文艺学,如赵雅博的《文学艺术心理学》;有的则只是一般的心理学,例如弗洛伊德的精神分析著作。对文学艺术作一般心理学的研究,只是以文学艺术作为材料,阐明的只是普通心理学规律,而并未揭示出文学艺术活动中特有的心理规律,因而,严格说,它不属于文艺学之列。

对文学艺术的研究,不满足于一般哲学、一般社会学和普通心理学的水平,要求跨上哲学美学(审美哲学)、社会学美学(审美社会学)和心理学美学(审美心理学)的阶梯,于是就有了文艺美学。文艺美学从美学上来研究文学艺术,深入到文学艺术的审美方面,揭示文学艺术的特殊审美性质和特殊审美创造规律。

文艺理论,不只是文艺美学,也不只是文艺心理学、文艺社会学等等,它是对文学艺术作多层次、多方面研究的综合。文艺理论对文学艺术这种复杂现象作综合的研究,从哲学、社会学、心理学、美学等各方面揭示它的多方面特性、功能、结构。从这个意义上说,文艺美学不过是文艺理论的一个部类。然而,在文艺理论的所有学科中,文艺美学处于最核心的层次,具有特殊的地位,它跨越文艺学而进入美学行列。

---

① 蔡仪:《新美学》,群益出版社,上海,1946年,第14页。

二

文艺美学属于文艺学,又可归入美学。

关于美学的对象,不管历史上有过多少激烈的争论,美学,时而被当成是美的哲学,时而被归结为文艺理论,但似乎谁也不否认,美学研究对象必须包括文学艺术。美学要研究文学艺术,然而美学并不因此而就是文艺理论。美学曾是哲学的一个部门,然而美学发展到今天,也已成了一门独立的科学,它有自己的发展史。

美学思想,在人类早就存在,但并非一开始就构成理论科学。人类最早的美学思想,表现在古代的神话、传说中。但真正意义上的美学思想,是随着理论思维的形成才开始的。古代的美学思想,是和哲学思想、政治思想、伦理思想、宗教思想等等交织在一起的,后来,又主要包含在哲学和文艺学这两门科学中。我国先秦时代,儒、道、墨诸家,都有美学思想,但大都和其他思想交织在一起,并不独立成美学。古希腊的毕达哥拉斯、苏格拉底、柏拉图的美学思想,也都包含在哲学体系或文艺见解中,并不独立。早于亚里士多德《诗学》并已构成体系的公孙尼子《乐记》,主要是关于音乐的理论,但它涉及了多种艺术,甚至比艺术更广泛的领域。按郭沫若的看法,"中国旧时的所谓'乐',它的内容包含得很广。音乐、诗歌、舞蹈,本是三位一体可不用说,绘画、雕镂、建筑等造型美术也被包含着,甚至于连仪仗、田猎、肴馔等也可以涵盖。所谓乐也,乐也。凡是使人快乐,使人的感官可以得到享受的东西,都可以广泛地称之为乐。"[①]这样的著作,虽然主要是艺术论,但实际上已是美学,只是没有这样的名称而已。

在漫长的历史发展过程中,美学始终既同哲学又同文艺学紧密相连。我国的《文心雕龙》,是系统的文学理论巨著,而其中就包含着美学理论。只是,在刘勰的眼光看来,文学,包括了所有文体的文章,并不仅仅是艺术的文学,所以,它实际上是文章理论。刘勰把文章(包括艺术的文学)放在整个哲学体系中来考察,并从哲学上加以阐

[①] 郭沫若:《公孙尼子与其音乐理论》,引自《青铜时代》,科学出版社,北京,1957年。

释，所以,《文心雕龙》带着浓厚的哲学意味。但中国古典美学,总的说来,不大注重自上而下出发来建立理论体系,而多从具体文学艺术现象出发,由下而上,有感而发,各抒己见,在鉴赏品评中发表自己的美学见解。这同西方古典美学的发展道路不尽相同。然而,中国古典美学也在日益完善,形成体系。它逐渐从哲学、伦理学的附庸中解脱出来,形成《文心雕龙》那样的著作。以后,它又趋向于由具体审美感受、未成系统的美学见解,上升为理论概括。唐宋以来,苏轼的《传神记》、严羽的《沧浪诗话》、王夫之的《姜斋诗话》、叶燮的《原诗》、刘熙载的《艺概》等,都有自成体系之势,但都不是单纯意义上的美学,而是美学和文艺理论、文艺批评相结合。到了近代,王国维、梁启超、蔡元培和鲁迅等,一方面继承了中国古典美学的传统,一方面又吸取了西方美学的成果,才逐渐使美学成为一门独立的科学,在中国发展起来。

西方的美学,长时期内也一直只在哲学和文艺学两个领域内发展,到了启蒙运动时代方形成一门独立的科学。美学,作为独立科学的名称,是由18世纪德国哲学家鲍姆加登命名的。在1735年出版的《关于诗歌的某些问题的哲学思考》这篇拉丁语学位论文中,鲍姆嘉登第一次使用古希腊词语"Aesthetics",来称呼一门新的学问。1750年,他又用这个词语来命名自己的一部美学著作。从此,西方便开始沿用。所以,包姆嘉敦被称作"美学之父"。其实,包姆嘉敦只是"美学教父",他不过是给早已存在的一个学科确定名称。美学这门科学的确切称呼应为:审美学。它不只研究美,而是研究整个审美活动。只是,由于中国、日本在翻译时,把它译成美学,约定俗成,也就习以为常了。包姆嘉敦虽倡名美学,但他的美学仍属于哲学。他把美学看作是感性认识的理论。为弥补哲学向来只有逻辑学和伦理学而无感性学之不足,他因而另立美学,从而使美学成为哲学内的一个独立部门。

包姆嘉敦的美学,开创了一条道路,使得美学尽管还在哲学的范围内,但已有了相对独立的发展。沿着这条道路,康德、费希特、谢林、黑格尔等都从哲学上来研究美和审美。就是歌德、席勒这类文学家,他们的美学也寓有哲理色彩。整个德国古典美学,都带着浓重的哲学性质。在车尔尼雪夫斯基看来，只有德国古典美学，才称得上真正的美学。这有一定道理，因为，德国古典美学具有严密的逻辑体系。今天，我们把德国古典美学这种以哲学见长的美学，称之为哲学美学（或审美哲学）。例如，康德的美学巨著《判断力批判》，主要是从哲学上来论证美和崇高等等。他的美学，只是其整个唯心主义哲学体系"批判哲学"中的一个环节：《纯粹理性批判》研究"真"，《实践理性批判》研究"善"，而《判断力批判》研究美，这样，哲学体系完备了。这种逐渐从哲学中独立出来而仍属哲学部门的美学，正是哲学美学（审美哲学）。但是，就是这种从哲学上来研究审美，极为抽象的哲学美学，也仍然离不开对文学艺术的研究。德国古典美学的集大成者黑格尔，建立了一个宏大的美学体系，从而结束了美学作为百科全书式的包罗万象的哲学体系的时代。黑格尔的美学是哲学美学，然而，他已不满足于一般的哲学美学，而集中于研究文学艺术的审美，并且主要是研究"美的艺术"，而非一般的艺术，所以，黑格尔自称其美学为"艺术哲学"。有时更确切地说是"美的艺术之哲学"。黑格尔的"艺术哲学"，正在跨出哲学的范围，日益从哲学中独立出来。但是，黑格尔的美学，仍然主要是研究文学艺术与其他审美活动共有的一般规律，如他自己所说，"是要阐明美一般说来究竟是什么，它如何体现在实际艺术作品里"[①]。黑格尔的"艺术哲学"开了文艺美学的先河，但它基本上仍属于哲学美学领域。

德国古典美学的终结，开始了西方美学的新时代：美学不限于哲学美学（它本身也仍在发展），而在哲学之外独立地向多方面发展。资产阶级美学，形形色色，学派林立；民主主义美学（从俄国革命民主主义美学到空想社会主义美学）相继兴起，蓬勃发展；马克思主义美学，异军突起，面目一新。

由于美学同其他科学的不同联系，产生美学的不同方法，形成美学的众多门类。文艺美学、符号学美学、生理学美学等等纷至沓来，20世纪以来的美学，逐渐发展为三个基本部门：哲学美学（审美哲

---

① [德]黑格尔：《美学》第1卷，朱光潜译，商务印书馆，北京，1979年，第23页。

学)、心理学美学(审美心理学)和社会学美学(审美社会学)。①

哲学美学(审美哲学)沿着包姆嘉敦、康德、黑格尔的道路继续前进,对审美作哲学的探索,以便弄清审美活动的本质。看来,哲学美学今后还将继续发展,不会衰竭。随着人类审美活动的不断发展,审美现象越来越复杂,美学愈深入,也就需要从哲学上作更高的、更概括的综合,哲学美学需要在更高的水平上发展。

心理学美学(审美心理学)在近代西方得到了特别的发展。德国的费希纳,从心理实验着手,自下而上地由审美经验出发来研究审美活动中的心理规律,从而开创了心理学美学,因而被誉为"近代科学美学的创始人"。自此以后,心理学美学构成了美学中的一个新的部门。随着心理学美学的发展,对审美心理的研究已经不限于心理实验,而进入对更为复杂的审美感情、审美想象、审美趣味、审美理想等的心理分析。作为审美心理的集中而特殊的形态,文学艺术中的心理活动,当然成为心理学美学的重要研究对象。布洛的"心理距离"说,里普斯的"移情"说,桑塔耶那的"对象化的愉悦"说,都涉及艺术心理,阿恩海姆的《艺术心理学》更是如此。

社会学美学(审美社会学),是近代西方美学的又一新的部门。这个美学部门,主要是在英、法等国发展起来的,着重研究审美创造这种最重要的活动的性质、规律、作用和意义。文学艺术,作为人类的重要的审美创造活动,当然也是社会学美学的研究对象。法国著名美学家拉罗的好几部美学著作,都对审美创造活动作了社会学的考察。尼达姆的《论十九世纪法国和英国社会学美学的发展》,详尽阐述了社会学美学的历史发展轮廓。这种社会学美学,在许多国家还在继续发展。

有趣的是,哲学美学、心理学美学和社会学美学也都要研究文学艺术,然而,文艺美学,还是得到了独立发展,成为一门专门研究文学艺术的审美特性和创造规律的学科。这不是根据个别人的命令,而

---

① 参阅[英]李斯托威尔:《近代美学史评述》,蒋孔阳译,上海译文出版社,上海,1980年,第121、188页。

是在社会实践中历史地形成的。

　　人类的审美活动,遍及社会生活的所有实践领域。生产斗争、政治生活、道德、科学、艺术的实践活动等等,都可能伴随或渗透着审美创造活动。人类是按照"美的规律"进行创造的,并不只是文学艺术活动才是审美活动;审美教育也并不限于艺术教育。哲学美学、社会学美学、心理学美学以人类的整个审美活动作为自己的研究对象,而不是只研究文学艺术。它们,是要研究文学艺术和其他人类审美活动共有的审美的普遍规律。哲学美学,主要研究审美活动中的审美客体,探索审美客体的美的本质,弄清自然美、社会美、艺术美共有的性质,因而它首先是美的哲学。但哲学美学并不限于研究美,更不只研究艺术美,它,还要研究美的对立面——丑,揭示自然、社会和艺术中的丑的共同本质。进而,哲学美学还要研究美、丑的变种:崇高和滑稽、悲和喜,等等。因此,哲学美学,不仅是美的哲学,还是丑的哲学,又是悲的、喜的哲学,崇高的、滑稽的哲学,等等。哲学美学当然也研究文学艺术的美、丑、悲、喜等等,但它的使命不在研究文学艺术的特殊性质和规律,而是研究文学艺术和生活中的美、丑、悲、喜等的共同性质和普遍规律。心理学美学研究审美主体的心理活动的本质和规律,揭示审美心理和非审美心理的联系和区别。在审美活动中,审美主体对审美客体作审美反映,这心理过程极为复杂。审美心理学研究审美反映的过程和状态,其中当然包括了文学艺术的创造和欣赏的审美规律。但是,审美心理学并不穷尽文学艺术的所有心理规律,而只是研究文学艺术和其他审美活动共有的普遍规律。社会学美学则探索人类社会的审美创造的本质和规律,研究人怎样从实践上创造社会美,审美主体怎样改造审美客体产生新的审美价值。

　　那么,文学艺术自身与其他审美创造活动相区别的特殊审美性质和规律,由什么科学来研究呢?文艺美学。

　　近代以来,西方美学和人类实践活动有了更为紧密的联系,美学向着更为具体的实践部门纵深发展,更为具体的美学部门出现了:生产美学(技术美学、劳动美学)、生活美学、运动美学等等,都迅速发展,文艺美学也是如此。这些更为具体的部门美学,在哲学美学、心理学美学和社会学美学的基础上产生和发展,但不停留在审美创造活动共同本质和普遍规律的探索,而是深入到各种具体审美创造活动中去,找寻它们的特殊审美性质和规律。比如,在欧美和苏联都得到蓬勃发展的生产美学(技术美学、劳动美学),就是专门研究生产活动中的审美创造规律的美学。随着物质生产的发展和社会审美需要的提高,人类要求把一般的生产劳动提高到审美创造活动甚至艺术创造的水平,不仅劳动产品要美,就是劳动过程也要成为审美活动,使人得到审美享受。生产劳动,事先不仅要有科学设计,而且要有艺术设计,就是劳动对象和劳动环境也都要符合社会审美要求。于是,专门研究生产劳动的特殊审美创造规律的生产美学(技术美学、劳动美学)应运而生。

随着人类的文学艺术活动的愈益复杂,美学日益向这个领域深入,文艺美学也作为美学的一个独立部门而发展起来。

三

文艺美学的独立发展,也有一个过程。

黑格尔的美学,已深入到文学艺术内部,孕育着文艺美学独立发展的趋向。但黑格尔之所以特别重视文学艺术的美学研究,是由他整个美学思想体系的唯心主义性质所决定的。在黑格尔的美学体系中,艺术美处于中心地位。在他看来,美不过是"理念"的感性显现,美在自然中的显现是不完善、不充分的,只有在艺术中,美才得到完善而充分的显现。艺术美高于自然美,所以,美学应该主要研究文学艺术的美。

但是,在近代,不只是唯心主义美学,唯物主义美学也重视对文学艺术的美学研究。著名的唯物主义美学家车尔尼雪夫斯基,坚持"美就是生活"的观点,美学研究对象应是生活,而不限于艺术。在他看来,艺术美不过是生活美的苍白的再现,艺术美低于生活美,这是机械唯物主义的美学观。然而,车尔尼雪夫斯基也仍然十分重视对文学艺术的美学研究,他的主要美学著作、学位论文《艺术与现实的审美关系》,不就是研究文学艺术的美学吗?!可见,美学史上不一定只有唯心主义美学才重视文学艺术。

近代以来,有许多美学家越来越重视对文学艺术的美学研究。克罗齐的《美学》,里德的《美学研究》,帕克的《美学原理》《艺术的分析》等,都进而考察文学艺术与其他审美现象的联系和区别。像汉斯立克这类美学家,又进而深入到更具体的艺术部门,研究音乐特有的美学性质和规律,如《论音乐的美》。普列汉诺夫、卢那卡尔斯基、卢卡契等力图用马克思主义观点来研究美学,都十分注意文学艺术,不过还没有把文艺美学单独分出来。随着美学对文学艺术的研究越来越深入、细致,在当代,不仅文艺美学获得独立发展,而且已日益分化为更具体的部门:音乐美学、绘画美学、建筑美学、舞蹈美学、雕塑美学、戏剧美学、电影美学、文学美学,以至摄影美学等等。

当代美学对文学艺术的审美特性和审美创造规律的了解,日益深化,从而,又进一步引起了美学对文学艺术的重视。艺术和审美有什么关系?艺术的是否必定是审美的?这,曾受过许多人的怀疑。但是,越来越多的人终于逐渐认识到,文学艺术同审美活动有着必然联系,文学艺术具有审美性质。问题在于:文学艺术和审美活动的必然联系何在?文学艺术的审美特性表现在哪里?至今还未有统一的看法。例如在苏联,自20世纪五六十年代以来,美学家、文艺理论家中间肯定文学艺术的审美特性的人日趋普遍,但见解却不一。有一种观点,例如波斯彼洛夫的《审美和艺术》一书(20世纪60年代专著,刘宾雁把它译作《论美和艺术》,与原意略异)中所阐明的:"艺术作品的内容,在其所有基本方面,在认识的对象、在意识形态上对对象的认识与感情评价等方面,都并无真正的审美意义。"艺术的内容没有审美性质,那么,艺术的审美性质在哪里呢?在于"艺术内容的一般特点在一部作品中完整表现的优越性",也就是对内容所作的完整的、优越的、典型的表现。文学艺术,"以其完整的表现规定作品的审美价值"。此后,又有一种观点,例如卡冈的《马克思列宁主义美学讲义》中所说的,文学艺术的内容也具有审美性质,艺术作品中具有审美内容;只是,艺术的审美内容只是艺术内容的一个因素、一个方面,它与政治内容、道德内容、科学内容结合在一起,共同构成艺术的内容。此外,还出现了一种观点,例如斯托洛维奇在《审美价值的本质》一书中所说的,艺术的内容,其本质就是审美的,而不是政治的、道德的、科学的。艺术内容中虽然也包含有政治的、道德的、科学的因素,但这些因素单独地并不能成为艺术内容,只有通过审美的,才能成为艺术内容。不管这些说法是如何分歧,但却表现了一个共同趋向:美学家、文艺理论家越来越重视对文学艺术的审美性质和审美创造规律的研究。致力于"美的哲学"研究的斯托洛维奇,以哲学美学见长,但把文学艺术看作是人类审美关系的最集中而凝炼的表现。卡冈也以哲学美学家见称,但他屡次把研究对象转向文学艺术,其在20世纪70年代写的《艺术形态学》中,主要就是研究了文学艺术的美学。像齐斯、万斯洛夫等许多美学家,则一向致力于文学艺术的美学研究。

文学艺术是一种审美创造活动,是审美创造活动的独特形式。如果我们把文学艺术作为相对独立的社会现象来考察它的整体,那么,我们就会发现,文学艺术至少有三个不同层次的审美规律:

第一,文学艺术同一切审美活动共有的普遍规律

在所有人类活动、一切社会现象中,有些是按照"美的规律"来进行的,有些则是并非遵循"美的规律"的活动和现象。然而,人类的审美活动渗透到人类活动的各个方面,极为广阔,遍及社会生活的各个领域:劳动生产、军事斗争、政治交往、道德活动、科学实验、艺术创造和日常生活中,都有审美的和非审美的因素交织着。人应该而且可以按照"美的规律"来创造,所有审美活动、一切审美现象具有共同性,必须遵循共同的审美和创造规律。文学艺术,不过是人类审美活动、审美现象中的一种形态,它与其他审美活动、审美现象具有共同性,遵循普遍的审美规律。就审美客体说,美、丑、悲、喜、崇高、滑稽等等,都有各自的共同本质和普遍规律;就审美主体说,审美趣味或审美理想的形成,也都有各自的普遍规律;审美客体和审美主体如何交互作用,也都有一些普遍的规律。文学艺术也离不开整个审美活动的普遍规律。

第二,文学艺术区别于其他审美活动而独具的特殊规律

文学艺术是审美活动和现象的独特形态,不同于其他审美活动和现象。文艺的本质,是审美的,但又蕴含着道德价值、认识价值等其他价值,形成一种特殊的价值:艺术价值。艺术美同生活美(自然美、社会美)有共同性,又有特殊性,艺术美不同于生活美。文艺的功能,不仅不能为一般的认识作用、教育作用所代替,而且也不是普通的审美教育,而是一种特殊的审美教育(认识作用、思想作用则在其中折射)。文艺的构成,也不是一般的形象结构,而是一种独特的形象结构——艺术形象(或意境,或典型)。文艺是上层建筑、意识形态,但又不是一般的,而是特殊的上层建筑、意识形态,它不仅传达人类既有的审美经验,而且要创造出新的审美经验,从而去对社会发生作用,推动人类由"必然王国"向"自由王国"迈进。

因此,美学要深入,就不只要弄清审美与非审美的区别,而且在审美领域内,还要进而探索文艺与审美的差别。

第三,文学艺术的不同样式、种类、体裁之间相互区别的更为特殊的个别规律

文学艺术的各种样式、种类、体裁,又各具特点,规律有别。音乐、舞蹈、建筑、绘画、雕塑、戏剧、电影、文学,等等,特征各异,不可代替。就是每一样式之中,又有不同的种类,例如文学,则有叙事作品、戏剧作品、抒情作品。每类之下,又可细分,例如叙事作品又有小说、史诗等体裁。这些样式、种类、体裁,都有独特的审美特性和审美规律。美学要掌握文学艺术的全部特性和规律,势必要层层剥笋、步步深入。

文学艺术,如同一切社会现象,都具有普遍、特殊、个别这三个层次的规律。文学艺术的审美规律,也有普遍、特殊、个别之别。这三个不同层次的审美规律,相互区别而又相互联结,美学的不同部门从不同的层次上去研究它们的相互联系和区别。如果说,审美哲学、审美心理学、审美社会学着重研究一切审美活动、审美现象共有的普遍审美规律,那么,它们也要触及下一层次的特殊审美规律(劳动生产中的、社会斗争中的、科学活动和艺术创造中的特殊审美规律),研究普遍和特殊之间的联结。文艺美学在研究文学艺术自身特具的特

殊审美规律时,无疑,既不能脱离那所有审美活动共有的普遍审美规律,又要联系下一层次更为特殊的个别审美规律(音乐的、舞蹈的、文学的……),但它责无旁贷,必然要着重研究文学艺术共有的这一层审美规律。音乐美学、舞蹈美学、建筑美学、电影美学、戏剧美学等等,则要着重研究各种艺术样式的个别审美规律,依次推进,层层深入。

任何科学,都要在普遍、特殊、个别的联结中来研究自己的对象。文艺美学也在文学艺术的这三个层次的审美规律的联结中研究自己的对象。文艺美学,既属于整个美学,是美学的一个部门,又有自身的相对独立性,区别于其他美学。

文艺美学,虽然是从美学上来研究文学艺术,但也把这种复杂现象作为一个完整的对象,加以系统地研究。文学艺术,作为一种审美活动和审美现象,本身就是一个独特的"系统"。这个"系统"是由三个方面构成的:文学艺术的创造,是由艺术家、作家来完成的;创造出来的产品,是个独特的存在;它的产品所以被创造出来,又是为了满足人类的一种特殊的社会需要,它必然要由读者、听众、观众来消化,才能完成这个特殊审美活动的整个过程。创造—作品—享受,这是文学艺术活动过程的三个必要环节,而作品,则是其中的最中心的环节。文艺美学要对这个完整过程作系统的研究,弄清文学艺术这个独特"系统"的三个方面,因而,它包括了这三个方面的美学:

第一,文艺作品(产品)的美学。

文艺作品,如同一切社会产品一样,有其自身的价值、功能和构造,它又有各种不同形态。但文艺作品不同于其他物质产品,又和一般的精神产品有区别,是一种特殊的社会产品,有自己特殊的价值、功能和构造,是独特的形态。

文艺作品的美学,必须揭示这种特殊产品的特殊价值、特殊功能和特殊结构,从而弄清文学艺术的独特本质。它还要研究文学艺术的不同审美特性,美与丑、悲与喜、崇高和滑稽在艺术中是如何表现的,它们同生活中的美丑、悲喜等的联系和区别何在。艺术美和生活美的关系,就是必要课题之一。艺术美中形式美和内容美的联系和区别,二者如何结合而为艺术美,等等,也都是必须探讨的问题。

第二,文艺创造(生产)的美学。

文学艺术的创造,是一种活动,是一个过程。这创造过程,本身就是一种特殊的审美活动,它既是审美创造,又是审美反映,结合着实践掌握和精神掌握。

文艺创造的美学,要弄清这种特殊审美活动的过程,研究这个过程中的一些主要环节,作家、艺术家在创造过程中所使用的方法,探索在这过程中是怎样按"美的规律"创造的。

第三,文艺享受(消费)的美学。

创造出文学艺术这个产品,是为了供人享受(消费)。只有在消费中,才实现了生产的目的,使产品具有价值。如果产品不能供人使用,它就是无效劳动。文学艺术的社会作用,只有在读者、听众、观众的消费中才得以完成。但文艺的消费,是一种独特的消费——审美享受的特殊形式,它本身也是一种独特的审美活动过程。

文艺享受的美学,研究文学艺术如何被读者、听众、观众所接受。这就是在当今许多国家所重视的"接受美学"。我们要弄清"艺术魅力"究竟是怎么回事,读者、听众、观众在面对文学艺术这个特殊的审美对象时,怎么引起审美体验,找出艺术享受中的审美规律。

探讨文学艺术的作品、创造和享受,亦即产品、生产和消费这三方面的审美规律,这就是文艺美学研究的对象和内容。

审美现象不是孤立于其他社会现象的真空领域和封闭体系,审美现象、审美活动是整个社会生活中的一个方面。文学艺术的审美规律,离不开社会生活中的其他社会规律(经济的、政治的、道德的等等)。因此,文艺美学不能把文学艺术的审美规律(尽管它也是社会规律的一种形态)和其他社会规律割裂或对立起来。文艺美学,不是孤立于社会学、经济学、政治学、伦理学、哲学和其他科学的封闭体系,它必须吸收这些科学,以至工艺学、语言学、符号学、信息论、控制论等最新科学成果。文艺美学研究文学艺术审美的"自律",不能离开整个社会发展的"他律",不能轻视"他律"对"自律"的制约作用,正如研究地球的自转,不能抛开它围绕太阳的公转。但是,文艺美学要着重弄清的,乃是文学艺术这种特殊审美活动的"自律","他律"如何通过"自律"而发生作用,从而产生一种"合力"。文艺理论则对文学艺术的社会的、政治的、道德的、心理的、美学的种种因素作综合的、全面的研究。所以,文艺美学只是文艺理论的一个门类,它不能代替文艺理论。

  文学艺术的审美活动,也不孤立于人类其他审美活动领域,而只是其中的一种形态。因此,文艺美学也不把文学艺术和其他审美活动割裂或对立起来研究,文艺美学不是和美学其他部门绝缘的孤岛,它必须吸取其他美学部门的研究成果。它既需要采取"自上而下",又需要运用"由下而上"的方法,分析和综合、演绎和归纳相结合。文艺美学离不开哲学美学、心理学美学和社会学美学,需要用"一般"来指导"个别";同时,也需要从"个别"到"一般",依靠音乐美学、舞蹈美学、戏剧美学、电影美学等具体部门美学,共同努力,从而揭示出文学艺术的普遍、特殊和个别的审美规律。因此,文艺美学只是美学的一个门类,它不能代替美学的其他部门。

(原载《美学向导》,北京大学出版社,1982年)

文艺美学应何为

文学艺术是社会现象，不同时代对它有着不同的理论探索。我们这个时代的文艺学，在以往探索的基础上也应有所前进，进行新的探索。

文艺美学研究文学艺术的美学问题，对文学艺术从美学上进行探索。

这种探索会把文艺学的道路引向狭窄还是宽广？

这当然需要经过实践的检验才能作答。但是我相信，只要这种探索是在马克思主义的指引下进行的，我们的文艺学就会走向更宽广的道路。

文学艺术，既是一种特殊的人类活动，又是这种人类活动的产物。作为这种特殊的活动的产物，文学艺术在人类社会中自成一个系统。在这个系统的整体中，创造—作品—欣赏乃是相互联系的三个主要环节。历史上，不同的文艺学曾对每个环节都做过这样那样的研究。时而，创造作品的作者这个环节成了研究的中心，例如记传研究法就致力于作者生平的考证，经历、传记的描述；时而，已创作出来的作品这个环节又成了研究的唯一对象，例如新批评派、结构主义等把注意力集中于文本，甚至把它只归结为形式结构；时而，欣赏作品的读者、听众或观众又成为注意中心，例如，接受美学或读者反应理论的兴趣是在欣赏者身上，把这个环节特别予以突出。

简单地否定这样一些探索是愚蠢的，不应该排斥和拒绝其中有价值的东西。文艺美学需要运用马克思主义对它作分析和综合，把艺术系统的各个环节联系起来，进行系统的研究。

马克思曾经系统地研究过生产和消费的关系，并因此而触及艺术生产和艺术享受的辩证关系。马克思深刻地看到："生产直接是消费，消费直接是生产，每一方直接是它的对方。可是同时在两者之间存在着一种媒介运动。生产媒介着消费,它创造出消费的材料,没有生产,消费就没有对象;但是消费也媒介着生产,因为正是消费替产品创造了主体,产品对这个主体才是产品。产品在消费中才得到最后完成。"一条铁路,如果不通车辆,不能使用,它就只是潜在的或可能的铁路,而不是现实的铁路。一件衣服由于穿的行为才现实地成为衣服,一间房屋无人居住,事实上就还不能称其为现实的房屋。没有付之使用的物品,都只是潜在的、可能的物品。生产为消费提供对象和材料,没有生产也就没有消费;消费则为生产提出动力和目的,没有消费也就没有生产。生产和消费,相互依存,互为条件,构成人类经济活动这个系统。

　　艺术生产是特殊的生产,艺术享受是特殊的消费。文学艺术作品被创造出来,是为了给人欣赏或阅读的,如果没人欣赏,无人阅读,它就还只是潜在的、可能的作品。艺术生产为艺术享受提供了对象和材料,但是,只有当艺术生产是符合社会的审美需要的,艺术作品给人以艺术享受,才从可能的转化为现实的。马克思说得好:"一个歌唱家为我提供的服务,满足了我的审美需要,但是,我所享受的,只是同歌唱家本身分不开的活动,他的劳动即歌唱一停止,我的享受也就结束。"艺术享受虽结束,但艺术享受反过来又成为刺激艺术生产的动力和目的,它们互为因果,不断转化,构成了艺术活动这个系统。马克思曾以钢琴演奏为例,生动地说明了艺术生产和艺术享受的辩证关系:钢琴演奏生产了音乐,满足了我们的艺术享受;艺术享受的满足,反过来又促进了艺术生产。一方面,它使欣赏者成为更加精神旺盛、生气勃勃的人,激发了我们的意志、思想、感情,更好地投身于实践活动;一方面,它培养了欣赏者的审美能力、艺术素养,唤醒了人们的新的审美需要,为了满足这种新的审美需要,又必须在物质生产上投入更大的努力。马克思说得好:"艺术对象创造出懂得艺术和具有审美能力的大众——任何其他产品都是这样。因此,生产不仅为主体生产对象,而且也为对象生产主体。"①

---

① [德]马克思、恩格斯:《马克思恩格斯全集》第46卷上册,人民出版社,北京,1965年,第28~31页。

马克思不把艺术生产和艺术享受相割裂,不是离开艺术享受孤立地考察艺术生产,也不是离开艺术生产孤立地考察艺术享受,而是联系起来从整体上来分析。列宁和毛泽东、邓小平等在考察文学艺术时,也是把艺术如何生产和艺术为谁而生产的问题紧密联系起来,为什么人和如何为的问题被置于首要地位。艺术应该为人民服务,艺术应该属于人民,这已成为马克思主义文艺学的基本思想。无论是从政治学的角度还是从审美学的角度来说,我们都需要继续深入研究这个问题。

把艺术活动作为一个独立系统来看,创造—作品—欣赏这个系统,其实也就是艺术信息的制造、储存和接受的过程。艺术创造就是制造一种艺术信息,艺术信息的物化,把它储存在作品中。欣赏就是艺术信息的传递,读者、听众、观众通过欣赏而接受艺术信息,然后发生反馈作用,去影响新的艺术生产。艺术家所创造的艺术信息究竟是一种什么样的信息,这种信息是怎样被储存在作品中的,又怎样被欣赏者所接受,在这过程中,信息又经历过一些什么变化,它又怎样发生反馈作用,我们的文艺美学都应该把它们放在艺术系统的整体中重新考察,作新的探索。

文艺理论家往往从审美主体和客体的关系着眼确立文学研究对象。美国文艺学家艾布拉姆斯在《镜与灯》中提出文学的四要素说,认为,在整个艺术过程中与艺术作品相关的因素有四个,即:作品、艺术家、宇宙、观众[①],他用一个三角形来排列:

艾布拉姆斯认为,所有西方艺术理论都展示出可以辨别出来的一个定向,亦即趋向这四个要素的其中之一。他将作品对宇宙(世界)的反映称之为"摹仿"论,将观众对作品的解读称为"实用"论,艺

---

① [美]艾布拉姆斯:《镜与灯》,英文版,牛津大学出版社,香港,1953年,第6~7页。

家对作品的心灵外观称之为"表现"论,而孤立地考察作品则称作客观论①。而美国学者刘若愚(James J.Y.Liu)则将这四要素的关系重新安排成一种完整的圆圈②,以突出主客体互相影响、互相制约,形成一个不断循环的艺术过程。

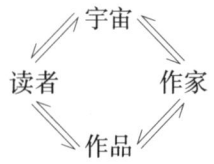

美国学者叶维廉进一步将这四要素的关系安排为一个庞大的理论构架③。因原图过繁,现以简图示之如次:

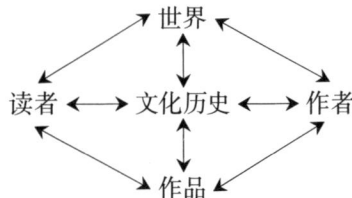

叶维廉认为,一部作品诞生的前后,有五个必不可少的基础,即作者、世界、作品、读者、语言(包括文化历史因素),并据此提出西方文艺理论有六个不同导向:即观感运思程式理论、由心象到艺术呈现的理论、传达与接受系统的理论、读者对象的理论、作品自主的理论以及文化历史环境决定的理论。

可以认为,艾布拉姆斯、刘若愚、叶维廉都从研究对象的主客体关系方面,考察文艺研究方法的重心所在,并将文学整体过程确定为四个主要因素,这四个相互联系的要素研究的不同侧重,形成当代文艺理论和文艺批评的不同流派。这些林林总总的流派,以其各种不同的研究方法在作家、作品、读者、社会文化四个维度上展开,并取得令人瞩目的成就。

现在,我们已经懂得,文学艺术的创造,作为一个过程,有相对

---

① [美]艾布拉姆斯:《镜与灯》,英文版,牛津大学出版社,1953年,第3~29页。
② 刘若愚:《中国文学理论》,英文版,芝加哥大学出版社,1975年,第10页。
③ 叶维廉:《比较文学丛书总序》,引自郑树森《现象学与文学批评》,(台湾)东大图书公司,台北,1984年,第11页。

独立的系统，但其中每一环节都和社会相通：作家、艺术家参与社会生活，社会激发作家、艺术家进行创作活动，产生艺术作品，供给读者、听众、观众去欣赏，艺术接受者受艺术享受的激发而付诸实践活动，对社会发生影响。反过来，社会培养了读者、听众、观众的审美需要和审美能力，对艺术作品提出新的要求，影响作家、艺术家的创作，推动作家、艺术家在想象中去改造社会生活。

随着社会生活的发展，艺术生产在社会生活中的地位和作用问题又不断被提出来。艺术生产和精神生产、物质生产的关系是怎样的？文学艺术和精神文明、物质文明是什么样的关系？艺术生产是精神生产，文学艺术属精神文明，在我们的文艺学中大致已成定论。但是，近年来国际上却提出了另外的说法：艺术生产既具有精神生产的特点，又具有物质生产的特点，它是融合了两者的"精神—物质"生产，处于精神生产和物质生产之间的中介地位。艺术文化既有精神文明的特点，又有物质文明的特点，它是融合了两者的特殊文化，联结精神文明和物质文明。究竟哪种见解更符合实际、接近真理，这应该鼓励争鸣。不管持哪种见解，都必须回答：艺术生产和物质生产、精神生产的联系和区别何在，艺术文化和物质文明、精神文明有什么样的联系和区别。甚而，我们还可更进一步探索，艺术生产和人自身的生产又是什么关系，这是一个更为宏大的课题。这就要求我们研究艺术生产中的普遍规律、特殊规律和个别规律，把普遍—特殊—个别的辩证法具体运用于文艺研究。

作为一种人类活动及其产物，文学艺术同其他生产及其产物一样，既有普遍性，又有特殊性，且有个别性。人类在实践中按照"美的规律"来进行创造，一切实践活动所共同遵循的"美的规律"是人类的普遍规律。但是，普遍规律在艺术生产中有其特殊表现，并且艺术生产还有同其他精神生产、物质生产不同的特殊规律。对于艺术的具体门类来说，文学、音乐、绘画等等还有各自特有的个别规律。可见，在艺术生产中"美的规律"是多层次的，是普遍的、特殊的、个别的不同层次规律的结合、交织及相互作用。

文艺美学应全面研究艺术活动（不仅是艺术生产，也包括艺术接受)中不同层次"美的规律"及其相互联系。相应地,当然也应研究艺术作品中不同层次(普遍、特殊、个别)的审美价值的相互联结。这就不仅需要把文学艺术和非艺术的产物作比较,而且必须将不同形态艺术(文学、绘画、音乐、戏剧、电影等等)作比较,在比较中探索异同,找出普遍、特殊、个别的不同层次的性质,作出综合的研究。这样的美学研究在我们这里不是太多,而是远远不够,亟待有志于此者入乎其内,细加探索。

如果我们的视野放得更宽广些,把艺术生产放在人类整个生产领域中考察,那就更需要深入到研究艺术生产在人类三大生产领域中的地位和作用。艺术生产和物质生产、精神生产、人自身的生产究竟是什么关系?文艺美学的使命任重而道远。

在北大和首届文艺美学研究生交谈后整理
1983年秋,北大燕园

文艺美学对文学艺术的系统研究

文艺美学从美学上对文学艺术进行理论探索,就是要按照马克思主义对文学艺术作系统的、全面的、综合的研究。

文学艺术,既是一种特殊的人类活动,又是这种人类活动的产物。作为这种特殊的活动和产物,文学艺术在人类社会中自成一个系统。在这个系统的整体中,创造—作品—欣赏乃是相互联系的三个主要环节。历史上,不同的文艺学曾对每个环节都做过这样那样的研究。时而,创造作品的作者这个环节成了研究的中心,例如记传研究法就致力于作者生平的考证,经历、传记的描述;时而,已创作出来的作品这个环节又成了研究的唯一对象,例如新批评派、结构主义等把注意力集中于文本,甚至把它只归结为形式结构;时而,欣赏作品的读者、听众或观众又成为注意中心,例如,接受美学或读者反应理论的兴趣是在欣赏者身上,把这个环节特别予以突出。

文艺美学需要运用马克思主义对它作分析和综合,把艺术系统的各个环节联系起来,进行系统的研究。

马克思曾经系统地研究过生产和消费的关系,并因此而触及艺术生产和艺术享受的辩证关系。马克思深刻地看到:"生产直接是消费,消费直接是生产,每一方直接是它的对方。可是同时在两者之间存在着一种媒介运动。生产媒介着消费,它创造出消费的材料,没有生产,消费就没有对象;但是消费也媒介着生产,因为正是消费替产品创造了主体,产品对这个主体才是产品。产品在消费中才得到最后完成。"一条铁路,如果不通车辆,不能使用,它就只是潜在的或可能的铁路,而不是现实的铁路。一件衣服由于穿的行为才现实地成为衣服,一间房屋无人居住,事实上就还不能称其为现实的房屋。没有付之使用的物品,都只是潜在的、可能的物品。生产为消费提供对象和材料,没有生产也就没有消费;消费则为生产提出动力和目的,没有消费也就没有生产。生产和消费,相互依存,互为条件,构成人类经济活动这个系统。

艺术生产是特殊的生产,艺术享受是特殊的消费。文学艺术作品被创造出来,是为了给人欣赏或阅读的,如果没人欣赏,无人阅读,它就还只是潜在的、可能的作品。艺术生产为艺术享受提供了对象和材料,但是,只有当艺术生产是符合社会的审美需要的,艺术作品给人以艺术享受,才从可能的转化为现实的。艺术享受反过来又成为刺激艺术生产的动力和目的,它们互为因果,不断转化,构成了艺术活动这个系统。马克思曾以钢琴演奏为例,生动地说明了艺术生产和艺术享受的辩证关系:钢琴演奏,生产了音乐,满足了我们的艺术享受,艺术享受的满足,反过来又促进了艺术生产。一方面,它使欣赏者成为更加精神旺盛、生气勃勃的人,激发了我们的意志、思想、感情,更好地投身于实践活动;一方面,它培养了欣赏者的审美能力、艺术素养,唤醒了人们的新的审美需要,为了满足这种新的审美需要,又必须在物质生产上投入更大的努力。马克思说得好:"艺术对象创造出懂得艺术和具有审美能力的大众——任何其他产品都是这样。因此,生产不仅为主体生产对象,而且也为对象生产主体。"①

马克思不把艺术生产和艺术享受相割裂,不是离开艺术享受孤立地考察艺术生产,也不是离开艺术生产孤立地考察艺术享受,而是联系起来从整体上来分析。列宁和毛泽东在考察文学艺术时,也是把艺术如何生产和艺术为谁而生产的问题紧密联系起来,为什么人和如何为的问题被置于首要地位。艺术应该为人民服务,艺术应该属于人民,这已成为马克思主义文艺学的基本思想。

把艺术活动作为一个独立系统来看,创造—作品—欣赏这个系统,其实也就是艺术信息的制造、储存和接受的过程。艺术创造就是制造一种艺术信息,艺术信息的物化,把它储存在作品中,欣赏就是

---

① [德]马克思、恩格斯:《马克思恩格斯全集》46卷上册,人民出版社,北京,1965年,第28~31页。

艺术信息的传递,读者、听众、观众通过欣赏而接受艺术信息,然后发生反馈作用,去影响新的艺术生产。艺术家所创造的艺术信息究竟是一种什么样的信息,这种信息是怎样被储存在作品中的,又怎样被欣赏者所接受,在这过程中,信息又经历过一些什么变化,它又怎样发生反馈作用,我们的文艺美学都应该把它们放在艺术系统的整体中重新考察,作新的探索。

但是,艺术系统的独立只是相对的。这个相对独立的艺术系统从属于人类社会的更大系统之中。人类社会是更为复杂的系统,它是由经济基础和上层建筑构成的社会有机整体,它的每个部分又各自成为相对独立的分系统。列宁说得好:"按照马克思的理论,每一种生产关系体系都是特殊的社会机体,它有自己的产生、活动和向更高形式过渡即转化为另一种社会机体的特殊规律。"①作为相对独立的艺术系统,文学艺术只是整个社会机体的一个部分。只有把这个部分放在整体中去考察,才能弄清它与整体、它与其他部分的密切关联。

把文学艺术这个相对独立的系统放到社会整体这个更大的系统中去考察,文艺美学至少必须弄清这样两类问题:一是文学艺术同其他上层建筑和意识形态的联系和区别;二是文学艺术同经济基础的联系和区别。这样的问题,不仅社会学需要研究,美学也需要探索。

不仅艺术生产这个环节同社会沟通,就是艺术享受这个环节也沟通着社会。无论是艺术创造者和艺术欣赏者,都是属于社会的,不是孤立的个人。把艺术活动放到社会系统中,就成了这样的系统:社会—创作—作品—欣赏—社会。但是,社会与艺术的关系不是单向的,而是双向的、相互作用,因而,它们的真正关系应是这样的:

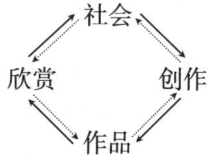

作家、艺术家参与社会生活,社会激发作家、艺术家进行创作活动,产生艺术作品,供给读者、听众、观众去欣赏,艺术接受者受艺术享受

---

①[苏]列宁:《列宁选集》第1卷,人民出版社,北京,1965年,第388页。

的激发而付诸实践活动,对社会发生影响。反过来,社会培养了读者、听众、观众的审美需要和审美能力,对艺术作品提出新的要求,影响作家、艺术家的创作,推动作家、艺术家在想象中去改造社会生活。

随着社会生活的发展,艺术生产在社会生活中的地位和作用问题又不断被提出来。艺术生产同精神生产、物质生产的关系是怎样的?文学艺术和精神文明、物质文明是什么的关系?艺术生产是精神生产,文学艺术属精神文明,在我们的文艺学中大致已成定论。但是,苏联的文化学派卡冈却提出了另外的说法:艺术生产既具有精神生产的特点,又具有物质生产的特点,它是融合了两者的"精神—物质"生产,处于精神生产和物质生产之间的中介地位。艺术文化既有精神文明的特点,又有物质文明的特点,它是融合了两者的特殊文化,联结精神文明和物质文明。究竟哪种见解更符合实际、接近真理,这应该鼓励争鸣。不管持哪种见解,都必须回答:艺术生产和物质生产、精神生产的联系和区别何在,艺术文化和物质文明、精神文明有什么样的联系和区别。这就要求我们研究艺术生产中的普遍规律、特殊规律和个别规律,把普遍—特殊—个别的辩证法具体运用于文艺研究。

作为一种人类活动及其产物,文学艺术同其他生产及其产物一样,既有普遍性,又有特殊性,且有个别性。人类在实践中按照"美的规律"来进行创造,一切实践活动所共同遵循的"美的规律"是人类的普遍规律。但是,普遍规律在艺术生产中有其特殊表现,并且艺术生产还有同其他精神生产、物质生产不同的特殊规律。对于艺术的具体门类来说,文学、音乐、绘画等等还有各自特有的个别规律。可见,在艺术生产中"美的规律"是多层次的,是普遍的、特殊的、个别的不同层次规律的结合、交织。

文艺美学应该全面地研究艺术活动(不仅是艺术生产,也包括艺术欣赏)中不同层次"美的规律"及其相互联结。相应地,当然也应研究艺术作品中不同层次(普遍、特殊、个别)的审美价值的相互联结。这就不仅需要把文学艺术和非艺术的产物作比较,而且必须将不同形态艺术(文学、绘画、音乐、戏剧、电影等等)作比较,在比较中探索异同,找出普遍、特殊、个别的不同层次的性质,作出综合的研究。

这样的美学研究在我们这里不是太多,而是远远不够,亟待有志于此者入乎其内,细加探索。

作为社会现象,文学艺术广泛存在于世界各国,到处都有。文艺研究当然要从研究各别的民族、国家的文学艺术开始,它是整个文艺学的基石。只有在对各别民族、国家的文学艺术的研究的基础上,才可能作更高或更深一层的研究。因此,传统的文艺学注重于各别文学艺术的研究,弄清各别国家、民族文学艺术的来龙去脉、历史发展,这十分必要。然而,随着文学艺术在不同国家、民族之间的交往,特别是在全世界范围内的更广泛的交往,文艺学势必要对不同民族、国家的文学艺术作比较性的研究,以便弄清:究竟什么是世界各国文学艺术共同具有的普遍性,什么是某些国家(如欧洲的、东方的)文学艺术所独具的特殊性,什么又是各别国家(如中国的、印度的)所特有的个别性。

对不同民族、国家的文学艺术作比较研究,应该是也必然要成为文艺美学的重要方法。德国伟大的文学家歌德曾对中国小说和欧洲文学作过对比,在1827年和爱克曼的一次谈话中提出:不仅要发展民族文学,而且要建立世界文学。马克思在《共产党宣言》中也曾指出了历史发展的这样的必然趋向:随着人类的交往扩及世界各国,不仅物质生产领域结束了自给自足的闭关自守状态,而且精神生产也是如此,各民族的精神产品成了世界共同的财富,"于是由许多种民族的和地方的文学形成了一种世界的文学"。这里说的文学是广义的,包括了科学、哲学、艺术等等,因此,文学艺术也成了人类共同的精神财富。但这丝毫不意味着,各别国家的文学艺术就必然要损失民族独特性,这就促使文艺学必然要认真探索各国文学艺术中普遍、特殊和个别的辩证法。

马克思、恩格斯肯定了比较研究方法,曾经赞扬法国人、北美人和英国人这些大民族无论在实践或理论中"经常进行比较"。他们自己就曾把文艺复兴时代三位著名艺术家作过精辟的比较:"拉斐尔的艺术作品在很大程度上同当时在佛罗伦萨影响下形成的罗马繁荣有关,而列奥纳多的作品则受到佛罗伦萨的环境的影响很深,铁相的作品则受到全然不同的威尼斯的发展情况的影响很深。"①各国的文学艺术,既有共性,也有个性,有相同的方面,也有相异的方面,毛泽东同志说得好:"艺术的基本原理有其共同性,但表现形式要多样化,要有民族形式和民族风格。"②只有比较才有鉴别。没有比较,怎么知道不同国家文学艺术的异同和优劣呢?!既不知己又不知彼,所谓取长补短只能成为空谈。

社会主义文学艺术在世界之林占着特殊的地位,它既继承而又发展了世界历史上优秀文学艺术的传统,因而既具有一切优秀文学艺术的普遍性质,又自有其崭新的特殊性质。我们的文艺学理所当然把研究社会主义文学艺术的本质和规律置于首要的、突出的地位。只是,对社会主义艺术的研究不应割断历史发展的长河,而要把它和世界文学艺术的研究联系起来,既要作纵的观察,又要作横的对比,把社会主义文学艺术同世界历史上的其他典型的文学艺术作比较。弄清它们之间的联系和区别,将使我们的文艺学提高到一个新的水平,开拓一个新的境界。

文艺学领域广阔,研究方法必须多样。社会学的、心理学的,甚至符号学的方法都可以允许施用于文艺学,但任何方法都有各自的局限,只在一定范围内有效,因而都只在系统的研究中起局部的作用。在对文学艺术作系统的研究中,具体方法可以多样,彼此配合,相互补足,但这是在马克思主义统一基础上的综合。马克思主义是文艺学的根本方法。

建立和发展具有中国特色的马克思主义文艺学,这是文艺研究的共同的宏伟目标。为了达到这个目标,需要集思广益,通过多种途径和方法,共同努力。为此,我们既需要研究中国古典美学和文艺学,又需要研究西方近代的文艺思潮。但是,无论是中国传统的美学和文艺学,还是西方近代的文艺思潮,对于我们来说,都不过是一些理论资料或思想资料,可供建立和发展具有中国特色的马克思主义文艺

---

① [德]马克思:《德意志意识形态》,引自《马克思恩格斯全集》第3卷,人民出版社,北京,1960年,第495页。
② 毛泽东:《同音乐工作者的谈话》,人民出版社,北京,1979年。

学作参考，需要用马克思主义予以分析和综合。正确的原则仍然是古为今用、洋为中用。毛泽东说得好："要向外国学习科学的原理。学了这些原理，要用来研究中国的东西。……自然科学、社会科学的一般道理都要学。"艺术又怎么样呢？"中国的音乐、舞蹈、绘画是有道理的，问题是讲不大出来，因为没有多研究。应该学外国的近代的东西，学了以后来研究中国的东西"。中国的和外国的，两边都要学好，"中国的和外国的要有机结合"。向古人学习是为了现在的活人，向外国人学习是为了今天的中国人。学习古代的东西是要把它变成现代的；吸收外国的东西要把它变成中国的。"鲁迅的小说，既不同于外国的，也不同于中国古代的，它是中国现代的"。文学艺术是如此，那么，我们的文艺学是不是也应该这样呢？"应该学习外国的长处，来整理中国的，创造出中国自己的、有独特的民族风格的东西"。这是马克思主义的回答。[1]

目标和原则已经有了，问题关键就在如何付诸实践。需要有更多的人投入辛勤的劳动，从美学上来对文学艺术作系统的研究，为建立和发展具有中国特色的马克思主义文艺学贡献应有的力量。

1984年秋，北大中关园
（原载《文艺美学论丛》，1985年第1辑）

---

[1] 参见毛泽东：《同音乐工作者的谈话》，人民出版社，北京，1979年。

反思文艺美学

在西方传来文艺学之前,中国也有自己的文艺学,虽无其名,却有其实。我们今天可以称它为古典文艺学。

中国的古典文艺学源远流长,到刘勰的《文心雕龙》已经把文章之学系统化了。作为其中的组成部分,艺术的文学(美文学)也包含在内,其独特的创造规律也得到探讨。以后大量出现的诗话、词话、曲话、赋论、画论、文论、剧说以及小说评点等等,都对具体的艺术、文学部类作了不同的研究。古典文艺学发展到叶燮的《原诗》、石涛的《画语录》,特别是刘熙载的《艺概》,对艺术文学的研究有日益走向综合研究的趋势。古典文艺学通过漫长而缓慢的路程,也许自己逐渐会走向现代文艺学的方向。

但是,西方现代国家强行打开了中国封闭的大门,也带来了西方现代文明。中国的古典文艺学受到西方美学的影响,也发生了新变。由梁启超、王国维、蔡元培、鲁迅拉开序幕,中国的古典文艺学逐渐迈向文艺学现代化的道路:第一,开始运用西方现代美学,阐发中国古典理论。如王国维用康德、叔本华、尼采的美学,阐发中国传统的意境说、形式论、悲剧观。第二,探索文学艺术特点,关注揭示审美特征。如梁启超结合中国文学艺术的实际,提出新境界说;对艺术的文学(美文学)和非艺术的文学作了严格的区分,把小说置于重要地位,并对艺术文学中的审美感情、审美趣味作了进一步分析,区分美的感情和丑的感情、高尚趣味和低劣趣味,在美学上极有价值。第三,高度重视审美教育,发扬艺术的审美作用。蔡元培倡导以美育代宗教,把美学和德育、智育放在同一系列。鲁迅则把美术(文学艺术的总称)作为美育的重要手段,充分发挥文学艺术的"不用之用"。此时,"中学为体,西学为用"尚是主要倾向,但这种变化的意义却不可低估。

在蔡元培倡导美育的推动下,美学在20世纪二三十年代的中国活跃起来,然后在40年代,逐渐具有自己的理论形态。"西学为体,中学为用"成了主要趋向。

"五四"以后,蓬勃发展的报纸杂志都纷纷发表美学文章,30年间,竟有500多篇之多,美学的论著也多了起来(参阅我和陈伟、一川选编的《中国现代美学丛编》,可略窥一斑)。吕澂、陈望道、范寿康、华林、李安宅、宗白华、李广田、王森然、赵景深、徐庆誉、张竞生、俞剑华、邓以蛰等都有美学方面的论著或文章,许多作家、艺术家、鲁迅、郭沫若、茅盾、冰心、朱自清、梁实秋、丰子恺、艾青等论创作的文章,也不时触及美学问题。这时的美学,虽然主要也还是引进西方理论,但呈现出这样的特点:其一,对西方美学重在融会贯通,领会精神要点,避免死搬硬扯,玩弄词句;其二,注意结合中国实际,不脱离创作实践;其三,尽量使用中国自己的话语,并无失语之感。

美学在中国,早有理论化的趋势。吕澂、陈望道、范寿康等的美学,虽还都只是"概论"性质,但都有理论化趋势,基本上都是以价值论为主导来谈美学,把美学看作是一种价值科学。20世纪20年代是中国美学的初创时期,但尚缺少深入研究,尚未建立自己独立的体系。到了30年代,朱光潜的《文艺心理学》,虽然也在评述西方美学,但在评述中建构自己的美学,阐发自己独到的见解,把中国传统的美学思想也融合进来,形成以研究创作心理为中心的独立的美学思想体系。到了40年代,蔡仪则依据认识论(其实只是反映论的一个维度),把艺术归结为对美的认识,写成《新艺术论》《新美学》,构筑成自己的认识论美学。无论是朱光潜的美学,还是蔡仪的美学,都以文学艺术为材料,但两种美学所要回答的问题却不相同。朱光潜是要探究艺术之美,使艺术美发挥陶冶情性的作用;而蔡仪则重在探索包括艺术之美和现实之美共具的美的本质,帮助人们认识美的客体。因而,这是两种不同的美学体系。

到了40年代末,美学归于沉寂,苏联的文艺学和中国的文艺理论相结合,在50年代,文艺政治学占了主导地位。五四运动之后,也传来了马克思主义,三四十年代通过苏联、日本介绍进来不少苏联的文艺理论,大多依据的是认识论,重视文学艺术的认识作用。但根据中国的实际,经过中国的阐释,更加突出了政治倾向性,要文学艺术发挥现实的政治教育作用,要使人民从现实中惊醒起来,感奋起来,激发斗争勇气和胜利信心,迅速转化为行动,实行改造自己的环境,打倒和消灭敌人。因此,文艺如何为政治服务,成为新中国成立前后文艺学关注的中心,其他都是围绕此中心而展开。陶冶情性的审美学,认识现实之美的认识美学,都不可能得到发展。于是,传统的美学受到冷落。但是,美学理论还是存在,生活美和艺术美的辩证关系,艺术美可以而且应该高于生活美,这种比黑格尔、车尔尼雪夫斯基美学更为精辟的美学火花,仍然在文艺学中燃起。王朝闻的艺术论著,虽然没有系统论述历史上的美学问题,但对艺术创造和艺术接受的审美规律,做了有益的探索。50年代以来,他对艺术规律的关注,贯彻始终,令人敬佩。

在"百花齐放、百家争鸣"声中,曾出现了新中国成立后第一次美学热潮。尽管在学术层面上尚只是停留在探究美是客观的、主观的,还是主客观统一的哲学思辨上,但这一争论本身唤起了文艺界、美学界对审美现象的关注,并且引发了对于马克思美学思想的兴趣。加之,在提出反对苏联的修正主义之后,也引起了我们自己的反思,连主管文学艺术的、编过《马克思主义与文艺》的周扬,也亲自到北京大学讲课,倡导要建设中国自己的美学、文艺学。他已深感到以政治代替艺术、政治和艺术混淆,很难推动文艺的发展。所以在60年代初,依照周恩来的意见,由他主持的文艺十条中的第一条,就是要解决文艺和政治的关系问题,明确提出:我们不但要有强烈的政治内容的作品,"也需要没有什么政治内容,但能给人以生活智慧和美感享受的作品"。接着,周扬按邓小平的意见,抓了人文社会科学的教材建设,把文艺学、美学放在重要地位,亲自关注《文学概论》(蔡仪主编)和《美学概论》(王朝闻主编)两本教材的编写过程,从拟纲、讨论、修改到定稿,都曾不时过问。他一直尊敬和关怀着朱光潜，鼓励和促成《西方美学史》的撰写和出版。可惜，史无前例的"文化大革命"，把美学和艺术当作资产阶级的玩艺儿一扫而光。斯文扫地，何来审美？

改革开放给中国带来了新的憧憬和希望，审美理想之光引发了80年代的新的美学热潮。但这时的美学已不是停留在哲学的思辨，而是着眼于思想的自由解放，美，被看成了自由的象征。随着个性的解放，各种美学应运而生。"己为中心，为我所用"，使美学走向多元化，甚至各说各的，各不相干。沿着这条思路发展下来，美，已经流向各个实践领域，渗入日常生活，因此，实用美学、生产美学、大众美学、旅游美学、服饰美学、饮食美学、人体美学，甚至两性美学都涌现出来。一切使人发生快感的对象，都被看作是美。那么，文学艺术还成为美学的对象吗？早在中华全国美学学会成立大会上，从事文学艺术教育实践的教师就已意识到，为适应艺术院校、文学系科的需要，必须发展文艺美学，以区别于研究普遍审美的哲学美学。一向重视文学艺术的朱光潜、王朝闻、伍蠡甫、蒋孔阳都表首肯。文艺美学或艺术美学，应专注于探索文学艺术共有的审美规律，也要进一步探索不同艺术部类各自的特殊审美规律。当然，也不能把艺术现象孤立起来，应该把艺术的审美规律和人类的普遍审美规律联系起来，但这是普遍—特殊—个别的三重审美规律，既有联系，又不能混同。正是从这种认识出发，北京大学的《文艺美学丛书》、王朝闻主编的《艺术美学丛书》，从文艺美学或艺术美学，又扩展到电影美学、戏剧美学、绘画美学、雕塑美学、音乐美学、舞蹈美学、书法美学、小说美学、诗歌美学、建筑美学、摄影美学等领域。李泽厚主编的《美学译文丛书》，翻译过来的也有不少是艺术美学。诚然，美学的领域并不只限于文学艺术，但文学艺术仍然是美学关注的重要领域。

从美学的角度来看文学艺术，这不是缩小了而是扩大了文艺学的视野。更重要的是，这为文学艺术的研究提供了新视角和新方法。古典文艺学对文学艺术的审视重在整体感悟，轻于分析解剖，难作理性把握。西方美学对文学艺术的审视，则善于条分缕析，抽象推理。中国的古典文艺学应该吸取西方美学之长，从中国的艺术实践出发,由感性具体上升为知性抽象。然而,不能仅仅停留于此,还得由知性抽象上升为理性具体,回返到艺术实践,从而在更高阶段上把握艺术活动的整体。这正是中国文艺学走向现代化,建设当代文艺学的必由之路。

人来到这个世界上,只要还活着,就有自己的生命活动。即使是人处于睡眠状态,还需要呼吸,心脏还在跳动,血液正在流动,甚至还会做梦。这些生理、心理活动,都是人的生命活动。人死了,或埋在土中,或烧成骨灰,洒向天空,流入大海,那就转化成另一种物质,不再有生命活动了。

但是,人的生命活动和其他生物不同,它本质上是实践的。面对大千世界,人必须和对象世界相互交往,进行多样的实践活动,从生产实践、交往实践到生活实践。丰富多彩的实践活动又内化为精神活动,反过来又参与实践活动,相互作用,相互渗透,不仅使得物质实践中的精神含量越来越高,而且出现了以追求精神价值为主的实践活动——精神实践。在各种实践活动(生产、交往、生活)中,人们不仅追求实用价值、功利价值,而且追求审美价值,以提升人生境界。进一步的发展,审美活动从其他实践活动中独立出来,从而发展为独立的一种实践活动——艺术生产。

如果把文学艺术作为人的一种特殊的生命活动来考察,可以深入探索的问题很多。人类为什么需要文学艺术?文学艺术是一种什么样的生命活动、人的什么样的存在方式?人怎样在生活中产生了审美体验,又怎样转化为文学艺术?文学艺术究竟对人发生什么样和如何起着作用等等,近20年来都得到了研究。对艺术和非艺术的区别,我们曾倾注过不少精力,这自然很有必要。但是,依我看来,我们应在此基础上更进一步。当前最需要进行深入研究的,还是:文学艺术应该如何按照美的规律来创造。

文学艺术,应该是美的创造,需按美的规律进行。但我们常见到的,却往往不是。平庸随处可见,丑陋也屡见不鲜。"应然"和"本然",在实践中时常对立,这本不足为奇。不按照美的规律进行的所谓"创作",比比皆是,艺术垃圾日益增多。那么,当文学艺术正在日益走向商品化的时代,还要来奢谈美的规律,岂非不合时宜、多此一举?不,正是在交换价值规律的作用范围日显广泛之时,文学艺术更不应违反自己的审美创造本性,更不能违背美的规律。我们呼唤艺术精品,就必须更重视美的规律。只有按照美的规律的创造,才会生产出艺术珍品。

1999年初,深大新村

发展文艺美学

一门学科之能否存在和发展，归根到底决定于它是否符合社会发展需要。而就学科自身来说，一是要有自己的研究对象，二是要有自己的研究方法，三是要有自己的研究问题。

文艺美学，当然有着自己的研究对象。文学艺术，作为一种独特的社会现象，包括美文学和鲁迅所说的广义的美术，乃是人类审美和创美活动一种集中而特殊的形态，自有其审美特性和创美规律。文艺美学的对象，就是研究文学艺术的审美特性和创美规律。文学艺术当然和其他审美活动有着共同性，但又有自己的特殊性，各个艺术部类（电影、戏剧、文学、音乐、舞蹈等等），则又有各自的个别性。文艺美学的研究重心，乃是放在文学艺术的审美特性和创美规律这一层面，兼及其他两个层面。

文艺美学也有自己的研究方法。这就是从美学的观点来研究文学艺术，必须把审美体验、艺术感悟和理性分析、理论概括结合起来。从艺术现象的感性具体—知性抽象—理性具体的提升过程中，时常要唤起艺术现象的"表象"，最后作出整体把握。

文艺美学更有自己所要研究的问题。文学艺术的"创造—作品—接受"的整个流动过程中，都充满了美学问题。这里，既有艺术活动和其他审美活动共有的问题，又有文学艺术自身特有的问题。尽管，按照当代美学中有些说法，似乎艺术都只有个性，至多只有"家族类似"或"近邻关联"。我说，那也总存在那"类似"、"关联"是什么的问题。而文学艺术发展到当代，更有许多新的问题出现，需要文艺美学回答。

那么，文艺美学是一门什么样的学科？

这不是传统的艺术哲学，也并非过去所说的文艺理论，而是和美学、文艺学相交叉的边缘学科。为了和艺术哲学、文艺理论相区别，我在北京大学研究生部招收研究生时，就新辟了文艺美学这个专业方向，和文艺理论分开。

我所以要称之为文艺美学的深层原因，乃缘起于对文学艺术的理解。

历来，对文艺和审美的相互关系至少存在三种不同的理解：

一种理解，文艺和审美毫不相干，各行其道。审美不是艺术，美和美感乃是哲学思辨的对象，因而从哲学中孵化出了美学。而文艺也不是审美，只是一种技艺。审美活动是一种精神活动，而文艺制作则是一种技艺活动，各不相干。所以美学和文艺学也就并行不悖，各行其道。

另一种理解，文艺和审美，两相重合、基本等同，文艺即审美，审美即文艺。凡是人类按照"美的规律"所从事的一切活动，都是审美活动，也就是艺术活动。人自身的梳妆打扮、对物的加工制作，一直到园艺栽培、环境美化，都是艺术的创造，贯穿着审美活动。因此，美学就是艺术哲学。

还有一种理解，文艺包含审美这一个维度，但文艺之美仅只限于形式。文艺的内容则要比审美广阔得多，经济、政治、道德、宗教、整个人类文化都可进入文学艺术。文艺的审美价值，只是一个侧面，艺术价值包含了政治价值、道德价值、宗教价值、经济价值。因此，文艺学所要研究的，远比美学所要研究的范围广阔得多。

我并不认为，文艺和审美毫不相干，也不认为文艺和审美完全等同。依我看来，文艺和审美乃是一种交叉关系。审美活动不一定就是艺术活动。我们面向大自然可以进行自然审美，这种审美，在德国古典美学者黑格尔看来是低级审美，可是，在我国古典艺术家看来，却是高级审美，乃是文人雅士才有的雅兴。但却不能因为这是高级审美而把它称之为艺术。只有当艺术家把对自然的审美体验组织起来予以符号化，创造出一种可以看得到、听得见的美来，才可以称之为艺术。所以，文学艺术不仅只是内含着作家、艺术家对人生的体验，而且还要创造出艺术美来。因此，真正的艺术创造乃是包含了审美内容的一种创美活动，是在审美基础上进行的创美，而这种创造出来的美，既为别人的审美提供了"文本",也为后人的创美铸造了"模型"。

既然文艺和审美有联系又有区别,那么,文艺美学和美学在我心目中也是既有联系,又有区别。

在我看来,文艺美学既非哲学美学,又非艺术哲学。文学家、艺术家在艺术创造之前,就有着人生实践,从事各种活动,在人生中体验到不少赏心乐事,获得审美的乐趣。如果到此为止,那还不能算是文学家、艺术家。这种审美也会留下痕迹,那就是影响审美接受者的心灵,审美的不断建构,形成人的审美品格,甚至可以达到高尚的审美鉴赏家的水平。但是,要成为文学家、艺术家,还必须把自己从人生中得来的审美体验予以提炼、组织,提升为审美意象,予以符号化,创造出一个美的"文本"或"模型"。这是艺术创造不同于其他审美活动的特殊之处:不是一般的审美,而是按美的规律的独特创造。而这个已被创造出来的"文本"、"模型",一旦定型,也就成了独立于文学家、艺术家的客体,它有自己独立的结构、性质和功能,和其他人工产品(无论是物质产品还是精神产品)既有联系,又有区别,文艺美学不能不对此作全面的探索。这个"文本"、"模型"如何被别的主体(读者、听众、观众)所解读、接受,对别的主体发生什么样的作用,主体如何在接受过程中获得审美和创美能力的培育,促进审美品格的提升,当亦为文艺美学的题中应有之义。但是,获得了审美品格的主体,如何投入社会实践,按美的规律去改造世界,那就超出了文艺美学的使命,而要进入哲学美学的领域之中。

艺术审美,只是人类审美活动中的一种形态,尽管是集中而凝炼的形态。人类的审美活动领域要广阔得多。人在各种各样的实践活动中获得了自由,获得审美体验,实践活动就可能转为审美活动。在人和物,人和人,人和自身的相互作用中,都可能引起审美活动的出现。浩荡的大自然,渺无人烟的天然环境,原始森林、空气、阳光和水流,都可以成为人的审美对象,产生审美体验,对真、善、美产生审美快感,对假、丑、恶产生审丑反感,从而在心灵深处达到人和环境的动态平衡。哲学美学当然也要研究艺术审美,但更应研究人文审美,也回避不了自然审美。自然审美、人文审美和艺术审美,有什么联系,又有什么区别？审美活动有什么共通的普遍规律？人类的审美活动如何从实践活动（生产、交往、生活等等）中发生？审美活动的结果怎样形成审美关系，审美关系又如何制约审美活动？这些美学的基本问题，哲学美学恐怕不能不回答。至于更深一层的问题，审美活动如何按照美的规律进行，人类要不要、能不能以及如何才能按照美的规律来把握这个世界，是不是哲学美学题中应有之义？西方马克思主义美学已提出了生态美学问题，但还未得到科学的解决。依我看来，在当代，人和世界如何按照美的规律达到动态平衡，这正是当代美学最关键、最重要的问题，更是马克思主义美学的主题，也是人生的根本目的。

文艺美学只能探索作为艺术创造主体的文学家、艺术家如何把自然审美、人文审美提升为艺术创美；这艺术创美的产物，作为一个新创的客体，被作为审美主体的读者、听众、观众所审美，在审美主体心灵中如何留下痕迹。文艺美学难以回答人类更为宏观的美学问题，例如人的高尚的审美品格如何培养，人类怎样才能按照美的规律去改造世界、安排生活等等。

文艺美学主要研究艺术的审美和创美规律。文学艺术，作为一种社会现象，在社会中发生、发展，受到社会中其他因素的影响，也影响着社会。政治、经济、道德、哲学、文化等等都在影响着创作主体、接受主体，因而对创作、文本、接受都发生作用。文学艺术的创造—文本—传播—接受，是整个社会的生产—交换—消费中的一个部分、一个方面。它甚至也是一种商品，具有交换价值，亦能产生剩余价值。可以把文学艺术放在整个社会整体中来考察，从社会学的观点研究文学艺术，这就有了文艺社会学或艺术社会学。还可以从政治学、道德学的观点去研究文学艺术的政治维度、道德维度，也可以发展为文艺政治学、文学道德学。这都非文艺美学所能涵盖的了。

但是，在文学艺术中，政治、经济、道德、哲学、文化的各种因素，都被作了审美的改造，被组织和吸纳进审美结构之中，转化为审美价值。艺术之美，乃是文学艺术的核心价值，甚至像托尔斯泰这样以宗教、道德价值为最高价值的伟大文学家，都一生在孜孜以求美的实现："我是一个艺术家，我的一生都在寻找美，如果您能向我展示美，那我就跪下来乞求您赐给我这最大的幸福。"[1]政治的、经济的、道德的、哲学的、文化的各种力量都在按照各自的规律对文学艺术发生着作用,但对文学艺术来说,都只是"他律"。自律和他律形成"合律",按照艺术规律来创造,才创造出具有独特的审美价值(美的、喜的、悲的、荒诞的等等)的文学艺术产品。作为一种精神实践的特殊形式,艺术创造当然受到物质实践和其他精神实践(道德实践、文化实践等)的影响,但这些"他律"要通过艺术实践的"自律"起作用,受"他律"和"自律"相互作用的"合律"所支配,即我们常说的按艺术规律的创造。在文艺社会学中,探索了其他社会因素的"他律"如何对文学艺术发挥作用。那么,"他律"如何通过"自律"而形成"合律",文艺美学是否应有更深入的研究,值得加以反思。

20年来的文艺美学,重视了对文学艺术的审美特性的研究,对艺术创造的自律作过许多探索。心理美学、形式美学、音乐美学、舞蹈美学、雕塑美学、绘画美学、园林美学、书法美学等等比文艺美学更为具体的艺术部门美学,探索美的规律更向各门艺术的深层发展。

但是,改革开放20年社会剧变,商品经济急速发展,社会意识发生振荡,价值观念、审美标准随之发生变化,影响着文学艺术的生产、传播和消费,文学艺术走向多元发展,这就向文艺美学提出了一系列新问题。新潮艺术冲击着传统审美,一些新潮美学甚至提出:文学艺术已经毋需再具审美特性,审美已降为娱乐,只要激发感官刺激就行;创作自由被贬低为胡编乱造,任意宣泄;艺术没有规律,也毋需规律。文学艺术中的审美判断被消解,甚至价值观念颠倒,对真、善、美冷淡无情,却对假、丑、恶津津乐道。文艺美学必须面对当下现实,对理论上作新的探索:文学艺术究竟是否还需审美价值?文学艺术的审美价值和交换价值、实用价值和审美价值应是什么关系?艺术创作究竟还有没有、需不需要遵循艺术规律?社会的发展,使得艺术的性质、结构、功能和规律究竟发生了什么样的变化?看来,文艺美学确

---

[1] [俄]列夫·托尔斯泰:《列夫·托尔斯泰文集》第14卷,陈燊等译,人民文学出版社,北京,1992年,27页。

应更多在文学艺术的"自律"和"他律"相互作用的张力关系中来探索艺术的特性和规律,回答当下现实的艺术实践中提出来的时代课题。

作家、艺术家对现实的审美关系,乃是一种意向性关系,渗透着作家、艺术家的审美意向、价值态度。文学艺术,作为这种价值关系的反映,是一种特殊的意识形态,蕴涵着作家、艺术家的审美理想、审美判断,所以称之为审美意识形态。我们的文艺学,不能只停留在艺术和非艺术、审美和非审美的区别上面,应进而对审美价值、艺术价值本身作深层探索,什么才是伟大艺术、优秀艺术。美国作家艾略特早就意识到了这种区别:什么是诗?这是好诗吗?如今,社会上生产出来的作品越来越多,既有平庸之作,又有卑劣之作,而我们所需要的,应是艺术精品、伟大艺术。那么,如何区分艺术的优劣?按卡西勒(又译作卡西尔)的说法,文学艺术应"从一个新的广度和深度上揭示了生活……生活具有的无限潜力的可能,它们默默地等待着被从蛰伏状态中唤起而进入意识的明亮而强烈的光亮之中。不是感染力的程度而是强化和照亮的程度,才是艺术优劣的尺度"[①]。艺术的价值取向、审美意向,乃是艺术之魂。正如韦勒克所说:文学"不仅包括价值,而且本身就是一种价值的结构"。就连结构主义美学家托多洛夫也承认,"文学与价值确有着必然的联系"[②]。因此,文艺美学要发展、创新,应面向新的现实,深入探索艺术价值本身,如何按照美的规律创造优秀、伟大的作品。

经过20年共同努力,如今文艺美学已发展成为文艺学的一个专业方向。山东大学又成立了文艺美学研究中心,为全国文艺美学的研究提供了一个良好基地,这必将有力地推动文艺美学这一富有中国特色的文艺学科方向获得更好的发展。

为山东大学文艺美学研究中心成立而作
2001年初夏,深大新村

[①] [德]卡西尔:《人论》,甘阳译,上海译文出版社,上海,1985年,第188页。
[②] [美]托多洛夫:《批评的批评》,王东亮、王晨阳译,生活・读书・新知三联书店,北京,1988年,第179页。

文艺美学仍可为

虽说是,爱美之心人皆有之,但沉睡在人的天性中的审美潜能,可以激活,也可能泯灭。审美教育之所以重要,不仅在于它能唤醒人的爱美之心,而且使人懂得如何按照美的规律来创造更美好的生活,使世界更美好。

美育,在我国越来越受到了重视,最近又被重新纳入了国家教育方针之中。德、智、体、美,成了提高全民素质的必不可少的内容。这是众多美育家、艺术教育家共同努力的结果。复旦大学艺术教育中心的张振华教授,多年来一直献身于审美教育,对文艺美学情有独钟,尤其是,很早就对电影的美学问题作过研究,尝试把符号学运用于电影美学。他的学术视野甚为广阔,不仅涉猎散文、笔记、古典文学,而且对戏曲、话剧的审美,都有过深入的思考。他这部《文艺美学·电影学论稿》就是他多年思考的结果,涉及艺术的好几个部类。而他关注的中心,仍是电影美学。

从符号美学入手来研究电影,这是电影美学的一个新视角。电影的美学研究本就可以从不同的角度切入。过去,研究电影常从蒙太奇的角度出发,考察蒙太奇如何连接、组合从而产生出新的含义,堪称蒙太奇美学。后来,纪实美学也曾引人注目,探求电影的纪实。张振华在20世纪90年代初则尝试从符号学入手,研究电影符号的独特性,由此而探索电影的审美特性。光影、色彩、音响、形状、表演等的交融,构成了电影符号的综合性,发展为一门具有立体感的综合艺术,具有自己的创美规律。电影美学,正需要研究电影这一艺术形式的独特的审美特性和创美规律。这种研究饶有兴味,它会把我们引入电影所创造的独特的艺术世界,掌握电影艺术的奥秘。

符号,是我们面对艺术作品时能直接知觉到的存在。符号当然传达信息，但只有先感知到符号，才能获得信息。所以，即使专注于研究精神现象的现象学，也要从外在符号着手，探索内在精神现象。现象学美学分析文学作品，最基础的层次是语音构造，进而是语词意义层次，从而引出被现客体、意向图式等层次，最后呈现出形上品质：崇高、悲、喜等等。文学作品的精神内容，还是要通过物质形式（语言或非语言的）表现出来。以研究艺术本体著称的美学家英伽登说得好："艺术品具有不同于所有其他文化产品的完全独特的形式。"[①]其实，中国古典美学也十分重视文学艺术的符号特性，分析诗词曲赋，常从声韵、语气、修辞等入手，登堂入室，言—象—意，由意象而意境，最后掌握艺术的意蕴。最好的艺术构思，如果不能体现在艺术符号中，那也只能成为艺术家的幻想，只浮现于头脑中，不会成为艺术的实际存在。

艺术是一种创造。"这种创造活动的实质是由艺术家有意识的明确行为构成的。但这些行为总是以某种物理的作用来显示自己，而这些作用是由那些实现或改造某种物理对象——物质材料——的艺术家的意志所引导的，赋予物理对象以它藉以成为艺术作品本身存在的基质的形式，比如，一部文学或音乐作品、一幅画、一座建筑物等等，同时这些作用保证物理对象获得同大量观赏者关联的持久性和可理解性。"[②]这种被作家、艺术家用来作为艺术形式的物理对象、物质材料，就成为艺术符号。不同的艺术，使用不同的艺术符号，具有不同的审美特性。因此，对艺术符号的研究，应是文艺美学（艺术美学）的题中应有之义。电影美学、戏剧美学、音乐美学等是对艺术美学的深化，深入到更为独特的层次，研究各个艺术部类运用的不同的艺术符号所形成的不同审美特性。

文艺美学或艺术美学向更为具体的艺术部类的深化，乃是审美学发展的必然要求。随着中国现代化过程的推移，20世纪曾出现过三次美学高潮。第一次是20世纪初到二三十年代，受西方的思想启蒙，

---

① 参见[法]米盖尔·杜夫海纳主编：《美学文艺学方法论》，朱立元、程介未编译，中国文联出版公司，北京，1992年，第218页。
② 同上，第224页。

王国维、梁启超、蔡元培等先驱都高扬美学精神,蔡元培更是竭力倡导审美教育,激发和促成了中国现代美学的初次兴起。但此时的美学,并不把艺术和审美分开,审美包含了艺术,艺术为了审美,两者紧密结合。第二次美学高潮是在五六十年代。在百家争鸣的鼓舞下,集中探讨"美是什么"问题,艺术美、自然美、社会美作为美的不同类型一起看待。文学艺术的美学研究并未、也不能从美学中独立出来。在那时,文学艺术仅仅作为政治、道德、思想的工具被文艺社会学、文艺政治学所笼括。第三次美学高潮发生在80年代。受改革开放、思想解放的鼓舞,对美好理想的憧憬,引发了广泛的美学兴趣。美学成为当时的思想启蒙运动的有机部分。此时的美学已不是停留在美的本质的抽象思辨,而是更多地面向生动的现实。于是,实践美学、生产美学、生活美学、传播美学、山水美学、旅游美学等各显神通,文艺美学(艺术美学)也从哲学美学中分化出来,并逐渐具体化为不同艺术部类的美学。北京大学的《文艺美学丛书》、王朝闻主编的《艺术美学丛书》都深入到音乐美学、戏剧美学、雕塑美学、电影美学、小说美学、诗歌美学等各个领域。

  美学由抽象而走向具体,从上而下的这种发展,未必都是退化,更多的应是进化。但我并不以为,哲学美学因此就要消解。美学的发展,既需要自上而下,又需要由下而上,两者有机结合。哲学美学自上而下,和具体审美现象的研究相结合,具体的、应用的美学得到发展。但具体美学部门的发展,又可由下而上,归纳出新的审美规律,促进哲学美学的发展、提高。文艺美学或艺术美学不能代替,也不必代替哲学美学;美学并不就是艺术哲学。美学当然也要研究文学艺术,但却是研究艺术活动和其他一切审美活动共有的普遍规律。美学是研究审美活动之学,人类的审美活动,当然是美学的研究对象。但人类在审美活动的基础上,又发展了创造美的活动,更发展出了对人进行美的教育活动。因而,美学研究的,不仅是审美活动,还有创美活动和育美活动。所以,哲学美学既是审美学,又是创美学和育美学。而且,审美活动并不仅限于艺术活动,人对自然、对人、对人工之物都可进行审美,人和周围世界,都可能发生审美关系。因此，哲学美学至少应对三个层次的审美现象作出统一的又符合实际的解释：一是对自然现象的审美，二是对文化现象的审美，三是对艺术现象的审美。

文化世界和天然世界不同，尽管文化世界是经由人的实践依据天然世界创造出来的。自然经人化，确实表现了人的本质力量，但人化的自然并不因此都是美的了。人类创造了美，却也造成了不少丑。人类的实践，可以是按照美的规律的创造，也可能是违反美的规律、残害人类自己的胡作非为。文化世界并非都美，丑亦到处皆有。因此，对文化现象亦应作美学研究，审辨真、善、美和假、丑、恶。审美判断是一种价值判断，所以文化美学应受到重视，探索文化创造如何按照美的规律进行。

但是，大自然并不都因经过人的改造被人化了才美。一旦当大自然和人类发生了关系，自然现象即使未被人类去改造，却进入了社会联系之中，自然价值就会向人显现出来，其中就有自然的审美价值。所以，在我们这个世界上存在着天然之美，而且，随着人类实践领域的日益扩展，这种天然之美将越来越多地被发现，人和自然的审美关系将越来越发展，并显得越来越珍贵。美是客体对主体（人）的具有肯定意义的价值，是客体对人的本质力量的肯定。个体对天然之美能否产生美感，却要看这个体是否具有审美态度、审美能力。忧心忡忡的穷人可能对最美丽的景色无动于衷；贩卖矿物的商人可能只见矿物的商业价值而看不到矿物的审美价值。但那最美的景色和矿物的美却是客观存在，尽管对一些人没有价值，但对其他人仍然具有潜在的审美价值。天然之美，只存在于人和自然的关系之中，是天然之物对人的具有客观意义的价值。不过，这不是交换价值，也不是实用价值，而是精神价值，依马克思的说法，是精神食粮。随着这个世界的现代化进程的加速，如何珍重我们周围的自然环境，越来越受到重视，研究大自然之美自当成为生态美学的重要使命。

艺术活动融审美和创美为一体，是一种独特的创造，但它既有和自然审美、文化审美共有的审美规律，因而可由哲学美学来研究；又有艺术自己所独有的规律，因而可由文艺美学或艺术美学来研究。具体的艺术部类,更有各自的独特规律。因此,电影美学、音乐美学、舞蹈美学、书法美学以至电视美学等等,应能大有可为。

张振华的《文艺美学·电影学论稿》,为文艺美学的百花园增添了鲜花。文艺美学还要向纵深发展,既要探讨文学艺术共有的问题,更要研究各门艺术特有的问题。张振华正当壮年,我相信,他在文艺美学,特别是电影美学领域,将会做出更大的贡献。

为《文艺美学·电影学论稿》所作序

2000年秋,深大新村

当代美学的嬗变

中国是一个美学与文艺思想比较发达的国家，已有几千年的审美思想史。但是，作为一门独立的科学，在西方还只有200多年的历史，译介到中国来，也不过100年的历史。在这近一个世纪的美学评介中，王国维、梁启超、蔡元培、吕澂、朱光潜、宗白华等人做出了艰苦卓绝的努力，使中国美学逐步得到长足发展，成为这几年中国学术界的一门显学。

新中国成立后的美学发展大致经历了两个时期：1949～1966年是第一个时期；1976～1986为第二个时期。这两个时期的美学研究，由于美坛老人朱光潜、宗白华、王朝闻、蔡仪健在，20世纪50年代成为新秀的蒋孔阳、李泽厚等人仍很活跃，所以，总体上还有连贯延续的一面。另一方面，由于时代由封闭走向开放，学术文化的多维发展迅速，对当代西方美学介绍得及时，中青年思维方式的重组，使这10年来的美学研究与过去17年的美学研究呈现出迥然大异的面貌。

这里，我只是评述一下近10年，特别是20世纪80年代以来中国美学研究的嬗变，以及我个人对这些变化的认识和对未来美学研究方向的瞻望。

概括地说，这10年中国美学的发展变化主要展现在这三个方面：一是从抽象走向具体，或者叫从形而上走向形而下；二是从开放走向中西会通，或者叫从评介、比较走向对中西美学的融会贯通；三是从单一走向多样。

一、从抽象走向具体

所谓从抽象走向具体，主要指从带有浓厚的形而上的哲学思辨走向具体深入的形而下的部门美学的研究。

20世纪70年代末改革开放之初,人们还来不及重新拓展美学的领域,即使是有不少新的提法,也不够深入。此时,大家忙于拨乱反正,冲破禁区,对"共同美"、"悲剧"等过去很敏感的问题进行研究,一时发表了不少这类文章。也因为经过了十年内乱,人民需要安宁,需要休养生息,文学中的伤痕文学的出现,给人们很大的震动,理论上也适应了这种需要。但是,由于种种原因,或者是习惯于50年代美学讨论中的对本质、对象等研究方式的原因,这时期的文章显得过于抽象,论战气氛还比较浓。

后来对马克思《1844年经济学-哲学手稿》展开了热烈的讨论,50年代分为四派的美学家各执一端,互相论战,形而上的研究比较盛行,比如朱光潜、蔡仪、李泽厚、高尔泰等都写了不少这方面的文章,出了几本论文集,开了几次全国性的讨论会,研究《1844年经济学-哲学手稿》是不是马克思成熟时期的美学思想,里面的人的本质力量对象化、人化的自然与自然的人化究竟如何理解等等。这些讨论一般很抽象,从事哲学和马列文论研究的人当时研究得多一些,从事部门艺术美学的人研究得少一些。

但是,经过50年代的美学大讨论,"文革"十年中的理论混乱,不少从事美学与文艺理论研究的人转了研究方向,主张研究具体问题,扎扎实实地一个一个问题地研究,不要一哄而起地进行那种纯哲学的思辨。这个时候,文艺美学、文艺心理学、技术美学就应运而生了。

文艺美学比起哲学美学来,具体得多,更为强烈、广泛地激起了人们特别是青年学生的兴趣。北大、川大、山大、中大等大学相继招收这方面的研究生,不少大学和师范院校开始讲授这门课。北京大学还专门出版了一套《文艺美学丛书》。一些青年学者还创办了《文艺美学丛刊》,山东今年5月份也要召开一个区域性的文艺美学研讨会。文艺美学主要是从美学角度考察文学艺术中的一系列问题,研究艺术美及其一系列重大问题。它切切实实地把艺术作为研究对象,即用一定的哲学美学思想作基础,又总结艺术和艺术发展中的一些规律。它不凭空捏造体系,也不空发议论,而是结合艺术创作的实践,深入地剖析各种艺术的特征,同时具有很强的理论性与系统性。由于文艺美学的飞快发展,与之相适应的小说美学、音乐美学、绘画美学、舞蹈美学、电影美学、文学美学,都有不同程度的发展。国内的不少学者在这方面写了一些著作和文字。从事这些学科研究的学者一般是在作协、艺术院校等单位,具有一定的创作经验,写出来的东西比较切合实际,但也有理论性不强和新颖度不高的弱点。

文艺心理学的发展也很迅速。现在国内已经出现两代文艺心理学家。第一代以北京大学中文系金开诚教授为代表。他率先在北大讲文艺心理学,结集出版了《文艺心理学论稿》一书。他的特点是:比较早地做了一些工作,用当时流行的心理学著作与文艺实践结合起来,对一些传统的论题如通感、艺术表象等问题作了心理学的回答。但是,由于当时心理学水平低、译介的少,思想不如现在活跃,所以还存在着运用现代西方心理学名词多而理论不够的缺点。这方面,台湾学者赵雅博先生的《文学艺术心理学》做得要好一些。第二代以一位中年教师鲁枢元为代表,他的长处是多看了一些新译的心理学的书,结合当时的文学创作实际,对当代作家如陆文夫、张洁、韶华的创作进行心理学的调查与分析,结集出版了《创作心理研究》。与此同时,中国审美心理学也取得了一定的成果,北大、复旦、武大都有人开这门课,社会科学院哲学所的一位刚毕业的研究生滕守尧写了厚厚一本《审美心理描述》,是目前中国审美心理学研究的最高水平。由于滕守尧原是北大西语系毕业的,外文很好,他直接接受了西方格式塔心理学的成果和符号学等方面的成果,所以,在译介新知识、研究新问题方面都取得了比较好的成绩。

技术美学在国内也取得了不同程度的开展。随着现代化建设的深入,人民在各方面的审美需求日益加强,技术美学就日益发展起来了,像留苏回来的涂途就较早专注于此。安徽、深圳等地也做过这方面的工作,出过《技术美学》的刊物,但总体上的研究还有待深入。尽管如此,这在"文革"前是看不到的,在70年代末也提得不多,表明了这几年美学发展的新趋势。

从这10年的发展情况看,美学从抽象走向具体,与西方美学的译介和研究美学的人数增多有关。20世纪的西方美学主要是朝形而下的方向发展，构造体系的幻想已成为过去。维特根斯坦不止一次地说过：应该用其他具体的问题代替美学中美的本质之类的问题。不少中青年对这种形而下的研究感兴趣，这几年研究的主力军是中青年，各高校开这门课的也主要是中青年教师。研究的人多了，就不可能全国上千的人都集中研究美的本质问题，必然各自寻找出路，形成自己的特色，这样，几个大的抽象的问题，如对象、本质等问题，少有人过问，而更多的人特别是综合性大学的中文系、艺术院校的系科、生产单位的美学工作者越来越对具体问题感兴趣。所以，产生这种从抽象和具体的趋势不是偶然的，而是必然的；不是无意识的，而是自觉自愿的。

二、从开放走向中西会通

在中国文化史上，自上而下推行文化开放最活跃的是这几年。五四时期的开放，是鸦片战争外国文化"打"进来的开放，这几年的开放，是从中央到地方有意识的、自觉的开放。这种文化开放，虽然是伴随经济开放而来的，但毕竟给自己的发展增添了活力。

这10年，美学的"开放"比文艺学的"开放"更为突出。当下国内的美学研究最活跃的是中国社会科学院的文学研究所文艺理论研究室和哲学研究所美学研究室。老一辈美学家蔡仪就创办了《美学论丛》和《美学评林》，陆续评介了一些西方美学。而李泽厚主编的《美学》，在评介当代西方美学方面用力更多，很有特色。李泽厚还主编了一套《当代西方美学译丛》，由中国社会科学出版社、中国文联出版公司、光明日报出版社等分别出版。现在已经出了苏珊·朗格、桑塔亚那、克莱夫·贝尔、克罗齐、托马斯·门罗、科林伍德、阿恩海姆、斯托洛维奇的著作。这套译丛在美学界反应强烈，多数人为之叫好。还有一些研究当代西方美学的书也相继问世，像朱狄的《当代西方美学》等。

西方马克思主义的美学著作也引起了不少青年学者的兴趣。像卢卡契、本杰明、马尔库塞、阿尔多诺等人的书，既有人翻译，也有人读原文，企图看看西方学者是怎样看待和研究马克思主义美学的。卢卡契的文学论集前两年就出了两册，他的《审美特征》也快出中译本了。这些使我们可以全面地了解马克思主义美学，吸收西方人研究马克思主义的成果。

西方文艺学的介绍也日趋走向"开放型"。不少人对现在教委会颁发的《文学概论》《文学的基本原理》不大满意，这还是20世纪60年代编写的教材，80年代还没有新教材。这使很多教这门课的老师想改革一下。这样，吸收当代外国的文艺学著作的长处就更为迫切了。社科院文学所编了一套20本的《现代外国文艺理论译丛》，已出了韦勒克、沃伦、波斯彼洛夫等人的教科书，还准备出佛克马夫妇的《二十世纪文学理论》等等。北大西语系的研究生张隆溪在《读书》杂志上连载了一年的《二十世纪西方文论览略》的文章，使人们大开眼界。此外，不少刊物相继发表了不少这方面的文章。教委会委托我主编一本《西方文艺理论名著教程》，作为教科书，同时编三本成套资料。这项工作估计今年（1986）8月份可以完成，明年就可以使用了。现在，海外有的学者指责中国文学理论工作在接受现代西方文论方面很不够。对此，我以为要作具体分析，国内的开放不过10年，10年之内已有很大起色，很不容易。再说，中国有自己的国情，我国的文艺理论发展要和文学艺术的实践相结合，不能照搬西方，所以要慎重行事。要支持这种开放，促进这种开放，使海内外携起手来，吸取有益于我们的西方文化，洋为中用，共同建设中国的新文化。

中国学者的自尊心与自信心一向是很强的。他们仍不会仅仅满足于介绍、评述，还希望进行中西比较，把西方的与中国的美学文论进行对照、分析，求同寻异，剖析规律。1984年，武汉大学开了一个"中西美学与艺术比较"的讨论会。像伍蠡甫、王朝闻、蒋孔阳这样的老专家都亲自上台讲演，为比较美学的兴起振臂高呼。有的认为中国美学基本上是表现论，西方美学基本上是再现论，但不少人也不同意这样机械比较的观点。自此以后，比较美学与诗学成为全国研究单位与高校从事美学研究的一个比较热门的项目。北大、武大相继开了这门课，四川大学一位博士研究生专门写了一本书，叫《比较诗学导论》。

还有一些从事西方文论与美学研究，或从事中国古典美学研究的学者都自觉地运用比较方法研究。这个时期出版的李泽厚、刘纲纪的《中国美学史》，叶朗的《中国美学史大纲》，林同华的《中国美学史论文集》，蒋孔阳的《中国先秦音乐美学史稿》都有这方面的自觉意识。重庆出版社在去年把这几年研究中西方美学比较的文章收了一个集子，名之曰《中西比较美学文学论文集》。李泽厚的《美的历程》更是在这方面做了大量而又大胆的工作，钱锺书的《管锥篇》《诗可以怨》、王元化的《文心雕龙创作论》显示了这方面的实绩，是比较美学与诗学中难得的有很高质量的学术著作。去年（1985）秋天在深圳召开的中国比较文学学会成立大会暨首届年会，在所收到的近百篇论文中，质量最高的还是比较美学与诗学方面的论文。香港中文大学比较文学组李达三、袁鹤翔等学者都参加了大会。

最近一段时期，不少人提出中国的美学与文艺学建设不仅要译介西方的著作，整理历史留下的作品，做好两者的比较研究，而且还要自创一格，形成自己的美学与文艺学体系。文学研究要经过三个阶段：国别文学、比较文学、总体文学。国别文学研究一个国家的文学，比较文学研究几个国家和民族的文学，总体文学研究世界文学的整个面貌。与之相适应的，是否也应有国别美学、比较美学、总体美学。国别美学主要研究一个国家的美学，像郭绍虞、罗根泽先生主要论中国古文论；比较美学主要研究几个国家美学之间的关系，朱光潜先生的《诗论》、宗白华先生的《美学散步》可作为这方向的代表作；总体美学就是要站在世界整体美学的高度，总结其中的规律，撰写出涵盖中西、兼容万象的美学与文艺学著作。目前，国内这种呼声不绝如缕，青年人的热情与积极性都很高。但是，这是一项异常复杂的工作，需要有雄厚宽广的文化基础。而且，世界上总体美学研究的时代还没有到来，这对于确立新的参照系还有困难。所以，尽管有人在扎实用功，以图功成，但这还是一个美好的愿望。不过，从中西比较美学，从对总体美学研究的愿望看来，这几年中国美学的发展的确已由一元走向多元，由开放走向比较与会通，由介绍走向研究，由少数人的推崇到多数人受益等等，这其中体现了学术文化的发展。可以说，在近现代美学史上,"风景现在独好"。一种蓬蓬勃勃的美学热潮正在向纵深发展。

三、从单一走向多样

这两年,学术界称为美学界、文艺学界的研究"方法论年",主要是说美学界、文艺学界的有识之士立志打破美学文艺学研究中的种种禁锢,启发思想,从而重组美学文艺学的体系,促进美学文艺学研究朝纵深发展。

方法论的开展,与时代生活与文艺创作有关。现在国内经济建设比较活跃,经济理论的讨论也敢于结合实际,冲破条条框框。因为经济比文艺更实在,一条理论能不能被实践检验是正确的,对大政方针与经济实施深有影响。美学界、文艺学界在这种开放而又结合实际的文化背景下,对自身进行了反思。现在出版的美学文艺学的教科书,基本上还是变相的四五十年代苏联的复制品,不仅没有很好地总结古代美学与文艺学的经验,而且与现在的创作实际相距很远,马克思主义的文艺思想没有得到全面而又科学的发展。不少中青年作家很能思考问题,对美学文艺学提出了种种驳难,迫使美学与文艺学专业工作者思考,想从观念与方法上有所突破。由于系统论、控制论、信息论、文艺心理的引进和广泛推广,一些自然科学家像钱学森、钱伟长非常关心人文科学与文学艺术的发展,也提出了不少设想,从而促使美学、文艺学工作者在方法论方面非常热衷,遂成为一股热潮。

从这几年的美学方法论看,主要运用三论的原理比较多。三论说到底只有一论,就只有系统论,其他两论不过是其中的所属部分。美学、文艺学工作者自觉地把艺术、艺术理论作为一个系统,考察其中的构成因素和结构层次,研究其中的子系统及其系统质,提倡多层次、多侧面、多功能地研究对象,以之代替过去一味从社会学分析入手的研究方法。比如分析艺术典型,首先把典型作为一个系统,考察其中的各种构成因素,如性格因素、文化因素、心理因素等等,然后再研究它们所处的层次,谁在最高层,谁在最底层,各层与多层之间是什么关系,谁起主导作用,谁起辅助作用。总之,看美学与文艺问题比过去复杂多了，增加的参照系也多了。这方面，西部的《当代文艺思潮》起了推波助澜的作用，这份杂志发表了不少这方面的文章。运用系统论研究文艺学有一定影响的是厦门大学中文系的林兴宅，他在《中国社会科学》《鲁迅研究》上发表过两篇文章，题目叫《论文学艺术的魅力》《论阿Q性格系统》。《论文学艺术的魅力》把艺术魅力放在整个审美系统中考察，认为艺术魅力是文艺欣赏中的美感效应。《论阿Q性格系统》一文则把阿Q性格看作一个系统，对其中性格的对应组合、结构功能进行了研究。还有其他一些很好的文章，尤其是从事外国文学与古典文学研究的青年人也开始有意识地运用三论研究文学艺术史，企图改变文学研究中的呆滞的风气。这方面，黄子平、钱理群、陈平原《论"二十世纪中国文学"》可以作为代表。这篇文章的意义并不仅仅在于把现、当代文艺联系起来考察，而是体现了一种系统的文学史观。关于这方面的主要论文，江西人民出版社最近出了一本《现代文学批评方法论》的论文集，收集了其中的主要论文。

我这里讲的方法主要是自然科学的方法，除旧三论以外，还有新三论——协同学原理、突变理论、耗散结构，也在美学文艺学研究中得到了运用，大大拓展了美学、文艺学的思维空间。至于运用人文科学与社会科学，如哲学、史学、伦理学、宗教学、文化学研究文学艺术的就更多了。

方法总是与观念相互推进的，不可能孤立地、抽象地读美学、文艺学的方法论。在"方法论年"的热潮中，一方面多种多样的方法运用于美学、文艺学，一方面用这些方法又重新审视了原来的观念并增加和扩展了不少新的观念与范畴，如系统、审美信息、审美符号等。但是，由于种种原因，特别是有的人急功近利、急于求成，结果换了不少新名词，结论仍是旧的。一个很简单的结论，用了很复杂的数量运算，弄得人不知所云。这样下去，反而有损于方法论的发展。于是，大家思维的聚点慢慢由方法转向本体。

1986年的美学、文艺学正在把目光逐渐转向文学艺术的本体。学术界对今年（1986）在观念的更新方面寄予厚望。仅以文学界为例，《文学评论》从去年（1985）开始就设立了"我的文学观"这个栏目，专门发表对文学观念更新的文章。在所发的近20篇文章中,刘再复的《论文学的主体性》长达7万余言,分两期发完,影响最大。刘再复这几年很活跃,又在中国社科院担任文学所所长,他的登高一呼,对整个研究都有较大影响,他去年发表的《性格组合论》(上海文艺出版社即出)中的有关文章,在文艺界产生了较大反响。他比较侧重地研究了创作主体、作品主体、欣赏主体,吸收了不少翻译文章的思想,总结了过去和现在文艺学研究的经验教训,提出了一些新的见解。但是,他对主体性与客体性的辩证关系缺乏足够的理论准备,有的提法仍有"走向另一极端"之嫌。此外,去年创作界曾掀起一股"寻根热",主要是贾平凹、阿城等人希望发扬古老民族的优秀传统,充分认识民风民俗的合理成分,提醒人们不要在高速度的现代化建设中忘记了历史的古道柔情。但也有不少人认为,这是现代化经济与文化建设中的"不协和音",不必扩张,不必推广。反映到文艺学中来,今年(1986)对文艺与文化的关系尤为重视。《读书》1986年第1期专门发表了一组这方面的文章,认为脱离文化来研究文艺观念,是根本行不通的。

四、对美学文艺学研究的展望

回顾过去10年的美学、文艺学研究,给人以欣欣向荣之感。但是,由于思想的发展需要适当的文化氛围与时间,不可能在短期内达到很高的水准。无论在观念上,还是在方法的运用上,都只能说是方兴未艾,前景可观。这就需要我们认真思考,广泛储备多方面的知识,很好地总结以前的成就与失误的原因。在我看来,在研究方法上,不能从一个极端走向另一个极端,也就是说,不能只讲具体,不讲抽象;只讲比较,不讲融合;只讲观念,不讲方法。一个时期有所侧重是可以的,不能因此而造成了偏颇就好、片面就有深度的印象。从这几年的情况看,未来美学、文艺学研究可能会朝着抽象与具体、比较与融合、方法与本体统一的方向发展。

第一,抽象与具体的统一。理论毕竟是理论,它的基本要求是从想象中抽象出本质规律来。美学、文艺学是理论学科,它不同于史科学、文献学、文艺史,研究的主要标志就在于它的概括性。法国古典美学,如康德、黑格尔的理论很抽象,现代西方美学家的理论也很抽象,如近30年来的接受美学、阅读现象学、阐释学、符号学等。但是,一味地抽象就会失去具体性。按照黑格尔的话说,抽象只是理论的一级层次,具体的抽象才是高级层次。马克思主义经典作家也多次强调理论要做到具体与抽象的统一。我以为,美学、文艺学研究经过从抽象走向具体之后,必然会走向具体与抽象结合的道路。中央戏剧学院的一位戏剧理论家谭霈生写出了《论戏剧性》一书。看得出来,他正在努力把经验的归纳与理性的思辨结合起来。

第二,比较与融会贯通的统一。这几年,比较文学发展很快,但是,也存在着仅仅从渊源学角度求同寻异的缺点。长此下去,比较会流于史学中去,而不能成为独立的理论学科。比较美学的质量比比较文学的质量一般要高一些的原因在于:从事理论研究的人虽然在材料上用功不多,但有高屋建瓴地把握发展规律的长处,所以,思考问题写文章总希望能发现中西文艺与美学中共同的规律,而这些规律恰恰又是美学与文艺学所需要研究的。因此,比较文学、比较美学的趋势必然把比较向中西融会贯通从而建立新的美学与文艺学的方向发展。最近,我从中西美学关于审美体验的研究中,发现审美体验之所以中西方人都要谈到,是因为主体的原因,创造、欣赏都需要审美体验。这个问题过去国内的美学与文艺学著作研究不够,却可以恰好用来补充美学与文艺学的这种研究。

第三,方法与本体的统一。一般来说,在理论上方法与本体并不是矛盾的,而是统一的。本体是方法的本体,方法是本体的方法,如果把两者割裂开来,会造成两者都不是的面貌。为什么有人用普利高津的耗散结构研究文艺并没得出新的结论呢?按理,运用新方法必然会导致新结论,结果却适得其反,原因在于没有科学地理解方法论,以为孤立地运用方法就可以有新结论,实际上这样不仅不会有新结论,而且还会"糟蹋"新方法。所以,必须注意这两者的统一,明确方法只是首要,本体才是目的,始终把方法与本体结合起来研究。现在是普遍注意到本体的问题了,但是,本体的学术比方法的引进不知要难多少倍,因此,还必须借助方法研究本体。比如什么是艺术的特质,这个古老的问题,人类探寻了几千年都没有满意的答卷,但是人类借助了各种方法来寻找这个答案。而且,不能抽象地谈方法与本体,我们是马克思主义、毛泽东思想的故乡,要把方法与本体都建立在马克思主义、毛泽东思想的基础上进行研究。脱离这个基础,在中国是行不通的,实际研究中也会出现种种困难。我们的美学、文艺学研究的方法要多样,但还是要有主导。只有以马克思主义、毛泽东思想为指导,运用多种方法研究本体,建立中国式的马克思主义美学与文艺学的光辉灿烂的时期才会到来。

总的来说,我对近几年来美学、文艺学的研究充满了期待。美学与文艺学的蓬勃发展,是新中国成立以来研究形势最好的几年,是理论界大多数人心情舒畅、敢于探索、敢于讲真话实话的几年。但这几年,的确有不少缺点与错误,这需要在未来的研究中克服与纠正,以期能使美学、文艺学朝着正确的方向发展、前进!

应邀在香港中文大学新亚书院所作的演讲
1986年5月12日,新亚书院会友楼

引进文艺美学门

北京大学文艺美学硕士研究生培养计划
（1982.2～1984.2）　导师　胡经之

培养方向

通过两年的专业学习和一年的硕士学位论文撰写,掌握文艺美学的基本理论,并通晓比较文艺学、中国文艺理论史、中国美学史、西方文艺理论史和西方美学史的基本知识,初步掌握撰写文艺理论和文艺批评文章的基本技能。硕士研究生毕业后,能从事文艺美学、文艺理论的研究和教学,亦能从事文艺评论或文艺编审的工作。

学习方法

导师指导和学生自学密切结合,教学相长,相互促进。导师拟定一些自选课题,吸收研究生参与,在实践中培养实战能力。研究课题大致拟定在中国古典美学、现代美学和比较文艺学领域,计划另定。

文艺美学为主课,由导师直接讲授,指定阅读书目,定期共同讨论,采取灵活方式,开阔思路,相互启发。此课贯穿两年的教学中,每一学期研究生必须写出学期论文,定期写出读书报告。

比较文艺学为第二主题。可必修比较文学课程,亦重课外阅读。

中国和西方的文艺理论及美学为第三课程。可去哲学系和外语系选修有关课程,但导师会另列有关参考资料,或补充讲授。

文艺美学的学习,要突出理论和实践相结合,不能停留在抽象理论,鼓励研究生在就读期间就能从事文艺批评。在撰写硕士学位论文之前,要安排两次外出访学和考察,一次去黄山,并沿长江下游去南京、上海,结合考察,对艺术美和自然美作比较研究,加深对艺术美的深切理解。一次去几处高校,访师求教,初步拟定目标为:上海复旦大学的蒋孔阳、山东大学的周来祥、厦门大学中文系(收集台湾、香港的美学资料)。恳请校方给予经济支持。

学位论文

经两年专业教学结束,即转入硕士学位论文撰写,学位论文选题限定在文艺美学和比较文艺学。鼓励研究生吸收国内外的有关研究成果,不要故步自封,更鼓励有所开创,在前人研究的优秀成果上,更进一步。

课程安排

	课程	学时设计	授课方式
第一学期 (1982.2~1982.7)	文艺美学	每周4学时	导师主讲
	比较文学导论	每周2学时	北大比较文学研究中心开课
	西方美学史	每周2学时	哲学系开课
	中国文艺思想史	每周2学时	中文系开课
第二学期 (1982.9~1983.1)	文艺美学	每周4学时	导师主讲
	比较文艺学	每周2学时	导师主讲
	中国美学史	每周2学时	哲学系开课
	中国文艺思想史	每周2学时	中文系开课
	中国文学专题	选修4学时	中文系开课
第三学期 (1983.2~1983.7)	文艺美学	每周4学时	导师主讲
	文艺学方法论	每周2学时	导师主讲
	比较文艺学专题	每周2学时	北大比较文学研究中心开课
	中国文学专题	每周4学时	中文系开课

续表

	课程	学时设计	授课方式
第四学期 （1983.9~1984.1）	文艺美学	每周4学时	导师主讲
	文艺学方法论	每周2学时	导师主讲
	比较文艺学专题	每周2学时	北大比较文学研究中心开课
	中国文学专题	每周4学时	中文系开课
	去黄山、长江考察安排在第二学年		
	去厦门、广州访学安排在第二学年末		

1981年初订

第二辑

审美价值论

超越古典向当代①

一

我喜好作美学的思辨,在沉思中享受着思辨的愉悦。但伴随着抽象的思辨,也时常会引发出许多美好的回忆,唤起不少意象,浮现在脑海中,从而又享受到审美的愉悦。

这些从回忆中唤起的意象,不少是来自我喜爱和熟悉的艺术形象,特别是来自能背得下来的诗词名篇。但是,给人印象最清、最深的意象,却还是来自我亲身投入过、体验过的自然风光、大好河山。

我对文艺美学的爱好,初始是由对自然山水的陶醉而引发,继而爱好文学艺术,然后才由此而对美学思考感兴趣。

在生活中,最早引起我浓烈兴趣的是我周围的山山水水。我的家

---

① 此为自选集《文艺美学论》(2000)所作的"自序"。此书收入钱中文、童庆炳主编之《新时期文艺学建设丛书》。

虽在苏州城里,但却出生在江南第一古镇——无锡和苏州之间的梅村。我父亲在太湖之滨辗转任教,因而父母经常流动,我就跟随我祖父母在梅村长大。这是像同里、周庄一样典型的江南水乡,小镇依水而筑,门前是清澈见底的河水,门后就是竹林鱼池。白天,最使我们孩童兴奋的,是光着全身跳到河里相互嬉水。忽而,捕鱼的鱼鹰呼啸而过,我们追着跳着,欢欣雀跃。晚上,渔火点点,水影闪烁,引得我们这些孩童按捺不住,也点起灯笼,结伴到河边抓起虾来,真是其乐无穷。正是这种真切的体验,在我脑海中潜伏着,不知不觉在意象中储存着,而当后来有人要我写《枫桥夜泊》的赏析短文时,脑海中立即涌现出这样的意象,忍不住先要抒发出来。

随着岁月的增长,少年时代的我,对于我周围的山水有了更广的接触、更多的体验。足迹所及,太湖、石湖、阳澄湖,那水、惠山、虎丘、灵岩,那山,多迷人!我为之深深陶醉。

使我最早对文学艺术发生兴趣的,也是自然山水。虽然后来我也进过教会学校,但我最早上学,进的是私塾。塾师虽教三字经、百家姓、千字文,但却颇有风趣,能自编自唱。教我们的第一首歌,就是唱:"三月三,清明到,去游山";教我们写的第一篇作文,就是《清明游山》,要我们记下游鸿山的情景。是自然山水引发了我对文学艺术的兴趣。父亲时常去苏州玄妙观买来一些书画,挂在墙上,最吸引我的,还是钱松岩画的太湖风光,使我至今难忘。

那时,我对自然山水艺术的关系了解得十分简单:真山真水好,画出了真山真水的,自然也好。我也喜欢上了江南丝竹乐和广东音乐,每当我听父亲用二胡拉起《苏堤春晓》《柳浪闻莺》《姑苏吟》等以景命名的乐曲时,觉得好听,为之吸引。好听在哪里?这大概是因为让我想起了真情实景罢!父亲教我背《唐诗三百首》,最容易记住的,还是孟浩然的"春眠不觉晓,处处闻啼鸟",王维的"明月松间照,清泉石上流"这一类写景诗,这不仅是因为这些诗短小精悍,更因为所写的景是最为我熟悉和喜爱的。当我长大成人,远离水乡,久居燕京,最常想起的,竟是白居易的那首"江南好,风景旧曾谙。日出江花红胜火,春来江水绿如蓝,能不忆江南?"这让我回想起18岁前一直耳濡目染的江南山水。

引发我对理论感兴趣的，还是朱光潜的那本小书《谈美》。这本书不是故作深奥，使人望而生畏，而是紧密结合生活和艺术中的实际现象，从中引出道理，娓娓道来、平易近人、通俗易懂，让人感到亲切。特别是对艺术美的分析，使人茅塞顿开、豁然开朗。但也引起我的困惑，那就是他在书中说：自然中没有美，自然本身无所谓美。这，对于我一个中学生来说，无法理解。然而，也正是这种困惑，在我心中萌发了作美学思考的兴趣。接着，我读到了周扬编的《马克思主义与文艺》，苏联季莫菲耶夫的《文学原理》，知道研究文学艺术这是一门大有可为的学问。于是，我为奔向文艺学而跨入了大学之门。

在我面前展现了一个广阔的文学艺术的海洋，任我自由观赏。不过，在我们那个学习年代，主潮还是古典。在讲堂上，除了吴组缃、王瑶为我们分析当代文学和现代文学之外，其余一概是古典文学。游国恩、林庚、浦江清为我们讲中国古典文学，甚至何其芳、吴组缃开的专题讲座也是评说《红楼梦》。冯至、季羡林、李赋宁为我们讲的是外国古典文学。苏联季莫菲耶夫的门生毕达可夫在北大讲文学理论，我一听，分析的实例，也都是俄罗斯的古典。大学时代，我读的大多是古典文学名著，欣赏的大多是古典艺术，中外都有。毕业后当研究生，跟随杨晦学文艺学，他要我研究中国古典文艺理论，而向朱光潜、宗白华学美学，接触的也主要是古典美学。于是我开始学术研究时，最早是集中在这个问题：古典作品为何至今还有艺术魅力？这，马克思曾经关注过，也引起了我的学术兴趣。我开始尝试从美学上来分析，千百年前古典艺术这一审美客体本身所具有的审美特性，怎样会激起了千百年后的我们这一审美主体的兴趣，从而做出审美反应。我写出了一篇数万字的研究生毕业论文，表达了我当时的理解，古典作品之所以有不朽的魅力，还是由于其中表现了真、善、美，因而具有永恒的价值。此文在20世纪60年代初的《北大学报》上发表，给蔡仪留下了印象。

古典传统哺育了我，但我终归生活在当今，离不开下现实。20世纪50年代后期，文学艺术有了新的发展。周扬一再倡导，要关注现实，建立和发展马克思主义文艺学、美学。他自己还亲自带着何其芳、邵荃麟、林默涵、张光年到北大开设讲座。作为这个讲座的助教,我也被卷进了这个潮流,不能不受影响。于是,我在关注古典之外,也开始关注现实。我曾探讨过文学艺术中表现理想和再现现实怎样才能统一起来,现实主义精神和浪漫主义情志如何做到相互结合,在《文学评论》和《文艺报》上都发表过论文。随着现实发展的需要,我还曾写过一些文艺评论,如评论王愿坚的短篇小说、李英儒的《野火春风斗古城》等。文艺评论的影响远远超过文艺学、美学,不仅可在著名报刊上发表,而且一本薄薄的评论小书,一下就能印上十万册,书斋中人很难想象。

但是,平心而论,我真正的学术兴趣还是在文艺学和美学。在参加编写《文学概论》的过程中,我和蔡仪、王朝闻都有许多学术交往,我逐渐萌发了一种意向,想融文艺学和美学为文艺美学。但是,在那政治运动连绵不断、高潮迭起的年代,这仅仅只是一种意向而已。"文化大革命"中,我的主要心思,一是集中在评论《红楼梦》,二是认真研究了马克思的《资本论》和剩余价值学说。但我读马克思的书不是为了研究经济学,而是想弄懂价值论。马克思的价值论,重心当然是在研究交换价值,但也不时对使用价值作过精辟论说。在他看来,像空气、处女地、自然草地、野生林木等等,虽然不具交换价值,但却具使用价值。甚至,人类通过劳动创造出来的人工物品,也不一定都具有交换价值,但却具使用价值。只有物品成了商品,可以交易,才有了交换价值。但使用价值又多种多样,并不只是实用价值。使用价值中还包括精神价值,是为了满足人类的"想象"或"愉快"的,文学艺术就是为了满足精神需要而创造出来的,其中就有审美需要。马克思说得好:"一个歌唱家为我提供的服务,满足了我的审美需要。"我们过去的文艺学、美学常依据认识论,缺少的正是价值论。

二

改革开放之初,我得以集中精力来思考文艺美学自身的问题。

从我自己的体验出发,如果美学只停留在争论美是客观的还是主观的这样抽象的水平上，这并不能解决艺术实践中的复杂问题。审美现象，乃是一种特殊的社会现象。美学，要研究审美现象，必须揭示审美活动、审美价值、审美关系的奥秘。人类的审美活动产生于实践活动（生产实践、生活实践），这审美活动又生发为艺术活动。因此，艺术活动离不开审美活动。但艺术活动又自成系统，从文学艺术家体验生活，到艺术创造，再到艺术为人所接受，均需按照美的规律进行。这种艺术活动的审美本质和审美规律，应该获得系统的研究。为了和其他美学相区别，我称之为文艺美学。

我这想法形成之后，就开始自己的探索。1980年春，中华全国美学学会成立，我陪朱光潜老人在昆明与会。在会上，我提出，艺术院校和文学系科，应该开设文艺美学课程，发展文艺美学这一学科，使美学和文艺学结合起来。我这想法，引起了艺术院校从事理论教学的教师的共鸣，也得到了美学前辈王朝闻、朱光潜、伍蠡甫等的支持。这使我受到了鼓舞。

散会后，我回北大写的第一篇文章就是《文艺美学及其他》，先在北大的《大学生》创刊号发表，修改后，又收入《美学向导》（北京大学出版社，1982年）。接着，我在1980年初写成的长文《论艺术形象》也发表了，其中我论及了艺术的审美本质。差不多在同时，我的《艺术掌握世界的方式》《艺术的意境》以及论艺术美的文章也陆续发表。为了使美学理论尽量和艺术实践相结合，我也陆续写过一些从美学上分析古典文学的文章，对《红楼梦》和古典诗词尝试作美学阐释，目的还是想具体地而不是抽象地谈论艺术的美学问题。

我全力投入文艺美学的研究，1981年我招收硕士研究生时，一开始就明确定向为文艺美学。1980年，当我开设的文艺美学课程不仅引起了中文、英文、西语、东语、俄语以及哲学等系研究生的兴趣，而且也吸引了一些大学本科生时，我确实受到了很大鼓舞。于是，北京大学文艺美学研究会应运而生，使文艺美学爱好者在一起相互沟通。在盛天启的积极奔走下，由我主编的《文艺美学丛刊》出版过数辑。由叶朗、江溶和我发起的北京大学《文艺美学丛书》，出版了数十种，我的《文艺美学》一书也收入其中。此外，我也担任了王朝闻主编的《艺术美学丛书》的编委。文艺美学,成了我学术关注的中心。

围绕文艺美学的学科建设,我和我的研究生曾编辑过几种理论资料出版。中华书局出版了我和王一川、陈伟、丁涛编的《中国古典美学丛编》三册(1988),北京大学出版社出了我和陈伟、王一川选编的《中国现代美学丛编》(1987)。有了中国传统的材料,却缺少外国材料,当代的知道得更少。为此,我尝试走出古典。这时,国家教育委员会为推动教材建设,鼓励我主编一套当代西方文艺理论的教科书。我说还是得请前辈学者伍蠡甫来主编,但八十高龄的伍蠡甫老人说,20世纪的西方文论他也所知不多,还是要我张罗。这样,我就把这当作为自己补课的机会。我过去熟悉的外国文艺理论,只是外国古典,对外国现代所知甚少。为此,我曾去过香港大学、香港中文大学搜集资料。开始时,我和李衍柱等几位编写的《西方文艺理论名著教程》(北京大学出版社,1985年),涉及现代的,只有刘小枫、李寿福、石文年、边平恕写的4章,篇幅极少。到1988年再版,我邀王岳川请了一些青年学者增写了10多章,现代部分共有20章,专成一卷,才弥补了出版的缺憾。此后,我受国家教育委员会之托,和张首映合著了《西方二十世纪文论史》(中国社会科学出版社,1988年)。不久我和王岳川又主编了《文艺学美学方法论》(北京大学出版社,1994年)。

然而,我的学术兴趣并不因此而走向西方现代。我关注西方现代,是想解释我们自己的艺术现象,取其新视界,借用新方法,以促进我们自己的学术发展。为此,我积极倡导中西文艺学的比较研究,吸取众长,洋为中用。

开放改革以来,我曾关注过海外华人文学和美学,但是我所写的论文属评介性质,对我来说,只是为我开阔视野。

近年,我逐渐感到,我们的文艺学、美学重视了艺术特性的研究,却忽视了研究艺术珍品如何按照美的规律来创造这一根本。所以,我把目光注视到美的规律问题上来,写了几篇文章。1999年发表在《文艺研究》上的《艺术:按美的规律创造》一文,重新呼唤重视对美的规律的研究。

我们这一代人,学术生命大多不长,学术生涯蹉跎甚多。20世纪50

年代中，学术刚起步，还未成熟，就遭受"文化大革命"的摧残，学术生命中的最好时光浪费了将近20载。待到改革开放年代，才真正获得了学术生命，奋斗20年，亦将冉冉老矣。如今，青年一代学者遇上了学术好时代，获得了新的知识结构，可以充分施展自己的学术才华，实在令人羡慕。

三

经过文艺学界的共同努力，文艺美学如今已成为文艺学这一学科的重要方面。文艺美学今后将如何建设和发展，仍是我关注的中心，但我同时也在密切注视着更为广泛的文化和自然的美学问题。

我一向认为，中国古典文艺学也好，西方现代文艺学也好，对今人说来，都只是建构中国的当代文艺学的思想资料而已。但，这决不是说，中国古典文艺学，或者，西方现代文艺学就不能、不必成为独立的研究对象。不，无论是中国古典文艺学，还是西方现代文艺学，都还需要作系统而深入的研究。

在朱光潜、伍蠡甫两位前辈的鼓励下，我也曾对西方现代文艺学下过一些功夫，希企有一个较为全面的了解，并在改革开放之初向国内作过一些粗浅的介绍。但我并非专治此学，只是浅尝辄止，未能再作深入钻研。看来，西方现代文艺学中的许多根本问题如何能得到更深的阐释，希望专攻西学的青年学者能充分发挥自己的聪明才智，做出更大贡献。

当西方现代文艺学被迅速引进、弥漫课堂文坛之际，却又激起了我对中国自己的古典文艺学的思索。难道中国古典文艺学就只剩下文献价值而失去了现实意义？中国古典文艺学能否对中国当代文艺学的建构发挥积极作用？还在20世纪50年代中，杨晦、罗根泽、宗白华三位前辈曾引导我向中国古典文艺学迈步，思考过一些问题，积累过一些资料。如今，我很想回过头来，尝试对中国古典文艺学中一些重要问题作些新的阐释。我看，这也许对中国当代文艺学的建构能起些实际作用。

然而，中国要建构的当代文艺学，既不可能只是西方现代的，也不可能只是中国古典的。文艺学乃是对实际存在的文艺现象的理论概括和阐释，中国的当代文艺学，不能不关注当下现实，回答新时代文艺实践中的新问题，对新时代的文艺现象作出新的概括和阐释。

这样一来，势必要把我们的视野引向更为广阔的领域。文学艺术，作为文化的一种重要现象，离不开整个社会的文化发展。而我国的当代文化，已越来越走向多元化。我们正在追求现代化。高雅文化也好，通俗文化也好，文化的现代化趋向，日益成为主流。但现代文化是否一定都好，前现代文化就一定都不好？后现代文化现象也在渐渐出现，我们如何看待这些错综复杂的文化现象？这倒提醒我们在这急奔现代化的急剧变化时代，必须更加注重历史的辩证法，从而尽可能避免西方在现代化过程中出现的历史失误。

如今，我们都很注重"存在"，不时听人说，存在就是合理，其实哲人黑格尔早就说过这句名言。然而，所谓"合理"有两层意思：一是说存在的必有其理由、自有其道理；二是说存在的符合真理，此存在乃是历史发展应有的。黑格尔所说，存在的就是合理的，乃是说的第一层意思，事物的存在都有自己的缘由，不可能无缘无故地存在。这是一种事实判断。而第二层意思，说的乃是这存在是否符合历史发展的必然要求，对历史发展具有肯定价值还是否定价值，这是价值判断。事实判断和价值判断，两者有联系，但不能混淆。如今，我们在评价错综的文化现象，常只满足于描述，却不愿做价值分析，甚至颠倒黑白、混淆美丑，实应引起我们的高度关注。

我国的文艺创作数量正在急剧飙升，且不说那积压了多少的电视剧，前几年，仅长篇小说就年产约800部，但究竟有多少是按照美的规律的创造？三年前，《布老虎丛书》高悬百万酬金想征集现代爱情小说优秀佳作，要求小说写出20世纪90年代的现代爱情，但要体现"中国古典浪漫主义艺术精神"。小说要逼近现代生活，而"内在的意蕴走向要超越现实，能够在小说开辟的虚构境界上完美地表达作家的审美意图和生命理想，并对人类普遍面临的爱情处境做出自己的回答"，从而给人以真正的审美享受。征文一出，应者如流，收到书稿

600多部,但难以入围。只有一部《比如女人》差强人意,却亦未能入选,因而还在继续征集。看过书稿的评论家分析,目前小说创作中存在的主要问题,乃是:价值观念混乱,使人无所适从;审美境界不高,缺乏审美理想;过多的感官刺激,停留在生命浅层。看来,当代文艺学应更多关注当下现实,探索文学艺术如何按照美的规律来创造。

当代文艺学需要扩展文化视野,更要关注对复杂的文化现象作价值分析,辨别真、善、美和假、丑、恶。因此,我们不仅需要发展文艺美学,也需要发展文化美学。

更进一层,我们还要学会如何按照美的规律来安排这个世界,安排人类自己的生活。马克思说得好:我们应"了解自己本身,使自己成为衡量一切生活关系的尺度,按照自己的本质去估计这些关系,真正依照人的方式,根据自己本性的需要来安排世界"。人生活在这个世界之中,离不开周围环境。人和世界的关系,不仅只是实践关系,还应建立审美关系。杜夫海纳把这称之为"人类与世界最深刻和最亲密的关系"①。在这个关系中,作为审美主体以及审美客体都是活生生的客观存在。大自然,作为审美客体,有丑也有美,而且,自然之美并不必定就比艺术之美低。当平庸的、拙劣的、庸俗的艺术充斥于世之时,人们宁愿逃出重围而走进大自然怀抱,去享受那自然之美。

蔚蓝的天空,悠悠的白云,灿烂的阳光,叮咚的泉水,弯弯的小河,高高的山峰……大自然中客观存在着美。清人叶燮说得好:"凡物之美者,盈天地间皆是也,然必待人之神明才慧而见。"(《集唐诗序》)大自然中充盈着美,就看人能不能去发现。人能否发现大自然中之美,这要看人是否具有审美素质。审美素质是人类历史长期发展的结果,本身就是人的本质力量的表现。只有具有审美素质的人,这美景、美物才成为他的审美对象。正如马克思所说:"忧心忡忡的穷人甚至对最美丽的景色都无动于衷;贩卖矿物的商人只看到矿物的商业价值,而看不到矿物的美和特性。"②但是,景物之美、矿物之美仍

---

① [法]米盖尔·杜夫海纳:《美学与哲学》,孙非译,中国社会科学出版社,北京,1985年。
② [德]马克思:《1844年经济学-哲学手稿》,人民出版社,北京,1985年。

是客观存在,并不能因商人、穷人不能欣赏而否定其自身价值。大自然的天然之美,并不是因为自然被人化了,打上了人的烙印,或者说,被人的本质力量对象化了,而是因为自然山水进入了社会联系之中,它作为审美客体,客观上对于人的全面发展具有肯定意义。大自然本身对于人类客观上存在着一种潜质,对人类具有肯定或否定的意义,因而具有审美价值。马克思、恩格斯对唯物主义的创始人培根所说的一番话极为赞赏:"物质带着诗意的感性光辉对人的全身心发出微笑。"在人和世界的和谐关系中,自然美向人呈现出来。随着人类实践活动的扩大和实践能力的提高,大自然的天然之美,越来越多地被我们发现。人和大自然的审美关系,将越来越广阔。

人生活在这个世界上,就必然要和周围自然进行物质、能量和信息的交换。在人和大自然的紧密联系中,发展出了审美关系,进而又创造出文学艺术。清代文史学家章学诚说得好:世上万事万物,因象而见,有"天地自然之象",也有"人心自然之象",自然美就因有"天地自然之象"而为我们所感受到。"天地自然之象"不同于"人心营构之象"。张潮在《幽梦影》中就提到:"有地上之山水,有画中之山水,有梦中之山水,有胸中之山水。地上者,妙在丘壑深邃;画上者,妙在笔墨淋漓;梦中者,妙在景象变幻;胸中者,妙在位置自如。"自然美和艺术美,各有所长,自有各自的独特之美。恩格斯对自然之美充满了爱慕之情,深情地说道:"大自然是宏伟壮观的,为了从历史运动中脱身休息一下,我总是满心爱慕地奔向大自然。"

多年来,我们的美学更多把关注的目光放在研究审美活动的心理分析上,这自然有历史的缘由。朱光潜的文艺心理学曾长期被忽视,我们自然要继续接着说下去。但是,若美学只研究审美活动的心理过程,甚至把美学只归结为审美学,那就又把美学引向更为狭窄的道路。其实,美学不仅研究审美活动,物的生产、心的生产(精神实践活动)以及人自身的生产,都存在符合不符合"美的规律"的问题。人类的物质生产、精神生产、人自身的生产(教育)如何才能按照"美的规律"来进行,值得美学深入探索,从而从审美学进入创美学和育美学。"美的规律"存在于人类的多种多样的关系和活动中,席勒在《审美教育书简》的第25封信中说道:"美对我们来说固然是对象,因为有反思作条件,我们才对美有一种感觉;但美又是我们主体的一种状态,因为有情感作条件,我们对美才有一种意象。因此,美固然是形式,因为我们观赏它;但它同时又是生活,因为我们感觉它。总之,一句话,美既是我们的状态,又是我们的行为。"①艺术的创造,本身就是一种创美活动,它凝集了在世的人生体验(审美活动),进而促进人的育美活动。

1998年冬,深大新村

---

① [德]席勒:《审美教育书简》,冯至、范大灿译,北京大学出版社,北京,1985年,第133页。

艺术的审美价值

真、善、美,这是人类的永恒追求,并非文学艺术之独有。大千世界,现象纷呈,展现在我们面前的,不仅有天地自然之象,尚有人文创造之象,还有人心营构之象。这些呈现在我们面前的错综复杂的种种现象,既有真、善、美,又有假、恶、丑。那么,我们的文学艺术的价值追求应该是什么呢?文艺美学理应进行探索,作出回答。

古往今来,出现的文学艺术无数,但并不都符合真、善、美的内涵。在文学艺术中表现假、丑、恶的,也屡见不鲜,历史事实确实如此。

已有好些艺术理论著作指证了这样的历史事实。前不久方译介过来的英国美学家里德的《艺术的真谛》、美国美学家杜卡斯的《艺术哲学新论》等,都举出了不少实例,说明丑的艺术历代都大量存在。杜卡斯就说:"丑艺术尽管很容易为人忽视或遗忘,但却大量地存在着,诸如丑的构图、丑的着色、丑的绘画、丑的建筑、丑的音乐、丑的舞蹈等等。"在他看来,这没有什么可奇怪的,这是因为,有许多艺术家之所以从事艺术创作有着不同的目的,并非都把文学艺术看作是"创造美的活动"。有些艺术作品之所以创作出来,"艺术家的目的不在于创造美,而在于客观地表现自我"。艺术家的这个自我,就是艺术创作的关键。可是,有真、善、美的自我,也有假、恶、丑的自我,那么,历史上出现了假、恶、丑的艺术也就很容易理解了。

我在北大上中文系时,师从游国恩、林庚、吴组缃、浦江清等学了三年中国古典文学,选读的都是历代的优秀之作,没有去专门搜集过丑陋之作,因而不知道我国历史上究竟产生了多少假、恶、丑的文学。但在10多年前,我为了弄明白《红楼梦》究竟是不是中国古典文学史上最好的一部小说,竟把北大图书馆里的清代线装小说浏览了一遍。我也觉得,《红楼梦》之后的古典小说,没有一部能比得上它,大多为平庸之作，更有一些下流之作，不堪入目，真的是假、恶、丑。平庸之作不一定都假、恶、丑，但也引不起美感。英国的里德要比杜卡斯说得要温和一些，依他之见："无论我们是从历史角度（艺术的历史沿革），还是从社会学角度（目前世界各地存在的艺术形态）来看待这个问题，我们将会发现，艺术无论在过去还是现在，常常是一件不美的东西。"

艺术常常是不美的，而有些不是艺术的制品却又能成为美的。杜卡斯就说："有些以创造美为目的而制作出来的东西并非是艺术品。"对此，我甚至还要作进一步的补充：不仅人类生活中的人文创造之物可能是美的，就是天地自然间天然生成之物也可能是美的。"天地有大美而不言"，进入到人类生活中，"天下莫能与之争美"。

但是，人文创造之美和天地自然之美的存在，并不因此否定人类也还需通过精神生产，创造出人心营构之美。文学艺术并非都美，但应该而且可以创造出艺术之美，这是人类发展的价值需求，历史发展的必然要求。

人从大自然中来，在大自然中生成。但人在大自然中生成之后，在不断适应现实的过程中又产生新的需要，因而不满足于现实而要对现实进行改造。随着实践活动的不断推进，新的需要又在活动中逐渐产生，从而和现实生成新的关系。需要—活动—关系，在人类历史发展中往复循环，相互促进，不断提升，发展到更高水平。

依马克思之见，人自身的需要，就是人的本性。而人的需要又在历史发展中不断生成，丰富多样。"人以其需要的无限性和广泛性区别于其他一切动物"。[①]恩格斯把人的需要和需要的对象联系起来考察，把人的需要归纳成三大类：生存的需要、享受的需要和发展的需要，而为了满足这些需要，就必须要生产出"生活资料、享受资料和发展资料"。人来到这世上，首先要求生存，其中包括鲁迅所说的温饱。然后才能求享受，先是物质的享受，后求精神的享受。就如墨子所

[①] [德]马克思、恩格斯：《马克思恩格斯全集》第49卷，人民出版社，北京，1982年，第130页。

说：食必常饱，然后求美；衣必常暖，然后求丽；居必常安，然后求乐。发展的道路就更加广阔了，如恩格斯所说：人要充分发展自己的潜能，"发展和表现一切体力和智力"。那么，人的发展又是为了什么呢？马克思在年轻时就思考过要做一个什么样的人，那就是：为了"人类的幸福和我们自身的完美"。

受马克思、恩格斯的启发，我把人生的价值追求归纳为：一要生存，二要发展，三要完善。依我的理解，恩格斯所说的享受需要，不一定成为独立的阶段，而是渗透在人生过程之中，在物质生活、社会生活和精神生活中，都可以获得享受。恩格斯在论及工人阶级已经发动起来宣传共产主义学说的同时指出，"他们也因此产生一种新的需要，而作为手段出现的东西则成了目的，当法国社会主义工人联合起来的时候，人们就可以看出，这一实践运动取得了何等辉煌的成果。吸烟、饮酒、吃饭等等在那里已经不再是联合手段，或联络的手段。交往、联合以及仍然以交往为目的叙谈，对他们说来已经足够了；人与人之间的兄弟情谊在他们那里不是空话，而是真情，而且他们那由于劳动而变得结实的形象向我们放射出人类崇高精神之光。"①这样的社会交往活动本身就生成了精神享受，人和人之间的交往实践关系，就提升到了审美关系。不过，这种人际关系的和谐之美，尚依存于交往实践活动之中，乃现实生活中的依存美，这和文学艺术的创作不能混为一谈。

人的享受需要应从物质享受向精神享受的方向提升，恩格斯曾谈及人在历史发展中经历了两次提升：先是通过生产劳动，"在物种关系方面，把人从其余的动物中提升出来"，劳动创造了人；第二次乃是"在社会关系方面，把人从其余动物中提升出来"，人和人结合为社会，人在社会中接受教育，成为社会的人。沿着这个思路，我觉得，人还应该有第三次提升，那就是在精神关系方面继续提升，培育具有高度文明的人，正如马克思主义创始人之所说："培养社会的人的一切属性，并且把它作为具有尽可能丰富的属性和联系的人，因而具有尽

---

① [德]马克思、恩格斯：《马克思恩格斯全集》第42卷，人民出版社，北京，1979年，第140页。

可能广泛需要的人生产出来——把他作为尽可能完整的和全面的社会产品生产出来（因为要多方面享受，他就必须有享受的能力，因而他必须具有高度文明）。"①

人类的每一次提升，都是在向真、善、美方向迈进。真、善、美是人类的永恒的价值追求。人类的生产，无论是人自身的生产，还是物质的生产以及精神的生产，都需要不断优化，因而也都需要有真的尺度、善的尺度和美的尺度。而作为精神生产的一种，艺术生产就更看重对真、善、美的追求，法国启蒙时代的美学家狄德罗，甚至把文学艺术领域看作是"真、善、美三位一体的自然王国"。

真、善、美都是人类所追求的精神价值，对人类的生存、发展和完善起着积极的、正面的、肯定的作用。文学艺术的创造，凝聚了人类生活中的真、善、美，因而成了人类文明的结晶。艺术价值中蕴含着认识价值、道德价值、审美价值等多种价值，但这多种价值却来源于作家、艺术家在生活实践中对错综复杂的各种现象的真切体验，"以身体之、以心验之"，然后把这些体验过的现象，按照美的规律做意象经营，创造出艺术之美来。

美，作为一种对人类的肯定价值，遍布于人类生活世界之中，成为人与周围世界建立最亲密关系的纽带。马克思在青年时就已深切体会到："美"创造出来的一切，对人的心灵最亲热。法国的现象美学家杜夫海纳，更是把人和现实的审美关系，看作是一种隐秘的亲缘关系，在审美活动中获得的审美体验，揭示了人类与世界的最深刻和最亲密的关系。美既可在人文创造的现象中，也可在天地自然的现象中，还可在人心营构的现象中，因而有人文之美、自然之美和精神之美。美既可在人类的活动中，也可在活动的结果中，还可在人与人的关系中、人与物的关系中。德国美学家席勒在《审美教育书简》的第25封信中，曾有一段精彩的话，引起了马克思的注意，因而在读书札记中摘了下来，我以为很能说明美的多样性：

---

① [德]马克思、恩格斯：《马克思恩格斯全集》第46卷上册，人民出版社，北京，1980年，第392页。

美对我们来说固然是对象,因为有反思作条件,我们才对美有一种感觉;同时美又是我们主体的一种状态,因为有情感作条件,我们对美才有一种意象。因此,美固然是形式,因为我们观赏它;但它同时又是生活,因为我们感觉它。总之,一句话,美既是我们的状态又是我们的行为。①

美在意象(如朱光潜所说),但并非只在意象;美在自然(如蔡仪所说),但并非只在自然;美在人化自然(如李泽厚所说),但也并非只在人化自然。天地自然之象也好,人化自然之象也好,人文创造之象也好,内心营构的意象也好,既可能美,也可能丑。天地自然、人化自然、人文创造、内心意象怎样才能美,这正是美学需要探索的课题。其实,美既在对象,也在关系,还可以在系统,天地境界就是系统之美。关系之美,也甚广泛,人和人的和谐、人和物的和谐、人和心的和谐,都可能生成和谐美。

若只从审美的对象来考察,大千世界,万事万物,只有和人类发生了联系,才可能发生审美关系,从而体验到美、丑。因而,和人类不发生关系的任何事物及其属性,就说不上美还是丑。人们把自然物的大小、多少、软硬等称作恒性,不管有没有和人发生关系,都客观存在着,这是物的第一性质。但事物还有和人发生关系以后才表现出来的第二性质,那就是颜色、声音、气味等,只有人的感觉器官才能感觉到,称之为偶性。马克思在《资本论》中在谈到光时说到,人们不是把一物在视觉神经中留下的光线印象,表现为视觉神经本身的主观刺激,而把它表现为眼睛外界某物的客观形态。但是,实际上,在视觉活动中,已有了两物的关系,那就是由外界的客观物,投到了眼睛这一物,才表现为光线。马克思说,这是两种物理性质的物品之间的物理性质的关系,是一种物质关系。由此可见,红、黄、蓝、白、黑等,其实也是关系属性,但这里的关系,还只是光和人之间的自然关系,并非社会属性。花红并非就是花美,这早已由朱光潜所指明;但花红也

---

① [德]席勒:《审美教育书简》,冯至、范大灿译,北京大学出版社,北京,1985年,第133页。

可以是美的，那是因为这红花已进入了人和自然的价值关系之中，对人具有了客观意义。

美、丑等等，不是事物的物理性质、自然属性，而是审美属性。审美属性存在于人和世界的审美关系之中，是和人的审美需要相联系着的价值属性，美是正价值，丑是负价值。世上万事万物，和社会的人发生联系而进入价值关系之中，就具有了价值。作为社会的人，具有三重属性，那就是自然属性、社会属性和精神属性。进入价值关系中的客观对象乃是和人的社会属性发生联系，满足的是人的社会性需要，具有价值属性。捷克哲学家布罗日克说得好："表现为一定价值的价值对象性，是由客体在社会实践中所获得的地位和功能所决定的。"① 而审美价值则更是和人的精神属性发生密切联系，满足的是一种精神需要、审美需要。花的美，就是审美属性，能满足审美需要，我以为可以把这称之为灵性，以区别于恒性、偶性。花的审美属性离不开花的自然属性，但不能归结为自然属性。英国哲学家梅内尔的《审美价值的本性》一书中严格区分了两类客观性，即自然性质和价值性质的客观性，他称之为客观A和客观B。"对象之审美的善恶性质"，属于客观B，与人相关，具有价值。而我们"在观赏本身具有审美价值的对象时，所产生的愉悦经验似乎是对具有这种价值的对象的肯定"。在这里，审美价值还是属于对象本身的性质，不是意象，审美体验乃由审美对象所唤起。而朱光潜的美学进入了心理学，只把意象看作是审美对象，意象是物乙而不是物甲，物甲没有美可言，只有物乙才美，所以美只在意象，不在物象，美是意识形态。朱先生心目中的美，实际已是人的内心意象，虽然还把它说成物乙，但已不是物，其实已不是梅内尔所说的客观B了，而已进入了精神领域，属于美的感受了。

我从自己的审美经验出发，常力求把美的感受和美的对象予以区别开来，不把两者混为一谈。可是，一涉及审美感受，情况就更为复杂了。审美的发生，常常是审美主体和审美客体在一个特定的时空中猝

---

① [捷] 弗·布罗日克：《价值与评价》，李志林、盛宗范译，知识出版社，北京，1988年，第27页。

然相遇,才能进入审美状态。我把审美主体和审美客体相遇时的特定时空称作境遇或场境,审美的客体(对象)和主体(自我)以及境遇构成一个审美场,自成一个系统。每一审美事件的发生,就是在这审美场中主体、客体、境遇三个要素相互作用,其结果就产生了审美主体的审美体验。审美体验不仅反映了审美客体的审美属性,而且也反映了审美主体的精神属性,还反映了主客相遇时的特定境遇,归根到底,审美体验是人和世界的审美关系的反映。审美对象的审美特性,美、丑等等,只有在一定境遇中才能体验到,正如日本的哲学家牧口常三郎在《价值哲学》中所说:"价值只能存在于一个人在一定时刻与客体发生联系时所体验的价值感受中。"阿根廷的哲学家方迪启在《价值是什么——价值学导论》一书中也说:"价值只有在一种特定的情况中才存在,并具有意义。"

审美体验是人和世界建立亲密关系的中介,一边沟通外在的现实世界,另一边沟通人的内在的精神世界。但是,审美体验只是在特定境遇下的精神感受,稍纵即逝,离开了那特定的审美场,审美体验也就消失了,只能成为脑海中的美好回忆。幸而,人类凭借自己在实践中得来的智慧,创造出了文学艺术,运用符号把自己从大千世界中获得的审美体验物化在作品中,从而保存了起来。

文学艺术中表达的,并不仅仅是作家、艺术家个人的审美体验,有着更为广阔的内容。在生活世界中,作家、艺术家在生活实践中不仅积累了种种人生经验,社会的、政治的、道德的、文化的等等,而且还在交往实践中吸纳了其他人的人生经验。作家、艺术家在创作时,都有可能把这些直接的和间接的人生经验综合起来,按照美的规律予以组织,建构出一个意象世界。天地自然之象、人文创造之象,都有可能进入这人心营构之象。正如德国哲学家卡西勒(又译作卡西尔)在《人论》中所说:"在我们的审美经验中,它们全都结合成一个个别的整体。"在这个有机整体中,主观世界和客观世界已经融为一体。"艺术从一种新的广度和深度上揭示了生活;它传达了对人类的事业和人类的命运、人类的伟大和人类的痛苦的一种认识"。我对他的美学最感兴趣的是关于艺术美和自然美的区分。他把自然美称作机体的美,而把艺术中的美称作审美的美,明确指出:"一如风景的机体的美,与我们在风景画大师的作品里所感到的审美的美,并不是一回事。"①我们在欣赏自然美时,乃是"生活在事物的实在性之中",所面对的是"活生生的事物本身"。但在欣赏文学艺术时,面对的却是"活生生的形式"。正是这活生生的符号形式,唤起了我们的想象、联想和回忆等等,从而在我们脑海里浮现出广阔和深远的意象世界。这个意象世界不是现实中实在的世界,而是现实生活中各种各样现象的映象,乃是由作家、艺术家创作的人心营构之象。但是,这人心营构之象吸纳了天地自然之象和人文创造之象,所以既能"思接千载"而又能"视通万里"。

艺术之美应该而且能够高于生活之美,但却不是必然,相对于那些平庸、拙劣之作,生活中有许多美景、美物、美人、美事等远胜于文学艺术中的意象。所以,文学艺术之花只能扎根于生活的土壤才能生长出来,人类的现实生活才是文学艺术的源泉。每当我思索起艺术和现实的关联时,不由自主地会想起恩格斯年轻时所写的几篇美文,他对莱茵河风光的真切体验,深深地激起了我的共鸣。这位亲身参与了伟大历史变革的历史唯物主义者,却对大自然情有独钟,他把自己一生对大自然的思索上升到哲学高度,写出了《自然辩证法》这一哲学巨著。他在青年时代就热爱大自然,终生未改。他自称:"大自然是宏伟壮观的,为了从历史运动中脱身休息一下,我总是满心爱慕地奔向大自然。"②年轻时,他常泛舟于莱茵河上,其中有两次给人的印象特别深刻。一次是在莱茵河乘船下游,从河口奔向大海。此时他思潮起伏,在他的《风景》一文中记下了他的真切体验③。还有一次是他逆流而上,沿着莱茵河上溯,翻越了阿尔卑斯山,思绪万千,写下了《漫游伦巴第——翻越阿尔卑斯山》④。

---

① [德]卡西尔:《人论》,甘阳译,上海译文出版社,上海,1985年,第193页。
② [德]马克思、恩格斯:《马克思恩格斯全集》第20卷,人民出版社,北京,1971年,第535页。
③ [德]马克思、恩格斯:《马克思恩格斯全集》第41卷,人民出版社,北京,1982年,第95页。
④ 同上,第191页。

不同的现实场境,引发出的是不同的审美体验,当轮船从莱茵河驶入大海时,展现在面前的是:"海水的碧绿同天空明镜般的蔚蓝以及阳光的金黄色变融成一片奇妙的色彩"。面对大海,恩格斯切身的感受是:此时,一切人间的烦恼都烟消云散,人就"融合在自由的无限精神的自豪意识之中"。在这里,他真切体验到的是一种壮美感:

> 整个大自然使我们感到如此亲近,波涛是如此亲热地眨眼,天空是如此可爱地舒展在大地上,太阳闪烁着非笔墨所能形容的光辉,仿佛用双手就可以把它抓住。

大海壮美,吸引着人和它亲密接近,融为一体。但是,爬高山的感受就不同了。在莱茵河上溯几个小时之后,恩格斯弃舟爬山,面对的是一片高山峻岭,陡峭悬崖。当他沿着峡谷蜿蜒而上,达到山顶后的感受是:"在这高山之巅,你自己会感到渺小,直至头晕目眩;土地会在你脚下移动,你将会滚下重重山崖,跌个粉身碎骨。"他感受到了大自然的力量。然而,在这崇山峻岭里,山上还是建起了可以通车的公路,他也感受到了:"在这里,精神战胜了自然,山路如练,在峭壁间端不绝",在这高山峻岭面前,他体验到的是一种崇高感。

不错,文学艺术和美确无必然的联系,不同的人对文学艺术有着不同的追求。但是,我坚信,真、善、美是人类的永恒追求,对人类具有永恒的价值。文学艺术不必定真、善、美,但应该而且能够走向真、善、美。我们的文艺美学就应该进入艺术与审美的关系的深层,进一步探索文学艺术的审美特性,以推动文学艺术向真、善、美的方向前进。

艺术是意识形态,所以艺术的审美价值主要是精神价值而不是物质价值或符号价值,这精神价值乃是使用价值的一种,使用价值既包括实用价值,也包括虚用价值。正如马克思所说,"物对于人的使用价值,表示物的对人有用或使人愉快等的属性"。既有实用价值,又有精神价值,"使人愉快"。马克思还曾说过,使用价值,"它必须满足一定的现实的或想象的需要"。满足"现实的需要"的应是现实价值,而满足"想象的需要",则具有想象价值。

马克思说得好:"我思想中的事物永远不会变为现实中的事物,因而它也就只能具有想象中的事物的价值,也就是只有想象的价值。"①艺术创造的艺术世界,不是现实世界,而只是想象的世界,所以,艺术的审美价值,不同于现实世界中的事物的审美价值,但不能因此而否定现实生活中事物的审美价值。马克思在《资本论》中说:"每一种有用物品,都是许多属性的一个全体,从而可以在多种不同的方面有效用。发现这种不同的方面,是一种历史性的工作。"列宁就以玻璃杯为例,说明它既可有实用价值,又可有审美价值。艺术美不同于现实美,但都是美。

文艺美学只有将艺术美和生活中的其他美联系起来考察,才能见出艺术之美的独特价值。法国启蒙主义思想家狄德罗早在200多年前就对美的多样性作过精彩的阐发,颇多启示。狄德罗所说的"美在关系"有多种意义,但最根本的还是说,物之美,存在于主体和客体的关系之中,美,"这只是对可能存在的、其身心构造一如我们的生物而言,因为,对别的生物来说,它可能既不美也不丑"②。人类生活中的美丰富多样,他区分为二:一类是"真实的美",也就是"外在于我的美",这是不依我的意识为转移的美,这其实也就是卡西勒所说的"机体的美"。还有一类是"见到的美",也就是已映入我的眼帘中的已被认知到的美,这其实也就是卡西勒所说的"审美的美"。进而,狄德罗还把艺术中的美称作是"想象的美"或"虚构的美",以区别于"真实之美"和"见到的美"。狄德罗的这些美学见解就和郑板桥的审美经验很接近,"胸中之竹"是和"眼中之竹"以及"园中之竹"是不一样的,更不要说"手中之竹"和"画上之竹"了。

1989年春,后海湾海涛楼

---

①[德]马克思、恩格斯:《马克思恩格斯全集》第47卷,人民出版社,北京,1975年,第62页。
②[法]狄德罗:《狄德罗美学论文选》,张冠尧等译,人民文学出版社,北京,1984年,第25页。

艺术美略论

一

文学艺术需要美吗？

这个问题似乎不证自明，毋需多费口舌，就可予以肯定。早在20世纪40年代的延安文艺座谈会上，毛泽东在"结论"中已经说过：文艺家几乎没有不以为自己的作品是美的。这话道出了作家、诗人和其他艺术家的共同心声，文学艺术应该美。生活中本身就存在着美，但是，人民还是不满足于生活美，在生活美之外，要求还创造艺术美。艺术美和生活美，两者都是美，但艺术美却可以而且应该高于生活美。艺术美并非必定高于生活美，而只是"可以"而且"应该"。文学艺术反映社会生活，反映生活是为了改造生活，人类创造艺术美的目的正是为了使生活更美。

然而，美学史上并不是所有的人都赞同艺术需要美的看法。像俄国的列夫·托尔斯泰这样深得艺术奥妙的文学大师，在实践中已创造出了艺术珍品，却在理论上激烈否定艺术应追求美。也就使我们不得不对这个问题再作深思。

托尔斯泰否定"艺术目的在美"的种种说法，猛烈抨击德国古典美学家对艺术美的评价，特别是对黑格尔的观点表示异议。集德国古典美学之大成的黑格尔，高度重视艺术美，煌煌百余万言的美学巨著，就是围绕着艺术美为中心而展开。在黑格尔看来，艺术应该美，人类需要文学艺术，就是为了欣赏美和创造美。托尔斯泰却不以为然。依他之见，艺术与美无必然联系，而只同善有关。托尔斯泰浏览了自古至今的许多艺术论和美学著作，历来对艺术所下的定义，多不胜数，他都不满意，为什么？"这原因在于：艺术的概念是以'美'的概念为基础的"。①

那么，究竟谁的话有理？美学家黑格尔对，还是文学家托尔斯泰对？

这却要作具体分析，不能一概而论。

黑格尔对美的理解并不正确。"美就是理念的感性显现"②。黑格尔所说的"理念"，就是"客观精神"，正是它，构成世界的本原，世界万事万物，都是这种"理念"的外化。尽管这种"理念"被黑格尔看成是客观的，但这仍然是对世界的唯心主义解释。为了区别于主观唯心主义，我们把这称作客观唯心主义。把美看成是"理念"的感性显现，用"理念"来解释生活中的美，这很荒谬，因为在客观世界中并不存在着这种"理念"，并无这种世界本原。然而，黑格尔对艺术美的理解却很精辟，抓住了艺术美的重要特征，我们可以透过唯心主义的外壳看到那合理的内核。比如，依黑格尔之见，艺术美的要素可分为二：一种是内在的，即内容；一种是外在的，即形式。外在形式的价值就在指引向内容，显现出"意蕴"。艺术的价值就在借助物质外在形式，"显现出一种内在的生气、情感、灵魂、风骨和精神，这就是我们所说的艺术作品的意蕴"③。当然，黑格尔并不懂得，作为艺术内容的这种"意蕴"，就其本原而言，乃是生活的反映。然而他并不把艺术美只理解为形式美，而是看到了，只有通过外在形式显现出艺术家"心灵的最高旨趣"，才会有艺术美。黑格尔美学的重心，更多的是放在艺术内容的探索上，无疑，这种方法是正确的。

如果把艺术美理解为内容美和形式美的统一，那么，托尔斯泰对艺术美的蔑视就缺乏根据。不过，西方当时流行的美学观，是把艺术美仅仅归结为形式美，美即形式，不涉内容。托尔斯泰极为厌恶这种形式主义的见解，激烈反对把艺术只归结为形式。在托尔斯泰看来，

---

① [俄]列夫·托尔斯泰：《艺术论》，耿济之译，人民文学出版社，北京，1958年，第43页。
② [德]黑格尔：《美学》第1卷，朱光潜译，商务印书馆，北京，1979年，第142页。
③ 同上。

艺术只追求形式的美，就会堕落成为满足感官快感的低级工具；艺术应该成为崇高的事业，就必须在内容上表现高尚的感情。因此，托尔斯泰蔑视艺术美，其真实的涵义是在维护艺术内容的高尚而反对孤立追求形式的美。然而，当托尔斯泰把艺术内容归结为善的时候，无意中也就承认了艺术的美只是形式，把艺术美等同于形式美。至于托尔斯泰把艺术内容的善归结为宗教感情，则更是荒谬可笑。幸而，托尔斯泰在《艺术论》中具体分析艺术现象时，从他那丰富而真实的艺术感受出发，一再阐明：艺术的内容，应是传达艺术家自己体验到的"审美感"；只有"审美上的感情"，才是艺术的真正内容[①]。这是真理的火花，由此可以更深一层指明，艺术不仅要求形式美，而且要求内容美。可惜，托尔斯泰最后终究用宗教感情代替了审美感情，艺术内容最终被归结为表现宗教感，真正的内容美被消解了，于是，真理又变成荒谬。

文学艺术应该按照美的规律来创造，艺术的创造应是美的创造。诚然，文学艺术是否是人类审美活动的最高形态，尚可继续讨论，但是，艺术价值是审美价值的集中而凝炼的形式，这看法却赢得越来越多人的承认。因此，问题不在于艺术要不要美，而在于如何理解艺术之美。

二

那么，什么是艺术美呢？

如果要用一句话来概括，那么，可以说：艺术美是形式美和内容美的完美统一。

任何文学艺术作品都有形式和内容两个必不可少的因素。形式是外在的，内容是内在的。面对一件作品，我们首先接触到的是直接呈现给感官的外在物质形式，然后领会这种物质形式所指引出来的内在

[①] [俄]列夫·托尔斯泰：《艺术论》，耿济之译，人民文学出版社，北京，1958年，第112页。中译本作"美学上的感情"，其实译作"审美上的感情"更好。

意蕴。但作为艺术创造的结果，每件作品都是一定的形式和一定的内容的结合。有的作品，形式和内容结合得好，完美统一；有的作品，形式和内容结合得差，无法统一。

艺术形式的创造，需要一定的物质材料，比如绘画用线条色彩，音乐用旋律音调，舞蹈用形体动作，文学用语言文字。但是，物质材料本身还不是艺术形式，只有把物质材料按照美的规律予以改造，结合为整体，使它具有表现力，物质材料才能化为艺术形式。

艺术形式具有相对的独立性，每种艺术形式提供一种特殊的乐趣，不同的艺术形式产生不同的表现力。英国美学史家鲍山葵曾明确指出，任何艺人都对自己的媒介感到特殊的愉快，而且赏识自己媒介的特殊能力。这种愉快和能力感当然并不仅仅在他实际进行操作时才有的。他的受魅惑的想象就生存在他的媒介的能力里，他靠媒介来思索、来感受；媒介是他的审美想象的特殊身体，而他的审美想象则是媒介的唯一特殊灵魂。艺术形式是身体，艺术内容是灵魂，两者相对独立，而又结为一体。

文学艺术的价值在于用美的形式完美地体现美的内容。马克思说得好："如果形式不是有内容的形式，那么它就没有任何价值了。"[①]形式脱离了内容，孤立的形式美，不是文学艺术的整体，没有艺术价值。形式美完美地表现了内容美，才会有艺术美。

那么，什么是艺术的内容美呢？

这是个难题，因为艺术内容究竟是什么，至今尚众说纷纭，就更难以给内容美下什么定论了。然而，这正需要文艺学和美学来进行探索。

文学艺术不是社会生活的反映吗？那么，文学艺术的内容不就是社会生活？！不错，文学艺术确是社会生活的反映，社会生活是文学艺术的唯一源泉，这个根本原则不可动摇。从艺术和生活这一层次的关系上来说，生活是内容，艺术是形式。艺术，正如哲学、宗教、道德等意识形态一样，都是社会生活的反映。在这里，社会生活是内容，而

---

① [德]马克思、恩格斯：《马克思恩格斯全集》第1卷，人民出版社，北京，1955年，第179页。

不同的意识形态则是它的不同反映形式。社会生活是实践的,文学艺术是精神的,生活和艺术,是反映和被反映的关系,艺术不过是生活的反映的形式。在生活和艺术的关系这一层次中,尚有十分复杂而疑难的问题等待美学、文艺学去探索。比如,艺术与其他一切意识形态的反映对象都是社会生活,这只是说明了所有意识形态反映对象的共同性,却还未揭示出不同意识形态反映对象的特殊性。艺术究竟反映了社会生活中的哪个特殊方面?艺术反映的特殊对象究竟是什么?这些问题还没有得到科学的说明。与此相应的,文学艺术这种意识形态究竟用什么样的方式和方法去反映生活?艺术同其他意识形态相比,反映生活究竟有些什么特殊性?这些问题也还没有得到真正的解决。

但是,作为已经完成了的产品形态,文学艺术作品本身有它自己的内容和形式。这里谈的已经不是艺术和生活的关系,而是另一层次的问题。由作家、艺术家创造出来的文学艺术作品,是把反映生活的结果物化在物质手段中,或者说,把脑海中的构思外化为艺术符号。内在的构思体现于作品,成为文学艺术的内容,而外在的物质体现则是文学艺术的形式。

只是停留在脑海里而没有得到物质体现的构思,还不成其为艺术内容;只有体现在作品中的构思,才是艺术的内容。动态的艺术构思转化为静态的意蕴,体现在作品中,形成艺术内容的美。

艺术的内容美,就是意蕴之美,用鲁迅的话说,乃是意美。

依鲁迅的见解,文学艺术是用思理以美化天物,总称美术。不仅雕塑、绘画、建筑、音乐等是美术,而且文学、戏剧等也是美术。文学艺术的功能,就在"发扬真美,以娱人情"。鲁迅和蔡元培一样,提倡美育,关心美术,以期"发美术之真谛,起国人之美感"[①]。用思理以美化天物,创作出来的作品,具有意美、形美、音美。绘画、雕塑、建筑等是视觉可见的美术,有形美。音乐是听觉可闻的美术,有音美。有的美术只有形美,有的美术只有音美,有的美术则兼有形美、音美,而意美却为一切美术所共具。我国的汉字,本身就兼有形、音、意三美,

---

[①] 鲁迅:《鲁迅全集》第8卷,人民文学出版社,北京,1981年,第48页。

用汉字创作的文学，更集形、音、意三美于一身："意美以感心，一也；音美以感耳，二也；形美以感目，三也。"①形美、音美，属于文学的形式美，而意美，则是文学的内容美了。

高尔基把艺术的内容美，更是归结为心灵美的体现，内容美来自心灵美：

> 文学的任务、艺术的任务究竟是什么呢？就是把人身上最好的、优美的、诚实的，也就是高贵的东西用颜色、字句、声音、形式表现出来。②

文学艺术要用物质形式表现出人身上高尚的、优美的东西，这并不是说文学艺术只许描写优美的题材，而是说，文学艺术要表现美好的心灵。高尔基在给另一个作家的信中说得更明白：

> 艺术的任务是什么呢？在我看来，艺术的精神就是力求用词句、色彩、声音把您的心灵中所自豪的、优美的东西，都体现出来。③

文学艺术就是要用物质形式体现出作家、艺术家心灵中高尚的、美好的东西，也就是美好的心灵。文学艺术并不是只能描绘优美的东西，也可以描绘丑恶的东西。但是，正如高尔基所说："艺术描绘庸俗的东西和粗野的东西，为的是嘲笑这些东西，消灭这些东西。"④对美的东西的肯定，对丑的东西的否定，这本身都是美好心灵的表现，只有美好的心灵才肯定美，否定丑。

那么，所谓美好的心灵又是什么呢？

崇高的、美好的审美理想、趣味、观念，这应是美好心灵中一些最重要的东西。

当然，作家、艺术家的美好心灵，乃是作为主体的人（在这里就

---

① 鲁迅：《鲁迅全集》第9卷，人民文学出版社，北京，1981年，第344页。
② [苏]高尔基：《给皮雅特尼茨基》，引自《文学书简》上卷，曹葆华、渠建明译，人民文学出版社，北京，1962年，第82页。
③ [苏]高尔基：《给亚尔采娃》，引自《文学书简》上卷，曹葆华、渠建明译，人民文学出版社，北京，1962年，第133页。
④ 同上。

是作家、艺术家）同作为客体的周围环境（自然和社会）相互作用的结果，是实践活动的产物，决非天生就有。因此，作家、艺术家的美好心灵也是由社会生活决定的，是反映生活的结晶。不过，美好的心灵一旦在生活中形成，并成为作家、艺术家的一种品性而相对固定起来，它就反过来制约着艺术创造。毛泽东说得好："作为观念形态的文艺作品，都是一定的社会生活在人类头脑中的反映的产物。"[①]这个头脑具有的是美好的心灵还是丑恶的灵魂，必然影响到这种反映的性质，并参与到创作中去。因此，文学艺术的内容，既包含着客体的再现，又包含着主体的表现，更表现出主体和客体之间是一种什么关系。作家、艺术家这个主体，对他所反映的客体进行审美评价，作出诗意的裁判，这审美判断就反映了作家、艺术家对世界的审美关系。

艺术内容中再现因素和表现因素的相互关系，在不同作品中有着错综复杂的变化，这就使得艺术美的问题更加复杂。描绘美好的事物，并不意味着这艺术作品必定是美的；描绘丑恶的事物，这艺术作品也不必定是丑的。俄国革命民主主义美学家车尔尼雪夫斯基十分重视文学艺术中的再现因素，甚至把描绘大海的作品归结为只是把海洋再现出来，让没有见过海的人也能看到海。但是，他还是说出了这样的话："美好地描绘一副面孔和描绘一副美的面孔是两件全然不同的事。"[②]普列汉诺夫在《艺术与社会生活》里也说过类似的道理：完美地描绘一个白髯老人，并不就是描绘一个美的白髯老人。文学艺术作品不限于只描绘美好的东西，然而却必须完美地描绘作家、艺术家所感兴趣的东西。艺术内容的美与不美，不只决定于再现客体的完美，也决定于表现主体的心灵美。具体作品必须具体考察，从再现和表现的是否完美统一中来掌握艺术的内容之美。那么，文学艺术怎样才能美呢？

[①] 毛泽东：《在延安文艺座谈会上的讲话》，引自《毛泽东著作选读》，人民出版社，北京，1986年。
[②] [俄]车尔尼雪夫斯基：《生活与美学》，周扬译，人民文学出版社，北京，1962年，第5页。

三

文学艺术作品可以描写各种各样的生活现象。

生活是复杂的,这里既有真的、善的、美的东西,也有假的、丑的、恶的东西。文学艺术既可以描写美的现象,又可以描写丑的现象,但最值得描写的当然是真的、善的、美的东西。按照高尔基的看法,世上最美好的是艺术,而艺术里最美好的和最崇高的是构想美好事物的艺术。

然而,构想美好事物的文学艺术,要成为崇高的、美好的,却还有赖于美好的心灵。

恩格斯青年时代所写的《风景》是一篇优美的散文。在这篇优美散文里,不仅再现了优美的自然风光,而且表现了作者的美好心灵。

恩格斯在将满20岁那一年,1840年春夏之交,他离开了在那里从事商业活动的不来梅港,作了一次长途旅行,漫游德国、荷兰、英国。在这次漫游中,恩格斯接触了社会生活,考察了风土人情,领略了自然风光,内心充满了丰富而复杂的体验、感受。恩格斯情不自禁,抑制不住,很快将这些旅途的体验加以整理,写成了好几篇通讯和散文。《风景》就是其中的一篇[①]。

题名《风景》,顾名思义,写的当然是恩格斯在漫游中所见的景色风光。在这里,恩格斯描绘了莱茵河畔山谷的峦峦青山、金色阳光和蔚蓝天空;也描绘了北德的荒凉原野,荷兰的灰暗天空和岸上风车;还描绘了英国内地的各色美景:丘陵、田野、树林、牧场、村庄……就在这些景色的描绘之中,渗透着作者的美好的感情。恩格斯以富有诗意的笔调描绘着自然风光,这里的描绘都带上了感情色彩,写景和抒情水乳交融,把恩格斯自己的独特的体验完美地体现出来了。

特别动人心弦、令人神往的描绘,是在从莱茵河道经英国进入海面的那个场面。在这里,恩格斯把再现和表现这两个因素结合得天衣

[①] 这篇散文,发表在1840年6月的《德意志电讯》上。这里引用的中译文见《马克思恩格斯论艺术》第4卷,人民文学出版社,北京,1966年,第388页。后收入《马克思恩格斯全集》第41卷。

无缝,融为整体。

航船穿过运河,在舟楫、堤坝、风车、尖塔中间穿梭而过,熙熙攘攘,使人有狭小窒息之感。但是,当航船从运河经英国进入海面之时,恩格斯顿时感到心旷神怡,心花怒放,情不自禁地写道:

> 当我们最后从庸俗的堤坝,从窒息的加尔文教国土跳到自由精神的广阔空间来的时候,我们感到多么幸福啊!赫尔弗特鲁斯港消失了,瓦尔河的左右两岸都沉入欢呼声愈来愈高的波涛中去了,含砂的黄色的水变成了一片绿色——现在让我们忘掉留在后面的东西,快乐地冲向碧绿的澄清的水面吧!

在对河道、海面的客观描绘中,同时抒发着作者的主观感受,绿色的海水好像在对来客欢呼拥抱。为了充分地表达出作者自己的体验,恩格斯借用了一位诗人的诗句说道:

> 你还是把厄运的侮辱
> 最后给忘掉吧!
> 在你眼前的
> 是宽阔的自由大道!
> 看吧!天空下垂,
> 与大海合成一体;
> 你——被分成两半——
> 能在它们中间找到通路吗?

这时,天空和大海合成一体,海天一色。人,处在海、天的中间,被分成了两半,一半同上天合在一起,一半同下界合在一起,进入了物我统一的境界。海天一色,物我统一,这是诗人奇妙的想象,也是恩格斯面对的现实。恩格斯眼前呈现的也正是这番情景:

> 你抓住船头桅杆的缆索,望一望那被龙骨冲开的波浪,它们溅起白色的泡沫,远远地飞过你的头上。你再望一望远方的碧绿的海面,波涛汹涌翻腾,永不停息。阳光从无数闪烁镜子中反射到你

的眼里，碧绿的海水同蔚蓝的镜子般的天空和金色的太阳熔化成美妙的色彩……整个自然使我们感到如此亲近，波浪向我们如此亲热地眨眼，天空是如此可爱地舒展在大地上，太阳闪烁着非笔墨所能形容的光辉，仿佛用双手就可以把它抓住。

正是在这种海天一色、物我统一的境界中，恩格斯内心产生了这样一种体验：

于是你的一切忧思，一切关于人世间的敌人及其阴谋诡计的回忆，就会烟消云散，你就会溶化在自由的无限的精神的骄傲意识中。

这是一种特殊的体验，是同自由感相联系的体验。按恩格斯自己的说法，"我只知道一种可以和这种体验相比的感觉"，那就是他在早年接触黑格尔关于理念的哲学思想时，"我感到了同样幸福的战栗，好像在我周围吹起了从清澄的太空飘来的新鲜的海洋空气，哲学思辨的深渊横列在我的眼前，好像是无底的大海，视线怎么也不能摆开"。当恩格斯面对大海，又一次体验到了这种自由之感，抑制不住内心的愉悦，以至挥舞着帽子大声欢呼：向自由的英国致敬！

在这里，恩格斯不仅是在为英国的自由而欢欣鼓舞，而且是在为德国争取自由而大声疾呼。正是恩格斯的心灵深处蕴藏着追求人类自由的崇高理想，才使他在此时此地体验到了一种特殊的自由幸福的愉悦之感。为了区别于别种感受，美学上把这种类型的体验叫做审美体验。

体验，总是对于某些对象的体验，没有无对象的体验。恩格斯所面对的莱茵山谷、北德草原、荷兰岛国和英伦海峡，都是他的审美对象，这些审美对象都有各自的独特的审美性质，例如北德草原富有神秘的诗的魔力，莱茵山谷则到处是奇特的景色。恩格斯在这篇优美散文中再现了这些地方的特有的审美性质。但就在他对审美对象的完美描绘中，表现了作者自己的审美个性，更反映了恩格斯此时此地和周围环境的审美关系，天、地、人的和谐一致。恩格斯的美好的理想、趣味渗透到审美过程中。因此,审美的体验既包含着对象的再现,又渗透着作者的理想及其个性。

审美体验既是个人的,又是社会的。恩格斯生长在封建专制统治着的德国,但繁华小城中的较为自由的家庭生活培养出了向往自由的个性。富有青春活力、生气蓬勃的社会实践,使恩格斯对于自由的憧憬具有深刻的社会内容,对于压抑环境的愤懑提高了对封建专制的反抗。恩格斯在青年时代所写的诗篇中已经表现出他追求自由的理想:"感伤的歌声在低沉下去,动人心腑的出猎号角在等待着猎人,它将吹出猎取暴君的信号。"青年恩格斯的审美理想是同争取人类社会的自由密切联系着的。无疑,青年恩格斯在此时还未成为无产阶级斗士,他的审美理想还没有达到共产主义水平。但是,青年恩格斯的审美理想包含着对封建专横的反抗和对人民自由解放的向往,这就不只是个人的要求,而且也是那个时代人民的共同愿望。因此,恩格斯向往自由的这种审美理想,反映了时代要求,表达了人民呼声。

初看起来,《风景》之美,似乎在于散文再现了自然风光之美。仔细一想,散文之美,不只是再现了自然的美,而且是在美的描绘中表现了创作个性中理想的美。再现和表现的完美结合,构成了《风景》这篇散文的内容之美。

可见,描写美好事物的作品必须要有美好的心灵,才成为美好的艺术。

四

文学艺术是否美,不只表现在它写了什么,而且也表现在怎样写。

描写美好的事物,可以是美的艺术,也可以是丑的艺术;描写丑恶的事物,可以是丑的艺术,却也可以是美的艺术。

这是为什么?

这要依作家、艺术家对所写的对象作出什么样的审美评价,以什么方式去描绘。怎样写,这同作家、艺术家心灵的美、丑紧密联系着。德国启蒙时代美学家鲍姆加登说得好:"丑的事物,单就它本身来说，可以用美的方式去想；较美的事物也可以用一种丑的方式去想。"①用丑的方式去描绘美的事物，这是丑的艺术；用美的方式去描绘丑的事物，这仍然是美的艺术。这，康德说得更明确："美的艺术正在那里面标示它的优越性，它美丽地描写着自然的事物，不论它们是美还是丑。"②

美的艺术既可以描写美，也可以描写丑。法国著名浪漫主义作家雨果就力主在作品中再现生活中的美丑对照，既描写美，也描写丑。在社会生活中，"丑就在美的旁边，畸形靠近着优美，丑怪藏在崇高的背后，美与恶并存，光明与黑暗相共"③。戏剧再现生活，也就应该"把滑稽丑怪结合崇高优美而又不使它们相混"④。在雨果看来，美丑对照是生活和戏剧的普遍法则，"生活难道不是一出奇异的戏剧，里面混杂着善与恶、美与丑、高尚与卑劣？这一法则的作用难道不是遍及一切事物？"⑤英国戏剧家莎士比亚、英国作家弥尔顿、意大利诗人但丁，他们的创作，就遵循了美丑对照的原则，所以为雨果所称颂。比如，莎士比亚的戏剧，"融合了滑稽丑怪和崇高优美、可怕与可笑、悲剧和喜剧"⑥。弥尔顿写《失乐园》，但丁写《神曲》，"他们和他竞相把我们的诗渲染上戏剧的色彩；他们像他一样，把滑稽丑怪和崇高优美互相混合"⑦。

雨果在自己的创作中就有意识地运用了美丑对照的原则。美丑对照，这不仅是同一作品中不同人物之间的对比，而且是同一人物本身的对比。雨果的长剧《克伦威尔》，写出了许多人物之间的对比，也写出了同一人物身上的美丑对比。这出戏的主人公克伦威尔，就是具

---

① [德]鲍姆加登：《美学》，引自北京大学哲学系美学教研室编著：《西方美学家论美和美感》，商务印书馆，北京，1980年，第144页。
② [德]康德：《判断力批判》上卷，宗白华译，商务印书馆，北京，1993年，第158页。
③ [法]雨果：《〈克伦威尔〉序》，引自《雨果论文学》，柳鸣九译，上海译文出版社，上海，1980年，第30页。
④ 同上。
⑤ [法]雨果：《论司各脱》，引自《雨果论文学》，柳鸣九译，上海译文出版社，上海，1980年，第4页。
⑥ 同③，第40页。
⑦ 同③，第44页。

有既滑稽丑怪又崇高优美的复杂性格。这位英国17世纪声名煊赫的历史人物,在雨果以前的历史学家和作家的笔下,只是一个凶恶、阴险的野心家形象,但在雨果的笔下,克伦威尔则是"一个复杂的、混合的、多样化的个性,充满着矛盾,混杂着善与恶,兼有天才和渺小;是一个悲喜剧的人物,整个欧洲的暴君,自己家庭的玩偶;这个老弑君者凌辱各国君主的使臣,却被自己信仰王权的小女儿折磨;他习性谨严而沉郁,但常在身边豢养四个弄臣"。①他既是一个粗鲁的军人,又是一个精明的政治家;他疑心病极重,总是令人恐惧不安,但残酷的时候却很少;他对亲近的人粗暴傲慢,对他所害怕的党徒则怀柔讨好;他既虚伪,又狂热。这是个结合着崇高和滑稽、优美和丑怪的悲喜剧式人物。

美丑对照,确实是创造美的艺术的重要原则。但是,美丑对照的目的最终还是为了肯定美,描写丑只是成为创造艺术美的一个手段。正如雨果所说:"滑稽丑怪却似乎是一段稍息的时间,一种比较的对象,一个出发点,从这里我们带着一种更新鲜更敏锐的感受朝着美而上升。"②描绘美,是为了肯定美;描绘丑,则是为了否定丑。美丑对照的描绘,必须蕴藏着作家、艺术家的审美评价和审美态度,才能创造出美的艺术。高尔基极为赞赏民间雕刻艺人的这样的见解:"那些给人好感的东西,我做得更好;我不喜欢的,我也不怕把它们的丑陋雕得更加丑陋。"③高尔基从自己的艺术实践经验出发,作出了类似的结论:

> 人们爱听悦耳而有旋律的声音,爱看鲜明的色彩,爱把自己的环境改变得比原来的更好、更美。艺术的目的是夸张美好的东西,使它更加美好;夸大坏的——仇视人和丑化人的东西,使它引起厌恶,激发人的决心,来消灭那庸俗贪婪的小市民习气所造成的生

---

① [法]雨果:《〈克伦威尔〉序》,引自《雨果论文学》,柳鸣九译,上海译文出版社,上海,1980年,第47页。
② 同上,第35页。
③ [苏]高尔基:《论文学》,人民文学出版社,北京,1978年,第114页。

活中可耻的卑鄙龌龊。①

这是伟大作家的真知灼见,抓住了美的艺术的根本规律。把美的东西写得更美,把丑的东西写得更丑,引向一个目标,那就是肯定美、否定丑。夸大丑的东西是为了引起人的厌恶,激发人去消灭它。

然而,怎样才能做到呢?这就需要在作家、艺术家再现生活中的美丑时,对审美对象有正确的审美评价和审美态度:以美为美,以丑为丑,美其所美,丑其所丑。

雨果的《巴黎圣母院》,人物之间和人物本身的美丑对照都很鲜明突出。吉卜赛女郎爱斯米哈达,外表美貌,内心善良,是个典型的美人。可是,这个心灵和外表都美好的女郎却爱上了一个外表漂亮而内心庸俗的卫队长,这个庸人对吉卜赛少女只是逢场作戏、寻个开心。圣母院副主教克罗德,外表道貌岸然,内心却阴险卑劣,暗中想占有吉卜赛少女。阴谋未逞,就诬告少女,把她送上绞刑架,"自己得不到她,也不让别人得到她"。在这个人物性格中,集中体现了宗教的伪善。圣母院的敲钟人加西莫多,既聋且哑,外表奇丑,内心却十分善良。他内心深处热爱着吉卜赛少女,自知太丑,只把爱情埋在心底,暗中随时卫护着她,不让邪恶侵犯,甚至还好心地去成全女郎对卫队长的单相思。最后,这个敲钟人识破了副主教的罪恶阴谋,仇恨满腔,把那宗教伪善者扔下钟楼摔死,自己则在深夜走向地下墓道,找到吉卜赛少女尸体,静静地并头躺下,安详地死去了。在这里,人物之间和人物本身的美丑对照都引向一个目标:否定丑、肯定美。在美丑对照的背后,隐藏着作者一颗跳跃着的心,雨果的崇高理想:铲除人间丑恶,创造美好世界。

现实世界是美丑混杂、善恶相间的,文学艺术反映生活,乃是要"给人指出人类的目标"②。因此,对于作家、艺术家来说,"问题是

---

① [苏]高尔基:《论艺术》,人民文学出版社,北京,1978年,第414页。
② [法]雨果:《莎士比亚论》,引自《雨果论文学》,柳鸣九译,上海译文出版社,上海,1980年,第175页。

要在人类的灵魂中再燃起理想"①。人类必须进步,进步需要理想。按雨果的见解,"理想就是进步在不断前进中所追求的坚定不移的范本"②。艺术需要理想。"进步是科学的推动者;理想是艺术的动力"③。在美的艺术中,不管它描写美还是描写丑,都有美的理想在照耀着。

五

美的艺术可以描绘美,也可以描绘美丑对立,是不是也可以只描绘丑呢?

这是一个麻烦的问题,需要作些更具体的分析。

文学艺术对生活的反映是审美的反映。如果对丑恶的描绘只是停留在生理水平而不能提高到审美水平上,文学艺术就不可能有美。生活中确实有些现象不易引起人的审美反映,文学艺术大可不必去描绘它。如果去描绘它,极易引起人的生理反应,抑制审美反映,从而破坏了艺术。这正如鲁迅所说:"譬如画家,他画蛇、画鳄鱼、画龟、画果子壳、画字纸篓、画垃圾堆,但没有谁画毛毛虫、画癞头疮、画鼻涕、画大便,就是一样的道理。"④

但是如果用美的方式去构想丑恶事物,也未尝不能创造美的艺术。康德是这样说的:"狂暴、疾病、战祸等等作为灾害都能很美地被描写出来,甚至于在绘画里被表现出来。"⑤

鲁迅笔下出现了形形色色的人间丑态、丑恶嘴脸,却赢得了毛泽东这样的评价:鲁迅,"用他那一枝又泼辣、又幽默、又有力的笔,画出了黑暗势力的鬼脸,他简直是一个高等的画家"(《鲁迅逝世一周年

---

① [法]雨果:《莎士比亚论》,引自《雨果论文学》,柳鸣九译,上海译文出版社,上海,1980年,第181页。
② 同上,第129页。
③ 同上,第182页。
④ 鲁迅:《半夏小集》,引自《鲁迅全集》第6卷,人民文学出版社,北京,1957年,第483页。
⑤ [德]康德:《判断力批判》上册,宗白华译,商务印书馆,北京,1993年,第158页。

大会上的演说》》)。

　　法国19世纪杰出的现实主义作家巴尔扎克,他的"百科全书"式的"人间喜剧",广泛地揭露了资本主义的丑恶的社会关系,然而我们却决不能把巴尔扎克的作品贬之为丑的艺术。巴尔扎克的《贝姨》《高老头》《邦斯舅舅》等集中笔力描绘了丑恶,却都是优美的艺术。当巴尔扎克早期所写的小说《苏城舞会》《复仇记》等问世以后,被有些人指责为有伤风化。巴尔扎克的朋友、记者和作家达文在《巴尔扎克〈十九世纪风俗研究〉序言》中为他抱不平:"当谈起巴尔扎克这些早期的作品的时候,人们怎么能用不道德来责备他呢?不错,一些邪恶的人像出现在他笔下,但是难道邪恶不是在19世纪最盛行吗?……假如作者着手描绘邪恶,为了使我们能接受而描写得富有诗意,并且把它置于全部画面的整个色调里,人们难道就应该得出不公平的结论,像今日许多文章里异口同声所说的那样吗?把部分从整体中抽出来,并据此发出些诚实人说不出口的责难,这难道忠厚吗?"达文的辩解是言之成理的,巴尔扎克亲自修改过这篇序言,体现了巴尔扎克的观点。确实,小说尽管描写了邪恶,但整个色调富于诗意,充溢着作者的美好感情,这就不能妄加否定。恩格斯称赞巴尔扎克,对那个时代,作出了"诗意的裁判"。

　　根本问题在于作家、艺术家有无美好的心灵,对所描写的对象作什么样的审美评价和持什么样的审美态度。

　　俄国19世纪著名作家果戈理的两部代表作——戏剧《钦差大臣》、小说《死魂灵》,写的都是旧俄社会的黑暗生活。《钦差大臣》描绘的是官场丑事,果戈理在《作者自白》里这样说道:"我决定在《钦差大臣》中,将我其时所知道的……俄罗斯的一切丑恶,集成一堆……来集中地嘲笑它一次。"在舞台上出现的主要人物,无论是被看成钦差大臣的骗子,还是被骗的全城官僚和市长一家,都是些卑鄙龌龊的人物,丑态百出。《钦差大臣》在京都彼得堡首次上演时,沙皇本人和王公贵族都在观看,以为是一出轻松愉快、滑稽可笑的闹剧。但是,随着剧情的进展,显贵们笑不出声来了。全剧演完,沙皇脸色阴沉,不高兴地说:"这算什么戏!人人都不痛快,我尤其如此。"王公贵族议论纷纷，有人指责这戏嘲笑长官，就是嘲笑俄国；有人辱骂果戈理是俄国的敌人，应该逐出京城，流放西伯利亚。果戈理对此感到震惊和痛心，心中忿忿不平。面对官场、文坛的围攻，果戈理为自己作了辩护。数年之后，针对围攻者的言论，果戈理写了一篇答辩文章《在新喜剧上演后剧院散场时刻》。有人指责全剧中没有一个正派人物，全是缺德的卑鄙人物，果戈理在文章里写道，"我深为遗憾，谁也没有在我剧作中发现一位正派人物。是的，有一位正派的、高尚的人物，他贯串于全剧。这正派的、高尚的人物就是笑。"

确实，《钦差大臣》里虽然没有高尚的人物直接出现在舞台上，但却有一个高尚的人物隐约贯串于全剧，这就是作者自己对于人间丑态的嘲笑。在对丑的嘲笑的背后，隐藏着作者的理想，这正如谢德林所说："谁也不想在《钦差大臣》中寻找理想人物，但是谁也不会否认在这个喜剧中存在着理想。"①作者从崇高的理想出发，以自己的美好心灵正确评价生活中的丑恶，对丑恶作了否定。在对丑的直接否定中，间接肯定了美，在对卑鄙的直接否定中，间接肯定了崇高。果戈理说得好："难道喜剧和悲剧不能表现那种高尚的思想？难道对卑鄙和可耻者的灵魂入木三分的刻画，不就在描绘正直人的形象？"果戈理的意思，当然绝不是说要把卑鄙可耻者写成正直崇高的人，以丑为美，以恶当善，不，他是说要从崇高的思想上来鞭挞丑恶，从而间接地表现崇高、正直的形象。所以，问题不在于是否描绘丑恶，而在于是否从崇高的理想、美好的心灵出发，对丑恶作出深刻的揭露和批判。果戈理最后作出了这样的结论："在天才的手中，一切都可以成为追求美的工具，如果听命于为美服务的崇高思想的话。"除了对天才尚需作出更为明确的解释之外，果戈理的话确实道出了创造美的艺术的一个最重要的规律。

果戈理的最优秀作品，正像俄国思想家赫尔岑所说，"集中注意他们的两个最可诅咒的敌人：官僚和地主。在他之前，从来没有一个人把俄国官僚的病理过程解剖得这样完整。他一面嘲笑，一面穿进这

---

① [俄]谢德林：《果戈理与戏剧》，苏联国家艺术出版社，莫斯科，1952年，第475页。

种卑鄙、可恶的灵魂的最隐秘的角落。"①如果说,《钦差大臣》是集中笔力揭露官僚,那么,《死魂灵》则是集中笔力嘲笑地主。

小说《死魂灵》更加广泛和深刻地揭露了俄国的黑暗。唯利是图、到处钻营的乞乞可夫为了发财致富,竟异想天开,玩弄花招,在一个城市里结交了社会名流,走遍四乡,向地主们去收购"死魂灵"。什么是"死魂灵"？就是已经去世但还没有销掉户籍的农奴的名字,躯体已经死亡了的魂灵。收购魂灵可不是为了让灵魂升天,而是为了把已死的农奴作为牟利的手段,从死人身上再捞一把好处,用这些人的名字转到城里去出差,抵押给别人,牟取暴利。这是一桩罪恶的买卖,伤天害理的勾当。就在收卖死魂灵的过程中,乞乞可夫四出奔走,广泛结交了地主,于是,那些地主的丑恶灵魂就一一显露在我们面前。赫尔岑说得好:"果戈理终于迫使他们走出别墅,走出地主的家院,于是他们就不戴假面具、毫无掩饰地走过我们面前。他们是醉鬼和饕餮鬼,他们是权力的诌媚的奴隶,是毫无怜恤地虐待奴隶的暴君,他们吃喝人民的生命和鲜血,已经这样自然、平静,好像婴儿吮吸母亲的乳汁。"②果戈理笔下出现了一批各有个性的地主典型,庸俗、腐朽、无耻、残暴。

在《死魂灵》第一部的原稿中,曾经放进一个关于大尉戈贝金的故事,表现了果戈理对于人民的直接歌颂。但是,沙俄的审查官强令删除,于是,《死魂灵》也像《钦差大臣》一样,描写的只是旧俄社会的黑暗。但是,这本描写丑恶现实的小说,却震动了整个俄国。赫尔岑说道:"这是一本令人震惊的书,这是对当代俄国一种痛苦的,但却不是绝望的责备。只要他的眼光能透过污秽发臭的瘴气,他就能够看到民族的果敢而充沛的力量。"③果戈理对旧俄的污秽和丑恶作出了否定的评价,而这种否定正是为了希望俄罗斯变得美好。当时有人责怪果戈理,说他对社会黑暗持有偏爱。别林斯基起而为果戈理辩护,公正地评价《死魂灵》是一部伟大的作品:"《死魂灵》这部作品之

---

①[俄]赫尔岑:《赫尔岑论文学》,辛未艾译,上海文艺出版社,上海,1962年,第72页。
②同上。
③同上,第52页。

所以伟大,正因为在它里面揭露并解剖生活,到了琐屑之处,并且赋予这些琐屑之处以一般的意义。"①果戈理在这部小说里对地主生活的描写,已经到了琐屑之处,但是,通过这些琐屑之处接触到了俄国社会的某些本质方面,因而具有典型意义。别林斯基在另一处这样写道:我们不得不惊佩他用诗的形象使手触的一切苏甦起来的本领,他那渗透细微的普通目力所无法进入的关系和契机的深处的鹰隼一样的眼力,"只有盲目的浅薄之徒才看到那是琐屑和无聊,却不知道就在这些琐屑和无聊方面,呜呼!——转动着整个生活的幅度"。

文学艺术的发展史上常出现这样的情况,当文学艺术不把那个时代的丑恶揭露出来,那么也就不能引导人们走向美的追求,这时揭露那个时代的丑恶就成为当务之急。果戈理就生活在这样一个时代,正如他自己所说:"如果你表现不出一代人的所有卑鄙龌龊的全部深度,那时你就不能把社会以及整个一代人引向美。"《死魂灵》第一部深刻地揭露了那个时代的丑恶,却引导人们在否定丑中肯定了美,激起人们对丑恶生活的愤慨,对美好生活的追求和向往。后来,果戈理想在《死魂灵》第二部里描写地主怎样从丑恶转变为崇高,杜撰出一个美好的地主形象,结果却导致艺术的失败。他自己看了也不满意,只好把它付之一炬,烧毁了事。

可见,在文学艺术的创造中,描绘丑恶,正如构思美好的事物一样,只是一种手段,不是目的。它可以成为追求美的工具,为美服务;也可以成为追求丑的工具,为丑服务。丑恶,在文学艺术作品中只是材料,当果戈理在描绘地主和官僚的丑恶时,或者当莎士比亚在描写埃古、理查三世时,正如法国著名雕塑家罗丹所说,"被这样清晰、透澈的头脑所表现出来的精神上的丑,却变成极好的美的题材。"②选择丑恶作为题材,被作者改造并编织到艺术整体中去,创造出来的作品却是美好的,这就需要作者具有一个有崇高理想、美好心灵的头脑。

---

①[俄]别林斯基:《别林斯基选集》第1卷,时代出版社,成都,1953年,第474页。
②[法]罗丹·葛赛尔:《罗丹艺术论》,沈琪译,人民美术出版社,北京,1978年,第25页。

作家、艺术家的审美意识是会发生变化的,这种变化也必然表现在作品之中。

　　法国19世纪著名小说家莫泊桑才气洋溢,善于在引起自己兴趣的生活中见到别人见不到的特征,对生活有自己独特的体验,并且能把独特体验转化为美的形式,优美地表达出他所想出的一切。然而,莫泊桑的作品,有的很好,有的却很糟,因为,他对所写的对象的审美评价和审美态度很不一样。他的短篇小说《项链》《羊脂球》等都很精彩。莫泊桑一共写了6部长篇小说,笔力也是集中描绘资本主义的丑恶,艺术价值却相去甚远。列夫·托尔斯泰曾为《莫泊桑文集》俄文本写过一个序言[①],公正地评价了这6部长篇小说,颇能引起我们的深思。莫泊桑最早两部长篇小说《她的一生》和《俊友》,对于所描写的人生丑态,基本上作出了正确的审美评价,对丑恶表现了厌恶的审美反感态度。比如《俊友》写了一个卑鄙无耻的投机者如何飞黄腾达、青云直上的经历,主人公靠招摇撞骗、逢迎拍马,勾引上流社会贵妇人当人梯,成为报界巨头,爬进政界。虽然小说的一些章节,已不时表现出作者对描写污秽细节的津津乐道,因而冲淡了批判精神,但就小说的整体形象体系而言,作者还是对丑恶采取否定态度。《俊友》以后,从《温泉》到最后一部小说《我们的心》,莫泊桑却对描绘丑恶失去了正确的审美评价和审美态度。正如列夫·托尔斯泰所说:"在这以后的作品里,这种对生活的道德的态度开始混乱起来,对生活现象的评价开始动摇了、模糊了,而在晚期的小说里已经完完全全是陷入迷途了。"后期的莫泊桑,美丑、善恶的观念发生了变化,审美态度摇摆不定,失去了美好的审美理想,于是,艺术堕落为对于丑的欣赏。

　　同是再现生活中丑恶现象的文学艺术作品,由于作者审美评价、审美态度的不同,表现出了作者心灵的美丑有别,艺术价值就迥然有异。鲁迅在研究了中国小说史上许多复杂现象后,曾在《中国小说史略》等书中把历史上描写黑暗的小说分为三类:一是讽刺小说,二是

[①] 译文参见北京大学文学研究所编:《文学研究集刊》第4册,人民文学出版社,北京,1955年。

谴责小说,三是黑幕小说。讽刺小说以清代吴敬梓的《儒林外史》为代表,鲁迅赞它"秉持公心,指摘时弊",是以"公心讽世",也就是站在社会公正的立场暴露黑暗。谴责小说以清末李伯元的《官场现形记》和吴趼人的《二十年目睹之怪现状》为代表,鲁迅说它"虽命意在于匡世",但缺乏作者自己的真知灼见、真情实感,置身事外而故作慷慨,"以合时人嗜好"。至于黑幕小说如《绘图中国黑幕大观》,则已沦为"丑诋私敌,等于谤书",展示丑闻秽事,津津乐道,眉飞色舞。

文学艺术需要美,但艺术美不仅仅只是形式的美,而是形式美和内容美的统一。艺术美也不仅仅只是所选取的题材,而是题材和主题的完美统一,文学艺术应该完美地描绘生活,从崇高而美好的审美理想上来反映生活,作出诗意的裁判,用美的符号形式表现出来,从而创造出艺术的美。我们的文学艺术负有塑造人格灵魂的历史使命,对人民进行社会主义审美教育。但教育者必须先受教育,作家、艺术家要成为人类灵魂的工程师,就必须和人民打成一片,参与伟大的革命实践活动,和人民同呼吸共命运,从而才能表现我们这个时代的伟大精神。这是我们在分析历史上的文学艺术现象后必然要作出的结论。

为中央人民广播电台"美学讲座"而作
1983年春,北大中关园

论艺术创造

文学艺术，应该是美的创造，需按美的规律进行。但我们常见到的，却往往不是。平庸随处可见，丑陋也屡见不鲜。"应然"和"本然"，在实践中时常对立。不按照美的规律进行的所谓"创作"，比比皆是，艺术垃圾日益增多，这本不足奇。那么，当文学艺术正在日益走向商品化的时代，还要来奢谈美的规律，岂非多此一举，不合时宜？不，正是在交换价值规律的作用范围日显广泛之时，文学艺术就更不应迷失自己的创造本性，更不能违背美的规律。只有按照美的规律的创造，才会出现艺术精品。

一

文学艺术，作为一种社会现象，本身就是由多维度、多因素、多方面构成的复杂存在。

对文学艺术的认识，可以从不同角度、用不同的方法来进行。在不同的历史条件下，突出的重心也并不一样。

我们很早就认识到，文学艺术是思想教育的工具。我们常说，文学艺术是思想性和艺术性结合的产物，但思想性处在首位，乃第一位，而艺术性只是手段，为的是更好地突出思想性。"言之不文，行而不远。"这种认识，反映了文学艺术的实际：在历史发展长河中，各种意识形态曾综合在一起，审美文学和道德文章并不区分；审美和实用也不分离，实用艺术和美的艺术结合在一起。因此，在这样的文学艺术中，功利价值（政治、道德）和审美价值密不可分，实用价值和审美价值结为一体。这种功能价值（功利或实用）和审美价值结合一起的文学艺术，今后也不会消失。对这些文学艺术说来，思想性第一，艺术性第二,或者,实用性第一,艺术性第二,应该是普遍规律。"依存美"的存在是普遍现象,美依存在各种各样的实践活动和结果之中。

但是,当文学艺术从其他意识形态中分离出来,成为一种独立的、特殊的意识形态的时候,我们对文学艺术的认识就不能那样简单和单纯了。

作为一种独立的、特殊的意识形态(审美意识形态),文学艺术中的艺术性,是否仅仅只是技巧、手法的总和?是否也和内容有关?文学艺术的内容是否只归结为思想性?人们从那些再现性艺术作品中发现,我们常说的思想,是要转化为形象的,思想就寄寓在生动的人物、情节、场面等形象之中。这些形象是否真实再现了生活本身,是文学艺术能否成功的关键。于是,真实性又曾被看成了文学艺术创造的中心。

但是,文学艺术是否就是生活的再现?特别是那些主要表现人的心灵的文学艺术,都能归结为生活的再现吗?何况,那些再现,都要经过作家、艺术家的心灵。人的内心生活,思想、感情、想象、意愿、理想等等,都能在文学艺术中得到表现。因此,文学艺术的创造,又被看成自我表现,是作家、艺术家的主体性的张扬。

那么,文学艺术是否只是主体的自我表现?从反映论的角度说,人的精神活动都是存在的反映。文学艺术这一意识形态,是否也是对社会存在的一种创造性的反映?这也恐难否定。恩格斯说得好:"推动人去从事活动的一切,都要通过人的头脑,甚至吃喝也是由于通过头脑感觉到饥渴引起的,并且是由于同样通过感觉到饱足而停止。外部世界对人的影响表现在人的头脑中,反映在人的头脑中,成为感觉、思想、动机、意志,总之,成为'理想的意图',并且通过这种形态变成'理想的力量'。"[①]人类的反映活动,是主客体相互作用的产物。只有当主体和客体处在相互作用的对象性关系中,才有反映的发生。正如皮亚杰所说:"认识既不是起因于一个有自我意识的主体,也不是起

[①] [德]马克思、恩格斯:《马克思恩格斯全集》第4卷,人民出版社,北京,1979年,第228页。

因于业已形成的（从主体的角度来看）、会把自己烙印在主体之上的客体；认识起因于主客体之间的相互作用，这些作用发生在主体和客体之间的中途，因而既包括主体又包含客体。"①文学艺术既是再现又是表现，既反映了客体，又反映了主体，也反映了主体和客体的关系，不过重心不同而已。再现着重反映的是主客体关系中的客体，而表现则着重反映了主客观关系中的主体。文学艺术中的再现和表现紧密结合在一起，浑然一体，反映了主体和客体的相互关系。

其实，人类的精神活动包含有两类重要的活动：一是认知活动，一是意向活动。文学艺术对社会存在的反映，就是认知活动和意向活动的相互渗透、作用的动态过程。在这过程中客体不断被内化，主体不断向外化，因而，反映出了人的生活的活生生的状态和过程。如果我们不是把反映过程仅仅归结为认知过程，而是也包含了意向过程（情感、意志、理想等参与其中），那么，我们又回到了一个古老而朴素的真理：文学艺术是生活的反映。但我们依据的是实践论基础上的能动反映论。这里的"反映"，已是由审美理想、审美观念参与其中的审美反映。而那"生活"，也有了更具体的阐释。正如马克思所说："意识在任何时候，都只能是被意识到了的存在，而人们的存在就是他的实际生活过程。"②这实际生活过程，按照中国最朴素的说法其实就是：人生。人生，就是人的生命活动过程及其结果，有着丰富的内涵：它"包括了一个广阔范围的多样性活动和对世界的实际关系"③。

在人生的各种各样活动中，在人对世界的实际关系中，实践活动及实践关系，是一切活动和关系的基础。在此基础上，人类又产生和发展了一种特殊的活动——审美活动；形成和发展了与世界的一种独

---

① [瑞士]皮亚杰：《发生认识论原理》，王宪钿译，商务印书馆，北京，1981年，第21页。
② [德]马克思、恩格斯：《马克思恩格斯选集》第1卷，人民出版社，北京，1972年，第30页。
③ [德]马克思、恩格斯：《马克思恩格斯全集》第3卷，人民出版社，北京，1979年，第296页。

特关系——审美关系。人类之所以会产生审美活动，正是为了生活得更美好，和周围环境建立起动态平衡的和谐关系。

人生的活动是多种多样的，生产活动、交往活动、政治活动、道德活动、文化活动，可以概括为两大类型：人与人的相互活动以及人与物的相互作用，或者说，主体间的活动和主客体的相互活动。人类的审美活动，产生于各种实践活动的基础上，当然和这些实践活动紧密相连。人和世界的实践关系也是多种多样的，人和人、人与物的相互关系，都可能发展为审美关系。因此，人类的审美活动、审美关系并不只是限于狭隘的范围，而和广阔的实践活动、实践关系相联结。

然而，文学艺术不只是一种审美反映，而且还是一种审美创造。文学艺术的创造并不仅是一般审美活动，而且还是一种包含了审美反映的实践活动。

以往，我们只注意到了，文学艺术对生活的审美反映乃是在实践基础上产生的，而不大在意文学艺术的创造本身就是一种实践活动。文学艺术的创造，不只是人的内部心灵活动，而且还是外部物质活动，是内部和外部两种活动的交互作用的结果。

不过，这是一种特殊形态的实践活动，马克思把它称作艺术生产。这是一种联结着物质生产和精神生产的特殊生产，自成系列。实用艺术、建筑艺术等紧连着物质生产；语言艺术被称作自由艺术，则紧连着哲学、道德、科学等精神生产。综合了语言和其他表演的戏剧、电影等的艺术，更是融合了物质生产和精神生产的许多因素，处在艺术生产系列的中心地带。

文学艺术的创造，不是复制现实世界，而是以艺术符号建构一个与现实世界不同的艺术世界。这是人的内部心灵活动和人的外部物质活动共同创造出来的有机整体，不能仅仅归结为其中的一个或几个因素。当代文艺学、美学对这一有机体的各个侧面曾做过分析、解剖，或把文学艺术说成是一种幻象、一种感情、一种想象、一种直觉，或把文学艺术说成是一种言说、一种符号、一种编码、一种程式，或把文学艺术说成是一种模拟、一种器物、一种虚构、一种假定，都只是抓住了这个有机整体的某些方面、因素，而不是整体的把握。其实，文学艺术这一有机体包含了这些方面、因素,但不能仅归结于此。整体大于局部之和。文学艺术创造的本性应该而且能够按照美的规律来进行。这是人类本性的发展使然。人,一要生存,二要发展,三要完善,成为完整的人,形成全面发展的自由个性。人不满足于现实,要使生活更加符合理想,因而要改造对象世界,创造出更加美好的世界。文学艺术的创造,反映了人和周围世界的审美关系,其功能乃是创造者这个主体和对象世界这个客体之间关系的自我调节,促使个体和环境之间的关系达到新的动态平衡。因此,文学艺术,应是人类为了使人类生活更加美好而创造出来的一种审美模型。但是否能达到这一目的,却决定于创造者能否按照美的规律来进行。

并不只是文学艺术的创造,人类的其他实践活动,也需要按照美的规律来进行。动物也生产,蜜蜂、海狸、蚂蚁也会为自己营造住所、巢穴。但动物只会生产它自己的直接需要的东西,只能依照本能来活动,只是一代一代地复制既有的东西。马克思说,"不可能发生大象为老虎生产"的情况,"一窝蜜蜂实质上只是一只蜜蜂,它们都生产同一种东西"。动物不可能按美的规律来创造。马克思说得好:"动物只是按照它所属的那个种的尺度和需要来建造,而人却懂得按照任何一个种的尺度来进行生产,并且懂得怎样处处都把内在的尺度运用到对象上去。因此,人也按照美的规律来建造。"①这最后一句,美学老人朱光潜把它翻译成:"人还按照美的规律来创造",也有人把"建造"两字译成塑造或造型的。我看,创造囊括了建造、塑造、造型等的意思。

人类能超越动物所属那个物种的尺度,不仅懂得按照任何一个种的尺度来生产,因而能不断生产出新的客体;同时又能按照主体的内在尺度去生产客体,所以能使生产出的客体符合主体的需要。但符合主体需要的新客体,不一定必然是美的。人类还要按照美的规律来生产,生产出来的新客体,不仅要符合主体的实用需要,而且还要符

---

① [德]马克思、恩格斯:《马克思恩格斯全集》第42卷,人民出版社,北京,1979年,第97页。

合主体的审美需要。只是,在一般物质生产领域,虽然也要按照美的规律来生产,但创造审美价值不是其主要目的,创造实用价值才是首要目的。人类生活中大量存在的是"依存美",审美价值从属于实用价值。就是在精神生产领域,科学、哲学等的创造,尽管也要按照美的规律进行,但也不以创造审美价值为主要目的,审美价值从属于功利价值。所以,人类的生产,无论是物质生产还是精神生产,甚至人自身的生产,既有"物"的尺度,又有"人"的尺度,更要有"美"的尺度。

文学艺术的创造,不仅是揭示现实世界中的审美价值的反映活动,而且是创造一种新的审美价值的实践活动。这是按照美的规律综合两种创造活动为一体的特殊的创造活动。它不仅需要通过意象经营,把作家、艺术家在人生实践中获得的审美感受、审美体验,按照美的规律组织起来,营构一个意象世界;而且,它还需要通过意匠经营,按照美的规律把物质材料加工改造,建构艺术符号,使意象世界符号化,从而,创造出融两者为一体的有机体,一个崭新的艺术形象世界。作家、艺术家不仅需有审美反映能力,而且还要有创美的实践能力,亦即构造形象的能力。"艺术家的这种构造形象的能力,不仅是一种认识性的想象力,而且还是一种实践性的感觉力,即实际完成作品的能力。这两方面在真正的艺术家身上是结合在一起的。"①

因此,文学艺术,理应按照美的规律来创造。违背美的规律,不符合文学艺术的创造本性。

二

文学艺术的创造,首先需要构思。艺术生产若要成为美的创造,就必须按照美的规律,精心构思。

人在进行生产之前,就能作超前反映,在脑海里预先建构起主体所希望的未来结果的图像,然后才按照这个内心图像去运作。还以建造房屋为例,正如马克思所说:

---

① [德]黑格尔:《美学》第1卷,朱光潜译,商务印书馆,北京,1979年,第363页。

最蹩足的建筑师,从一开始就比灵巧的蜜蜂高明的地方,是在他用蜂蜡建筑蜂房以前,已经在自己的头脑中把它建成了。劳动过程结束时得到的结果,在这个过程开始时已经在劳动者的表象中存在着,即已经观念地存在着。①

这个建筑师脑海中观念地存在着的未来结果的表象,不仅已经渗入了建筑师的思想,而且表现了建筑师的意向,想把房屋建成什么样。这个渗透了思想、意向的表象,已是有意之象,按我国传统文化观念的理解,称之为意象,最为精当。如今,人们已把此称作创意设计,文化产品就更要讲究创意设计。

文学艺术的创造当然要比建造房屋的超前建构复杂得多,但构思的中心,也是建构意象,作意象经营。不过,这意象乃是审美活动的结果,其目的也在引发别人的审美活动,如康德所说,这是审美意象。

审美意象直接或间接来源于作家、艺术家对实际生活的审美体验,对人生价值的感悟。

在实际生活过程中,作家、艺术家面对一些对象,直接体验、感悟到了对象的美或丑、悲或喜、崇高或卑下,由直接感知的映象,经由审美经验的改造,意与象迅速结合,瞬即转化为审美意象。有些构思,甚至立即和物化结合起来。如有些雕塑的创造,常是从物质材料出发,审视那块玉石或竹根,可以塑造什么形象,脑海中立即浮现了那未来才能实际完成的意象。但更多的艺术构思,则并非直接面对生活对象而发,而是由回想起过去在生活中得来的表象,或由联想而引发的印象,在想象中把各种印象组织起来,经过作家、艺术家的审美经验的改造,意与象结合,构成审美意象。更为复杂的一些艺术构思,还把众多的意象,如人物意象、景物意象、事物意象、心灵意象等等结合在一起,融为有机整体,建构为一个审美的意象世界。《红楼梦》就创造了一个错综复杂的意象体系。艺术构思,就是作家、艺术家将自己对人生的体验和感悟转化为审美意象,将意象不断审美

---

① [德]马克思、恩格斯:《马克思恩格斯全集》第23卷,人民出版社,北京,1972年,第202页。

化的过程。

艺术构思之所以要致力于意象经营,这不仅是因为,审美意象最能有效地表现复杂而精微的审美体验、人生感悟,而且,审美意象还能超越对现实的直接反映,表现对未来的理想,创造出现实中不曾有过的幻想的意象世界。作家、艺术家不仅善于把审美体验、人生感悟转化为审美意象,而且也善于把人生理想、情感意向转化为审美意象。"通过想象的活动产生纯美的理想,它基本是内在的意象,与理性对立,是自然美的变相,是按照既成客体自由创造的"①。不管这是否是马克思的原话,但这番话确符合艺术创造的实际。在文学艺术的意象经营中,作家、艺术家把个人经历的直接经验和从社会中获得的间接经验联结起来,把当下经验和过去经验融为一体,把再现现实和表现理想结合一起,经由审美化而融为审美意象。所以,高尔基称道文学艺术是组织经验的最经济、最有效的方法。康德之外,克罗齐、萨特、苏珊·朗格等都高度重视意象的研究。以探索创造活动的秘密而著称的美国心理学家阿瑞提,在研究了包括文学艺术在内的创造活动之后,甚至把意象看作是人的创造力的第一因素,说它是"一种创新,是新的形成,是一种超越力量"②。阿恩海姆则说:"真正的创造性思维活动都是通过'意象'进行的。"③

作家、艺术家的人生越丰富,视野越广阔,从生活中获得的体验和感悟越深切,那么,可以用来创造意象的材料当然越丰富多样。从最平淡的日常生活,一直到惊心动魄的伟大斗争,只要作家、艺术家有真切的体验和感悟,都可以成为意象经营的材料。但是否真正进入艺术构思之中,却要视作家、艺术家的创意而定。作家、艺术家要建构什么样的审美意象,要创造一个什么样的意象世界,这要决定于作家、艺术家的审美意向。生活中充满了真、善、美,也不时出现假、恶、丑;现实中既有崇高、悲剧、苦难,也有卑劣、喜剧、荒诞。作家、

---

① [德]汉斯·科赫:《马克思主义和美学》,漓江出版社,桂林,1985年,第336页。
② [美]阿瑞提:《创造的秘密》,钱岗南译,辽宁人民出版社,沈阳,1987年,第62页。
③ [美]鲁道夫·阿恩海姆:《视觉思维》,腾守尧译,光明日报出版社,北京,1986年,第37页。

艺术家对生活作什么样的审美评价，持什么样的审美态度？是肯定真、善、美，鞭挞假、恶、丑；激发起来的是对真、善、美的审美快感，还是对假、恶、丑的审美反感；是把崇高、优美毁灭给人看以激起人的崇高感、悲剧感；还是把卑劣、丑恶撕破给人看以引发人的喜剧感？艺术构思，不仅要依作家、艺术家的审美意向来决定意象材料的取舍，而且也要依审美意向来把意象材料加工改造，重新组织，建构一个符合审美意向的完整的意象世界。作家、艺术家的审美意向，直接和审美理想、审美观念联系着。审美理想、观念处于审美心理结构的中心，对意象经营起制约作用。在意象建构时，正如恩格斯所说巴尔扎克那样，同时就是在对生活作出"诗意的裁判"。这是一种独特的价值判断，康德称之为"审美判断"。

在艺术构思中，意与象如何结合为意象，乃是作家、艺术家要解决的最基本的矛盾。"象"是客体对象的映象，无论是直接感知的映象、回忆过去而来的表象、由联想而来的印象，尽管各自的清晰度不一样，但都要求符合客体对象，要按照客体的外在尺度来再现对象，要求真实。"意"则是作家、艺术家这个主体自身的意向。主体依照自己的意向来感知、改造客体的映象，把客体的外在尺度和主体的内在尺度统一起来，按照美的规律把意和象结合为审美意象。这个审美化了的意象，已不只是客体对象的复现，但又不完全脱离对象，处于"似"与"不似"之间，不只"形似"，更有"神似"。即使是那些以线条、色彩、声音等形式美见长的艺术（所谓的"抽象"艺术，以及书法艺术等等），那些声、色、形在艺术家头脑中的映象，也都染上主观情意，因而具有"意味"。而那些较为复杂的文学艺术，其意象不仅有"意味"，而且更有深层的"意蕴"，因而韵味无穷。

艺术构思就是作家、艺术家将人生体验和感悟不断意象化，又不断审美化的过程。在意象化过程中，想象起着重大作用。但艺术的想象渗透着感情态度，作家、艺术家不仅要在想象中重新体验对象，而且要体验到自己的感情。要体验，就要"入乎其内"，设身处地，心随物化。画竹，就要与竹化；写花鸟，就要与花鸟共忧乐。但作家、艺术家不能只沉浸在对象中，还需要"出乎其外"，物随人化：理智审视,组织意象,按照主体的意向,使意象审美化,符合美的规律。既要入乎其内,又要出乎其外,这在表演艺术中表现得最为明显。演员演戏,必须深入体验角色,但又必须出乎其外,理智调控。正如意大利著名演员萨尔维尼所说,当他表演的时候,他过的是双重生活,一方面要哭或者笑,但同时却又要解析他的眼泪和笑,使它们能最有力地作用于他想使之动心的那些人。作家在创作小说时,既要真实再现人物的性格、命运,又要体现自己的创作意向,要将两者完美地统一起来,必须精心地构思,以至像托尔斯泰这样的文学巨匠在塑造安娜的形象时,不得不改变原先的构想。

艺术构思需要思维。分析和综合,比较和概括等等,人类的最基本的思维方法,在意象经营中都在运用。就艺术创造的总体过程来说,艺术思维是整体思维。概念思维也会不时参与(视需要而定)。但在艺术构思中,意象思维起决定作用。运用概念进行判断、推理,构筑概念、范畴的体系,这是科学论著的使命。科学思维从感性具体上升为知性抽象,再到思维具体,基本是概念的运动。艺术思维则从感性映象上升为意象,再到典型的塑造或意境的创造,主要是意象的运动,感情、思想等融合其中。因此,作家、艺术家和科学家的思维并不相同。俄国文艺批评家杜勃罗留波夫较早看到这两种不同思维的特点:作家对世界有着丰富的感受,但并不是把这种感受引向抽象。对于作家来说:"若是竭力把这种感受引到一种确定的逻辑组织里去,把它用抽象的公式表现出来,这却是徒劳无功的。"作家面对世界,"看到了某类事物的最初事实时,他就会惊异万分","他虽然还没有作过理论上的思考,能够解释这种事实;可是他却看见了,这里有一种值得注意的特别的东西,他就热心而好奇地注视着这个事实,把它摄取到自己的心灵中来。开头把它作为一个单独形象,加以孕育,后来就使它和其同类的事实与现象结合起来,而最后,终于创造了典型"。科学家则不同,"由于以前聚集在他的意识里、不知不觉地在他的意识里保存下来的个别现象丰富多彩,就使他能够一下子同它们组织一个普遍的概念。这样一来,这个新的事实,就立刻从生动的现实世界中,转移到抽象的理性领域里去了"①。

　　作家、艺术家经过意象经营,按照创意,使意与象结合起来,把众多意象组织起来,创造出一个意象世界。这个意象世界按一定的结构方式组织而成,具有一定的意象结构,从而构成一个有机整体。文学艺术创造中的营构意象的结构方式,多种多样,丰富多彩,我们的文艺学、美学还在不断探索,可做的事还很多,有待更多人的关注。这种意象结构,乃是意象世界在内心形成的结构形式,相对于形之于外的外形式,它只是内形式,尚未最后完形,还有待于通过符号来外化。因此,艺术构思告一段落,但并未终结,在符号外化过程中还在深化和继续。这种意象化和符号化的过程,虽有先后,但相互交错,结合一起,正如黑格尔所说:"按照艺术的概念,这两方面——心里的构思与作品的完成(或传达)是携手并进的。"②

三

　　当文学艺术的创作还只是停留在构思阶段,还只是腹稿,不管它构思如何完美,那还仅仅只是稍微具体化了的创意,还不是创作。创意设计要付诸实践,实际操作,才生产出作品。观念中的意象经营要转化为创作的实在,需要另一番功夫——意匠经营。

　　文学艺术创造中的意匠经营,仍离不开"意",但更需要运用自己的身手随着"意"而自由灵活地运作起来。这种运作,不仅需要受创意的制约,而且也要受物质材料的制约,因而既要按照主体的内在尺度,又要按照对象的外在尺度来运作,按照美的规律,将两者完美统一起来。

　　作家、艺术家在生活着,在生活中审辨美、丑、悲、喜,体验或感受到生活的审美价值,获得审美享受。如果到此为止,也就算不了艺术创造。作家、艺术家之与众不同,不仅在于要把生活中由审美而来

---

① [俄]杜勃罗留波夫:《杜勃罗留波夫选集》第1卷,辛未艾译,上海文艺出版社,上海,1962年,第273~274页。
② [德]黑格尔:《美学》第1卷,朱光潜译,商务印书馆,北京,1979年,第363页。

的体验、感悟，经过意象经营加工改造，赋予内在形式，而且，还要运用一定的物质材料，创造出一种符号形式，使内在形式转化为外在形式。这种外在形式，乃是可以为人所感觉到的外在之美。只有不仅创造了内在之美，又创造了外在之美，才能使这种美保存下来，不仅供自己个人审美，而且也可供别人审美。文学艺术的外在之美，就是鲁迅所说的"音美"或"形美"，而内在之美，就是"意美"。艺术之美，乃是这种外在之美和内在之美的统一——系统质。

要创造外在之美，就必须选择一定的物质材料，进行加工改造。这就不仅要花心思，而且要动身手，如鲁迅所说，要用思理以美化天物，这需要费"匠心"。这种既需要"想"，又需要"作"，动作和运思密切结合在一起的意匠经营，应是既不同于概念思维，又不同于意象思维的特殊思维——动作思维。这种动作思维，一头联结着符号建构，一头联结着意象世界，要把这两者结合成一个整体。

艺术的形式美的创造，关键在"作"。人的活动过程，本身就可以成为创造。一些艺术，如舞蹈、戏剧，就必须由人体动作来完成。音乐中的声乐，也是由人的声音运动来完成的。器乐却不依靠人声了，但也必须由人来演奏乐器，离不开人的活动。这些都是动态艺术，艺术就直接在活动中呈现、展示，人的活动停止，艺术也就中止。还有不少艺术，则是以静止之物的形态来完成，是静态艺术，如绘画、雕刻、文学。但是，这都必须经过人的劳作，是人的活动的结果。动的过程转化为静态物品，也是由"作"而来，所以称为作品。

文学艺术的创造，既然要靠劳作，也就必然要有作法。在长期的艺术实践历史过程中，每种艺术类型都积累了一套艺术劳作的"手法"。要能创造出美的作品，当然必须按照美的规律，运用精湛的技艺，精心加以制作；而那些依靠动作本身来完成的动的艺术，就更需要按照美的规律来支配自己的活动了。

艺术的形式需要美，因而本身就具有一种审美价值。这种美的形式，在艺术中具有符号的性质，是艺术符号。符号的意义不仅在自身，而且在传达信息。无论是语言符号还是形象符号，要通过人的感觉器官为人所感觉到才能有意义，正如马克思所说，"任何一个对象对我的意义(它只是对那个与它相适应的感觉来说才有意义)都以我的感觉所及的程度为限。"①世界万物,种类甚多,但能用来作符号的却甚有限。所以,艺术符号是有限的,信息的表达常受到限制。就是表达得最自由的语言,也常常言不尽意,因而像陆机这样的诗人,也发出"恒患意不称物,文不逮意"的感叹。人对生活的感受和体验却是无限丰富的。要以有限的符号形式来表达无限丰富的内容,这是艺术创造中要解决的最大的矛盾,这比起艺术构思来更艰难得多。这就不仅要通过意象经营,把生活中得来的人生感悟、体验加以组织(内形式),还要通过意匠经营把一定物质材料组织起来(外形式)。而且,更重要的是把这两者完美地结合起来,使形式美和内容美统一起来,构成有机整体——艺术美。

艺术的内容和形式的关系,曾经被误解成一种机械的相加,以为形式可以不变,而内容可以不断变化,旧瓶可以装新酒,不同的内容可以装进一种形式。于是,只要押韵的就是诗,三字经、百家姓、千家文都成了诗。其实,正如卢卡契所说,审美形式始终都是作为某种特定内容的形式出现的。正是特定的内容,才需要特定的形式。克罗齐看到了艺术有特定的审美内容,但他又把艺术的形式和内容割裂开来,以为艺术形式与审美无关,传达只是物理的事实:"审美的事实在对印象的表现加工中就完成了,至于传达,是后来附加的,是另一种事实。"②他只承认审美直觉才是艺术创造,而把传达活动排除在外。形式主义美学则走向另一极端,把艺术仅仅归结为一种美的形式:"艺术中一切都仅仅是艺术手法,除了手法的总和,事实上根本不存在别的东西。"③而其他则是"美感以外的现实性","形式之外非审美的事实",因而不属于艺术作品,被逐出艺术之外。不错,在完美的

---

① [德]马克思、恩格斯:《马克思恩格斯全集》第42卷,人民出版社,北京,1979年,第126页。
② [意]克罗齐:《美学原理 美学纲要》第6章,朱光潜等译,外国文学出版社,北京,1983年。
③ 有关形式主义,参见胡经之、张首映编:《西方二十世纪文论选》第2卷,中国社会科学出版社,北京,1989年,第2、10、37页。

文学艺术作品中,确实不应有"美感事实和非审美事实的二重性"。但是,当作家、艺术家确实从丰富多彩的对象世界获得了审美体验、人生感悟,那么,这种审美反映为什么就不能成为艺术的内容呢?当大千世界经由体验、感悟而转化为审美意象,这样,艺术的内容不也是审美的吗?为什么艺术就只能有美的形式而不能有审美的内容呢?我看,问题还是在于艺术的审美内容和美的形式如何有机结合。还是黑格尔说得辩证:文学艺术之所以要有美的形式,"既不是由于它碰巧在那里,也不是由于除它以外,就没有别的形式可用,而是由于具体的内容本身就已含有外在的、实在的,也就是感性的表现作为它的一个因素"①。卡西勒(又译作卡西尔)把文学艺术看作是一种符号形式,由内容转化而来的一个有机整体。"一首诗的内容不可能与它的形式——韵文、音调、韵律——分离开来。这些形式并不是重复一个给予的、直观的、纯粹的、外在的或技巧的手段,而是艺术直观本身的基本组成部分。"②

　　文学艺术的创造,就是内容形式化、形式内容化的双向对象化过程,最终创造出一种独特的存在——"活的形象"。在这"活的形象"中,形式是躯体,而内容是灵魂,躯体和灵魂不可分离,紧密结合在一起。"活的形象"的形式,是心灵化的灌注生气、气韵生动的形象符号,它是审美想象的产物,而又引发别人的审美想象,所以是"审美想象的特殊身体"③。而这形象符号传达的则是审美的信息,无限丰富的心灵的世界。至于这心灵世界乃是客观世界的反映,却是另一层次的问题,那才涉及唯心唯物,这里不说。

　　正是因为"活的形象"把内容和形式融合在一起,因此,"当我们沉浸在对一件伟大的艺术品的直观中时,并不感到主观世界和客观世界的分离"。我们沉浸在这个"活的形象"中了:"现在我进入了一个新的领域——不是活生生的事物的领域,而是'活生生的形式'的

---

① [德]黑格尔:《美学》第1卷,朱光潜译,商务印书馆,北京,1979年,第92页。
② [德]卡西尔:《人论》,甘阳译,上海译文出版社,上海,1985年,第198页。此节引文,未注明出处者,均见《人论》第9节。
③ [英]鲍山葵:《美学三讲》,周煦良译,上海译文出版社,上海,1983年,第二讲。

领域。"

艺术要运用符号,通过符号思维而创造形式结构。但艺术符号不是一般的符号,自有独特的性能。使用艺术符号和使用其他符号不同,"这两种活动不管在特征上还是目的上都不是一致的:它们并不使用同样的手段,也不趋向同样的目的——一种激发美感的形式媒介中的表现,是大不相同于一种语言或概念的表现的。一个画家或诗人对一处地形的描绘与一个地理学家或地质学家所作的描述几乎没有共同之处。在一个科学家的著作和一个艺术家的作品中,描写的方式和动机都是不同的"。我们在生产实践中,把木材、水泥、钢材等等组合变形,创造了一种新的物质形式——房屋;而艺术实践则使用艺术符号,创造了一种"活的形象"。"艺术家把事物的坚硬原料熔化在他的想象力的熔炉中,而这种过程的结果就是发现了一个诗的、音乐的,或造型的形式的新世界"。

正是作家、艺术家使用艺术符号,把物质材料通过审美想象创造出了"活的形象"这个新客体,也就"使我们的情感赋有审美形式,也就是把它们变为自由而积极的状态"。"在这个世界,我们所有的情感在其本质和特征上都经历了某种改变过程"。贝多芬的《第九交响曲》就表达了作者的复杂感情。其中有根据席勒《欢乐颂》的基调而表达出狂喜的感情,但我们也会感受到整个乐曲表达出来的悲怆音调。但是,这些都构成一个有机整体,因而,"在我们的审美经验中,它们全都结合在一个个别整体。我们所听到的是人类情感从最低的音调到最高的音调的全音阶,它是我们整个生命的运动和颤动"。

文学艺术的目的,不正是要把内容和形式融合为一个有机整体,创造出"活的形象"吗?这种"活的形象",不是客观世界中事物的情景再现,而是新的创造。即使是像苏州评弹《蝶恋花·答李淑一》,虽是依据同名诗词改编,但也是"活的形象"的新创造。评弹曲调,吴侬软语,温柔敦厚,若要表达原词的意境必须有新的变化。原词一唱三叹、意深情长,对牺牲者表达了深切的怀念,但整篇充满豪迈激情。如何在评弹中表现这种精神?评弹作者就把评弹的原有曲调分解,重新组合,又吸收了陕北民歌中粗犷的旋律("河畔上开花"开头)、京剧中高亢的曲调("一马离了西凉界"结尾),融为有机整体。整个评弹曲调,和谐一致,浑然一体,宛若天成,因而使人感到韵味无穷而又催人奋进,给人以不尽的审美享受。

作家、艺术家不仅必须感受、体验事物的内在意义,而且必须给予这种感情、体验以外形。"艺术现象的最高最独特的力量表现在这后一种活动中。外形化意味着不只是体现在看得见或摸得着的某种特殊的物质媒介如黏土、青铜、大理石中,而是体现在激发美感的形式中:韵律、色调、线条和布局以及具有主体感的造型。"无疑,要把材料改造为形式,这需要煞费"匠心",运用高超的技巧和手法。然而最高超的技巧要消融在美的形式中,使人全然感觉不到它,正如巴金所说:"文学的最高境界是无技巧。"①文学艺术的优秀之作总是这样的:"不表现什么形式,线条和颜色再也找不到了,一切都融化为思想和灵魂。"②文学艺术的创作把内容形式化了,也把形式内容化了。所以,连高度重视形式化的符号美学家卡西勒最后也得出结论:"只有把艺术理解为是我们的思想、想象、情感的一种特殊倾向,一种新的态度,我们才能够把握它的真正意义和功能。"

那么,这"活的形象"不就是我们常说的艺术形象吗?我倾向于把席勒所说的"活的形象"作新的阐释,用来作为艺术形象的进一步规定。物质材料经过心灵化,按美的规律改造为美的形式,用以表达审美意象,因而成为"活的形象",这也正是艺术形象的本质特征。艺术形象具有符号的性质,但它不仅只是"能指",还包括了"所指"。在艺术形象中,能指和所指融为一体,密不可分。没有经过心灵化的物质,只是死的物质,不是"活的形象"。要使读者、观众、听众也能在心灵中激起共鸣,也要经过读者、观众、听众的心灵化,不然,那作品也仍然是一堆死的物质。所以,这"活的形象",乃是体现心灵和激活心灵的中介,只有在审美想象中,才使这形象活起来。

不过,艺术形象、活的形象,对这"形象"二字,应作宽泛的理

---

① 《巴金谈文学创作》,《文学报》第53期,1982年4月1日。
② [法]罗丹·葛赛尔:《罗丹艺术论》,沈琪译,人民美术出版社,北京,1978年,第87~88页。

解。形象者,存在形态之象也。它应涵盖有形之象、有声之象、动态之象。音乐没有直接的有形之象,直接呈现的只是声音之象,如朗格所说,是时间意象的符号化,只是"音美"。但声音也是存在的一种形态,《乐记》早已把这称之为"乐象"。把乐象归属于艺术形象之下,也并不违背形式逻辑,何况,科学证明,声音虽存在于时间中,但乐音随着时间的进展,也在改变着空间结构。音乐的声音之象,也能使人联想、想象出有形之象。不过在音乐中,"音美"乃直接呈现,而"形美"乃由间接引发,由"音美"而使人联想到"形美"。无怪贝多芬说自己作曲时,心中常浮起画面。但我还是愿意把艺术形象理解得宽泛些,不仅涵盖有形之象,而且还有声态之象、动态之象。这样,音乐形象之说仍可成立,把它简称为乐象,也未尝不可。当然,若有比艺术形象更好的说法,也可接受,比如,把艺术形象简化为艺象①,躲开了"形"的多解,也未尝不可。但那艺象的实质,仍然是"活的形象",是"艺术形象"。

艺术形象,艺象,是联结艺术创造者和艺术接受者的中介。两个主体之所以能沟通,乃是因为艺术形象的结构和艺术创造者及艺术接受者的审美心理结构,异质同构,动态相应。但艺术形象不仅只是一个新的审美对象,而且还是一个审美创造的模型。人们从艺术形象那里得到的不只是审美的享受,而且是审美创造的启示。艺术教育的意义,既在帮助提高审美的鉴赏力,又在培养美的创造力,发展和完善人的创造本性,推动人们按照美的规律去改造世界,使我们这个世界更美好,个体和环境也达成新的动态平衡。这,也正是我们今天要重视审美教育的根本原因。

为《文艺研究》创刊20年特刊而作
1999年,深大新村

---

① 何国瑞主编:《艺术生产原理》,人民文学出版社,北京,1989年,第115~118页。

为何古典作品至今还有艺术魅力

> 困难并不在于了解希腊艺术和史诗是与社会发展的某些形态相关联的。困难是在于了解它们还继续供给我们以艺术的享受,而且在某些方面还作为一种标准和不可企及的规范。①
>
> ——马克思

一

文学"共鸣"问题的争论很热烈,这里,我不能,也不想给"共鸣"下什么定义。定义是研究的结果,而不是出发点。

还是从现实生活中实际存在的情况出发。客观事实是:供给我们以直接的艺术享受的,不仅是现代作品,还有古典作品。而在那丰富的古典文学遗产中,至今还深深地吸引着我们,继续还对我们具有艺术魅力的,不仅是那些完美地直接反映了阶级斗争,民族矛盾和政治、道德现象的巨著(例如屈原、陶潜、李白、杜甫、苏轼、陆游、辛弃疾、关汉卿、王实甫、罗贯中、施耐庵、吴承恩、孔尚任、吴敬梓、曹雪芹等作家们创造的一些堪称为伟大的名著),而且,还有那些虽未直接表现了政治、道德等内容,但艺术地反映了丰富多彩的社会生活的各个领域和不同方面的作品,例如无数的山水诗、抒情诗、生活小诗等等。这些古典作品,在今天,不仅能在理智上引发我们的思考,而且它们还在感情上感动我们。而在那真正表现了善良、智慧和美的地方,竟激起了我们内心的深深共鸣。我们在欣赏那些优秀的古典作品

---

① [德]马克思、恩格斯:《论艺术》第1卷,人民文学出版社,北京,1960年,第199页。

时，我们的内心世界竟会和古典作家本人的理解和感动达到如此深刻的一致（显然，一致并不就是等同）。正是古典作家把一些社会现象评价为善或恶、真或假、美或丑的地方，我们在理智上也引起了相应的、一致的理解；而在作家那里激起道德感、理智感和审美感的地方，我们心灵上也激起了相应的、一致的情感态度（或情绪体验）。因此，古典作品不仅帮助我们认识和理解哪些现象是善的（或恶的）、真的（或假的）和美的（或丑的），从而提高了我们的政治、道德教养，增长了生活知识和智慧，培养和丰富了审美判断能力；而且，也激起了我们对于真、善、美的肯定态度，对于假、恶、丑的否定态度，从而丰富和提高了我们的道德感、理智感和审美感。

诚然，今人欣赏古典作品与古人欣赏同时代作品之间并不能混为一谈。清代吴、杭痴女因读《红楼梦》而呜咽哭泣，娄江女子俞二娘因读《牡丹亭》而愤惋以终，这类奇闻也许在今天已不会再有。但是，难道贾宝玉和林黛玉的悲剧就不再引起我们同情吗？难道杜丽娘和柳梦梅追求真正爱情的理想就不值得我们赞美了吗？我们的心灵已不同于古人的心灵，古典作品引起我们的反应和古人的反应也已有差别。但是，优秀的古典作品仍深深吸引我们，古典作家对于现实对象在审美上的理解和感受，仍然能引起我们相应的、一致的反应。这是不依我们意志为转移的客观事实。

这就是说，古典作品至今还在继续给予我们艺术享受。而这种艺术享受绝不是从天外飞来，也不是我们欣赏者自己在主观臆造中自我陶醉的产物，而是来自古典作品本身。古典作品并不就是古代生活本身，它是由古典作家创造出来的，是古代生活在作家头脑中的审美的反映。因此，我们直接和古典作品发生关系的，乃是艺术形象——这里凝结了古典作家对于现实对象的审美上的认识和感受。当然，古典作家的审美上的认识和感受，归根究底乃是当时生活的反映，反映了作家和他那个时代的环境的审美关系。但无疑，反映和被反映之间决不能等同。正是这样，古典作品的艺术魅力就在于：当我们面对艺术形象，我们从艺术形象得到的审美上的体验和感受，恰恰又是和古典作家的审美反映是相应的、一致的，那么，我们就得到了艺术享受。

这种欣赏者和作者之间产生的审美上的体验和感受的一致现象,是不是称之为艺术共鸣或安上其他名称,这是无关紧要的、非实质的问题。值得引起我们深思和探索的倒是:作为社会意识形态之一的文学艺术是随着社会存在的改变而改变的,但为什么已经经历了几种社会存在形态的古典作品,却还能对我们发生艺术魅力?

毫无疑问,古典作品和我们之间确实是有着无法调和的矛盾存在:古代社会生活离开我们的社会生活是越来越远了,我们绝不可能也不必要再重返到古代社会;古典作家的思想感情也不会和我们相同,由于历史的局限和认识的局限,他们对现实的体验和感受,和我们比起来,当然会有很大的差别。作为主、客观统一的古典作品也不可能与现代作品具有同一的性质。但是,优秀的古典作品和我们之间,在矛盾中却也有着统一的、一致的方面。在优秀古典作品中所体现的古人对生活的体验和感受,不但不与我们今天对现实的反映相矛盾,而且还是与之一致的、统一的。正是这样,马克思才在《政治经济学批判导言》中说,希腊人的艺术在我们面前所显示的魅力,是与它所由产生的未发展的社会阶段不相矛盾的。深刻的矛盾、惊人的一致,这就是古典作品对我们的双重关系。而那些传之不朽、真正富有艺术生命力的古典作品,却总是在这两重化的矛盾中闪耀出它的艺术光辉。古典作品的这种两重性,使得我们能并不困难地把它和现代作品区别开来:就性质而言,它们有着根本的区别,这是不同时代、不同阶级的社会意识形态(它直接由当时的思想体系决定着它的面貌)。谁指望古典作品能给予我们社会主义思想教育或培养社会主义个性,要不是有意欺骗,就是天真的幻想。然而,它既然包含了客观真理,那么它对我们就有价值。我们在这里可以得到教益,可以帮助我们认识世界从而改造世界。客观真理对于各个阶段都是一视同仁的,尽管各个阶级如何对待客观真理并不一样。也正因为古典作品具有这种两重性,所以我们不仅要以批判地继承的精神去学习古典作品,以使其直接地有利于我们的文学艺术的创造;而且,也要把批判地继承的原则贯彻到古典作品的欣赏方面。古典作品不仅可以作为我们创造的借鉴,而且还能直接供给我们欣赏、享受。

在漫长的历史发展过程中，客观真理的发现和积累不是一帆风顺的，它是在复杂的阶级斗争中发展的。客观真理的发展常因剥削阶级的狭隘利益（而这也表现在思想中，本阶级的思想家在思想体系中把它概括、系统化）的阻碍、歪曲，因而停滞甚至倒退。但是，在整个历史发展的长期过程中，客观真理一般也有着自己的上升、发展运动。甚至像道德这种最受阶级利益直接制约的社会意识领域，尽管"在这里终极的最后真理恰恰是最少遇到的"，但它"也和人类知识的所有其他领域一样，一般地说有着进步"①。文学艺术也是如此，它所发现的客观真理是在发展、进步着，当然，这种进步、发展是在阶级束缚中曲折地行进的。科学的领域、道德的领域是如此，美学的领域也是这样。毛泽东这样说道："真的、善的、美的东西总是在同假的、恶的、丑的东西相比较而存在，相斗争而发展的。"②在阶级社会中，这种斗争显得更为复杂、曲折，然而在长期斗争的过程中，真的、善的、美的东西还是得到了发展。因此，我们正是要研究，在古典文学艺术的领域内，真的、善的、美的东西的发展如何得到了反映。在社会主义社会，真的、善的、美的东西也仍然是在斗争中发展的，但这种发展并不从零度开始，而是在过去的基础上的新的发展。因此，我们需要进一步研究：我们今天的真的、善的、美的东西，究竟和过去的真的、善的、美的东西有什么联系？也只有这样，我们才能真正了解古典作品为何还能给予我们艺术享受。

马克思为我们解决这个问题提供了一把最好的钥匙。他在谈到古希腊艺术和史诗还继续给后代人以艺术享受时，曾有这样生动的比喻：

> 一个大人是不能再变成一个小孩的，除非他变得孩子气了。但是，难道自己的天真不令他高兴吗？难道他自己不应当努力在更高的阶段上把小孩的真实的本质再现出来吗？难道每个时代固有的特

---

① [德]恩格斯：《反杜林论》，吴黎平译，人民出版社，北京，1970年，第96页。
② 毛泽东：《关于正确处理人民内部矛盾的问题》，人民出版社，北京，1957，第27页。

性不是在儿童的天性中毫不矫饰地复活着吗?为什么人类社会的童年,在它发展得最美好的地方,不应该作为一个永不复返的阶段对于我们显示着不朽的魅力呢?①

在这比喻中有着丰富而深刻的思想:第一,古希腊艺术把人类童年中一个最美妙、最正常的孩童的真实面貌再现出来了。正是因为它真实地再现了这个美妙的、正常的孩童(它是人类童年的典型),所以它具有了吸引我们的前提。第二,这个美妙的、正常孩童的真实本质,在成人那里以更高的程度在更高的阶段上再现出来,成人的本质中"复活"着孩童的真实本质。正是这样,我们才有可能对孩童感到亲切,为之吸引。但是,由于孩童的真实本质在成人那里是在更高阶段上的再现,而不是简单的重复,成人本身要远比孩童成熟、丰富,因此,孩童的美绝不可能去代替成人的美,其性质程度也不能相提并论。这是问题的一方面。另一方面,孩童的真实本质虽在成人那里得到发展,但成人也不能代替孩童,孩童作为完整的个体(而不是仅抽出其本质)而言,它有其独立的魅力而给予我们独特的享受。古典作品之所以至今还能给予我们艺术享受,正应当像马克思那样去理解。

以所谓"永恒的人性"来解释艺术魅力,乃是对马克思这一宝贵思想的曲解。但是,我们却也不能吓得赶快躲开这个问题,而恰恰是要去阐明马克思在这个比喻中的深刻思想,从而解决古典作品之所以还能引起今人共鸣问题。当然,文学艺术的共鸣,还涉及欣赏的心理特点,我们自然要联系到艺术欣赏中的心理特点来了解共鸣现象,但是,要回答古典作品为何还能激起我们的共鸣,却不能局限在心理学的领域。

我并不要取消理解、感动、喜爱、欣赏和共鸣等心理活动形式之间的差别,但是,在这里必须和我们所要谈的艺术享受问题联系起来。它们之间的区别是客观存在的,区别它们也并不十分困难。理解和感动乃是相对的心理活动。理解是思维活动,人对现实对象在思维上加以理解,其结果可能产生概念、思想;感动则是情感活动,人面对现实对象由于直接感受而引起一定的情绪、感情等态度。思维

---

① [德]马克思、恩格斯:《论艺术》第1册,人民文学出版社,北京,1960年,第196页。

和感情在心理科学上有严格区别,但是在实际存在的心理活动中,它们则是密切联系着的。情感活动的形式,正如思维活动形式一样,也是多种多样的:对丑恶的事物可能感到厌恶,对美好的事物可能感到喜爱;也可能是事物引起了人的失望,或是满意;成功令人愉快,失败使人痛苦;还有其他多种多样的情感表现形式等等。喜爱,仅仅是情感的一种表现形式而已。文学艺术作品引起我们的感动,其结果会让我们体验到种种复杂的感情。而且,不仅是文学艺术作品能引起我们喜爱,就是现实对象本身也能使我们喜爱。我们不是喜爱天安门、北海、西湖、桂林山水吗?我们不也是喜爱孩子的天真的性格、熊猫的驯良的习性吗?至于欣赏,它乃是结合了理解和感动两者的统一的心理活动,不仅涉及理智,也涉及感情。我们欣赏文学艺术不仅在理智上去理解,而且在感情上感动,但显然并不一定是共鸣。欣赏的对象也可能是现实对象本身(从实物事件、鸟兽草木直到日月星空),并且,从欣赏中也可能得到审美享受。西山深秋漫山遍野的红叶,无需诗人的诗句或是画家的图画,我们也能直接得到美的享受;西湖的美景,无需文学艺术的反映,我们也能直接欣赏。当然,西湖美景的艺术反映,能帮助我们更好地去欣赏。"水光潋滟晴方好,山色空濛雨亦奇;欲把西湖比西子,淡妆浓抹总相宜。"(苏轼《饮湖上初晴后雨》)这样的诗句能够帮助我们去更好地享受西湖美景,引起我们的审美共鸣。但也显然,我们在欣赏山水风景、日月星辰、实物事件等现实对象时,无所谓共鸣不共鸣,因为它们本身是没有思想感情等心理活动的。只有当别人的心理活动,引起我相应的、一致的情绪体验时(也就是说顺反应时),才产生共鸣活动。当然,共鸣活动也是多种多样的,心理科学证实,就是婴孩也会有最初级的共鸣活动。妈妈的愉快情绪引起婴孩的微笑,这已经就有共鸣了。而在生活中,共鸣现象则更为普遍,别人的爱或恨、喜或悲、苦或乐、哀或怒,我们可能也会随之产生相应的、一致的体验。甚至别人的思想也会引起我们共鸣,和平、幸福、理想,已经激起了世界上多少人的共鸣。然而,文学艺术的共鸣,具有自己的特点。

我并不想夸大古典文学作品的特殊性,似乎古典精神财富中只有它才能引起我们共鸣。优秀的古典理论著作，也具有自己的生命力，它不仅作为专门研究者用以推陈出新而起着思想资料的作用，而且作为直接供读者汲取知识、接受教育的工具而吸引我们。孔子语录《论语》、刘勰巨著《文心雕龙》、贾谊的《过秦论》、辛稼轩的《九议》《十论》等等不也是至今还以它们的理论力量吸引我们吗？但谁都会分辨得出来，文学作品和理论著作在影响人的方法上乃是有着显著的不同的。理论，乃是现实对象的本质、规律的抽象的反映，它舍弃了现实对象的个体面貌，没有具体可感性，因此，它主要激起我们的理智。在一些理论著作中，也可能热情洋溢，作者对现实对象表示了自己的感情态度，因而也激起我们的感情上的共鸣（像辛稼轩的《九议》《十论》这样慷慨激昂的政论在古代是为数不少的），甚至，伟大的道德原则和深远的科学智慧本身，也能激起我们的道德感和理智感。但这对于理论说来，究竟只是次要的作用，它主要还是以理论本身引起我们相应的、一致的认识，使我们接受理论思想。而且，更重要的是，理论既然是现实对象的本质、规律的抽象（逻辑）反映，这里，人与理论著作之间就无所谓审美关系。抽象的逻辑本身无所谓美，也不能激起人的美感，因为美只存在于活生生的、具体的、完整的个体中。而文学艺术正是因为它从审美上以形象来反映现实，所以它本身具有审美特性（美或丑、喜或悲、崇高或卑下等等），并且表现了作家自己的审美态度。文学作品激起我们共鸣，不仅涉及理智，也影响感情，这是审美上的共鸣。文学艺术不仅形象地再现了现实生活，而且给予审美评价和表现出审美态度，因此，它不仅以形象本身让我们知道哪些事物是美的、丑的等等，而且也激起我们对美的或丑的事物应该采取怎样的情感态度。古代社会生活究竟是怎样的，我们已无法亲眼目睹，却能求助于古典文学艺术。《桃花扇》形象地再现了明代被清朝覆灭过程中的一个片段的社会面貌，然而它不是简单复制。孔尚任不仅把一些人物、事件给予审美评价，而且强烈地表现了自己的审美态度。我们在欣赏这部名著时就不仅感受到李香君、侯朝宗、柳敬亭、苏昆生这些人物是美的，阮大铖、马士英等人物是丑的，而且我们也和孔尚任一样，激起了对美的肯定、对丑的否定的审美态度。这里，我们对《桃花扇》的共鸣，已经是审美的共鸣了。唐代张继把苏州城外枫桥夜景的美和他的美感一起表现在那首《枫桥夜泊》中。今天我们读"月落乌啼霜满天，江枫渔火对愁眠；姑苏城外寒山寺，夜半钟声到客船"，这幅夜景仍然使我们感到美，并产生了带有忧伤情调的美感，这正是审美的共鸣。古典作家们对现实从审美上作了反映，表现在艺术形象中，而我们（欣赏者）在欣赏艺术形象时，假如产生了与古典作家相应的、一致的审美上的顺反应，这无疑就是艺术的共鸣。

我不希望自己也纠缠在究竟什么叫做"共鸣"的争论中，究竟这种欣赏者由欣赏古典作品而产生的顺反应是否叫做共鸣，这无关紧要，但这种现象却客观存在。当然，所谓由古典作品激起的相应的、一致的审美上的顺反应，并不与古典作家的审美感受完全等同（是相应、一致，决非等同）。我们感兴趣的是：这种现象产生的原因何在？因此，还是让我们回到马克思的话上来。

如果说，古典作品本身是客体（显然，它又是古代现实生活在古典作家的头脑中的反映），那么，我们今天的欣赏者就是主体。我们需要从客体和主体两方面来探索古典作品的共鸣问题：古典作品中究竟是什么因素能激起我们的共鸣？而我们（作为欣赏者）为什么至今还需要和还有可能去欣赏它？

二

我们说优秀的古典作品具有艺术魅力，这并不是说它的一切方面、一切因素都能发生这种作用。其中，有不少东西，我们已对它漠不关心，甚至，其中有一些因素还只能引起我们的审美反感。古典作品中的真的、善的、美的因素才能激起我们的共鸣，而其中假的、恶的、丑的因素只会引起我们反感。当曹雪芹在自己的作品中不时流露出对旧贵族生活的无可奈何的留恋，把大观园里的贵族习气也看作是美的、善的，我们不仅不会引起共鸣，甚至还激起反感，因为，我们不得不说，这位伟大的古典作家，在这些场合所流露的思想感情不是美的、善的、真的。可是，当这位作家从真的、美的、善的理想上去严厉揭露和鞭挞贵族生活中的丑、恶、假,以无比热情大胆地肯定和赞扬了贾宝玉真正美的、善的行为(他和林黛玉的真正的爱情,对于晴雯、鸳鸯、平儿等被侮辱被损害女性的同情等等),我们不由得和作者的心灵之间产生了共鸣。曹雪芹对他所描写的社会现象作出了诗意的裁判。许多著名的古典作家,也常常在作品中表现出了这种矛盾性,正如恩格斯谈到的歌德、列宁谈到的托尔斯泰一样。正是古典作品中真正具有真的、善的、美的因素,所以才对我们产生艺术魅力。当然,这意思绝不是说,古典作品只创造了正面形象而没有反面形象。优秀的古典作品也可能是揭示了现实生活中许多假的、恶的、丑的现象,给予我们的却是真的、善的、美的东西。这是可以理解的,优秀的古典作家在这里是由真的、善的、美的理想出发,不仅对这些社会现象作了审美评价,而且还表现出了作者的审美态度(对于假的、恶的、丑的现象作了否定,而肯定了真的、善的、美的东西)。假如把现实生活中真的、善的、美的现象当作假的、恶的、丑的东西来反映,那么,即使作品直接写了真的、善的、美的现象,给我们带来的却还只是假的、恶的、丑的东西。相反,假如把现实生活中假的、恶的、丑的东西真实地描写到作品中,从真的、善的、美的方面予以鞭挞、否定,它带给我们的仍然是真的、善的、美的东西。《红楼梦》展示出了美的毁灭,但它的审美态度却是肯定美,为美的毁灭而悲愤。

真、善、美的存在,乃是古典作品具有艺术魅力的客观因素。这是我们就全部古典作品而言的,但具体作品必须具体分析。在不同的具体作品中,真、善、美的统一的程度和形式均有所差别,它们的社会价值也各有不同,不能一概而论。最有社会价值的作品,当然是那些直接反映了真实的政治、道德关系,直接表现了先进理想的名著,例如屈原的《离骚》、悲剧叙事诗《孔雀东南飞》、杜甫那些反映了人民苦难的悲愤史诗,等等。无疑,这些都应列入古典文学遗产中最精华部分,它们当然首先得到了我们的珍视。然而,也有无数虽没有给予我们直接的、显著的道德教育,但却主要以那深远的智慧、丰富的知识而吸引我们的作品,不也属于精华之列吗?像《中山狼》这一类作品,《聊斋志异》和其他许多短篇小说中的不怕鬼、不畏虎的故事,

《愚公移山》《叶公好龙》《庖丁解牛》《揠苗助长》这一类启发智慧的寓言、传说等等，不是至今还深深吸引我们吗？还有，那些主要只是再现了山水风景之美，生活中某些情景、意趣之美，或抒发了刹那间引起的美感的山水诗、生活小诗、抒情短诗等，难道已经不再给我们审美享受了吗？显然，这些作品都还继续对我们发生艺术魅力。但同样也很明显的是，它们的社会价值是有差别的：一些作品的政治、道德作用特别显著、强烈，突出了善；一些作品则主要给予我们生活知识、智慧，显现了真；而另一些作品主要以它的美感作用见称。不承认这种差别，就会把所有的古典作品视作无分高低、深浅的等价物；但假如看不到它们在不同程度上都具有吸引我们的因素，那也会把这些古典作品全部否定。古典作品的这种差别，决定于古典作家的生活经验、思想水平、审美经验（包括他的艺术表现能力）是有差异的。并不是所有的作家都像杜甫那样"行万里路、读万卷书"，具有如此广阔和深刻的直接经验和间接经验；并不是所有的作家都能像杜甫那样同国家和人民的命运联结在一起；也并不是所有的作家都能像苏轼那样具有丰富的审美经验和高度的艺术表现能力。杜甫能写出《三吏》《三别》《北征》《自京赴奉先县咏怀五百字》等那些真、善、美高度统一的诗篇，正是因为他有这样的生活、思想、技巧。但是，就是杜甫，也写出了不少像《赠卫八处士》《秋兴八首》等等具有美感的作品。至于像王维、孟浩然等，虽然写不出《三吏》《三别》那样的诗篇，然而，他们对生活中某些情景（并不和阶级利益有直接的联系），由于有长期的亲身体验、观察、发现了它的美，培养和提高了这方面的审美能力，并以高度的艺术技巧再现了这种美和表现了自己的美感体验。这些作品在今天仍能给予我们审美享受。"春眠不觉晓，处处闻啼鸟；夜来风雨声，花落知多少"（孟浩然《春晓》），再现了这种生活情景的美，表现了作者的美感，在今天读它，我们仍然得到美的享受，有正常感觉和感受能力的人都不会否定它的美。"空山不见人，但闻人语响；返景入深林，复照青苔上"（王维《鹿砦》），不是还给予我们美的享受吗？这首诗常常使我想起俄罗斯著名的风景画家施斯金的那几幅为今天苏联人民视作骄傲的森林风景画，并且我也产生了一种自豪感：我们的诗人早在1000多年前就能在诗篇中再现这种美、表现这种对于生活的喜悦。可是，却有人至今还在说《鹿砦》这种诗只能教人颓废、没落，这显然不符合实际情况。

这样说是不是就是把美和真、善割裂、独立出来？是不是把美看做是与真、善无关或绝对矛盾的东西？不，我们这样说恰恰是说明真、善、美，既有区别又是密切联系的。唯美主义理论认为：政治、道德不能进入艺术，因为这些都是与美无关，甚至是不美的，只有表现"纯美"的艺术，才能永恒不朽。这就把美和善、真片面割裂了。其实，真、善、美相互联系，而且可以相互转化。不道德和虚伪的东西，一定也是丑的而绝不可能是美的；美的东西，也绝不可能是恶的、假的。梁山泊上的英雄好汉们的劫不义之财、杀不仁之贼，这不仅是合理的（合"天理人情"），而且在道德上是善的，在审美上也是美的，《水浒》真实地反映了这些方面，所以给予我们真、善、美。董卓对人民奸淫烧杀，这是灭绝人性的，也是恶的、丑的，《三国演义》真实地反映了这些方面，所以也给我们真、善、美（从否定中给予肯定）。"竹外桃花三两枝，春江水暖鸭先知；蒌蒿满地芦芽短，正是河豚欲上时。"（苏轼《惠崇〈春江晚景〉》），这景色是美的，也是活生生的真实情景，苏轼曾面对真情实景，体验到了美。客观现实本身具有多种多样的性能和关系，人们也可能从不同方面去反映。客观现实的真、善、美，可以由科学、道德和美学分别地去研究，不过科学是把这些属性从现实中抽象出来，研究它们的本质和规律，但是文学艺术是要审美地反映生活，要反映出现实本身的多样性统一的具体感性面貌，那就要反映出真、善、美在客观现实中的统一。当然，现实生活中有一些事物本身并无道德属性、道德关系，例如山水风景、鸟兽草木、日月星辰，艺术作品在反映这些现实对象是从审美上去体验，而不一定是从道德原则出发。但是，既是审美上的反映，就不仅包含了对生活的认识，而且还从审美上作了评价，带着作家的感情和想象。并无道德属性的事物，由于它们与社会、人发生了多方面的关系，我们还常从道德意义上去评价它们，赋予道德意义。我们日常生活中就常有"好山恶水"、"恶兽良禽"、"良辰美景"这一类的话。在艺术中更是如此，人们心目中的凤凰、龙、孔雀等都具有道德象征的意义，我们今天的和平鸽也是这样。至于像"松柏长青"、"梅妻鹤子"，竹、莲、兰等等，常常在艺术中作为美德的象征。真、善、美在现实生活中是如此紧密地联系着，所以当我们说文学艺术是从审美上反映现实的时候，并不就意味着与道德、真理问题无关甚至对立。真、善、美在现实生活中既是对象的不同方面的性能，它们处在密切联系中，那么，文学艺术在反映现实时，自然也必须在多样性的联系和统一中来反映。只是，古典作品本身是复杂的，就具体作品而言，不仅可能假、恶、丑的东西和真、善、美的东西相混杂在一起，而且，在真、善、美这三方面的关系上，也可能是不平衡的。一些作品可能充满了道德说教，给予我们一些抽象的道德训诫，很少美感作用；也可能有一些作品给了我们一些生活知识，但也只是以抽象思想图解出现，缺少美感。显然，这些是并不成功的艺术。政治、道德现象只有从审美上去体验，也就是说道德现象只有作为具体的、可感的、活生生的生活现象本身那样完美地反映出来，它才变成真正的艺术。生活知识、真理也只有从审美上去体验，以活生生的、具体感性的面貌出现，才能成为艺术。高尔基说得好，"假使作家把一个人描写成仅仅是一些恶行或者仅仅是一些善行的容器——这就不满足我们，这就不能说服我们，因为我们知道：善和恶的因素，或者更正确些说，个人和社会的因素，是交织在我们心理之中的。"[①]文学艺术不能离开美，只有当现实生活是从审美上得到反映时，才可能有艺术；没有审美上的体验和感受，也就失去了艺术。优秀的古典作家，总是以艺术形象的形式，从审美上真实地体验了现实，因此能给人以审美享受。而这种审美反映不是孤立的，而是和道德、真理相联系着，所以，它给予人们的审美享受，也不是和道德教育、真理认识相割裂、对立的。

这样看来，古典文学作品之所以还对我们具有艺术魅力，首先在于它本身客观存在着真、善、美的因素。优秀的古典文学反映了古人的道德面貌，或者正面写出了古人优秀的道德品质，或者从善的方面对恶行进行了否定从而肯定了善；反映了当时社会的生活或者积累了

[①] [苏]高尔基：《俄国文学史》，缪灵珠译，新文艺出版社，上海，1956年，第3页。

古人丰富的生活经验、智慧、真理,或者否定了虚伪、愚蠢、谬误;反映了古人的审美体验,或者是从正面去再现现实中的美,或者是从反面去否定现实中的丑,从而赞扬和肯定了美,以及把这些表现在艺术中等等。

到这里,人们自然会想到这样的问题:文学艺术既然是社会意识形态,具有上层建筑性和阶级性,那么,由那些并未超出剥削阶级思想体系的古典作家们创作出来的作品,怎么会具有真、善、美的品性?

这就需要我们把古典作家所接受的思想体系和他们在实践生活中直接获得的人生体验区别开来。古典作家在自己的生活实践中体验到的理智感、道德感和审美感,常常并不和他所接受的思想体系相符合。

问题有时被一些人归结得极为简单。曾经有人认为,在马克思主义以前,人类的认识是一片谬误,一段漆黑,生活本身没有真、善、美,当然也谈不上发现真、善、美。按照这种武断的结论,我们就根本不必去研究历史、了解过去了。作为人类先进的世界观和思想体系的马克思主义是客观真理,但是,这并不是说,马克思主义以前就根本没有客观真理,恰恰相反,马克思主义这一客观真理是在人类历史发展的基础上,在前人已发现的客观真理的基础上建立起来的。同样,我们要建立新的文化,根本不可能离开人类历史上的精神宝库。还有一种说法是,人类历史发展中虽有真、善、美和假、恶、丑的斗争,但是,只有被剥削阶级才可能发现真、善、美,而剥削阶级只能张扬假、恶、丑。于是,列宁的两种文化的学说,就被归结为只是民间文化和文人文化的对立和斗争的学说;文学中的真、善、美和假、恶、丑的斗争,仅仅就只是民间文学和文人创作之间的斗争。按照这种理论,当然只好把王维、孟浩然、贺知章、杜牧、李商隐、杨万里、范成大等等人的诗篇全看作是假、恶、丑的东西,而只把诗经中的民歌,南北朝乐府中的民歌以及以后的许多民间故事、民歌等列入真、善、美的范畴。但是,这种理论的矛盾也正在这里:为什么屈原、陶渊明、李白、杜甫、白居易、陆游、辛弃疾等人的优秀诗词却可以列入真、善、美之列？而他们不都是出身剥削阶级吗？而且还作过官！更重要的，他们的世界观、思想体系也都并未超出剥削阶级或转变为被剥削阶级的思想体系啊（为了避免引起不必要的争论，我再重申一下，这里谈的是思想体系，而不是个别思想、心理）！还有，为什么民间文学中那些充满了宗教迷信、荒唐色情内容的民歌、故事却又不能列入真、善、美的范围？等等。我们并不否认，文人之作常常以民间文学作为自己的养料和基础。优秀的文人创作，常常吸取了民间文学中的真、善、美，也可能是否定了民间文学中的假、恶、丑；另一方面，优秀的文人创作，也可能直接从现实生活中去发现真、善、美。先进的文学艺术（不管是文人之作或民间创作）总是表现了与人民的联系，真实反映了时代。剥削阶级中的一些作家，虽然在世界观、思想体系上并未超出本阶级的局限，但是，他的思想体系在当时还有先进之处（亦即还符合社会发展规律，还有客观真理的因素）；或者，他的实践还与人民的现实生活有这种或那种联系，也就自然有可能发现真、善、美。这不仅是说，先进的思想体系本身就是客观现实的接近客观真理的反映，而且还是说，这种先进的思想体系还帮助作家去进一步发现具体的现实对象的真、善、美。而在民间文学中，也可能有封建糟粕，由于剥削阶级的麻醉而在人民群众中灌输了愚昧、迷信、荒唐，一些人接受了这种影响而表现在自己的创作中，使得民间文学也可能有假、恶、丑的因素。因此，问题的症结并不在于民间创作和文人创作的差别。

有一些人正视了这种事实，承认当剥削阶级的思想体系还是先进的，多少符合社会发展规律的时候，它的成员确实是可以发现真、善、美的。可是，进一步有人就提出了这样的理论：古典作家之所以能在作品中表现出真、善、美的东西，就因为他的思想体系是进步的；古典作品之所以是假的、恶的、丑的，一定是因为作家的思想体系是反动或落后的。相反亦然，假如古典作家的思想体系是进步的，那么，他的作品就一定是真、善、美的；假如古典作家的思想体系是落后或反动的，那么，他的作品就一定是假、恶、丑的。显然，这种理论倒也概括了一些事实真相，因而可以解释一些现象，例如，屈原、陶潜、杜甫、李白等人的许多诗篇，确是因为和他们的先进思想体系有着直接的关系。他们的思想体系没有超出剥削阶级的范围,但他们的思想体系还多少符合社会发展规律,而且受过被剥削阶级的个别思想的影响(如陶潜、杜甫)。他们创作的许多伟大诗篇,是与他们的这种先进思想有关。但是,我们同样可以提出一些事实来怀疑这种理论的精确性,我们翻开《杜少陵集注》《李太白全集》,浏览一下他们全部的作品,就会发现,甚至连杜甫、李白这样伟大的诗人,也写出了为数不少的丝毫不真、不善、不美,甚至可以说是假、恶、丑的诗篇,其中恭维、阿谀、庸俗、应酬的气味并无区别于当时一般的官僚。那么,根据这些诗是否能把杜甫、李白的思想体系判定为落后的或反动的了呢?或者,根据他们的思想体系在当时还是进步的,是否就把这些诗也说成是真、善、美的呢?按照这种理论,就一定会两者必取其一说。对于王维、孟浩然、杜牧、李商隐等也就必然会这样简单,假如要承认他们的不少诗篇是真的、善的、美的,那么,就得千方百计地证明他们的思想体系是进步的;假如承认他们的思想体系是落后的、反动的,那么,就只能把那些在我们看来是真、善、美的诗篇全部判定为假、恶、丑的。这种理论,实际上是把古典作品的内容归结为只是世界观或思想体系的纯主观表现,把作家的世界观或思想体系看作是决定创作的唯一因素。

文学艺术是社会意识形态之一。而在阶级社会里,人们分为不同的阶级,作为社会意识形态的文学艺术确具有阶级性。文学艺术的阶级性明显地表现在:一定的阶级创造文学艺术乃是为了自己阶级的需要,以维护自己阶级的利益为目的。汉代的最高统治集团为了对自己歌功颂德而发展了汉赋、庙堂诗歌;而被剥削阶级则为了自己的需要创作了另一种"街陌谣讴"(收在《乐府诗集》中的民歌);建安时代的"邺下"集团则创造了适应中小地主阶级复兴的文学(以曹操的诗歌为代表)。晋宋特别发展了山水风景诗,其实,也是和当时统治阶级中那个不能当权的集团利益的需要密切相关的,一方面,他们出身于"不劳而获"的阶级,能够有"闲情逸致"(有钱有闲)来游山玩水;另一方面,他们不能当权,只能寄情山水(这本身就是政治态度的表现)。文学艺术的阶级性当然也表现在:阶级的思想体系和阶级心理(感情、愿望、幻想和意志等等)时常也渗透到创作中,影响作品的内容和形式。这种影响首先表现在这个阶级究竟把哪些现实对象放入自己视野范围之内,敢于正视哪些现实对象,不敢正视哪些现实对象。这种影响也表现在这个阶级有无勇气和有无能力再现现实对象的真实面貌,它在何种程度上接受和概括了人类的经验。文学艺术是现实生活在审美上的反映,它在反映现实时必定会有阶级影响,但它的内容仍然是对生活的感受和体验,而不是阶级的思想体系。文学艺术必须要运用人类丰富的经验来创造艺术形象,而不能赤裸裸直接表现本阶级的思想体系(它是抽象的、逻辑的、系统化了的)。高尔基这样正确地说道:

> 文学是社会诸阶级和集团底意识形态——感情、意见、企图和希望——之形象化的表现。它是阶级关系最敏感的最忠实的反映;它利用民族阶级集团底全部经验来达到它的目的,而且,就当经验业已组织成宗教的、哲学的、科学的形式的时候,文学便掌握那经验,并且凭它自己的力量竭力去组织那经验。①

文学既是审美地反映现实,就一定要把对现实的感受和体验体现在活生生的感性经验形式中。人类在实践中去感受世界,从现实对象获得生动的、具体的体验,这是对现实对象的直接的反映。这种人生体验,作为直接经验保存在人的头脑中。人生体验的内涵十分丰富,它不仅反映了对象的情况,还反映了作者自己的心态,更反映了作者和对象世界是一种什么样的关系。因此,文学艺术当然不只是感性认识,它是想象、思维、情感活动交互复杂作用的产物,但是,它保留了感性体验的生动、具体的优点。人类对现实对象的体验和感受,在文学艺术中是以感性的形式被概括和组织在艺术形象中的。所以,艺术形象既不就是抽象的思想,也不就是感觉、知觉和表象,而是形象思维的产物。正因为如此,文学艺术就不能是阶级思想体系的演绎和图解,它必须以当时社会的经验(生活经验、审美经验和艺术表现经验)为基础,并把经验概括和组织到作品中来。这绝不是说,文学艺术只是纯经验

---

① [苏]高尔基:《俄国文学史·序言》,缪灵珠译,新文艺出版社,上海,1956年,第1页。

的表现,当人类经验被概括和组织到作品中来时,必定要通过人的头脑,必定要经过思维活动,这时一个作家的世界观、思想体系就会发生作用。但是,这并不是以世界观、思想体系代替生活体验的概括为形象。作家必须从生活中自己去感悟,得出思想结论,而不能撇开经验作抽象判断。脱离了活生生的、具体的生活体验,也就没有意义,形象一步也离不开生活经验。高尔基根据自己的创作实践经验,在一系列著作、论文中都十分强调了经验对创作的意义,例如他说:"经验的宝藏——所谓心灵这东西——充满着生活印象,就使得一个人相信他的观察和感觉越丰富,那他就越能够用更经济的方法去组织它们,而组织思想之最经济的方法就是形象。"①经验是直接由实践中产生并直接和实践相联系着,一切理论也都必须以经验为基础。"一个人的知识,不外直接经验的和间接经验的两部分。"②虽在数量上说,一个人的知识绝大部分是间接经验的,个人的直接经验无论如何广阔、丰富,却不可能像整个社会为他提供的间接经验那样多,但是,直接经验却有无可代替的优越性。试想,别人无论如何把一个人的美谈得天花乱坠,但"百闻不如一见",只有亲自审视一下,才能感受到他(她)的美。而且,一个人要掌握和接受间接经验,不仅必须依赖于直接经验的帮助,就是他接受间接经验的可能性、程度以及如何掌握等等方面也都取决于个人的直接经验的特点。文学艺术的创造的特别可贵之处也正在于:作家把自己丰富的生活体验概括在艺术形象中,使思想感情都以直接体验的形式出现(作家也接受别人的间接经验,但都必须以直接经验的形式在艺术作品中出现)。因此,才使得读者在阅读作品时,能如历其境、如见其人,好似直接经验了现实生活。所以,即使哲学、科学、宗教等已在组织人类经验时,文学艺术仍然独立地在以自己特有方式去组织人生经验。

这一切还只能说明人生经验对于文学艺术创造具有特别的意义。但是,只有经验十分丰富(不是零碎不全和狭窄的)和合于实际(不是

---

① [苏]高尔基:《俄国文学史》,缪灵珠译,新文艺出版社,上海,1956年,第5页。
② 毛泽东:《实践论》,引自《毛泽东选集》第1卷,人民出版社,北京,1991年,第227页。

错觉），才能根据这样的经验材料去创造真实的形象，而并不是一切经验都能达到这些。而且，这些经验被概括、组织为形象时，既然要通过思维、想象等的改造，那么，作家的世界观、思想体系就会渗透到这过程中去。那些可以称得上伟大、杰出的古典作品，都是不仅概括了人类宝贵的、丰富的、真实的生活经验、审美经验，而且也是通过先进的世界观、思想体系这面三棱镜去反映生活，从而得出了他自己发现的思想结论。先进的思想体系对于文学艺术的进步，无疑起着巨大的推动作用，只要举出这样的事就可以一目了然：文艺复兴、启蒙时代、19世纪那种先进艺术的繁荣，都与当时的先进思潮密切相关。我国许多伟大作家（如屈原、陶潜、李白、杜甫、白居易等等）的巨著的出现也都受到了先进的世界观、思想体系的影响。这是可以理解的，思想体系乃是一个阶级或集团的意识的最系统、最集中的概括，是从阶级意识中抽象出来的阶级观点的体系，它以政治、法律、伦理、美学、宗教和哲学观点的系统化的形式，反映整个阶级或集团最高利益和要求。而一个阶级或集团是进步的，他的思想体系多少符合社会发展的规律，具有客观真理的性质，那么，思想体系自然能帮助这个阶级或集团去真实地认识现实世界的具体对象。思想体系反映的虽然不是社会存在的一切方面，而只是涉及阶级的或集团的利益的那些根本方面，而且，只有"这一阶级的积极的、有概括能力的思想家"①才能把阶级意识提高、概括、抽象为思想体系。但是，既然它是概括的、系统化了的观点体系，而先进阶级的利益此时还并不狭隘，它就能反过来帮助本阶级、集团的人们去认识现实世界的具体对象。还未登上统治宝座时的资产阶级，在反对封建主义的那一瞬间，他的利益确实还与广大人民的利益有一致之处，资产阶级思想家的优秀代表们，确实曾真诚地幻想未来社会将是一个无私的乐园。②在这种思想体系影响下的先进作

---

① [德]马克思、恩格斯：《德意志意识形态》，引自《马克思恩格斯全集》第3卷，人民出版社，北京，1965年，第53页。
② 同上，第54页；[德]马克思：《黑格尔法哲学批判导言》，引自《马克思恩格斯全集》第1卷，人民出版社，北京，1956年，第463页；《我们究竟拒绝什么遗产？》，引自《列宁全集》第2卷，人民出版社，北京，1955年，第445页。

家们(有些本人就是思想家),视野广阔、敢于正视现实、能够真实地反映现实,帮助他们创造出伟大的作品。这些作品之所以至今还激动人心,主要原因也在于此。

可是,问题不能归结得如此绝对和简单。伟大的作品一定必先有伟大的思想,这是对的。但伟大作家、作品之出现,还必须有另外一些条件,广阔和丰富的生活经验(直接的和间接的经验)、高度的审美能力、精湛的艺术表现技巧等等。文艺复兴时代的许多作家,不仅有先进思想,而且很多人都和李白、杜甫等一样,一手仗剑、一手捧书,远游四方,同时也深入地学习和研究了古代艺术。19世纪俄国的"巡回画派"、"强力集团"(音乐家),也莫不如此。没有生活、才能、技巧,只会把艺术变成思想图解或说教,而不可能成为真正的艺术。且不说《水浒传》《三国演义》《红楼梦》《儒林外史》这一类巨著是概括了多么广阔、丰富的生活经验,而创作它们时,又必须有如何高度的生活经验。高度的审美经验和表现经验就是一首抒情小诗、一幅风景画,只要它真正吸引人,也都是必须以生活经验为基础,并必须具有一定审美经验、表现能力才能创造出来。而作家的生活经验、审美经验、艺术表现经验正都是从实践中来的。鲁迅先生始终不渝地捍卫了文学艺术的先进思想性,但是他并不把文学艺术只当作普通的宣传,他深谙艺术之道绝不能离开经验、生活:

> 现在有许多人,以为应该表现国民的艰苦、国民的战斗,这自然并不错的。但是自己并不在这样的漩涡中,实在无法表现,假使以意为之,那就决不能真切、深刻,也就不成为艺术。所以我的意思,以为一个艺术家,只要表现他所经验的就好了。当然,书斋外面是应该走出去的,倘不在什么漩涡中,那末,只表现些所见的平常的社会状态也好。[①]

显然,这里鲁迅先生并没有忽视艺术要表现先进思想,但是,他

[①] 鲁迅:《致李桦信》(1935年),引自《鲁迅全集》第10卷,人民文学出版社,北京,1958年,第255~256页。

以为，只有表现了"他所经验的"生活才能具有艺术价值。这可算得是他亲自体验过的重要艺术经验之一。这也正是古典作品艺术创造的普遍规律之一。

因此，也正是只有从古典作家的实践（他的社会实践、生活实践、艺术实践）着眼，方能解释文学艺术中一些更为复杂的现象。不能因为一个古典作家的思想体系没有跳出剥削阶级的范围，就以为他的一举一动、一诗一画都必定直接表现狭隘的阶级利益。马克思在《拿破仑第三政变记》中论到小资产阶级政治、思想、文学代表时说：

> 不应该以为，一切民主主义的代表都是小店主崇拜者，按照他们的教育程度和个人地位讲来，他们和小店主不啻有天壤之别。使他们成为小资产者的代表的是这个情况，他们的思想不能够越出小资产阶级生活所没有越出的界限，因而他们在理论上所得出的任务和解决办法，也就是小资产阶级的物质利益和它的社会地位使小资产阶级在实际上得出的任务和解决办法。一般讲来，阶级的政治和文学的代表，他们和所代表阶级之间的关系就是如此。①

李白的思想体系，即使当他不满现实时，也没有从剥削阶级的转为劳动人民的。无论在流放夜郎时作的"巫山夹青天，巴水流若兹；巴水忽可尽，青天无到时；三朝上黄牛，三暮行太迟；三朝又三暮，不觉鬓成丝"（李白：《上三峡》），以及被释时作的"朝辞白帝彩云间，千里江陵一日还；两岸猿声啼不住，轻舟已过万重山"（李白：《早发白帝城》）。虽然都表现了思想感情，但是，这里并不是他那思想体系的直接表现。思想体系既然是阶级利益的最概括、最系统、最抽象的反映，而且它只是由一些阶级的杰出代表们创立的，那么，它就不可能反映出现实生活的具体方面。而且，正如马克思、恩格斯说过的，这个阶级的其他成员只是把思想体系作为间接经验来接受，而作家，作为具有个性的个体而言，乃是复杂的，他绝不是某某阶级或集团

---

① [德]马克思：《拿破仑第三政变记》，转引自马克思、恩格斯：《论艺术》，人民文学出版社，北京，1960年，第169页。

思想体系的化身。他有他的实践生活,他和社会不可避免地有着联系(人是社会关系的总和)。显然,出身于剥削阶级的作家,他的个性必然会带有本阶级的烙印,他从小就受到本阶级的教养,生活在本阶级的圈子里,他自然而然地接受了本阶级或本集团的思想体系。可是生活本身总要比思想来得丰富,古典作家的实践以及从实践中得来的经验,就是先进的思想体系也不能包罗整个阶级的生活经验(前者只是后者的概括、抽象、系统化),何况,思想体系的变化较为稳定,特别当剥削阶级登上统治地位,它就变成僵死之物,不能反映社会的发展而变成谬论了。而生活是常青的,它在迅速变化、发展。假如这位作家不是脱离生活,他从实践中不断得到丰富的体验,理智感、道德感、审美感充沛和真实,那么,他所接受的思想体系和他自己在直接经验中获得的体验就会产生矛盾(而这归根结底是思想与实践之间的矛盾)。

由此而产生了历史上古典作家们多种多样的复杂情况。当然,我们必须先预计到这一点,古典作家的思想体系本身一般说是复杂的、模糊的、不自觉的。他接受了本阶级或本集团的思想体系的影响,成为自己思想体系中的主导方面,他也可能受到别的集团甚至别的阶级的思想体系影响。这里的矛盾统一于何方,决定于他的实践和实际利益。也许,一些作家一生都没有统一过,甚至一生都没有自觉地意识到这种矛盾。古典作家不一定都是他那个阶级的思想家。但是,假如只就古典作家的生活经验和他那个阶级或集团的思想体系之间的关系来看,那么我们就会看到,一些作家所接受的思想体系已经是僵死的、不能反映客观真理,但是,他参加了社会实践,他从实践中获得了丰富的生活经验,从生活实践中对它作出了概括,对生活作出了正确的概括和判断,而这种概括和结论却与他那个阶级的思想体系对生活的理解是矛盾的。他的生活经验越出了本阶级的范围,对现实对象的反映是符合实际的,他对生活的体验可能深刻而独特,尽管他的思想体系的主导方面仍未越出它。而有些作家,由于有更为广阔、深入的生活实践,他从极为广阔的生活经验中得出了直接和他所受的那个思想体系相尖锐矛盾的思想结论,甚至像托尔斯泰这一类作家,最终由实践中转向了另一个思想体系。有许多伟大的作家,特别是没落时期许多从统治阶级中分化出来的杰出作家,常存在这种矛盾。高尔基在《俄国文学史》一书中,自始至终都贯穿了这样一个思想:优秀的古典作家所以能跳出本阶级的思想体系的范围,总是因为他从实践中积累了丰富的生活经验,服从了生活本身的真理。"一个经验丰富的作家总是自相矛盾的,因为经验充实,则要求有广大的、有组织力的思想,而这些思想是同集团和阶级底狭隘的目的对立的。"[①]高尔基认为思想体系这东西乃是阶级利益得到概括而系统地反映的观点体系,剥削阶级的思想体系总是不可能概括出人类整个宝贵的经验,并以资产阶级的思想体系为例作过详尽的分析。"资产阶级贪得无厌的心理的基本性质,在思想体系的范围内,正如在产生活动的范围内那样,都是以同等的力量表现出来的,而且无论在前者或后者,我们都看到这种急不暇待的贪欲如何迅速地利用现代的材料,不管这些材料是大地的宝藏还是思想也好,都是为了要达到狭隘的阶级目的"。"在建立自己的学说之际,资产者——哲学家和学者——不能够利用全人类经验的全部成果"。"资产者是需要教条的,他甚至在科学的范围内也不得不依照宗教、依照教条来思维,隐瞒了社会现象的矛盾,砍去了那些同他敌对的、同他的倾向矛盾的事实"。"在掌握到经济权威之后,势必浪费人类所有的经验和世界所有的知识,用来建立政治体系与宗教体系,其目的却不是为了全人类利益而综合经验,而是为了创造那种替私有主阶级的经济权威和图利政策辩护的思想体系"[②]。但是,优秀作品却不是思想体系的图解,"它差不多总是比思想更广、更深,它把握着带有其精神生活底一切多样性、带有其感觉和思想底一切矛盾的人物。艺术创作是更忠实地对待现实的"[③]。高尔基再三强调:"经验越广则其中主观的及个人的余地便越少,一般的意义便越庄严地显露在面前,艺术家的社会形象也就越鲜明地呈

---

① [苏]高尔基:《俄国文学史》,缪灵珠译,新文艺出版社,上海,1956年,第6页。
② 同上,第75~77、115页。
③ 同上,第42页。

现出来"①。高尔基正是这样解释了托尔斯泰、普希金等一系列杰出的作家。他这样说道:"普希金给无产阶级读者做了些甚么呢?""以他的创作为例,我们便看出:这位作家,因为生活知识丰富,即所谓经验盈溢(这位作家,就思想来说,终始是阶级性的人,是个贵族),所以就能够在他的艺术概括上,走出了阶级心理的局限,超出阶级的倾向之上,于是对我们客观地描写出他自己的阶级来。"②普希金"个人的经验比贵族阶级的经验更广、更深"。我国的曹雪芹、法国的巴尔扎克乃是更为突出的例证。列宁在《我们究竟拒绝什么遗产》中也以许多例证说明了:一些民粹主义者在理论上坚决信奉已经为社会发展进程本身所证实为谬误的小资产阶级思想体系,但是,他们在实践生活中,以及在艺术作品中写出他那丰富的经验时,却违反了那个思想体系而作了现实主义的描绘。高尔基也同样以实践、生活经验的丰富来证实了民粹主义作家的一些作品的价值。

还有另外一些古典作家,他们接受了本阶级或本集团的落后或反动的思想体系,他们的思想没有超出过它,而且一生中也从来没有怀疑过它(甚至他们还在一生中多方地去宣扬过它)。这些人当然创作不出什么伟大的作品来,他们的创作大部分都是受了这种思想体系的影响,因而对我们无多大意义。但是,这并不是说,他们的创作也就都是狭隘阶级利益和思想体系的表现。一个最彻底的唯心主义者,为了要活命,他无论如何也不能不吃饭、睡觉,他不能不在实践生活中尊重某些事实和按照生活本身的规律办事,不然他只能离开人世而到天国彼岸去。思想体系乃是反映本阶级根本利益的阶级意识的概括,它并不能包罗所有对于现实生活的体验和感受。一个作家不可能没有生活实践,即使他的生活经验从来也没有超出本阶级许可的范围之外,但是,当他面对一些与本阶级根本利益并不矛盾、冲突的现象时,他也可能会有真实的反映。他可能很会欣赏自然山水之美,也可能真实地体验生活中某些情景的情趣……当他们在欣赏这些现象时,不仅

---

① [苏]高尔基:《俄国文学史》,缪灵珠译,新文艺出版社,上海,1956年,第5页。
② 同上,第177页。

不与本阶级的利益相矛盾，而且，他还能真切体验到这些现象的美，供自己享受、欣赏。当然，当问题一涉及本阶级的狭隘利益，他们就会从思想体系方面去歪曲事实真相，或看不到真相，但是，当问题并未和阶级利益联系起来（或者是现实对象本身并无阶级性，或者是作者并未意识到它与阶级利益的联系），他们却还是可能真实反映出现实对象的面貌的。这里，作家的生活经验、审美经验、艺术表现经验都在起着作用。高尔基在论到那些不能称之为伟大作家的一些作家时，说明了他们如何还可能创作出一些有价值的作品："就其组织历史所积累的经验这方面而言，这些人都是所谓'青出于蓝而胜于蓝'，而且冯维津和茹可夫斯基也不过是概括了前人所遗下的成绩而已，同时他们所作的概括甚至可能是不知不觉的，换句话说，可能不是取之于书本上，而是取之于生活本身，而生活里面已经溶解了书本所披载的经验。"①对于王维、孟浩然、杜牧、李商隐、李清照、李煜等一系列作家之所以能创造出具有审美价值的作品，也可以这样去解释。列宁论及资产阶级学者、教授们的一些话，也可以帮助我们了解这个道理。他说："这些教授们虽然在化学、历史、物理学等专门领域内能够写出极有价值的作品，可是一旦谈到哲学问题的时候，他们中间任何一个人所说的任何一句话都不可相信，为什么呢？其原因正如政治经济学教授虽然在实际材料的专门研究方面能够写出极有价值的作品，可是一旦说到政治经济学的一般理论时，他们中间任何一个人所说的任何一句话都不可相信一样。"②这是因为一涉及本阶级的思想体系就直接与本阶级的利益联系起来，就一句话也不可相信他，但是，他们从生活实践中获得的真知灼见却又十分珍贵。对于这些作家，我们也可以这样去理解，我们大可不必去理会他们的政治观念，但他们对生活的真实体验，从生活中产生的理智感、道德感、审美感的丰富和充实，对人生的感悟，却对我们很有价值，能给我们真、善、美的启发。

古典作家要创作，不可避免地要受到阶级思想体系的影响。先

---

① [苏]高尔基：《俄国文学史》，缪灵珠译，新文艺出版社，上海，1956年，第117页。
② [苏]列宁：《列宁全集》第14卷，人民出版社，北京，1984年，第362页。

进的思想体系固然曾一度促进了古典作家们去探索概括生活中的真理,但是它的最根本任务也仍然是维护剥削制度,当涉及阶级根本利益时,他们也仍然会表现出严重的局限。它很快阻碍了客观真理的发展,使得古典作家的视野缩小,不敢正视现实,一些作家之所以还能写出一些真、善、美的东西(但范围已大大缩小),主要只是从社会实践中、从现实生活中获得了丰富而真实的生活体验,并从生活实际中得出真实的思想结论,通过自己的审美经验、艺术表现经验,概括为艺术形象。所以,高尔基说:古典作品究竟对于工人阶级有何价值?

> 在古典作家的作品里,吸引了工人读书的不是思想体系,而是作品的情节、引人入胜的形式、丰富的内容、观察和知识,以及语言描写的技巧。[①]

总之,古典作品中的真、善、美,乃是其至今还有艺术魅力的客观根源。

三

正如乐音美之对于聋哑、色彩美之对于色盲并不发生作用一样,古典作品中的真、善、美,对于既无欣赏能力也无欣赏需要的人来说,亦是毫无意义的。我们至今还能为古典作品深深吸引并得到艺术享受,除了客体本身具有真、善、美的因素外,自然还有主体(欣赏者)方面的原因。那么,我们还需要从主体方面考察:今人为什么还需要而且还能够从古典作品中得到享受?

人类在实践过程中,改造了客观世界,同时也改造了主观世界。广大人民在劳动和社会实践中也培养了艺术欣赏能力、审美能力。劳动人民是人类一切真、善、美的真正的继承人,同时,也是真的、善的、美的理想世界的创造者。当代人民在改造世界的过程中,产生了

---

① [苏]高尔基:《工人阶级应该培养自己的文化大师》,引自《高尔基选集·文学论文选》,孟昌、曹葆华译,人民文学出版社,北京,1958年,第85页。

自己的社会理想,并在这理想的鼓舞下创造一切真的、善的、美的东西。那么,当代人还需要去欣赏过去时代的古典作品吗?苏联早期曾出现过一种理论,以为无产阶级要与传统彻底决裂,必须抛弃文化遗产。这种理论貌似"革命",其实和马克思主义背道而驰。马克思、恩格斯在创立马克思主义这一完整的思想体系以前,曾经对英、法、德等国工人阶级状况作过调查研究,他们深深体会到:"资产者是现存社会制度以及与之相联系的各种偏见的奴隶;他胆怯地避开和尽力地否认真正标志着进步的一切东西;无产者则眼光锐利地注视着这一切,愉快和有成效地研究它们。"①雪莱、拜伦等人的作品,几乎只在工人读者中间流行,工人读者孜孜不倦,富有成效地从中汲取营养。如果说这种情况在马克思主义产生以前还是不自觉的,那么,到了今天,马克思主义已深入人心,无产阶级就更有这种能力,并能自觉地以马克思主义为指导来汲取力量、营养。断言无产者没有欣赏艺术和美的"天性"的说法,不过是企图维护少数人垄断艺术的掩饰而已。不过,古典作品既然是糟粕和精华相混杂,无产阶级在欣赏它时,自然还要善于辨别善恶、美丑、真伪,剔除剥削阶级思想体系带来的影响。高尔基曾批评那种以为古典作品只会给工人阶级带来毒害的说法,因为工人阶级能够剔除毒素。劳动人民、工人阶级需要,也能够从古典作品中汲取营养。当然这只是就整体来说的,至于每一个成员是否具有这种能力、修养,就必须具体分析。今天,我们广大的读者群中,并不是所有的人已经巩固地建立了马克思主义世界观,但是,我们并不因此就不去欣赏古典作品,我们恰恰是要通过不断欣赏,接触它而提高我们的艺术修养、审美能力。当然,对于具体人要具体分析,不必把所有的古典作品推到他面前去,必须有所选择,针对不同的读者,推荐不同的书。同时,对古典文学的研究,也要密切注意到这个方面:有步骤地评介一些古典名著,帮助读者从古典作品中认识和汲取真、善、美的东西,同时也提高他们的艺术鉴别和欣赏的

---

① [德]恩格斯:《英国工人阶级状况》,引自马克思、恩格斯《论艺术》,人民文学出版社,北京,1960年,第331页。

能力。我们要使那些无法从古典作品中表现真、善、美的地方激起共鸣的读者们,也能真正地共鸣起来;也要使他们能对古典作品中假、丑、恶的东西,真正地反感起来。我们要提醒读者们小心地不要受剥削阶级思想体系、审美观的影响,但是,我们也要经常引导他们去享受其中的真、善、美,而不是去吓他们:谁对古典作品共鸣,谁就是还有剥削阶级思想!

可是,当代人为什么还需要去欣赏古典作品呢?我们既然已有自己的新的政治标准、道德标准、美学标准,既然已有新的文学艺术,为什么还要去欣赏旧的"真、善、美"?

对此,列宁在谈到"应该把美作为根据,把美作为构成社会主义社会中的艺术标准"的同时,他决不因此而要抛弃"旧美",相反,严厉地批判了这种说法。他说:

> 即使美术品是"旧"的,我们也应当保留它,把它作为一个范例,推陈出新。为什么只是因为它"旧",我们就要撇开真正美的东西,抛弃它,不把它当作进一步发展的出发点呢?为什么只是因为"这是新的",就要像崇拜神一样来崇拜新的东西呢?那是荒谬的,绝顶荒谬的!①

当今人类需要"旧美"以及一切历史上有价值的东西,这不仅是因为当今人类不得不在前人遗产的基础上才能生存,而且,要发展新的东西,也必须吸取前人的经验、成就,作为"进一步发展的出发点"。恩格斯说得好:"现代社会主义的根源虽深刻存在于'物质的'经济的事实中,可是它和任何新的学说一样,首先得从在它之前已经积累的思想资料出发。"②哲学、政治经济学也未尝不如是。整个马克思主义思想体系,如果没有对人类全部发展过程中所积累的知识的批判、吸收,是不可能建立的,工人运动本身不能够产生马克思主义。当然,马克思主义的产生也必须在工人运动的基础上才有可能。当今人类的思想体系的建立是如此,而要在这思想体系指导下建立

---

① [苏]列宁:《论文学与艺术》第2卷,人民文学出版社,北京,1959年,第911页。
② [德]恩格斯:《反杜林论》,吴黎平译,人民出版社,北京,1970年,第13页。

整个新的精神文化，更是不能离开以往一切有价值的东西。要想从半空中建立新文化，这是可笑的乌托邦。（关于这些，马克思主义经典作家们有不少言论，已为人熟知，例如，马克思、恩格斯的《德意志意识形态》序言，恩格斯的《社会主义从空想到科学的发展》，马、恩的一些通信，特别是列宁的《青年团的任务》，毛泽东的《改造我们的学习》，这里不能大量引证。）

这里，我们需要进一步弄清的是：为什么古典作品不仅为今天的文学家们所继承、借鉴，而且还用它来直接供广大读者欣赏？这与事物发展的普遍规律以及文学艺术的特殊性有关。

社会主义时代的真的、美的、善的东西，与以往社会中的真的、善的、美的东西相比，无疑有着质的区别。但是，这里有发展的继承关系，而发展是按着否定之否定的辩证规律进行的。所谓否定，不是像在形式逻辑中简单地说"不是"，或者宣布事物不复存在，或者用任何一种方法把它消灭。在辩证的否定中，新的事物还肯定、保留了其中积极的、向上的、永恒的东西。由于否定之否定，在否定中又有肯定，事物在每一新阶段上克服了原有的片面性，达到了更高级的真理，其中把原来一切积极的东西保留下来，而原来相对的、暂时性的东西则消失了。事物的发展经过否定的否定阶段，在新的高级阶段上"综合"，掌握和改造了以前一切有价值的东西，消灭和抛弃了一切腐朽的东西，因而整个发展阶段是沿着简单到复杂、低级到高级这样一条路线前进的。

阶级社会中虽受到了阶级束缚而使事物的发展受到阻碍，因而在发展中常有暂时的停止、退却，但整个历史过程依然是发展的。这种发展运动，不是直线或圆圈式的，而是螺旋式或逐渐由低到高的波浪式的。由此，新的事物固然不是旧事物的全部的简单再现，但是，它也再现了旧事物的某些特性。列宁说得好："在高级阶段上重复低级阶段的某些特征、特性等等，并且仿佛是向旧东西回复（否定的否定）。"[①]马克思所说的成人"在更高的阶段上把小孩的真实的本质再

[①][苏]列宁：《哲学笔记》，人民出版社，北京，1974年，第20页。

现出来",正是这个否定之否定规律的形象说明。天安门广场前,新建的人民大会堂、历史博物馆的宏伟建筑,与那天安门、故宫的封建时代建筑,紧相对峙,显然,这是两种不同性质的建筑,这里存在着一定的矛盾。然而,我们并没有因它们有质的不同而感到只有尖锐的对立,相反,我们还感到相得益彰,感到两种美的和谐、协调。这是因为一方面,天安门、故宫本身具有美,并且它们和人民的关系也有了变化;另一方面,我们今天的建筑,"在高级阶段上重复低级阶段的"建筑的美。正是两者间有继承关系,我们才感到如此。我们今天的科学真理,正是人的思想长期发展的结果。"人类思维按其本性是能够给我们提供并且正在提供由相对真理的总和所构成的绝对真理的。科学发展的每一阶段,都在给这个绝对真理的总和增添新的点滴,可是每一科学原理的真理的界限都是相对的,它随着知识的增加时而扩张,时而缩小。"①这正如滔滔长江乃是由无数小河、溪水汇集成的,长江已经包括这些小河、溪水的某些特性。虽然长江、大河不是那些小河、溪水本身,小河、溪水本身已具有构成长江、大河的某些因素了。我们今天已经有了新的道德理想、美学理想,对于现实对象也有了新的思想、观念,却也正是在更高阶段上重复了以往阶段的思想、观念的某些特性——这里,已抛弃了歪曲了现实的观念、思想,而保留了真实反映了现实的观念、思想,并在新的基础上被改造综合到我们新的观念、思想中。封建文人认为桂林山水、西湖风光、苏州园林等是美的,我们也认为是美的。这里,并不意味着我们和他们的美的观念完全一样,但是,这里确实有着一致的内容。我们无需因为封建文人曾对它发生了美感,我们就要说它是丑的(这是违反客观事实的),或者不肯、不敢承认我们也对它发生美感。这里,我们依据的是历史辩证法和心灵辩证法:今天和古人的心相通,欣赏主体和创作主体的共鸣。

古典作品之所以还激起我们的共鸣,正是从这里得到解释。古典作家在前代已为人类的客观真理长河献出了"几粒绝对真理"的

---

① [苏]列宁:《唯物主义与经验批判主义》,引自《列宁全集》第14卷,人民出版社,北京,1984年,第134页。

水滴;我们的审美感受已与前人不同,然而它也在更高的阶段上重复了审美感受中的"几粒绝对真理"。优秀的古典作家们对古代生活在审美上作了真实的反映。而现在,现实已发展了,我们的审美感受也发展了。而正因为发展是按否定之否定规律进行的,我们就不仅在审美感受上和古典作家有着一致的、相应的反应,而且,还能帮助我们去体验今天的现实生活。庐山,在今天无疑已经和古代有了变化。这主要不是指自然属性方面的变化,而是说它与社会的关系,人和自然的关系发生了变化,所以,它的社会意义有了变化(它已属于人民享受)。因此,要能够真实地反映出它的美,我们需要今天的诗人、画家们从社会主义的审美理想上去创造新的艺术品。然而,我们仍然需要欣赏古典作家们的作品,并且从中得到审美享受。我们赞赏"横看成岭侧成峰,高低远近各不同;不识庐山真面目,只缘身在此山中"(苏轼《题西林壁》),我们也深深为这样的诗句所吸引:"日照香炉生紫烟,遥看瀑布挂前川;飞流直下三千尺,疑是银河落九天"(李白《望庐山瀑布》)。这不仅因为李白、苏轼是从不同方面体验到了当日庐山的美,我们的审美感受和他们之间有一致的关系,而且,他们对庐山的这种审美上的反映,还有助于我们今天去欣赏、认识今天庐山的面目。他们发现的庐山的彼时彼地的美,并不与今天庐山的美相矛盾,而且,古人对庐山美的体验是独特新颖、不可重复的,甚至,如马克思所说,是不可企及的童年最美好的状态。我们今天仍能从中得到美的享受,并能启发我们有更新的体验。《牡丹亭》《西厢记》《红楼梦》中为作者所理解和肯定的爱情,无疑并不是我们今天的爱情。但是,这种爱情,在当时社会中是真的、善的、美的,而且,我们今天所理解的爱情(只有以真正的爱情为基础的婚姻才是道德的、美好的、纯真的),在那里已有某些因素。我们今天的爱情,在性质上已远远高于古人的爱情,然而,它也在更高阶段上重复了以前某些特性(其中有真的、善的、美的)。因此,我们从这些作品中不仅了解了古人的爱情,而且还有助于我们去理解新的爱情。我们对这里表现出来的真的、善的、美的东西产生了共鸣。古典作品之至今还对我们具有道德教育作用、认识生活作用和审美教育作用,其秘密也正在于此。

那么,当我们已经建立了新的文化、已有了社会主义文学艺术的时候,古典作品是否就已完成了使命而退出现代的舞台了呢?这是要由实践来决定的问题。但是,根据我下面的认识,我要说,不,它不仅不会消失,而且,如果说优秀的艺术过去只是为少数人所了解,那么随着新文化的发展,我们将有越来越多的人去欣赏它,古典艺术将真正为人民所有。而随着我们审美水平的提高,我们还能从新的高度作新的阐释和解读,它的真、善、美将为我们更深刻地感受和掌握。首先,我们的审美能力也是发展的,随着我们的认识愈益深刻,那么,我们对古典作品中的真、善、美也将有更进一步的掌握(不与今天的认识相矛盾,而是一致的,但这是在思维的更高阶段上的认识)。其次,文学艺术是在审美上反映了古代生活,它就具有了不可替代的意义。我们不能以对现代作品的欣赏代替对古典作品的欣赏,正如后者也决不能代替前者一样。优秀的古典作品,"除了它的和谐、它的美这些美学价值以外,它对我们还具有无可争辩的历史文献之价值。"①还有,古典作品虽然不能像现代作品那样直接帮助我们认识今天的现实,但是,假如我们不去了解当下现实的历史发展,不了解它的过去,我们也就不能深刻地了解现在。我们可以相信黑格尔的这句话(列宁曾极为赞扬):"正像同一句格言,从年轻人(即使他对这句格言理解得完全正确)的口中说出来时,总是没有那种在饱经风霜的成年人的智慧中所具有的意义和广袤性,后者能够表达出这句格言所包含的内容的全部力量。"②如果我们不想作被列宁称之为只懂得马克思主义结论而不了解其全部丰富内容的人,那么,我们需要了解过去的历史,也就需要古典作品。

我想,我们之所以至今还能而且将来还能对优秀的古典作品发生共鸣,正在于我们今天的真、善、美的东西,与过去一切真、善、美的之间有着辩证的关系。我们当然也没有忘记,古典作品并不是把真、善、美的东西赤裸裸地、单纯地抽出于我们面前,它常常与假、

---

① [苏]高尔基:《俄国文学史》,缪灵珠译,新文艺出版社,上海,1956年,第208页。
② [苏]列宁:《哲学笔记》,人民出版社,北京,1974年,第74页。

恶、丑的东西混杂在一起，所以我们在欣赏古典作品时，乃是既有反感，又有共鸣。至于究竟哪些东西是假的、恶的、丑的，需要我们今天扬弃掉，哪些东西是真的、善的、美的，它们在我们今天要改造后加以继承、发扬的，这要根据时代发展的需要作更深一层的研究。这里，我只能引用马克思、恩格斯的话来作为结束：

  共产主义组织对当前的关系在个人中引起的愿望有两方面的作用：这些愿望的一部分，即那些在一切关系中都存在、只是因各种不同的社会关系而在形式和方向上有所改变的愿望，在这种社会形式下也会改变，只要供给它们正常发展的资料；另一部分，即那些只产生在一定的社会形式、一定的生产和交往的条件下的愿望，却完全丧失它们存在的必要条件。肯定哪些欲望在共产主义组织中只发生变化，哪些要消灭——只能根据实践的道路、根据真实欲望的改变，而不是依据与以往历史关系的比较来决定。①

此为所作文艺学副博士毕业论文，指导老师杨晦

1960年夏，燕园

（原载《北京大学学报》，1961年第6期）

---

① [德]马克思、恩格斯：《马克思恩格斯全集》第3卷，人民出版社，北京，1960年，第287页。

中华艺术贵意境

一

中华艺术重意境,这是我国古典文艺学的重要原则,它概括了古典艺术的优良传统。

艺术意境的有无、深浅,不仅在古代,而且在当代,都是艺术"工不工"(王国维语)的标志。人们在艺术评论中,常常以此来衡量作品在艺术上的工拙、精粗、优劣。因而意境也就成了艺术评论的重要的艺术标准。

然而,对于艺术意境的解释,历来众说纷纭。不说古人,就近而论,有的说,意境即是艺术形象,不过是艺术形象的中国称谓;或云,意境并非一般艺术形象,而是典型形象。有的说,情景交融、意与境浑,构成形象,即是意境;或云,意境并非形象本身,而只是形象引起的情调、气氛,因而,只有象外之意方是意境。有的说,意境即诗意,为诗歌所特有;或云,意境并非诗歌所独有,一切优秀艺术都可以创造出意境等等。

艺术实践的结果证实:绘画、摄影等造型艺术可以创造意境,音乐、舞蹈等抒情艺术也能创造意境,戏曲、小说、电影等综合了抒情、叙事、戏剧因素的艺术可以创造意境,接近于实用艺术的园林艺术也未尝不能创造意境。

所以,意境并非诗歌所特有。但是,意境在诗歌中确实较为常见。所以,这里我想还从古典诗词的意境说起。

二

> 国破山河在，城春草木深。
> 感时花溅泪，恨别鸟惊心。
> 烽火连三月，家书抵万金。
> 白头搔更短，浑欲不胜簪。
>
> （杜甫《春望》）

杜甫的这首名诗，创造了一个独特的境界，自成意境。诗中写景、抒情结合得很完美，真正是情景交融。但是，诗里出现的不只是情和景，而且还有事和人。写景、状物、叙事、绘人，各种因素综合为一个独立天地，恰好完美地表达了诗人的思想和感情。在这由景、物、事、人等结合而成的"境"和诗人所要表达之"意"，完美地融为浑然整体，蕴含着诗人对于国破家亡的无限悲痛幽怨之情、忧国思家之意。有限之境，无穷之意，完美结合，融合无垠，这就成了意境。前人曾云："古人为诗，贵于意在言外，使人思而得之"，举出的典型例证就是这首《春望》。"'山河在'，明无余物矣；'草木深'，明无人矣；花鸟，平时可娱之物，见之而泣，闻之而悲，则时可知矣。"（司马光《续诗话》）诗人的不尽之意，正是在这有限之境表现出来，意深藏在境中，使人思而后才能得之。

意境也者，意与境的结合也。"文学之事，其内足以摅己，而外足以感人者，意与境二者而已。上焉者意与境浑，其次或以境胜，或以意胜。苟缺其一，不足以言文学。"王国维的这番话，言之成理，持之有故。意与境的结合方式，可以是意与境浑，但也可以是以境胜，或者以意胜。不管哪一结合方式，都能构成意境。不过，意与境的结合，以实写虚，虚实结合，虚实相生，达到完整统一，和谐融洽，自成一个独立自在的意象境界。这个意象境界是现实生活的能动反映，然而却并非是实在世界本身。正是在这意象境界里，有限之境，蕴含着无穷之味，不尽之意，可以使人思而得之，玩味无穷。

> 春眠不觉晓,处处闻啼鸟。
> 夜来风雨声,花落知多少?
>
> (孟浩然《春晓》)

诗人因春眠而失晓,一觉醒来,不知不觉天已破晓,只听得外边到处是叽叽喳喳的鸟叫声。诗人由不觉而觉,不由得想到,昨夜一场风雨,花朵不知吹落了多少?诗人的心境,又从似觉而到不觉,任其所至。全诗意象单纯,一看就懂。然而,诗意无穷,不尽之意至今还很难为人用语言、概念来说完道尽,以至前不久还曾发生公开的争议:它抒发的是惜春伤时、惋惜花落春短之情,还是赞美春景,欣赏大地春晓的美景?它表现的究竟是恬静、闲适,还是哀愁怨惜的情趣?由于欣赏者的审美经验、审美趣味的不同,从中得到的享受也就各异。所以对同一事物,在不同的欣赏者那里,会产生不同的反应。但是,艺术作品本身的特性,并不因欣赏者而转移。《春晓》一诗创造了美妙的意境。它既有对春晓美景的赞美,又有对花残春短的惋惜。对美景的肯定和对美景被摧残的惋惜,在诗人的审美感受中是一致的,并不冲突。而且,这种复杂而微妙的审美感受,被诗人巧妙而完美地编织进诗的意境里,使人读了玩味无穷。正是因为《春晓》创造了深远的意境,所以才广为传诵,脍炙人口,至今对我们还有艺术魅力。

在意与境的结合中,"境"是可以多种多样的。可以写景,可以叙事,可以状物,可以绘人,也可以多种因素的综合,都能创造出意境。

> 千里莺啼绿映红,水村山郭酒旗风。
> 南朝四百八十寺,多少楼台烟雨中。
>
> (杜牧《江南春》)

这首诗写景以抒情,寓情于景。诗句中没有直接抒情,全是写景;但在写景中,间接表情。

> 蜀国曾闻子规鸟,宣城还见杜鹃花。

一叫一回肠一断，三春三月忆三巴。

(李白《宣城见杜鹃花》)

这是咏物以抒情。诗中直接写了物，又从咏物引向抒情，达到物情交融。

打起黄莺儿，莫叫枝上啼。
啼时惊妾梦，不得到辽西。

(金昌绪《春怨》)

这是绘人以抒情。通过人的外在动作的描绘，表达出人的内心感情。

公无渡河，公竟渡河，
堕河而死，将奈公何！

(古乐府《箜篌引》)

这首传说是汉代朝鲜白首狂夫之妻所作的古诗，完全是用"公"的悲剧动作的叙述来抒发她自己的悲悼之情。狂夫不能渡河而竟自渡河，终至坠河而死，酿成悲剧。这个悲剧性事件，被叙述在诗中，诗人通过叙事而直抒胸臆，叙事和抒情完美结合，构成意境。

从这些实例看来，就是诗的意境，也不仅只有抒情因素，其他因素，如戏剧的、叙事的因素也能融化进来。只是，这些戏剧的、叙事的因素，在诗的意境中都被抒情化了。

意与境结合，"意"中必含有情，情是意境的基本要素，无情不能成意境。有些诗词，独抒性灵，专作情语，所创意境，堪称"情"境。前人云：

尽人谓言情不如言景，然赵秋官妻所作《武林春》则云："人道有情还有梦，无梦岂无情？夜夜思量直到明，有梦怎教成"？纯乎情矣。

(沈雄《柳塘词话》)

这首纯乎抒情的词,看似有情无境,实际上还是描绘了苦恋情深的具体情状。"夜夜思量直到明",从夜到明,辗转反侧,连梦境也无从进入。这种内心感情的外在动作,不正宛然在目,清晰可见吗?外在动作和内心感情的完美结合,融洽和谐,构成了此词的意境。这类直抒胸臆、专作情语而成意境的诗词,王国维曾列举出不少,而且对此作出了理论上的解释:

> 境非独谓景物也,喜怒哀乐,亦人心中之一境界。故能写真景物、真感情者,谓之有境界。否则谓之无境界。
>
> (《人间词话》)

只要写出了真感情,就可以称之为有境界。这里的所谓"真感情",乃是说的真挚的或真诚的感情,是诗人真实具有的,而非矫饰的、虚伪的。

"意"必有情,而又不限于情。意境中的"情"是以"理"为基础并受"理"的控制,感情和思想联系着,这是情思。有些诗词,还发议论,带有说理。清人沈德潜曾列举许多实例,大雅、小雅几乎无处不有议论,杜甫的古体诗《自京赴奉先县咏怀五百字》《北征》《八哀诗》诸作,近体诗中《咏怀古迹》《蜀相》诸作,都带议论。这种带有说理夹有议论之诗,也可以创造意境,只是情理必须结合,抒情和说理融化于意象。沈德潜说得好:

> 人谓诗主性情,不主议论,似也而亦不尽然。……但议论须带情韵以行,勿近伧父面目耳。
>
> (《说诗晬语》)

正是因为说理和抒情结合得好,自然地融化在意象中,所以像《蜀相》这样的诗,也能造出意境:

> 丞相祠堂何处寻?锦官城外柏森森。
> 映阶碧草自春色,隔叶黄鹂空好音。
> 三顾频烦天下计,两朝开济老臣心。

> 出师未捷身先死，长使英雄泪满襟。

情理在意象中的完美结合，不尽之意蕴含在整个意境中，所以能感动后人，宋人宗泽在临死前，还在诵念这诗的结尾两句。

以理入诗，是宋诗的一大特点。许多诗，以理语代诗，不足取；但也有虽说理而创造了意境的诗，至今还为人传诵：

> 横看成岭侧成峰，远近高低各不同。
> 不识庐山真面目，只缘身在此山中。
>
> （苏轼《题西林壁》）

这是说理的诗，但全诗构成深远的意境，理与情融，化在意境之中。朱熹的"半亩方塘一鉴开，天光云影共徘徊。问渠那得清如许？为有源头活水来"（《观书有感》），陆游的"山重水复疑无路，柳暗花明又一村"（《游山西村》），都在意境中蕴含理趣。

既然艺术的意境是由意和境结合而成，那么，它是艺术反映现实的一种独特形式。人们渐渐习惯于把意境称作主客观的统一，如果以此来解释意境是对现实的独特反映，本来也未尝不可。但是，目前有许多论著是这样来说意境的："境"是物，即客观，"意"是心，即主观；意与境结合，就是心和物的结合，亦即主客观的统一。这种解释，恐非马克思主义的反映论，不是对意境的科学说明。意境中的"意"，无疑是诗人心中思想感情的表现，属于"心"的领域。但是，这心中的思想感情却是人与现实的审美关系的反映，是客观生活在诗人心中引起的主观反应。所以，意境中之"意"，本身已是主客观的统一，并非只是主观。至于意境中之"境"，根本不是"物"，不是客观生活本身，也已是"物"在"心"中的反映，是客观生活在诗人头脑中产生的主观映象。意境之境，乃心中之境，也属"心"的领域，也是主客观的统一。在意境中出现的人、事、物、景，虽和现实中客观存在的真实现象可以很像，甚至可以乱真，但并不因此而可以把它看作生活本身。因此，艺术的意境，乃是"心"中之"意"和"心"中之"境"的结合，并非"物"和"心"的结合。

艺术的意境,可以是内心的主观再现,也可以是客观生活的主观创造,甚至是荒诞的幻想。所以,艺术的意境是"人心营构之象",而非"天地自然之象"(章学诚语)。古人早就懂得这个道理。

> 世谓王右丞画雪中芭蕉,其诗亦然。如"九江枫树几回青,一片扬州五湖白"。下连用兰陵镇、富春郭、石头城诸地名,皆寥远不相属。大抵古人诗画,只取兴会神到,若刻舟缘木求之,失其旨矣。
>
> (王士祯《池北偶谈》)

王维把根本不能在雪中生存的芭蕉画在雪中,这是诗人的创造性的想象,用以表现诗人的思想感情。王维的诗,把生活中不相连属的景、物、事、人联结起来,构成意境,这也是创造性想象的产物。陶渊明诗中所造的桃花源世界,看来很像现实生活,其实是诗人虚构的理想境界。

艺术所造的意境,甚至可以是与现实生活相去甚远的幻想境界。"女娲只解补青天,不解煎胶粘日月"(司空图)。诗人嫌岁月匆匆,愿日月勿逝,责怪女娲只知补天,不懂煎胶,好把月亮、太阳粘住,不让流逝。在实际生活中,既无女娲补青天,更无法煎胶粘日月,但诗人的自由幻想,造成了一种独特的幻想境界,以表达诗人的理想。"羲和敲日玻璃声,劫灰飞尽古今平"(李贺),心造的也是幻想境界。这种幻想境界,是现实生活的曲折反映,并非实际事物的直接再现。

三

艺术的意境,是"心"中之意和"心"中之境的独特形态的结合。意境以实写虚,虚实相生,互通有无,在意与境的和谐统一中,产生了一种新的"东西",我国古典美学呼之为"韵味"。

什么叫"韵味"呢?这却是个自古至今未曾说清的复杂而微妙的问题。

> 故人西辞黄鹤楼，烟花三月下扬州。
> 孤帆远影碧空尽，惟见长江天际流。
>
> （李白《黄鹤楼送孟浩然之广陵》）

李白送友人孟浩然乘船去扬州，那孤帆的远影已经在水天相接的地方消失不见了，只剩了长江在天边滚滚涌流。这里由烟花、天际、孤帆、碧空、江流等意象构成直接境象，虽未直接叙述李白和孟浩然是如何告别的，也未直接抒发二人的友情有多深。然而，这些直接境象，却引发、导向比直接境象更为广阔、丰富的间接意象，使人不仅仿佛看到了送别的场面，而且深切感受到离别之情是如何深沉。正是这种直接境象以及由它所引发出来的间接意象结合，构成了这诗的意境。就在这意境里，产生出来一种"韵味"。别离是痛苦的，使人难过，因别离而生的一股淡淡的哀愁之情，在诗中自然流露出来。然而，玩味这别离的哀愁，却又引发出一种超越于哀愁之外的心情，叫人欣感愉悦。这种叫人欣感愉悦的情趣，使诗产生了"韵味"。

诗要有韵味，而韵味产生于意境。"韵"，本来说的是声有余音，运用于艺术，说的是有余意。诗味就蕴含在这"余于象"的"意"中，而不在直接意象中。所以，韵味存在于直接意象和间接意象的和谐统一中。若用现代美学的说法，韵味乃产生于审美心理场中。诗要有韵味，必须"言有尽而意无穷"。直接意象必须鲜明生动，使人一下就能感受到，但间接意象却要使人思而得之。古人早知道诗的这种奥秘："作诗之妙，全在意境融彻，出声音之外，乃得真味"（清人朱承爵《存余堂诗话》）。

诗中的味是和诗人的趣密切联系着的。诗人在生活中对某种现象而有所感，如果这感受正与诗人心中早已蕴藏着的审美趣味以至审美理想相合，于是就产生了一种带着欢欣愉悦的独特的感情状态。

> 结庐在人境，而无车马喧。
> 问君何能尔？心远地自偏。
> 采菊东篱下，悠然见南山。
> 山气日夕佳，飞鸟相与还。

　　　　　　此中有真意，欲辩已忘言。

这是陶渊明的名诗《饮酒》中最好的一首，诗人在东篱下采菊，当看到南山云气、日夕归鸟的一刹那间，因为所见、所感，正和诗人自己的趣味、理想相合，所以触发了诗人内心深处的感情，于是诗人就将自己的审美趣味、审美理想渗透进去，贯注其中。这种把诗人的审美趣味、审美理想引入并渗透进去的美感体验，正是诗人自己说不出，也说不清（"欲辩已忘言"）的"真意"。诗人要把自己的这种美感体验表现出来，就创造出了这首诗的意境。陶渊明在这首诗中想写的，既非纯是南山物景，又非山下"人境"，而是一种与自然和谐一致的理想境界。这里呈现出来的，虽然也有山景之美，但主要是在抒发诗人由此而触发出来的美感体验，所谓"超然物表，遇境成趣"是也。前人评此诗云："渊明不为诗，写其胸中之妙尔"（宋人陈师道《后山诗话》），这胸中之妙，也就是诗人的"真意"。

为了想把"只可意会、不可言传"的诗味说清楚，古人曾作过各种比喻。恐怕要数司空图的比喻最为贴切、精当了：

　　古今之喻多矣，而愚以为辨于味而后可以言诗也。江岭之南，凡足资于适口者，若醯，非不酸也，止于酸而已；若鹾，非不咸也，止于咸而已。华之人以充饥而遽辍者，知其咸酸之外，醇美者有所乏耳。（唐人司空图《与李生论诗书》）

醋之味酸，盐之味咸。这酸、咸之味，是从醋、盐两物中直接感觉到的，是物的自然属性引起人的直接反应。酸、咸之味，可以供人物质享受，但并非审美享受，因为其中缺乏"醇美"。醇美之味，乃在咸酸之外，司空图称之为"味外之味"，我们今天把它称为"审美趣味"。

这种"味外之味"说，运用于艺术文学，就出现了"象外之象"、"景外之景"、"言外之意"、"弦外之音"、"味外之旨"、"韵外之致"种种说法。其实，这说的都是在艺术的直接意象以外还有间接意象，在间接意象和直接意象的统一中蕴含的"意"、"味"。前人曾以画为例来解释司空图所说的这种现象：

人画山水亭屋,未画山水主人,然知亭屋中必有主人也。是谓超以象外,得其寰中。(清人孙联奎《诗品臆说》)

在画面上出现的山水亭屋,是直接意象,未在画面出现需要思而得之的主人,是间接意象。正是在这间接意象和直接意象的统一中,才能捕捉住画意。王国维说:"'红杏枝头春意闹',着一'闹'字而境界全出;'云破月来花弄影',着一'弄'字而境界全出矣。""红杏枝头春意闹"(宋祁《玉楼春》)是写春景,"云破月来花弄影"(张先《天仙子》)是写夜景,为什么"闹"字、"弄"字能使境界全出?一个"闹"字,把红杏枝头的状态、颜色和它的运动、声音联结了起来,视觉意象和听觉意象、动觉意象连通了,构成一幅完整而独立的春景。不仅如此,一个"闹"字,把诗人的感情也表现出来了,红杏枝头也有人意,在那里争闹。这样,一个"闹"字,使诗的直接意象引发、导向间接意象,融洽和谐,构成意境。"云破月来花弄影",也是运用类似的方法来构成意境。在古典诗词中,常用通感、联觉、联想、移情、拟人、化物等手法来创造意境,使直接意象扩大、延伸、增殖,引发、导向间接意象。

在艺术意境中统一起来的直接意象和间接意象,互通有无,虚实相生,从而使"象外之意"产生了一种既不同于直接意象,又不同于间接意象的新质。直接意象也有"意",但这只是严羽所说的"第二义",未有深意。直接意象延伸、增殖、扩大而生间接意象,真可说是"踵事增华",从而在两者的统一中产生的新质的"意",就才是具有无穷意味的"第一义"。诗只落第二义,终非上乘,要有第一义,方为上品。但是,这第一义又离不开第二义。直接意象是基础、基体,没有它,皮之不存,毛将焉附?诗要创造出意境,还是要着力于用形象的语言呈现直接意象。"然必神游象外,方能意到圜中"(明人王绂《书画传习录》)。诗人心中要有深意,并且化在艺术意象中,这就要使直接意象延伸、扩大、增殖,就需要直接意象和间接意象相结合,互通有无,虚实相生。自然主义的艺术,只重那直接意象,只落"第二义",只执一端。象征主义的艺术,看重间接意象,追求"第一义",但忽略直接意象，使人难以捉摸。"神韵"派的诗，想捕捉"第一义"，但在实践中却不懂得如何通过直接意象来引发间接意象，艺术形象缺乏生动、鲜明的确定性，流于空泛，不知所云。这就像鲁迅讽刺的宋以来盛行的一些写意画那样，"两点是眼，不知是长是圆，一画是鸟，不知是鹰是燕，竟尚高简，变成空虚"。①

四

艺术意境，形态多样，不拘一格，难以尽言，仅举数端。

诗人风格的不同，可以造成不同风格的意境。"骏马朔风漠北"和"杏花春雨江南"，就是不同风格的意境：一壮美，一优美。苏轼的"大江东去"（《赤壁怀古》）和柳永的"寒蝉凄切"（《雨霖铃》），一豪放，一婉约。辛弃疾的"万事纷纷一笑中"（《鹧鸪天》）和李清照的"凄凄惨惨戚戚"（《声声慢》），风格迥异。

诗的意境，可以意与境浑，也可以以境胜，也可以以意胜，都能使意境深远。意境可隐可显，不限一端，刘勰说："隐以复意为工，秀以卓绝为巧。"隐就是含蓄，"意"不要直说。"言之秀矣，万虑一交。动心惊耳，逸响笙匏"（《文心雕龙》），这是直抒胸臆，慷慨陈词。王国维说，诗词有"专作情语而绝妙者"。如牛峤的《菩萨蛮》"甘作一生拼，尽君今日欢"，造出了情人欢娱愁夜短的艺术境界。其实，陈子昂的《登幽州台歌》、古乐府《华山畿》等，也是专作情语而创造了意境的好诗。这样的诗，直抒胸臆，一泻无余，心"意"好像全倾吐出来了；但这些情语带着抒情主人公的独特个性，从这个性化了的情语中，可以引发出抒情主人公的意象，使人感到意味不尽。所谓"至真之情，由性灵肺腑中流出，不妨说尽而愈无尽"（况周颐《蕙风词话》），好像已说尽的情语，又引出无尽之意，构成意境。

诗的意境，必须表现真情实感。但是，由于诗人的审美趣味以至

---

① 鲁迅：《记苏联版画展览会》，引自《且介亭杂文末编》，人民文学出版社，北京，1973年。

审美理想有高下、优劣,于是造成不同的意境。同是《忆江南》,情趣不同,意境亦异:

> 兰烬落,屏上暗红蕉。
> 闲梦江南梅熟日,
> 夜船吹笛雨潇潇。
> 人语驿边桥。
>
> (皇甫松《梦江南》)

深夜里,蓝色灯烬已经落下,屏风上,鲜艳的美人蕉也已幽暗。悠闲无事朦胧入睡,梦见江南梅子成熟的时光,"夜船吹笛雨潇潇。人语驿边桥"。诗人没有说一句忆江南的话,然而就在那夜雨闲游的境象中,寄寓着诗人怀念故乡的情思,情景交融构成独特的意境。但这意境显得窄小,流露出富家子气的情趣。

> 江南好,风景旧曾谙;
> 日出江花红胜火,
> 春来江水绿如蓝。
> 能不忆江南?
>
> (白居易《忆江南》)

白居易这一首,虽然前人曾因结尾"能不忆江南"之句,嫌辞太直,说它失韵味,但我还是说,诗人因想到的是"日出江花红胜火,春来江水绿如蓝",景较开阔,有天然气息,意境不像上一首窄小。

趣味在文学艺术中很重要。依梁启超的看法,"文学的本质和作用,最主要的就是'趣味'。趣味这件东西,是由内发的情感和外受的环境交媾发生出来。"[①]但是,他又立即提醒:趣味有好有坏,有高有低。这是因为作家、艺术家的情感,有美、善,也有丑、恶。情感这东西,"不能说他都是善的,都是美的。他也有很恶的方面,他也有

---

① 梁启超:《晚清两大家诗抄题词》,引自《饮冰室文集》卷43,中华书局,北京,1989年。

很丑的方面。……情感教育的目的,不外将情感善的美的方面尽量发挥,把那恶的丑的方面渐渐压服淘汰下去"。所以,对作家、艺术家来说,"最要紧的功夫,是要修养自己的情感,极力往高洁纯挚的方面,向上提挈,向里体验。自己腔子里那一团优美的情感养足了,再用美妙的技术把他表现出来,这才不辱没了艺术的价值。"①

颓废、消极、没落的情趣,造成诗的意境的低下,如古诗十九首中的一些诗:

> 昔为倡家女,今为荡子妇。
> 荡子行不归,空床难独守。
>
> 何不举高足,先据高路津。
> 无为久贫贱,辗轲长苦辛。

王国维说,这些诗句,"可谓淫鄙之尤。然无视为淫词、鄙词者,以其真也。五代北宋之大词人亦然"。这些诗表现的是诗人的真感情,但趣味鄙劣,意境低下。

高尚、积极、健康的审美趣味和审美理想,则使诗的意境高尚:

> 死去元知万事空,但悲不见九州同。
> 王师北定中原日,家祭无忘告乃翁。
>
> (陆游《示儿》)

这是陆游死前所作的遗嘱。在离开人世之前,诗人想的不是教儿子如何守财、争权,也不是要儿子及时行乐,而是要儿子关切祖国的命运。在诗里,说理和抒情相结合,构成意境,感慨万千,余意未尽,十分感人。更重要的是,在诗里表现了诗人高尚的审美趣味和崇高的审美理想,所以流传千古。

正因为艺术意境中所表现的"意",具有不同的社会性质(这决定于诗人的审美趣味、审美理想),所以,它并不是衡量艺术思想好坏

---

① 梁启超:《中国韵文里头所表现的情感》,引自《饮冰室文集》卷37,中华书局,北京,1989年。

的思想标准,而只是衡量艺术工拙的艺术标准。艺术意境,可能是典型意象,也可能不是典型意象,因此,艺术意境,是比艺术意象更高的、深一层的范畴,但不是艺术的最高范畴。艺术需要意境,更需要具有典型的时代精神的意境。但这已是另一个话题,此处不说。

1981年初,北大中关园

(原载《词刊》)

人生体验笔底流

文学艺术起因于体验人生。只有对人生有了体验，才能进入艺术创造。我们常说，意识反映存在，什么是存在？"人们的存在就是他的实际生活过程"[1]。对文学艺术家来说，这就是他实际参与的整个人生，就是他一生和周围环境（人和物）相互作用的生命活动过程。人生的内容极为丰富，"包括了一个广阔范围的多样性活动和世界的实际关系"[2]。

为优秀的艺术所感动之后，引发我也想去了解艺术家的人生。在古典艺术家中，我最感兴趣的是三人：苏东坡、郑板桥和曹雪芹。这里，我想集中透视下郑板桥的人生。从他的人生轨迹中，可以看到郑板桥和周围世界的审美关系的变化，并反映在创作中。

郑燮，字克柔，号板桥居士、板桥道人，晚年署作板桥老人。因排行第一，常自称郑大、郑大郎。世称郑板桥。

板桥是清代多才多艺的艺术家、文学家。他以画家著称，但还是书法家、篆刻家，又是诗人、词家。后人称道："板桥有三绝，曰画、曰诗、曰书。三绝之中，又有三真，曰真气、曰真意、曰真趣。"[3]此说甚为精当。板桥不只诗、书、画各绝，而且还把画、书、文、印多种独立的艺术熔为一炉，综合成有机整体。和他所属的"扬州八怪"这一著名画派一道，板桥创造性地发展了中国画所特有的民族特点，把我国的书画艺术推向新的高峰。

---

[1] [德]马克思、恩格斯：《马克思恩格斯选集》第1卷，人民出版社，北京，1972年，第21页。
[2] [德]马克思、恩格斯：《马克思恩格斯全集》第3卷，人民出版社，北京，1979年，第296页。
[3] 马宗霍：《书林藻鉴·松轩随笔》，商务印书馆，北京，1982年。

板桥生于清康熙三十二年（1693），卒于清乾隆三十年（1765），终年73岁。他一生经历了康、雍、乾三代，个人生活也有三变。板桥自况生平云："初极贫；后亦稍稍富贵；富贵后亦稍稍贫。故其诗文中无所不有。"①随着生活经历的变化，思想和艺术也有着发展。综观板桥一生，大致可以分成三个时期。

寒窗苦读著文章

板桥的童年、少年、青年时代，一直到壮年时代44岁以前，基本上是在扬州兴化度过的。在这个时期，板桥过着穷愁潦倒的生活：寒窗苦读，卖画著文。

板桥祖上，本属书香门第。先世原居苏州，明代洪武年间始迁兴化城内定居。板桥曾祖郑新万，是个庠生；祖父郑湜，是个儒官；父亲郑之本，是个廪生。板桥受的启蒙教育就来自家学。郑之本家居授徒，曾先后教过几百名学生，板桥从小就受学于父亲。板桥自称，"幼随其父学，无他师也"；而他父亲，"以文章品行为士先"（杨荫溥藏墨迹《板桥自叙》）。

但是，板桥的文学才能和艺术趣味，更多地受到母家的影响。板桥的外祖父汪翊文，"奇才博学，隐居不仕。生女一人，端严聪慧特绝"。这就是板桥的母亲。板桥自小就受到"奇才博学、隐居不仕"的汪翊文的熏陶，正如他自己所说："板桥文学性分，得外家气居多。"（同上）板桥虽然没有像汪翊文那样隐居不仕，但确实自有奇才博学。板桥自称："平生不治经学，爱读史书以及诗文词集，传奇说簿之类，靡不览究。有时说经，亦爱其斑驳陆离，五色绚烂以文章之法论经，非六经本根也。"（同上）确实，板桥不是个束缚在经书教条中的书呆子。端严聪慧的母亲对板桥当然十分慈爱，可惜在板桥3岁时就去世了。板桥一直十分怀念母亲，他在《七歌》之二中说："我生三岁

---

① 徐平羽藏墨迹《板桥自序》。引自《郑板桥集》，中华书局，北京，1962年。本文所引郑板桥诗句皆是此出处，不再一一另注。

我母无,叮咛难割襁中孤,登床索乳抱母卧,不知母殁还相呼。"

板桥有个叔父,名郑之标,也很爱板桥。叔父只有一子,叫郑墨,字五桥,也是个庠生。板桥无同胞兄弟,只有这个堂兄弟,两人相差24岁,但关系极为密切,感情甚好。板桥中年出仕,不在兴化老家,郑墨却一直住在兴化经营家业,板桥的家产也全由他代理。板桥自选刊印的家书16通,就是他寄给郑墨的信。板桥在《怀舍弟墨》的诗中云:"老兄似有才,苦不受绳尺;贤弟才似短,循循受谦益。"前两句是板桥自况,后两句说的是郑墨。板桥有文才,但不受礼教束缚,郑墨缺文才,然而善于处理家务。

郑家数代为地主家庭,但到板桥这一代,家业已日趋衰落,逐渐沦为破落地主。板桥父、叔辈还有三百亩典产,板桥以为,典产总是他人之财,不可久恃。板桥在范县做官时,曾要郑墨自置田产,而且以此自喜:"而今而后,堪为农夫以没世矣!"他预见到,仕途难以久长,最终还是要靠经营田产,所以嘱咐郑墨:"将来须买田二百亩,予兄弟二人,各得百亩足矣……若再求多,便是占人产业,莫大罪过。天下无田无业者多矣,我独何人,贪求无厌,穷民将何所措足乎!"(《范县署中寄舍弟墨第四书》)不过,这已是板桥50岁刚当上官不久时的生活理想。在走上仕途之前,板桥的生活并不安定,光景实不美妙。板桥30岁时曾作诗自叹:"今年父殁遗书卖,剩卷残编看不快。爨下荒凉告绝薪,门前剥啄来催债。"想要找一个稳定的工作,却也未能成功,只落得:"几年落拓间江海,谋事十事九事殆。"(《七歌》之一、之五)

板桥自幼丧母,从小就由乳母抚养长大。乳母费氏为同村贫妇,小时就给板桥祖母当侍仆,为人慈祥忠厚。板桥失母后,她又抚育板桥,十分疼爱。乳母住在自己家里,每天去郑家。"时值岁饥,费自食于外,服劳于内。每晨起,负燮入市中,以一钱市一饼置燮手,然后治他事。间有鱼飨瓜果,必先食燮,然后夫妻子母可得食也。"板桥对乳母的感情也很深。乳母因自去谋生而离开郑家时,把旧衣都清洗补缀,汲水盈缸满瓮,"又买薪数十束积灶下,不数日竟去矣。燮晨入其室,空空然,见破床败几纵横;视其灶犹温,有饭一盏,菜一盂,藏釜内,即常所饲燮者也。燮痛哭,竟不能食矣。"此情此景,板桥一直念念不忘。45岁中进士后一年,板桥写了一首《乳母诗》,悼念这位养育他的乳母,诗中说:"平生所负恩,不独一乳母。长恨富贵迟,遂令惭恧久。黄泉路迂阔,白发人老丑。食禄千万钟,不如饼在手。"

板桥所受劳动人民的恩惠,确实如他所说,不独一乳母。在板桥的幼小心灵上,就留下了劳动人民的影子。郑氏家族中,贫贱者不乏其人,板桥自己也尝过贫穷生活的滋味。板桥中了进士当了范县县令,却并未忘记家乡的贫穷亲友。板桥在范县写给堂弟郑墨的第一封信,就是要他给穷困亲友赠金解困。板桥信里说:我虽然做了官,"是众人之富贵福泽,我一人夺之也,于心安乎不安乎!可怜我东门人,取鱼捞虾,撑船结网;破屋中吃粃糠,啜麦粥,搴取荇叶蕰头蒋角煮之,旁贴荞麦锅饼,便是美食,幼儿女争吵。每一念及,真含泪欲落也。汝持俸钱南归,可挨家比户,逐一散给……无父无母孤儿,村中人最能欺负,宜访求而慰问之。……敦宗族,睦亲姻,念故交,大数既得;其余邻里乡党,相赒相恤,汝自为之,务在金尽而止。"(《范县署中寄舍弟墨第四书》)

板桥的少年时代,在家庭里受完启蒙教育。到了十七八岁,在跨入青年时代之时,板桥就离开了兴化老家而到真州(今仪征)的毛家桥去读书。20岁时,板桥跟随本乡先辈陆种园学习填词。在此期间,板桥结交了许多诗朋画友。板桥说他在20~30岁这些日子里,"十载乡园共游憩,壮心磊落无不为"(《七歌》之七)。虽然先生、同窗均不富有,但壮心磊落、博学多才。板桥才气洋溢,20多岁已在乡间颇负声名。

为了谋生,板桥在26岁时,开始在真州之江村设塾授课,招收生徒。在江村塾馆中,板桥写过《村塾示诸徒》,诗云:"飘蓬几载困青毡,忽忽村居又一年。得句喜拈花叶写,看书倦当枕头眠。萧骚易惹穷途恨,放荡深惭学俸钱。欲买扁舟从钓叟,一竿春雨一蓑烟。"板桥并不乐意设馆教书,只为谋生而迫不得已。他在做官后追忆教书生活时写道:"教馆本来是下流,傍人门户渡春秋。半饥半饱清闲客,无锁无枷自在囚。课少父兄嫌懒惰,功多子弟结冤仇。而今幸得青云步,遮却当年一半羞。"(《教馆诗》)板桥此诗的思想境界并不高,然而却道出了旧社会里教书生涯的低下地位：读了书要做官才得平步青云，做不了官的读书人，只是个无锁无枷的自在囚。

板桥在教书生涯之外，写字著文，赋诗作画，不拘一格。板桥家境困难之时，特别是他在30岁丧父，继而又失去叔父、妻子之后，不得不常写字作画以为谋生之计。但是，板桥决不迁就时尚迎合俗好，而是用诗文字画来表达自己的高尚志趣。依板桥看来，写字作画是雅事，亦是俗事。说它是俗事，是因为，"大丈夫不能立功天地，字养生民，而以区区笔墨供人玩好，非俗事而何？"板桥认为写字作画供人玩好，并不高雅："门馆才情，游客伎俩，只合剪树枝、造亭榭、辨古玩、斗茗茶，为扫除小吏作头目而已，何足数哉！何足数哉！"板桥之所以也要干这俗事，乃是"少而无业，长而无成，老而穷窘，不得已亦借此笔墨为糊口觅食之资，其实可羞可贱"。因此，他劝堂弟郑墨发愤自雄，勿蹈故辙，不要再走这样的道路。那么，写字作画怎样才算雅事呢？板桥对历史上的几位名画家有一番议论："东坡居士刻刻以天地万物为心，以其余闲作为枯木竹石，不害也。若王摩诘、赵子昂辈，不过唐、宋间两画师耳！试看其平生诗文，可曾一句道着民间痛痒？"（《潍县署中与舍弟第五书》）在板桥看来，王维、赵子昂的诗文，不关民间痛痒，算不得雅事；就是苏轼的画，也只能称作不害生民。那么，在板桥心目中，诗文字画岂不只有关系着民间痛痒才算高雅吗？正是这样！"衙斋卧听萧萧竹，疑是民间疾苦声；些小吾曹州县吏，一枝一叶总关情。"（《潍县署中画竹呈年伯包大中丞括》）在板桥的诗文字画里，我们不正听到了民间疾苦声吗！

板桥年轻，落拓不羁，酷嗜山水，经常出游。正如他在《板桥自序》中所说："板桥非闭户读书者，长游于古松、荒寺、平沙、远水、峭壁、墟墓之间。然无之非读书也。"不过，板桥家境不佳，无法支持他远游，因此，虽好山水，"未能远迹；其所经历，亦不尽游趣"。板桥在兴化东门宝塔湾当塾师时，就曾为躲债务，逃到焦山庙里借住，幸而候补知州马曰琯赏识他的诗才，方解救了他（徐珂《清稗类钞》）。板桥在40岁中举之前，有三次稍远点的出游，乃是得到了江西程羽宸的资助，使他得以解脱家庭牵累，始能成行。先是，板桥在32岁时出游江西,结识无方上人于庐山。板桥为之写竹、题诗,以后时有交往。以后,板桥又在33岁时出游燕京。此次远行,心情甚为畅快,颇为自在,板桥所作《燕京杂诗》中云:"不烧铅汞不逃禅,不爱乌纱不要钱;但愿清秋长夏日,江湖长放米家船。"郑方坤《郑燮小传》记述板桥此次旅京情况:"壮岁客燕市,喜与禅宗尊宿及期门、羽林诸子弟游。日放言高谈,臧否人物,无所忌讳,坐是得狂名。"(《郑板桥集》附录)还有一次是南行出游到杭州。板桥在39岁丧妻,"我已无家不愿归",次年秋即离家去游杭州,观潮于钱塘江上,写下了《韬光庵》《观潮行》等诗篇。

板桥的前半生,就是这样度过的:读书、授课、著文、卖画、出游。此时的心情,正如他在《落拓》中自我写照说的那样:"乞食山僧庙,缝衣歌妓家。年年江上客,只是为看花。"

宦海浮沉恤民情

板桥虽然落拓不羁,济世之志却未泯灭,40岁以后还在为功名奔走。

板桥不愿一辈子做个"锦绣才子",正如他所说:"凡所谓锦绣才子者,皆天下之废物也,而况未必锦绣者乎!"在他看来,"读书作文者,岂仅文之云尔哉?将以开心明理,内有养而外有济也。得志则加之于民,不得志则独善其身"(《与江宾谷、江禹九书》)。板桥在给郑墨的家书中也屡次在说这个道理:"我辈读书人,入则孝,出则弟,守先待后,得志泽加于民,不得志修身见于世。"(《范县署中寄舍弟墨第四书》)看来,封建社会中儒家的最高理想"修身、齐家、治国、平天下",对郑板桥说来,仍然令人向往。因此,板桥也有进入仕途之心,不仅能安身立命,而且能兼济天下,才算不枉读了半生诗书。但是,板桥未能顺利进入宦门,一是他不愿沽名钓誉,也看不惯官场丑态;二是他不愿趋炎附势,因而不得其门而入。板桥一生,经历了康、雍、乾三世。此时虽是清代盛世,但整个时代已处于封建末世,科举取仕的弊端日益显露,封建文人中想治国平天下的有志之士越来越少。板桥曾感叹,当世士人已经不是"穷则独善其身,达则兼济天下",而是"一捧书本,便想中举、中进士、做官,如何攫取金钱、造大房屋、置多田产。起手便错走了路头,后来越做越坏"(同上)。板桥自己很想成为救时济世之才,然而几次赴考,均名落孙山,所以,一度曾心灰意冷,行迹散漫。但是板桥并不趋炎附势,力主"学者当自树其帜",决不"听气候"、"趋时风"。板桥之见,做官应读书,但读书不一定做官:"凡人读书,原拿不定发达。然即不发达,要不可以不读书。"即使不做官,也应该好好读书,"东投西窜,费时失业,徒丧其品,而卒归于无济,何如优游书史中,不求获而得力在眉睫乎!"(《潍县寄舍弟墨第四书》)

板桥在40岁那年赴南京乡试,中了个举人,后来又在镇江的焦山上借宿苦读,准备京试。乾隆即位那年,板桥44岁,他赴京都应试,总算中了个进士。所以,板桥晚年一直自称"康熙秀才,雍正壬子举人,乾隆丙辰进士"。

封建社会,贫寒之士一旦中了进士,就可能青云直上,迈入仕途,因而踌躇满志,春风得意。板桥也未能免此"俗气",考中后,画了一幅《秋葵石笋图》,颇为得意地题上一首诗:"牡丹富贵号花王,芍药调和宰相祥。我亦终葵称进士,相随丹桂状元郎。"然而,板桥却并未得到什么官职,一拖就是好几年。

板桥中进士后,在北京遨游了一番。他躲开了"长安车马道",在清净的西山、香山住了一阵,结交了许多禅门学者、诗人墨客,如无方上人、青崖和尚、起林上人等,与他们时有诗赋往来。板桥也曾进谒过当朝执政,在呈诗中说:"常怪昌黎命世雄,功名之际太匆匆;也应不肯他途进,惟有修书谒相公。"(《读昌黎上宰相书因呈执政》)但是,板桥未曾得到留京做官施展才能的机会,只好南归扬州,一晃就是四五年。板桥在扬州和友人顾万峰相逢,顾万峰曾有诗《赠板桥郑大进士》,诗中说到,"郑生积学晚有名,感念平生意凄恻";"文成亦爱今人赏,宦达仍憨古贤责。遇我扬州风雪天,酒阑相向意茫然";"亦有争奇不可解,狂言欲发愁人骇"(顾于观《澥陆诗钞》)。看来,板桥此时心中颇有郁悒不平之意,最后友人还是安慰板桥:"读尔文章天性真,他年可以亲吾民"(顾于观《瀚陆诗钞》),意思是,将来还是有济世扶民的机会的。

直到乾隆五年(1740),板桥48岁,才又进京奔走。这时正是秋天,从扬州到北京有千里之距,路途遥远,前程渺茫,板桥在途中不胜感叹:"天明始觉满身霜,日出才伸十指僵。山色半青还半雾,马头红叶是何庄"?"关山老马怯驰驱,幼仆而今作壮夫。万里功名何处是?犹将青镜看髭须"(《行路难》)。

板桥此次进京,总算不虚此行:他受到了一位宗室皇亲的礼遇。这位宗室皇亲,就是号紫琼道人的慎郡王允禧。紫琼道人,康熙皇帝之子,雍正皇帝之弟,当朝乾隆皇帝之叔。不过,这位皇叔对朝政不大过问,颇好诗文字画,"专与山林隐逸、破屋寒儒争一篇一句一字之短长",板桥赞扬"其胸中无一点富贵气,故笔下无一点尘埃气"(《随猎诗草·花间堂诗钞跋》)。紫琼道人十分赏识板桥,以礼相待,交往甚深,不仅常有诗赋往来,而且板桥后来刻诗钞,由紫琼作序,紫琼刻诗草,板桥自己作跋。板桥在他的自传中特别说到,"紫琼崖主人极爱惜板桥"(徐平羽藏墨迹《板桥自序》)。

板桥在49岁时,被选为七品县令,去山东范县就任。紫琼道人赠《送板桥郑燮为范县令》诗祝贺,诗中云:"朝廷今得鸣琴牧,江汉应闲问字居。"板桥在赴任之前,也向紫琼告辞,感激之余,表示今后要为国为民:"莫以梁园留赋客,须教七月课豳民。"(《将之范县拜辞紫琼崖主人》)

板桥在官场一共度过了12年:范县5年,潍县7年,都是当县令,"七品官耳",再也没有升过,直到罢官而去。

板桥当官时期,是他"稍稍富贵"之际,这个时期的生活在他诗文中是如何反映的呢?

先看范县5年的生活和诗文。

范县地处黄河北岸,是鲁西一个小县,百姓贫困。板桥乍到范县这样写道:"四五十家负郭民,落花厅事净无尘。苦蒿菜把邻僧送,秃袖鹑衣小吏贫。尚有隐幽难尽烛,何曾顽梗竟能驯!县门一尺情犹隔,况是君门隔紫寰。"板桥未做官时,与人交往,自由自在,无有隔阂;

可是一做了官,尽管是个芝麻绿豆官,县令与小吏之间,就有了隔膜。县令和百姓之间,只隔了一尺墙,内外之情已不畅通了;远离黎民的内廷,隔着重重宫门,又该怎么样了呢?板桥对此感慨甚深。

范县百姓对官府避而远之,小小衙门倒也清静。板桥无所事事,作画看花,饮酒解闷,醉后激奋,不免引吭高歌,传到门外,引起衙役议论,被人呼作狂官。家里劝他,历来只有狂生,无有狂官,还是要引起注意。此后,板桥改在黄昏之后饮酒,酒后即睡。不久,板桥走出衙门,接触社会,了解民情。当时"父母官"出门,照例鸣锣喝道,大张旗鼓,喝令百姓肃静回避,板桥却一反惯例,免去这些排场。"喝道排衙懒不禁,芒鞋问俗入林深。一杯白水荒涂进,惭愧村愚百姓心。"(《喝道》)板桥做官,关心民间痛痒。范县地僻土瘠,但总算风调雨顺,板桥心里稍稍感到欣慰:"独上秋城望,高楼出晓烟。西风漳邺水,旭日鲁邹天。过客荒无馆,供官薄有田。时平兼地僻,何况又丰年。"(《登范县城东楼》)

年长日久,板桥对范县这地方也有了感情,写下了《范县诗》10首。在这些诗里,板桥抒写了范县的人情风光,日常生活,表现了对民间疾苦的关切。"驴骡马牛羊,汇费斯为集;或用二五八,或以一四七。长吏出收租,借问民苦疾;老人不识官,扶杖拜且泣。官差分所应,吏扰竟何极;最畏殊标签,请君慎点笔。贪者三其租,廉者五其息。即此悟官箴,恬退亦多得。"板桥对贪官酷吏十分痛恨。在《悍吏》一诗中,他鞭挞了这样的现象:"县官编丁著图甲,悍吏入村捉鹅鸭。县官养老赐帛肉,悍吏沿村括稻谷。"对于那些为非作歹、贪得无厌的官吏,百姓范县,人地生疏,颇感冷清,生活也很清苦。在《范县》诗中,敢怒而不敢言,板桥却在诗里冷嘲暗讽。一次,板桥赴省城济南,他的上峰请他上趵突泉赴宴,观赏"天下第一泉",并要板桥即席赋诗。板桥脱口而出:"原原有本岂徒然,静里观澜感逝川,流到海边浑是卤,更难人辨识清泉。"(清人曾衍东《小豆棚·杂记》)这是对那名昏庸贪官的暗讽,大家不欢而散。像板桥这样疾恶如仇的耿直读书人,即使做了官,又怎能保住官位,更何谈飞黄腾达。

板桥在范县5年,被后人称颂为:"爱民如子。绝苞苴,无留牍。公

余辄与文士觞咏,有忘其为长吏者。"(《兴化县志》卷八)

乾隆十一年(1746),板桥已54岁,离开范县,调到潍县当县令。在潍县,板桥共住了7年。

板桥刚去,就碰上全县大旱,民不聊生,四处逃荒。他目睹"人相食"的惨状,在《逃荒行》一诗中,板桥曾叙述过卖儿卖女去逃荒的悲惨情景。饥荒连续了两年之久,到第三年,潍县饥民才渐返乡。板桥又写了《还家行》一诗,以记其事。"死者葬沙漠,生者还旧乡"。"归来何所有?兀然空四墙;井蛙跳我灶。狐狸据我床"。更可悲的是:旧夫归来,去赎回卖出的妻子,"其妻闻夫至,且喜且彷徨"。原来,妻子已同后夫生了孩子。"摘去乳下儿,抽刀割我肠。其儿知永绝,抱颈索阿娘。"这是谁之过?是后夫的错吗?不是,"后夫年正少,惭惨难禁当;潜身匿邻舍,背树倚斜阳。其妻径以去,绕陇过林塘"。这是妻之罪?也不是。而那个卖儿鬻妻的故夫,也是迫不得已。故夫、后夫以及受尽折磨的可怜妇女都是无辜的,可是都深深陷入悲剧之中,作为七品父母官的郑板桥,又无力相助,这叫诗人怎能摆脱悲痛!

这次饥荒一发生,板桥就当机立断,开仓赈贷,救济灾民。与此同时,板桥又大兴工役,修城凿池,招收远近饥民做工就食,并令城内大户开厂煮粥,救活不少难民。板桥自己也亲自下去放赈。这次闹饥荒,"牛马先受殃","畜尽人亦亡"。为赈济灾民,花去金钱数百万。饥荒过去之后,板桥在沉思,心中结着疙瘩,不能排解。在题为《思归行》的诗里,板桥这样说道:"何以未赈前,不能为周防?何以既赈后,不能使乐康?何以方赈时,冒滥兼遗忘?"板桥归罪于自己的无能:"臣幼读书史,散漫无主张;如收败贯钱,如撑断港航;所以遇烦剧,束手徒周章。"这种回答当然不着边际、未触及问题实质。其实,封建末世,官场腐败,不可救药,置人民死活于不顾,只知压榨人民血汗,这才是症结所在。板桥的自责,里面也隐藏着他的苦衷。经过10年的官场生涯,板桥已渐渐体会到,官府并不是为民谋利的所在,却是个是非之地,因而悄然有弃官思归之意:"臣家江淮间,虾螺鱼藕乡。破书犹在架,破毡犹在床。待罪已十年,素餐何久长。秋云雁为伴,春雨鹤谋梁。此去好藏拙,满湖莼菜香。"

穷，则独善其身；达，则兼济天下。板桥在未入仕途之前，也曾为跻入官场而奔走，想为兼济天下尽点心。可是，在跻进官场之后，板桥做了一阵七品芝麻官，体验到做官不仅毫无乐趣，反而是受罪，因而想辞官归家，兼济天下不得，退而独善其身。早在范县为官之时，板桥已有思归之意。他在《范县署中寄舍弟墨第二书》中说到，在兴化老家附近有好几处隙地，"幼时饮酒其旁，见一片荒城，半堤衰柳，断桥流水，破屋丛花，心窃乐之"。板桥叫郑墨留意，买下隙地，"他日结茅有在矣"。这时，板桥做官还不到三年，已经有"他日结茅"家乡之想，不过，这个"他日"尚无定时，还只是一般的告老回乡的意思。过了一年，板桥对官场生涯有了较深的体会，对于这种生活心里感到惴惴不安。他在《署中示舍弟墨》中说道："日有悔吝，终夜屏营。妻孥绮縠，童仆鼎羹。何功何德，以安以荣？若不速去，祸患丛生。"这时，板桥是53岁，还未到告老回乡之时，可是他已告诉郑墨，他想弃官回乡，同李鱓一道卖画终老了："速装我砚，速携我稿；卖画扬州，与李同老。"但是，这个愿望还未来得及实现，第二年，板桥就被调到潍县，立即投入了赈济灾民的活动。

于是，独善其身的打算暂时为兼济天下的实践所排挤，甚至，板桥还曾一度希冀有所作为。乾隆十三年（1748），板桥56岁，乾隆东巡至泰山。板桥奉命去泰山整修行宫，当书画史，在泰山顶上住了40余天。对这段经历，板桥一直以此为荣，感到自豪，专门镌刻印章云："乾隆东封书画史"。

但是，官场生涯给予板桥更多的是苦恼，思乡之情愈浓，弃官之意更炽。55岁那年，板桥答人赠诗云："潦倒山东七品官，几年不听夜江湍。昨来话到瓜洲渡，梦绕金山晓日寒。"（《和学使者于殿元枉赠之作》）思念家乡之情，溢于言表。"行尽青山是潍县，过完潍县又青山。宰官枉负诗情性，不得林峦指顾间。"（《恼潍县》）在这首诗里，直接表达了板桥的苦恼：潍县风光虽好，但是官务缠身，不得自由，枉负诗情。板桥终于悟到，官场仕途，全是骗人把戏，功名富贵，如浮云一般。达，有什么乐趣？穷，不如归去清静。在《青玉案·宦况》一词中，板桥概括自己10年枯燥无味的官场生涯时写道："十年盖破黄紬被,尽历遍,官滋味。雨过槐厅天似水,正宜泼茗,正宜开酿,又是文书累。坐曹一片吖呼碎,衙子催人妆傀儡,束吏平情然也未?酒阑烛跋,漏寒风起,多少雄心退。"官场生涯令人生厌,兼济天下的雄心已经衰退,思归想家之情则愈益加深,"我梦扬州,便想到扬州梦我"(《满江红·思家》)。板桥向往的已不是求取功名,而是弃官回乡:"绝塞雁行天,东吴鸭嘴船,走词场三十余年。少不如人今老矣,双白鬓,有谁怜?官舍冷无烟,江南薄有田,买青山不用青钱。茅屋数间犹好在,秋水外,夕阳边。"(《唐多令·思归》)

终于,板桥在乾隆十八年(1753)他61岁的时候,去官回乡,离开潍县,归回兴化。从此,板桥与官场告别,再也没有重新做官。

老来归去卖画竹

板桥离开潍县时的心情,既悲愤不平而又愁思满肠,甚为复杂。

三头驴子送着板桥南返。一头装着简单的行李,板桥也骑上;一头驮着两夹板书,加一把乐器(阮咸);一头则是皂隶骑在前面引路。史传说板桥"以疾归,囊橐萧然,图书数卷而已"(《扬州府志》卷四八)。

板桥与潍县父老已结下深厚情谊,一旦要离去,心情沉重,依依惜别:"去官日,百姓痛哭遮留,家家画像以祀。"(清人叶衍兰、叶恭绰编《清代学者像传·郑燮》)在离别潍县之前,板桥分别画了竹、菊,同潍县的官绅士民告别。在一幅画竹的题辞中写道:"乌纱掷去不为官,囊橐萧萧两袖寒;写取一枝清瘦竹,秋风江上作渔竿。"(《予告归里,画竹别潍县绅士民》)这里表现出来的已不是依依惜别,而是愤愤不平之情。

板桥久有思归之意,此次得以去官返里,不是得遂心愿了吗?怎么反而有不平之情呢?不错,板桥早已多次申请告老回乡。但是,板桥此次去官,却是因为得罪了上峰大吏,怪罪他擅自开仓济赈且有贪污中饱之嫌,因而罢了板桥的官,这使板桥蒙受了不白之冤。其实,板桥罢官的真实原因,一是平日早就得罪了上官大吏,板桥不被官场所容:

"板桥性疏放不羁,以进士选范县令,日事诗酒;及调潍县,又如故,为上官所斥。于是恣情山水,与骚人野衲作醉乡游,时写丛兰瘦石于酒廊僧壁,随手题句,观者叹绝。豪贵家虽踵门请乞,寸笺尺幅,未易得也。"(清人蒋宝龄《墨林今话》卷一)二是板桥触犯了豪商富贾的利益。潍县地处渤海边,盛产海盐,富商甚多,诉讼不绝。板桥断案,"讼事则右窭子而左富商"[1]。饥荒之年,开仓济赈,设厂煮粥,更直接侵犯了豪商富贾的利益,为大官富商所不容。尽管板桥一心想去官归里,但上官大吏以贪污之嫌罢去板桥的官,这却使他难以忍受,因而愤愤不平。但是,板桥对于潍县的乡土人情,却一直有怀念之情。在板桥去官十载之后,这位71岁的老人还写有怀潍县诗二首,诗里说:"相思不尽又相思,潍水春光处处迟。隔岸桃花三十里,鸳鸯庙接柳郎祠。"(《怀潍县二首赠郭伦昇》)

板桥回到阔别十多年的扬州,虽说不上是穷途落魄,却也决非衣锦还乡。板桥在未入仕途之前,靠画竹卖文谋生,这次归来,只好重操旧业,依旧靠卖画维持生活。回到扬州,板桥第一幅画就是画的墨竹,画上题辞道:"二十年前载酒瓶,春风倚醉竹西亭;而今再种扬州竹,依旧淮南一片青。"(《初返扬州画竹第一幅》)回想过去的生活,回顾大半生的经历,忆昔抚今,感慨系之。数十年前,板桥就在屋前栽竹,爱竹如命,不仅自己赏竹,还挥毫画竹,以卖画为生。"十载扬州作画师,长将赭墨代胭脂;写来竹柏无颜色,卖与东风不合时。"(《和学使者于殿元枉赠之作》)那时,板桥穷愁潦倒,无路可走,卖画糊口,不得而已。板桥在《署中示舍弟墨》诗中自述当时窘况:"日卖百钱,以代耕稼;实救困贫,托名风雅。免谒当途,乞求官舍;座有清风,门无车马。"后来,板桥虽入仕途,但在范县任上,已有以做官为苦的感叹,直视靴帽如桎梏,懊悔入了仕途。如今,板桥在官场的激流中排退,又回故乡卖画为生了,总算遂了他的心愿,从此可以自由自在,不必再受官场瘴气的熏染。然而,这次卖画虽与上次卖画一样,都是以

---

[1] (清)法坤宏《书事》,引自(清)李桓编:《国朝耆献类征初编》卷233。又参阅《小豆棚杂记》。

此为谋生手段,但板桥在宦海浮沉中经历了一番波折,亲自体验到了官场的黑暗、人生的辛酸,思想感情已有了变化,他对生活的感受也有所不同了。表现在板桥的诗画中,就愈益显示出他那清劲挺拔的豪气来。

板桥重返扬州卖画,名气已经很大,远近官绅士民,都向板桥索画,使得他应接不暇。为了谋生,板桥不能不收酬金,而且决不含糊,不让那些想占便宜者得逞。晚年,板桥年老体衰,更不愿在卖画酬金上与人纠缠,干脆标定价格,并赋一诗,以诗谢客:"画竹多于买竹钱,纸高六尺价三千。任渠话旧论交接,只当秋风过耳边。"(《板桥润格》)但是,板桥却不是见钱眼开,有求必应。"索我画偏不画,不索我画偏要画"(《靳秋田索画》),板桥确实如他所说那样,要抒发他的情性才画,兴之所至,就欣然命笔。板桥常用他的画来"舒其沉闷之气"(同上),所画之竹,"瘦劲孤高,枝枝傲雪,节节干霄,有似乎士君子豪气凌云,不为俗屈"(《题兰竹石二十七则》),表现了板桥对人生的态度。甚至,板桥有时还声言,他的画是为劳苦贫病之人欣赏的:"三间茅屋,十里春风;窗里幽兰,窗外修竹。此是何等雅趣,而安享之人不知也。懵懵懂懂,没没墨墨,绝不知乐在何处。惟劳苦贫病之人,忽得十日五日之暇,闭柴扉,扫竹径,对芳兰,啜苦茗,时有微风细雨,润泽于疏篱仄径之间;俗客不来,良朋辄至,亦适适然自惊为此日之难得也。凡吾画兰画竹画石,用以慰天下之劳人,非以供天下之安享人也。"(《靳秋田索画》)当时有不少豪门富商,并不懂得板桥的艺术,但为了故弄风雅,点缀厅堂,求画于板桥,板桥却置之不理。有些富商,为了求画,竟几费周折,迂回周旋,用计赚骗,才得上手。

板桥所画,多为兰竹石。板桥自己曾和石涛作过比较:"石涛善画,盖有万种,兰竹其余事也。板桥专画兰竹,五十余年,不画他物。彼务博,我务专,安见专之不如博乎!"(同上)为什么板桥最爱画兰竹?板桥在《题兰竹石二十七则》说道:"四时花草最无穷,时到芬芳过便空。唯有山中兰与竹,经春历夏又秋冬。"兰竹不怕暴风骤雨、天寒地冻,这样的本性最适于表现板桥那种不为俗屈的凌云豪气:"能豁吾胸"。板桥画四时不谢之兰，百节长青之竹，万古不败之石，正是为了表现画家自己千秋不变之人。板桥爱兰、竹、石之情极深，把他自己的生命都灌注到画中去了。他在题《竹石》诗中说："十笏茅斋，一方天井，修竹数竿，石笋数尺。其地无多，其费亦无多也。而风中雨中有声，日中月中有影，诗中酒中有情，闲中闷中有伴；非唯我爱竹石，即竹石亦爱我也。"不过，板桥画虽多兰竹，晚年却也画梅菊芙蓉，用以寄意。板桥所画《柱石图》，题诗云："谁与荒斋伴寂寞，一枝柱石上云霄。挺然直是陶元亮，五斗何能折我腰？"在他的《梅竹》画上题诗道："一生从未画梅花，不识孤山处士家。今日画梅兼画竹，岁寒心事满烟霞。"板桥所画，意之所至，随意挥洒，妙趣横生，意尽而止。

在扬州卖画期间，板桥和"扬州八怪"两画家李鱓、李方膺过从甚密。李鱓，号复堂，懊道人。康熙五十年（1711）中举人，被召供奉内廷，但不愿束缚在死气沉沉毫无生气的宫廷画上，终被解职。后来，李鱓当过山东滕县知县，又因触犯权贵而去官，早在板桥之先已回扬州卖画。板桥在潍县为官时就已想追随李鱓回扬州卖画终老，他们既是同乡，又是知交，感情极好，交往极深。李方膺是南通人，离板桥家不远。他们以书画诗文会友，相互协作、鼓励、琢磨，在板桥回扬州的第三年，三人就一起作了《岁寒三友图》，板桥题诗道："复堂奇笔画老松，晴江乾墨插梅兄，板桥学写风来竹，图成三友祝何翁。"（《题三友图》）合画之外，板桥还常为李鱓、李方膺所作之画题诗。李鱓比板桥早亡，板桥甚为怀念，70岁那年，板桥在一幅《兰竹石》画上题辞云："复堂李鱓，老画师也。为蒋南沙、高铁岭弟子，花卉翎羽虫鱼皆妙绝，尤工兰竹。然燮画兰竹，绝不与之同道。复堂喜曰：'是能自立门户者。'今年七十，兰竹益进，惜复堂不再，不复有商量画事之人也。"板桥深以为憾。板桥和金农的友情也很深。金农，是"扬州八怪"中另一著名画家，自号冬心先生，浙江杭州人，嗜金石，精诗书画印，50岁后始学画，所作梅、竹、马、佛，有金石古气。板桥同金农相隔虽远而交情甚深。在潍县时，板桥误闻金农病死的消息，痛哭流涕，为之设灵。后知道金农病重未死，板桥才转悲为喜，千里之遥，立即修书问候。金农极为感动，自画一像，写诗寄奉板桥。两人交谊之深，可见一斑。板桥与金农书信频繁,畅谈骨董金石和词学,卓有识见。

此时的板桥,一如青壮年时代,仍喜离家遨游。回扬州的次年春,62岁的板桥就去杭州远游。到了杭州去湖州,逍遥自在一月游,接着,"过钱塘江,探禹穴,游兰亭,往来山阴道上,是平生快举"(《与墨弟书》)。65岁时,板桥又去游高邮,写下《由兴化迁曲至高邮七截句》。

板桥晚年虽已不能远游,但只要不是卧病不起,还是喜爱外出活动。《清史列传·郑燮传》说板桥,"晚年归老躬耕,时往来郡城,诗酒唱和。尝置一囊,储银及果食,遇故人子及乡人之贫者,随所取赠之"。阮元在《广陵诗事》中也有类似记载。板桥卖画得钱并不少,已不能同他青年时相比,但其花费亦甚大,"所入润笔钱随手辄尽,晚年竟无立锥,寄居同乡李三鱓宅,而豪气不减"(清人蒋宝龄《墨林今话》卷一)。

板桥和当时的著名诗人袁枚有过交往。71岁的板桥,曾在两淮运使卢雅雨的清明日红桥诗会上同袁枚相晤。袁枚有《投板桥明府》赠诗:"郑虔三绝闻名久,相见邗江意倍欢。遇晚共怜双鬓短,才难不觉九州宽。红桥酒影风灯乱,山左官声竹马寒。底事误传坡老死,费君老泪竟虚弹。"(《兴化县志》)板桥也有诗《赠袁枚》:"室藏美妇邻夸艳,君有奇才我不贫。"

乾隆三十年(1765),73岁的老人板桥已经体倦力弱,但还往来郡城。在客中,板桥画竹并题诗:"宦海归来两袖空,逢人卖竹画清风。还愁口说无凭据,暗里赃私遍鲁东。"(《题画竹六十九则》)在诗后,他还特地写上:"板桥老人郑燮自赞又自嘲也。"在这首诗里,蕴藏着板桥的多少辛酸苦辣,多少人生感慨。就在这年冬天,板桥老人终于与世长辞,葬于兴化城东管阮庄。

结　语

板桥老人,经历康、雍、乾三代,康熙秀才,雍正举人,乾隆进士,当过12年七品之官,最后罢官而去,卖画终老。板桥的生活,始极贫,中稍富,后稍贫,他的生活的变化,影响了他的个性的发展,决定了他和周围环境的关系的发展,并且反映在他的艺术创作、特别是诗文中。

板桥罢官回乡之际,扬州就有一文士李啸村给他送去一副对联,写的是:"三绝诗书画,一官归去来。"(清人梁章钜《楹联丛话》卷二)寥寥十字,却概括了板桥的一生。

板桥善书、善画而又善治印,是个杰出的书画家。板桥之画,虽多兰竹石,题材不算广,但其构思巧妙,笔墨多变,因而千姿百态,各异其趣。板桥笔下,有时兰竹石同时出现,有时只取其中一物,如仅画竹;有时寥寥数笔,只画"一枝竹十五片叶";有时却是密密一丛,满幅皆竹。有时立竿于山坡崖壁,傲然挺拔;有时画竹于狂风暴雨之中,不肯低头。有时以兰竹置中心,或以石(石笋、石坡、石块)为背景,或以石为前景,相互烘托,前后呼应,变化多端,各尽其妙。后人评板桥画竹云:"竹易于密而难以疏,惟板桥能密亦能疏"(戴醇士《赐砚斋题画偶录》),能少能多,运用自如。板桥画竹能达到这样的境界,花去了四五十年的工夫。他在66岁所作一首题画诗中说道:"四十年来画竹枝,日间挥写夜间思;冗繁削尽留清瘦,画到生时是熟时。"(《题画竹六十九则》)由生而熟,又从熟而生,画竹由多而少,又从少而多,最后达到既能少又能多的自由境地,艺术达到了化境。所以板桥又说:"始余画竹,能少而不能多;既而能多矣,又不能少:此层功力,最为难也。近六十外,始知减枝减叶之法。苏季子曰:简练以为揣摩。文章绘事,岂有二道。"(清人李佐贤编《书画鉴影》卷二四)确实,这不仅只是绘事之道,而且也是所有艺术创造的普遍法则。近代艺术大师吴昌硕、齐白石都学过板桥的画竹。白石老人纵观历代画竹,曾以为所有画竹,大多"真而不妙",或"妙而不真",只有郑板桥和文与可等少数画家,才达到了"真而且妙"的境界。此话不能说没有道理。

板桥的书法,在清代也自成一家,不落窠臼,别有风格。清代前期,文人为了应付科举,所用书法,循规蹈矩,划一刻板,缺少个性,被称为"馆阁体"。发展到"扬州八怪",郑板桥、金农等冲破旧规,不受束缚,自创新体,卓然成家。金农从变通隶书、分书着手,以秃笔和重墨为书,创为"漆书",字体古朴奇拙,别具一格。板桥则以真、草、隶、篆四体相参,创造出一种新体,板桥自谦,把它称为"六分半书",意即谓此体比古代之八分书体,尚欠一分半。板桥的书法雄浑清劲,书法中还渗入画法,因而生气勃发,飘逸绝俗,甚得气韵生动之致。他的又一书体"柳叶书",更给人以柳叶飘动之感。后人称道板桥、金农的书法云:"板桥行楷,冬心分隶,皆不受前人束缚,自辟蹊径。"(马宗霍《书林藻鉴》)板桥深谙书画相通之道,懂得以画之关钮,透入于书,以书之关钮,透入于画,"要知画法通书法,兰竹如同草隶然"。乾隆时有名词曲家蒋士铨看了板桥的字画,在《题板桥画兰送陈望亭太守》诗中赞道:"板桥作字如写兰,波磔奇古形翩翩;板桥写兰如作字,秀叶疏花见姿致。下笔别自成一家,书画不愿常人夸;颓唐偃仰各有态,常人尽笑板桥怪。"(《忠雅堂诗集》)板桥画如其人,书亦如其人,堪称一"怪"。

板桥的印章也很著名,被后人列为金石名家。板桥、金农的印章,和浙派金石家丁敬、黄易、奚冈、蒋仁、陈鸿寿一起,号称"七家"。板桥的印章,正如其书画一样,自有风格。观其印章,如见其人,如闻其声,板桥个性,呼之欲出。

板桥书、画、印各绝,但其艺术成就不仅在于"各绝",而且在于熔"各绝"于一炉的完美。中国画的民族传统,趋向于画、书、诗、印有机结合,构成浑然整体。"扬州八怪"(郑燮、李鱓、金农、高翔、汪士慎、黄慎、李方膺、罗聘)把这种趋向提高到更高的水平,推向新的高峰。板桥在"扬州八怪"中,更有特殊造诣,占独特的地位。板桥几乎凡画必题,题跋皆妙。题跋与画面组合,变化多端,而又构成和谐整体。有时,板桥以画为主体,辅以题跋;有时,板桥以字画参半,两相对峙而又对应成趣;有时,板桥却一反常规,题多于画,画面只占次位,题跋则成主体。这样的创新,别家所无,唯板桥敢为。更重要的是,板桥注重画面与题跋在内容上的统一,两者相得益彰,和谐成趣。

在"扬州八怪"中,板桥的文学成就最大。板桥的文学创作,范围甚广,诗、词、道情、书札,都很出色。在57岁时,板桥已把他的诗钞、词钞、小唱、题画、家书等手写付梓,广为流传。板桥的诗篇,有感而发,言之有物,意境深远,后世评曰:"诗近香山放翁《吊古》诸篇,激昂慷慨。"(清人叶衍兰、叶恭绰《清代学者像传》)郑方坤在《郑燮小传》中说:"诗取道性情,务如其意之所欲出。……其诗流露灵府,荡涤埃壒,视世间无结辅不可解之事,即无梗咽不可道之词。空山雨雪,高人独立;秋林烟散,石骨自青,差足肖之。"(《郑板桥集》附录)板桥作诗,讨厌拾古人之唾余,力主直摅血性为文章,笔墨之外有主张,不做奴才文章,只作主子文章。板桥的词,"少年游冶学秦(观)、柳(永),中年感慨学辛(弃疾)、苏(东坡),老年淡忘学刘(过)、蒋(捷)"。其实,板桥的文学创作,包括诗、词在内,其艺术意境都经历过这种变化。艺术风格的这种变化又正反映出了板桥人生中,他和周围环境的关系发生了变化。板桥诗篇,颇多同情民间疾苦、抨击苛政时弊之作,从中可见板桥与人民之间呼吸相通。《悍吏》《私刑恶》,鞭挞酷吏鱼肉乡民;《孤儿行》《后孤儿行》《姑恶》,揭露人间关系的不平;《逃荒行》《还家行》《思归行》,再现了破产农村的悲惨;好几阕词,《田家四时苦乐歌》《渔家》《田家》,也都写出了民间疾苦。板桥在评说别人诗画时写道:"国破家亡鬓总皤,一囊诗画作头陀。横涂竖抹千千幅,墨点无多泪点多。"(《题屈翁山诗札、石涛石溪八大山人山水小幅、并白丁墨兰共一卷》)板桥诗词中,就饱含着血泪。板桥诗词中,还有不少抒写乡土人情、山水风光,淳朴优美,真切动人。《范县诗》《潍县竹枝词》40首,是诗似画,感人至深。板桥还用民间小曲抒发人生感慨。《道情》10首,通俗流畅,妙语警人。道情一体,出于散曲,后又失传。板桥等人,旧调翻新,屡抹更改,十余年始定,别开生面,自成一格。

板桥书画,早在晚清已载誉中外,闻名于世。"一缣一楮,不独海内宝贵,即外服亦争购之"(《兴化县志》卷八)。如今,板桥书画更成了不可多得的艺术珍品。板桥的诗词小曲,也越来越受到珍视。随着时间的推进,板桥的艺术、文学将越来越显示出它的不朽的魅力。

1984年冬,北大畅春园
(原载《中国历代著名文学家评传》,1985年)

情真意美倍感亲

离别姑苏三十载,怀念故乡之情总是萦回不断。每当想起故乡,自然而然地就想起唐代诗人张继那首流传千古、脍炙人口的《枫桥夜泊》:

> 月落乌啼霜满天,江枫渔火对愁眠。
> 姑苏城外寒山寺,夜半钟声到客船。

默想之际,自己便不知不觉中进入了诗里的境界,激起我对故乡的美好回忆:静夜河边的点点渔火,深夜启程的乌篷航船,寺院清晨呱呱乱叫的树颠群鸦,隔壁庵堂昼夜常响的钟磬之声……重新唤起了我对少年生活的怀念!

当然我也想起了我曾经见到的枫桥。不过,我记忆中的枫桥,却不似张继笔下的枫桥那么美。枫桥,我只去过一次。那还是在1943年的秋冬之交,我刚过10岁。那时,苏州刚从日寇铁蹄下挣脱出来,享有盛名的古迹枫桥,满目疮痍,一片衰败景象:桥上乱草丛生,河边树木凋零,河道里冷冷清清;寒山寺大门紧锁,既进不去,也听不见钟声。

此后的三十余载,我再也无缘重去枫桥。前些年,看到别人游访枫桥后著文写道:久慕盛名,造访枫桥,名不副实,大失所望,乘兴而去,扫兴而归。张继《枫桥夜泊》里所创的境界令人神往,现实生活中的枫桥却大相径庭,在艺术和现实的比较中,产生了失望和扫兴。

其实,艺术的魅力和生活的价值,两者相通却又不可等同。文学所创造的艺术境界,可以而且应该高于现实中的生活情景,我们无须因此而去否定生活本身的价值;反之,我们也不必因为文学所写未和生活一模一样而去否定艺术自身所特具的价值。《枫桥夜泊》自有其艺术魅力,不能以枫桥本身来替代。

《枫桥夜泊》的画面并不复杂，出现的景物不过是：月落、乌啼、霜天、江枫、渔火、寺院、钟声、客船，等等。这些，也许都是诗人张继在枫桥夜泊时的所见、所闻，彼时彼地的枫桥景色可能就是这样。然而，这首小诗创造的意境难道仅仅只是彼时彼地枫桥夜景的重现吗？这倒很值得我们玩味。

张继是唐代襄阳（湖北）人，天宝末年，流寓江南，路过苏州，停船枫桥，在这里经历了一个不眠之夜，心有所感，写下了这首短诗。

旅途困顿，夜深人静，正可安然入睡。可是，诗人乍来姑苏名城，面对枫桥美景，感受新鲜，印象深刻；加之岁晚秋深，置身此境，思绪万千，羁旅之感，情不自禁。诗人面对此情此景，反而难以入睡。诗人的所见所闻，激起了内心的波澜，产生了他所独有的体验。诗人把这种体验化为艺术形象，写成这首诗。因此，这首诗不仅只是在写"眼前景"，而且还在写"心中意"。它不只是枫桥夜景的再现，而且是作者思想感情的表现。诗里出现的，是诗人眼里和心中的枫桥夜景，已带上了诗人的感情色彩；诗人的思想感情，则融化在整篇诗的意境之中。

月落乌啼霜满天

月落，是诗人之所见，在诗里是视觉形象，不过它不完全是静态，而是给人动感：月在慢慢落下。乌啼，是诗人之所闻，在诗里是听觉形象，也是富于动态的：栖鸦张着嘴哑哑作声。霜满天，不只是诗人之所见，而且是诗人整个身体之所感。这在诗里是多种感觉的形象：霜气弥漫，迷迷蒙蒙；寒气逼人，益感其凉。月落、乌啼、霜满天，这些单个形象，联结和组接起来，构成一个深秋晓天的情景。

月亮将落而未落，这正是天将明而未明之时。此时，万籁俱寂，大地沉睡，一般人应还没有醒过来，可是诗人却没有睡着。乌啼，打破了沉静，然而却也更加显示了这清晨的冷清。满天的霜雾，表明了季节已入深秋。秋深岁晚，可是诗人还在异乡作客，停泊枫桥，体验那河上的寂寞和冷清。

江枫渔火对愁眠

江边岸上,枫树依稀,隐约可见;江水朦胧,渔舟片片,渔火点点。江枫、渔火,这都是视觉形象。然而,这里所说的"对愁眠",不只是江枫和渔火的静静对峙,而且还是睡在船舱里的诗人面对着江枫、渔火默默发愁。江枫和渔火的两相对峙,牵动了旅人异客他乡的愁思,于是,江枫渔火的情景,本身就寄寓着诗人的羁旅之愁。

"江枫渔火对愁眠"一句,曾为人著录为"江村渔火对愁眠"(宋人《中吴纪闻》)。后人肯定此说者不乏其人,甚至清代大学者俞樾也持此说。还有人进而大作考证,查出枫桥附近,共有两个地方:一是枫桥,一是江村桥,因而断定,"江枫"者,乃两地之合称也。更有人推断,"月落乌啼霜满天"中的"乌啼"也是一个村名,它在枫桥以西。这样一来,"月落乌啼",不过是说,月亮在乌啼那个地方落下去了;"江枫渔火",无非是说,江村和枫桥之间的渔火。我不大清楚,诗人张继在枫桥夜泊前后,有无在那里作过历史的和社会的考察,把那些地名实录在诗里。但是如对《枫桥夜泊》作那种实录性的理解,那它还有什么艺术价值!

其实,江枫、渔火,正如月落、乌啼、霜天一样,都只是构成全诗意境的一些单个意象,并不一定是地名实录,甚至不一定实有其事。清人在评此诗时说:"江南临水多植乌桕,秋叶饱霜,鲜红可爱,诗人类指为枫。不知枫生山中,性最恶湿,不能种之江畔也。"(王端履《重论文斋笔录》)从植物学的角度而言,这种指摘也许自有道理,但艺术创造却不必拘泥于事实,甚至,为了意境的创造,可以虚构出许多意象。即使枫桥两岸种的真是乌桕,"诗人类指为枫",在诗中出现"江枫"的形象,也未尝不可。

姑苏城外寒山寺

枫桥在姑苏城外,寒山寺就在枫桥附近。寒山寺是枫桥古刹,相传因名僧寒山曾居此寺而得名。前人解此诗,都以此专指为寒山子命名的寒山寺。

我意,此处的寒山寺,不一定是专指以寒山子命名的寺院。

在唐代,苏州城内和郊外都建有不少寺院。枫桥附近的山中寺院甚多,但还没有专以寒山子命名的寺院。张继在唐天宝十二年(753)中了进士,两年之后,因安史之乱而流寓吴越,路经苏州之时,比张继晚生好几年的寒山子,尚默默无闻,还未出名,少有人知。要到766年寒山子归隐天台山之后,方渐为人知。所以,张继此诗中的"寒山寺",并非专名,而是泛指。这寒山寺,乃泛指秋冬寒冷季节姑苏城外山中的寺院。张继在秋冬之交来到枫桥,在船上听到山中传来的钟声,有感而发。唐诗中常出现"寒山"的意象,泛指秋冬寒冷季节之山。和张继同时的韦应物,就用"初宿寒山寺"来对应"独寻秋草径"。诗僧皎然在《闻钟》中说:"古寺寒山上,远钟扬好风。"张继此句,与此类似,乃泛指苏州的寒山一带的寺院。

张继停泊的既是姑苏城外寒山寺附近,反证此诗的题目《枫桥夜泊》颇为合适。保存此诗的最早版本是唐代高仲武编的《中兴间气集》,题作《夜泊松江》,似和"姑苏城外寒山寺"不相切合。后来一些典籍,如《吴郡图经续记》、宋《吴郡志》等,著录此诗时,又题作《晚泊》,这是不是枫桥本无此名,很晚才名叫枫桥呢?对此,历来有许多争论,这里不说。

夜半钟声到客船

远处,寂静而寒冷的山中寺院传来了夜半钟声,透过黑暗,越过江面,再到客船里。沉沉黑夜,能为人看见的是月光、渔火,然而,夜半钟声给人的印象却最为突出和深刻。它不管你爱听不爱听,总是划破寂静,声声不断。它敲在游子的心上,倍增愁思与寂寞。诗里虽未出现旅人不眠的画面,但却自然萦绕于你的脑中。在全诗的意境中,这夜半钟声到客船的形象实居于最中心的地位,给人的印象也最深。

说起"夜半钟"的形象,历来对此不断有所争论。宋代大诗人欧阳修引用前人成说,怀疑张继是否真的听到了夜半钟:"句则佳矣,其如三更不是打钟时。"（宋代欧阳修《六一诗话》）历代同欧阳修争辩的人不少，叶梦得、胡仔等人，均有所涉及，无非从两个方面来证实：一、生活中的事实。宋代的寒山寺还在打夜半钟，可见唐代早就如此，张继所写夜半钟声，是生活中的真事。二、唐诗中的事实。唐代诗人写夜半钟的不乏其人，诗中不时出现夜半钟的形象："夜半隔山钟"（皇甫冉），"半夜钟声后"（白居易），"未卧常闻半夜钟"（王建），"遥听缑山半夜钟"（于鹄），"隔水悠扬午夜钟"（陈羽），比比皆是。司空曙、许浑、于邺、温庭筠等人诗中，也都有夜半钟的形象。

其实，欧阳修赞同对张继的责难固然不足取，但叶梦得、胡仔等人对张继的辩护也不见得有力，因为，双方的方法论是共同的：都是以所写夜半钟是否符合生活真实来评定艺术价值。然而，艺术的价值不决定于是否完全再现了生活事实。张继在枫桥夜泊时，可能真的听到了夜半钟声，也可能并未听到，而把在别处听到的听觉形象放到诗里；或者干脆是一个虚构，创造出夜半钟形象。无论哪种情况，夜半钟都只是诗人创造艺术意境的一个材料，用以表现诗人的思想感情。还是明人胡应麟说得好：

> 张继"夜半钟声到客船"，谈者纷纷，皆为昔人愚弄。诗须借景立言，惟在声律之调，兴象之合，区区事实，彼岂暇计？无论夜半是非，即钟声闻否，未可知也。（《诗薮·外篇》卷四）

唐人诗中，最早出现"夜半钟"形象，还是张继这首《枫桥夜泊》，其他均在张继之后。唐、五代以还，出现"夜半钟"形象的诗篇连续不断，宋人陆游、孙觌、胡埕，明人唐寅、居节，清人徐崧、王士禛等人的诗中，均有可见。张继在诗中创造夜半钟的形象，不是为写实而写景，而是为了和其他形象联结和组合起来，构成形象整体，表现他在枫桥夜泊中体验到的羁旅之愁。

艺术的真实并不一定是生活的真实。鲁迅说得好：文学创作，"可以缀合、抒写，只要逼真，不必实有其事也"（鲁迅《致徐懋庸》）。所谓"缀合"，就是指不同形象的联结和组合；所谓"抒写"，就是表现思想感情。《枫桥夜泊》虽是短短一首小诗，却也是按照"缀合"、"抒写"这样的艺术规律创造出来的。夜半钟声、乌啼、江枫这些单个形象，也许是诗人的"眼前景"，也许是诗人的"过去事"，这不关重要。重要的是，无论是眼前景还是过去事，都必须表现出"心中意"。乌夜啼的形象，早在六朝乐府中就已被创造出来（刘义庆《乌夜啼》），用来表现离愁别恨、相思之情。以后，乌夜啼和相思情逐渐形成固定联想，为历代诗人不断运用。庾信、李白、杜甫在张继之先，已多次让乌夜啼形象出现。张继在《枫桥夜泊》中把乌啼、月落、霜天等"缀合"起来，正是为了"抒写"羁旅之愁。江枫的形象又何尝不如是！早自楚辞开始（《招魂》），"江枫"已和"伤春"联系起来，后人又把"江枫"和"秋思"相连，江枫和愁情形成固定联想。张继在《枫桥夜泊》中把江枫和渔火、夜半钟声等"缀合"起来，又是为了"抒写"羁旅客愁。

《枫桥夜泊》中表现出来的思想感情，当然，也不这样单纯。面对枫桥夜景，心里的美感也会油然而生。但是，对夜景的美感和触景而生的愁思交织在一起，而且愁思之情贯穿于全诗，占支配地位。诗中所写的月落、乌啼、霜天、江枫、渔火、钟声、客船，都带着"愁"情，均是诗人"愁眠"时所见、所闻、所感、所想而来的。

那么，张继在这首诗里所抒写的"愁"，究竟是愁什么呢？张继流寓苏州时，还写了一首诗《阊门即事》，再现了安史之乱造成的江南惨象，忧愤之情，溢于言表。《枫桥夜泊》里的愁思，可能和此相通。但是，全诗意境并未着意于此，我们也不必刻求深意。枫桥夜泊使人愁，究竟为什么而愁，不同的读者可以自己各自的审美经验来补充。

历代著名文人，写枫桥或寒山寺的诗篇不少，韦应物、陆游、高启、唐寅、徐崧等人均有，然未有超越张继此诗者。清初王士禛年轻时写有《夜雨题寒山寺》两首，意境颇近《枫桥夜泊》，但抒发的感情，过于狭窄。60年后，有位鲍鉁，泊舟枫桥，想起往事，不胜感慨，写下了："路近寒山夜泊船，钟声渔火尚依然。好诗谁嗣唐张继，冷落春风六十年。"抚往观今，所有写枫桥、寒山寺的诗篇，还是不如张继此诗，这颇可引起我们的深思。

1982年春，北大中关园

（原载《文史知识》）

诗中有画情更深

暂且撇开诗人和诗题，先来体验一下一首短诗本身，它给予我们的会是什么样的感受？

这首小诗是韦应物的《滁州西涧》：

> 独怜幽草涧边行，上有黄鹂深树鸣。
> 春潮带雨晚来急，野渡无人舟自横。

春光美好，万物竞生。可是，诗人无心到那万紫千红的热闹去处，偏独怜爱幽静涧边的绿草，独自走到山涧边来寻闲探幽。对于幽草的这种爱怜，后来的许多诗人都有类似的体验，例如宋人王安石就有"绿阴幽草胜花时"（《初夏即事》）这样的诗句。

山涧里是一番什么景象呢？山涧之上，树丛深处，只听得黄鹂鸟在林荫中发出啼鸣之声。黄鹂啼鸣，应是有声，却更衬托出了山涧的幽静。"蝉噪林逾静，鸟鸣山更幽"（王籍《入若耶溪》），蝉噪、鸟鸣，益显山林之静，也许有人都有过这种类似的体验。"芳草无人花自落，春山一路鸟空啼"（李华《春行寄兴》），也是以"花自落"、"鸟空啼"来反衬春山的幽静无人。

涧边是这么幽静。渐渐夜幕将临，忽然风云突变，骤来一阵急雨，顿时涧水猛涨，春潮带着雨水，汹涌而来。一个"急"字，写出春潮和阵雨打破了山涧的宁静，呈现出一番飞动流转之势。然而，在这飞动流转的景象的背后，衬托出了诗人悠闲、宁静的心境。诗人虽未直接出现于画面，却使人感到，诗人从容不迫，悠然自得，在观赏着眼前的这番景象。

既已薄暮，阵雨又兼潮涨，山涧边早已没有行人，那本来就很荒凉的古渡口头，已是无人来渡，于是，只见渡船横在渡口水面，随着潮水晃荡,任其随波逐流。读到这里,不由得使人心旷神怡,如临其境,陶醉于这奇妙的境界之中。

好诗无须多作解,明白如画心易领。我们常赞一些好诗是诗中有画。这首诗确实就像画一样,画出了山涧雨景。"春潮带雨晚来急,野渡无人舟自横"二句尤佳,动静交错,绘声绘色,野渡雨景,历历在目,读后,使人赞叹,令人叫绝。后人也曾写过类似情景,如宋人苏舜钦《淮中晚泊犊头》中就有"晚泊孤舟古祠下,满川风雨看潮生"之句,诗人从孤舟中看雨中潮涌,写的是舟中所见,风雨孤舟看潮生,另有一番诗意。但我读来,总觉不如"春潮带雨晚来急,野渡无人舟自横"。这是不是因为此诗是写涧边所见,角度不同之故?不见得。个中奥妙,颇可玩味。

那么,这首短诗妙在哪里呢?

诗中有画固然佳,但若诗中只有画却并不值得称道。诗并不等同于画,诗终究还要有自己的特点,要有"诗情"。其实,画也不能照搬对象,要有"画意"。诗情画意,这才是诗画的灵魂。只是诗比起画来,更擅长于抒情。诗画相通而又相异,诗中有画当然好,但不能停留于画,必须通过描绘更好地抒情,创造出意境,使诗更有情趣,意蕴更深。

这首短诗确实如画,但诗人通过如画的描绘创造出了一个深远的意境,融进诗人对于人生的深切体验,富有情趣。在诗里,涧边幽草,深树鹂鸣,春潮晚雨,荒江野渡,这些景物、场面缀合起来,构成一个意境,寄寓了诗人向往自然、寻求宁静的心情。诗人韦应物,唐代中期的山水田园诗的著名代表,曾任滁州、江州、苏州等处刺史,世称"韦苏州"。一个久处官场的文人,饱经风霜,宦海浮沉,对于那些送往迎来、应答酬唱的生活感到厌倦,想要脱离繁华的嚣尘,追求自然幽静的生活境界。"独怜幽草涧边行",寻找的正是这样的意境。这样的意境不仅扣动着古人的心弦,而且也吸引着想在自然里获得更大自由的今人,尽管为这种意境所陶醉的社会原因、具体内容会有所不同。

诗题标为《滁州西涧》,这里所说的"西涧",当是安徽滁州城西的那个,俗名上马河。诗人作此诗,正是在滁州刺史任内。但前人曾有所怀疑,此西涧非即滁州之西涧。清人王渔洋在《皇华纪闻》中说及:"昔人或谓西涧潮所不至,指为今天六合县之芳草涧,谓此涧亦以韦公诗而名;滁人争之。"诗作出了名,诗人成名人,就会出现为本乡本土争名的现象,看来这不自今日始,历来就有。我既没有到过滁州西涧,也未去过六合芳草涧,无从考证哪处曾经有潮,韦应物是否在涧边遇到了阵雨春潮。不过,诗境可以借助诗人的想象来创造,不必定要依样摹写,正如王渔洋所说:"余谓诗人但论兴象,岂必以潮之至不至为据,真痴人前不得说梦耳!"以唐人宋之问《题大庾岭》诗中"江静潮初落"一句为例,渔洋云:"大庾岭北止有章水如衣带,去浔阳且千余里,抑岂潮所可到耶!"韦应物是否在西涧目击春潮带雨晚来急,这并不重要,重要的是诗人依据过去的直接和间接的经验,创造出了这样的意境,表达诗人对于人生的深切体验。

名诗传世,后人好以此入画,把诗境转化为画境。但是,诗情能否完全化成画意,这是个饶有兴味的问题,依我看,诗情与画意,相通而又不雷同。宋代宫廷画院曾取"野渡无人舟自横"之意,以"野水无人渡,孤舟尽日横"为题,考选宫廷画师(宋代邓椿《画继》)。应试画师大多构想为"系空舟岸侧",高明些的在船舷间画一拳鹭,或在篷背上画一栖鸦,暗示舟上无人,所以鹭敢于在此拳,鸦才在此处栖。"舟上无人"之意是表达出来了。独有中魁的画师别出心裁,"画一舟人卧于舟尾,横一孤笛,其意以为非无舟人,止无行人耳,且亦见舟子之甚闲也"。这幅画创造出了这样的意境:并非舟上无人,而是无人来渡,舟子自闲。这是对"野渡无人舟自横"的再创造,颇有新意,自属难得。但是,韦应物在诗中所写的"野渡无人舟自横"是同"春潮带雨晚来急"缀合在一起构成的意境,并不是可以孤立出来的一个画面。且不说"春潮带雨晚来急"这样的飞动流转之势,在画中就很难表现;只就"野渡无人舟自横"之句来说,诗中也未断言舟上必有舟子。如果是在雨后天晴,舟子悠然自得,横笛独闲,尚合情理;但若孤舟在风雨中飘横,而舟子仍逍遥自在、卧舟吹笛,这就不合情理了。韦应物此诗所说,究竟是舟中无人,抑或无人来渡,还是两者兼之,诗人并未属意于此,读者可以自己的审美经验去想象,所谓"览者会以意",自然也给画家留下了再创造的余地。

1984年秋,北大畅春园

(原载《文史知识》)

动静交错意趣生

一

世界万物,有动有静,变化不尽。动和静,这是物质运动的存在方式和表现形态。

人的意识反映世界的动静,文学艺术表现人对世界的感受和体验。然而,不只反映的客体而且反映的主体,都处于运动之中,时动时静。主体与客体之间关系的不同,使得主体对客体的感受和体验十分复杂。静的客体,有时主体会感受为动的;动的客体,有时却又感受为静的。客体的动态,有时会使人产生静意;客体的静态,有时却又使人产生动感。

文学艺术表现出对动静的这种感受和体验,可以使作品意趣横生,其味无穷。

静的艺术,如绘画,所用的物质手段是静止不动的。然而,高明的画家,却能暗示出对象的动态,给人以动感。画中之竹,静止不动,但因为画出了包孕着变化的瞬间,从这瞬间的姿态,可以想象得出那竹子正在暴风雨中摇动。

动的艺术,如音乐,所用的物质手段是连续运动的声音。但是,高明的音乐家通过那运动的声音也能暗示出对象的静态。几声鸟鸣、笛音,衬托出了山岭早晨的寂静;箫鼓数声,越发显出春江花月夜的宁静。

文学用语言来创造艺术形象,比起其他艺术来,有更自由的表现力,写景状物,动中见静,静中见动,动静交错,变化无穷。

人在水中乘船行,放眼四周看动静,会有什么样的感受呢?

苏轼36岁那年去杭州赴通判任,路过安徽,乘船出颖口,初见淮山,曾赋诗一首,写下了从船上观山的感受:

> 我行日夜向江海,枫叶芦花秋兴长。
> 平淮忽迷天远近,青山久与船低昂。
>
> (《出颖口初见淮山,是日至寿州》)

诗人在船上看淮山,烟雾迷蒙,远近难辨。但是,那青山却像行船一样在高低起伏。这是诗人当时的真实感受。舟中看山,那山和船一起时低时昂。其实,青山并未低昂,而是船在水中起伏,人在船上也随之波动,看岸上青山似乎也在颠簸起伏。苏轼不少诗篇中都表现过类似的感受。

> 放生鱼鳖逐人来,无主荷花到处开。
> 水枕能令山俯仰,风船解与月徘徊。
>
> (《六月二十七日望湖楼醉书》)

泛舟西湖,卧船看山,只见山峦起伏,忽俯忽仰;画船飘荡,好像懂得和月亮一起徘徊。西湖边上的山峦是静止不动的,但躺在船中枕席上,人随着船的颠簸,看远处山峦也在上下俯仰。

有过乘船经验的人,恐怕都会有类似的感受。小时,我常乘乌篷船,在船上看两岸景物,竹枝、树木、茅舍都在向后移动,或者,在向船迎来,饶有趣味。稍长,乘火车放眼窗外,只见近处树丛、禾田像箭一样飞驰而过,而远处的村庄、山峦却似在旋转,更觉新奇。文学艺术就表现了这种真实的感受。

二

同一景物,诗人在不同场合去看它,会产生不同的感受,这正好反映了诗人(主体)和景物(客体)之间的关系有变化。天上的云,时而飘动,时而停伫,这是客体在变动;观云之人,时而行走,时而静坐,主体也在活动,诗人的心境,更是变化多端。南北宋之交的陈与义曾几次写出观云的感受：

> 飞花两岸照船红，百里榆堤半日风。
> 卧看满天云不动，不知云与我俱东。
>
> （《襄邑道中》）

这是诗人在河南行舟襄邑道中的真实感受。船顺水而下，趁着顺风，百里路程只走了半天，水速是惊人的。榆堤两岸的景物，应似飞掠而过，此诗虽未写出，可由想象而得。然而，诗人注意的却是船上看云的感受：躺在船上看那满天云彩，一动不动，船行百里，竟没有觉察到云彩和乘船人都在向东。船上观景，看天上云彩是一种感受，看两岸花木又是另一番感受。感受的不同，反映了主体与客体的距离的不同：花木在近处，看去似飞动；白云太离远，观者未觉动。可是，同一个陈与义在另一种场合下看那天上的云，却又像跟着归去的诗人在一起行走：

> 雨意欲成还未成，归云却作伴人行。
> 依然城郭中牟县，千尺浮屠管送迎。
>
> （《中牟道中》）

这种感受也是真切的。人在年少时也都曾有过类似体验：人在行走，天上的星星月亮也像在跟着走。

抓住景物之间相对运动而显示动静关系，表现诗人对动静的真实感受，这在古典诗词中甚为常见。清代诗人袁枚在《随园诗话》中，称赞这样的诗句乃"见道之言"，创造了"悟境"：

> 诗有见道之言，如梁元帝之"不疑行舫往，惟看远树来"；庾肩吾之"只认己身往，翻疑彼岸移"。两意相同，俱是悟境。

把无生命的景物看作有生命，把静止不动的景物当成自动，这还不是把诗人的心情移到景物本身，比如：

> 茆檐长扫净无苔，花木成畦手自栽。

> 一水护田将绿绕,两山排闼送青来。
>
> （王安石《书湖阴先生壁》）

王安石为邻居杨德逢写的这首诗,"护田"和"排闼"虽然是用了汉书中的话作典故,但却生动地写出了水和山的动势:绿田被水围绕着,青山破门而入,把青翠送进了屋里。也是把无生命的静止不动的山和水写成有生命的活动的。但在古典诗词中,有更进一层的,把没有人情的景物写成富有人情,诗人把人的思想感情、人格品性移到景物,使无情者变得有情,亦有人意。

> 东风知我欲山行,吹断檐间积雨声。
> 岭上晴云披絮帽,树头初日挂铜钲。
> 野桃含笑竹篱短,溪柳自摇沙水清。
>
> （苏轼《新城道中》）

在诗人眼里,东风、晴云、初日、野桃、溪柳等景物,都像有情之物,懂得人意。

> 吴山青,越山青,两岸青山相送迎。谁知离别情?
>
> （林逋《长相思·惜别》）

青山本来无情,亦不会起而迎送。但在离人眼中,钱江两岸的吴山、越山,似亦有情,都来送迎。清人查为仁的《莲坡诗话》中,记有一高僧雪峤,隐居山中,曾有诗云:

> 帘卷春风啼晓鸦,闲情无过是吾家。
> 青山个个伸头看,看我庵中吃苦茶。

青山怎么会伸头?这当然是诗人自己的想象。久居深山,不与人往,寂寞之中,以山为友,把青山当作有情之物来对待,赋无情不动之物以人的性格,使寂寞生活带来了乐趣。

"两山排闼送青来",这还只是写山上青翠破门而入,但青山并无人情。有些诗篇,写苍苔之色,竟想爬到人的衣衫上来了,无情之物却已有情：

> 轻阴阁小雨，深院昼慵开。
> 坐看苍苔色，欲上人衣来。
>
> （王维《书事》）

洪觉范《天厨禁脔》称赞道："此诗含不尽之意，子由所谓不带声色者也。王半山亦有绝句，诗意颇相类。"这里所说的王安石绝句，乃是指"山中十日雨，雨晴门始开。坐看苍苔色，欲上人衣来"。这也是赋无情之物以有情的例子。金圣叹极为赞赏这种文学手法，在《批改欧阳永叔词十二首》中云：

> 只如六一词，"帘影无风，花影频移动"九个字，看他何等清真，却何等灵幻。盖人徒知帘影无风是静，花影频移是动，而殊不知花影移动只是无情，正是极静；而帘影无风四字，却从女儿芳心中仔细看出，乃是极动也。

赋予静止不动无情之物以有情，使之活动起来，不仅古诗中常见，就是在今诗中也不乏其例：

> 赤橙黄绿青蓝紫，谁持彩练当空舞？
>
> （毛泽东《菩萨蛮·大柏地》）
>
> 昆仑雪峰送我行，唐古雪峰笑相迎。
> 唐古雪峰再相送，旭角雪峰又来迎。
>
> （陈毅《乘车过雪峰》）

文学艺术中的写景状物，都是为了表情达意。写动写静，是为了表达作者对生活的感受和体验。动中有静，静中有动，会产生不同的体验，形成不同的意境。

王安石曾集诗两句，组成一联，上联是"风定花犹落"，下联是"鸟鸣山更幽"，沈括《梦溪笔谈》说："上句乃静中有动，下句动中有静。"《冷斋夜话》则云：

荆公言前辈诗，"风定花犹落"，静中见动意；"鸟鸣山更幽"，动中见静意。

(胡仔《苕溪渔隐丛话》前集)

风定声静，然而花朵还在悄然落下，这是静中尚有动，在无声状态中见到落花的动。鸟鸣有声，然而鸟的鸣叫反而衬托出山中越发地幽静，这是以有声显示幽静。

东晋诗人陶渊明把这种动中见静、静中见动的手法综合在一起，创造出一种特有的诗境：

> 方宅十余亩，草屋八九间；
> 榆柳荫后檐，桃李罗堂前。
> 暧暧远人村，依依墟里烟；
> 狗吠深巷中，鸡鸣桑树颠。

(《归田园居》)

村宅、草屋，一片寂静，然而院内树木却又不甘寂寞，榆柳护绕后檐，桃李罗列堂前，静中见动。远处村庄，炊烟飘动，深巷狗吠，树颠鸡鸣，动中更觉山庄之静。这种动中见静、静中见动、动静交错的描绘，正是为了表现诗人那种内心既平静而又不平静的心情。

王维亦颇善于把动静巧妙结合起来，构成妙境：

> 人闲桂花落，夜静春山空。
> 月出惊山鸟，时鸣春涧中。

(《鸟鸣涧》)

这首诗是为友人皇甫岳所居而作的题咏，写出了云溪的夜景。夜深人静，春山空寂，却有桂花仍在悄然落地，正是静中见动；惊鸟时鸣，声传深涧，更显出山居之静，这是动中见静。

静中见动，可以使人益加有静穆之感。明人袁中道在《爽籁亭记》中曾细致述说过这样的体验。他爱静坐石下听泉声，其声变态百出：

> 初如哀松碎玉，已如鹍弦铁拨，已如疾雷震霆，摇荡川岳。故予神愈静，则泉愈喧也。泉之喧者，入吾耳而注吾心，萧然泠然，浣濯肺腑，疏瀹尘垢，洒洒乎忘身世而一死生。故泉愈喧，则吾神愈静也。

泉声越是喧闹，他的心神就越觉宁静；反之，心神越静，也就更感受到寂声的喧腾。

文学艺术就常用静中之动来衬托静境。早在《诗经·小雅·车攻》诗中，就有"萧萧马鸣，悠悠旆旌"之句，以动写静。战马嘶鸣发出萧萧之声，旗帜悠悠飘动，然而《毛传》在释此二句说道："言不喧哗也"，确是体会到了这种诗境。颜之推很敬佩这样的解释，在《颜氏家训·文章》中云："吾每叹此解有情致，籍诗生于此意耳。"这里所说的籍诗，就是梁代王籍的《入若耶溪》一诗，后四句为：

> 蝉噪林逾静，鸟鸣山更幽。
> 此地动归念，长年悲倦游。

王籍离家多年在浙江会稽做官，那里有风景秀丽的若耶溪，诗人在这里泛舟畅游，只见长空和溪水悠悠相连，水天一色，远处山头的白云和近处水面反照的阳光，相映成趣。在如此美好的景色中，诗人忽然听到几声蝉鸣，几声鸟鸣，使人越发感到树林寂静，山间清幽。于是，勾起了诗人自己厌倦官场生涯、怀念家乡的思归之情。明人恽向说：

> 蛩在寒砌，蝉在高柳，其声虽甚细，而使人闻之有刻骨幽思，高视青冥之意。

(《道生论画山水》)

然而，同样是蝉鸣声，也可以叫人心烦意乱，无法宁静。王安石在旅途官驿中生病，困在途中无法启程赶路。深夜寂静，却难入睡，此时传来声声蝉鸣，更使旅人烦躁不安：

缺月昏昏漏未央，一灯明灭照秋床。
病身最觉风露早，归梦不知山水长。
坐感岁时歌慷慨，起看天地色凄凉。
鸣蝉更乱行人耳，正抱疏桐叶半黄。

（《葛溪驿》）

和上一首诗比较，本诗也以动托静，但呈现的是另一种意境。这一道理，读者不难明白。

1983年春，北大中关园
（原载《文史知识》）

虚实相生的取境美[①]

人民教育出版社按：
本文可与课文《中国艺术表现里的虚和实》作比较阅读。

《中国艺术表现里的虚和实》说，中国戏曲处理空间的方式，不仅与中国绘画相通，而且与中国诗中的意境相通。本文就是以杜甫、李白的诗为例，指出诗歌艺术的意境往往与虚实关系紧密。试把本文内容连串起来理解，把握文章的精神实质，并用一二百字表述出来。

虚实结合这一创造意境的艺术手法，在诗人杜甫手中，得到充分的运用，收到了以少见多、以小见大，化虚为实、化实为虚的意境美的效果。

> 今夜鄜州月，闺中只独看。
> 遥怜小儿女，未解忆长安。
> 香雾云鬟湿，清辉玉臂寒。
> 何日倚虚幌，双照泪痕干。
>
> （杜甫《月夜》）

这首《月夜》诗妙就妙在诗人不写战乱中自己如何思乡，而说家人怎样想念自己。化实为虚，化景物为情思。抽象的情感（思念妻子）附丽于具体的形象（对月怀人）画面上，令读者驰骋想象于虚实之间，从诗人对妻子念之深去推想妻子对丈夫思之切。再如，《自京赴奉先县咏怀五百字》中："忧端齐终南，澒洞不可掇。"把无形无象心理之

[①]选自《文艺美学》，北京大学出版社，北京，1989年。题目是人民教育出版社编者所加，本文收入高中《语文读本》（第5册），人民教育出版社，北京，2001年。

"忧",进行感情物化,说自己的忧愁堆积如同终南山一样高,像无边的茫茫大水那样无法收拾,化虚为实。"写一代之事"的巨构《北征》:"平生所娇儿,颜色白胜雪。见耶背面啼,垢腻脚不袜。床前两小女,补绽才过膝……"这里,诗人没有写战乱带来的灾难,没有写自己的深悲,只写爱子的饥色,写他们啼哭、垢腻等战乱的灾难,诗人内心的悲痛却淋漓尽致地表现出来。

"朱门酒肉臭,路有冻死骨",杜甫的这两句诗是人们非常熟悉的。两句诗将截然不同的两个画面摆到一块,不仅互相映衬顿增魅力,而且从字面上呈现出第三个画面的意义:朱门内外仅一墙之隔,却是如此不同的两个世界,这是一个不合理的社会!这里,形象的直接性提供了联想的线索,发人深思:荒野上那冻死的穷人的骸骨,是"朱门"敲骨吸髓的剥削所致;朱门的酒池肉林,是"损不足以奉有余"的社会制度所造成的。这些情理,在作品里并没有从字面上说出来,但读者根据自己的生活经历与审美感受去补充和丰富诗的想象,就深刻地感受到了。杜集中这类剔骨析肌地洞穿社会病根的诗句还有:"富家厨肉臭,战地骸骨白"(《驱竖子摘苍耳》);"甲第纷纷厌粱肉"(《醉时歌》);"犀箸厌饫久未下,鸾刀缕切空纷纶"(《丽人行》);"彤庭所分帛,本自寒女出"(《自京赴奉先县咏怀五百字》)等。这不是诗人对现实简单的感受和反应,而是诗人取境的审美把握中感情浓缩的表现,是融合真、善的审美评价。可见对社会的本质揭示得越深刻,概括的程度越高,作品的境界越高、大、深,其美学价值也就越大。

> 国破山河在,城春草木深。
> 感时花溅泪,恨别鸟惊心。
> 烽火连三月,家书抵万金。
> 白头搔更短,浑欲不胜簪。

这首杜甫的名诗《春望》,创造了一个独特的境界,自成意境。诗中写景、抒情结合得很完美,真正是情景交融。但是,诗里出现的不只是情和景,而且还有事和人。写景、状物、叙事、绘人,各种因素综合为一个独立天地,恰好完美地表达诗人的思想和感情。在这由景、物、事、人等结合而成的"境"和诗人所要表达之"意",完美地融为浑然整体,蕴含着诗人对于国破家亡无限悲痛哀怨之情、忧国思家之意。有限之境,无穷之意,完美结合,融合无垠,这就成了意境。前人曾云:"古人为诗,贵于意在言外,使人思而得之",举出的典型例证就是这首《春望》。"'山河在',明无余物矣;'草木深',明无人矣;花鸟,平时可娱之物,见之而泣,闻之而悲,则时可知矣。"(司马光《续诗话》)诗人的不尽之意,正是在这有限之境表现出来,意深藏在境中,使人思而后才能得之。

而唐代大诗人李白也善于在自己的诗篇中以虚实相生的手法创造一种独特的境界。我们仅以他的一首小诗为例,看诗人是怎样通过28个字也有虚有实,以实带虚、以虚喻实创造意境的。

李白乘舟将欲行,忽闻岸上踏歌声。
桃花潭水深千尺,不及汪伦送我情。

这首诗是李白天宝十四载(755)游览安徽泾县桃花潭后临别赠友之作。当诗人登舟欲行之际,"忽闻岸上踏歌声"。妙就妙在未见其人而先闻其声,以歌声代人,以虚寓实,而虚实相生。诗人轻舟待发,而送行者踏歌相送(一边唱,一边用脚顿地打拍子),"忽闻"表明这踏歌相送对诗人来说实出意外,而就诗来说,也是绝巧的意外之笔,使诗承首句铺叙之后陡起一笔。不仅使此景、此歌、此情犹如耳目,其人物情状呼之欲出,丰富了诗境的视听(时空)感,并显出情感心曲的回流。没有以虚寓实是难以臻此妙境的。

"桃花潭水深千尺"非一般浅潭小流可比,然而,千尺之深的潭水比起汪伦那种诚挚、朴素之情来,是远远"不及"的。而汪伦所"送我情"到底有多深,诗人留下了大片空白(虚),任人情思去度量,去驰骋。汪伦情意之深,豁然于人眼目之中,让人回味良久。后二句这种触物感兴、即兴象征以丰富诗的意蕴境界之法看似平易,道的眼前景,写的意中情,然而却是非扛鼎之笔所难以道出。李白诗之不同凡响,就在于他那"妙境只在一转换间"(沈德潜《唐诗别裁》),而"不及"二字是其关键。这种托物即兴,以物象征,化抽象的情谊(虚)为具象的形象(实),将难以丈量的无形情愫借用"眼前景"加以比较度量。这一"转换"使诗别开生面,空灵有趣,余味涵包,新颖警人。

全诗仅28字,却首以"忽闻"为一波折,使歌声以及送行人之姿犹如耳目之前;再以"不及"为另一波折,李白运用虚实相生的手法,使人透过形象潭水千尺去体味到诗人与歌者之间的情谊。使诗的画面有动有静,跳跃转换,灵动自然;情感曲线有起有伏,将诗人的若明若暗、瞬息转换的情感形象展现出来,而为人们所激赏。

通过上述诗篇的分析,可以看到诗歌艺术的意境往往与"虚实"关系紧密。唐代刘禹锡说"境生于象外"(《董氏武陵·集记》),指出艺术意境所具有的"象"(实)与"境"(虚)的两个不同层次,通过"象"这一直接呈现在欣赏者面前的外部形象去传达"境"这一象外之旨,从而充分调动欣赏者的想象力,由实入虚、由虚悟实,从而形成一个具有意中之境、"飞动之趣"的艺术空间。

艺术应求真善美

随着我国现代化建设的全面发展,文化的现代化建设也在加快推进,文化事业和文化产业双翼齐飞,蓬勃发展。文化生产的规模、技术和数量急速提升,空前未有。数年前,长篇小说年产还只千部左右,到了2014年,竟已跃升至4000部。电视剧的数量,也已达到年产17000集,但能实际播放的,只有一半左右,出现了供过于求。

但是,数量如此众多的文化产品,为广大读者、观众、听众所喜闻乐见的文化精品却不是太多,不能满足广大人民日益增长的精神需求:对于真、善、美的渴望和追求。习近平在前不久主持的文艺座谈会上,指出了当前文化艺术的不足,存在着"有数量,缺质量,有'高原'而缺'高峰'的现象"[①]。这种现象的出现,当然有多种多样的原因,颇可引出我们作进一步的深思,作些理论的探索。

文化生产要发展,当然要遵循所有生产(包括物质生产)共有的普遍规律,但更不能违背精神生产自身的特殊规律。我们需要更加重视精神生产特殊规律的研究。

马克思主义创始人把精神生产看作是一种"生产的特殊形式",以区别于物质生产和人类自身的生产。整个社会的全面生产,主要有三大部类:物质生产、精神生产和人类自身的生产。为了简化,我在前数年曾称之为:物的生产、心的生产和人的生产。这三类生产,相互联系,彼此促进,构成整个社会生产的有机整体。这三类生产都受生产的普遍规律所支配,但是,每一部类的生产,又都自成特色,具有各自的特殊规律。

人类的实践活动,是人的有意识的活动,既要付出体力,又要运

---

① 《习近平在文艺工作座谈会上的讲话》,2014年10月15日。

用心力,既要"做",又要"想",是体力劳动和脑力劳动的结合。但是,不同的生产实践,其体力和心力的结构方式不同,着力点不同,因而就有了不同的结果。物质生产的活动方式是以体力劳动为主,成果为物质产品,功能则是满足人类的物质需要。精神生产的活动方式是以脑力劳动为主,成果是以符号为标识的精神产品,功能则是满足人类的精神需要。

然而,无论是物质生产还是精神生产,其产生和发展都是为了人类自身的生产和再生产,使得人类的"现实生活"或"直接生活"能够进行下去。人的自身生命的生产,既包括个人自我的生命生产,又包括他人生命的生产,由此而又生发出社会关系的生产。马克思、恩格斯在《德意志意识形态》中说:"一开始就进入历史发展的过程的第三种关系是:每日都在重新生产自己的生命的人们,开始生产另外一些人。"一旦人的生命的生产开始,生命生产"就立即表现为双重关系,一方面是自然关系,另一方面是社会关系"。随着人的生命生产的发展,人的自然关系和社会关系逐渐复杂起来,人的物质生活、精神生活和社会交往生活日益丰富,对物质生产和精神生产就会有更高的需求。

物的生产、心的生产、人的生产,这三类生产自人类历史最初起就同时存在着。但是,这三类生产的地位和作用,却在不同时代有着历史的变化。在人类历史的初级阶段,人的生产占着最重要的地位和作用,正如马克思所说,"人的依赖关系(起初完全是自然发生的),是最初的社会形态",此时,个人主要靠人与人的相互依存而生活,物质生产和精神生产还只能在狭窄的范围内和孤立的地点存在和发展。要在物质生产有较大发展之后,社会才进入第二种形态,那就是"以物的依赖性为主要基础"的时代。历史从前现代发展到现代,现代化的结果是物质生产提升到了支配的地位,个人也通过交往关系的发展而从人的依赖关系中解脱出来,具有了相对独立性。但是,人类并不会仅停留于此,随着后现代的到来,精神生产的地位和作用正在日益上升。未来还将发展到第三种社会形态,那就是在物质生产和精神生产的高度发展的基础上,个人得到全面发展而获得自由个性的时代。此时,人的生产、物的生产、心的生产都将得到高度的协调的和谐的发展。

但在当今世界,社会发展极不平衡。一些国家至今尚处在贫困落后的前现代,发展物质生产尚是当务之急;一些发展中国家,在发展物质生产的同时,已意识到也要发展精神生产;而一些发达国家已从现代发展到后现代,走向信息社会、知识经济时代,文化生产的比重已日渐超过物质生产。我们这个世界上的人口大国,虽然已发展成为仅次于美国的第二大经济体,但还仍在走向现代化的路途中,尚在为全面实现小康而奋斗,物质生产仍属第一位。然而,当今中国,发展也不平衡,前现代、现代和后现代同时并存,对不同领域的生产,需做具体分析。在我们的物质生产领域,已经出现结构性的产能过剩(如钢铁、水泥、煤炭、玻璃等),需进行调结构、促转型。在发展高新科技产业以外,更应致力于文化产业的发展和提升,加快向知识经济、信息社会转型。当前,精神生产的地位和作用更显得重要。

精神生产领域,最重要的是两大部类,一是科学技术,二是文化生产。科学技术在当今世界已发展成为第一生产力,不仅直接应用于物质生产,而且也成为文化生产的重要手段。文化生产则为时代生产意识形态,提供价值理念,引导社会走向先进方向。科学精神和人文精神,是我们这个时代理应高扬的时代精神。

精神生产当然要以物质生产为基础,但精神生产反过来应该而且可以促进物质生产的提升。精神生产不仅为物质生产提供精神动力,而且也为物质生产的提升提供更新手段。物质生产要有新的创意和设计,才能生产出创新产品,而创意和设计就有赖于精神生产的发展。精神生产越来越渗透到物质生产中去,甚至成为主导因素。物质生产要提高层次、升级换代、结构调整等等,都亟须精神生产的参与。物质产品要增加精神含量,才能升值。中国已经在迈向生态文明时代,面对自然资源不足、自然环境恶化,我们更应控制物质生产的规模,加快质量的提升,更加重视精神生产的发展。

但是,发展精神生产并不仅只是为提升物质生产的水平,更加重要的是,其根本目的更在于促进人自身的生产和再生产要向培养全面的自由个性这个方向发展。自由个性,是德、智、体、劳、美全面发展的结晶,不可能只凭物质生产的发展来实现,更需要精神生产的发展来促成。精神生产不仅能满足人类的精神需要,更能提升人的精神境界,塑造具有真、善、美品性的人格。

物质生产只能创造硬实力,精神生产方能创造软实力。精神文化有两大类型,马克思对此曾作过考察。一是静态的物化产品。作家写出的作品、画家创制的画作、雕塑家塑的雕像等等,这都是创造活动的结果,精神凝结在符号中,以物化的形式存在。二是动态的行为活动本身的呈现。教师、演说家和一切表演艺术家的表演,不是以静态的物化形式,而是动态的活动本身的存在,给予人精神享受,此时的产品和生产行为不能分离。不论是静态的物化产品,还是动态的表演行为,作为精神文化,都不应是简单的重复,最突出的特点乃在于要求创新。不是去重复别人的复制,而是别具风格的创新,这是文化艺术的必然要求。但是,对于文化艺术来说,创新还仅只是一个初步要求,创新的更进一层是要创优,要使精神产品更加优化,新而不优,难成精品。艺无止境,文化艺术不仅求新创优,更进一层,还要从优化进而追求卓越,在众多的精神产品中出类拔萃,卓然超群。当务之急,我们的文化艺术生产不是要在量上扩展,而是要在质上提高。我们花了巨大的人力、财力、物力投入精神生产,但产出的平庸之作太多,更有不少伪劣产品,而精品杰作,却多乎哉,不多也。

文学艺术的创造自有独特的规律。物质生产也要按美的规律来创造,但创造的只是依存美。艺术生产就更要遵循美的规律创造出自由美。不错,文学艺术作为精神生产的一种,也可以成为商品,因具有交换价值,并能产生剩余价值。马克思曾以歌女的歌唱为例,说明歌女可以自行卖唱,维持生计,也可以被剧院老板雇用,从而为老板赚钱,生产剩余价值。但是,文学艺术更重要的价值还是精神价值,因而绝不能沦为市场的奴隶。作家密尔顿创作了《失乐园》,当然可以到市场出卖,成为商品,但正如马克思所说:"密尔顿出于同春蚕吐丝一样的必要而创作《失乐园》,那是他的天性的能动表现。"艺术生产的灵魂是精神价值。

人类生产的最高精神价值应是真、善、美。早在1844年,马克思就提出了人类的生产,应有真、善、美三个尺度,应该而且能够按照美的规律来创造。马克思说,动物也能进行生产,但是"动物只是在直接的肉体需要的支配下生产,而人则甚至摆脱肉体的需要进行生产,并且只有在他摆脱了这种需要时才真正地进行生产"。人不仅能从事物质生产,更能进行精神生产。马克思最后概括出了人类生产的最根本的原理:"人则懂得按照任何物种的尺度来进行生产,并且随时随地都能用内在固有的尺度来衡量对象。所以,人也按照美的规律来塑造物体。"这里,马克思对人类的生产提出了三个尺度,一是真的尺度,要懂得任何物种的尺度,即物的尺度;二是善的尺度,运用人的内在尺度来衡量对象,即人的尺度;三是美的尺度,要按照美的规律来创造。

马克思虽然未曾来得及对"美的规律"作进一步的阐发,但对美的重视却一直持续到晚年。他曾摘录了不少美学家的言论,对席勒《审美教育书简》第25封信中所说的一番话颇感兴致,摘录了下来:"美对我们来说固然是对象,因为有反思作条件我们才对美有一种感觉;但同时美又是我们主体的一种状态,因为有情感作条件我们对美才有一种意象。因此,美固然是形式,因为我们观赏它;但它同时又是生活,因为我们感觉它。总之,一句话,美既是我们的状态又是我们的行为。"在席勒看来,美,不仅在对象、在形式,也在意象、心态,还在生活、行为中呈现出来。物的生产、人的生产、心的生产都需按美的规律进行,而艺术生产就更是美的规律的集中体现。

综观中外古今,文学艺术之所以具有不朽的魅力,那都是符合真的尺度、善的尺度和美的尺度的独特创造。不同的艺术的价值重心可以不同,有的重真,有的重善,有的重美,但艺术的最高境界,乃是真、善、美的统一结晶。正如习近平所说,追求真善美是文艺的永恒价值。文学艺术应该表现自然的美、生活的美、心灵的美,直至信仰的美、崇高的美。这是人类文明价值的高度概括,值得我们永远记取。

在中外文艺理论学会召开的"文化产业发展与
文艺理论创新"学术研讨会上的主旨演讲
2014年12月11日,望海书斋

第三辑

美的规律说

中华文明重和美

当今世界最大的发展中国家——中国正在走向现代化。

现代化不是要抛弃历史传统从零开始,而是要在人类传统文明的基础上,汲取精华,加以创新。美国现代化研究专家英格尔斯在《人的现代化》一书中说得好:"现代化倾向本身就是人类传统文明的健康的继续和延伸,它一方面全力吸收着人类历史所创造的一切物质和精神财富,一方面又以传统所从来未曾有的创造能力和改造能力,把人类文明推向一个新的高峰。"

人来到这世界上,要在世上生存、发展和完善,成为独特的存在,确实可以称之为此在。人生在世,此在怎样才能和世上的其他存在相处?相处之道,多种多样,变化无穷,但在中国古人看来,根本之道就在于"和"。作为此在的人,面对人的世界、物的世界、心的世界,都以"和"相待,才能建构美好的世界。中华文明以和为善,以和为贵,以和为美。和谐、和合、和平、和气、和好、和美等等,都是"和"的具体表现。"和"是中国历史传统中一以贯之的根本精神,贯穿于自然哲学、社会哲学、精神哲学之中,当属中华文明的精华,应该发扬光大。如今，我们可以站在现代文明的高度，运用当代系统哲学的方法，对此作新的阐发，予以创新，发展成为我们处理人和世界各种关系（包括文化冲突）的基本精神。

什么是"和"？"和"，就是各有差异、矛盾的多种要素整合为一个动态平衡的和谐的整体。"和"既不是"异"又不是"同"，"和"整合了"异"和"同"而又超越了"异"和"同"。早在我国春秋时代，古人就把"和"与"同"作了区分，阐明了"和而不同"的道理。在《国语》中，史伯（公元前8世纪）对郑桓公讲说，周朝所以走向衰落，正在于"去和而取同"。只有容纳"不同"，使之相"和"，才能促进万物生长，繁荣昌盛，这叫"和实生物，同则不继"。和而不同，才是万物得以兴旺生长之道。公元前6世纪，齐国大夫晏婴在回答昭公所问"和与同异"时，旗帜鲜明地说："异！"在《左传》中记下了晏子对"和"的精彩见解。他先以所食之羹为例，阐明味之美，乃是由好几种不同的味道调适而成。正如后来葛洪在《抱朴子》中所说："虽云味甘，非和弗美。"接着，晏子又进一步以音乐为例，说明了音乐要动听，一定要多音相和，声音的各种因素，清浊、大小、短长、疾徐、哀乐、刚柔、迟速、高下等，相济相成，经由"和"而构成一个整体。如果只有一种声音，"若琴瑟之专壹，谁能听之？"经过他的一番阐发，晏子最后作出结论：治国之道在于和而不同，"同之不可也"。

中国的文人雅士，好谈论琴瑟之美，晏婴已把琴瑟之美归结为和，确有道理。宋代大文学家苏轼写了一首《琴诗》，内中问道："若言弦上有琴声，放在匣中何不鸣？若言声在指头上，何不于君指上听？"只有琴，那琴弦是不会自动发出声音来的；可是，只有指，也不能奏出音乐。这也是一种"和"：手指和琴弦的协和动作。但琴曲的关键处，还在于那弹奏出来的声美本身：多音相和，抑扬顿挫，旋律韵调，如行云流水，一气流通，按一定的调式建构一个完整的机体。所以，后人常说："琴所首重者，和也。"当然，我们还可以进一步追问，那优美的乐曲又是怎样创造出来的？《乐记》中说："乐之务在于和心。"作曲家为了创造出美妙的音乐，必先调动内心世界的多种精神因素，感情、联想、想象等等，相济相和，构成还只在内心世界存在的心曲，然后进一步精心营构,把心曲符号化,谱写成乐谱。从构思到谱曲,都渗透着"和"。乐曲演奏,把乐谱转化成音声,心曲流向了声曲,又通过声曲流向了赏乐者的心灵。声美扣动了赏乐者的心弦,引发了美感,得到了美的享受。而演奏者在演奏乐曲时所得到的美感,不像赏乐者那样,只来自精神快感,而且,也来自实践快感,在得心应手、琴手相和的实际操作中,直接获得了美的享受。"和"贯穿了音乐创作—演奏—欣赏的各个环节和乐曲的整体之中。

以和为美,不仅体现在饮食、音乐领域,而且还扩及更广阔的领域,"和"成为更高的境界。春秋时代,楚灵王大兴土木,建造了奢华的"章华之台",自鸣得意,叫大夫伍举一起登台欣赏,兴高采烈地问道,"台美夫"?不料伍举大泼冷水,向楚灵王反问:"若于目观则美,缩于财用则匮,是聚民利以自封而瘠民也。胡美之有?"他不是把亭台楼阁孤立起来评价,而是把它放在整个国家这个大系统里考察,那建造亭台经楼阁的意义就发生了变化:"若敛民利以成其私欲,使民蒿焉忘其安乐,而有远心,其为恶也甚焉,安用目观?"劳民伤财,奢华浪费,大兴土木,满足私欲,这只能招来民怨沸腾、离心离德。伍举坦言:"臣不知其美也!"伍举向灵王正面阐明了他对美的见解:"夫美也者,上下、内外、大小、远近皆无害焉,故曰美。"他这里所说的美,乃是作为整体的国家之美。作为整体的系统内部关系(上下、大小)和内外关系(远近、内外)都应协和,而无害于国家的整体。如果系统内的各种要素有害于整体,那这个要素就不能称之为美。对国家、百姓无害是底线,而国家内部关系和内外关系的协和,就跨入和美的境地。

在中国传统文化中,人和自然(天、地)相和,人和天、地三位一体,臻于和美,乃是人能达到的最高境界:天地境界。

在人还未产生之前,大自然混沌一片,天地未分,就如老子所云:"原始混沌",是个混沌世界。道生一,一生二,二生三,在混沌中生成了天和地,从而又生成了人。大自然在不断地运动,自我生成,人就是在自然中生成的,由此形成了天—地—人的三位一体。

中国古人也早自春秋时代以来,就意识到了,整个宇宙乃由天—地—人所结构而成。天—地—人之间,既各自独立而又相济相成,构成一个整体,正如陆象山所说:"人与天地并立而为三级。"上为天,下为地,人立于天地之间,顶天立地。在这整体结构中,人以天地为体。天地浩荡,无边无际,作为其中一体的人,本十分渺小,犹如苍海中之一根芦苇、天空中的一粒尘埃、宇宙中的一点琐屑。但是,"人者,天地之心也"(《礼记》),天地自身本没有心,人的生成,就产生了天地之心。所谓心,正如王阳明所说,"心无体,以天地万物感应之是非为体。"人的心能去感应天地万物,从而使人和天地相和。心,"只是一个灵明",是脑的反映功能,但正是因有了这点"灵明",才能去感应这个世界。王阳明说得好,"天,没有我的灵明,谁去仰他高?地,没有我的灵明,谁去俯他深?"人若没有这点"灵明",在这个世界上根本就无从生存,更何谈发展和完善。

正是因为人乃天地之心,所以能懂得天—地—人三位的一体性,能自觉地调整人和天地之间的关系,寻求天—地—人之间的"和",调控天—地—人之间的矛盾冲突,使之协调发展,趋向和美。中国人从事任何活动,办任何事,都要把这事放在天—地—人这个总架构中来衡量,从而见机行事,随机应变,掌握到了"天时、地利、人和",方敢付诸实践。这正如荀子所说:"上不失天时,下不失地利,中得人和,而百事不废。"

中国传统文化把天—地—人作为一个有机整体来看待,符合自然的辩证法。美国学者尤利称道中国古代的朴素辩证法,"完整地理解宇宙有机体的统一性、自然性、有序性、和谐性和相关性,是中国自然哲学和科学千年来探索的目标"。在此,我需要补充的是:探索天—地—人的和美,这不仅是中国的自然哲学,而且也是社会哲学和精神哲学的目标。

中华文明,百家争鸣,百花齐放,各有千秋,和而不同。道家更重天人合一,物我一体;禅宗则重内心体验,心气平和;而儒家则突出了人人相处,以和为贵。天、地、人各有其道,人道、天道、地道三者之中,占中国传统文化主导地位的儒家,更重视人道,在天时、地利、人和三要素中,人和更为重要。这是因为人有那点灵明,可以主动顺应天地,"顺天之时,因地之宣,存乎其人"(《农书》),所以孟子干脆说:"天时不如地利,地利不如人和。"天道远而人道迩,靠天靠地还要靠人自己。为了突出"人和"这一环节,儒家还把天—地—人这个系统加以延伸,君—亲—师也被纳入了"人"这个小系统,变成天—地—君—亲—师。但中国历史上仍不断出现突出天地之美,乃万物之本的言论,如董仲舒在《春秋繁露》中说:"天地之化精,而万物之美起。"其实,中华文明内部,儒、道、佛诸家,都在相互补足,趋向和合。

如今我们生活于其中的这个世界,已经极其复杂。人的世界、物的世界和心的世界,相互冲突而又相互制约。人的世界本身的失衡、心的世界本身的失衡、物的世界本身的失衡,已随处可见,人和世界(自然、社会、精神)如何能取得动态平衡,寻求相互间的协和发展,已变得越来越困难。但人类别无出路,只有继续向前探索,寻求走向和谐世界之路,使人的生存状态能和自然生态、人文生态、精神生态都得到和谐一致。最关键处,还是要充分发挥人的那点"灵明",依靠人的智慧,全方位地解决人与自然、社会、精神的失衡现象,取得人和世界的动态平衡。"人与天调,然后天地之美生"(管子),天与人相和,才有天地之美。但"天地有大美而不言"(庄子),因为天地本身并无灵明,而人有灵明,就可"原天地之美而达万物之理"。领悟了天地之美的人,就跨入了天地境界,"得至美而游乎至乐,谓之至人"。庄子的最高理想就是要做"至人",这在如今自然生态日益恶化的世界里,已难以达到,但我们仍然不该放弃这种为"得至美而游乎至乐"的理想追求。

大千世界,文明各异。人类在长期历史发展过程中形成了各种不同的文明,中华文明是其中之一。西方文明、印度文明、阿拉伯文明、俄罗斯文明等等,自成传统,各有特色。比如,西方文明一开始就以人、神、物三位一体;后来又深入人、神、物的内部精细解剖,分门别类,发展为各门科学;如今,有识之士又在力求把天、地、神、人作为一个整体统一起来。而在中华文明中,科学思维长期薄弱,中华文明应吸取其他文明之长,使中华文明充实、提高。不同文明之间的差异,会引发种种矛盾,甚至发展为冲突,这并不使人奇怪。但我们生活在同一个地球上,应该让不同的文明和平共处,毋需夸大和助长不同文明的矛盾和冲突。"和而不同"的中华精神对解决文明冲突应有启发作用。按照"和而不同"的精神,不同文明应该通过文明对话、相互交流,促进不同文明的互补与和合,但又让不同文明保持和发扬各自的特色。和合不是同一,而是包容了特异在内的更高层次上的和美。一个和美的世界,既保存了不同文明的多样性,又使不同文明的"世界性"和"民族性"都得以彰显。

我们生长在同一个地球上,同样生活于一片天底下,我们应该共同努力,创建一个和谐的世界,共享天地之大美。和而不同,世界多彩,各有其美;万邦协和,互通精粹,共享和美。

为太湖国际文化论坛首届国际研讨会而作
2010年9月,望海书斋

求美最终归和谐

和谐,日益成为越来越多的人的共同追求。和谐文化—和谐社会—和谐世界,这需要越来越多的人的齐心参与,共同建构。

在建构和谐文化、和谐社会、和谐世界这一伟大事业中,文学艺术能起到什么作用,如何起作用,应怎样发挥其独特的功能?

一

尽管并非人人都能认可,但是,文学艺术对社会现实可以发生这样或那样的影响。文学艺术对社会的作用,客观存在着,只是发生作用的方式,发生作用的程度各不相同。文学艺术,品种多样,风格不同,更重要的是良莠不齐,因此,对社会现实所发生的作用,在性质上应该严格地区分:正面的还是负面的?正能量还是负能量?积极的还是消极的?

一谈起文学艺术,我们会不自觉地和美好联系起来,把美好的憧憬寄托在文学艺术那里。其实,这也是一种期待,并非实然。现实中的文学并不都美好,它对社会现实的作用也并不都是正面的、积极的。对此,深谙文学艺术之道的美学老人宗白华曾这样说道:"无论诗歌、小说、音乐、绘画、雕刻,都可以左右民族思想自由,它能激发民族精神,也能使民族趋于消沉。"文学艺术能激发民族精神,这是对社会现实的正面作用,它使民族精神高扬。试想一下,在国难当头之初,像《长城谣》《松花江上》《义勇军进行曲》这样的歌曲对社会产生了多大的鼓舞人心的作用!国家兴亡,匹夫有责,多少热血青年,在这些歌曲的鼓舞下,高歌猛进,奋起抗日,投身救亡,奔向前方。但是,也有一些文学艺术,却在"使民族于趋消沉"。身陷孤岛泥潭不能自拔，醉生梦死，自甘沉沦，沉湎于灯红酒绿，靡靡之音。晚唐诗人杜牧所作的"商女不知亡国恨，隔江犹唱后庭花"，在沦陷区，不仅在秦淮河边，而且在黄浦江畔变本加厉地再现。今朝重提此事，并非出于历史癖好，而是要温故知新，对于文学艺术这种社会现象，要像马克思主义创始人那样，既要从历史观点，又要从美学观点来考察和评价。

文学艺术对社会现实的作用，可能影响社会风气、时尚潮流，这是社会的心理层面，但正是这些社会的心理层面和社会的实际生活联系最直接。鲁迅在抗日战争前夕所写的《上海文艺之一瞥》中谈到，当时上海出版有一份《点石斋画报》，影响甚广，这画报里所画的孩子，大多是"歪戴帽，斜视眼，满脸横肉，一副流氓气"。这副形象对当时社会风气发生了巨大影响，鲁迅随即评论道："现在的中国电影，还在很受着这'才子加流氓'式的影响，里面的英雄，作为'妇人'的英雄，也都是油头滑脑的，和一些住惯了上海，晓得怎样'盯梢'、'揩油'、'吊膀子'的滑头少年一样。看了之后，令人觉得现在倘要做英雄，做好人，也必须是流氓。"这些画报、电影，把神气活现的小流氓塑成了英雄形象，推向社会，于是形成一种社会风气、时尚潮流，让大家都去仿效。鲁迅对这种文学艺术、社会风尚作了这样辛辣的讽刺。这里的关键是价值的标准究竟何在，是把丑当作美，加以肯定，还是揭露丑的真实面目，以美否定丑。

社会现实中既有真、善、美，又有假、丑、恶，这都是客观存在，不依个人的意志为转移。然而，文学艺术应有自己的价值判断，善于发现社会现实中的真、善、美，并以肯定的态度对待，也要敢于揭露假、丑、恶，并以否定的态度对待。这样的文学艺术就会对和谐社会的构建起积极的推动作用，并且成为和谐文化的有机组成部分。但是，社会现实中确也出现了另一种文学艺术，对于真、善、美不是采取肯定态度，而是去丑化真、善、美，嘲弄和否定真、善、美；而对做假、丑、恶却津津乐道，尽情美化，这样的文学也能阻碍破坏和谐社会的构建，不可能成为和谐文化的构成部分。只说肯定美学，不说否定美学；只说否定美学，不说肯定美学，都是片面的偏执之见。文学艺术要对错综复杂的社会现象做出"诗意的裁判",既有肯定,又有否定。所以,审美判断的关键在是否真正肯定了真、善、美,是否真正否定了假、丑、恶。

跨入新世纪来,文学艺术的发展速度迅猛,数量急剧增长,连续好几年,长篇小说、中篇小说的年产都在千部左右,短篇、散文、诗歌不计其数,电视剧的年产在万部以上,这在中国艺术发展史上从未见过,不好说"绝后",但确可说"空前"。其中,艺术精品、力作确实有,却很少在理论上给予概括、归纳,大量的则是平庸之作。绝不能说那么多文学都是文化垃圾,但其中确有不少垃圾,而且是挂着"美"的招牌的垃圾,说是精致的纸花稍微客气,有的实在是"金玉其外,败絮其中"。有些影视,运用富丽堂皇的场景、科技变幻的手段,却在大肆渲染暴力、权谋、色情,这对构建和谐社会、和谐文化、和谐世界能和谐得起来吗?在消费主义的潮流中,急功近利、浮躁盲动、骄奢淫逸,这些社会风气在不少地方不时兴起,一些文学艺术起了推波助澜,甚至是"引领时尚"的作用,难道还不值得引起我们的深思?!

二

文学艺术对社会的影响,是通过各个人进行的。社会由人的活动,特别是人和人的相互作用构成。和谐社会的构建,关键在人和人的和谐。而人和人的和谐,又植根于各个人自身的和谐。这自身的和谐如要细析,包括了身与心的和谐、心与心的和谐、身与身的和谐。

因此,文学艺术要对社会现实发生作用,必须对各个人的自身发生作用。对此,美学、文艺学家早有阐发。日本文艺学家桑原武夫在《文学序说》一书中说道:"通常所说的艺术效果,是由两个阶段组成:艺术给予构成社会的个人——而且是相当多数的个人感染,这是第一阶段;这一感染通过个人再作用于社会,这是第二阶段。"文学艺术只能感染人,才能对社会发生作用,感染的人越多,其社会作用越大。

人生在世,不能浑浑噩噩地生活,必须遵循人生之道。可是,对于人生之道,孔夫子早已告诉我们:"知之者不如好之者,好之者不如乐之者。"不仅要知道,而且要爱好,更要乐于为之,以此为乐。而文学艺术就应是这样的使人"乐之者"。

　　文学艺术应是人类的一种美的创造,它所创造的艺术之美,产生了无穷的艺术魅力,给予人类享受,使人不仅要"好之",而且"乐之"。在美的享受中,使人领悟到人生之道,从而改变自己的人生。俄国著名作家乌斯宾斯基曾在小说《她使我们伸直了腰》中,生动具体地为我们展示了艺术之美对人的精神所产生的影响。一个穷困潦倒的教师,郁郁寡欢,精神萎靡,无精打采。然而,当他来到那断臂的维纳斯雕像前面时,一下子就"被一种非同一般的不可思议的力量所威慑"。从这一瞥开始,"我就感到在我的心中升起了巨大的欢乐……是她'舒展了'我的被现代生活揉皱了的灵魂,给予了我感受这种灵魂'舒展开来'的无涯欢乐"。

　　现实生活中,在一定境遇下,艺术确能起到使人惊醒和振奋起来的作用。早年积极投身革命运动的王光祈曾和李大钊等一起参与"少年中国学会"的筹建,在蔡元培、李大钊、陈独秀的支持下,组建了"工读互助团"。1920年春,王光祈自己也到了德国留学,探索兴国救亡之路,攻读政治经济学。但由于他在生活中遭受了重大挫折,悲痛欲绝,坐在莱茵河畔思索良久,痛不欲生,正想投河自尽,了此一生。这时,河上传来了贝多芬的奏鸣曲乐声,王光祈听后,心灵为之一震:世上竟有如此美妙的音乐,世界还是值得留恋的啊!以此为契机,王光祈又重新振作起来,全身心投入音乐学的研究,不仅写出了辉煌巨著《中国音乐史》,而且开创了中西音乐的比较研究之路,把中国音乐推向西方世界,成为中国现代音乐学的奠基人。

　　美的艺术能触及人的心灵深处,激起灵魂的威慑,使内心世界得到调节,改变人的人生态度,潜移默化地产生新的人生观念,从而走向新的人生。德国美学家席勒在《审美教育书简》中说得好:"美在紧张的人身上恢复和谐,在松弛的人身上恢复振奋。"美的艺术确有这两种相反而相成的心灵调节作用。它可以激发松弛的人从萎靡不振、死气沉沉的消极态度中恢复振奋,就像那位为维纳斯雕像而激动的教师那样,它也可以从紧张的人身上恢复和谐。俄国画家克拉姆科伊在给另一位画家列宾的一封信中,就说到了断臂维纳斯雕像对他的心灵的调节作用。每当他紧张不安的时刻,他就想起了这座雕像:"它所给我的印象是如此深刻、宁静,它是如此平静地照亮了我生命中令人疲惫不堪、郁郁寡欢的章页。每当她的形象在我面前升起时,我就怀着一颗年轻的心,重又相信人类命运的起点。"

无论是使人从紧张中恢复宁静,还是让人在松弛中恢复振奋,其效应都是使人的内心世界达到心灵的动态平衡,消除内心的混乱,精神世界丰富起来,最后通向优美心灵审美人格的建构。

美的艺术,可以推动人的和谐性格的建构,这也有助于身和心的动态平衡,身心的和谐发展。现代医学已证实,用优美的音乐可以治疗精神疾病。德国哲学家尼采一次在意大利生病期间,去观看歌剧《卡门》,悦耳动听的音乐一下就迷住了他。他在给朋友的信中这样说道:"这是美与热情的精灵,感人至深!我近来患病,听了这音乐之后,病就好了。"美好的音乐,扣动尼采的心灵,精神振奋起来,心灵就影响了身体,身和心的和谐,又作用于身体本身,使病情得以好转。

那么,由美的艺术所引发的内心世界的和谐和外在世界有什么关联?正是这种内心世界的和谐,促使人和外在世界也能建立起动态平衡的关系。人生活在这个世界上,既要和物打交道,又要和人打交道,这就是常说的待人接物。为人处事都要心平气和,方能和所接触、所相遇的对象和谐相处。

艺术和审美,正是促进个体和社会相交融的有效手段。对此,席勒说道:"只有审美的趣味能够给社会带来和谐,因为,把和谐建立在个人心中。"这个在心中建构起来的心灵和谐,通过艺术和别人交往,就促进了人与人之间的和谐,进而推动社会的和谐。"只有美的交往才使社会统一起来,因为它涉及大家共同的东西。"

以文学为中介,人与人的精神交流并使人与人联结起来,使个体日益社会化,成为社会的个体。对美的追求,这是使人与人、人与社会统一起来的共同契机。法国戏剧家狄德罗曾这样评说戏剧通过人物心灵而发挥的社会作用:"只有在戏院的池座里,好人和坏人的眼泪交融在一起。在这里,坏人会对自己犯过的恶行表示愤慨,会对自己造成的痛苦感到同情,会对一个还是他那样性格的人表示厌恶。"这个坏人，在离开剧场以后，是否还在作恶，姑且不论，若真进入了剧中的体验，受了感染，至少在此刻会产生潜移默化的影响。

文学艺术把人引进一个独特的艺术世界，激起人与人的心灵交融。我的老师吴组缃，回忆起少小时在安徽老家看黄梅戏的情景，很引起我的同感。我少小时在苏州老家看锡剧、越剧时亦有这种体验。这些地方戏，大都在宽大的场面上演出。在这戏场上，台上和台下，心与心联结，脉搏心跳，精神交流，台上忘了是演戏，台下忘了是看戏。这是来作一次发自内心深处的倾诉和宣泄，从中越加认清自己的现实境遇和热切要求的幸福，这样各自得到了安慰和鼓舞，在郁郁不安、悲苦无告的日子里，生出了力量，又能兴致勃勃地活下去。

三

人类所以需要艺术，乃是为了满足人类追求真、善、美的需要。而文学艺术之所以满足人类的这种需要，却是因为文学艺术能把作家、艺术家从生活中获得的人生体验（包括道德体验、政治体验、审美体验等等），按照美的规律组织在艺术形象之中。优秀的文学艺术乃是按照美的规律创造出来的。

优秀的文学艺术能给读者、听众、观众带来美的享受，满足人的审美需要。但优秀的文学艺术乃由作家、艺术家之所创，是一种美的创造，其中包含了作家、艺术家对人生的审美体验，但又不仅仅只是审美体验的表现，而且还是一种创美活动，是对审美活动的超越，成为人类的一种精神实践活动。

尽管人类的实践活动孕育和含蕴着精神活动，表现出人类的自觉自由的特征，但精神活动从实践活动中分离出来之后，就能形成一种和实践活动不同的独立活动。这样，精神活动作为人类的一种独特方式，自有其独特的运行规律，意象思维和概念思维、形象思维和抽象思维亦各有更为独特的逻辑，所以会产生科学理论、艺术构思、宗教幻觉等各不相同的精神活动形态。人类的实践活动，按照物质层面和精神层面的不同组合方式，也可以形成物质实践和精神实践的不同形态。物质实践涉及人和物的相互作用,也涉及人与人的相互作用。而人和物的相互作用,又会延伸到物和物的相互作用。这样,物质实践牵动着物和物、人和人、人和物的相互关系,关联着生态、生产、生活的各个方面,生产实践、交往实践、生活实践都在其内。精神实践则是实现精神的生产,它要生产出一种特殊的物质:符号。用这符号来体现精神活动的成果,把精神活动符号化。因此,精神实践不同于物质实践,这种实践的目的还是要进行精神的再生产,而不是物质的再生产。人文科学和艺术创造就是精神实践的两种最重要的活动。而交往实践则甚为复杂,有的交往实践,例如信息传播,则把精神实践突出,成为精神交流的重要手段。

和谐社会的构建,绝不只是精神实践,而是要以物质实践来奠基,构建和谐世界更是如此,交往实践更起重大作用。但是,精神实践乃是构建和谐社会、和谐世界必不可少的有机成分。精神实践创造精神文化,精神文化和物质文化以及由交往实践产生的制度文化,共同构建和谐社会。

物质的力量必须由物质来解决,精神的力量必须由精神的力量来解决,物质和精神不能相互代替。但是,物质和精神可以相互作用而发生相互转化,精神的力量可以转化为物质的力量。作为人类精神实践活动的产物,既有其物质层面(作为符号),又有其精神层面(作为意蕴)。文学艺术就有可能既和物质实践相联结,又和其他精神实践相沟通,从而相互影响,相互转化。文学艺术作为精神实践的一种独特形态,它对物质实践和其他精神实践的启示作用,主要集中为:人类的一切实践,都应该而且可以按照美的规律来进行,最终是要我们这世界变得更美好。

并非人类的一切实践活动都在按照美的规律进行,劳动能创造美,也能制造丑,在人类实践活动中,发生着多少假、丑、恶!但是,人类应该而且可以按照美的规律来创造。马克思说得好:"动物只是按照它所属的那个种的尺度来建造,而人运用到对象去;因此,人也按照美的规律来建造。"这最后一句,美学老人朱光潜把它译成:人也按照美的规律来创造。人类的实践活动,应是自觉而自由的活动,既要按照美的规律来生产物,又要按照美的规律来塑造人。人类的三大生产实践,物质生产、精神生产、人自身的生产,都应该而且可以按美的规律来进行,以便为人类创造出更加美好的自然环境和人文环境,让人得到自由和全面的发展。

美的艺术集中浓缩地体现了美的创造,在三个层次上都在按照美的规律来构建:一是按照美的规律,把作家、艺术家在人类中获得的审美体验整合、组织起来,在内心中构建成一个意象世界;二是按照美的规律,把物质材料制作成一个审美符号,构建为一个美的物质形态;三是按照美的规律,使这个审美符号能完美地体现出作家、艺术家在内心中营构出来的意象世界。美的艺术创造,把这三个层次构建成一个完美的有机整体,所以能给人以美的享受。它对于其他实践活动则可以成为一个美的创造的模型,成为其他实践创造的参照物。

文学艺术的创造,需在事先进行艺术构思,在实际创造出艺术品之前就要做意象经营,此刻就要遵循美的规律。其实,其他创造活动也需要类似的构思。马克思说:"最蹩足的建筑师,从一开始就比灵巧的蜜蜂高明的地方,是在他用蜂蜡结束时得到的结果,在这个过程开始时已经在劳动者的意象是存在着,即已经观念地存在着。"现代人已经懂得物质生产之前必须先有"创意",再有"设计",才有所创新,而且越来越多的人认识到,物质生产也要像艺术创造那样,按美的规律来创造,甚至已在向体验经济发展,要像艺术那样,吸引人去亲身体验。

艺术创造的符号层面,也需要遵循美的规律,这给其他实践活动有所启示,那就是:物质生产,人的活动本身,也都需要逐步走向按照美的规律进行。我们的物质生活要和精神生活相交融,使我们的物质生活更富有精神内容,以美为纽带,把自然—人文—心灵统一起来。使生态—生产—生活都能达到动态平衡,促进和谐文化、和谐社会、和谐世界的构建。

在中山大学"名师讲座"上的演讲
2004年初,望海书斋

美的规律各异同

一

文学艺术的创造,是为了满足人类的精神需要。作家、艺术家生产作品,是供人欣赏的,如果没有人欣赏,作品虽存犹死,白费工夫。如果作品发表出来,有人欣赏,而且,在鉴赏之后又有些评论,那就证明这作品有了社会反应,受人注意了。这对作者和读者都是好事。不久前,香港举办了一年一度的书展,上海作家王安忆在和读者见面时特别提到,改革开放之初,她的创作获益于文艺批评良多。她和文艺批评家结为朋友,相互切磋,从而,逐步地提升创作水平。那个时候,"批评家很诚恳地告诉你,你的写作局限性在哪里,然后,批评家和作家一起设想未来的蓝图"。

文艺批评的对象当然是文艺作品本身。既然要评价作品的优劣、好坏、高下,就必然要有评价的标准,若无标准,评价就会自说自话,各说各话,莫衷一是,说了白说。因此,王安忆十多年前就在《重建象牙塔》中呼吁:希望能够有一个标准,至少能够认定,这是文学,那不是文学;这是好东西,那不是好东西。我绝对不相信这个标准是没有的,否则的话,这个世界简直太虚无了。

真的,文艺批评确实需要有标准,半个多世纪前,我正好遇上了高扬文艺批评的时代,也曾参与到文艺批评的行列,深感文艺批评标准的重要。20世纪50年代后期,文坛上涌现出不少优秀的文艺作品,如《青春之歌》《红旗谱》《林海雪原》等,茅盾、周扬、邵荃麟等在文艺创作会议上先后提出发展文艺评论,以推进新的文艺创作。周扬还亲自带着邵荃麟、林默然、何其芳、张光年到北大开设文艺理论讲座,倡导建设中国自己的马克思主义美学。张光年、侯金镜为在《文艺报》推动文艺批评,约请了报社之外的李希凡、李泽厚等担任特约评论员。当时,我和严家炎、王世德正在杨晦门下攻读文艺学副博士学位,亦都在特聘之列。国内开展"读书辅导"运动,上海文艺出版社专门出版了《读书辅导丛书》,约我写了一本评论李英儒《野火春风斗古城》的小书,一下就印了10万册。后来,我又陆续写了多篇评论王愿坚短篇小说的文章,其中一篇分析《七根火柴》的文章,还由中央人民广播电台向全国播放。在那个时代,我亲自体验了文艺批评所具有的力量。当时,我所依据的批评标准就是政治标准第一,艺术标准第二。这是革命高潮时代社会公认的价值标准,我真诚地信奉,自觉地遵循。只是,当时我还是个涉世不多的年轻学人,虽然参加过学生运动,却没有亲身经历过战火纷飞的艰难生活,缺乏真切的生活体验,无从切入那历史意蕴的深处,只能笼统地谈论作品的认识价值和思想价值,不懂得要从美学分析着手去揭示审美价值,更不懂得要从马克思所说的"历史科学"即历史唯物主义高度来评价作品的社会价值。

随着认识的与时俱进,文艺批评的标准也在逐渐演进,政治批评之外,又拓展为历史批评、社会批评、文化批评等等,而艺术标准的演进也逐渐转向美学批评。恩格斯自己谈他所作的文艺批评,乃是从美学观点和历史观点来衡量作品的价值的,而且还说,这是他作文艺批评的"最高标准"。马克思、恩格斯在评价希腊史诗、莎士比亚、歌德、巴尔扎克等作家作品时,都把美学观点和历史观点结合起来,揭示出了历史价值、社会价值和审美价值。列宁在评价托尔斯泰、冈察洛夫、赫尔岑等作家的作品时,也都既运用了美学批评,又运用了历史批评,揭示了历史内容和审美意义,旗帜鲜明地提出:"应该把美作为社会主义社会中艺术的标准。"从马克思、恩格斯、列宁、普列汉诺夫一直到毛泽东,尽管对历史批评、社会批评、政治批评的关注重心略有不同,但都一致地重视美学批评。可见,美学批评乃文艺批评的题中应有之义,必不可少。可什么是美学批评,美学批评如何和历史批评结合得好?为解我自己的困惑,我对文艺学的关注,逐渐转向美学的思索。

二

我迈入美学之门有一个过程，大致经历了三个阶段。

一是我在北大就读之时，最初接触的是中国现代早期初创的美学。在入北大之前，年少时读过朱光潜的《给青年的十二封信》和第十三封信——《谈美》等，引导我进入了艺术美的境界，陶醉于艺术之美。《诗论》在崇尚艺术美的同时，却否定了自然之美：在艺术之美以外，自然中不存在美。朱先生的自然无美之说，一直使我困惑不解。从我自己的审美体验出发，大自然中明明存在着美，而且艺术中也映照出了自然之美，怎么能说只有艺术中才有美，而自然中无美呢？我带着这困惑上了北大中文系。那是在1952年秋，我很想在北大学习美学，以解心头的困惑。但是，那时北大不开任何美学课程，只开了一门课程"文学概论"，由中文系主任杨晦在开讲。朱光潜、宗白华、蔡仪、马采等美学家都齐集在北大，但都不开美学。我在听《文学概论》的同时，特向杨晦请教，我想自学美学，该从何着手？杨晦要我先读蔡元培、梁启超的美学，再读蔡仪的美学。1953年初，我又去朱光潜家里请教，他却教我先读王国维、吕澂的美学，然后，再读宗白华的美学和他的《文艺心理学》。我综合了他俩的建议，先从蔡元培、梁启超读起，再读王国维、蔡仪。从1953年初到1954年夏苏联专家来之前的一年多里，我先后读了中国20世纪前半个世纪的中国现代美学著作30部左右。所以，我最早接触的，不是苏联美学，而是中国现代美学。

浏览群书之后给我整体的印象，中国现代美学乃是探讨人生价值的美学，着重探讨的是人生如何能美好。尽管美学必谈文学艺术，但又不限于谈文学艺术，而是广及人类的物质生活、社会生活、精神生活。并不是只有艺术才美，生活中也有美。自然中有美，艺术中当然更有美。人类所以要创造出艺术美为了什么？中国现代美学的主流虽然首肯艺术是为了人生而创，但人生是什么，却有不同的理解。因而，艺术为人生也就有了不同的路径。王国维在《人间词话》中曾区分了两种不同的诗人，一种是"忧生"的诗人，还有一种是"忧世"的诗人。"忧生"者，立足于个体生命之生，感叹人生艰难，苦多乐少，为个人遭遇而忧。"忧世"者则放眼世道人心,感慨世事难料,人心险恶,为周围环境艰险而忧。在近代向现代转折的启蒙时代,梁启超最重视文学艺术的启蒙作用,特别推崇和倡导"忧世"之作,鼓吹"诗界革命"、"文界革命"和"小说界革命",要在新小说里"熔铸新理想","创造新意境","运用新语句",开启民智,启蒙新民,培育"新人心"、"新人格"。梁启超希冀通过文学的革命,启蒙新民,唤起民心,从而投身社会变革。由梁启超开启的艺术要为社会服务的这一美学传统,在五四新文化运动以后得到了继承和发扬。鲁迅、郭沫若、胡适、茅盾、曹靖华等在回忆中都说到了受梁启超的影响,连毛泽东、周恩来也受过启示。

王国维的美学和梁启超的美学有所不同。他的美学虽也关注"忧世",但更重视"忧生",而且,他的"忧世"不仅没有像梁启超那样激起变革社会的决心,反而为他的"忧生"增添了更多的烦恼。在他看来,生活的本质正如叔本华所说,充满了欲望,欲望不能满足就痛苦;而欲望满足之后,又感到倦厌。"故人生者,如钟表之摆,实往复于苦痛与倦厌之间者也。"那么,人有没有办法从痛苦和倦厌中解脱出来呢?王国维说有,那就是,"唯美之为物,不与吾人之利害相关可,而吾人观美时,亦不知有一己之利害"。王国维把审美看作是从生活之欲中跳出来的解脱之道,他研究文学艺术也就是探索如何进入艺术之境,以求得解脱。但最终,王国维自己也没有从艺术之境获得彻底的解脱。当北伐革命即将冲击到北京时,都在清华园当国学导师的梁启超、王国维采取了不同的行动。梁启超暂时出走,离开北京一躲,视事态发展再作打算;王国维却在内外交困的"忧生"和"忧世"的双重重压下,解脱不开,觉得生活在这世上已毫无意义,竟投昆明湖自尽了,终年才50岁。

朱光潜的美学自成特色,对文艺创作过程中的意象运动作了较深入的探索,他称自己的美学为文艺心理学。他早期受王国维美学的影响甚多,所以劝我研究美学也从王国维入手。他比王国维更关注"忧世",深感到这世道人心缺少美。1932年他在《谈美》中深深叹息:"现世只是一个密密无缝的利害网,一般人不能跳脱这个圈套,所以转来转去,仍是被利害两个大字系住。"怎样才能跳出这世上的利害网？朱光潜劝青年要进入艺术的境界，艺术美化了人生，超越了人生，这是因为，"美感的世界纯粹是意象世界，超乎利害关系而独立，在创造或是欣赏艺术时，人都是从有利害关系的实用世界搬到绝无利害关系的理想世界里去"。王国维要从生活之欲中解脱，朱光潜则劝人从实用世界中跳出，都到艺术的意象世界中得到慰藉。朱光潜美学特别推崇艺术之美，所以再三阐明，美在物乙，美在意象，美只能是意识形态。到了后期，朱光潜美学有所变化，认识到文学艺术不只是意识形态，还是生产劳动，承认生活中也有美，美不只有意识形态的，也还有非意识形态的，但始终认定，艺术美要高于其他美。

中国现代美学中最吸引我的，还是蔡元培的美学。蔡元培的美学没有像梁启超美学那样，慷慨激昂，催人奋起，去激励人们立即投身社会改革；也不像王国维美学那样研究精深，引导人们潜入古典诗词的艺术意境，而是综合吸收了两家之长，平和全面而又自成特色。他把自己的美学建立在价值论基石之上，把美看作是一种价值。当时西方美学中的"移情说"影响甚大，认为自然之所以美，就是因为人类把感情移入了自然。蔡元培在那时就清醒地觉察到："感情移入的理论，在美的享受上，有一部分可以用，但不能说明全部。"大自然还是有自己独特的美，不能由其他的美来代替，"自然上诚有一种超过艺术之美"，但自然美也不能代替艺术美，因为，艺术之美，在"与自然相关以外，还有艺术家的精神寄托在里面"，所以，艺术美"有一种在自然美以外独立的价值"。在他看来，艺术的价值，主要取决于作品"激刺之情感的价值"，这就和道德教化、科学研究大不一样。道德教化在求善，科学研究在求真，而艺术审美在求美，获得美的享受，唤起美的精神。"美学的主观与客观，是不能偏废的。在客观方面，必须具有可以引起美感的条件；在主观方面，又必须具有感受美的对象的能力。与求真的偏于客观，求善的偏于主观，不能一样。"这样看来，审美活动这一精神活动，就是要使人的主观和客观达到动态平衡，从而获得审美的愉悦。在蔡元培看来，艺术的功能，不仅在于给人以审美享受，而且还潜移默化，陶冶人的情性，培养美的人格，进而，再可以去改造社会。依他之见，"爱美是人类性能中固有的要求"，我们的教育，"知其能够持这种爱美之心因势而利导之，小之可以怡性悦情，进德养身，大之可以治国平天下"。蔡元培早年虽已晋升皇家翰林院，但眼看梁启超参与的百日维新惨败，深感清王朝已无药可救，随即抛弃官位，全心投入兴办新学。他觉察到，中国亟须新的教育，培养新人，才能救国。梁启超等的百日维新，"由于不先培养革新之人才，而欲以少数人代取政权，不能不情见势绌"，所以失败。从此，蔡元培全力投入于"教育救国"事业。孙中山请他当首任教育总长，他立即把美育列入国家教育方针之中，成为中华文明史上的创举。蔡元培在1927年开始担任北京大学校长，在北大推行美育。就在那年，杨晦考进了北大的哲学门，亲身聆听过蔡元培的教诲，所以，他首先向我推荐，研究中国现代美学，要从蔡元培入手。杨晦所说的确有道理。20世纪80年代初期，我和叶朗、江溶等编《北京大学文艺美学丛书》，请杨晦、朱光潜、宗白华三人当顾问，我们优先推出了《蔡元培美学文选》。初步涉足中国现代美学，使我领会到了美的形态的多样性。我们这个世界上，不仅存在艺术美，而且存在现实美。艺术美精彩纷呈，文学、音乐、戏剧、电影等各有其美；现实生活中的美更为丰富多彩，自然美、人文美、精神美各放异彩。生活和艺术中，有美和崇高，还有丑、卑下、悲、喜、滑稽、荒诞等等各种形态，真、善、美激起人的审美快感，假、丑、恶则引发人的审美反感。阅读这些美学书籍，引起了我的美学思索，我想写一篇《美学初起半世纪》，作为我大学结业时的毕业论文。但还未及深思，历史就进入了一个新的阶段。1954年夏，北京大学来了苏联专家毕达可夫，开办了全国高校的文艺理论研究班，讲授"文艺学引论"，文艺理论要学苏联了。那时，我只是三年级学生，还无资格当苏联专家的研究生，中文系主任杨晦批准我去听课，并按规定写结业论文。我在大学毕业前的一年多里，主要就是听苏联专家的"文艺学引论"和写结业论文《论文学的人民性——兼论现实主义和浪漫主义》，已无精力再来钻研中国现代美学了。

等我重拾美学，那是1958年了。

我第二次涉足美学，是周扬在北大开设"文艺理论"讲座，呼唤"建设中国的马克思主义美学"之后。作为马寅初、江隆基特邀的兼职教授,周扬带领了邵荃麟、张光年、林默涵、何其芳主动到北大来开设这个讲座。当时,我和严家炎、王世德正在跟随杨晦攻读文艺学副博士研究生,经杨晦提议,受学校之命,我担任了这个讲座的助教,因而有缘出入周扬家,亲受教诲,从而,决定了我今后的学术方向,由古典文艺学转向马克思主义美学。

这次重拾美学已和大学时代自学美学不一样。那时还没有"马克思主义美学"这一概念,只是出于个人志趣,漫无边际,浏览群书,只求博通,尚无专攻。这次却是目标明确,朝着"建设中国的马克思主义美学"方向发展,而且,关注点把文学艺术放在中心,专攻文学艺术中的美学问题。周扬在演讲一开始,就开门见山地说:生活和艺术都要美,但毛主席说,艺术可以而且应该比生活更美。他没有说艺术美就一定必然比生活更美,而是说可以而且应该,这就要看作家、艺术家有没有这个本事了。马克思主义美学应当从这里开始,来研究如何创造艺术美,艺术美怎样才能比生活更美。于是,我的学术志趣也就逐渐转向艺术美的探讨。

此时,我已经注意到,20世纪50年代后期的苏联文艺学已从美学角度对艺术的审美特性作了较为深入的研究。斯大林时代过去之后,苏联文艺学早已兴起了审美学派、文化学派,开始探索文学艺术的审美价值。当时的苏联哲学,已从马克思的价值学说出发,尝试建立自己的价值论,区分出了劳动价值、使用价值、交换价值、剩余价值、物质价值和精神价值等不同价值。苏联文艺学中的审美学派和文化学派更进而对精神价值作了深层的区分,揭示了审美价值和认识价值、道德价值的异同。那么,文学艺术具有什么样的精神价值呢?文化学派的代表卡冈认为,文学艺术不仅具有审美价值,而且具有认识价值和道德价值;优秀的文学艺术,应是真、善、美这些正面的精神价值的统一。而审美学派的斯托洛维奇则认为,文学艺术虽然也包含认识价值和道德价值,但主要的还是审美价值,优秀的文学艺术,在作品中都要使善、真转化为美。当时我就觉得,历史上的文学艺术形象错综复杂,必须根据其具体情况做具体分析。历史上出现过大量的假、丑、恶的文艺现象,也创造出了众多真、善、美的文学艺术。最伟大的文学艺术能达致真、善、美的统一，这是文学艺术的最高境界。但也有许多优秀作品，或以真见长，或以善见长，或以美见长，不一定都能做到真、善、美统一，具体作品要做具体分析。但真、善、美应是文学艺术的永恒追求。

其实，正是因为复杂多样的文学艺术具有各不相同的价值内涵，或具真、善、美，或具假、丑、恶，所以才需要有文艺批评来加以审辨，而文艺批评也需要有自己的真、善、美的价值理念。鲁迅说得好，每个文艺批评家也都有自己的批评圈子，"或者是美的圈子，或者是真的圈子，或者是前进的圈子"。

基于这样的思考，我就把我的文艺学副博士论文定为《古典作品为何至今还有艺术魅力》。这篇论文在1960年完成，发表在《北京大学学报》（1961年6月），后被收入北京大学出版社的《美的追寻——胡经之学术生涯》一书中（2003）。马克思在论及希腊艺术和史诗时曾谈到，最大的困难在于了解"它们还继续供给我们以艺术的享受"。我想接着马克思所说，尝试解释中国古典文学为什么至今还对我们具有艺术魅力。我从主体和客体两方面分析：从主体方面说，今人的需要和能力是否具备；而从客体方面说，古典作品要具真、善、美的价值内涵，具体作品要做具体分析。优秀的作品，有的偏重于真，有的偏重于善，有的则偏重美，因而，有真的文学、善的文学、美的文学，价值内涵的重心有别。那时，我想从价值内涵真、善、美三个维度来评价好艺术、好文学，具体作品如何把真、善、美三个维度结合起来成为一个有机整体，优秀作品如何按照美的规律来创造。但是，美的规律如何落实到作品的言、象、意这一艺术结构中，还有待于做进一步的探索。我当时还未能进入这个深层结构，那要等到改革开放初倡导"文艺美学"之后，才开始对艺术美的内在结构尝试做些研究。但我相信，优秀古典作品之所以不朽，乃由于其中具有真、善、美的精神价值。

"文化大革命"革了文化的命，不能再去研究美学了，但我抓住了机会，钻研了一下《红楼梦》，还攻读了一下《资本论》，目的是想弄清楚马克思的价值学说。《剩余价值理论》是在20世纪70年代才翻译过来的，但在人民出版社一出版，我就赶紧找来读了，想进而弄清楚使用价值和审美价值、艺术价值的联系和区别。只是那时不可能真正进入美学,浅尝辄止。

改革开放之初掀起的那场新启蒙运动,激发了我重新投入美学研究的热情,这是我第三次把目光转向美学。

1980年初春,我和朱光潜、杨辛三人代表北大去昆明参加了全国第一次美学会议。在全国高校美学学会成立大会上,我积极倡导文艺美学,提出在艺术院校和文学系科应该开设和哲学美学不同的文艺美学。我这一倡议事先是和朱光潜先生商讨过的,他最看重文学艺术了,当然赞成。艺术院校和文学系科的代表热烈响应,我深受鼓舞。回到了北大后,我就陆续办了三件事:一是在当年研究生高年级开了一门课,就叫"文艺美学";二是在文艺学研究生招收方案中,新辟了文艺美学这一专业方向,并在1981年首次招收了文艺美学硕士生;三是我和叶朗、江溶一起在北京大学出版社主持了《文艺美学丛书》的编组。《美学向导》是推出的第一本,首印就有12万册,一销而空。朱光潜、宗白华、蔡仪、王朝闻、李泽厚等均有文章,我则写了《文艺美学及其他》,倡导文艺美学。我在北大的讲稿,后整理成《文艺美学》一书,北大百年校庆时又收入《北京大学文艺美学精选丛书》。我做了较大的修改和增补,成为第二版。

我在《文艺美学》中想阐明这样的基本思想:尽管文学艺术不必然就一定是美的,但应该而且可以是美的,这是人类的价值追求所使然,我们渴望生活要美好,也希望艺术更美好。而艺术要能美,就必须像马克思所说的,按照美的规律来创造。文艺美学就是要研究文学艺术是怎样按照美的规律来创造。美的规律不是抽象的,而是具体的,渗透在物质实践和精神实践的多种多样活动中,互有异同。艺术创造,作为人类掌握世界的一种独特方式,和其他实践方式互有异同,具有自己的美的规律。在艺术创造的整个过程中,从作家、艺术家的审美活动开始到构建艺术作品,再到作品走向社会为人接受,每个环节中都有美的规律发生作用,但美的规律在作者—作品—读者的不同环节中却各有异同。再进一层,不同的艺术品种,文学、音乐、雕塑、绘画、建筑、舞蹈等等,美的规律又互有异同,不能一律。作家、艺术家在生活中所感受到的审美体验，更是千差万别。发现自然美，构建人文美，欣赏精神美，都存在各自不同的美的规律。就是在已经完成了的艺术作品的结构中，怎样把符、象、意多层次因素构建成一个有机整体，也就有艺术创造的美的规律的存在。这些，文艺美学都应加以研究。在这里，最大的困难还在于怎样才能阐明深入生活对于艺术创造的深刻意义和价值。作家、艺术家对生活要有广泛和深刻的审美体验，深入领悟到生活的意义和价值，才能成功地把现实生活转化为意象、境界，按美的规律创造一个意象世界，从而物化为符号。直接经验对于作家、艺术家来说特别重要，要以直接经验为基础，不断汲取间接经验，才能创作出优秀的艺术作品。深入生活，直接参与实践活动，"读万卷书，行万里路"，对生活有了深切的体验，才能对生活作出诗意的反映，诗意的裁判，揭示出人生的意义和价值，寻求诗意的人生。所以，在探讨艺术创作过程之前，我专辟了一章，阐明作家、艺术家在实践生活中直接面对活生生的现实，亲身参与审美活动，以身体之，以心验之，从生活中获得丰富而深刻的感受。回想起来，我对文学艺术的关注，还是局限在作者—作品—读者这三个环节，没有把艺术创作进程放在时代历史、社会生活更广阔视野中来考察，重视了美的自律，相对忽视了历史的规律。其实文学艺术的发展，既要遵循自律而自我运转，又要围绕整个的历史的他律而公转，就如马克思所说，行星既在自转，又在围绕太阳公转。反顾一下普列汉诺夫对法国文学艺术的研究，颇能给我们很好的启发。他善于把美学的分析和历史的分析结合起来，把法国18世纪的戏剧放在整个社会的历史发展中来考察，揭示出了当时的戏剧，从"闹剧"发展为"悲剧"，再发展为"流泪喜剧"，反映了不同历史阶段的审美趣味的变化。这审美趣味的变化恰好表现出了社会的变化。他对文学艺术所做的历史分析和美学分析，令人信服。我国自改革开放以来的文学艺术发生了激烈的变化，现代的、前现代的、后现代的文化特征，几乎是同时显现，审美时尚不时变换，使人眼花缭乱，目不暇接。我们迫切需要像普列汉诺夫那样，用历史唯物主义的眼光，对当下的文学艺术巨变作历史的和美学的分析。我们急切需要别林斯基所称道的运动的美学。

由此想到，我觉得对文学艺术的美学探讨，当前更急需和文艺批评相结合，更好地发扬李长之所倡导的传统。

文艺美学这一学科的冠名不是我想出来的。我在20世纪70年代看过台湾学者王梦鸥一本论文学的美学问题的小册子《文艺美学》，觉得这书名简洁醒目，我在后来用了。当时我孤陋寡闻，没有看到李长之的著作，要到我在20世纪90年代看过他的《苦雾集》之后，方才知道，他早已提出过"文艺美学"这一概念。1935年，李长之在《论文艺批评家所需要之学识》一文中提倡，文艺批评家要有多种学识，而"文艺美学是文艺批评家的专门知识"。1942年在《释文艺批评》一文中，又再提倡文艺批评需要文艺美学。李长之自己就付诸实践，积极运用文艺美学原理来从事文艺批评，所以，他的文艺批评就富有美学色彩，他的理论文章也密切联系文艺创作实践。我以为，文艺美学在今后的发展，应该继承和发扬文艺美学和文艺批评相结合的这种传统。

三

文学艺术的社会意义和价值，只有置于社会生活之中才能见出。如果把文学艺术放在整个结构中考察，那么，文学艺术乃是属于社会的上层建筑领域的那种"悬浮于空中"的意识形态。

马克思说得好："在不同的所有制形式上，在生存的社会条件上，耸立着由各种不同情感、幻想、思想方式和世界观构成的整个上层建筑。"文学艺术的内容，就是由各种不同的情感、幻想、思想按不同的方式熔铸而成，它由社会产生，反过来，又对社会发生反作用。说它"悬浮于空中"，那是因为它离社会的物质基础较远，中间隔着政治、法律、道德等许多"中介"环节，不是直接发生作用和反作用。但是，文学艺术还是社会生活的反映，问题在于如何理解这个"反映"。

对此，我有我自己的理解。20世纪60年代初，蔡仪主编教科书《文学概论》，我参编，受命撰写第一章"文学是社会生活的特殊的意识形态"。在这一章中，要简明扼要地体现出主编蔡仪的最基本的文学观念。两年里,我先后写了五六稿,中间和蔡仪有多次交谈,反复琢磨,最后由蔡仪改定。此章的第一节开宗明义就先说"文学是社会生活的反映"。照我当时的理解,这"社会生活"应是作家参与其中的现实的社会生活,应涵盖物质生活、政治生活、人际生活、精神生活等多层次。那么,这第一章是否要从作家参与社会实践谈起,从社会实践的展开,深入多层次的社会生活。作家之所以能在文学作品中构想出丰富多彩的意象世界,就因为反映了社会生活。"问渠哪得清如许,为有源头活水来"。但蔡仪觉得,不要一开始就从现实的社会生活谈起,还是要从已被反映在文学作品中的社会生活说起,然后才追溯到创作的源泉——现实的社会生活。

听从主编的旨意,我改变了思路。从阅读文学作品着手,我把文学作品中所描写的社会生活现象归纳为三类:一是人文现象(《红楼梦》《子夜》里所写的),二是自然现象(广义的社会生活包括了人类接触到的自然现象,如山水诗里所写的),三是精神现象(感情生活、幻想生活都在内,如《西游记》所写的)。蔡仪基本同意这说法,但他把描写幻想生活的这一类特别分出来,像古代的神话、现代的寓言以及《西游记》《聊斋志异》这一类,描写的是超现实的事物,是对社会生活的幻想的反映。说到文学艺术中所写的自然现象时,蔡仪是要我这样写:"无论哪种作品中所描写的自然事物,总是人们生活中所接触的,为人们所关心的事物,总是和人们的生活有关系,而不是无关系的事物。因此描写自然景物的作品,实质上也仍然是社会生活的反映。"至于说到文学中描写人的精神生活现象,蔡仪则特地加上了一句,说这是"整个社会生活的一个方面"。

文学在反映社会生活时,必然表现了作家的思想倾向性。蔡仪当然很重视文学的思想倾向性,主张作家要有先进的世界观,但他几次对我说,文学的真实性是第一位的,文学的根本是要反映生活的真实。文学的最高成就是反映生活的本质,这只有创造出的典型形象才能做到,最优秀之作就是要创造出典型环境中的典型性格。《文学概论》的第一章,基本上就是按照这个思路展开的。

对生活现象的典型化,确实是使艺术创造能高于生活现象的重要手段。马克思主义创始人对艺术创造中的典型环境中的典型性恪极为推崇。要能创造出典型环境中的典型性格,不是普通文学艺术所能达到的,这是艺术创造的极高境地。艺术创造的美的规律多种多样,容许有不同的新的探索。普列汉诺夫对车尔尼雪夫斯基的美学多有肯定,指出文学艺术不仅仅只是再现生活,而且还说明生活和评判生活。在一些文学作品中,甚至把说明生活和评判生活放在首要地位。而作家、艺术家要去说明生活和评判生活,心目中就要有自己的价值理念:什么才是美好的生活,应当如此地生活。在普列汉诺夫看来,关于美好生活,应当如此的生活,还是现实中尚未实现的理想。作家、艺术家要能真实地再现生活、说明生活、评判生活,就要有美好的生活理念。所以,普列汉诺夫在1897年就说:"艺术家如果同时不能告诉我们,他是怎样了解社会生活现象的,就是说,不能以自己的方式向我们说明生活现象,他就不能对于生活现象作出自己的判断。"因此,他提出,文学艺术的创造应该由现实主义和理想主义相混合。

在恩格斯的心目中,优秀的剧作应该具有较大的思想深度、意识到的历史内容、情节生动而丰富,应是三者的"完美的融合"。这当然是很高的要求,需要作家、艺术家有丰富的生活经验、广阔的视野,更重要的是,要能对生活作出"诗意的裁判"。1883年,恩格斯在给拉法格的信中,特别称颂巴尔扎克的《人间喜剧》真实地反映出了1815年到1848年的法国历史,对这一重大的历史转折时期的社会生活,作出了"诗意的裁判"。恩格斯高度赞扬了巴尔扎克的作品:"在他富有诗意的裁判中有多么了不起的革命辩证法。"裁判,就是作家对所描写的生活现象作出价值判断,对那些生活现象的意义和价值给予评价。而这种裁判,在文学艺术中不是理论的评析,而是诗意的裁判。俄国的文艺批评家沃洛夫斯基早在近百年前就把文学艺术称作是对生活的诗意的反映,是"审美的意识形态",以区别于"政治的意识形态"。在他看来,"人类创作的这个领域,其实质是对生活作出诗意的反映"。依我看,文学艺术对生活的"诗意的反映",其核心则是"诗意的裁判",其实也就是康德所说的审美判断,这是一种价值判断。只是这种价值判断蕴含在人生体验中,融入艺术创造的意象世界中。

"诗意的裁判"当然涵盖对真、善、美的肯定,但不限于此,也还有对假、丑、恶的否定。巴尔扎克所写的《人间喜剧》,既展示了贵族的可悲,也写出了商人的可笑,对社会生活中的丑恶作了讽刺。对此,当代已有不少作家、艺术家有了自己切身的领会。一向重视电影中的诗意的导演贾樟柯,在谈及最近的新作已接触到社会中的罪恶、暴力、丑陋时说到,"一个导演站在这样一个社会里,你要对人的命运有基于历史、社会和美学纬度上作个人的判断,真实地呈现你的判断和感受",只有对人生有了真实的判断和感受,才能有诗意,从而,"观众才能感同身受,才能有一种美感"。从他导演的电影来看,确实比较接近普通百姓的感受,颇具一种新的人民性。

关于文学艺术,马克思主义创始人不同的场合有过不同的论说。有时说,文学艺术是人类掌握世界的一种方式;有时说,文学艺术是社会意识形态之一;有时说,文学艺术是生产劳动的一种方式及其产物。这些论说,其实是互补的,而非矛盾的。对文学艺术,确可以从不同的视角来揭示其不同方面的特性和规律。而我最为关注的还是文学艺术要怎样才能按照美的规律来创造。马克思说,人类懂得按照任何物种的尺度来进行生产,并且随时随地都能用内在固有的尺度来衡量对象,所以,人也按照美的规律来创造。这里所说的生产,乃是物质生产,那么,作为精神生产的一种,艺术生产就更应按照美的规律来生产了。并不是所有的文学艺术就必然一定遵循美的规律,但应该而且可以遵循美的规律,以求创造出为人喜闻乐见的优秀作品来。

我们的文艺美学当然不能只停留在对马列经典的阐释上,而应在正确阐释的基础上,接着马列经典继续向前言说。更重要的是要从马克思主义的根本精神出发,和中国的文艺实践相结合,回答和解决我们中国自己的问题。这就需要运用马克思主义来对新的文艺现实作新的探索。大众文化的兴起、日常生活审美化、文化产业的发展,使文学艺术本身也发生了变化,都需要面对。肆意抬高和简单否定都不符合辩证法,需运用马克思主义来解决发展中出现的问题。

自改革开放以来,我国的现代化进程加速发展,突飞猛进。中国的文化面貌也发生了前所未有的变化,前现代文化、现代文化和后现代文化几乎是同时性呈现，使人眼花缭乱，无所适从。我个人经历的反差之大，实在惊人。1984年1月小平首次南下深圳，对深圳办经济特区作了充分肯定。正在负责创办深圳大学的清华大学副校长张维院士盛情邀请汤一介、乐黛云和我三人去参与创办中文系和国学研究所、比较文学研究所。1984年，我独闯深圳亲身考察。当时季羡林、杨周翰都赞成我们去深圳，在香港边上开拓一个国际文化交流的平台，和北大南北呼应，以促进中外文化的国际交流。那时，我和汤一介夫妇采取了轮流值勤的方式，半年我在深大，还有半年他俩在深大，兼顾到北大、深大两头。改革开放初期，深圳是个只有3万多人的边陲小镇，虽不能称文化沙漠（这里有历史久远的粤文化），但确实现代文化气息稀薄。我第一次到深圳，只要用半天时间就可以在镇上转一圈，这印象就似在1952年我从苏州到北大旁边的海淀一样。这里只有一个文化宫、一座戏院、一所新华书店。深大离小镇很远，离蛇口倒很近，蛇口更少文化设施，只有黄宗英从上海来这里新开了一家电影院。深圳的电视台是办起来了，只是播放新闻或转播，虽从上海请来了祝希娟，正在筹设文艺栏目，可远水救不了近火。于是，深圳市民和新来的拓荒者，都把目光转向香港的四个电视台节目。这里离香港近，看香港的节目，清清楚楚。那时，懂粤语的市民就看那以"搞笑"见长的两个粤语台，而我们这些不懂粤语的外来人，就看那两个打了中文字幕的英语台。

正是这个时光，风起云涌的港台大众文化最初就涌到深圳。我在深圳最先接触到的就正是这种大众文化。从1984年开始的那三年，差不多每天晚上就可看到香港播放的电视、电影，所放的所有奥斯卡金像奖得奖影片都看了（每晚放两集），还有便是台湾、香港的影片、大众文化。那时，深圳书摊上到处是台湾、香港的通俗小说，内地还没有，我也开始看一看一些通俗的小说，从琼瑶的古典式爱情小说、亦舒的现代式爱情小说，到后来的梁凤仪的财经小说，使我惊奇，小说还能这么写。当时，深圳的歌舞厅文化极为发达，流行歌舞在这里更加兴盛了。内地人通过边防线入深圳，都想到歌舞厅去亲身体验一下。来深圳的最初几年，我在这里亲身体验到了大众文化的兴起。

改革开放之初，北大开始和香港学界有了学术交流，在港任教的叶维廉、李达三、袁鹤翔曾先后来访。香港中文大学也开始邀北大学人访港。新亚书院最早请了朱光潜去讲学，和钱穆会面，继而又请了王瑶去访问。我接着王瑶，在1986年初春也去了新亚书院，在香港中文大学山顶住了一个多月，和饶宗颐、黄继持、袁鹤翔、也斯等多有交往。他们直率地告诉我：香港虽也有精英文化，但只在校园，社会上还是大众文化绝对占主导。在大学校园里受推崇的还是高雅文化。那时，香港还只有两所大学：香港大学、香港中文大学。正在筹建第三所大学——香港科技大学，岭南、浸会等等还只是学院。校园文化还是以高雅文化为主，文化精英受到尊敬。金庸、倪匡、亦舒的书无论怎样畅销，但这些通俗作家却不可能进入大学讲堂。金庸有自知之明，到了晚年，还是到剑桥去攻读博士学位，他是真想做学问。我最先是和香港学者饶宗颐等打交道，后来，我又以深圳市作家协会主席身份常和香港作家交往，和刘以鬯、曾敏之、犁青、张诗剑、梅子等都熟悉起来了。我才逐渐知道，香港虽然大众文化兴旺，但文化极为多元，确有许多作家出于对文学的真诚爱好，以一种严肃的态度在写作，甚至自掏腰包，贴钱出书。

对于大众文化，我并不全盘接受，我就不喜欢金庸的武侠小说。尽管我在小学时代也曾一度迷醉在武侠小说之中，但等我长大以后就再也不爱看了，那太虚无缥缈远离现实了。大众文化中确有不少优秀之作能吸引人，这里也应有其"美的规律"在，只是我当时尚未作进一步的探索。

大众文化兴起之后，不久就有日常生活审美化现象出现。日常生活的审美化，这也是我在深圳最先感受到的。1984年小平南方视察之后，深圳就日益兴旺起来，对外开放，廉价出让土地，吸引了外来资本，集结内地劳力，迅速发展工业。只有3万多人口的边陲小镇，到我去时，已膨胀到数十万。可到90年代初，这座新城跌入低谷，那年春节，我到市里一看，人去楼空，已几乎见不到人，都回老家去了。如今，人口猛增，已接近2000万。小平1992年南方视察之后，随着经济的飞跃，日常生活亦在审美化了。日常生活的审美化，先从衣食住行开始。最早是流行时装，不时举办时装模特比赛，甚至标上"国际"、"世界"称号。其次是推广美食。"食在广东",本就出名,深圳兴旺之后,更广采中外饮食之长,茶肆酒楼林立。居住条件在这里更在日趋优化,深圳是新城,住宅大多是新建的,装修力求舒适、美观。城市绿化在国内亦属一流,道路两旁绿树红花相间。我最满意的是,打出租车极方便,沿路口招一招手就有车停,比上海、杭州更便捷,更不要说比北京了。这里的出行极为方便,要去海外,只需乘上快艇直奔香港国际机场,而不必再去绕北京。我的体验,深圳是一个最适合小康之家和中间阶层居住的城市。在20世纪90年代,日常生活审美化在深圳的发展还比较健康,不像后来,出现了一些暴殄天物、摆阔铺张、炫耀浪费、奢靡成风的不健康现象。日常生活审美化如何防止畸形化,我们的美学应予关注,但日常生活审美化还将继续存在。我们的生活丰富多彩,美也有多样性。

无论是大众文化的兴起,还是日常生活趋向审美化,都是改革开放以后出现的新的社会现象,不能一概否定。人要生存、发展、完善,希望生活不断提升。改善生活,当然先从物质生活开始,然后再向人际交往、精神生活发展。马克思说到人的感觉的丰富时,除了说五官感觉的发展外,特别说到人类还发展了精神感觉和实践感觉,正是这样,人类才有更高的精神追求。大众文化和日常生活审美中也存在不少问题,需要有批判精神加以探索。而且,大众文化、日常审美也需与时俱进。日常生活审美化的发展,应及早转化为过简朴生活,向充实精神内涵提升。一个城市理想的文化格局,应是大众文化、高雅文化相互促进,发展出雅俗共赏的主流文化,三者形成良性循环,从而使这个城市的文化不断提升。高扬主旋律,形成主流文化,这是历史发展的必然要求。

我是这样想的,而且还在我力所能及的场域,试图推动付诸实践。我到深圳不久,市里就动员我去当文联主席。我婉言谢绝,坚持在深大教书。在20世纪80年代后期,文艺界还是推举我当了兼职的作家协会主席、文联副主席。后来,我和文联主席又领头成立了文艺评论家协会。我积极参与了深圳的文艺评论,中心议题一直是鼓吹深圳文艺要坚定地走自己的道路,形成自己的特色,不要照搬香港。若要避免像香港那样,大众文化成了主宰其他的主流,深圳就要:一、普及高雅文化;二、提升大众文化;三、高扬主旋律,扶持雅俗共赏的主流文化。主流文化既要吸收大众文化之长,又要借鉴古往今来的高雅文化,只有雅俗共赏,才能成为文化主流。自深圳经济特区建立10年始,第二个10年出了3本深圳市的文艺评论集,每一本上我都撰文阐明我的思想。深圳经济特区成立20年,我为《深圳文艺二十年》一书写了长篇序言《深圳艺术之路》,《文艺报》作了转载,中心是阐明在市场经济条件下,文化发展如何进行自我调控,文学艺术既要多样化,又要高扬主旋律,发展雅俗共赏的主流文化。在2008年,我即将告别深圳文坛之际,为迎接深圳经济特区成立30年,我和当时的文联主席董小明主编了一套《深圳文艺理论批评丛书》,收入深圳市文艺评论家的理论批评书籍10种。我在所撰写的总序《文艺评论求创新》中呼吁,文艺评论要面对当下现实,探讨文艺创作中的新问题。

在我的学术生涯中,我的学术关注有基本不变的,也有遇时而变的。我爱从美学上来看世界上的物、人、事、境,这基本不变,但关注的重心会发生变化。自到深圳之后,我对新的文化艺术现象的关注多了起来。一是文艺美学应从过去的关注古典转为面向现实。在20世纪90年代,我连续写过《面向当下》《向往超越》《反思文艺美学》《发展文艺美学》等文章。二是文艺美学应该拓展新的领域,把文学艺术置于整个文化系统中来研究,吸取文化研究之长,走向文化美学。三是面向新的现实,文化艺术应发扬新的美学精神。在2002年,我应《马克思主义美学研究》主编刘纲纪、王杰之约,写了一篇长文《焕发新审美精神》,较为系统地谈论了文化艺术的宏观调控,促进大众文化、高雅文化和主流文化如何良性互动,提升时代的审美水平,推动文学艺术向时代化、人性化、超越性方向提升。我感到高兴的是,此文受到了社会关注,其中的主要部分《辽宁日报》作了整版转载。

日常生活的审美化,审美的日常生活化并不是一回事。日常生活的审美化乃是把日常生活予以审美化了,主要是对物质生活的审美,把物质享受提升为审美享受。审美的日常生活化乃是把审美活动经常化,这里的审美活动就不限于物质生活的审美,也应包括精神生活的审美,琴棋诗书画进入日常生活。这两者应有所区别,但我觉得都应该予以肯定。"旧时王谢堂前燕,飞入寻常百姓家",这有什么不好?问题在于,我们的审美不能只停留在物质生活层面,我们的生活世界不只有日常生活,还有超日常生活。文学艺术在日常生活审美化之后,不是消退,而应超越日常生活,达到更高的境界。我为《文艺报》写过一篇文章,题名《生活审美化,艺术当何为》,意思是说,文学艺术不能只反映日常生活的审美化,停留在低水平层次,而应该超越日常生活审美化。高尔基说,文学艺术是人类组织经验的最好方式,人类不只有日常生活经验,还有丰富而广阔的社会生活经验、精神生活经验。文学就应该把那些比日常生活经验更丰富、更宽广的经验组织在作品中,创作出比普通生活更高的作品。文学艺术的价值追求还是真、善、美,最高的艺术境界应是真、善、美的完美结合。

弘扬主旋律,提倡多样化,这是文学艺术发展的正确方向。主旋律、多样化都要发挥正能量,关键还是价值理念要以人民为本位。所谓主旋律不能只仅仅看作是题材的选择,更是价值导向问题。大众文化、高雅文化、主流文化的区分,只是为了适应不同文化层次人群的审美需要,但都应有正确的价值导向,施送正能量。如今的文学艺术产品的数量已达空前规模,关键是如何提高质量。我希望今后的发展,应以"精"为要、以"民"为本、以"特"为贵。

文学艺术的功能不能只归结为审美。优秀的文学艺术蕴含着真、善、美的追求,美只是一个维度。仅就审美这个维度而论,审美既可使人放松,也能使人振奋。席勒在他的《审美教育书简》中就区分了"溶解性的美"和"振奋性的美"两种,崇高就属于振奋性的美。席勒说他倡导审美教育,就是"要在紧张的人身上检验溶解性的美的作用,在松弛的人身上检验振奋性的美的作用,从而使美的两种对立的种类变成理想美的一体性"。我们的文学艺术,应该发挥这样的作用:让那些急功近利、暴躁激进的人能沉静下来,而使那些意志消失、无所作为的人能够振奋起来,共同为实现中国梦而奋斗。国家富强,民族复兴,人民幸福,这正是中国人的共同目标。我们的文化艺术要为实现中国梦做出新的贡献。

说到这里,我又想起了蔡元培、梁启超,在中国由近代向现代迈步的早期启蒙时代,他们那一辈也都有中国梦。他们梦想以美启人,培养新民,变革社会。这在军阀混战不止、内忧外患不断的时代很难实现。但这种博大的美学精神,值得我们今天加以继承和发扬。

时代在跨入新世纪后,我国的美学就更多关注了日常生活的审美,生活美学受到了重视,这是历史发展的必然,不能妄加否定。但是我们的美学也不能仅止于此,而应有更为广深的拓展。美学应该面向当下现实,深入城市化进程和生态文明的建设中,探索怎样才能按美的规律来行进。美学发展的道路宽广得很,我们足可自主创新。我们的美学视野应更多关注我们的精神生态、人文生态和自然生态,对艺术审美、人文审美和自然审美仍需作深入的研究。美学当然得首先研究人类的审美活动,但若作进一步追问:审美的意义何在?那就不能不和人类的创美活动和育美活动联系起来作统一的研究。我们之所以需要审美,其直接的作用当然是为了满足精神需要,给人以精神享受,直接丰富了精神生活。但审美对人还起间接作用,至少有三:一是提升人的审美判断的精神能力,懂得审辨鉴别美丑;二是培养人的审美创造的实践能力,把审美转化为创美的实践,在物质生产、精神生产和人自身的生产中,都能按美的规律来创造;三是促进人类自身的审美教育,培育人向德、智、体、劳、美的全面发展。审美向创美、育美延伸,需统一起来考察。

美学何用?学以致用。在我心目中,美学是探索人生意义的价值之学,引导人走向美好的追求。人生何为?人生的意义,在马克思的人生信条里,就是为了"人类的幸福和我们自身的完善"。为了达致这个人生的最高目的,人就必须和周围世界建立起自由和谐的美好关系,"从心所欲不逾矩",个人自由不能违背仁义、人情和天理,而必须合情、合义、合理。所以,美学于我,既是人生价值哲学,又是我的信仰所在:美学伴我悟人生,心向至美人生幸;从心所欲不逾矩,自由和谐美方真。

为《艺苑名家》而作
2013年秋,望海书斋

创造艺术究为何

人类需要艺术，这已是老生常谈。我们为什么需要艺术？这个好像已经明确的问题，发展到现在又成了问题，于是，又需要重新谈论。现今，常听得一些人说，随着我们生活的提高，日常生活已走向审美化，我们也就不需要艺术了，艺术就走向自动衰亡。还有人说，生活中还是需要艺术的，只是艺术越来越大众化、生活化、世俗化，直接诉诸视听的视听艺术不会消亡，而隔着一层语言文字障碍的文学，前景就不会美妙了。文学既然比不上其他艺术受人欢迎，那就只好自寻出路，不必再去寻求审美，转而走向实用；于是文学向文化扩展，随之，文化研究兴起。

时代在发展，历史在变化。日常生活的审美化现象正在增长，这是客观事实，但日常生活的审美化为什么必然导致艺术的消亡呢？这里好像还缺乏逻辑的联系。视听艺术发展了，大众文化兴起了，这也是客观事实，但视听艺术的发展，大众文化的兴盛，为什么注定文学——语言艺术的必然衰落呢？这也缺乏逻辑的论证。

正是在这些地方，需要我们做理性的思考，理论的分析，从事实判断进入价值判断。我想讲三个问题：一是生活和审美是什么关系，主要说日常生活审美化问题；二是艺术和创美是什么关系，我们还需要艺术吗？三是文学和艺术是什么关系，我们还需要审美的文学吗？是否文学都要走向实用？

生活和审美

生活，什么是生活？我们天天都在生活，每时每刻都在生活着，若是要给生活有一个明确的定义，却非常困难。在美国的哲学书籍中，所罗门的《简明哲学导论》讲生活就有16种含义，这是因为生活实在有太丰富的内容，其中既有故事又有游戏，既充满艰险又充满惊喜，既是劳辛又是享受，既丰富多彩又苦难不断。为了弄清文学艺术和现实生活的关系，我曾对马克思主义创始人如何理解生活有过关注："物质生活的生产方式制约着整个社会生活、政治生活和精神生活的过程。"我的理解，人类的生活至少有这四个层面：物质生活、社会生活、政治生活和精神生活。

先不说整个社会的生活，而就以个体来考察，一个人的生活，就是这个人的整个生命活动，也就是整个人生。就这个人的一天生活来说，清晨起来，做操、打拳、洗刷、吃饭，这都是生命活动的一部分，至于这个人去工作、干活，不管是脑力劳动还是体力劳动，更是其生命活动，就是接受教育、享受艺术，也是生命活动的一种。晚上睡觉，差不多占了人生的三分之一的时间。此时好像平静下来了，但也未停止生命活动，心脑仍在跳动，呼吸仍在进行，血液仍在流动，这是生理活动，甚至还要做梦，这是心理活动。所以，人的生命活动，既包含生理活动，又包含心理活动。而实践活动无论是物质实践活动，还是精神实践活动、交往实践活动，都内含着生理活动和心理活动，但又不能把实践活动仅降低为生理活动和心理活动。就一个人的生活来说，既过着日常生活，又常能参加一些超越日常生活的社会实践，参加重大的政治活动、文化活动，甚至军事斗争。社会生活本质上是实践的。物质生活是人和物的互动，社交生活是人和人之间的交往，精神生活是人和心（精神）的相互交流，在整个社会生活中生成为物质实践、精神实践、交往实践。

若从人的整体人生来说，生活中充满了美，也不乏喜剧、崇高等等对人具有肯定价值的现象。美在生活，车尔尼雪夫斯基这位19世纪杰出的美学家在《艺术与现实的审美关系》中干脆说"美是生活"，这都是从人类生活的总体来说的。确实，生活应该而且能够美好，不然，生活在这世界上，只是活着，有什么意义！然而，生活中有真善美，有喜剧，有崇高，却也有假丑恶，有悲剧，有卑鄙，有荒诞。因而，从整体上说，美在生活，美是生活，但具体分析，生活中既有肯定价值，又有否定价值,有美好的生活,有意义的生活,也有丑陋的生活,令人厌恶的生活。这,车尔尼雪夫斯基也感觉到了,所以在说了"美是生活"之后,马上接着说:"任何事物,凡是我们在那里看得见依照我们的理解应当如此的生活,那就是美的。"那就是说,并不是任何生活都是美的,只有"应当如此"或"理应如此"的生活才是美的。问题的关键在于:什么是"应当如此"或"理应如此"的生活?因为不同的人对此有不同的理解,而这却正应是美学首先要关切的问题。极为关注日常生活研究的美国哲学家舒斯特曼在《哲学实践》中就说:哲学、美学,"更为紧要的、攸关生存的使命,即通过自我认识、自我批判和自我控制来改善我们自己,帮助我们走向更好的生活"。

我国在改革开放以后,特别是跨入20世纪90年代以来,我们的生活发生了急剧变化。一些最早富起来的地方,出现了物质生活审美化的现象,把物质享受提升到审美享受的水平。而随着物质生活的提高,又引发出新的需求,精神生活也要审美化,不仅衣食住行用这些物质生活要提升审美水平,琴棋诗书画等精神活动也要进入日常生活,审美活动日益发展为经常化。所谓的日常生活审美化和审美的日常生活化这两种现象,既有联系又有区别。这里,我要着重说一下日常生活审美化。日常生活审美化已经吸引了美学研究的兴趣,但我想说,日常生活的审美化可能向两个价值方向的转变:美化或丑化。

我们的日常生活越来越重视美化,从物的美化到人的美化,进而发展到城市的美化,社会空间、公共场所的美化。高楼大厦拔地而起,城市广场、街心花园、购物超市、健美中心遍地开花,看上去真是赏心悦目。城市化在加速发展,城市化水平极高的一些大都会,审美文化急速增长,犬马声色,眼花缭乱,不只是视觉文化,而且是听觉文化,"喧嚣热闹,闪烁动感"。法国哲学家韦尔施在《重构美学》中预测:"我们迄至今日的主要被视觉所主导的文化,已在转化成为听觉文化,也是我们所期望的,也是势所必然的……人类和我们星球的继续存在,只有当我们的文化将来以听觉为基本模式,才有希望。"另一位哲学家贝伦特早在1985年就在《第三只耳朵:论听世界》一书中说,我们的文化,"旧有的组织形式是视觉秩序,新的形式将是听觉有机体"。将来的审美文化是否走向听觉文化,这个问题太专业,这里不谈,而只说当下。当前的城市文化乃是视听互动、音像交错、动静结合,不仅仅只是视觉效应。具体问题要具体分析,每个审美事件,可能会以一个审美感官为主,听觉或视觉,但其审美效应则常常是互通的。到餐厅用餐,当然是为了满足生存这一基本要求,但一个高雅的餐厅,宽敞明亮,落地玻璃,厅外的庭院、竹枝、假山,尽入眼底,厅内的潺潺流水,配上柔和的音乐,满足口腹之欲外,还得到了视觉和听觉的享受。我所在的那个城市,国内各色菜系都在竞争,餐厅越建越美,深圳人每年超过100亿花在餐厅酒楼,从这数字就可领会到这里饮食文化的发达,其共同的趋向是在菜色的花样翻新之外,更重视环境的视听效应。

　　这种日常生活美化的景象,在西方发达国家早已出现过,本不奇怪。发达国家已进入后现代消费主义时代。可如今,在我们的一些现代化大都市中,如像西方一些发达城市一样,"我们生活的每个地方,都已为现实的审美光环所笼罩"(如英国社会学家费瑟斯通在《消费文化与后现代主义》中所说)。日常生活的美化,给人带来的好处是显而易见的,使人满足基本生活需要之时,更方便舒适,在生理快感之外,而且获得了审美的快感。这种审美快感和生理快感在日常生活中结合在一起。社会学家鲍德里亚在《消费社会》一书中说起:"今天在我们的周围,存在着一种由不断增长的物、服务和物质所构成的惊人的消费和丰盛现象。……富裕的人们不再像过去那样受到人的包围,而是受到物的追围。"物的丰盛,使人和物的关系越加密切,对物的审美,消解了物与人的距离。如费瑟斯通所说这有益于对那些被置于审美对象之外的物体与体验进行观察。这种审美方式表明了与客体的直接融合,通过表达欲望来转入直接的体验之中。在日常生活审美中的审美体验,直接和生活中基础经验、切身体验紧密结合在一起,没有分离开来。所以很难分得清究竟是生理欲望的满足,还是审美需要的享受。美感和快感究竟如何区别,美学要作深层研究。但目前确实存在这种倾向:把人的本质力量的实现,仅仅看作自己放纵的欲望、古怪的癖好和离奇的念头的实现。

对于这种日常生活审美化仍还在继续发展的趋势,如何评价?我看,一味赞扬和全盘否定都不甚妥帖,必须对此作具体分析。从我们这个尚在发展中的国情出发,从"应该如此"的生活这个高度出发,应保持批判态度。就是在西方,不说新马克思主义,就是不少社会学家、政治学家、生态学家也都在持批判态度。他们已看到,日常生活的审美化已经"过度",超出"理应如此"的生活,意识到这是在"饶丰中纵欲过度"。一位名叫甘曼的学者在《爱你在心,口难开:对食物幻想、旺盛的食欲以及异体身体的考察》中有这样的文字:

> 当世界上的一般人口还在忍饥挨饿的时候,其余的人却常常一面经受美味佳肴诱人外观的诱惑,一面深受超级苗条性感形象的鼓舞,一边大吃大喝一边努力节食。……第一世界在节食产品上花费的金额,足够养活全世界饥民的两倍还多。

日常生活的美化,对于不同的人群具有不同的意义。对商人、厂主来说,鼓吹商品的审美价值并非目的,而是用来摄取交换价值和剩余价值的手段。几粒小小的巧克力、几块不大的月饼,被漂亮的外壳所包裹,就是诱使人们付出高价来购买,其实是"金玉其外,败絮其中"。20世纪90年代初期,我去美国走了20个城市,高速公路旁都是"万宝路"香烟的广告,一个高大俊美的牛仔,站在一匹骏马旁,远眺前方广阔的道路,广告确美,那是为了推销香烟。后来,到新世纪初的美国,却已见不到这"万宝路"广告了。友人相告:美国国内此烟已无销路,越来越多美国人已知道烟的危害,克制了吸烟的欲望,于是这"万宝路"广告就转移到了国外。哦,怪不得在中国"万宝路"的广告满天飞。具有讽刺意义的是,在深圳这样的城市,已经自己立了法,禁了烟,可是恰恰在广东地区,香烟的广告却最多,为什么?剩余价值的摄取使然也。那么,购买者为什么要去买那些外表漂亮的物品呢?除它的外表吸引人,引起审美快感之外,还被它的时尚、时髦所吸引,它的符号价值让购买者自我陶醉。这物品的外表,标榜着社会地位,和别人不一样,因而有着自我炫耀的价值。我去美国,也曾涉足过肯德基,新奇、时髦,其实在美国这是垃圾食品,穷人和黑人缺钱买不起健康食品，只好购买这些廉价食品。我很奇怪，美国很多黑人都很胖，为什么？就是平日常吃这些鸡、肉、油炸食品。富人、白人则已经摒弃了这些垃圾食品。可是，这些垃圾食品20世纪90年代后期在中国飞快流行，以此为时尚，一代儿童陷入这泥坑中了。现在查出来，那鲜艳夺目的垃圾食品，其中还有苏丹红。我深深感到，这真是我们莫大的悲哀！

因此，我们要清醒地看到，我们的日常生活不是都在美化，在美化的同时，也在发生着异化、丑化、退化。在日常生活中，许多恶习未改，随地吐痰、乱掷垃圾、乱涂墙壁、践踏草地，还都被看作是小节，坑蒙拐骗、杀人越货也是屡见不鲜。生态环境的破坏，对美好的大自然进行劫杀掠夺，许多美景消失了。阳光、空气和水乃是日常生活的必需，可是有多少河流、地下水被污染或干涸消失了。我在20多年前刚到深圳，这里青山绿水，蓝天白云，难得的好地方，一下就喜欢上了，就留了下来。现如今，一年365天，竟有177天是灰天，"霾"每隔一天就有。汽车以每年10多万辆的速度在激增，再哪来的好天气！深圳的城市化、现代化，成绩斐然，举世瞩目，但代价不小，环境破坏，生活中好多美好的东西消失了。

据世界上1360位科学家在95个国家调查研究显示，到2004年为止，地球上的三分之二自然资源已经被消耗殆尽。人这一物种已在威胁到世界上的其他物种（有1000个物种），也威胁到人类自己的生存。可是，为了满足自身的无穷欲望，人类还在大量生产对人无用的商品。深圳的资源原本匮乏，但开发还只有四分之一个世纪，却把全部土地资源的90%都已用光，再如何发展？香港的现代化已超过百年，只开发了小部分土地，其他大片土地特别是郊野土地还保留着，准备用于旅游之用。相比之下，不禁感叹。

但是，伤感和惋惜都无济于事，我们还是需要对日常生活的审美化作分析研究，做出价值判断，真正辨审哪些是日常生活中的真善美，哪些是日常生活中的假丑恶，高扬真善美，鞭挞假丑恶，从而激发大家对真善美的审美热忱，对假丑恶的审美反感。

我们对日常生活审美化要加强美学研究，就应包括这两个方面：

日常生活如何美化？日常生活又如何被丑化和恶化？

尽管我们国家还正处在前现代向现代化转化的过程中，大部分人口和地域还没有达到现代化，还没有达到全面小康，但我们的日常生活还是要追求逐步审美化。诚然，日常生活的审美化还主要是富裕阶层、中间阶层在追求的事，而富裕阶层、中间阶层在中国还是少数，为数还不多，却能带动日常生活审美化水平的提升。在改革开放之前的30年，中国的老百姓只有大贫、小贫之别，都处在贫困线上下。但改革开放的20年后，贫富差距迅速拉开，形成了一个葱头结构或宝塔结构，富人、暴富者飙增，但还总是少数。底层的数量特别大，而中间层也并不大。北京、深圳、上海、广州等大城市的富人要比别处多些，但基本结构和全国差不多，中间阶层也不见有多庞大。而一个理想的结构，应是中间大、两头小，富人、穷人都甚少，中间阶层应该壮大坚实，这样，社会结构比较合理，社会相对比较稳定，而且日常生活的审美水平能稳步提升。著名作家林语堂在定居美国之后，曾研究中国人的闲适哲学，写了一本书，本想题名《抒情哲学》，后定名为《生活的艺术》。他在书中明确说，过"中等阶级的生活是中国人所发现最健全的理想生活"。生活过得最快乐的，不是上层人，也不是下层人，"最快乐的人还是那个中等阶级者，所赚的钱足以维持独立的生活，曾替人群做过一点点事情，可是不多；在社会上稍具名声，可是不大显著。只有在这种环境之下，名字半隐半显，经济适度宽裕，生活逍遥自在而不完全无忧无虑的那个时候，人类的精神才是最为快乐的，才是最成功的"。中间阶层的人过着和谐的生活，也就培养出了和谐的人格。林语堂还认为，正是因为中间阶层生活宽裕，有钱也有闲，受教育机会多，文化素养高，所以最能吸取中国优秀文化中的精华。在这本《生活的艺术》中，他主要就是要"表现中国文人和学者们的人生观，这种人生观是经过他们的常识和他们的诗意情绪而估定的"。在这本书中，林语堂展示了中国古代的文人雅士、智者哲人所追求的审美人生、理想生活，庄子、陶渊明、王羲之等都在其内。林语堂还大量引用了古人如何实现审美人生、理想生活的古典资料，如金圣叹在《西厢记》的批语中的对"不亦快哉"的赞叹、李渔的《闲情偶寄》、沈复的《浮生六记》、张潮的《幽梦影》、冒辟疆的《影梅庵忆语》、郑板桥的诗画生活等。正是这些文人雅士、智者哲人在当时的历史条件下最懂得日常生活审美化。依林语堂的看法,在现代,也只有中间阶层的文化素养高的人,最懂得过理想的生活。当然,当下的中间阶层已经不仅吸收了中国古代文人的经验,而且也已学得了西方现代人的活法,融合中西了。林语堂本人就已如此。

面对当今社会出现的日常生活审美化,我们只能因势利导,引导走向适度的、合理的、健康的发展道路,并逐步拓展我们的审美视野,扩及人文审美、自然审美和艺术审美,丰富和提升我们的精神生活。审美教育的目的,还是要促进人的自由而全面的发展,造成自由个性,这就不能只停留在日常生活审美化的层面,更不能把日常生活的审美降低为自我欲望的放纵、古怪癖好的满足和离奇念头的实现。

自人类出现审美活动以来,审美对象随人类实践活动的发展而不断扩展,重点也有所不同。

人类最早从自然界脱颖而出之初,面对的是自然界,审美对象乃是自然之美,古希腊的审美思考重点在自然。在中国最早的诗歌集《诗经》中,也已出现自然审美,但随后就较为发展了人文审美,礼乐文化突出。随着文学艺术的兴盛,艺术审美突出起来,美学在很长时期是以文学艺术为重点,黑格尔《美学》是美学的集大成,研究的就是文学艺术。那么,当代的美学应向哪里发展呢?

早在20世纪初,美国哲学家杜威的实用主义美学就系统论证过审美经验就在生活经验之中,美学面对的是人的全部生活,而不仅仅是艺术。到90年代初期,美国哲学家舒斯特曼干脆就把自己的美学呼之为"实用主义美学",研究"艺术之思"之外的各种各样现象,更重点研究"生活之美"。就是关注"艺术之思",研究的也不是传统艺术,而是通俗艺术、爵士音乐。而在研究"生活之美"时,也特别突出了"人之美",呼喊建立一个新的学科:"身体美学。"不过,这里所说的"身体美学",不只是研究人的身体,也包含内心在内。按此书的说法,人的审美潜能至少有两个方面:一是身体,"作为被我们外在感觉把握的对象,身体(别人的我自己的)可以提供美的感官感受或表象";二是"来自内部的自身肉体的美感经验"。

就在差不多同时,德国新生代哲学家韦尔施,写出了《审美思维》,接着又出版了《重构美学》,提出审美在当今已经深入渗透到社会的多个领域。审美进入消费时代,消费文化突飞猛进,同而必须重构美学。传统美学只限止在艺术范围,重构美学必须超越艺术,涵盖日常生活、传媒文化,不能只是艺术美学。用他在序言中所说:"审美思维在今天变得举足轻重起来,美学这门学科的结构,仍也需改变,以使它成为一门超越传统美学的美学,将美学的方方面面全部囊括进来,譬如日常生活、科学、政治、艺术、伦理学等等。"

美学确实不应该只研究文学艺术,我很赞同。但文学艺术却也是美学所要研究的对象之一,我把这称之为文艺美学,以区别于其他。自然生态也应是美学研究的对象之一,而且随着自然生态的日益恶化,生态美学的重要和迫切,也已有目共睹。随着消费生活在人类整个生活中的地位越来越突出,日常生活审美化的研究,自然也应成为美学研究的题中之意。于是,新起的一些美学研究,又倡导起生活美学来。

把日常生活纳入美学研究的范围,也是历史发展的必然。把这称之为"生活"美学也未尝不可。但这"生活"特指日常生活,而不是人的生活全体。日常生活只是整个文化世界的局部,人类所创造的文化世界,博大而深厚,应该而且能够按美的规律来创造世界、安排生活。美学要面向现实,当然应该研究人类自己创造出来的文化,文化美学应该得到发展。这样,生态美学、文化美学应成为美学重构的重要板块,如要把生活美学单独分出,专注于日常生活审美化的研究,当亦有助于推动美学和生活实践的结合。但这样的生活美学并不能贬低或消解其他的美学研究。生态美学也好,文化美学也好,生活美学也好,应是相互补充相互促进的关系,不必相互否定。韦尔施在分析我们生活中的审美化是分成不同层次的:"首先,锦上添花的日常生活表层的审美化;其次,更深一层的技术和传媒对我们的物质和社会现实的审美化;其三,同样深入的我们生活实践态度和道德方面的审美化;最后,彼此相关联认识论的审美化。"

如今，将日常生活审美化问题纳入美学研究范围已是时候。当人民的生活在逐步提高之时，如果美学拱手将日常生活审美化问题交给社会学、心理学去争论，这将是"对自身的权利"的放弃。但这并不意味美学就要放弃去研究生活中更为深层次的审美化问题，就需要消解艺术了，把艺术拱手让给日常生活的审美化。我们的美学需要研究日常生活的审美化，也需要继续研究自然审美、人文审美和艺术审美，不断提高研究水平。

艺术与创美

日常生活的审美化并不能替代文学艺术的创造，反而应引起我们的反思，文学艺术的创造应如何提高水平和质量。

我在说生活和审美的关系时，把"生活"的阐释区分为广义和狭义。但在说日常生活的审美化时，并没有提审美和创美应有所区分。现在要说艺术了，我首先要提出：艺术不只是审美，还是创美。

现今的美学、文艺学已不愿再谈论什么艺术的本质了，说是反对"本质主义"。我也赞同反对"本质主义"，因为"本质主义"把艺术的特性看成固定不变，万世长存的。艺术是什么，这要随历史的发展而有不同的解释。但在一定历史条件下，为什么把一些社会现象称作艺术，就需要探索这些现象的类的"共同性"，说是本质，说是特性都可以。就说是家族类似，那是什么类似，类似什么，也还是可以找出类的共同性。当然这些共同性或类似性，存在于多样性、差异性之中，本质也存在于现象中，并不是孤立的存在。不对复杂多样、丰富多彩的艺术现象作分析、归纳，也就无从掌握艺术现象的共同性或类似性。如果因为反对"本质主义"，连本质、特性也否定掉，这是否把孩子也连同脏水一起泼掉了？这样，就从反对"本质主义"而走向"反本质"的主义，这我不敢苟同。本质和本质主义不是一回事，要反"本质主义"，但不能走向"反本质"主义。

就说家族类似，艺术这个家族类似在哪里？以前，我在北大讲课的时候，突出艺术的审美特征，写的论文、著作，中心也是论证艺术的审美本质或特性。后来，我到深圳以后，接触的艺术样式更多了，特别是大众文化、通俗艺术，我逐渐突出艺术的创美特性。艺术接受是审美，接受过程是审美过程，尽管审美也有创造性，是在内心做出复杂的反应，生成审美感。但它只是一种心理状态、精神流程，不是精神实践活动。而艺术创造就不只是作家、艺术家对生活的审美，而是在对生活进行审美的基础上，进而把从生活中审美而得的审美经验进行加工提炼，组织起来，在内心世界建构意象、意境、意蕴，然后加以符号化，固定在一定的形式结构之中。这是一种精神实践活动，是运用符号而作的一种创造，是创美活动。艺术的创造，是一种审美创造活动，不只是审美活动，是对审美活动的超越。当然创美活动内含了审美活动，但要对从审美活动中获得的审美体验加工、提炼、升华、组织成意象和意境，并且要加以物化，固定在符号形式之中。这是两次创造，一是在内心的艺术构思，我把这称为意象经营；二是在符号创造，我把这称作意匠经营，两者要完美结合。但无论是审美还是创美，都是在寻求美。这不仅是说艺术的符号形式本身要美，而且对审美体验的概括、组织也是要按美的规律进行，符合于美的理想，是对美的肯定，不是对美的否定，更不是对丑的颂扬。

艺术并不一定必然会美，中外古今历来制作出来的艺术，既有真的、善的、美的，也有假的、恶的、丑的。有些美学家、文艺学家早已指出了历史上客观存在的事实，如美国的杜卡斯在《艺术哲学新论》中说："丑艺术尽管很容易为人忽视或遗忘，但却大量存在着：诸如丑的构图、丑的着色、丑的绘画、丑的建筑、丑的音乐、丑的舞蹈等等。"英国美学家里德在《艺术的真谛》中举出了不少实例，说明了"艺术无论在过去还是现在，常常是一件不美的东西"。不错，艺术并非必美，但艺术应该而且可以达到美的水平。真、善、美是文学艺术的价值追求，并不能因为历史上出现了那么多的假、丑、恶的艺术而放弃对真、善、美的追求。

在艺术观上，我所持的是崇美主义，但我却不是唯美主义者。崇美和唯美是不同的，唯美是说艺术只求美，而且只是美的形式；崇美则推崇艺术之美，却并不否定艺术还具有其他价值，如真、善。我在

20世纪60年代初写过一篇论文《为何古典作品至今还有艺术魅力》发表在《北京大学学报》上，中心意思就在论证，正是因为古典作品中蕴含着真、善、美，鞭挞假、丑、恶，肯定真、善、美，它是古典作品之所以具有艺术魅力的客观因素。至于当今时代的人能否还能因它而发生艺术反应，发生什么样的艺术反应，那就要分析今人的主观条件了。

当然，艺术的价值和功用并不只限于具有认识、教育、审美三方面。苏联美学家斯托洛维奇早在20世纪六七十年代就把艺术的功用归纳出好几十种，政治功用、道德功用、宗教功用、认识功用、评价功用、交际功用、娱乐功用、启蒙功用、预测功用、补偿功用，等等。但这些功用并非所有艺术都能具备，只有审美是艺术所共同具有的，而且，其他因素进入艺术，都需要经过审美的中介，按美的规律被组织到艺术中来构成一个美的整体，创造出艺术之美。所以，他重点研究了艺术中的审美价值，其代表作就是《审美价值的本质》。

我把艺术创造归入创美活动，这就先把艺术创造和生活审美、自然审美、人文审美等区分开来，突出它是精神实践。但是，在我们的生活实践、人文实践、交往实践和对自然的改造活动中，也都存在美的创造，创美并非艺术所特有。人类的实践活动并非都在按照美的规律在进行，人类创造出来的成果并非都美好，世界上出现那么多的罪恶、丑陋、荒诞，这不都是一些人制造出来的吗？但人类更多是创造出了美好的事物，并且更加自觉地在按照美的规律创造着。比如，南京的几座跨江大桥，建得越来越好，不仅是科技含量高了，而且审美水平也在提高；不仅具有实用价值，而且具有审美价值。许多人家在过上小康生活之后，越来越重视室内装修，除了讲方便、舒适，还要讲美观，甚至安装了可放优美音乐的墙角音响。当然也有花了高价而把室内变得庸俗不堪的，那就要看主人的审美趣味和设计的审美水平了。但无论是跨江大桥还是室内装修，所创造的只是依存美，必须服从其实用功能，审美功能不能成为主导。在这里，主要的是实用价值，其次才是审美价值，是依存于实用价值之上的依存美，不能喧宾夺主。艺术创造也是一种实践活动，但不能把它简单归入物质实践之内，而是种精神实践活动，它不是创造物质产品，而是创造精神产品，其精神价值占主导地位。美学上称艺术具有无用之用,就是说它虽无实用功能,却还是有用——精神功用。为了和实用功能相区分,我把这精神功能称之为虚用。

然而,说到这里还没有说出艺术的深层功能。人类的精神实践活动也仍有多种多样,科学实验、道德行善、宗教礼仪等等都是精神实践活动,艺术创造和这些精神实践又有何区别呢?

依我看来,艺术创造是将审美体验组织起来,概括起来,予以符号化,而其他精神实践是把道德经验、认知经验、宗教经验予以符号化。艺术创造所概括的审美体验,不仅包括从符号创造中获得的审美体验,也不仅包含从日常生活中获得的审美体验,而且还可以包括从道德实践、生产实践、政治实践直至军事实践等活动所获得的人生体验,按照美的规律组织为一个有机整体,并用符号(语言的和非语言的)体现出来。这就要看作家、艺术家是怎样的一个人,视野有多广阔,人生经验有多丰富了。审美体验并不只存在于符号创造和日常生活中,而是广及人的整体生活中,问题在于生活经验怎样才能转化成审美体验,杜威在《艺术即经验》中提出的问题,今天仍需美学作深入的探讨。

如果一个人号称作家、艺术家,却对人生毫无审美体验,那就创作不出艺术作品,艺术创作需要有对人生的真切而丰富的审美体验作基础。所以作家、艺术家对人生必须入乎其内,对生活有真切而深刻的体验;但作家、艺术家又不能只陷在审美体验中不能自拔,而必须在入乎其内之后又出乎其外,对自己的审美体验作反思,这才能作出符合美的规律的概括。而就在这里又显出了作家、艺术家的思想达到了什么深度和高度,从而决定艺术作品的价值,能满足人类什么样的需要。

人类的需要是多层次的,能满足不同需要的艺术具有不同的价值。被称为心理学中第三思潮的马斯洛人本主义,区别于弗洛伊德的精神分析学(第一思潮)和华生的行为主义(第二思潮),把人的需要区分成基本需要和超越性需要。依他之见,人的需要有多层次,从生理需要到安全需要,再到归属和爱的需要,再到尊重、自尊需要和自我实现的需要。马斯洛对人的需要不断进行探索,在基本需要之后,又加上发展需要,这是更高级的需要,超越了基本需要;而且更进一步,在发展中又不断超越,而那超越性的最高层次,应是追求真、善、美。这样,人们自我实现,既可以在低层次上,又可达致高层次上,提升到真、善、美的水平。这就要看你这个人的潜能发展到什么层次,这既需要外部条件,又需要人自身的不断自我完善。受马斯洛的多层次需要价值论的启发,我想把人的追求简化一下,那就是一要生存,二要发展,三要完善。今年,我又细读了瑞士丹尼什写的《精神心理学》,发现马斯洛的理论正在被不断深化,这位精神心理学家把人性的本质分成三个层次:一是生理层,二是心理层,三是精神层。前两层,历来的心理学家都作了研究,不算创新,但精神心理学特别突出了这第三层——精神层,这是人性中的灵魂,只有达到精神层,才能形成完善的人格。而精神层最重要的是价值观。价值观的不同,就衍发出不同的精神境界。

读这些精神心理学家的著作,使我时常想起马克思主义创始人的思想。恩格斯在《自然辩证法》中说道:"在社会关系方面,把人从其余动物中提升出来,正像一般生产曾经在物种关系方面,把人从其余的动物中提升出来一样。"在恩格斯看来,人在历史上曾经历了两次提升,一是在物种方面把人从其余动物中提升出来;二是在社会关系方面把人从其余的动物中提升出来。沿着这个思路再深思下去,我以为人还应有第三次提升,那就是在精神层次方面再作提升。在我看来,这精神境界的提升就是朝向真、善、美不断前进。

艺术是可以满足不同层次需要的,但这是虚的,想象中的满足,并非是在实践中的满足。艺术结构的不同层次,自觉或不自觉地对应着心灵结构。过去习惯地把艺术结构分解为形式—内容,也未尝不可,这是一种理论上的简化。现在,我倾向于吸取中国古典文论中所说的言、象、意的区分,把艺术结构分解为:艺象—意象—意境,这艺象是艺术创造特用的符号,这艺象既可以是视觉形象,也可以是听觉声象,更多的可能是声象、形象的综合。艺象这外在符号直接作用于人的感觉器官,从而由生理反应引发的内心的心理反应,唤起内心的意象，进而意象与意象通过联想、想象等活动而营造出各种各样的意境。意境的灵魂是意蕴，因为意蕴的不同，就生成不同境界的意境。这是一个可以不断生成的艺术世界。

日常生活中也有美，物的美、人的美、美的事、美的景等等，是不是也有艺术？

有，那是广义的艺术，所以林语堂称之为生活的艺术。

艺术所用的媒介手段，是一种特殊的物质——符号，无论是语言的，还是非语言的（摄影、音乐、舞蹈等等）都是符号。艺术用这些符号，来建构艺象。

以上所说，是就艺术应该而且可以达到的境界而说的。实际当下的所有艺术作品，五花八门，多行其是，有的境界十分低下，有的审美趣味不佳，有的审美判断颠倒，具体作品应该具体分析，再作价值评价。

文学和艺术

文学不是艺术家族中的一个部类吗？为什么要在艺术之外专来谈文学？

这本来是个不是问题的问题，但如今又有了问题。早在20世纪90年代已有学者提出，文学，甚至艺术要走出审美域，不应限制在审美领域。后来，更有学者把文学无限扩大，把文学概括了整个文化。那么，文学还是艺术吗？

其实，文学在这里又有了广义的和狭义的不同。

在中国先秦时代，文学和博学文章，凡是用文字作为表达符号写出来的东西都是文学，你做学问写出来也是文学。文学，在当时就是文章。刘勰的《文心雕龙》其实就是文章学，谈论了各种各样的文体，其中当然也包括了抒情为主的文体，但大量的都不是抒情的、审美的文学。到南北朝时的文笔之分，才渐有纯文学和杂文学的区别。以抒情为主的纯文学逐渐和艺术接近起来，所以在好多朝代把艺和文编纂在一起，出现了不少"艺文志"、"艺文类聚"这一类的文献书籍。

这个艺，就是艺术，琴棋书画都在内。而文，就是用文字写出来的诗词曲赋，富有文采的文章，所以合称艺文。我在主编三卷《中国古典文艺学丛编》时，对"文艺学"三个字颇为踌躇，究竟称艺文学还是文艺学好呢？后来还是依照约定俗成，命名为文艺学，而不说艺文，其实在这里还是文学和艺术之学的意思。所谓的文艺，在中国现代也有多义，可以理解为文学与艺术，也可以理解为文学的艺术。五四以来，我们已把文学理解成纯文学，以满足审美需要为主，审美价值是其中心。现今，又有人呼唤文学要走出审美域，倡导文学的道德价值、科学价值、教育价值，这也是社会发展的需要，那我就觉得有必要重新在理论上区分开纯文学和杂文学。五四时代所说的美文学，还是要和道德文章、科学文章等相区别。

我写《文艺美学》，是把文学和艺术作为一个整体来考察的，其中谈的文学，当然是把文学作为艺术的一个部类来论说的，对象是美文学，即艺术的文学。其他的非艺术的文学就不说，由文章学去说。

那么，作为艺术的文学，在艺术家族中所具有特殊的价值和功能呢？

苏联著名的文化美学家卡冈曾把艺术的文学放在整个文化系统中来考察，认为艺术本身的自我意识，构成艺术文化，而艺术文化则既和物质文化又同精神文化相互影响，相互作用。在所有艺术中，实用艺术、工艺美术、建筑艺术等最靠近物质文化这一边；视听相融，动静结合的综合艺术处在艺术文化的最中心地带；而文学作为语言艺术，通向精神文化这一边最贴近。所以，文学在整个艺术文化领域中，意识形态的意味最浓。这种考察问题的思路还有可取之处，有一定道理。我在这里只是突出这一点：由于文学用的符号是语言文字，能自由灵活地运用来表达思想深处的深切体验，提升思想境界，甚至可达哲思的高度，这在其他视听艺术很难达到。文学理论家英加顿把文学结构分解为：声音层—意义层—图式化层—再现客体层。这是一般文学共有的，最后他又特别提及，有些文学可达到形而上质层，这和中国传统文论中论说的言—象—意结构很接近。而这个"意"可以上升到哲理的水平。文学的功能，悦耳、悦目，还可以悦心，但更能"畅神"，穿越心理层，升到精神层。

在艺术文化系统中，我们千万不能忽视文学这一语言艺术的地位和作用。一是文学可以和其他艺术相结合，优势互补，如使书画结合本就是中国的优秀传统，摄影和文学相结合，发展摄影文学，通俗读本的图文并茂也是一途，可以拓展思路。二是文学更是综合艺术的基础。如今，每年出产的电视剧就有15000集，有多少可看的呢？忽视文学剧本的创造，必然导致制片的粗制滥造，量多而质差。文学乃影视之母，电影电视都亟须重视文学剧本的创作。三是文学本身有待精心构思，提升艺术水平。文学的数量不少，2007年仅长篇小说就年产千部，值得一读的不多，平庸之作铺天盖地，文学垃圾到处可见，不少还在张扬权谋，鼓吹暴力，渲染色情。当下，文学发展最可贵的在质，而不在量。

如今是大众文化高涨的时代，视觉文化最为张扬，但随着文化大众的整体素质的进步提高，必然也会走向阅读文学之路。美国心理学家阿恩海姆在《视觉思维》中说到视觉艺术：一件成熟的艺术品会展示出一种高度敏锐的形式感和一种把意象的各种成分以一种易于理解的构图秩序组织起来的能力。但是，一个艺术家的智慧不仅表现在形式的铺排和构造中，同样表现在这些形式所传达的意义的深刻程度上。视觉艺术要提升水平，文学就更是如此。

我的结论是：随着日常生活审美化，日益受到重视，美学应该加强对这种审美现象的研究，责无旁贷。但日常生活审美化并不能替代文学艺术的继续发展，文学艺术应在日常生活审美化的基础上升华，提升人类自我的思想境界，向塑造全面发展的自由个性的方向发展。文学艺术随社会发展，在振兴中华、发展文化中的作用应该而且可以越来越大。问题是文学艺术，包括视听艺术和语言艺术本身都应有所提升。

在东南大学、中山大学所作的学术演讲
2007年5月，望海书斋

艺术之美

一

艺术需要美吗?

如果我们需要作简单明了的回答,这并不困难,艺术当然需要美。当然,需要并不就是必然,而是一种追求。

凭我们的审美经验就可以明白:审美的东西不一定就是艺术的东西;具有审美价值的事物,不一定就是艺术作品。然而,艺术的应该是审美的,艺术作品理应具有审美价值。艺术具有审美价值,这并不意味着,艺术必定是美的。历史上,现实中,实际存在着的艺术,既有优美的、崇高的,也有丑恶的、卑鄙的。丑恶、卑鄙,也是一种审美价值,然而那是否定的、负面的审美价值;优美、崇高,则是肯定的、正面的审美价值。

人民需要艺术,但不需要丑恶的、卑鄙的艺术,而是需要优美的、崇高的艺术。人民的艺术,永远需要追求真、善、美。真、善、美具有永恒价值。

在我看来,艺术需要美是理所当然、应无疑义的。也许,随着艺术实践的不断发展,艺术本身的涵义也在发生变化,那么,现代艺术是不是就不需要美了呢? 在当代有一些美学家、文艺学家看来,现代艺术和传统艺术已经不同。如果说,传统艺术所追求的与其说是新的东西,不如说是美的东西;那么,现代艺术正相反,它所生产的与其说是美的东西,不如说是新的东西。传统艺术生产美的东西,使人得到愉悦;现代艺术生产新的东西,使人产生震撼。依照这种看法,现代艺术和传统艺术的价值、功能和结构都不一样了。

不错,现代艺术中确实出现了许多"新奇"现象。例如,从废物箱里搬出杂乱无章的废品,堆在一起,或把捡来的乱石碎砖,垒成怪状,这也被称之为雕塑艺术。满身挂着拖帚布条,披头散发,用人体动作模拟垃圾的飞扬,这也成了舞蹈艺术。在这些人眼里,艺术不必要美,而只要新奇;闻所未闻,见所未见,奇形怪状,标新立异,这才是艺术。

其实,这种"艺术"并不是现代艺术的主流。现代艺术当然和传统艺术有差别,比如,现代舞就比古典舞具有更加丰富的表现力,能表现更加复杂和隐蔽的内心体验,表现手法也更多样。现代艺术贵创新,现代艺术是在不断创新。但是,这种创新正是为了艺术能更美,使新和美在发展中统一起来。传统艺术需要美,现代艺术也需要美。两者的差别并不是前者求美而后者贵新,差别只在于:传统艺术的美是"旧"美,而现代艺术的美应是"新"美。

现代艺术追求的是新的美,而不单纯是为了新奇。新的不一定是美的。列宁生前看过当时的"新"的艺术,对德国作家蔡特金坦率地说:"我不能认为表现派、未来派、立体派和其他'各派'的作品是艺术天才的最高表现。我不懂它们,它们不能使我感到丝毫愉快。"这些艺术是新的,但这些新艺术缺乏艺术的美,不能引起列宁的美感。列宁反问道:"为什么只是因为'这是新的',就要像崇拜神一样来崇拜新的东西呢?"新的艺术不一定是美的艺术,更不一定是艺术上乘。旧的艺术倒可能是美的,当然,这是"旧"美。但是,如列宁所说:"即使美术品是'旧'的,我们也应当保留它,把它作为一个范例,推陈出新。为什么只是因为它'旧',我们就要撇开真正美的东西,抛弃它,不把它当作进一步发展的出发点呢?"列宁对于艺术的"新"和"旧"采取辩证的分析态度,新的不必定美,旧的不必然丑,"对新的现象要有所选择"。社会主义的艺术,既要是新的,又要是美的,美应成为社会主义文艺的艺术标准。列宁三令五申地敦促卢那卡尔斯基:对于戏剧、文学、音乐以及其他艺术,"应该用细心的态度来推动它们快速向前发展,使之符合新的需要"。

事情就是这样。我们的社会主义艺术,应该满足广大人民已经发展了的新的需要,更确切地说,是新的审美需要。我们不满足于旧的美,而要求创造新的美。艺术需要美,这,并不因为艺术要创新而有所改变。

问题在于:艺术为什么需要美?怎样理解艺术的美?

二

艺术的美,同生活的美无疑具有同一性,但两者不能等同而各有特殊性。

艺术的美,是人工创造出来的美,乃"人心营构之象",而不是天然存在的"天地自然之象"。艺术作品是人类创造性劳动的产物,不是未经人工改造过的天然事物。天然的东西,也可能具有美的潜质。辽阔海洋、茫茫草原、深山老林,自然风光也是美的。没有经过人类的劳动改造,它们对人类也可能具有审美价值。它是自然美,却不是艺术作品。艺术之美,是人工创造出来的美,不仅不是天然的美,而且也不是普通的人工之美。人类通过实践而创造世界。实践是人类有目的、有意识的自觉活动,这种活动在较高水平上可以达到"自由"创造的境界,本身就变成一种愉悦的享受。马克思说,人是按照"美的规律"来创造的。这种按照"美的规律"的创造,本身就成为创美活动。其结果,生产出来的产品,也具有不同的审美价值。飞行演习、象棋比赛、外科手术,这些活动都可以达到高妙的水平,进入"自由"创造的境界。精湛的技艺,使得这些活动成为美的,引人赞叹,给予人美的享受。精美的器皿、漂亮的服装、精致的家具,这些人类创造的产品,可以具有很高的审美价值,它们不仅满足人的实用需要,也满足人的审美需要。艺术的创造及其产品,和人类的其他创造及其产品的共同之处在于:它们都要按照"美的规律"进行创造,其产品要具有美的价值,成为美的东西。

然而,人工创造的美,却并不全是艺术的美。在人类多种多样的活动中,不乏美的动作、美的姿势、美的形体。一些人的劳动、走路,其动作和姿势都可能是美的,然而,这些美的动作、姿势却并不就是舞蹈艺术。舞蹈艺术从人的这些生活活动中吸取并提炼舞蹈"语言",但舞蹈艺术并不简单就是这些美的动作和姿势。如打夯、射箭、跳沟等生活的动作,本身并不就是舞蹈,尽管,这也可能是美的。再如柔软体操、杂技、滑冰、打拳,这些活动的动作、姿势也美,可以给人美感,但也并不因此而就是舞蹈。舞蹈,作为一种艺术,它还需要别的条件。

人类按照"美的规律"的创造活动及其产品,都有审美价值,但分属于两种不同的类型。一是物质文化型。人类进行物质生产或物质实践这样的活动和创造这样的产品,目的是为了满足人类的物质需要。打猎、种田、挑水、飞行等等活动,都是为了人类的物质利益而进行的创造活动。器皿、家具、服装、车辆等等物品,都是用来满足人类物质需要的物质产品,它们都具有实用价值。诚然,这些活动和产品也具有审美价值,但这不是它们的主要的性质,审美价值在这里是次要的、附带的、从属的,只是实用价值或功利目的的附属品,属依存美。二是精神文化型。人类进行精神生产或精神实践这样的活动和创造这样的产品,目的是为了满足人类的精神需要。看书、写字、弹琴、赏月等等活动,不一定有实用目的,科学的、艺术的活动及其产品,都主要是精神产品。它们也可以采取物质的形式出现(书籍、图像或模型),并且也需要美,但这些物质形式的美是为了表达、体现精神内容。这种精神内容,或是道德的,或是宗教的,或是审美的,但并不直接具有实用价值。

艺术创造及其作品,属于精神文化之列,它不仅具有物质形式,而且还有精神内容。然而,作为精神文化的一种,艺术又和非艺术有区别。由于艺术作品的内容不同于非艺术作品的内容,这就使得艺术之美和其他精神产品之美又有不同,因而显得更加复杂。

科学著作、道德箴言、历史记载、新闻纪事、宗教神像,这些也属于精神文化之列。这些精神产品的物质形式,也需要美,例如,语言的生动、形象的逼真、结构的完美。这些精神产品的物质形式之美,是为了表达、体现科学的、政治的、道德的、宗教的精神内容。但是,这些精神内容本身却不必然具有审美的性质。

艺术作品却不然。艺术的物质形式必须是美的,艺术的精神内容也必须具有审美的性质。艺术的内容是审美的,它是艺术家、作家对社会生活的一种审美的反映,我们把它称作审美体验。艺术作品的物质形式,所表达、体现的正是这种艺术家、作家对生活的审美体验,这种审美体验本身就是艺术家、作家对生活的独特的精神反映,它不同于对生活的科学反映或道德、宗教的反映。不错,科学的、政治的、道德的、宗教的思想也会进入艺术,但这一切只有通过审美的折射,转为艺术家、作家的审美体验,按照美的规律来组织自己的体验,才能成为艺术的内容。因此,艺术的内容,从本质上说是审美的。它的主要使命在于满足人的审美需要。

独特的内容,需要独特的形式,而且两者需要独特的结合,艺术的内容需要美,艺术的形式也需要美,两者需要完美的结合,美在整体,形成艺术所特有的美,这就是艺术意蕴的美,艺术意境的美。

艺术的美,存在于这两种东西的结合之中。一是美的符号形式的创造,这也就是艺术的形式美。高尔基曾说:"我所理解的'美',是各种材料——也就是声调、色彩和语言的一种结合体,它赋予艺术的创作——制造品——以一种能影响情感和理智的形式",就是艺术的形式之美。艺术的形式美的创造,不仅必须有材料,而且必须有技艺。由于各种艺术种类所运用的材料不同以及艺术家技艺的差别,艺术作品的形式美,千姿百态,并不划一,具体作品必须具体分析。舞蹈所运用的物质材料,不同于音乐、建筑、绘画,它依靠人体的动作、姿态、手势来塑造艺术形象,它自有一套特殊的技艺,按照"美的规律"把各种动作、姿态、手势,联结和组合为一个整体,创造出一种意境,艺术的美就存在于这个整体之中。然而,形式美的创造,在艺术中仅仅只是"一度创造",它还需要"二度创造",以形式美来体现内容美。

二是美的精神内容的创造。这就是艺术的内容美。高尔基一再地说:"艺术的精神就是力求用词句、色彩和声音把您的心灵中所自豪的、优美的东西,都体现出来。"用物质形式体现出来的心灵中崇高的、优美的东西,这就是艺术美的内容。艺术的内容美,并不只是再现对象的美,更主要是表现内心的美,体现在作品的意境和意蕴中。艺术的内容美,是对生活的精神改造,它不是把生活对象作简单的再现,而是把生活中得来的印象,从审美上加以改造,在内心中产生一种新的审美体验,把这种新的审美体验用艺术形象体现出来,就成了艺术作品。

舞蹈《水》,取材于傣族人民日常的生活,在美景如画的傣乡,一群群傣族妇女,常常迎着朝霞,赤着双脚,肩上挑着水罐,到江边去汲水、沐浴。创造者杨桂珍长期在傣乡生活,品尝到傣族生活的滋味,内心中产生了新的审美体验,她写道:"清澈的江水呀,晶亮的心灵,幸福的生活呀,秀美的人民。'水!水!水!'这是傣族过泼水节喊出来的欢乐心声。通过水,通过傣族妇女洗发、担水、戏水来反映现实生活的念头,就在这一江春水前孕育成熟了。……让我们都像水一样透明、晶莹、纯洁和美吧。"编导正是在具有自然美的生活动作的基础上,提炼并创造出了优美的艺术意境和舞蹈语言,经过傣族舞蹈家刀美兰的精湛表演,把一个傣族姑娘热爱生活的喜悦心情,淋漓尽致地表现了出来,给人以艺术美的欣赏。

艺术美,就是形式美和内容美的完美统一,是一度创造和二度创造的结合。在艺术实践中,一度创造和二度创造紧密相连,并不截然分开。作为艺术产品,形式美和内容美也是不可分割的。但是,形式美和内容美在具体作品中的结合,方式多样,形态不一,这就使艺术美呈现出不同的复杂情况。

三

艺术家的审美体验,是对社会生活的复杂而独特的反映。因此,艺术的内容,也十分复杂,这就造成艺术美不同于生活美的特点。

艺术家不是孤立的个体,而是社会的个体,处在错综复杂的社会关系中。在和周围世界的多种关系中,艺术家与现实之间存在着审美关系。在这种关系中,艺术家作为一个特定的社会个体,是审美主体。审美主体面对审美客体——生活中各种各样的客观对象,产生审美反映,于是,在审美主体的内心,形成审美体验。

艺术家的审美体验,是社会生活的反映,它反映了审美主体(特定的社会个体)和审美客体的客观存在着的关系。因此,审美体验的内涵极为复杂和丰富,它不仅再现了审美客体的美、丑、悲、喜、崇高、卑鄙等审美价值,而且表现了审美主体本身所具有的客观状态:审美能力、审美趣味、审美观念、审美理想,等等。审美体验,不只是对审美客体的认识(理解、直觉、想象等),而且是对审美客体的评价,其中表现了审美主体对审美客体的态度,审美主体的审美感情、审美趣味、审美理想在这里以直接或间接、这样或那样的方式表现出来。审美体验,就是审美客体的再现和审美主体的表现这两方面的结合的统一,从而反映了审美客体和审美主体之间的关系,亦即人和世界的审美关系。

艺术作品是艺术家的审美体验的符号化体现。艺术的内容,就是对生活的审美体验,它当然也是这种再现和表现的统一和结合。不过,再现和表现,这两种因素的统一和结合,在不同的艺术中,重点不同,方式有异,因而产生了不同的艺术类型:再现性艺术,重在再现,主观通过客观表现出来;表现性艺术,重在表现,客观通过主观表现出来。

把艺术区分为再现的和表现的,这只是相对的,具体艺术现象则很复杂。我们把装饰、建筑、音乐、舞蹈归入表现性艺术之列,这并不意味着,凡属装饰、建筑、音乐、舞蹈,就只有表现而无再现。不,具体作品要具体分析。在这些艺术部类中,有些作品也直接有再现的因素出现,例如,音乐中常有对自然声响的模拟、舞蹈常出现模拟花鸟鱼虫等动植物,但这种模拟是从属于表现艺术家的思想感情的,这只是表现审美感受的材料。另有许多作品,再现的因素很少,只是通过思想感情的直接抒发,间接表现出来。

音乐,是表现性艺术,以表现思想感情见长。《流水》《百鸟朝凤》这类乐曲,也有再现的因素,出现了对现实的模拟,水声、鸟声、虫声、蝉声,我们能听得出来。但这些声音的模拟,都是为了表现艺术家对生活的审美感受,再现为了表现。柴可夫斯基的《第一弦乐四重奏》,则直接表现了他对于人生的独特的审美体验,深沉的内心感受。

正是因为它表现了深沉而强烈的思想感情，托尔斯泰在听到第二乐章"如歌的行板"时，忍不住流下了眼泪，他感动得哭了。托尔斯泰说，在这里，"我听到了苦难的俄罗斯人民的哭泣的灵魂"。这说得太好了，它确实表现了俄罗斯人民的哭泣的灵魂。我们也有这样的音乐，华彦钧的《二泉映月》，就表现了苦难的中国人民的哭泣的灵魂。在这乐曲里，这位盲人音乐家直接抒发了他对现实生活的感受和体验，而不是着眼于苦难生活的直接再现，它不是在模拟、再现天下第二泉的月色风光（而且，在音乐中也无法直接再现色彩、形状），而是在表现他的哭泣的灵魂。这位受尽苦难的盲人流浪者，在黑夜漫漫的人生路途上，找寻光明而又找不着出路，无限悲痛、忧愤。他对现实的感受和体验，不只是他个人的，而且是社会的，同遭受苦难的广大人民的心相通着。这首乐曲，正是表现了中华民族的悲剧性的体验。它实际上是一首无标题乐曲，正如他生前自己所说："这支曲子是没有名字的，信手拉来，久而久之，就成了现在这个样子。"它的丰富的内容，并不完全能包含在"二泉映月"四个字中，而要更加宽广深沉得多。

舞蹈，也是表现性艺术。它用人体的动作、姿态、手势来体现艺术家对生活的审美体验，其重心也在表现思想感情。但比起音乐来，舞蹈的再现性、造型性可能要更明显些。黑格尔的《美学》虽然没有对舞蹈辟专章论述，但他在谈到音乐和雕刻时，曾把舞蹈看作是音乐和雕刻的统一："舞蹈把音乐和雕刻统一起来了。"音乐是富于表现性的，而雕刻则已属造型艺术，重再现性。舞蹈是结合了时间和空间的艺术，它既不像音乐主要是时间的艺术，而雕刻主要只是空间的艺术。舞蹈要重视造型，这就和雕刻接近，但是，雕刻的造型是静止不动，不能直接再现动态。舞蹈却不然，它要在运动中造型，动态和静态的造型相结合，而动态造型更是主要的。舞蹈重在动态中造型，在运动这一点上，使它和音乐更加接近，所以，舞蹈更多具有表现性，而与雕刻有别。

既然舞蹈主要属于表现性艺术，那么，舞蹈内容的美，当然主要就在于它表现了美的感情、美的观念、美的趣味、美的理想等等了。为了表现美的感情、美的观念、美的趣味、美的理想，舞蹈也需要再现生活中美的对象，但这种再现是从属于表现的。

戴爱莲创作的《飞天》，其题材取自佛教中关于香音神的传说，而造型则是根据敦煌壁画飞天乐舞伎的形象，予以创造而成。《飞天》女神在安详的静睡中苏醒，挥舞着长长的彩带翩翩起舞，这是很美的造型。但这种美的造型，正是为了表现艺术家的美好的感情和理想，艺术家用寓意、象征、比拟的手法，表现了刚刚取得解放的中国人民对于现实、自由、幸福的肯定和对于未来的美好憧憬。

作为表现性艺术，舞蹈的动态造型，比起音乐来也许更能表现审美感情的外在形态。但是，舞蹈表现的也仍然是较为概括、宽泛的内容；相对于再现性艺术而言，舞蹈的形式美，也较为显著和重要。构成舞蹈形式的动作、姿态、手势等，最早可能来源于对现实对象的模仿，但它已经不是生活中的自然形态的东西，而成为表现内容美的手段。傣族舞蹈中有许多动作、姿态、手势，是从模仿孔雀的吃水、嬉水、照水、走路而来的；朝鲜族舞蹈中有许多动作、姿态、手势，是从模仿白鹤的样子而来的；蒙古族舞蹈中有许多动作、姿态、手势，是从模仿驯马的动作而来的。但那些自然形态的东西，变为舞蹈的"语言"，已经由人去加以美化改造过，成为相对稳定而独立的符号。当艺术家把这些手段用来构成舞蹈形式时，它就表现了某种内容。我国传统戏曲中的兰花手姿，也许来源于女红活计如纺纱、绣花的动作，但艺术家把这些动作加以美化，改造为艺术表现手段，如"含苞"、"瓣"、"垂丝"、"吐蕊"等，它就有了相对独立的审美价值。正是这种由人体动作、姿态、手势等综合而成的形式美，造成了舞蹈所特有的美，不能为其他艺术所代替。而舞蹈的内容，就凝练、积聚在这种形式美中，使我们在欣赏到它的形式美时，也领悟了它的内容美。舞蹈的美，仍应是形式美和内容美的统一，这也是一切艺术所共有的特点。当然，不同种类的艺术，在内容美和形式美的结合上，是有它不同特色的。

在艺术美的领域里，尚有许多的课题，值得我们不断去探索。

1982年初，北大中关园

（原载《舞蹈论丛》，1982年第1辑）

艺术的民族特色

世界各国的艺术，基本美学原理是相似的，有其共同性。但是，各国艺术的具体表现又是不同的，各有独特性。每国艺术都是这种个性与共性、独特性和共同性的统一。每个国家都以自己饶有民族特色的艺术，为世界文学宝库提供了珍品。历史悠久，丰富多彩的中国艺术具有鲜明而独特的民族特色，在世界上自辟蹊径，独树一帜。

从未接触过中国艺术的西方人，乍看到传统的中国画，也许会提出中国画为什么不创造空间形象？因为欧洲绘画创造空间形象，习惯于在画面空间上画得满满的，很少空白。看惯了欧洲绘画，用这样的眼光来看中国画，自然就无法理解。

其实，中国画创造空间形象有自己独特的方法，不同于欧洲绘画，两者异曲同工，各有千秋。中国画和欧洲绘画都要力求反映对象和环境的关系，有类似的美学原理。但是，中国画在构图上不是直接地把对象的环境画出来，而是集中笔力画出特定环境下与其他现象处于特定关系中的对象的特定神态，着力于以形写神。徐悲鸿笔下奔驰的马，背后是空白，并无背景。但从那些马的奔驰的神态上，我们却可以想象出这些马在广阔的原野上奔驰。那画面空白，就是这广阔的原野。

应该指出的是，这种着力描绘对象神态映托背景的表现方法，在中国的传统戏曲中也得到了经常的运用。中国戏曲和欧洲戏剧都要反映出人物和环境的关系，但具体表现方法却不大一样，因而创造出来的戏剧形象也就各异其趣。在欧洲戏剧舞台上，用实物造形（门窗、墙壁、林木、山水等）作为背景，占有很大空间。中国戏曲的舞台空间，却很少甚至不出现实物造形的背景，但我们在看戏时，脑海里又会浮现出背景，亦即在想象中出现背景。所以能达到这种戏剧效果，乃是依靠独特的戏剧表现：剧中人物的神态、表情，特别是人物的虚拟动作。例如，行舟、爬山、过桥、下楼、骑马等等，在舞台上都不必出现船、山、桥、楼、马等实物模型，而只用人物的虚拟动作映托出来。

在中国古典小说中也经常运用这种表现方法。许多古典名著，很少中止情节的发展或离开人物性格来静止地描写环境，而是着力在情节发展的动态和人物性格的神态描写中映托出周围环境。在《红楼梦》里，人物和环境的结合，达到了水乳交融的地步。它不孤立地、静止地写景，就是在集中描写初建成的大观园景色的专章中，也不是中断了情节、离开了人物，而是围绕着"试才题对额"这个情节，围绕着宝玉和贾政的性格冲突，引人入胜地展开环境描写。鲁迅很懂得中国艺术的这个民族特点，并把它吸收、融化，在自己的文学创作中作了创造性的发展。他很赞赏"中国旧戏上，没有背景"，"新年卖给孩子看的花纸上，只有主要的几个人"这样的表现方法。鲁迅当然不是一概否定写小说要描绘背景，而是说："只要觉得够将意思传给别人了，就宁可什么陪衬拖带也没有。"这并不是中国艺术家没有能力描写背景，而是中国艺术有特殊的表现方法，着意于对象的神态的描写，这样，既省了笔墨，又写出了对象，正如鲁迅所说，"寥寥几笔，而神情毕肖。"

中国艺术在创造艺术形象时，着力追求"意境"——这是具有中国民族独特性的艺术形象。中国艺术不仅注重以形写神，形神兼备，而且特别追求形神与情思（或情理）的结合，在形神中完美地体现出艺术家的情思。本来，中外艺术要创造美的形式，都需要把形神和情思结合起来。但由于意象材料的不同以及结合方式的不同，造成了各国艺术中的形象的独特性。中国艺术中所追求的"意境"，同西方艺术中的形象相比，不仅"意"和"境"的比例有差别，而且，"意"和"境"中各种因素的结合方式也不相同。中国艺术力求形和神、情和思的有机结合，最终达到意和境的水乳交融、天衣无缝。诗歌要创造意境，不必说了。在中国古典文学中，许多优秀的作品都力求创造意境。散文、小说以至戏剧的"诗化"趋向，不仅表现为文学语言的大量运用诗的语言（散文、戏曲的韵文化，小说的诗歌化，甚至有些"话本"成了"诗话"、"词话"），更重要的是表现为意境的创造，所以诗意盎然。清人王国维说，好的诗词有意境，好的戏剧也有意境，"元剧最佳之处"就在于"有意境"。从古至今的优秀抒情散文，不仅音调铿锵、节奏鲜明，而且情意浓重、意境深远。优秀的散文家努力在散文中"寻求诗的意境"（杨朔语），音乐、舞蹈、美术，为了要成为真正美的艺术，哪一种不要寻求意境呢？就说山水画吧，"意境是山水画的灵魂"（李可染语）。中国的古典小说，像《红楼梦》这样的长篇巨著，通体构成一个意境，而局部的描写，或场面，或情节，也都自成意境，有机地编织在整个小说意境之中。

中国艺术的民族特色，是中国社会生活的特点的反映。生活土壤不同，必然会开出不同的艺术之花。

一些有眼力的外国艺术家很能抓住中国艺术的一些独特性。德国作家歌德在19世纪初期曾看过一本中国的传奇（朱光潜先生猜测是《风月好逑传》）。在和爱克曼谈话中说到，他从这书里可以感受到中国人在思想、感情、行为上和德国人的共同性。但歌德又说，在中国人那里"一切都比我们这里更明朗，更纯洁，也更合乎道德。在他们那里，一切都是可以理解的，平易近人，没有强烈的情欲和飞腾动荡的诗兴"。这就是说，中国文学不仅重视道德题材，而且在描写时力求把道德评价和审美评价结合起来，重视善和美的结合。作品中的思想感情也不游离于形象之外，不露痕迹。这不正是我国艺术中一向追求的"意"与"境"偕、融成一体的"意境"吗！歌德清楚地知道：这本书并不是中国文学中的最好的，但是他要把可取之处吸收过来，甚至还想在晚年据此而写一篇长诗。可惜这个愿望未能实现。

世界各国的艺术都有独特之处。无疑，我国的艺术要得到发展，就必须借鉴别国艺术的长处。特别像电影、话剧这样的样式，是先在西方发生、发展起来的，许多表现方法，我们需要借鉴。但中国艺术必须以中国自己的经验为主，别国经验对于我们终究是间接经验，必须以我们自己的直接经验作基础。鲁迅从别国艺术中学到很多宝贵的东西，融化进了他创造的东西中去，创造出了中国作风、中国气派的富有民族特色的文学作品。曹禺在自己的创作中吸取了外国戏剧的许多特长，但他的剧作却是富有民族特色的。《雷雨》的戏剧冲突尖锐惊人,但全剧构成了一个总的意境,深深感染着读者和观众。他的后来的作品《王昭君》民族特色更浓,诗与剧结合,创造出了深远的意境,使人看到舞台上的人物,也宛如在读一首抒情诗。中国人民需要的,正是吸取了别国特长而又富于自己的独特性的社会主义内容和民族形式相统一的艺术。

由此而想到,我们的艺术研究要为繁荣社会主义文艺作出贡献,就不仅必须重视总结中国艺术的经验,更要注意中外艺术经验的比较,只有在比较中才能鉴别中国的和外国的艺术独特之处和长处,然后决定择优而吸收。这种文学艺术的比较研究,十分必要,非常急切,比较文艺学这门科学理应得到重视。

作为艺术经验的理论概括的文艺美学,自然应该汲取别国的研究成果。但是,过去的经验告诉我们,文艺美学再也不能只停留在复述艺术基本原理的水平上了。中国的文艺美学,不仅要研究世界各国艺术共同的美学规律,也要研究这些共同美学规律在中国艺术中的特殊表现,更要研究中国艺术独有的特殊美学规律。中国古代文论、诗论、画论、乐论、剧论中保存有我国古代大量丰富的审美思想、艺术经验。这些,不正应该用来作为我们建设和发展文艺美学的宝贵思想资料吗?洋为中用、古为今用、推陈出新的原则,在文艺美学的研究中同样适用。

1979年冬,燕园
(原载《光明日报》,1979年)

文学——语言的艺术

文学是什么？

稍有点文学知识的人，无需多加思索，大概就会回答：文学就是诗歌、小说、剧本、散文等等。

然而，把文学说成是诗歌、小说、剧本、散文等的总和，这只是从外延上对文学作了规定，却并未从内涵上揭示文学的实质。

那么，要从内涵上来说明，文学究竟是什么呢？概而言之，我们可以说：文学是语言的艺术。

文学是语言的艺术，这是说，它是运用语言这个符号作表达手段的艺术。语言，在这里既指口说的——口语，也指书写的——文字。文学，可以是像古今中外著名作家那样用文字写出来长篇巨著，也可以是像民间百姓那样未用文字书写、只用口语朗诵的民间创作。

任何一种艺术，建筑、舞蹈、音乐、雕刻、绘画、戏剧，或是电影，都需要有"物质"作表达手段，才能把艺术家的艺术构思表现出来，成为"作品"。比如，音乐用的是声音这样一种"物质"。音乐家的"乐思"通过声音的表达手段，创造出了为人们可以听见的音乐形象，才成了音乐作品。绘画用的是线条、色彩这样的"物质"。画家的"画意"通过这种表达手段，创造出了人们看得见的绘画形象，才成了美术作品。文学也要采用一种"物质"作为表达手段，表现作家心中的"文思"，创造出人们感受得到的文学形象，才成为文学作品。文学所用的表达手段，是不同于其他艺术所用的一种特殊的"物质"——语言。

不错，文学之外，有些艺术如戏剧、电影，也要用语言作为表达手段。但是，我们不把这些艺术称作语言艺术。因为这些艺术的表达手段，主要不是语言，语言在这里不起决定的、主导的作用。不用语言，电影依旧可以成为电影——默片,戏剧照样可以是戏剧——哑剧。语言,对于文学说来,却不是这样了。没有语言作为表达手段,文学就不成其为文学。如果一个作家有成竹在胸,可是没有用语言表达出来,还未下笔成文,那就不能说已有了文学作品。如果这个胸中的"成竹"表达出来了,但用的却是别的物质手段来作符号,不是语言,那就只能说是音乐作品、美术作品或是别的什么作品,却不是文学作品。

文学是唯一只用语言作表达手段的艺术。语言对文学说来是如此重要,以至语言艺术大师高尔基把它称之为"文学的第一要素"。世界上许多文学巨匠都十分重视语言技巧对于文学的意义。

但是,不管语言在文学中如何重要,它毕竟只是一种手段,一种符号。文学作家运用这种手段要达到的目的,是要创造出形象,从而形成文学作品。运用语言这种手段来达到什么目的,是创造形象还是表达理论,这是区别文学作品和科学论著的关键之处。政治学、经济学、伦理学、心理学、哲学、史学、美学,一切科学,虽然都用语言文字来表述,但我们不能称之为文学,因为它不是创造具体的形象,而是表达抽象的理论。

文学和艺术创造出来的是形象。可是,形象是什么呢?根据反映的原则,现实对象具体反映在人的头脑中,就会出现列宁称之为"映象"的东西。"映象"存在于内心世界,形态不一,复杂多样,它可能是现实对象的单纯再现,成为再现性表象;它也可能是现实映象的复杂结合,构成创造性想象。文学和艺术创造出来的形象,正是一种特殊的"映象"。这种特殊的"映象",我国古典文艺理论称之为"意象"。这是已经融合了作者的思想、感情、意志,经过创造性想象改造,而又以生活的具体样子呈现出来的综合映象。这种"意象"如果只是作为内心映象在人的头脑中存在时,我们是看不见、听不到、摸不着的;一旦用物质手段使之"物化","意象"就成为可以感受到的形象。形象就是这种内在"意象"和外在表现的统一。文学形象也正是这样。唐代诗人王之涣在鹳雀楼登高远眺,只见白日斜靠着一片晋南山岭,阳光映照着滚滚的黄河,黄河之水从西北天际一泻千里,流向东南,奔腾入海。现实对象在诗人心中留下了深刻印象,此情此景,历历在目。诗人的耳闻目睹，唤起了心中的生活经验，在内心引起了反应，不禁使诗人心潮起伏，思绪万千，激起了诗情。诗人心中的多种映象和思想感情融合在一起，经过创造性想象的改造，在心中构成"意象"。"在心为志，发言为诗"，心中"意象"，用语言作符号来表现，外化为符象，于是就产生了那首千古流传、脍炙人口的名诗《登鹳雀楼》："白日依山尽，黄河入海流。欲穷千里目，更上一层楼。"正因为文学使用语言手段创造出来的是这种具体的形象，所以才称为语言的艺术，同科学论著相区别。

目的各自不同，手段也就相异。文学作品的语言必须服从形象化的规律，以适应创造形象这一目的。这样，文学作品的语言也就具有自己的特点，不同于科学的、政治的语言，这就是我们常说的艺术语言。艺术语言是形象的、优美的语言，具有美的性质，能够完美地表现"意象"，能由它的触发而把读者引入艺术胜境。艺术作品所用的"物质"，在这里都是一种符号，是艺术符号。语言艺术家运用这样的艺术语言来创造形象，"状难写之景，如在目前；含不尽之意，见于言外"。元代作家马致远在他的散曲《天净沙·秋思》里，只用寥寥数语，就把旅途的愁人秋色描写出来："枯藤老树昏鸦，小桥流水人家，古道西风瘦马"，这里仅出现了九个词语，连接成三个短句，便使旅人愁煞的秋景，跃然纸上，如在目前；"夕阳西下，断肠人在天涯"，这两个短句，更进一层把沦落天涯、秋旅彷徨的情景勾画出来，旅人的悲思愁情，见于言外，这里的秋天景物，也都染上了这种悲愁的感情色彩，情景交融、浑然一体。这样的艺术语言，优美动人，使人读了回味无穷，激起共鸣。

文学是用美的语言来创造形象的艺术。中外文艺理论中都称为艺术的文学，或称为美的文学。

对于文学是语言艺术这种认识，中外都经历了漫长的历史发展过程，才逐渐明确。

在中国，"文学"的涵义曾有几度变化。在先秦时代，"文学"是"文章"（"文"）和"博学"（"学"）的总称，"文学"包括了整个文化，先秦诸子的哲学、道德、政论文章，都被说成是"文学"。到了秦汉时代，"文学"还是总括"儒学"和"文章"，但二者渐趋独立，"文学之士"逐渐分离为二：一类归"文苑"，一类属"儒林"。像司马相如这类从事辞章诗赋创作的文人，和那些专门研究儒学经术的学者分开来了。发展到魏晋时代，"文学"和经学、玄学、史学都分立发展。到了齐梁时代，更进而把"文学"细分为"儒"和"学"，把"文章"细分为"文"与"笔"。史传、奏议这一类文章归入"笔"，屈原、宋玉、枚乘、司马相如等人辞章诗赋一类算作"文"（梁元帝萧绎的《金楼子·立言篇》对此有所阐明）。"文"、"笔"的划分，表明了齐梁时代对于文学的了解逐渐深入。对于"文"和"笔"的解说，前人众说纷纭，清代学者常把有韵的称"文"，无韵的称"笔"。其实，"文"与"笔"的原则，不只在有韵无韵，也不只在言辞的美，还在于有无情采。齐梁时代就有人把"事出于沉思，义归乎翰藻"的"文"和一般的文章区分开，"文"不仅要有特殊的言辞，而且要有特殊的情采，即所谓"流连哀思"、"情灵摇荡"。这种对"文"的看法，很接近于今天所说的艺术的文学或美的文学的意思了。"文"和"笔"的区分，把艺术的文学或美的文学同其他文学（其实是文章）从内容和形式上区别开来了。可惜，齐梁时人常常只把诗赋一类视作"文"，而小说一类却排除在外。在创作实践中，齐梁文学的情采，也只局限在贵族上流社会的狭小天地，偏向于追求"翰藻"的华美，形式主义弊病严重。到了隋唐时代，为了反对形式主义，出现了古文运动，取消了"文"、"笔"之分，甚至以"笔"为"文"，"文学"变成了"明道"之器，不区别艺术的文学和道德文章了。发展到宋代，"文学"干脆成为"载道"之具，道学代替了"文学"。幸而，自先秦以来，历代对于"诗"的看法一直较接近于艺术的文学或美的文学这种意思。自唐代开始，"诗"和"文"的区分更加明显，语言艺术的特点在唐诗中得到了充分的发挥。在戏曲、小说和一些散文中也日益明显地表现出来。但长期以来，封建文人把戏曲、小说之类看作雕虫小技，不能列入"文学"殿堂，那些并无语言艺术特点的文章却被尊为"文学"正宗。只是到了现代，人们终于把这些具有语言艺术特点的诗歌、小说、剧本和散文称之为文学，而把那些并无语言艺术特点的文章列在文学之外。于是，文学是语言艺术的涵义就确定下来了。

在国外,"文学"涵义的变化,也经历了类似的途径。古希腊时代,史诗、悲剧早已很发达,但"文学"并不专指这类东西,而是总括一切文化。西方用拉丁文"littera"一语来表示一切书写的东西,小至一个字母,大到整个文化,所有具有语言艺术特点的东西,全包罗在内。中世纪神学统治一切,包罗万象,文学被淹没在神学之中。文艺复兴以后,特别是启蒙运动以来,科学的发展、学术的细分,使得政治学、经济学、伦理学、史学、美学等等都独立出来,成为专门科学;剩下那些不能归入科学之列的诗歌、剧本、小说等等,独立出来,称之为文学。

《美利坚百科全书》(1963年版)里说道:文学"词源上的意思是一切书面的或印刷的东西"。直到现在,"还流行着关于文学的两种对立的观念:一种观念认为,一切说得好的东西都是文学,认为文学风格标志文学和非文学的区别";"另一种看法认为,文学的核心和基本的特点是在于它是想象的表述形式,一切文学都是虚构的"。日本《万有百科大事典》(1973年版),也把文学分为广、狭二义:"广义的文学是一切用文字书写的东西";"就狭义来说……亦即与文艺同义"。这说明今人对于作为语言艺术的文学,认识越来越精确了。

1979年5月10日,北大中关园
(原载《百科知识》,1979年3期)

文学理论

现代意义上的文学理论，是文艺学的一个部门。

广义的文艺学，是研究文学艺术的科学。狭义的文艺学，只研究文学，传统的习惯把它分成三个门类：文学理论、文学史学和文学批评。在当代，越来越多的文艺学家趋向于把文学批评从文艺学中分离开来，作为一种独立的活动（评价）而与整个文艺学相并列，既不同于文学创作，又区别于文学史研究。于是，文学理论和文学史学就成为文艺学的主要部门。

文学理论和文学史学都以文学为研究对象并且都要求把历史的研究和逻辑的研究结合起来。但是，文学史学重在对文学的历史研究，目的是在揭示文学发展的历史过程。文学理论则重在对文学做逻辑的研究，从古往今来的文学现象中，找出文学的本质和规律，揭示文学的不同形态的特点。

文学，作为上层建筑、意识形态的一种，它所具有的"质的规定性"，其中包括文学与其他上层建筑、意识形态以及一切艺术所共有的普遍性，也包括文学区别于其他艺术的特殊性。文学，作为一种社会现象，它所具有的社会动能，所起的社会作用，其中包括文学与其他社会现象共有的功能、作用以及文学区别于其他社会现象所独具的功能和作用。文学，作为人类一种特殊活动的产物，文学作品所具有的结构，其中包括文学作品的内容和形式，以及两者如何结合为完整机体。文学，作为艺术的一个门类，它本身不同的形态，抒情的、叙事的、戏剧的，它们所具有的特点，不同形态之面相互影响、渗透，又形成不同文学种类、体裁。文学，作为人类的创造，它的过程，创造的规律，其中包括方法以及形成的风格和流派。这些，都是文学理论所要研究和回答的问题。

文学理论不是关于文学的固定不变的法规,而是文学实践经验的概括。它在文学创作、文学批评等实践基础上产生和发展,反过来,又推动文学创作、文学批评的前进。文学理论也吸取文学史学的成果,从而,又对文学史学发生影响。

文学理论在历史发展过程中形成和发展,在实践中日趋完善。

文学理论并不是一开始就形成独立的科学,而是和哲学、政治学、伦理学等混合在一起。中国先秦时代,儒、道、墨、法诸家,都有关于文学的见解和看法,但这些文学思想是包含或糅合在哲学、政治学、伦理学著作中的,并不独立。这些有关文学思想的论述,是文学理论的萌芽或雏形,对后世的文学理论具有奠基的作用。

魏晋南北朝时期,文学理论发展为一门独立的学问,不再包括在哲学、政治学或伦理学之内。此时,出现了不少研究文学的专门著述,探讨文学的规律,并且形成一套自己的概念。陆机的《文赋》、刘勰的《文心雕龙》、钟嵘的《诗品》等,较为系统地论述了文学创作的过程、文学的内容和形成、文学体裁不同类型以及其他重要问题。这是一个文学理论已经进入"自觉"的时代。但是,这个时代对文学的认识虽已深入揭示其特殊本质的水平,有些著述却还分不清艺术的文学和非艺术的文学之间的差别,还常把文学和文章混为一谈。

唐宋时代的文学理论,更紧密地围绕着文学创作的实践活动,向着具体地探索文学的特殊性质和特殊规律的方向前进。这个时代,文学批评特别显著,文学理论和文学批评紧密结合在一起,甚至,文学理论有时就包括在文学批评之中。皎然的《诗式》、司空图的《诗品》,其中有文学理论,但更多地带着文学批评的色彩。同时,文学理论和文学批评趋向于更为具体的体裁,特别是诗歌的研究和评论。宋代出现了大量的诗话和词话,基本上是诗歌批评,其中包含着诗歌理论。有些诗话,如严羽的《沧浪诗话》则带着更多的理论色彩。

明清时代的文学理论仍然和文学批评结合很紧密,但对文学体裁的具体门类,研究更为深入。诗话、词话继续发展,曲话、曲论继而兴起,小说、戏文的评点也陆续出现。随着文学创作和文学批评的发展,文学理论也日益完善,趋于系统。王夫之的《姜斋诗话》、叶燮的

《原诗》、李渔的《闲情偶寄》等，在诗歌、戏曲理论方面，都有自成体系之势。较后的刘熙载的《艺概》，进而更想对文学的不同体裁作出系统的理论概括。

文学的理论发展到近代，发生了新的变化。由于西方文学理论、美学理论的传入，一些人开始以西方文学理论来否定中国传统文学理论，一些人则用西方文学理论的观点来提出新的文学主张，一些人则吸取西方文学理论来解释和总结中国传统文学理论。梁启超等人受西方文学理论的影响，倡导小说革命、戏剧革命、诗界革命，在诗歌、小说、戏剧理论方面提出过不少新见解。王国维则尝试运用西方美学和文学理论来解释和评论中国传统的文学理论，方向值得肯定。但是，当时所接受的理论并非当时的最先进成果，运用这样的武器，既不可能对中国传统文学理论作出科学的总结，也不可能建立科学的文学理论体系。

五四时代，在西方形形色色文学理论陆续传入中国的同时，也传来了马克思主义文学理论。李大钊、陈独秀等早期共产党人，曾对传播马克思主义文学理论作过贡献，瞿秋白和鲁迅等人，不仅对马克思主义文学理论作过较为系统的介绍，而且尝试运用马克思主义文学理论来解释和批评当时的文学现象，提出不少符合中国文学实际的文学见解，努力使马克思主义文学理论和中国的文学实践运动相结合。

毛泽东在20世纪40年代延安所作的文艺讲话以及其他著述、文件中所表述的文艺见解，标志着中国文学理论进入了一个新的时代——毛泽东文艺思想的形成和发展的时代。此后，中国的文学理论基本上是以毛泽东文艺思想为主导，在毛泽东文艺思想基础上发展。在这过程中，一些文学理论对毛泽东文艺思想作出了比较正确的解释，一些文学理论则对毛泽东文艺思想作出了错误的甚至歪曲的解释。但这并不意味着毛泽东文艺思想不符合科学，它本身仍是马克思主义理论和中国革命文艺运动相结合的产物，其基本精神、根本原理仍然将指导今后革命文艺运动的发展。

毛泽东文艺思想，不是文学理论的终结，而是尝试建立中国的新的文学理论体系的开始。毛泽东文艺思想本身也在继续发展，40年来正在不断完善。现在，中国的文学理论正在朝着这个方向前进：在对马克思主义文艺理论和毛泽东文艺思想作完整的、系统的、全面的研究的基础上，以马克思主义文艺理论、毛泽东文艺思想作指导，并把它作为根本方法，同时批判地吸取国外（既包括西方，也包括东方）的优秀的、先进的文学理论成果，作为具体方法去加以借鉴，从而，一方面去总结中国传统的文学理论，一方面概括现代文学实践的经验，建设文学理论的科学体系。

1979年7月5日，北大中关园

第四辑

艺术为人民

文艺的崇高使命

文艺的使命是什么？每个时代，适应不同的社会需要，有着各自的回答。

如今，我国已经跨入了向社会主义现代化迈进的时代，建设高度的物质文明和精神文明，已成为全国人民共同的光荣任务。那么，新的时代赋予文艺什么样的特殊使命呢？

一

人类社会为什么需要文艺？

社会之所以需要文艺，本来是要它为人类自身服务。

然而，人有各种各样，分成不同的群体。人民，只有人民才是历史发展的动力，推动着历史前进。敌对于人民的一小撮，则是历史发展的阻力。

因此，文艺要为人民服务，它理应属于人民。列宁说得好："艺术属于人民，它必须深深地扎根于广大人民群众中间。它必须为群众所理解和喜爱。"列宁的这个思想不会过时,随着革命的胜利,理应有更多更美的文艺供人民享用。

人民,本身也存在差别。人民中间,有不同的阶层,甚至,有时还存在不同的阶级。人民的构成和范围,随着不同社会阶段历史任务的变化而有所不同。对此,毛泽东已作过精辟的论述。且不说古代,就是在现代,社会主义革命时期和民族解放战争时期,人民的概念,就因时而异。

但是,不管历史如何发展,人民结构发生怎样的变化,有一个基本事实却是确定不移的,那就是:"自从阶级产生以来,从来没有过一个时期社会上可以没有劳动阶级而存在的。……无论不从事生产的社会上层发生什么变化,没有一个生产者阶级,社会就不能生存。"①

劳动创造世界,劳动人民才是社会的基石。社会财富是劳动人民创造的。可是,当劳动人民还未掌握自己的历史命运,还未成为社会的主人,物质文化和精神文化反被剥削阶级所垄断,劳动人民却无法享用。一旦劳动人民当了社会的主人,由自己掌握历史命运,当然有权享用社会的物质文化和精神文化的成果,文艺理应为劳动人民服务。早在20世纪40年代,抗日革命根据地的工人、农民、战士当了社会的主人,毛泽东就响亮地提出了:文艺应为人民,首先为工农兵服务。这是历史发展的必然,理所当然,势在必行。

在社会主义条件下,人民的结构发生了新的变动,毛泽东在20世纪50年代就及时地作过阐释。经过了60、70年代。如今,人民的结构又发生了什么样的变动?我们的政治学、社会学正在作出新的回答。

"历史活动是群众的事业,随着历史活动的深入,必将是群众队伍的扩大。"②社会主义的事业越来越发展,参与这个事业的人民队伍必将越来越扩大。但是,社会主义劳动者始终将是社会的主体:不仅是创造物质财富的物质生产者,而且是创造精神财富的精神生产者。物

---

① [德]恩格斯:《必要的和多余的社会阶级》,引自《马克思恩格斯全集》第19卷,人民出版社,北京,1974年,第315页。
② [德]马克思、恩格斯:《神圣家族》,引自《马克思恩格斯全集》第2卷,人民出版社,北京,1957年,第104页。

质文明和精神文明的优秀成果,应由全体社会主义劳动者享用,文艺应为劳动人民服务,也仍将是颠扑不破的真理,因为,它符合历史发展的要求。

因此,由列宁、毛泽东确定的文艺的方向,在新的历史条件下,必须坚持,并且要发展。

然而,文艺为什么人服务的问题,与文艺做什么用的问题紧密相连。文艺为人民服务,是用于满足人民的什么样的需要呢?文艺学和美学不能不关注这样的问题。

文艺能满足人类的多种需要,其中包括政治的、道德的、审美的需要。审美需要和其他的社会需要是什么关系?人对文艺的需要究竟包括了一些什么需要?这些,还都有待文艺学、美学作深入的探索。但是,人类最根本的社会需要是改造世界。文艺创造、科学研究等等,归根到底,最终还是由改造世界的需要而产生和发展,并且,服务于改造世界。

人不只是适应世界,正如列宁所说:"世界不会满足人,人决心以自己的行动来改变世界。"[1]马克思也说过:以前的哲学家只是用不同的方式解释世界,而重要的在于改造世界。[2]毛泽东在《新民主主义论》中把这个思想高度评价为"能动革命的反映论之基本的观点"。

人类为了改造世界,进行了多种多样的实践活动。人类首先通过物质生产活动来改造世界。毛泽东在《实践论》中指出:"人类生产活动是最基本的实践活动,是决定其他一切活动的东西。"人类通过生产活动,解决物质生活问题,发展物质文明。

生产实践通过人与物的相互作用改造自然,马克思说:"劳动首先是人和自然之间的过程,是人以自己的活动来引起、调整和控制人

---

[1] [苏]列宁:《黑格尔〈逻辑〉一书摘要》,引自《列宁全集》第38卷,人民出版社,北京,1963年,第229页。
[2] [德]马克思:《关于费尔巴哈的提纲》,引自《马克思恩格斯全集》第3卷,人民出版社,北京,1957年,第6页。

和自然之间的物质交换的过程。"①人类经由生产实践来改造自然,使"自在"的自然,变成"为人"的自然,为人服务。

然而,人类的生产实践本身,又促使人去改造社会。马克思说得好:"人们在生产中不仅仅同自然界发生关系。……为了进行生产,人们便发生一定的联系和关系,只有在这些社会联系和社会关系的范围内,才会有他们对自然界的关系,才会有生产。"②人与人在劳动中形成了生产关系,依次又形成分配关系、流通关系等等。在这些经济关系的基础上,又产生了人与人之间的政治关系、道德关系等等。于是,人类在生产实践活动之上,又产生了为改造社会而进行的实践活动,例如政治活动、社会交往活动等等。所有的实践活动,最终都是为了人类自身的发展和完善。

文艺创造、科学研究,因适应改造自然和改造社会的需要而又从这些活动中独立出来,成为人类新的实践活动形式。马克思主义把文艺创造活动归入精神生产领域,而同物质生产相对比。毛泽东也把文艺创造和科学研究看作人类的实践活动形式:"人的社会实践不限于生产活动一种形式,还有多种其他的形式,阶级斗争、政治生活、科学和艺术的活动,总之社会实际生活的一切领域都是人所参加的。"③

肯定文艺活动也是社会实践,乃是因为创造文艺作品必须付出人类劳动。参与这种活动的,既有精神力量(智能),又有物质力量(体力),是这两种因素的交织,而其结果是生产出具有使用价值的产品。但是,文艺实践活动不是物质生产,而是精神生产,创造出来的是精神产品,目的在满足人类的精神需要。

人类之所以需要文艺,乃是因为要它在改造世界(自然和社会)中起特殊的作用,完成特殊的使命。

人类的实践活动并不都是美的创造。现实的世界里,既存在着崇

---

① [德]马克思:《资本论》,引自《马克思恩格斯全集》第23卷,人民出版社,北京,1974年,第201页。
② [德]马克思:《雇佣劳动与资本》,引自《马克思恩格斯全集》第6卷,人民出版社,北京,1961年,第486页。
③ 毛泽东:《实践论》,引自《毛泽东选集》第1卷,人民出版社,北京,1991年。

高和美，又存在着卑鄙和丑恶。人民要改造世界，就是要消灭假、丑、恶，而且要高扬真、善、美，使现实的世界更美好，更理想。人民，应该而且可以"按照美的规律"来改造世界。

可是，为了改造世界，必须反映世界。人类改造世界的实践，乃是人的有目的、有意识的客观活动。首先，人必须确定自己的实践目的，使实践活动符合人的需要，不同利益的人有不同的实践目的。"工人阶级抱有最崇高的、具有世界历史意义的目的：把人类从各式各样的压迫和剥削人的制度下解放出来。"①无产阶级和广大人民改造世界的革命实践，其最近目的是实现社会主义，其最终目的是实现共产主义。为此，就要像列宁所说的那样，"我们社会主义改造的时候，应当给自己清楚地提出这些归根到底要达到的目的，即建立共产主义社会的目的"②。其次，为了实现目的，人还必须找寻到实践手段，这就需要对现实有所认识，掌握现实对象的本质、规律。在实践中，人"按照美的规律"把目的和手段和谐地统一起来，符合美的理想，创造出美的现实。这样，人类改造世界的实践活动，本身就上升为创造美的活动。

为了在现实中"按照美的规律"来改造世界，就先要在意识中"按照美的规律"来改造世界，这种对世界的在意识中的审美改造仍然是对世界的反映，不过是特殊的能动反映。

文艺创造这种实践活动，就是在意识中"按照美的规律"去改造世界的一种独立而集中的形式。文艺，从审美上反映世界，推动人的行动，按美的规律去实际地改造世界。文艺，是改造世界的革命实践前的一种特殊的思想准备；在改造世界的革命实践中，文艺，又是一种特殊的精神武器；文艺，还是改造世界的革命实践的一种特殊的精神手段。

---

① [苏]列宁：《专制制度和无产阶级》，引自《列宁全集》第8卷，人民出版社，北京，1963年，第5页。
② [苏]列宁：《关于修改党纲和更改党的名称的报告》，引自《列宁全集》第27卷，人民出版社，北京，1963年，第114页。

二

文艺对人民所起的作用,主要是精神上的教育。

这是一种什么样的教育作用呢?

这是一种融合了思想、感情、意志等多种心理功能的教育作用。这种多功能的统一,其实就是美学上所说的审美教育。

列宁在对蔡特金的著名谈话中说到,文艺应该联合提高广大人民的思想、感情、意志。毛泽东对列宁的这个思想极为重视。1944年4月2日,他在《给周扬的信》中谈及列宁的这番话时深刻地指出,"艺术应该将群众感情、思想、意志联合起来",这不但是指创作时"集中"起来,而且是指拿这些创作到群众中去,使那些被经济的、政治的、地域的、民族的原因而分散了的"群众的感情、思想,意志",能借文艺的传播而"联合起来"。按毛泽东的理解,列宁这话的主要意思正是在这里,这就是文艺的普及工作,然后在这个基础上"把他们提高起来"。在此以前毛泽东也一再说及,《在延安文艺座谈会上的讲话》中讲文艺对于广大人民,应该起这样的作用:"提高他们的斗争热情和胜利信心,加强他们的团结,便于他们同心同德地去和敌人作斗争。"在现实生活中,客观存在着美和丑、崇高和卑鄙、悲和喜。例如,在半封建半殖民地的旧中国,一方面是人们受饿、受冻,受压迫,一方面是人剥削人、人压迫人,这个事实到如今还存在着,人们也看得很平淡。"文艺就把这种日常的现象集中起来,把其中的矛盾和斗争典型化,造成文学作品或艺术作品,就能使人民群众惊醒起来,感奋起来,推动人民群众走向团结和斗争,实行改造自己的环境。"这里说的"惊醒"和"感奋",都融合了思想、感情、意志等复杂心理因素的精神作用。

为什么文艺把日常生活现象集中起来,予以典型化,就能使人民"惊醒"和"感奋"起来?

这需要从美学上予以解释。文艺经过典型化,不仅再现了日常生活中的那些事实,而且揭示出了这些事实所具有的客观意义,作出了审美判断;作者对这些现象作出了审美评价,表示了自己的审美态度。

审美判断,其实就是对所描写的社会现象作诗意的裁判,是一种价值的判断。而这一切,都是从作者的审美理想出发的,因而,文艺又间接或直接、这样或那样地表现了作者的审美理想。高尔基说得好:"艺术的任务是什么呢?在我看来,艺术的精神就是力求用词句、色彩、声音把您的心灵中所自豪的、优美的东西,都体现出来。艺术描绘庸俗的东西和粗野的东西,为的是嘲笑这些东西,消灭这些东西。"①文艺的目的是夸张美好的东西,使它更加美好;夸大丑恶的东西,使人引起厌恶。从而,文艺可以激发人的意志和感情,去消灭那些丑恶的东西。无论是肯定美好、崇高的东西,还是否定丑恶、卑鄙的东西,这都需要作家自己有美好的、崇高的思想和感情,都有赖于美好的、崇高的理想。

既然生活中已有美,为什么人民还是不满足于生活中的美,而要求文艺创造出新的美呢?

显然,毛泽东以为文艺应该美,文艺需要美:"文艺家几乎没有不以为自己的作品是美的。"当然,这里说的是应该而且可能,却不是必然,作家、艺术家的作品事实上美不美,却不一定。文艺作品,既有假的、恶的、丑的,也有真的、善的、美的。但真、善、美是广大人民的价值追求,人民希望文艺是美的。人民不满足于生活的美,而要求文艺的美,是因为虽然两者都是美,"但是文艺作品中反映出来的生活却可以而且应该比普通的实际生活更高,更强烈,更有集中性,更典型,更理想,因此就更带普遍性"②。文艺对生活的反映,是透过作者的审美理想进行的,生活在作者的意识中作了审美上的改造,艺术形象中渗透了作者的审美理想、审美趣味、审美感情。

文艺对人民的教育作用,还是从审美上去影响人民的意识。文艺对人民的审美教育首先是审美理想的教育,它给人民以审美理想;其次也包括审美观念、审美情趣等的教育,影响人民对现实怎样评价,

---

① [苏]高尔基:《文学书简·给玛·格·亚尔采娃》,曹葆华,渠建明译,人民文学出版社,北京,1962年。
② 毛泽东:《在延安文艺座谈会上的讲话》,引自《毛泽东选集》第3卷,人民出版社,1991年。

采取什么态度。因此,文艺固然也具有认识作用,帮助人民认识现实,但更重要的是,它具有价值定向作用,帮助人民确定生活方向,特别是树立人生理想。对于社会主义文艺说来,审美理想的教育显得更为重要,作者应该自觉地帮助人民树立崇高理想,确立正确的人生观。作家、艺术家应该成为人类灵魂的工程师。

审美教育不能代替现实的变革,不能在现实上直接改造世界。席勒幻想用审美教育来建立"第三王国",这只能是空想的王国。而在马克思主义看来,只有广大人民的革命实践,才能从必然王国走向自由王国。正如马克思、恩格斯所说:"全部问题都在于使现存世界革命化,实际地反对和改变事物的现状。"[①]但是审美教育可以从审美上影响人的精神,而在革命实践活动中,精神力量可以转化为物质力量,推动广大人民去实际地改造世界。因此,审美教育是社会主义教育的重要方面,实现社会主义的必要手段。

理想社会,按马克思的说法,"它是人和自然界之间、人和人之间的矛盾的真正解决,是存在和本质、对象化和自我确立、自由和必然、个体和类之间的抗争的真正解决。"[②]人类从必然王国进入了自由王国,人与人、人与物、自然与社会、个人与集体之间矛盾,得到了和谐的、美妙的统一。这是人类最美好的理想,全人类都应为它而奋斗。然而,理想境界的到达必须经过人民的艰苦斗争。革命的实践,理想和现实应该统一起来。文艺的创造,不管运用什么创作方法,革命现实主义,还是革命浪漫主义,都应有崇高的审美理想,从审美理想上来再现现实,在再现现实中表现审美理想。革命现实主义和革命浪漫主义,历史上这两种重要的创作方法,究竟能不能在新的历史条件下结合为一种新的创作方法?一些伟大的、杰出的文学家如高尔基曾有过探索;一些杰出的、重要的理论家如卢那察尔斯基也曾有所肯定。毛泽东鼓励文学家、艺术家努力运用革命现实主义和革命浪漫主义

[①] [德]马克思、恩格斯:《德意志意识形态》,引自《马克思恩格斯全集》第9卷,人民出版社,北京,1965年,第48页。
[②] [德]马克思:《1844年经济学-哲学手稿》,刘丕坤译,人民出版社,1979年,第73页。

相结合的创作方法，当然这并不意味着，社会主义文艺只许采用这一种创作方法。但是，革命现实主义与革命浪漫主义相结合是不是一种新的创作方法，是不是社会主义文艺的主要的创作方法抑或最好的创作方法，依我看来，这些问题不仅应该允许，而且应该鼓励，在文艺实践和理论研究中进行探索。我所期盼的文艺，既要有现实主义精神，又要有浪漫主义情志，两者融为一体。

  实现社会主义现代化，建设高度的物质文明和精神文明，这是既光荣又艰巨的任务。"无产阶级和革命人民改造世界的斗争，包括实现下述的任务：改造客观世界，也改造自己的主观世界——改造自己的认识能力，改造主观世界同客观世界的关系。"[①]改造世界的革命实践，并不只是改造客观世界，而且也要改造主观世界，进而改造主观世界与客观世界的关系，使人与人、人与物、自然与社会、个人与集体达到和谐统一。文艺的使命，不在它去直接地改造客观世界，建设物质文明，而是去改造主观世界，改造主观世界和客观世界的关系，帮助人民与现实建立和谐的审美关系，建设精神文明。文艺，既是建设精神文明的重要手段，又是精神文明的自我确立。文艺，它本身吸收了既存的物质文明和精神文明的成果，反过来，又为建设新的精神文明以至物质文明服务。文艺，在整个社会文化领域中占据着特殊的地位。

三

  文艺的教育作用，只有通过同文艺接受者的交流才得以实现。因此，文艺是人与人进行交流的手段。

  这是什么样的交流？

  这是一种独特方式的交流。普列汉诺夫在阐发托尔斯泰所说"艺术是人与人之间交往手段之一"的这个观点时写道："艺术开始于一个人在自己心里重新唤起他在周围现实的影响下所体验过的感

[①] 毛泽东：《实践论》，引自《毛泽东选集》第1卷，人民出版社，北京，1991年。

情和思想,并且给予它们以一定的形象的表现。不用说,在绝大多数场合下,一个人这样做,目的是在于把他反复想起和反复感到的东西传达给别人。"① 这是形象化了的思想和感情的交流,这种体现在形象中的思想和感情是作者亲自体验过的。

人与人的交往,是人类的一种活动方式,以沟通自己与别人的关系,协调动作,组织共同活动。人与人的交际,是交往活动的一种形式,以实现精神的交往,人与人进行交往的结果,是使人纳入社会的轨道,实现个人社会化,调整人与人,人与社会的关系。

人,不是天生就是社会的人,而必须经过社会的教育。一是通过现实的交往,个人获得直接经验;二是通过精神的交流,个人获得间接经验。毛泽东说:"一个人的知识,不外直接经验和间接经验两部分。"② 但是,个人的现实交往是有限的,受到时间和空间的限制,这就需要通过其他的途径,接受社会的间接经验。所以,毛泽东又说:"人不能事事都凭直接经验,事实上多数的知识都是间接经验的东西。"③ 个人获得间接经验的途径是多种多样的。文艺和科学,乃是人类组织社会经验的两种重要方式,因而也就成为个人获得间接经验的两种重要途径。

人类社会的经验,在文艺和科学中得到了概括,使之系统化,以便传授给社会的个人,并且代代相传。但是,文艺和科学,乃是对社会经验的不同概括,形成两种不同的系统:形象体系和概念体系。

在文艺和科学中,都概括了个人(文艺家或科学家)的直接经验和间接经验。"一切真知都是从直接经验发源的。"文艺和科学都离不开个人的直接经验。可是,文艺创造是为了形成形象体系,文艺家的直接经验就显得特别重要,直接经验和间接经验的结合也很独特。

文艺创造的形象体系,是一个独特的天地,一个同现实世界有着联系而又不同的想象世界。构成这个想象世界的材料,不一定都是

---

① [俄]普列汉诺夫:《论艺术》,曹葆华译,生活·读书·新知三联书店,北京,1964年,第4页。
② 毛泽东:《实践论》,引自《毛泽东选集》第1卷,人民出版社,北京,1991年。
③ 同上。

作者的直接经验,而要吸取别人的间接经验。但是,接受别人的间接经验,都要通过作者的直接经验加以改造,被直接经验所融化,并且以直接经验的形式表现出来,创造出一个活生生的形象世界。作者的直接经验,是艺术形象体系的基石。鲁迅说得好:"作品大抵是作者借别人以叙自己,或以自己推测别人的东西。"[1]直接经验的丰富、正确、深刻与否,对于文艺创造真是生命攸关。

诚然,文艺家个人也不能事事凭直接经验。正如鲁迅所说,作家写杀人,并非自己就一定杀过人;作家写偷,也不必自己做过贼;作家写妓女,自己也不必去卖淫。但是,"作者写出创作来,对于其中的事情,虽然不必亲历过,最好是经历过"。经历过的,要比亲历过的更广泛,所以鲁迅接着说:"我所谓经历,是所遇、所见、所闻,并不一定是所作,但所作自然也可以包含在里面。"[2]鲁迅非常重视直接经验,一再说明:"实地经验总比看、听、空想确凿"[3],鼓励青年作家要深入生活,获得直接经验。

正是根据文艺创造的这种规律,毛泽东从理论上作出概括,指出,为了创造出革命的文艺,文艺家必须深入革命实践活动中去,"观察、体验、研究、分析一切人一切阶级,一切群众,一切生动的生活形式和斗争形式,一切文学和艺术的原始材料,然后才有可能进入创作过程"[4]。只有实践生活本身,这才是文艺的"源"。文艺家也要借鉴别人的文艺创造(古典的和外国的也在内),但那只是"流"而不是"源"。

文艺通过同读者、观众、听众的交流,把文艺家所掌握的社会经验(直接经验和间接经验的结晶)传达给别人,从而起着社会教育的作用。

---

[1] 鲁迅:《怎么写》,引自《鲁迅全集》第4卷,人民文学出版社,北京,1981年,第20页。
[2] 鲁迅:《叶紫作〈丰收〉序》,引自《鲁迅全集》第6卷,人民文学出版社,北京,1981年,第175页。
[3] 鲁迅:《读书杂谈》,引自《鲁迅全集》第3卷,人民文学出版社,北京,1981年,第334页。
[4] 毛泽东:《在延安文艺座谈会上的讲话》,引自《毛泽东选集》第3卷,人民出版社,1991年。

文艺和接受者的交流是精神的交往,不是物质的交往。而且,这也不是一般精神交往,而是独特的精神交往——想象的交往。文艺把人引进一般想象的世界,使人如临其境、如见其人、如闻其声。读《三国演义》,好像直接和作者一道直接经验到了三国争霸的激烈斗争过程,并且随着作者的评价和态度,引起我们思想感情上的激动。读《红楼梦》,好像直接置身于大观园内外,经历着贾府的兴衰变异,体验到那种生活,激发起思想感情。读着《西游记》《聊斋志异》《神曲》《浮士德》这类作品,我们甚至也跟着作者一道,上天入地,从想象中的"现实世界",走向想象中的"彼岸世界"。就在文艺把人引向想象的世界时,实现了文艺与人的思想感情的交流。

文艺所创造的想象世界,也可能以现实生活的样式出现,但不能和现实世界等同。法国宫廷黑人卫兵看到《奥赛罗》里那个埃古,怒气冲天,一枪打死了舞台上扮埃古的演员。美国的高等白人看到像奥赛罗这样的黑人竟当了将军,勃然大怒,开枪打死了舞台上扮奥赛罗的演员。这是对《奥赛罗》的两种对立立场的反应,然而却都把戏剧当作了现实,把艺术当作了现实世界。

然而,文艺创造出来的想象世界,能使读者、听众、观众的个人经验无限扩大,把社会经验转交给个人。文艺可以创造出超越时间、空间限制的新的想象世界,不受现实世界的限制,从而使读者、听众、观众思接千载,视通万里,在想象中同世界建立多种多样的社会关系。

文艺在把社会经验转交给个人的过程中,个人经验融化了社会经验促进了个人的社会化。马克思、恩格斯说得好:"一个人的发展取决于和他直接或间接进行交往的其他一切人的发展。"[1]读者、听众、观众,通过文艺而同文艺家进行的交往,补充了人与人的现实的交往。

正是在交往中,最明显地表明了文艺活动的社会性质。人类的活动方式及结果,不管是集体进行的还是个人进行的,都是社会的。正如马克思所说:"活动及其成果的享受,无论就其内容或就其存在方

---

[1] [德]马克思、恩格斯:《德意志意识形态》,引自《马克思恩格斯全集》第9卷,人民出版社,北京,1965年,第505页。

式来说，都具有社会的性质：是社会的活动和社会的享受。"①文艺活动及其成果的享受不也正是这样吗？

文艺，可以而且应该成为社会主义审美教育的重要手段，社会向个人传达人类经验的重要工具，从而，直接为建设社会主义精神文明作出贡献。文艺，可以而且应该通过革命实践活动，使精神力量转化为物质力量，服务于改造客观世界，成为改造世界的精神武器。这，也正是文艺的崇高使命。

为毛泽东在延安文艺讲话40年而作
1982年4月，北大燕园
（原载《北京大学学报》）

---

① [德]马克思：《1844年经济学–哲学手稿》，刘丕坤译，人民出版社，北京，1979年，第75页。

为民精神应永存

延安文艺座谈会已过去70年了,但毛泽东在座谈会上发表的讲话,至今仍像万丈光芒,照耀着我国的文学艺术发展道路,向前发展。

抗日时期的解放区文艺在讲话精神的鼓舞下,蓬勃发展,辐射全国,连我这个身临沦陷区的少年也感受到了。那时我在苏南读初中,加入了进步青年的读书会,就读到了赵树理的《李有才板话》、柯蓝的《洋铁桶的故事》。后来,又听到《山那边好地方》《沂蒙山歌》《解放区的天是明朗的天》这样的歌曲,更对解放区的生活充满了憧憬和向往。我所以在少年时代就积极参加学生运动,当然首先是因为对国民党的腐败极为不满,其次就是受解放区文艺的影响。进步文艺的巨大社会作用,在我这样的少年身上有着明显的表现。

延安文艺讲话的根本精神,就在于明确了文学艺术的方向所在,文学艺术要为什么人服务。毛泽东旗帜鲜明地提出:文艺要为最广大的人民服务,文学艺术要符合人民的时代需要。从五四以来,这个问题在文化艺术界内争论不断,莫衷一是。我在北大攻读文艺学副博士研究生时的导师杨晦,是在五四运动时和许德珩一道跳墙进院火烧赵家楼的"五四老人",亲历了30多年的文艺运动。他深切体会到,只有到延安文艺座谈会上,才能彻底解决了文艺为谁的这个根本问题,并且真正付诸实践。

文学艺术应该为最广大的人民服务。我把这种文艺精神简称为"为民服务"。

70年过去了,我们的文学艺术正在以前所未有的速度走向市场化,文化产业蓬勃兴起,那么,我们这个时代还需要有这样的"为民精神"吗?

不仅需要,而且更应发扬光大这种"为民精神"。千万不能忘记:

在社会主义国家，之所以要发展文化产业，文化艺术之所以要走向市场，其根本目的就是要使文化艺术更好地为最广大的人民服务。我们的物质生产和精神生产都应服务于人自身的发展和完善，以人为本。

文化产业当然应该大发展，但无论是文化产业也好，文化事业也好，其发展的直接目的还是要生产出文化艺术精品。什么是文化精品？这不仅是科技含量高，技艺精湛，而且还是精神含量高，能满足广大人民对真、善、美的精神需求。精神生产不同于物质生产，就是要生产出广大人民需要的精神食粮，不仅要量多，而且要质高。如今的文化产品，数量已经不少，且不说散文诗歌，光说中长篇小说，好几年都已年产千部上下。借科技之光，影视作品也在突飞猛进，电视剧年产也都在万集以上，2011年已达2万集，而能在多地电视台播出的却只在一半左右。可是，每当我夜晚遍扫一下全国100多个电视台时，却很难找到我愿意定格下来继续看下去的影视作品。很多播放的电视剧实在不值一看，还不如去看音乐台和纪录台，那里还有值得一看的经典和老照片。但我这不只是怀旧，那个台在播放反映当代生活，不管是乡村故事还是都市生活，我还是在看。但我的印象，反映当下现实的作品还是太少，称得上艺术精品的就更难求了。前不久，文化部到深圳来开一个评奖会，我的第一个博士生王列生，在文化部当专家，带了一些博士生在研究文化发展战略和公共文化建设。来看我时，我就坦率地对他说：文化产业要大发展，但发展什么？最后还是看产出的是什么东西，是精品还是垃圾。如果是文化垃圾，不只是耗了人力，费了钱，而且还贻害无穷，腐人心灵。物质生产过剩，卖不出去，这也是浪费，但精神生产产生出来的垃圾，还毒害心灵。也许我是杞人忧天，庸人自扰，书生之见，只是说一说我的感受，供专门研究文化的文化智库参考，应有什么样的文化决策。

文艺要为最广大人民服务，就需要与时俱进，了解人民在新时代的精神需求。在我们这时代，气象万千，精彩纷呈，真、善、美的现象不断涌现。但是，却也能不时见到假、恶、丑时隐时现。广大人民喜闻乐见的乃是真、善、美得到高扬，而假、恶、丑受到鞭挞。我们的文学艺术应该满足广大人民的这种精神需求，高扬真、善、美，鞭挞假、恶、丑。马克思早就倡导，生产劳动应按"美的规律"来创造，物质生产如此，那么，精神生产，特别是艺术生产就更应该按照"美的规律"来创造了。

广大人民的精神需求是多种多样，丰富多彩的，文学艺术的生产也日益多元化了，特别是大众文艺的兴起，使得我国的文艺格局发生了新的变化。主流文化高扬社会主义精神主旋律，大众文化蓬勃发展，精英文化则时隐时现，日显沉默。以我之见，主流文化，大众文化，精英文化各有自身的价值，不可或缺，问题是如何使之相互补足，相互促进，形成良性循环的社会机制，从而促成社会主义文艺的大发展。精英文化总是少数人做，需要更多的培植。应鼓励少数人吸收世界上的文化精华，作些创造实验，培植艺术精品，求质不求量。而大众文化总是面向更广大的人群，迅速普及。主流文化则应该吸取精英文化之长，也需吸取大众文化之优，博采众长，才能雅俗共赏，为广大人民喜闻乐见，从而在广大人民中广泛普及。毛泽东在延安文艺讲话中，既解决了文艺的"为民"方向这一根本问题，又解决了文艺如何为人民服务的途径问题，论证了普及与提高的辩证关系。这对于我们如何面对文艺新格局解决文艺多元化问题，仍有启示。

最后我要说一下我们的文化怎样才能走向世界这个大问题。

《在延安文艺座谈会上的讲话》，鼓舞了作家、艺术家从小鲁艺走向大鲁艺，从延安走向了全国。如今，时代已在走向全球一体化，中华文化如何走向世界，也成了时代的要求。深圳早在20世纪80年代后期就意识到了，应把这边陲小镇改造成国际化城市。我那时在深圳大学办中文系，当深圳提出要建国际化城市时，我在1988年就把中文系扩建成国际文化系，在国内首创，就想为深圳培养能从事国际文化交流的人才。后来，特区文化研究中心成立时，余秋雨看到了深圳的地缘优势，也曾倡议可研究深圳在中外文化交流中如何起作用。如今，深圳极力提倡文化与科技相结合，我也十分赞成。深圳不仅要发挥地缘优势，而且要发挥科技优势，把这两个结合起来，这将可以有力促进中国文化走向世界。深圳应充分利用这样的优势，将国内的文化精粹通过高科技向世界传播，也可以将世界的文化精粹通过高科技向国内介绍,这样,深圳就能加快国际化城市建设的进程。国际化和本土化乃是相互促进同步进行的,深圳的文化艺术通过内引外联,不断壮大自己,这乃是深圳文化立市的应有之义。深圳与世界,各美其美,美各相容,美美与共,和而不同。

为《在延安文艺座谈会上的讲话》70年而作
2012年5月23日,望海书斋

艺术创造为人民

"我是中国人民的儿子,我深情地爱着我的祖国和人民。"这是邓小平发自肺腑的由衷之言,贯穿在他一生言行之中,也渗透在他的文艺思想里面。"我们的文艺属于人民",艺术创造应该为人民,这是邓小平文艺理论的美学基石。"人民需要艺术,艺术更需要人民",艺术的生命系于人民。

人民需要艺术

人不仅要生存,而且要发展、完善,成为全面发展的完整的人。这样,人就不仅需要物质生活资料,而且也要有精神生活资料,亦即精神食粮。作家、艺术家的崇高使命,就是"力求把最好的精神食粮贡献给人民"(邓小平),使人民群众不断提高的精神需要得到满足。

诚然,我们生活其中的大自然,也能够为我们提供精神食粮,正如马克思所说:"植物、动物、石头、空气、光等等,一方面作为自然科学的对象,一方面作为艺术的对象,都是人的意识的一部分,是人的精神无机界,使人必须事先进行加工以便享用和消化的精神食粮。"[①]但人并不仅满足于自然审美,还要创造文化,以满足不断增长的精神需要。

人民的精神需要是丰富多样的。文学艺术之外,哲学、科学、伦理学等精神文化,都是满足人民的精神需要的精神食粮。人为了全面发展,成为完整的人,就需要不断创造优秀的精神文化,"以科学的

---

① [德]马克思、恩格斯:《马克思恩格斯全集》第42卷,人民出版社,北京,1985年,第95页。

理论武装人，以正确的舆论引导人，以高尚的精神塑造人，以优秀的作品鼓舞人"（江泽民）。人民，不仅需要德育、智育、体育，也需要通过美育，使自己得到全面发展，成为完整的拥有自由个性的人。

文学艺术在培育人的完整个性、促使人的全面发展方面，有着其他精神文化所不能替代的独特作用。文学艺术，不仅是对人生的审美反映，而且本身还是按美的规律的创造性实践，为我们创造了一个人生的美的模型。因此，文学艺术不仅给予我们审美享受，而且还培育我们提高审美能力和创造能力，从而促使我们在今后的人生实践中，学会按照美的规律去创造，使我们的世界更美好。

人民对文学艺术的需要也是多种多样的。占有世界上最多人口的中国，对于文学艺术的需求，更难求一律。小平说得好："我国历史悠久，地域辽阔，人口众多，不同民族、不同职业、不同年龄、不同经历和不同教育程度的人们，有多样的生活习俗、文化传统和艺术爱好。"我们只有积极鼓励和推进艺术生产，创作出更多更好的文学艺术，以满足人们的需要，"雄伟和细腻，严肃和诙谐，抒情和哲理，只要能够使人们得到教育和启发，得到娱乐和美的享受，都应当在我们的文艺园地里占有自己的位置"。

文学艺术有多种功能，对人不只起单一的作用。中国人老早就懂得文学艺术可"寓教于乐"，在审美享受中得到教育。随着文学艺术的发展，它不仅越来越丰富多样，其功能和作用也越来越多。被当代文艺学、美学揭示出来的文学艺术的功能，已达十多种，诸如教育功能、启迪功能、交际功能、认识功能、预测功能、评价功能、补偿功能、娱乐功能、净化功能、创造功能、调节功能，以至医疗功能等等，人们可以从自己的需求出发，各取所需、各求所爱。但在文学艺术中，这多种功能都是融合在一起的。艺术创造把各种因素融为一体，按美的规律组织起来，构成有机整体。整体大于局部之和，从整体上说，文学艺术这一有机体的最具特征的功能，应是审美功能。教育、认识、娱乐等等，都以审美为中介，通过审美来起作用。文学艺术给予人精神愉悦（不只是感官刺激），并在潜移默化中教人审辨美、丑、悲、喜，体验人生，感悟人生的意义，追求真、善、美，从而如小平所说：

"提高人民的精神境界。"

在邓小平理论光辉的照耀下,改革开放以来广东与我们所处的深圳出现了许多优秀的文学艺术作品,如影视《情满珠江》《和平年代》《深圳人》《钢铁是怎样炼成的》,小说《白门柳》《花季·雨季》,杂文《微言集》,报告文学《没有家园的灵魂》,话剧《特区人》《贺方军》,粤剧《情系中英街》,舞蹈《深圳故事》,歌曲《春天的故事》《走进新时代》等等,浓烈的时代气息和民族精神,通过审美的形式,融合一起,因而深深打动我们,受到广大人民的喜爱。人民需要这样的文学艺术。

艺术更需人民

文学艺术要满足广大人民不断增长的文化需要,作家、艺术家就必须首先和广大人民同呼吸、共命运,从人民的需要出发,并从人民的生活中吸取养料。正如小平所说:"要给人民以营养,必须自己先吸收营养。"

人民的丰富多彩的生活,是文学艺术创造取之不尽、用之不竭的矿藏,可吸收的营养是多方面的。作家、艺术家应该像小平所说:"自觉地在人民的生活中汲取题材、主题、情节、语言、诗情和画意,用人民创造历史的奋发精神来哺育自己。"

作家、艺术家离不开人民,只有从人民的生活汲取营养,才能创造出符合人民需要的文学艺术。更重要的是,作家、艺术家要用人民创造历史的奋发精神来哺育自己,才能激发自己的创造精神。"要教育人民,必须自己先受教育。"人民为改变自己的环境,不断参与改造环境的伟大变革,这种创造历史的伟大精神,永远激励着我们向更美好的未来前进。作家、艺术家应该深入生活,投身于人民创造历史的伟大实践,学习人民创造历史的这种伟大精神,才能真正成为"人类灵魂的工程师"。

优秀的文学艺术,取得成功的最根本的规律,就在于和人民保持密切的联系。"一切进步文艺工作者的艺术生命,就在于他们同人民之间的血肉联系。忘记、忽略或是割断这种联系,艺术生命就会枯竭。"

为了在我国实现社会主义现代化这一伟大理想,广大人民积极参与了历史的伟大变革,改造自然和社会,流血、流汗,贡献自我。作家、艺术家应该和广大人民在一起,在共同的社会实践中,真切体验和深刻感受人民的优秀品质和崇高精神。只有对人民的生活有了真切体验和深刻感受,才可能在文学艺术的创造中,创造出各种各样的人物形象,反映人民的丰富多彩的生活。小平殷切希望,作家、艺术家要坚定不移地走向人民,深入人民生活中去。"我们的文艺,应当在描写和培养社会主义新人方面付出更大的努力,取得更丰硕的成果。要塑造四个现代化建设的创业者,表现他们那种有革命理想和科学态度、有高尚情操和创造能力、有宽阔眼界和求实精神的崭新面貌。要通过这些新人的形象,来激发广大群众的社会主义积极性,推动他们从事四个现代化建设的历史创造性活动。"

我们高兴地看到,在邓小平文艺理论的激励下,文学艺术中,孔繁森式的英雄人物形象越来越多起来了。深圳正在上演的无场次大型话剧《贺方军》,成功地塑造了一个从平凡中显出崇高的英雄人物形象。一个从沂蒙山走出来的烈士之子,北上北京,西去青海草原,东到青岛,又南下深圳,一步一个脚印,踏踏实实地为人民服务,呕心沥血,鞠躬尽瘁,死而后已,最后倒在特区。剧本并不故作惊人,设置惊心动魄的矛盾冲突,而是在日常生活中,通过主人公如何处理人与人、人与物的关系来体现这位普通人的崇高品质和精神境界。他的人格魅力,深深打动了我们的心。我们还刚从这个话剧中走出来,又迎来了一部新的电影《昨日的承诺》。深圳市的反贪局局长林石喜,在这部电影中,为我们塑造了一个新的英雄形象,主人公一股浩然正气,扑面而来。

作家、艺术家置身于人民之中,自己有深切感受,因而爱人民之所爱,恨人民之所恨。文学艺术不仅应该弘扬真、善、美,也应该鞭挞假、丑、恶。小平说:"开放以后,一些腐朽的东西也跟着进来了,中国的一些地方也出现了丑恶现象。"社会风气也出现了新的问题。小平语重心长地说:"风气如果坏下去,经济搞成功又有什么意义?会在另一方面变质,反过来影响整个经济变质,发展下去会形成贪污、盗窃、贿赂横行的世界。"人民痛恨丑恶、腐败,不满不正之风。作家、艺术家理应和大家站在一起,揭露、鞭挞假、丑、恶,做出诗意的裁判,弘扬真、善、美的价值理念。

在邓小平文艺理论的指引下,也出现了不少鞭挞假、丑、恶的好作品。林祖基的《微言集》以杂文的形式,抨击了社会上的不正之风,给人启示。杨黎光写了《没有家园的灵魂》,接着又写了《打捞失落的岁月》,深入地解剖贪污罪犯一步步走向罪恶深渊的丑恶灵魂,引起世人的深思。更引发我们兴趣的是,有些作品对不正之风的讽刺,还和灵魂的自我解剖结合起来,洋溢着幽默气息。不久前英年早逝的田升,当过多年的办公室主任,所写的"办公室主任三部曲",就在笑声中嘲讽了丑陋,也在幽默中解剖了自己,因而发人深省。这里我们想起了俄国的果戈理,他曾坦率地承认,在刻画人物时,"对我这些人物,我除了赋予他们以自己的龌龊行径之外,还把本人的丑陋行径也赋予他们了……我喜爱善,我寻找它,恨不得一下子就找到它,但我不喜欢我身上卑劣的东西……我现在和将来都要和他们战斗,一定要把它们清除掉"[①]。其实,鲁迅是在揭露我们民族的劣根性、我们自己的人性弱点时,除了"哀其不幸,怒其不争",也时常把自己放进去,解剖自己,因而能鞭辟入里,深入人心。

人民喜闻乐见

文学艺术的创造,是为了人民。如小平所说:"要始终不渝地面向广大群众,在艺术上精益求精","要通过有血有肉、生动感人的艺术形象,真实地反映丰富的社会生活"。为此,作家、艺术家不仅要深入人民生活,而且要"不断丰富和提高自己的艺术表现能力"。要提高艺术表现能力,就必须"钻研、吸收、融化和发展古今中外艺术技巧中一

[①] [俄]魏列萨耶夫:《果戈理是怎样写作的》,蓝英年译,辽宁教育出版社,沈阳,1998年,第21页。

切好的东西,创造出具有民族风格和时代特色的完善的艺术形式"。

诚哉,此言!《春天的故事》《走进新时代》之所以这样脍炙人口,不正因为作者对改革开放有了真切的体验,创造出了具有民族风格和时代特色的完美的艺术形式吗?既有民族风格又有时代特色,在艺术形式中得到了完美结合,才能获得广大人民的喜爱。

近两年,我国的长篇小说得到了迅速发展,每年都生产出数百乃至千部左右,但精品极少,大都为平庸之作,丑陋的也屡见不鲜。今年的影视作品,年产也多达万集以上,也是平庸多,精品少。这原因当然很多。躲避崇高、消解意义、调侃人生、戏说历史、对生活缺乏热忱,甚至对生活做出了错误的价值判断;或者,只为小我自我陶醉,对自己的绝对隐私津津乐道,自我表现;或者,胡编乱造,逐怪猎奇,追求耸人听闻。而共同的问题,都是艺术上粗制滥造,缺乏精心构思。精品,精品,应该是境界精深、艺术精湛、精心创造、精益求精,真正按美的规律来创造。

艺术求精,并不是要脱离人民,使大家读不懂,看不懂,听不懂。小平一贯主张,文学艺术要为"群众所熟悉所喜闻乐见",老早就提出:"在形式的发展上应有两方面,一方面是向比较复杂的高级的形式发展,另一方面则向比较简单的普及的形式发展。"令人高兴的是,我们看到像"心连心"的艺术演出,正在按照小平指引的方向,努力把提高和普及结合起来,把美好的艺术送到人民群众中去,同时也在不断提高群众的艺术水平。改革开放以来发展起来的大众文化,尽管曾走过一些弯路,停留在满足于感官刺激的水平,但也涌现了不少群众喜爱的优秀作品。通俗文艺正在日益走向健康发展的道路。深圳华侨城特别重视通俗文艺的发展,吸收民族艺术的长处,也学习西方艺术的优点,并且不断加以创新,因而使得艺术之树常青,充满了活力。锦绣中华的《百艺盛会》、民俗文化村的《绿宝石》、世界之窗的《创世纪》,各以自己的特色,吸引了广大观众,赢得了众口赞扬。

世界的交往日益扩大,别的国家的文学艺术也在不断进入中国,我们自己的文学艺术发展也很迅速,什么是好的,什么是坏的,最后还是由人民评定。小平说得好:"作品的思想成就和艺术成就,应当由人民来评定。"一切从人民出发,就像江泽民所说:小平一贯"尊重群众,热爱人民,总是时刻关注最广大人民的利益和愿望,把'人民拥护不拥护'、'人民赞成不赞成'、'人民高兴不高兴'、'人民答应不答应'作为制定各项方针政策的出发点和归宿"。艺术应该为人民,这,也正是邓小平文艺理论的美学基石。

为纪念小平而作
2000年初春,深大新村

论文学的人民性[①]
——兼论现实主义和浪漫主义

自1952年到1955年，我先后听过游国恩、林庚、吴组缃所讲授的《中国文学史》，冯至、杨周翰、李赋宁所讲授的《西方文学史》，季羡林对印度文学也作过几次介绍。在我脑海里始终盘旋着一个问题：世界文学史上那些杰出的现实主义作家和积极浪漫主义作家，大多出身于剥削阶级、书香门第、富裕家庭，接受的也是有钱有闲阶级的教养，怎么会创作出富有人民性的优秀作品来？

听了一年多苏联专家毕达可夫开设的《文艺学引论》，我对文学中的人民性问题作了进一步思考。如今，我把一些想法做了初步整理，作为我修听这一课程的结业论文。

并非任何文学都有人民性，只有作品中渗透着和人民相通或一致的思想感情，如中国古人之所说，"民之所好，好之；民之所恶，恶之"，那种文学才可称之为具有人民性。作为艺术中之一种，文学的人民性不仅和作家的创作方法有关，而且与作家的世界观有关，更直接和作家的人生实践发生紧密联系。作家对人民究竟是一种什么态度，这是决定文学是否有人民性的关键；而作家是否为后代留下了可供广大人民享受的真、善、美的精神食粮，乃是评价文学是否具有人民性的根本准则。

[①] 修听苏联专家毕达可夫《文艺学引论》课程后所作的结业论文。指导老师：钱学熙教授。

一

文学史上最早提出人民性问题的是在18世纪的德国。那时,浪漫主义文艺理论家赫德尔针对当时德国流行着的异域古典主义文学提出批评,提倡德国文学应反映自己人民的生活。"文学应该是人民的",创作出来的作品,应和人民的心灵亲近相通。

文学应具有人民性的这一倡导,在德国得到了浪漫主义作家的热烈响应,从而引发了浪漫主义文学的蓬勃兴起。不少积极浪漫主义作家创作了富有人民性的文学作品,在海德堡还形成了一个浪漫派而闻名欧洲。

在19世纪初的俄国,开始也是由浪漫主义美学家、作家等首倡文学的人民性。索莫夫在1823年写的《论浪漫主义诗歌》一书中,就倡导浪漫主义文学应具有人民性。这种文学主张,在俄国不仅受到浪漫主义作家的呼应,而且也影响了现实主义作家的创作。出入于宫廷的皇家贵族普希金,不仅创作了积极浪漫主义的作品,而且也创作了现实主义的作品,他也高度评价文学中的人民性。在19世纪20年代,他还写了一篇论文《文学中的人民性》,大力倡导:无论是现实主义还是浪漫主义,都要重视人民性。创作了《钦差大臣》《死魂灵》这样现实主义巨著的果戈理,也曾撰文推崇文学的人民性。

在随后的数十年中,俄国的文学批评家不断深入地探索文学的人民性问题。别林斯基把文学的人民性视作文学创作的最高成就的准则。在他看来,那个时代,人民性成了文学的首要优点和诗人的最高任务。称呼某一诗人为人民的,就等于对他的最高的颂扬。他对普希金的诗歌评价甚高,无论是描绘俄罗斯的大自然,还是描绘俄国人的生活,都惊人地忠实于俄国的现实,所以,普希金成为大家公认的俄罗斯的人民诗人。他为普希金的作品写过一系列评论,高度赞扬普希金作品中的人民性。在别林斯基看来,普希金那部描写贵族纨绔子弟人生道路的《叶甫盖尼·奥涅金》,甚至达到了最高程度的人民性,是俄罗斯社会的自我意识、自我反思和真实记录。别林斯基对果戈理的文学创作中的人民性也作过高度评价。1847年他亲自给果戈理写信，指出果戈理的作品无情揭露了俄国社会的黑暗，反映了广大人民的情绪和愿望，促进社会前进，这就是文学的人民性。他在专论果戈理文学作品的论文中，更直接指出"果戈理君的中篇小说是极度人民性的"杰作。

稍后，杜勃罗留波夫对文学的人民性问题进一步作了探索。他在1858年写了《论俄罗斯文学中人民性所渗透的程度》一文，阐明了文学中的人民性的程度、水平是随着历史的发展而不断提高的。文学的人民性，既表现在创作题材的选择上，更表现在文学作品能反映人民的愿望上。他鲜明地提出，文学应该"为表现人民的生活、人民的愿望服务"。这是俄国革命民主主义者对俄国文学提出的更高要求。

在此之后，俄国对文学人民性的探索继续不断。文学批评家和文学史学者格理戈里耶夫在1861年写成系列论文《普希金辞世后我国文学中人民性的发展》。他不仅指出了在普希金之后，俄国文学中的人民性在继续发展，而且还探索了俄国更早之前文学史上也有作品具有一定的人民性。人民性直接或间接地存在于文学发展的整个历史过程中，而在19世纪的俄国文学中，古典文学发展到高峰，文学的人民性也得到了更高程度的发展。

到了列宁时代，文学的人民性问题进一步得到了重视，对它的研究提升到一个新阶段。正是列宁提出了每一民族都有两种文化的学说，他说：每一种民族文化中，都有两种民族文化：一种是剥削阶级的文化，一种是被剥削阶级的文化。关于后一种文化，发展到现代，就是带有民主主义和社会主义成分的文化，列宁这样说道："在每个民族文化里面都有，哪怕不发展的民主主义和社会主义的成分，因为在每个民族里有劳动的和被剥削的群众，他的生活条件必不能免地要产生着民主主义和社会主义的意识形态。"[①]这里，列宁所说的民主主义和社会主义的文化成分，其实就是文化中的人民性，文学的人民性也应包括在内。

[①] [苏]列宁：《关于民族问题之批评》，引自周扬编《马克思主义与文艺》，苏南新华书店，1949年，第155页。

特别令人注目的是，列宁在一系列评价伟大作家托尔斯泰的论文中，更深入地展开了两种文化学说的论证：不仅一个民族有两种文化，而且就在托尔斯泰这个作家身上，也曲折地反映了两种文化成分。1908年托尔斯泰80寿辰，1910年托尔斯泰离家出走，死在途中。就在1908年到1911年3年中，列宁陆续写出了6篇评论托尔斯泰的文章。列宁高度评价托尔斯泰，称他为一个天才的艺术家，创作了世界第一流的作品。由于托尔斯泰的出现，他的杰出作品例如《战争与和平》《安娜·卡列尼娜》《复活》等，竟推动全人类文学的发展向前跨进了一大步。托尔斯泰的文学巨著成为全人类的共同精神财富。可是，托尔斯泰的心灵深处，存在着深刻的矛盾。一方面，他对俄国的农奴制社会现实有着清醒的深刻的认识，对劳苦大众、受苦农奴充满了同情；另一方面，他又高扬宗教精神，提倡不用暴力抗恶，力主道德自我完善。托尔斯泰的思想矛盾反映了农奴制俄国的现实矛盾，他的作品成为当时俄国现实社会各种矛盾状况的镜子。

受到列宁关于两种文化学说和对托尔斯泰精辟分析的启发，在20世纪30年代，苏联对文学人民性问题的研究有了新的推进。苏联的文艺学家，不仅探讨了俄国和欧洲的浪漫主义作家莱蒙托夫、拜伦、雪莱、雨果、海涅等人作品中的人民性，更多地深入研究了俄国和欧洲的现实主义作家契诃夫、屠格涅夫、巴尔扎克、司汤达、狄更斯、萨克雷等人作品中的人民性。

依我看来，不仅俄国文学和欧洲其他各国的文学中都可能具有人民性，世界文学，包括东方文学中也会有人民性。中国古典文学中也具有人民性吗？肯定也有，但这需要去挖掘和探索。比如《诗经》和《楚辞》中的人民性表现在哪里，唐诗宋词、宋元话本、明清小说、传统戏曲中的人民性又有什么特征等等，都需要我们的文艺学家、文学史家去做深入的研究，这里有着广阔的学术天地。

令人高兴的是：如今中国文艺学对文学的人民性问题的研究已经触及现代文学的领域，像鲁迅、老舍、赵树理等作家的作品人民性，都逐渐得到阐发。

文学的人民性表现在哪里？从中外文学史上的创作实践来考察，

可以简要指明数点。

第一,作者对人民是什么态度?作家必须站在人民一边,或对人民采取同情态度,在作品中表现了人民大众的要求、愿望、情绪。这是文学人民性的最基本条件,判断一部作品是否具有人民性,主要是根据这个特征。"文学要成为深刻的人民的文学,就必须有高度思想性,反映出人民群众的意向和愿望,并维护人民的利益。"①"艺术的人民性意味着,不管艺术家所描述的是什么情节、事件、现实中的哪一方面,但他对被描述的东西的态度和评价都应该渗透人民的思想和情感。"②

直接表现了人民大众的生活和思想感情的人民集体创作,民歌民谣、传说等民间文学自然具有这样的特征。历史上伟大的现实主义作家如曹雪芹、巴尔扎克、托尔斯泰等也都有这一特征。一些积极浪漫主义杰作,更在作品中直接表达了人民的呼声:"生命诚可贵,爱情价更高;若为自由故,两者皆可抛。"(裴多菲语)

伟大的现实主义作家列夫·托尔斯泰的作品就深刻地表达了人民大众的心声。正如列宁所说:"他善于以惊人的力量表达出现代制度所压迫的广大群众的情绪,描绘他们的境况,表现他们自发的抗议和愤怒的情感。作为艺术家、思想家和说教者的托尔斯泰,主要是属于1861年至1904年的时期,把整个第一次俄国革命的历史特点,它的力量和它的特点,非常突出地体现在自己的作品里面了。"③

在中国古典文学中,陶渊明在自己的诗文中,构想了一个桃花源世界,反映了劳动人民的理想愿望。富有浪漫主义色彩的长篇小说《水浒传》,不仅关注着从农民中分化出来的广大流民,而且予以理想化,写出了流民走向反抗当朝朝廷的起义过程,反映了广大流民的

---

① [苏]谢米沃洛斯:《反对错误地理解文学的人民性问题》,引自《苏联文学艺术论文集》,学习杂志社,1956年,第268页。
② [苏]凯明诺夫:《论现实主义艺术法则的客观性质》,引自《苏联文学艺术论文集》,学习杂志社,1956年,第42页。
③ [苏]列宁:《列夫·托尔斯泰》,引自《马恩列斯论文艺》,人民文学出版社,北京,1980年,第94页。

理想与愿望。水浒中的人民英雄如李逵、武松、鲁智深等集中表现了中国劳动人民的本色,这些形象千百年来一直活在人民的心中,它具有高度人民性。

第二,关心民间疾苦,关注祖国、民族的命运。中国文学史上出现的许多现实主义和积极浪漫主义作家如屈原、李白、杜甫、白居易、苏轼、陆游等等,都密切关注民间疾苦,关注祖国、民族的命运。"人生自古谁无死,留取丹心照汗青"(文天祥)这种伟大精神,渗透到作品中。

第三,批判社会黑暗,揭露社会矛盾。在中国古典文学中,《儒林外史》作者吴敬梓无情地揭露了科举制度腐朽的本质,出色地创造了被科举制度残害的畸形的儒生典型。揭露和批判反面形象这也是符合人民的意志、愿望的,对一切假、恶、丑现象讽刺、暴露得愈深刻、尖锐,也愈能表现人民性。《儒林外史》的讽刺艺术在中国文学史中达到了高峰,它的人民性主要意义也在于此。

第四,人民的艺术应当为人民群众所理解、喜爱。要使文学为人民所理解,除了在内容上,而且也要在形式上为人民喜闻乐见。白居易的诗,不但内容上富有人民性,而且形式上也平易近人,老少皆知。赵树理的作品不仅内容上而且在形式上也体现了人民性,例如他的《李有才板话》等创造性地继承了我国长篇小说的优秀传统,运用快板形式来表现思想内容,为人民所喜闻乐见。当然,形式的大众化只是人民性的一个组成部分,并不是说形式不大众化的作品就一定没有人民性,有些具有人民性的作品,也可能形式并不大众化,一时难以为人民大众所接受。当然,人民性的决定因素在于作品的思想内容,形式对于人民性有密切的关系,但不是决定的因素。

文学的人民性问题颇为复杂,这里只是提出几点特征。实际上这些特征是相互交错的,许多杰出作家,汇诸多特征于一体,浑然不分。人民性的最基本条件就是作者的思想感情和人民的心声相通、相一致,在作品中真实地反映生活,表现人民大众的思想感情、要求和愿望,以人民的好恶为好恶。

历来,对文学艺术的人民性有各种各样的理解。有人认为文学作品的人民性,就是一定要在作品中描写人民的生活,因而他们看到一些作品中描写的人民生活,就断定它有人民性;而在作品中看不到人民的生活时,就说它没有人民性。这是一种片面的看法。当然,描写人民生活这也是人民性的一个条件,但是,并不是所有描写人民生活的都是有人民性的,假如作者站在没落阶级的立场,纵然写了人民的生活,结果是歪曲了人民的生活。假如作者站在进步的人民的立场,真实地反映现实,那么,即使他没有直接写出人民的生活,也仍能表现出人民性。例如过去伟大的古典作家们大多是描写统治阶级生活的,但他们能真实地无情地把统治阶级的腐朽生活揭露出来,大胆地揭露社会矛盾,因而具有人民性,例如《红楼梦》《儒林外史》《死魂灵》《钦差大臣》等等。其次,有人认为文学作品的人民性就是文学作品的通俗性,这也是片面的看法。当然,通俗的作品容易为人民大众所接受,但通俗的作品并不一定都能表现人民的思想感情。有些文学作品纵然形式通俗易晓,甚至是用民间形式,但是却表现了封建迷信思想和剥削阶级的颓废思想,在作品内容上就没有人民性。而在人民长期受压迫、缺乏文化的历史条件下,屈原、陶渊明、杜甫、普希金、巴尔扎克、歌德、拜伦等人的作品在当时不一定为人民懂得,但却具有人民性。伟大的古典作家们纵然不一定用通俗形式写作,在当时历史条件下不一定能为人民大众所接受。但他们对社会黑暗的批判,和人民的要求和愿望相一致,因而这样的作品仍然具有人民性。最后,还有人把人民性和民族性完全等同起来,以为只要文学有民族性,就有了人民性。这说法也有欠缺。我们也不能把民族性和人民性混为一谈,列宁早已指出过每一民族有两种文化,并不是所有"民族的"都是"人民的"。

二

在阶级社会中,文学是有阶级性的,它直接或间接地反映一定阶级的思想和感情。高尔基说得好:"文学是社会的阶级和集团的意识形态——情感、意见、企图和希望——形象底表现,它是阶级间的关系底最尖锐的忠实的描写……因此文学是阶级倾向底宣传最普遍、方便、简单和制胜的手段。"①

而文学的阶级性是由于作家思想意识的阶级性所决定的。文学是社会现实在作家心灵中的反映和加工的结果。在阶级社会中,由于作家所代表的阶级利益和阶级意识不同,这就决定了文学的阶级性,所以高尔基说:"作家是阶级的眼睛、耳朵和声音。"②

然而,文学家的阶级意识在文学中的反映是曲折的,阶级性和人民性在具体作品中交织在一起,这就使得文学的人民性问题显得更为复杂。无论是现实主义文学还是浪漫主义文学,都是既有阶级性,又具人民性。

文学中所表现的阶级性是错综复杂的,这是因为在阶级社会中,阶级关系是复杂的,即使统治阶级和被统治阶级之间也有着复杂的联系。尽管在过去社会中有残酷的阶级斗争存在,但阶级与阶级之间仍有千丝万缕的联系。

生活在阶级社会中的作家,即使是属于统治阶级出身的作家,也不可能不接触本阶级以外的生活,这就使得作家的思想变得复杂,在思想意识本身就存在着种种矛盾。表现在文学中,阶级性也就表现得错综复杂。

绝不能以作家的阶级出身为唯一标准来确定文学是否具有人民性。有些文学研究家分析文学中的阶级性、人民性时,用简单的阶级分类法,认定作家是什么阶级出身,就判断他的作品是什么阶级的(统治阶级的或人民的)。假如某一作家是贵族阶级出身(例如普希金、屈原)就判定他的作品是完全代表贵族阶级的利益,因而是贵族阶级的作品。这是一种机械简单化的思想方法。文学中的阶级性、人民性与作家的阶级出身有密切的关系(这一事实从来也没有被马列主义者忽视过),但不一定就是作家出身阶级的阶级性的最完全表现。马列主义者在评价某些作家的历史价值时,所遵循的不是作家的

---

① [苏]高尔基:《俄国文学史序》,引自周扬编《马克思主义与文艺》,苏南新华书店,1949年,第89页。
② [苏]高尔基:《关于现实》,引自周扬编《马克思主义与文艺》,苏南新华书店,1949年,第99页。

阶级出身，而是作家在自己作品中反映的思想倾向、情绪是不是反映人民的要求，客观上是否对人民有利。

世界文学史中，许多优秀的民间文学以及出身于被统治阶级并站在本阶级立场直接反映了人民的生活和思想的作品，这是富有人民性的。这样的作品常被苏联文艺学称为直接形式的人民性。民间文学是直接产生于劳动人民，而且大多是集体创作，最直接地反映了人民的生活、思想、愿望和要求。例如中国文学中的《诗经》中的许多诗篇，乐府中的一些诗篇，以及后来的许多歌谣、传说中都有着高度的人民性。有的作家出身于劳动阶级并具有人民的立场，在作品中直接代表了人民的利益。像英国作家狄更斯被马克思称为"杰出的小说家"，就创作了大量描写底层人的生活和作品，如《雾都孤儿》《艰难时世》等等，成为英国批判现实主义的开拓者。狄更斯出身贫寒，自己就当过童工，了解底层生活。梅林说，"他的心始终向着穷人和不幸者。"又如俄国的乌克兰诗人舍甫琴科（1814~1861）就是农奴出身的作家，他的诗表现了人民对于农奴制的抗议。高尔基说，"他得到很高评价，正因为他是第一位真正的人民诗人，他从没有用主观的见解来歪曲人民的思想与感情。"①

但是，我们考察一下世界文学史就会发现，直接出身于被统治阶级并站在人民立场反映人民利益的作家是非常稀少的。相反，许多伟大的现实主义作家和浪漫主义作家大都出身于统治阶级家庭。列宁在分析社会主义意识的产生时告诉我们：工人阶级自身不可能产生社会主义意识，它只能从工人阶级外部输进去。社会主义的学说是由有产阶级出身的那些受到教育的分子即知识分子（例如马克思、恩格斯）所制定的哲学理论、历史理论以及经济理论中生长出来的。其实，文化艺术的创造，也常是这样。在阶级社会中，劳动人民在物质上、文化上都是被剥削、被压迫者，他们终年辛勤劳动着，生活贫困，不可能获取受教育的机会，也没有创作的条件。而统治阶级垄断着文化，并有计划

---

① [苏]顾尔希坦：《论文学中的人民性》，戈宝权译，群益出版社，上海，1949年，第42页。

地培养一些为统治阶级服务的文学艺术工作者。即使人民有了文化的创造,也被统治阶级设法淹没,不让流传。列宁说得很正确:"知道艺术家托尔斯泰的,甚至在俄国也只是极少数的人,要使他们伟大作品真正成为大家的财富,就必须斗争,就必须向那种使千千万万人们陷于愚昧、卑贱、苦难和贫困的社会制度作斗争,就必须来一个社会主义的变革。"①

许多现实主义作家和积极浪漫主义作家,虽然出身于统治阶级,但是他们投身于现实,接触了人民,同情人民的疾苦,以文学的形象反映出了时代的现实情况,反映了人民的生活、思想、感情、要求和愿望,表现了深刻的人民性。其所以如此,就是因为作家生活在现实中,只要他敢于面对现实,深入人民生活之中就会感受到人民的苦难,从而受到感染,就会有意识或无意识地努力超越自己的统治阶级狭隘利益,排除阶级偏见,而接近于人民的思想立场。这些作家虽然在生活上没有直接和人民结合,他们"从外面"(像列宁所说的那样)把自己的文学献给人民,为人民的斗争而服务。有时,被统治阶级自己还没有普遍意识到自己的地位时,一些现实主义和积极浪漫主义作家以敏锐的观察力和宽阔的心胸,体会到人民的情绪和愿望,并通过艺术形象在文学中反映出来。在这个意义上说,作家(即使是出身于统治阶级)比人民还早走了一步。高尔基说得很好:只有人民才是整个创造的最伟大的和永远汲取不尽的泉源。但是,伟大的文学家们在汲取这个泉源时,他们经常是以百倍的东西还给人民,以由崇高的创作思想所充实,以由人类丰富艺术文化所孕育出的自己天才的创作来还给人民。

文学史上,绝大部分现实主义作家和积极浪漫主义作家所创作出来具有人民性的作品都不是直接来自人民的,但我们仍然说它具有人民性。顾尔希坦说过:"不仅那些直接来自人民的东西,我们应该称之为人民性,就是那些为了人民的东西(甚至是从外面输入的东西),也是人民性的。因为,在这里,我们感触到人民大众的永不休止

---

① [苏]列宁:《列夫·托尔斯泰》,引自《马恩列斯论文艺》,人民文学出版社,北京,1980年,第93~94页。

的生命的气息,和人民大众的强有力的创造的影响。"①

这也就是通常为人们所说的间接形式的人民性。"过去许多大作家的创作中,人民性不是存在于表面的,不是存在于所谓化学式的纯洁状态中,而是以一种由于社会关系而显得复杂并且为阶级关系所规定的形式出现的。"②

出身于统治阶级的古典作家,由于时代的变迁,人生道路的变化,其阶级地位也会发生变动。而阶级地位的变动,反过来又影响他的人生实践,从而思想意识也会变化。

第一,在异族的侵略的时候,民族矛盾成为社会的主要矛盾,具有艺术良心的作家不能不正视现实,反抗侵略,爱国的思想也就能在作品中得到表现,这是符合于人民大众的愿望和要求的。"在具体的历史条件中,人民性表现在爱国主义中、人道主义中、民主主义中、反对专制政治的斗争中。"③

此时人民性正是具体的表现在爱国主义中,因为爱国主义思想按其实质表现而言就是爱人民得以生存于此的土地和家园,符合人民的意志和愿望。这类作家,在各国的文学史中都有,中国文学史中南宋爱国诗人陆游的诗、辛弃疾的词,表现了浓厚、深刻的爱国主义思想,因而具有深刻的人民性。

第二,代表历史上新兴的阶级(还在上升时期或还起进步作用的)意识的作家,因为他能站在当时先进的思想立场上,从而在作品中体现了人民性。马克思曾经从社会变革中考察过新兴阶级的特征和作用,指出:"任何新兴阶级,为了实现把自己来代替它以前的统治阶级的任务,就不得不把自己的利益描写为社会一切成员的公共利益,即是把自己的利益赋予以普遍性的形式,把它描写为唯一合理的公

---

① [苏]顾尔希坦:《论文学中的人民性》,戈宝权译,群益出版社,上海,1949年,第47页。
② 伊瓦施琴科:《论文学的人民性问题》,引自[苏]维诺格拉陀夫《斯大林论语言学的著作与苏联文艺学问题》,张孟恢等译,时代出版社,成都,1952年,第186页。
③ 杜勃雷宁:《文学的社会意义》,引自《斯大林论语言学的著作与苏联文艺学问题》,张孟恢等译,时代出版社,成都,1952年,第85页。

认的思想。"

这是因为:"进行革命的阶级——单就它与别一阶级的对立而言——从最初起,就是不作为一个阶级而出现的,而是作为整个社会的代表者而出现的;它以社会的全体群众底资格,去对抗唯一的统治阶级。"①

英国的现实主义作家莎士比亚的戏剧、美国19世纪积极浪漫主义诗人惠特曼的诗高声呼唤自由、民主,就带有全民的色彩。

第三,有些作家所处的阶层在统治阶级中处于被排挤的地位。一些文人学士,在社会变革时期往往被排挤出来,更多更广地接触了人民,因而就由统治阶级内部矛盾而转向同情人民方面来。在杜甫、白居易、苏轼身上都发生过这种情况。

第四,作家本来是统治阶级中人物,后来在社会动乱和变革过程中,从本阶级分化出来,转变到人民中间。在他长期和人民生活的过程中,感染了人民的思想感情,表现了对原来阶级的反抗与背叛。托尔斯泰就是这样的作家。

第五,作家所处的阶级已是没落的统治阶级,但作家本身已清醒地看到他们阶级的必然灭亡的命运,痛定思痛,经过自我反思而无情地写出了本阶级的腐朽没落,不配有更好的命运,从而能在客观上引起人民对于统治阶级的憎恨。例如俄国现实主义作家果戈理、中国的《红楼梦》作者曹雪芹等。

以上这些表现不是孤立的,其间也有错综复杂的关系,例如杜甫、白居易主要反映阶级矛盾,但也反映了民族矛盾;辛弃疾主要是表现民族矛盾,但也反映了阶级矛盾。我们考察文学史上的作家后发现了这一规律,这就是:文学的人民性在客观现实矛盾最深刻化、尖锐化的时代也就表现得最为突出。伟大的作家常会在矛盾尖锐的时代出现,这是因为一个具有创作才能的作家处在充满矛盾斗争的现实,是不能孤立起来或逃避社会不受现实影响的。他的生活实践、思想情

---

① [德]马克思:《德国意识形态》,引自周扬编《马克思主义与文艺》,苏南新华书店,1949年,第16页。

感乃至阶级立场都可能因现实的矛盾而发生变化，客观现实的矛盾越尖锐化，也就愈加促进其变化的速度和深度。在社会动乱和变革尖锐化的时期，由于阶级矛盾及民族矛盾以及其他矛盾尖锐化，人民生活更加贫困，人民的要求、愿望更加集中、激烈，作家的生活也受到更大波动。这时，处在矛盾斗争中心的进步作家最能在文学里表现出人民性。中国历史上常出现国家不幸而诗家"幸"的现象，在诗歌中反映了那个时代。因此，我们说具有高度人民性的作品大多是在阶级斗争、民族矛盾最尖锐的社会动乱和变革时期产生的。

一个人来到世界上，总要和社会发生联系，并处在一定的社会关系中。许多古典作家出身于统治阶级，阶级地位限制了他的世界视野，只能在狭隘的社会关系中和世界接触。阶级地位的变化会促使他跳出狭隘的社会关系而接触更广阔的社会生活，更多地更深地和人民有了接触，扩展了自己的视野，他对人生、世界的领悟，会有更新的体验，从而跳出了原来的阶级偏见，创造出具有人民性的文学作品。高尔基曾这样说道："一个作家比别人更饱含着经验——人生底知识，一个具有丰富经验的作家总是互相矛盾的，因为丰富的经验要求着一些广大群众的、有坦诚的思想，而这些思想是与集团和阶级狭隘的目的敌对着的。"①

文学创作的优劣，直接决定于作家的思想境界的高低和精神世界是否丰富，以及作家能否运用最好的创作方法把自己对世界的体验、感悟组织起来，创造出一个形象的世界。像苏轼这样既具有现实主义精神又富浪漫主义色彩的古典作家，所以能创造出至今还有艺术魅力的作品，其中"有着没有成为过去而是属于未来的东西"（列宁语），正就是因为他越出了统治阶级的狭隘关系，和人民的生活有了直接或间接的联系，从而能反映出他和现实世界的真实关系。

苏轼出生于四川一个中小地主殷实之家，书香门第，从小受的教养，就是要追随父亲苏洵之后，一生要实现修身、齐家、治国、平天

---

① [苏]高尔基：《俄国文学史序》，引自周扬编《马克思主义与文艺》，苏南新华书店，1949年，第98页。

下的壮志。22岁时,苏轼就和弟弟苏辙一道,通过了由欧阳修主持的礼部考试,同科进士及第,从比七品芝麻官还低的八品做起,后来才到当时的京都(汴京,今河南开封),在中央管的京都直史馆编修国史。在51岁时还曾在京师任翰林学士,朝廷的侍读,有机会能常被皇帝召见。但是,苏轼很早就敏锐地觉察到朝廷上层内部的政治倾轧,自己不愿把精力和时间消耗在这没完没了的宗派斗争中,宁愿离开汴京到外地去做地方官。后来,苏轼又屡遭朝廷小人的妒忌,好几次受贬,远离中央朝廷,在好几个地方去当通判或知州,足迹遍及黄河流域、淮河流域、长江中下游。最后七年,贬得更远,去了当时的荒蛮之地——岭南,直至天涯海角——海南。苏轼的大半生都在汴京以外的地方生活,这不仅有机缘让他更广泛地亲近祖国河山,而且能更多更深地接触人民,使他能体察民情,同情人民,为民请命。我们不仅可以从他对赤壁、庐山、西湖、钱塘江等祖国河山的深切体验中领悟到人生的意义,而且从他许多同情人民疾苦的诗篇中深切感受到他的心是和人民相通的。苏轼曾两次到杭州做地方官,一次是在40岁前的三年当杭州通判,一次是在55岁左右有两年当知州,两次都为杭州人民办了不少利民好事。唐代白居易任杭州刺史时,曾疏浚六井,治理西湖,到宋代渐已淤塞,淡水日少。苏轼关心民间疾苦,兴修水利,重又疏通六井,使普通百姓喝上淡水。后来,继白居易修筑白堤之后,苏轼又在西湖进一步治理,修筑了苏堤,沟通了内湖、外湖,受到了人民的爱戴。这位来自四川的文人也爱上了杭州,"居杭积五年,自意本杭人"。甚至,他还在宜兴买下了一片地,想真正成为田舍翁。"阳羡姑苏已买田,相逢谁信是前缘",他和江南水乡结下了不解之缘。他读万卷书,更适应了走万里路,到哪里,就把心安下来,随遇而安,到处为家。即使被贬到岭南惠州,他也能以一种平常心和当地父老交往相处,安下心来。"日啖荔枝三百颗,不辞长作岭南人"。苏轼在岭南、海南一共贬居了7年,好不容易得赦,准备告老回乡,到宜兴养老,但还未到家,就在常州病倒,积累多年的瘴疠之毒,夺走了他的生命,年仅66岁。苏轼的不少诗文,就像杜甫一样,为的是"致君尧舜上,再使风俗淳",打上了阶级烙印,但又具人民性。甚至,他已自我意识到:

"我虽穷苦不如人,要亦自是民之一",因而在不少诗文中,自觉地为民请命。

人生活在这个世上,既要在实践上去把握这个世界,更要从精神上去把握这个世界。而从精神上去把握世界又存在不同的方式,以文学艺术的方式和以理论抽象的方式去把握,就有很大的差别。文学艺术对世界的把握更接近于马克思所曾说过的从"实务精神"上的把握,和一个人的生活实践有更紧密的关系。杜勃罗留波夫在《黑暗的王国》一文中,曾对作家、艺术家对生活的"敏锐而强烈的感受力"作了分析,发现他们看到了某一事物的最初现象时,就会发生强烈的震惊,虽然还没有能在理论上解释这种现象,作出思考,就能迅速领悟到现象的意义而创造出艺术形象。一个作家可能在受本阶级的教育中从别人那里接受一些理论观点,但由于阶级地位的变化,他的人生实践超出了他所属那个阶级的狭隘关系,就有可能进入更广阔的社会关系,接近人民。这样,他创作的文学作品就既有阶级性,又有人民性。

三

作为艺术中的一种,文学的人民性并不是通过概念、判断、推理的方式作抽象的议论,而是通过可以使人具体感受到的艺术形象生动地表现出来。

作家从生活中获得了丰富的人生体验,通过形象的创造,把这些人生体验用不同的方法组织起来,运用生动的语言表达出来。这里,就存在着不同的创作方法。创作方法,就是文学如何把自己的人生体验组织起来,构造艺术形象的方法。

不同的创作方法,创造出不同的艺术形象。中外文学史上出现过多种多样的创作方法,唯美主义、形式主义、感伤主义、象征主义、印象主义、自然主义、颓废主义等等,为数众多。但是,文学创作最基本的方法还是现实主义和浪漫主义这两种。文学巨匠高尔基在《俄国文学史》中就曾说过:在文学史上,主要的潮流有两个,这就是浪漫主义和现实主义。在此之前,19世纪法国的浪漫主义作家乔治·桑就对现实主义作家巴尔扎克说道:你写出的人物,是照你看到的那样子;我感到我的任务是去描写我愿意看到的样子。其实,这就是文学创作两种最基本的创作方法。

纵观中外文学史,能创作出优秀的文学作品的,还是集中在现实主义作家和浪漫主义作家身上。文学的人民性也在现实主义作品和浪漫主义作品中得到了充分的表现。这和两种创作方法的特长有密切关系。

浪漫主义的创作方法有什么特长?

首先浪漫主义赋予作品强烈的表现性。作家创造的艺术形象既有现实再现的因素,又有自我意识的表现,是再现和表现的结合,差别就在于如何结合。再现和表现结合的方式不同,所创造的形象也就千差万别。浪漫主义美学家、文学家席勒在《论朴素的诗和感伤的诗》中曾说:诗只有两个领域,它要么在感觉的世界里,要么在理想的世界里。浪漫主义更加突出了作家自我的思想感情的表现性,创造出一个理想的世界,用来表现自己的理想和愿望。席勒自己就创作了《阴谋与爱情》等多部作品,猛烈抨击封建专制,高扬追求自由的理想精神。其他许多浪漫主义作家如拜伦、雪莱、雨果等的作品也都不同程度上突出自己的理想,热情澎湃,激发人们对理想的向往。

其次,浪漫主义创造的艺术形象具有超常性。浪漫主义作家为了突出自己的理想,充分表现对自由、幸福、安乐的向往,在作品中创造的艺术形象(人、物、事、境等等),常超出常态,具有非凡的特性。意大利诗人但丁所作的《神曲》,不仅把我们带入地狱,而且还随着他上升到天堂,这都是诗人幻想的世界。我国的古典小说《西游记》,写唐僧师徒西天取经所经历的种种磨难,孙悟空一个跟斗十万八千里,上天入地,无所不能,这都是现实中不可能存在的。这些艺术形象乃是由作者的理想化构建出来的超常非凡的形象,具有假定性。中国古典戏曲《牡丹亭》《长生殿》《窦娥冤》《白蛇传》中,都以理想化的构思,创造出了超常的、非凡的假定性的艺术形象,成为浪漫主义的杰作。

最后，需要特别指出的是，浪漫主义创作意向具有差异性。浪漫主义作家的创作意向千差万别，多种多样，所向往的究竟是什么，各不相同。但复杂纷繁的不同追求可以归纳为两大趋向：一是走向积极奋发，一是走向消极沉沦。所以，高尔基在指出文学史上的现实主义和浪漫主义两大潮流之后，立即把浪漫主义本身的两种趋向作了价值区分。他在《我怎样学习写作》中这样说道："在浪漫主义里面，我们也必须分别清楚两个极端不同的倾向：一个是消极的浪漫主义，它或者粉饰现实，想使人和现实相妥协；或者说使人逃避现实，堕入到自己内心世界的无益的深渊中去，堕入'人生的命运之谜'、爱与死等思想中去——堕入不能用思辨、直观等方法来解决，而只能由科学来解决的谜之中去。另一个是积极的浪漫主义，则企图加强人的生活的意志，唤起他心中对于现实、对于现实的一切压迫的反抗心。"①

把浪漫主义区分为积极的和消极的两种，这有助于我们进一步深入地理解文学的人民性。并非一切浪漫主义作品都具有人民性，只有积极浪漫主义作品才可能具有人民性。从中外文学史上的创作实践看，正是那些积极浪漫主义作品，才有可能表现符合人民意向、和人民心声相一致的理想和愿望。

积极浪漫主义的主要特长就是用理想化的方法来创造艺术形象以表现作家的理想，这种理想意向和社会发展的方向相一致，和人民的心声相通。这样的浪漫主义常和现实主义相结合，从而创造出既符合人民意愿，又具历史真实性的优秀作品。陶渊明的《桃花源记》，生动展示世外桃源的社会情景，鸡犬相闻，和睦相处，怡然自乐，好像是现实生活的真实再现。其实，这已经是作者所理想化了的世界，是作者希望如此的、应该如此的理想生活。古典叙事诗《孔雀东南飞》，不仅有现实主义的对现实的真实再现，也有浓烈的浪漫主义色彩，寄寓着作者追求自由、幸福的美好理想。像《水浒传》《三国演义》这样常被称为中国文学史上的现实主义作品，其实也常渗透着积

---

① [苏]高尔基：《我怎样学习写作》，戈宝权译，生活·读书·新知三联书店，北京，1984年，第11页。

极浪漫主义。许多为广大人民喜爱的艺术形象,李逵、鲁智深、武松、关羽、张飞、孔明等都是作家和人民群众共同创造出来的理想化人物,是作者和广大人民愿意看到、希望看到的。

浪漫主义有自己的特长,现实主义也有自己的特长。现实主义的特长在哪里?

第一,再现现实的真实性是现实主义方法的基本要求和特征。文学作品既再现现实,又表现思想感情。而现实主义则特别突出现实的再现,要真实再现现实。但我们必须把现实生活中实在的现象和文学对现实的再现这两者区别开来,也即是,要把文学中的现实和生活中的事实区别开来。文学对现实的再现只是和现实相似,妙在似与不似之间,却不能等同。只是,和浪漫主义形象的假定性相比,现实主义突出了再现的逼真性。

文学中反映现实的真实性,绝不应理解为只是像镜子般的死板的反映,而是要经过作家的艺术构思,创造出一个新的境界,反映出现实中具有内在联系、合乎规律的东西。巴尔扎克、托尔斯泰、曹雪芹等正是由于能观察生活的内在规律,他们的作品才在当时乃至现在具有巨大的认识意义。正是现实主义文学反映了社会的矛盾,反映了那个时代的本质方面,才使自己的生命不朽,这正是现实主义文学的优良传统。现实反映的逼真性是现实主义方法的基本特征和主要要求。

第二,思想倾向性的自然流露,也是现实主义方法的重要特征。作家始终是从一定的价值立场反映现实的,因而任何文学作品中,总是表现了作家对现实生活的看法、态度和评价,体现了一定的思想倾向。正是文学的思想倾向性决定着文学的教育意义。但是,现实主义作品的思想倾向性,不像浪漫主义作品那样,常常通过作品主人公甚至作家本人直接地说出,而是通过对现实的生动再现自然流露出来。在对现实的生动描绘中,在艺术形象的整体中,自然而然地表现出思想倾向性,不需由作家在作品中直接说出,而是在现实的再现中作富有诗意的裁判。这正是现实主义的特征。

第三,现实主义方法的另一重要特征是艺术形象的典型性。现实主义创造出来的艺术形象和浪漫主义所创造的假定性形象不同,具有逼真性；但和自然主义又有原则的区别，它不是生活中个别事实的复制，而是作了艺术概括，从而创造出了典型形象。甚至，充分的现实主义还可以创造出典型环境中的典型人物。文学的典型化程度可以发展到极高的水平。

我们必须分别清自然主义和现实主义两者具有原则的区别。自然主义的欠缺，不只是在反映现实的不充分，现实主义和自然主义的区别还在于反映、概括现实的性质不同。现实主义反映客观真实，而自然主义掩盖真相。

正是现实主义的特长在于以生活本身的样式逼真地再现现实，也就为文学广泛地反映人民的生活开辟了广阔的道路。现实主义作家的笔触，不仅日益向广大的自然界伸展，而且更深入地展示了社会生活的错综复杂，更深刻地触及人的内在心灵，创造出丰富多彩的多种多样的典型形象。

综观世界文学史上出现的真正有价值的作品，无论是现实主义的，还是积极浪漫主义的，其最深刻的根源，还是由于在长期历史发展中和人民的生活有着直接或间接的联系。现实主义和积极浪漫主义这两种倾向，贯穿于整个文学历史的发展过程中。古希腊的荷马史诗，就既有现实主义因素，又有积极浪漫主义因素。不过，《伊利亚特》的现实主义倾向更明显，而《奥德赛》的浪漫主义色彩更浓。而荷马史诗产生的土壤又是古希腊在人民中流传的神话和传说。马克思对古希腊的文学和艺术，给予了高度评价，认为古希腊史诗具有永恒的价值。列宁在论及文学艺术和人民的关系时说过这样精彩的话："艺术是源于人民的。它的最深的根源，应该是出自广大劳动群众的最底层。它应该是为这些群众所了解和为他们所挚爱的。它应该将这些群众的感情、思想和意志结合起来，并将他们提高起来。它应该唤醒他们中间的艺术家和发展他们。"[①]

列宁还一再说明，托尔斯泰的现实主义力量决定于他善于以非

---

① [德]蔡特金：《列宁回忆录》，引自周扬编《马克思主义与文艺》，苏南新华书店，1949年，第155页。

凡的力量传递出受现存制度压迫的广大群众的情绪,描绘了他们的状况,表现他们抗议和愤懑的自发情感,并从他们的立场上对改革前后的俄国的制度作了无情的批判。

可见,无论是积极浪漫主义还是现实主义,在历史发展中和人民性有着内在的联系。别林斯基说得好:"谁有天才,谁就是真实的诗人,他不可能不是人民的。"①

杜勃罗留波夫也指出,文学必须反映现实,首先必须反映人民的生活并表现人民的利益。他说:"人们必须不单是要了解那种生活,而且还必须亲自深刻而有力地感受生活和体验生活,必须跟人民有息息相关的联系,必须在一个时期中以他们的看法为看法,以他们的思想为思想,以他们的意志为意志;人们必须推察他们的本性,推察他们的心灵。"②

现实主义和积极浪漫主义同人民性的这种内在的联系,贯穿在整个文学史的发展过程中。

文学人民性的发展是和现实主义以及积极浪漫主义的发展密切联系的。现实主义和积极浪漫主义越发展,文学中的人民性也越来越扩大自己的领域,提升自己的水平。但是,人民性本身也随着社会的历史变化而会有不同的历史涵义。在阶级社会中,每一社会历史阶段的阶级关系,即统治阶级和被统治阶级(人民大众)的关系,会随着社会历史本身的发展而经常变化。例如中国初期封建社会就有三类不同的阶级关系,在西周,贵族、诸侯,乃是属于统治阶级,自由民、农奴、奴隶是属于被统治阶级;在春秋时代,王国贵族、诸侯、卿大夫、士、大商人是属于统治阶级,自由民、农奴、工商、奴隶是被统治的阶级;在战国时代,贵族领主、地主、士大夫、大商贾属统治阶级,农民、奴隶是属被统治阶级。阶级关系发生变化,必然地会影响到文学人民性所反映的内容。"百姓"在中国古代是贵族的通称,在殷商指的是奴隶主阶级,在周朝是封建领主阶级,到春秋后半期,地主阶级兴

---

① [俄]季莫菲耶夫:《文学原理》,查良铮译,新文艺出版社,上海,1957年,第155页。
② [苏]阿尔希帕夫:《论杜勃罗留波夫的文学批评原则》,引自[苏]谢尔宾纳等:《文学理论学习小译丛》第五辑,曹庸译,新文艺出版社,1954年,第317页。

起,"百姓"就失去了贵族的涵义,其地位和自由民一样了。今天"老百姓"已成为劳动人民的通称①。而在希腊奴隶社会,"人民"指政治上有权位的人,不包括奴隶。人民的概念的不同,文学中所反映的人民性的内容也不同了,人民性问题虽然在近代(18世纪)才提出,但是人民性早已存在于古代文学中,在每一社会历史发展阶段中,人民性表现为丰富多彩的内容。大体上说来,文学的人民性在社会发展上有五个主要时期:孕育于古代社会中的童年的叙事诗的古代人民性,孕育于奴隶社会中的古代民主政治的人民性,孕育于封建社会中的市民阶层的人民性,孕育于资本主义社会中的革命民主主义的人民性,社会主义的人民性。②

荷马时代的希腊文学艺术中的人民性,反映着人类社会一去不复还的美妙的童年时代。希腊的神话反映着古代劳动人民对自然作斗争的意志和幻想。《伊利亚特》和《奥德赛》从希腊神话的土壤上产生,和人民的生活有着密切联系。在这两部史诗中,保存了希腊民族最古老的史实,人类童年的痕迹。在中国文学中,也很早就产生了神话,在《山海经》中就保存不少反映古代童年的神话,例如"夸父逐日"、"精卫填海"和"女娲补天"等。我国最早的诗歌结集《诗经》就是在古代民歌的基础上产生的。现实主义是其基调,但也有积极浪漫主义的成分。而产生在南方的《楚辞》,则积极浪漫主义的倾向占了主导,又不乏现实主义的成分。在希腊奴隶社会,雅典古代民主政治的建立,这给文学带来了新的人民性。这时出现了很多悲剧作家,创作了不少有人民性的悲剧。最伟大的悲剧作家欧里庇得斯突破了那时民主政治的界限而为奴隶说话,他的悲剧大多讨论社会问题,维护奴隶的权利,提倡妇女解放,抨击战争和宗教。人民性的表现,在近代史的黎明时期,在文艺复兴时期更为明显。14世纪,商业资本发展,产生了文艺复兴运动,市民阶层逐渐成长起来,代表这种新生力量的伟大作家有但丁、莎士比亚。但丁的《神曲》暴露了中世纪社会统治的

---

① 范文澜:《中国通史简编》(第一编),修订本,人民出版社,北京,1965年。
② [苏]顾尔希坦:《论文学中的人民性》,戈宝权译,群益出版社,上海,1949年,第20页。

黑暗和腐朽，反映了当时群众抗议封建统治的要求、愿望。莎士比亚的戏剧大多暴露了封建贵族统治的腐败，抨击封建贵族君主政治，同时也揭露资产阶级对于金钱的无耻的贪婪和自私自利的本质。启蒙运动者们或高扬现实主义，或倡导积极浪漫主义，文学中的人民性也得到了发展。中国文学史上现实主义和积极浪漫主义更为发展的时代是宋代和元代，在所谓市民文学或平民文学开始比较显著发展的时候，人民性也得到了较为明显的表现。此时，文学已不只为统治阶级服务，而且也为平民（商人、差吏和兵士，城市手工业者和一般平民）服务，它所表现的人民性更为直接、丰富，人民的生活和普通人的性格和思想感情有了更直接和清楚的表现。许多现实主义和积极浪漫主义作品，如《水浒传》《西厢记》《儒林外史》《红楼梦》《西游记》等都产生在这个时代。欧洲发展到18世纪，特别是19世纪资本主义确立，现实主义文学和积极浪漫主义文学都蓬勃发展，文学中人民性的表现有了更广阔的天地。资本主义的确立，社会矛盾也愈来愈尖锐，具有真正艺术正义感的作家，只要能正视社会现实，忠于现实，就会敏锐地触及资本主义社会的黑暗和腐朽，像巴尔扎克的《人间喜剧》就暴露了资本主义社会的黑暗和腐朽。发展到19世纪俄国革命民主主义作家那里，现实主义和积极浪漫主义作品中的人民性达到了新的高度。

　　文学的历史发展告诉我们，文学中人民性的程度和水平，是随着现实主义文学和积极浪漫主义文学的发展而不断提升的。现实主义文学和积极浪漫主义文学所创造的艺术形象或形象体系，表现出了文学中人民性所达到的高度和广度。所以，要了解文学的人民性，只有深入作品的形象世界中去探讨人民性的内容和特色。不能只以作家主观信奉的某种抽象议论、某种理论宣言或作家们的阶级出身孤立地来理解文学的人民性；不能离开了作品的形象世界，而在作品以外的作家的主观宣言中去寻找文学的人民性。列宁在论及托尔斯泰时就已指出，当托尔斯泰发表议论文章时（如1862年的《进步和教育的定义》），总爱抽象地谈论永恒的宗教真理和道德原则。可是，在他的现实主义杰作中，通过艺术形象揭露和讽刺了上层社会的道德伪善。正是在文学所创造的形象世界中,充分表现出了人民性。杜勃罗留波夫一再指出:"艺术家甚至在抽象的议论中,他所吐露的观念,也常常要和他在艺术活动中所表现的观念,处于明显相反地位。……作为了解他的才能特征的关键——他对于世界真正的看法,这还得在他所创造的生活的形象中去找寻。"①

一个作家在文学作品中形象表现出来的思想倾向,常会和他的抽象议论有所不同。我们要了解文学作品的人民性,只有深入现实主义、积极浪漫主义所创造的形象世界中去寻找。

四

文学的人民性和作家世界观有什么关系?我们这个世纪自30年代以来,无论在苏联,还是在中国,都曾对作家的世界观和文学和创作方法之间的关系问题有过许多争论,其中亦涉及了作家世界观和文学人民性的关系。

争论中基本有两种不同的观点。一种观点是,文学的人民性来自先进的创作方法,而先进的创作方法又来源于作家的先进世界观。世界观决定创作方法,创作方法决定文学的人民性。另一种观点则认为,文学的人民性和作家的世界观没有关系,而只和创作方法有关,即使是世界观反动的作家,只要采取先进创作方法,也能创作出受人民欢迎的文学作品。

其实,对这两种观点都不能作简单的肯定或否定,具体情况要作具体分析,绝不能一概而论。

像席勒、雨果这样的积极浪漫主义作家,具有当时堪称先进的世界观,通过自己的作品,直接或间接地表达了自己的先进思想,赋予文学有高度的人民性。印度浪漫主义诗人泰戈尔亲近广大农民,亲身感受到农民的不幸,关心农民的疾苦。20世纪之初,他变卖了自己房

---

① [俄]杜勃罗留波夫:《杜勃罗留波夫选集》,辛未艾译,新文艺出版社,上海,1956年,第163页。

产,来到和平之乡,为农民孩子办起了森林学院式的学校。他在大自然中进行全面教育,让孩子的心灵得到充分发展与自由。泰戈尔创作的诗歌充满了对自由、幸福的向往,对人民的热爱。

但像托尔斯泰这样的现实主义作家就稍为复杂一些。这是因为他的世界观曾经历了巨大的变化,农民的世界观成了他的主导。但就是转变后的世界观,本身也仍然很复杂,需作更深入的具体分析。

至于像巴尔扎克、果戈理这样的现实主义作家,就更为复杂。果戈理本身就是庄园主,他的世界观并不先进。但是他在《钦差大臣》《死魂灵》中却辛辣地揭露和讽刺了他自己所属的那个阶级及官僚的腐败和丑恶。而当他在写《死魂灵》第二部时,却又对庄园主给予了同情和美化,歪曲了现实,连他自己也觉得不满,只好烧毁。巴尔扎克的政治立场属保皇党,同情贵族,主张保存皇权。但是,他在《人间喜剧》的一系列作品中,却又写出了他同情的贵族不配有更好的命运,必然要走向衰亡。而他所讨厌的那些庸俗的市民,正在占领新的历史舞台。巴尔扎克在现实主义杰作中所表现出来的对现实的认识和理解,和他的政治立场发生了矛盾,现实主义获得了胜利。

无论是现实主义作家还是浪漫主义作家,一是其世界观本身就可能是复杂的,并不完全统一。世界观内部的政治观、道德观、宗教观、哲学观之间就可能存在矛盾。二是其世界观会随着时代变迁而发生变化,有的甚至发生根本的变化。三是其世界观可能表现在抽象的理论之中,也可能表现在对具体现象的体验、领悟和理解中。而在文学作品中,更多地体现了作家对具体现象的领悟和理解,他对世界的感受并不符合他在理论著述中所表达的世界观,甚至会有所违反。因此,具体作家要具体分析。

世界观是人们对于世界(自然、社会)的总的、根本的看法。作家对于世界的根本看法,必然也会直接或间接地影响作家选择、综合和表现生活的态度和方法。所以,世界观制约着作家的创作方法。但世界观包括创作方法,却不能代替。

我们不能说世界观就等于创作方法(拉普派才把辩证唯物论作为创作方法,代替现实主义)。世界观和创作方法有着密切的关系,但也有各自的相对独立性。

毛泽东《在延安文艺座谈会上的讲话》中说道:"马克思主义只能包括而不能代替文艺创作中的现实主义,正如它只能包括而不能代替物理科学中的原子论、电子论一样。""政治并不等于艺术,一般的宇宙观也并不等于艺术创作和艺术批评的方法。"①

创作方法和世界观的关系,不是直线的简单的,而是复杂而曲折的。还在1933年,周扬就在《现代》杂志上发表了一篇论述现实主义和浪漫主义的论文,对拉普派提出的"唯物辩证法创作方法"作了否定,并且指出:"虽然艺术的创造是和作家的世界观不能分开的,但假如忽视了艺术的特殊性,把艺术对于政治、对于意识形态的复杂而曲折的依存关系看成直线的、单纯的,换句话说,就是把创作方法的问题直线地还原为全部世界观的问题,却是一个决定的错误。"我们说创作方法受制于世界观,并不是说创作方法一定就是作家的世界观的最完整、最完全的体现。很多古典作家由于他们世界观的复杂以及本身存在的矛盾,使得他们创作方法也变得很复杂,创作方法本身也存在着矛盾。古典作家们,由于社会历史条件和阶级的限制,他们的世界观往往是很复杂而矛盾的,这种的矛盾也正是社会现实矛盾、阶级矛盾的反映。特别在社会变革激烈的时代,作家的这种世界观的矛盾更为显著。古典作家的世界观的先进方面和落后方面都可能表现在自己的创作中。而现实主义或积极浪漫主义有可能会冲破世界观中的落后方面而创作出有价值的作品。周扬1936年在《文学》杂志上又发表了《现实主义试论》一文,说到了现实主义的作家可能违反落后的世界观,"历史上伟大的现实主义作家在实践中观察、研究、分析现实的结果,往往违反了他们固有的世界观"。但是这并不能否定先进的世界观或世界观的先进因素对文学创作的积极作用,"如果一个作家没有较为正确的世界观,即使接触了现实,也很可能迷失在事实和现象的混乱里,把握不住现实的本质的方面,它的趋势和展望"。正是古典作家世界观中的落后因素,造成了他们作品的局限性,

---

① 毛泽东:《毛泽东选集》第3卷,人民出版社,北京,1991年,第891、896页。

他们的创作的最高成就也只能是批判现实主义,而不能达到社会主义现实主义。这种局限性,也是时代社会矛盾的反映。

杰出的批判现实主义作家巴尔扎克之所以受到广泛的关注,乃是他创作出了那么多受人欢迎的作品。可是他不仅世界观复杂,而且他的现实主义创作违背了他的政治立场,现实主义取得了胜利。巴尔扎克正是处在社会的激烈变革时代,他本身的出身、经历,使得他的世界观极为复杂。巴尔扎克的世界观中有落后的反动的因素,恩格斯也确实这样指出过:"巴尔扎克在政治上是一个保皇党。他的伟大作品是对于上等社会的必然崩溃的不断挽歌;他的同情是在注定要灭亡的那个阶级方面。"①这就是说,巴尔扎克世界观中有反动的因素。我们姑且不去分析巴尔扎克的保皇党政治思想反动到什么程度,这个问题在学术界尚有争论,还没有最后的结论。正是他的保皇党政治立场,才给巴尔扎克自己作品带来一定的阶级局限性。当他世界观中这种落后的反动的一面在一些创作中占主导地位时,他就不能深刻地反映现实生活的真实,而创造了一些内容荒谬的、违背现实主义的作品,如他的《乡村牧师》《乡村医生》。这种落后的反动的一面也没有给他带来现实主义,而只是给他的现实主义带来"缺陷"。这种世界观上的缺陷也限制了巴尔扎克的现实主义创作方法以及人民性的高度和深度。巴尔扎克在政治上的保皇党立场甚至给他的人生带来了悲剧色彩。他虽然属普通市民出身(祖父还是农民),但确实想跻身贵族行列。他在文坛崭露头角之后,为了不断还债,就一心想讨一个带有爵位和固定薪俸或有遗产的贵族妇女为妻。在巴黎,为了讨好和追求一位侯爵夫人,就不时出入于贵族客厅,甚至在当时保皇党杂志《改造》上撰文赞扬贵族的封建特权。后来,当他在文坛声名大振再想争当国会议员和法兰西科学院院士时,因他的保皇党立场而被否决。最后,巴尔扎克为了追求乌克兰的一位伯爵夫人,花费了十年光阴。好不容易等到伯爵夫人答应嫁给他时,他身体已日益走下坡路。

---

①[德]恩格斯:《给哈克纳斯的信》,引自《马恩列斯论文艺》,人民文学出版社,北京,1980年,第22页。

婚后不久，巴尔扎克51岁就离开了人世。他不像雨果那样能随着时代的发展而改变自己的政治立场。雨果早年也曾是保皇党，但当法国革命到来时，就很快转到革命人民一边来。

但是，巴尔扎克在政治上的保皇党思想，是不是构成了巴尔扎克的世界观整体？不是这样。巴尔扎克世界观中更重要的一面是先进因素：同情人民，憎恶腐败，相信科学。特别是，巴尔扎克敢于面向现实，正视现实，对正在上升的资本主义社会有着清醒而深刻的认识，较早就看到了形形色色的社会弊端。恩格斯在说明巴尔扎克的局限性后曾指出了巴尔扎克的伟大之处："虽然如此，当他让他所深切同情的贵族青年男女行动的时候，他的讽刺却是最尖锐不过的，他的嘲笑却是最毒辣不过的。他以毫不掩饰的赞赏去述说的仅有的一些人物，正是他的政治死敌，圣玛利修道院里的共和主义英雄们，那时候（1830~1836）这些人的确是人民群众的代表。巴尔扎克既是不得不违反他自己的阶级同情和政治偏见，他就看出了他所心爱的贵族的必然没落而描写了他们不配有更好的命运，他就看出了仅能在当时找得着的将来的真正人物——这一切我认为是现实主义最伟大的胜利，巴尔扎克老人最伟大的特点之一。"①

这种现实主义的胜利，正是和巴尔扎克世界观的进步因素密切相连的，正是他的世界观中进步的因素在他的优秀作品中占了主导地位，才能深刻地反映现实生活的真实，创造了像《欧也妮·葛朗台》《高老头》等一系列伟大的现实主义作品。法捷耶夫说得好："巴尔扎克的现实主义中有着前进的浪漫主义原则，所以他的现实主义才发挥了非凡的力量……作为艺术家的巴尔扎克之所以具有这一特点的原因，乃在于他的世界观实际上比表面的、外在的正统王朝主义要宽广得多，这一点是被我们文艺理论家所证明的。"②

法捷耶夫分析了其他优秀的现实主义作家后，进一步说"当资产

---

① [德]恩格斯：《给哈克纳斯的信》，引自《马恩列斯论文艺》，人民文学出版社，北京，1980年，第22页。
② [苏]法捷耶夫：《论文学批评的任务》，引自《苏联文学批评的任务》，刘辽逸等译，生活·读书·新知三联书店，北京，1951年，第11、12页。

阶级的现实主义为进步的思想所渗透、温暖、照耀的时候,它是最健康的","最富有血肉的"。很明显,巴尔扎克的胜利,并不是由于他的"反动的世界观",而是由于他的"世界观实际上比表面的、外在的正统王朝主义要宽广得多","为进步的思想所渗透、温暖、照耀"。当资本来到人间,深深渗入资本主义社会关系中时,冰冷的金钱关系驱逐走了温情脉脉的人间关系,巴尔扎克一生在这个关系中挣扎,不停为出卖自己的精神劳动而全力奔忙,深感到这个社会的弊病,在自己的作品中对此作了揭露和批判。有些文学理论家已经证明了巴尔扎克在许多地方接受了18世纪末法国启蒙主义者的学说。他和浪漫主义作家雨果的交往,也使他受益匪浅,巴尔扎克临死之际,雨果就在他身旁。文学史家雅洪托娃说道:"巴尔扎克底世界观之主要的,同时又是最进步的特质,就是他对资产阶级制度所采取的那锋利而透彻的批判态度。这就是这位作家现实主义的真理。"①

巴尔扎克对社会制度的批判和否定,痛恨当时资产阶级的罪恶,这和人民的利益和观点是一致的。巴尔扎克的伟大和现实主义力量,正在于他能够从少数剥削者的"奴隶制度中挣脱出来",能够在自己的创作中反映"下层人民"的经验,能够联系时代的重大问题而表现出社会上大多数被剥削者的情绪和愿望。巴尔扎克赞扬了完成1789年法国革命的人民,那些共和主义的英雄们。巴尔扎克在组成《人间喜剧》的97部作品中,反映了法国社会的巨大变革,反映了18世纪末叶的革命斗争在人间社会关系中所发生的多方面的变革和变化过程。巴尔扎克反映了19世纪上半叶法国资本主义社会的面貌,提供了资本主义社会形成和发展的极为真实的历史文献。巴尔扎克对资产阶级社会制度的可怕畸形现象的抗议,并不和法国人民群众的情绪相矛盾,而是适应这种情绪的。由于巴尔扎克深刻地观察、分析了资本主义社会的各种复杂关系,他的创作才能成为那个时代的镜子。恩格斯对巴尔扎克的现实主义成就作了很高的评价:"巴尔扎克,我认为他是一个比过去、现在和将来的一切左拉都要伟大得多的现实主义艺

---

① [苏]雅洪托娃:《巴尔扎克与现代》,《翻译月刊》,1949年11月。

术家,在他的《人间喜剧》里,给予了我们一部法国'社会'的卓越的现实主义的历史……他安置了法国社会的全部历史,从这个历史里,甚至在经济的细节上(例如法国大革命后不动产和有财产之重新分配),我所学到的东西也比从当时所有专门历史家、经济学家和统计学家的全部著作合并起来所学到的还要多。"①

不但巴尔扎克对资产阶级社会的罪恶充满了憎恨、愤怒,而且,巴尔扎克看到了人民的伟大。巴尔扎克在晚年,曾动手写作一部反映城乡激烈冲突的长篇小说《农民》,歌颂农民的反抗精神,可惜因病而未能完成。

巴尔扎克的这种现实主义力量是和伟大变革的时代以及他本身的经历、世界观分不开的。巴尔扎克一生始终在穷困的生活中度过,他也曾设想过各种发财的计划,结果美梦都遭破灭,反而负了很多债,并受过监禁,他一生都在为出卖自己的精神劳动而拼搏。他的生活经历使他认识了资本主义制度的腐朽性,资产阶级无耻贪婪的本质。资本主义一切罪恶的根源是金钱,资本主义现实社会由于金钱所引起的各种丑态,巴尔扎克看得清清楚楚。另一方面,巴尔扎克曾与下层人民一起生活过,经常和下层人民接触,了解人民的苦难,也就看到了劳动人民的伟大。他认为真正的德性和人性只能在"流汗与自由自在的、劳动与忍耐的人们"那里找到,在"那些以肮脏的双手创造伟大财富,把瓷器装饰得金光灿烂……吹玻璃、寻钻石、琢磨五金……"的人们那里找到。投身于现实生活促使巴尔扎克尊重客观真实,而从"下层人民"的角度来暴露资产阶级无耻贪婪金钱的罪恶本质,批判了资本主义制度的腐朽性、寄生性。

由此可见,巴尔扎克的世界观本身存在着矛盾,因而他的作品有现实主义的,也有一些违背真实的失败之作。但是,巴尔扎克的世界观并非都是落后的甚至反动的,而是有着进步的一面,并且在许多作品中占着主导地位,这样才使他成为伟大的现实主义作家。巴尔扎克

---

① [德]恩格斯:《给哈克纳斯的信》,引自《马恩列斯论文艺》,人民文学出版社,北京,1980年,第21、22页。

的现实主义创作方法是由世界观中的先进趋向相联系的。至于世界观中的什么因素居主导地位,具体作品要具体分析。

和巴尔扎克一样,托尔斯泰的世界观也是有矛盾的。托尔斯泰的作品没有摆脱他的世界观中落后因素的限制,不可避免地限制了他的现实主义高度和深度。托尔斯泰的"不抵抗恶"和"迷信宗教"就是世界观中的落后因素。例如在他的小说《复活》中一方面是对专制警察制度激烈抗议,但另一方面却也宣扬道德上和宗教上的自我完成是与恶势力作斗争的唯一手段(尽管我们从他的作品的形象中得出的不一定是这个结论)。"复活"中的主人公聂赫留道夫的形象就是完整地体现了托尔斯泰的矛盾观点:他同情农民,把自己庄园里的土地和金钱分给农民,以这种方式,自我完成的慈善家的方法来对抗社会的黑暗势力。列宁很正确地指出了这种局限性,并且指出,这种局限性并不是他个人的特点,而是时代矛盾的反映。

托尔斯泰创作中观点的矛盾,不仅是托尔斯泰个人思想上的矛盾,而且是1861年到1904年这个时期中决定俄国社会各阶层和各阶级的心理的那些错综复杂的矛盾和社会影响的反映。

但托尔斯泰并不完全和巴尔扎克一样。托尔斯泰的整个世界观发生过激烈的变化。托尔斯泰不仅同情农民,而且阶级立场也有了根本转变,站到了农民一边,痛恨农奴制度,预感到农奴制度行将崩溃。托尔斯泰作品的思想内容是非常符合农民要求彻底废除教会、地主、资产阶级政府、消灭落后的土地占有制等的愿望的。非常明显,一个具有"反动的"世界观的彻头彻尾的"地主"、"贵族"是不可能成为俄国资产阶级革命准备时期千百万俄国农民所具有的那种思想和情绪的表达者的。列宁说得很明白,托尔斯泰终于和地主贵族的"一切传统观点决裂了",并且转而"站在家长制的天真的农民的观点上",所以才能"把农民的心理搬到了自己的批判、自己的学说中",才能成为农民的代言人。托尔斯泰的创作反映了"伟大的人民的海洋,动荡到它最深的底层"。通过托尔斯泰的嘴,"千百万俄罗斯人民群众"说出了自己要说的话。托尔斯泰善于以惊人的力量表达被现代制度所压迫的广大群众的情绪。托尔斯泰无畏地、公开地、无情地提出了当前最迫切的社会问题,接触到当代政治和社会制度的基本特点的问题。

对于中国伟大的现实主义作家曹雪芹也可以这样来理解。曹雪芹出身于没落贵族,家庭衰败后落入社会下层,过着平常百姓的生活,思想感情发生了变化。他对封建家族由盛入衰和自己人生的反思,都表现在《红楼梦》中。这是一部具有高度人民性和现实主义精神的巨著。《红楼梦》的人民性和现实主义所达到的高度和曹雪芹所站立的思想高度是分不开的,不了解曹雪芹的思想高度,就不能了解《红楼梦》的人民性、现实主义高度。

曹雪芹身处在腐朽的清朝统治行将灭亡之前回光返照的时代,从小过惯了繁华优裕的生活。但他所属的阶级和家庭已走向没落破灭,穷到"举家食粥酒常赊"的地步。回忆往昔,对于"当年笏满床"的鼎盛景况带着怀念、惋惜、留恋之情,无可奈何花落去,不禁流露出"人生如梦"的思想,《红楼梦》充溢着"挽歌"的情调。

可是,曹雪芹清醒地认识,这个养育他的封建大家族已经不可救药,无可挽回地走向衰败了,不可能也不配再有更好的命运。他敢于面对现实,对他生活于其中的那个丑恶的现实采取了批判态度,同时又没有完全丢弃对美好的追忆和向往。

世界观对于创作方法起着指导和制约的作用,这是世界观与创作方法有着内在的联系。但是,并不是说创作方法对于世界观就没有反作用。创作方法对于世界观的形成和发展有着重要的作用。这是因为人的世界观是在现实中实践中逐渐形成的,许多伟大的古典作家,参与了广大人民的实践活动,自己的人生实践和社会生活有着紧密的联系。由于他们要真实地反映现实生活的本质,服从现实生活的客观规律,就使他们世界观中的进步因素发展。创作方法直接影响着文学创作,这是和文学本身的特点相联系的。文学是生活的反映,它和生活有着密切的有机的联系。作家反映的生活现实是不依赖人的意识而客观存在的,它有客观的生活规律性,而现实的客观规律性反映在作家的阶级立场中常常抵抗着作家的阶级偏见。高尔基说得好:"文学作品的特点,不仅在于它有直接观察和直接经验的优越性,也因为那作为它的原始的生活材料具有抵抗作家的阶级的爱好和厌恶的偏向的能力。只有承认这种生活材料对作家的个人偏向具有抵抗力,我们才能解释这样的事实,即:在资产阶级的社会环境中,文学家常常成为他所隶属的阶级生活的公正的史实家,无情地描绘着它的弱点。"①

苏联美学家特罗菲莫夫也说:"如果作家缜密地研究生活的客观逻辑,并且在自己创作过程中遵循它,那末,生活的客观逻辑就会指导作家,甚至会纠正作家的错误。"②

巴尔扎克仔细研究过法国工人阶级的现状及其斗争,托尔斯泰很熟悉农民,了解农民的生活,因而当时社会的尖锐阶级斗争,在自己的作品中得到了反映。这样,我们也就完全可以了解,高尔基所说的"文学形象几乎永远大于思想"这句话的意义了:"文学形象几乎永远大于思想,它表现有着复杂的精神生活的人,在矛盾的情感和思想中的人。"③

这是因为文学不是思想体系的简单体现,文学是反映丰富复杂的社会生活的,越是具体的就越丰富。文学作品的思想性不仅包括作家的主观思想,而且还包含作品中描绘的生活所表现出来的客观思想。作品的思想远比作家的世界观还要丰富而复杂,季莫菲耶夫在分析托尔斯泰时曾谈及,托尔斯泰在《安娜·卡列尼娜》中引用了一句题词:"伸冤在我,我必报应。"这题词的涵义是很明显的,它对作品提示了基本思想以及对于小说中人物命运的基本评价,即,人们不必为此卫护,也不应该批判人间所发生的这一切——这是上帝的事,在适当的时候上帝会审判这一切的。这小说的思想是把描绘的生活赋予宗教的色彩。但是,《安娜·卡列尼娜》暴露了沙皇统治下俄国生活的所有弱点,因此,这部小说的客观意义远超出了托尔斯泰的主观思想。

---

① [苏]季莫菲耶夫:《文学原理》,查良铮译,新文艺出版社,上海,1957年,第1、2页。
② [苏]特罗菲莫夫:《马克思列宁主义美学原则》,《学习译丛》,1955年1月号,第30页。
③ [苏]阿布拉莫维奇:《论文学作品的主题和思想》,刘宾雁译,见《文艺学习》,1954年第3期,第27~28页。

由此可见，文学创作和作家的世界观有着直接或间接的联系，但这联系是复杂而曲折的，具体作品要有具体分析。现实主义也好，积极浪漫主义也好，具有关键性的因素，还是作家的人生实践和广大人民的生活有着什么样的关联，从而反映到文学创作之中。

1955年8月5日，北大燕园

理想与现实在文学中的辩证结合

一

这个现实是庄严伟大的,我们早已应该通过各种形象,对它作广泛的描绘广泛的概括了……现代文学家在其现有的技巧手法的条件下,能否作出这些概括和综合呢?是否应该寻找一种可能性,把现实主义和浪漫主义结成为第三种东西,既能够用更鲜明的色彩来描绘英雄的现代生活,并用更崇高更适当的语调来谈论它的第三种东西?①

高尔基还是在近30年前就这样希望着、探索着,他和其他许多真诚地愿意为这一目的而努力的文学家们,已经寻找到了自己需要的东西。而在中国自己的土壤上,也生长了与苏联文学属于同一性质的"第三种东西",它既不仅仅是现实主义,也不仅仅是积极浪漫主义,而是摄取和吸收了两者的长处,并在新的现实基础及思想基础上产生的新东西,毛泽东把它称之为革命现实主义与革命浪漫主义相结合的创作方法。

对于这,除了欢欣鼓舞、热切关注它的发展以外,"我们的评判界应该给自己提出这样一个问题:评判界可以用什么来帮助文学家呢?"(高尔基语)应该而且可以及时地研究和阐明这一创作方法的各个方面:它和社会时代的关系,它和过去时代的创作方法的联系,它本身的发展过程,它本身的特征等等,从而,推动创作实践的发

---

① [苏]高尔基:《高尔基选集·文学论文选》,孟昌、曹葆华译,人民文学出版社,北京,1958年,第113页。

展。可以高兴地看到，这种理论工作已经开始在展开了，而且注意的中心也已逐渐深入探索它本身的特征方面。它本身有哪些特征，这是最关键的问题，这不仅因为与创作实践有最为直接的联系，能发生最直接的影响，而且，它的其他方面问题的探索，最后必然要归结到它本身的特征方面：为什么这一创作方法是当前时代需要的不是唯一的，却是最好的创作方法？为什么它是文学史发展的经验概括但与过去的文学却有着质的区别？……

不少人已正确地论述到了，革命现实主义与革命浪漫主义相结合这一创作方法，反映的是理想指导下的现实，现实基础上的理想。但是对于这个原则的具体解释却是各种各样的。有人说，这个创作方法中，革命浪漫主义就是以目前尚未出现而只有未来才有的生活作题材，写出未来理想的生活面貌；而革命现实主义就是以已存在的生活为题材，写出既存的生活面貌。照这样的见解，一方面，革命现实主义与革命浪漫主义相结合这一创作方法中，两个部分似乎可以分离，"结合"似乎只是两种创作方法在同一作品中混合而已。另一方面，更主要的是，文学描写的对象，似乎就是区别革命现实主义和革命浪漫主义的准则。也有人说，在这一创作方法中，革命现实主义就是以生活本来的样子如实地反映现实，一般不用假想、象征、夸张等手法；革命浪漫主义则以生活不存在的样子假想地反映现实，因而要用假想、象征、夸张等手法。照这样的见解，艺术手法又是区别革命现实主义与革命浪漫主义的准则了。又有人说，在这创作方法中，革命现实主义并不通过抒情写出宏伟远大的理想，而只描写生活的现实面貌；革命浪漫主义才通过抒情，写出宏伟远大理想，而并不写出现实生活面貌。照这样说，思想内容的性质就是区别革命现实主义和革命浪漫主义的准则。

这些见解都或多或少地看到了问题的某个方面，但是不能说这些见解是精确的。第一，在理论上，他们都犯了方法论上错误：一方面把革命现实主义与革命浪漫主义相结合这一创作方法看成是历史上两种创作方法的简单混合，看不到它不仅在思想性质上，而且在方法的内部结构上，都有了质的变化；另一方面则把创作方法跟艺术对象、艺术手法以至艺术内容等混淆起来。第二,在实践方面,它们不能解决种种实际问题:为什么没有写未来生活面的也可以有革命浪漫主义,而即使写了未来生活面貌也不见得就是革命现实主义与革命浪漫主义相结合?为什么即使运用了夸张、象征、假想等手法也不见得就是浪漫主义?而又有些作品即使没有直接抒发理想也可以富有浪漫主义?

革命现实主义和革命浪漫主义相结合这一创作方法,摄取和吸收了文学发展中的最优秀的两种创作方法——现实主义、积极浪漫主义——的长处,但它不是简单的继承和混合,而是从新的时代的特点和需要出发,经过文艺实践的检验,发展成为一种新的"第三种东西"。这首先导源于现实基础。阶级剥削社会中,劳动人民受着自然和社会的奴役,现实社会充满着不可调和的矛盾,人的主观世界中也充满着矛盾,这一切都不能不反映到文学中去,就连现实主义与积极浪漫主义这两种先进方法,也不能逃避那种矛盾。而在社会主义现实中,劳动人民不仅成为社会的,也成了自然的主人,在认识了客观规律后,充分发挥着人的主观能动性在改造客观世界,从而也改造了主观世界,人的客观世界及主观世界中的种种对立矛盾已经或正在获得解决,逐步走向和谐平衡。第二,这还导源于思想基础。现实主义和积极浪漫主义这两种创作方法都是奠基在当时的先进思想立场和世界观基础上的,但是,它们避免不了有严重的缺陷和局限:首先是它们终究没有也不可能坚定站在劳动人民的立场一边,不能用劳动人民的观点去正确认识现实,掌握社会发展规律。其次终究还是不能奠基于最彻底的唯物主义基础上,或者是在社会历史观方面表现了唯心主义,或者是在唯物主义方面表现了机械论。第三,现实主义和积极浪漫主义虽能通过艺术形象真实地反映现实,但我们也不能不看到它们的局限。由于现实的局限以及作家思想的限制,现实主义、积极浪漫主义本身都存在着缺陷,妨碍他们最充分、最真实地反映现实。

革命现实主义与革命浪漫主义相结合这一创作方法,跟现实主义、积极浪漫主义的质的差别,当然最根本地表现于思想内容方面,因为无论在现实基础、思想基础方面,都有质的不同。但是,它们不仅仅在世界观、思想意识等方面有质的不同,而且,在创作方法本身也有着质的差别,而思想内容的差别又正是通过创作方法表现出来。

这里,我想试探从革命现实主义与革命浪漫主义相结合这一创作方法的反映方法、表现方法,从而从典型化方法等方面,来了解它与现实主义、积极浪漫主义不同以及它自身的特征。

二

革命现实主义与革命浪漫主义相结合的反映方法的特征,并不是指的艺术的思维方式——形象思维的特征,这是一切艺术共有的特征。我们要进一层探索的是,作家在通过形象思维去反映现实时,是怎样塑造艺术形象的,他对现实的再现和理想是如何结合的,再现现实和表达理想,有怎样的联系和特点并怎样体现在创作中。

人,总是在一定社会现实条件下这样或那样地活动着(生产活动、社会交往活动、阶级斗争等),同时也这样或那样地思索着:对于现实有这样或那样的认识或思想,也有着这样或那样的愿望或理想等对现实的态度。人在改变客观世界的同时,也改变了自己的主观世界,因而,人是按美的法则在改变、创造世界。人在按照自己的理想愈益美化世界。人也总是从一定的社会理想高度去认识现实的现象或对象,而人对现实的现象或对象的认识,也总是这样或那样地与自己的社会理想联系着。这种社会理想,归根到底表现了一定社会和阶级的实践活动的要求和目的,反映了他们关于生活的美和善、生活目标等的理解。因此,理想始终是与"美"、"善"相联系着,也与对现实的认识的是否真实即"真"密切联系着的。

可是,在阶级剥削的社会中,任何真正美的理想,总是与丑的现实尖锐地对立着的:美的理想绝不可能在丑的现实中实现,而美的理想本身也终究只能带着乌托邦的性质,不能与现实社会的客观规律相吻合。只有到了现在,美的已存与更美的未来达到了根本的统一,对社会现实的认识、信念等也与更远大的理想联结了起来。这种理想,不仅是人的主观愿望,而是与现实发展的客观规律相一致,并由人的主观能动作用在实现着。

客观世界中理想与现实的统一,必然要求文学也能如实地反映这种统一。现实给文学提出了要求,也创造了可能。但是,要使这要求和可能实现,还需要作家主观的条件。客观世界中理想与现实的统一是客观存在,文学要反映这种客观存在,绝不只是像照相那样简单地重复可以达到的,这必须首先反映在作家的头脑中,为作家自己所接受和充分理解,然后,作家才能从远大的理想高度去认识现实,从而达到真实的反映。革命现实主义与革命浪漫主义相结合,固然根源于客观世界中的现实与理想的统一和结合,但这里是复杂的、曲折的、间接的关系;革命现实主义与革命浪漫主义相结合决定于作家主观世界中革命理想与对社会现实的认识相结合、统一;而作家主观世界中的这种统一,最终又决定于客观世界中理想与现实的统一。这里,关键的问题是作家的主观世界是否与客观世界相符合。决定作家主观世界能否与客观世界相符合的最根本的问题,当然是作家的阶级立场。它决定了作家的理想是什么性质,从而决定了采取不同的创作方法:积极浪漫主义的还是消极浪漫主义的,现实主义的还是自然主义的。革命现实主义与革命浪漫主义相结合,由于有宏伟、远大的理想的照耀,因而,在高度及深度上、在性质上,都与以前有了质的区别。但,决定创作方法的思想立场虽是根本的决定因素,却不是唯一的因素,它还有作家的方法论的因素,在这里,我们至少应该注意到这些问题:第一,作家是否能把自己的社会理想和对现实的认识正确地体现在作品中,化为审美理想及审美认识;第二,作家主观世界中的社会理想和对现实的认识,是否与客观规律及趋向相一致;第三,作家在认识及反映客观世界时,他自己的审美理想是否与他对所描写的现实的认识相统一、结合。

在漫长的历史发展过程中,现实主义和浪漫主义有日益走向相结合的趋向,许多优秀的作品,既有现实主义精神又有浪漫主义情志。但古典文学不可能彻底解决如何将两者结合为一个有机整体的问题,因而只能产生现实主义和浪漫主义相结合的萌芽。只有我们今天的文学才能从根本上解决,因而能达到革命现实主义与革命浪漫主义相结合,成为崭新的创作方法。

不能说现实主义作家没有社会理想,也不能说积极浪漫主义作家没有对现实的具体认识和描绘。作家,对现实认识着,也对将来幻想着,而且,在认识现实时必从一定理想的高度出发,而愿望、理想也总是与他对现实的认识密切联系着。但是,当我们考察具体的文学作品时,却会发现种种复杂现象:也许作家的理想、认识同时糅杂在一起体现于作品;也许主要是作家的理想或主要是作家的认识体现于作品;也许作家的理想、认识与客观现实有符合之处也有矛盾之处,或者作家的理想与认识有矛盾之处,这种矛盾都反映到作品中。因而,一部具体作品中,也许糅杂了许多创作方法。但是,这并不妨碍我们可以在种种复杂现象中找到基本倾向。就现实主义、积极浪漫主义这两种创作方法而言,对于表现理想和再现现实这两者的注意中心确实有所区别,积极浪漫主义更多地注意作家自己的理想,现实主义更多地着重作家对现实对象的认识及再现。造成这种现象的根由也可能是多种多样的。可能在一些作家的主观世界中,理想与认识这两种反映现实的方式,本来就有着不平衡的发展——或者他的思维注意力放在对现实的具体认识方面,而理想则比较微薄和朦胧,不善于幻想、想象;或者他的思维注意力是在理想、想象方面,相对地不大善于深入具体对象作具体、细致的认识。也可能作家在对一般问题上,理想、认识两个方面都全面发展,但对现实中的某些特定的对象,或者缺乏具体的认识,而幻想则充沛,或者有具体深刻的认识,而想象、理想则不充沛。最后,也可能与作家对文学的理解有关,或者他以为文学就必须对现实对象作具体的认识和再现,不一定渗入作家的幻想、愿望;或者以为文学主要是表达作家的愿望、理想,而可以不注重对具体对象的具体认识。于是就有了两种不同的创作原则:或是在描绘现实生活时,并不把"生活应该是怎样"的愿望、理想直接体现在艺术形象中,或者把"生活应该是怎样"的理解直接移入艺术中,作为构造完整形象的基础。尽管文学创作时,都隐藏着作家关于"生活应该是怎样"(或"不应该怎样")的观念,但作为写作原则,终究还可以区别。因而,现实主义作品,特别是在对现实矛盾的深刻、具体的认识、描绘方面，更加吸引我们，使我们能和作家一起来认识现实面貌，从而了解它的真相，从这个认识方面来激发我们的爱憎，引起对现实的态度。积极浪漫主义作品，特别是在强烈的理想、愿望等态度方面，特别激励我们，它直接以体现在形象中的理想、愿望等，直接在思想感情上"帮助激起对于现实的革命态度；实际改变世界的态度"（高尔基语）。较早期的鲁迅、郭沫若这两位作家身上，就可以看到这种区别，固然他们的某些作品或作品中的某些方面显示了革命现实主义与革命浪漫主义相结合的因素，但作为一个作家的基本倾向，是可以明显地感到两种不同的趋向的。我们不能说鲁迅没有社会理想而只有对现实的深刻认识，但他前期的作品，却基本上是现实主义的，能说《孔乙己》《祝福》《离婚》以及《故乡》等等是浪漫主义作品吗？郭沫若也不仅仅只有强烈的幻想而没有对现实的认识，但他的作品基本上也只能说属于浪漫主义范畴，我们能说《凤凰涅槃》《女神之再生》等是现实主义作品吗？无论是鲁迅的现实主义，郭沫若的浪漫主义，都在当代起过进步的作用，完成它的历史使命，它们从不同的方面去满足了时代的需要。但是，从发展看，五四以来的优秀文学是在逐步向两者的结合方面发展。"马列主义为浪漫主义提供了理想，对现实主义赋予了灵魂"（郭沫若），因而作家的理想和对现实的认识都能符合客观规律而体现在作品中，有可能达到革命现实主义与革命浪漫主义相结合。但是，这里我不想把问题简单化，认为革命现实主义与革命浪漫主义相结合只是在作品中既体现理想也体现认识。关于这个问题，我想在典型化方法、表现方法问题中再进一步说明，在这里，我想说明的是，作家如何才能辩证地解决理想与现实的关系。

中国古典作家也曾创作过比较严谨的批判现实主义作品，如《儒林外史》《红楼梦》等。《儒林外史》以犀利的笔锋刺向封建科举制度，深刻地揭露了封建礼教等上层建筑的罪恶和腐朽，这比《聊斋志异》中的思想倾向更为强烈和彻底。不能说吴敬梓没有自己的社会理想，"讽刺必须使读者体会到讽刺的创造者赖以出发的理想"（谢德林），他在这里是流露了他的正面理想，希望有一个没有封建礼教及科举制度的社会,而这种理想不能不说它是进步的。然而,这理想的目的、内容是否符合客观规律,如何去改变现实寻求美好理想的实现等等,他不可能解决;他的理想不仅是模糊的,而且也没有超出封建社会的窠臼。他的理想人物,也只是些虽然反礼教科举而却仍是一类除了游山玩水、饮酒赋诗以外无所事事的文人,这些理想人物,并不是可以解决当时社会矛盾的真正历史力量。这种理想本身的矛盾,当然是与作者对整个封建社会本质的认识有局限是相一致的,都是导源于他世界观本身中的矛盾。这种矛盾也就反映在《儒林外史》中。但是,吴敬梓对于科举制度、封建礼教这些现实对象,有着异常深刻而具体的认识和描绘,因而反映了封建社会的某些本质方面,达到了比较严谨的批判现实主义的水平。对于《红楼梦》也可以这样理解,曹雪芹对于没落封建贵族的大家庭这一现实对象有着深刻而具体的认识,在揭露与批判它的腐朽、罪恶的同时,也表达了作者要冲破束缚、追求自由的愿望。但是,我们也可以明显地感到曹雪芹的内在矛盾:他不可能明确地提出一个真正符合客观规律的理想来,并且由于他也没有彻底认清社会的本质,而在作品中蒙上了一层对客观现实无可奈何的悲观主义或虚无主义色彩,甚至还流露了他对自己所属那个阶级的(不可挽回地即将死亡的封建没落贵族)一些同情和无可奈何的惋惜。因而,《红楼梦》终究只能达到批判现实主义的最高峰而不能再跨前一步。

至于积极浪漫主义,也并不能摆脱矛盾。积极浪漫主义作品突出地以那种强烈的愿望、理想,通过作者的激情而直接扣动人们的心弦。那理想、愿望本身固然也是时代的要求,反映了人民群众的某些愿望和情绪,但,它并不完全符合社会客观规律,特别是,它常与对现实对象的具体认识和描绘不一致或至分裂,因而常常只是孤立地、抽象地表现。现实主义与积极浪漫主义两种因素交织着的《水浒传》《三国演义》,在一些人物形象的创造上得到了较大的成功,像李逵、鲁智深、关羽、张飞等都是使人难以忘怀的形象,但也不能说作者找到了解决社会矛盾的真正力量,而在作品主题思想方面流露出来的理想,也与客观规律不相一致。《孔雀东南飞》《梁山伯与祝英台》

和《孟姜女哭长城》等中的积极浪漫主义,似乎也像是从外面加进去的,原因就在于它反映的理想固然是先进的、合理的,然而却是不能实现的,因而只能把希望寄托于渺茫的现实世界之外。《西游记》《镜花缘》及《聊斋志异》等作品,由于运用了特殊的夸张、幻想及象征等表现方法,作家的社会理想和对现实的具体认识之间的脱节显得更为明显。再如神话(或童话)中千变万化的故事,虽然因为它们想象出人们征服自然力等等,而能够吸引人们喜欢,并且最好的神话具有"永久的魅力"(马克思),"但神话并不是根据具体的矛盾之一定的条件而构成的,所以它们并不是现实之科学的反映。这就是说,神话或童话中矛盾构成的诸方面,并不是具体的同一性,只是幻想的同一性"(毛泽东)。因此,这些浪漫主义作品之如此吸引人而具有"永久的魅力",主要就在于作品中反映的社会理想、意愿,而这又是反映了广大人民群众的愿望和情绪,却并不是或主要不是对现实对象的认识和描绘。因为,这里写的"并不是具体的矛盾所表现出来的具体变化",作品中塑造的形象,仅仅只是表达社会理想、愿望的手段。《西游记》通过孙悟空大闹天宫等事件,表达了社会理想、愿望。那些荒诞无稽但又吸引人的事件若抽去作者的理想、愿望,也将变成毫无价值。车尔尼雪夫斯基的《怎么办?》这样一部优秀的小说,它以强烈的激情写出了他对理想社会的理解。但是他那理想是空想社会主义性质的,不仅不符合社会发展规律,而且,"是与历史发展进程成反比例的"(马克思)。同时,在作品中,他那种理想也不是从现实本身的逻辑发展自然地显示出来的必然。正如恩格斯批评席勒那样,倾向(包括理想、愿望)是被写出了,但不是"让它自己在场面和情节中流露出来"。这是一种缺陷,所以恩格斯早就说:"我们不应该为了理想而忘掉现实,为了席勒而忘掉莎士比亚",要求把理想和对现实的具体认识再现辩证地结合在一起。

"巨大的思想深度和意识到的历史内容同莎士比亚式的情节的生动性和丰富性,这三者之完美的融合大致只有在将来才能完成。"恩格斯的预言已经或正在实现,革命现实主义与革命浪漫主义相结合正就是这种完美的文学的创作方法。而从文学的历史中,可以看到它自身的发展。歌剧《白毛女》、叙事长诗《王贵与李香香》，到最近的许多优秀作品：《红旗谱》《林海雪原》《保卫延安》《在和平的日子里》《万水千山》《红色风暴》，以及许多优秀的新民歌等等，都在不同程度和在不同方面运用了革命现实主义与革命浪漫主义相结合的方法。而毛泽东的诗词更是它的典范。例如《念奴娇·昆仑》：

> 横空出世，
> 莽昆仑，阅尽人间春色。
> 飞起玉龙三百万，
> 搅得周天寒彻。
> 夏日消融，
> 江河横溢，
> 人或为鱼鳖。
> 千秋功罪，
> 谁人曾与评说？
>
> 而今我谓昆仑，
> 不要这高，
> 不要这多雪。
> 安得倚天抽宝剑，
> 把汝裁为三截？
> 一截遗欧，
> 一截赠美，
> 一截留中国。
> 太平世界，
> 环球同此凉热。

这不是一般的革命现实主义或者革命浪漫主义的诗篇，这里，我们不能机械地把前半阕说成只是写现实对象，而后半阕又只是写理想，不是的，共产主义理想和对现实的深刻认识贯穿了整个诗篇，因而不能把两者孤立地割裂开来。通过对昆仑山脉的广大空间的具体描绘，自然地抒发了这种崇高的理想。由于从崇高的理想出发，诗人在再现和反映这个现实对象——昆仑山——时，就一眼深入了它的社会本质方面，即它与人民群众利益密切相关的那一方面联系。这样就达到了理想和对现实对象认识的高度统一和辩证结合。因而，这首词的思想性就不仅仅只是流露了对人民疾苦的人道主义同情，而远跨出去，达到了共产主义思想高度：诗人看到，要改变人民作自然的奴隶的局面，必须要共产主义；诗人的共产主义理想，就这样与他那对现实对象的本质认识密切联系和统一了。

革命现实主义与革命浪漫主义相结合，克服了古典文学的种种矛盾，吸收了现实主义和积极浪漫主义的长处，成为一种新质的"第三种东西"。假如我们概括地表述它时，我们可以这样概括地谈到它在认识方法方面的特征。

第一，革命现实主义与革命浪漫主义相结合，在认识和反映现实时，不仅要让作者对现实的认识体现在作品中，而且也要让自己的社会理想浸透于整个形象中，使作品放出理想的光芒。这种理想是明确的、强烈的，不像现实主义那样是朦胧的、模糊的，也不像积极浪漫主义虽强烈却缺乏明确性。这种理想也是具体的、深刻的、真实的，它与对现实的具体认识密切结合在一起，不像现实主义那样相对地减弱了理想的照耀，而积极浪漫主义相对地减弱了对现实的具体认识和描绘，因而理想显得抽象，似乎是浮在外面，而没有化为形象的有机组成部分。这样，革命现实主义与革命浪漫主义，不仅只是反映了在现实基础上产生并与具体现实对象相联系的社会理想，而且也反映了在理想指导下的并渗透了理想光芒的社会现实。而作家的激情，在这里也表露得最充分，冷冰冰的客观主义态度，已经不能充分反映这个世界。

第二，革命现实主义与革命浪漫主义相结合，使得作家主观世界中的理想和认识从根本上得到统一，和客观世界中的客观规律也相一致。理想、认识都统一于客观规律。它不仅可以根本消除理想、认识方面的矛盾，而且还由于深刻认识了现实本质及历史发展趋向，而能寻找到实现这种社会理想的途径和真正的社会力量，而这是古典作家所根本不能解决的。

第三，特别是，革命现实主义与革命浪漫主义相结合，还使体现在艺术形象中的作者的审美理想与对现实的具体认识辩证地结合起来。作者的审美理想，不仅是与社会发展的趋向和规律相一致，而且更具体地跟作品中所描写和认识的现实相吻合：这一方面是作家的审美理想，渗透在整个作品中所反映和认识的现实对象（具体的人物、事件等等）本身，并且是这现实对象自身逻辑发展的必然，是人物、事件发展的自然流露；另一方面，这也是作家对于现实对象不仅认识了它的本质，而且也看到了它的发展和未来，从而和作品中的审美理想更紧密地联系起来。这样，现实是沿着理想方向发展，而理想又是现实的自然发展趋向；对现实对象的深刻认识，必然更坚定和丰富了理想，而理想的日益具体、丰富、明晰，又必然推动和帮助对现实认识的进一步深化。

把理想与认识的区别如此强调，也许要受到这样的指责：别坠入唯心主义和形而上学泥坑里去了。但是，理想与认识在科学上确是有区别的，我们在生活中也可以感觉到这种差别，假如不把问题仅仅放在思想内容方面而也注意到反映方法的话，分清这种区别和联系是可以帮助我们了解问题的。人通过大脑而实现对现实的反映时，客观地存在着两种不同的反映方式：外部客观世界被反映在人的头脑中时，不仅有对象的直观映象（或关于对象的思想），而且也有对现实的对象或现实的这样或那样的态度。感觉、知觉、表象、思想，所有这些都是认识过程，都是反映现实的认识方面，它们是直接与对象联系着的；而态度则有另一种特征，我们经常这样或那样地去对待那些作用于我们的东西，而我们对待这些东西的不同态度，既决定于作用的对象和现象本身的特点，也决定于我们所有过去的经验，我们的性格特征和价值理念。由于作用于我们的对象的特点，以及过去所形成的性格特征，我们就体验着这样或那样的需要兴趣和情感、愿望和理想等。因此，作家的理想、愿望，并不就是对现实对象的认识或思想，认识是现实对象的直接映象，而理想则不仅由现实对象的特点所决定，而且也由作家全部的生活经验、价值理念和性格特征所决定，显得更为复杂。这里存在着主、客观的矛盾。古典作家由于没有辩证唯物主义和历史唯物主义作世界观及方法论基础，不能把理想与认识的矛盾统一，使之符合客观规律。只有在具有马克思主义世界观及方法论的作家手中，由于掌握了客观规律，将认识与理想辩证地结合，从而充分发挥主观能动作用，推动现实发展。

正是这样，自古以来作家一直面临着的三个问题——生活应该是怎样的？生活实际样子是怎样的？我所感觉到的生活是怎样的？——得到了辩证的统一，统一于一个前提：真实地反映世界，从而改造世界。现实主义精神和浪漫主义情志达到了高度统一，文学具有了空前的教育意义、认识意义和美学意义。

三

革命现实主义与革命浪漫主义相结合既然在反映方法方面有自己的特点，就必然在典型化方法中得到具体表现。典型化方法，不仅要把现实对象的具体面貌、图景，通过作家对它的认识而概括进艺术典型中去，而且也要把作家的社会理想体现在艺术典型中。在这里，典型人物形象的创造是典型化的中心。历来，各个时代或各个阶级的文学，都创造了不少自己希望的正面人物形象，并赋予了作者自己的理想、希望和憧憬。许多人物形象，至今还活在人民群众的心里。但是，从过去的文学中我们也看到：第一，古典作家没有也不能寻找到实现人类最高理想的真正历史主人，没有也不能寻找到解决社会矛盾，推动社会发展的真正力量作为自己理想的艺术形象；这是古典作家不可能认识和掌握社会客观规律的悲哀。第二，古典文学中的正面人物形象，本身也充满了理想与现实的不可调和的矛盾。这一方面是社会现实中客观存在的矛盾的反映，另一方面又是作者主观世界中的矛盾的反映。积极浪漫主义，曾经创造了不少对现实极度不满而积极追求理想的英雄，但这些人物常常带着超人的力量。作为破坏黑暗、追求光明的寄托而言，当然有进步作用，是符合于人民群众的某些愿望、要求的，就其思想、精神的主要本质方面来看，是社会本质反映，但就这整个人物形象而言,它却已不是现实中能解决社会矛盾的真正历史力量。正因为找不到社会现实中的真正历史力量,就不可能完全真实地反映出人物的全部面貌,甚至只能求诸神话、传说和种种幻想来表现人物。现实主义似乎是创造了和生活中实际存在的近似的正面人物,因而使人感到亲切、生动、真实,然而,这些人物也并不是真正能实现先进社会理想的真正力量,常常只是"多余的人",内心充满了痛苦与矛盾;对于现实表现了无能为力或失望;就连那些光辉的杰出英雄们(如李逵、鲁智深、关羽、张飞等),也终究没有跳出封建法权的窠臼而最后化为悲剧。

革命现实主义与革命浪漫主义相结合,寻找到并创造了历史的真正主人的完美形象。这些典型形象,表现了作者的崇高理想,也反映了这些人物的性格上的内在统一、理想与现实的统一。既不是像积极浪漫主义那样,把正面人物无限制地理想化,让人物添加了现实中不可能存在的"崇高"和"美",成为高不可攀、不可企及的"超人";也不像现实主义那样,所创造的人物身上,缺乏一种激动人心的理想,虽亲切、具体但又缺乏鼓舞力量。它,创造的既是那些普通的平凡人,是生活在广大人民群众中和集体一起战斗、劳动的普通劳动者,却又是不平凡的、创造和决定历史命运的人,他们有着崇高的品质、伟大的事迹。而作者又在这些人物身上寄予了自己的理想、希望和崇敬,并以强烈的激情赞扬、激发和感染别人。由于作者自己的理想已和现实一致,现实中又确实客观存在着作者所希望着的理想人物,因而,创造出的人物典型,不是高不可攀、不可企及的,而是亲切而真实的人物,又是高出于一般,在精神领域内显得崇高的值得效仿的榜样。他,是"根据实际生活创造出"的"各种各样的人物",而比"普通的实际生活更高,更强烈,更有集中性,更典型,更理想,因此更带普遍性"。

这样的艺术形象在我们的文学中已经出现了。朱老忠(《红旗谱》)、杨子荣(《林海雪原》)、周大勇(《保卫延安》)、阎兴(《在和平的日子里》)以及其他一些人物形象,都可以说是不同程度地运用了革命现实主义与革命浪漫主义相结合的方法创造出来的。从这些人物塑造的典型化方法方面,可以看到创作方法在作品中的具体体现。

可以看到的第一种特点是作家的社会理想,跟对现实的认识结合在一起,而以两种不同的方式表现出来,化为美学理想,渗透在整个艺术形象中。

第一,作者或是对作品中的人物形象所表露出的崇高理想表示热情的赞扬,或是情不自禁地直接地抒发出作者自己的社会理想和对现实对象的理解,使得读者明显地感染到这种理想,而不能不随着作者的倾向走。在这里,理想与倾向是不会变成外加上去的。它是与整个作品的主题、整个艺术形象表现出来的逻辑倾向,达到了完全的一致。同时,它也与人物形象本身的性格、理想相吻合,作者的理想,正就是人物形象自己的追求目标。因而,这种理想的直接抒发,不仅不损害艺术性,而且,更加强了思想性,使思想性与艺术性统一于崇高的理想。

第二,作者不一定通过直接抒情的方式,而是间接地通过作品中人物形象的嘴或行动,表现出作者的社会理想。这里,更显示了作者的理想与人物形象本身的内在统一,克服了那种倾向和人物个性分离的"席勒化",因而,这丝毫不减弱文学的真实性,相反,是更真实,更典型。

这个特点,在杜鹏程的作品中表现得最为突出和成功,无论在《保卫延安》或《在和平的日子里》,甚至他的散文中,都具有这种特色。他的作品中,整个渗透着理想的抒发,对于美好事物的赞扬。比如在《保卫延安》中,当周大勇受到严重的创伤时,作者禁不住直接抒发了自己的激情。

> 可是周大勇那双眼睛还闪着无穷无尽的顽强的光。它像是说:残酷的战斗并没有熄灭青年的英气;也像是说:艰难和痛苦并不能折服为理想而斗争的人。

当张培向周大勇谈到要立下共产主义宏愿时,手搭在周大勇肩上,眼光伸到远方天和沙漠交接之处意味深长地说:

> 要是世界上没有那一帮剥削人压迫人的畜生，那人生会变得多么美好啊！

这不仅是作者的理想，也是作品中的人物本身符合于他们性格的理想。杜鹏程笔下的正面人物形象，像周大勇、阎兴等，虽然还没有充分展开他们内心世界的各个方面的广阔和丰富，但是，他抓住了人物的最本质的、最能激动人心的那一个方面，予以合理的突出，寄予他的理想，也写出了人物的理想。作家的这种特点，值得珍惜和加以发展，它是革命现实主义与革命浪漫主义相结合的一种表现。

这第二种特点可以这样说：作者的社会理想不是直接或间接地抒发出来，而是把它化在形象中，塑造出理想的正面人物形象——一方面，这些人物是在现实基础上产生，而具有现实中人的一切崇高思想、性格（伟大理想、革命英雄主义、革命集体主义、革命乐观主义等等）；另一方面，这些人物形象身上又特别突出地体现了作者的理想的那些方面，使得这正面形象更美、更理想、更典型。这里，也避免了积极浪漫主义或现实主义的缺陷，作者所理想化的、突出了的那些方面，不仅是作者所希望、愿望的，也是体现了时代、阶级的理想，而且，又是符合于作品中的人物本身的逻辑发展的。

古典文学创造过理想化的人物。有像窦娥、刘兰芝、梁山伯、祝英台一类的理想化人物，作者为了要表达强烈的正义愿望，而使人物理想化甚至神化，使其在来世取得胜利，实现他们的理想。但是，在当时客观现实中，这种理想虽是进步的但却是不可能实现的。也有像孔明、关羽、张飞、李逵、鲁智深、武松以至穆桂英、花木兰一类型的理想化人物，他们是在现实中已经存在或可能存在的人物，但又更为作者所寄予理想、愿望，突出了他们的优秀品性。但是，这也仍然反映了作者理想与现实之间的矛盾，企图改变现实而终究不能摆脱现实的束缚。

我们新的文学中，也出现过这两种类似的人物形象，但，已经是另一种新的面貌了。白毛女是一种类型，她在最残酷的现实世界中，仍然是闪耀着真正的革命理想的光辉，唱出了"舀不干的水，扑不灭的火！我不死，我要活！"这种愿望和信念，自然也有对生的留恋和渴望，但更重要的是由于血海深仇而产生的复仇的怒火，使她渴望光明未来的到来，并坚信这个日子会到来，所以在山洞中坚持了三年非人的生活。这种希望不仅与人民群众的愿望是一致的，而且，由于她的希望和对大春的期待联系了起来，一方面表明了她的理想的一定能实现，符合客观发展；另一方面，表明了这种理想是与白毛女这个特定人物的性格切合的。革命现实主义与革命浪漫主义相结合正就表现在这里。另一种人物类型，在《红旗谱》中也以新的面貌出现了，那就是朱老忠这一形象。在这一人物身上不仅体现了当时一般农民的优秀品质，而且高出于一般农民。他不仅有历史上曾出现而为人们所喜爱的草莽英雄式的性格，而且由于他自身的出身、经历而有着更高的思想、品性，他坚持与封建势力斗争，并坚信旧社会一定垮台，未来一定属于人民。最后终于接受了无产阶级思想指导而加入了共产党，从自发的复仇，进而自觉为争取整个阶级和人类的解放而斗争。朱老忠的这种发展，是与他本身的性格逻辑进展相符合的，是与他那出身、经历相一致的；同时也与当时整个社会发展进程相呼应（农民有内在的革命要求，因而能接受无产阶级的领导）。在这个杰出的农民形象身上，体现了作者的社会理想及对现实的理解。

这里还要提一下李英儒的《野火春风斗古城》中的人物典型化问题。金环和杨老太太是两个令人难忘的活在人心的形象，不少地方运用了革命现实主义与革命浪漫主义相结合的方法。但也有很多不足之处，就以金环牺牲前在狱中所写的那封长信而言，它本身充满了对于美好未来的热烈向往和坚信未来必胜的信念，读者禁不住深深为那崇高的理想和内心世界所打动；而且，还可以这样说，这种思想感情是反映了金环性格的本质方面，并没有歪曲她的性格。但是，它与金环的教养并不吻合，而且，在这样具体的环境下，写这样的长信，似乎也并不符合于细节的真实。因此，只就这封信本身而言是激动人心的，可以说是革命浪漫主义与革命现实主义相结合的杰作，但就作为它与整个作品的联系、和人物形象的关联，却有脱节之处；显得革命浪漫主义有余而革命现实主义不足。我想，要充分完成金环这个人物的性格发展,不如尽量避免作者自己用信来代替对金环性格的刻画(使人感到信中的思想感情是作者的,而不是人物自己的),而把信中的思想感情和情节,化为金环这个人物自己的行动而客观地呈现出来。我想,这并不会减弱革命浪漫主义,而会使革命现实主义与革命浪漫主义相结合在这人物身上得到更完美的表现。

四

最后,只能以最简短的篇幅谈到表现方法问题。

革命现实主义与革命浪漫主义相结合,既有反映方法的一方面,也有表现方法的一方面。表现方法,固然与认识方法密切联系,并受它所制约、决定,但也有相对独立作用。表现方法没有固定不变的法规,不同的文学作品有不同的表现方法,这服从于作家的思想目的以及现实对象本身的特点和要求。

可是,在理解革命现实主义与革命浪漫主义相结合这一方法时,有些人把表现方法作为衡量的准则,似乎凡以生活原来的样式反映现实的就是现实主义,而以生活不存在的样式反映现实的就是浪漫主义;因而,又有人以为用夸张、象征、假想等等的手法,就可以达到浪漫主义。这都有些颠倒因果了。

如果脱离了作者的思想目的和现实对象本身的特点,就不能理解为什么过去的现实主义、积极浪漫主义在表现方法方面有区别,而革命现实主义与革命浪漫主义相结合又与它们不同。

积极浪漫主义并非一定要以生活不存在的样式来反映现实,假如作者能从理想方面去反映现实,甚至基本上写的是现实生活,也仍然可以达到积极浪漫主义,这种作品在古典文学中也不是没有。即使是那种以生活不存在的样式来反映现实的积极浪漫主义作品只要它反映了社会的某些本质方面,那也仍然反映了现实的真实。而积极浪漫主义之所以常常用生活不存在的样式来反映现实,也有现实原因:第一,由于作家的世界观及时代的局限,对现实虽极度不满,但找不到出路,于是只能去虚构不存在的境界或人物。第二,作家对现实的极度不满,理想与现实尖锐冲突,于是就虚构种种非现实的境界及人物,或突破现实黑暗,按作家的意愿自由奔驰,或淋漓尽致地突出黑暗中的丑恶和理想中的崇高,更辛辣地讽刺现实。在这样的思想意图要求下,因而积极浪漫主义常常采用特殊的夸张、象征、假想等手法,同时,就在用这些手法时,也仍然既要符合思想目的要求,也要在本质方面和现实有一种必然的联系。再者,就是在古典文学中,也并不是所有的夸张、幻想、象征等都是积极浪漫主义,《封神榜》和《济公传》中的幻想,《荡寇志》及其他武侠小说中的夸张等,都不构成积极浪漫主义。因此,不能只从表现方法来判断是否为现实主义或积极浪漫主义。

至于革命现实主义与革命浪漫主义相结合,则更没有固定不变的规则了,它必然以无限多样、丰富的手法、风格为前提。它,也许会以生活本身的样式来反映现实,也许以高于生活的样式来反映现实;也许要用夸张、象征、想象等手法,但并非必然如此。这是因为在这样的时代,不必再因找不到真正理想而虚构出路。但另一方面,它也并不排斥幻想的样式,夸张、象征等手法,但这也并不是由于作家不能认识现实而不得不虚构了,而是因为作家充分认识了客观规律,洞察现实的本质,从而充分发挥主观能动作用,运用自如地把那本质表现出来;同时,他也熟练地掌握艺术技巧,可以自由地选择最能突出表达他自己的思想意图的一切表现方法,其中包括中国文学传统的手法等等。对于毛泽东的许多诗词就可以作这样的理解,决不能把像《蝶恋花》这样的诗篇割裂开,以为某些部分是写幻想世界,是以生活不存在的样式反映现实,因而是革命浪漫主义,而另一些部分是写现实世界,是以生活本身的样式反映现实,因而是革命现实主义。其实,幻想世界的构建,仅仅是表现方法,之所以用月宫这环境和嫦娥、吴刚等神话人物,那是为了突出作者自己的思想意图——对革命烈士的怀念,以及美好的愿望,而这些表现方法本身,是吸收了中国古典文学的传统手法。假如作家仅只从这表现方法去模仿,以为"畅想未来"或"今古同台"就是革命现实主义与革命浪漫主义相结合,那是只见树木不见森林之见了。

由此可见，革命现实主义与革命浪漫主义相结合这一创作方法，并没有也不想规定什么固定不变的规则、手法等等。它正是需要各个作家能充分发挥自己的独创性，建立自己的风格。

因而，要掌握革命现实主义与革命浪漫主义相结合这一创作方法，别无秘诀，最根本的只有深入生活，建立马克思主义世界观。

1959年1月，北大燕园

（原载《文学评论》，1959年1期）

革命现实主义和革命浪漫主义相结合

我想谈谈革命的现实主义和革命浪漫主义相结合这一创作方法与以往的创作方法的不同特点。

我越来越感到,革命现实主义和革命浪漫主义的提出,固然是由于概括了文学史发展的经验,但更重要的是由于当前时代的特点和需要。历史上出现的任何一种创作方法,都是反映了时代的特点和时代的要求的,新的时代要求新的文学,新的文学要求新的创作方法,无论是古典主义、唯美主义,还是浪漫主义、现实主义等等,都是如此,而绝不是历史上某一种方法的简单继承。我们这个时代的特点是什么呢?毛泽东最为概括地描绘了:"从来也没有看见人民群众像现在这样精神振奋,斗志昂扬,意气风发。"全国人民正以冲天的干劲和排山倒海的气概,投身于前无古人的社会主义建设事业,而且,在斗争中,大家已看到宏伟的理想,不再是遥远的将来,已经有了实感。这样的时代特点,对于文学就有了新的需要,那就是一方面,必须充分反映出这个现实的真实;另一方面,必须进一步用革命理想精神,教育人民向更美好的未来迈进。

毛泽东早在延安的年代就这样说明了文艺的目的、作用和性质:

> 人类的社会生活虽是文学艺术的唯一源泉,虽是较之后者有不可比拟的生动丰富的内容,但是人民还是不满足于前者而要求后者。这是为什么呢?因为虽然两者都是美,但是文艺作品中反映出来的生活却可以而且应该比普通的实际生活更高,更强烈,更有集中性,更典型,更理想,因此更带普遍性。革命的文艺,应当根据实际生活创造出各种各样的人物来,帮助群众推动历史的前进……使人

民群众惊醒起来,感奋起来,推动人民群众走向团结斗争,实行改造自己的环境。

从这里,我觉得至少可以了解这两点:第一,文学艺术不只是在反映世界,而且,是要改造世界,这是马克思主义对文艺的根本看法。反映世界,而且要改造世界这两者统一起来了。但是旧现实主义美学理论常常忽略了改造世界的这一方面(尽管在创作实践中并不尽然),而只是强调再现或说明世界;浪漫主义美学理论中则又忽略了反映现实说明现实的一方面,而强调改造世界的一方面。而马克思主义美学则是辩证地统一了两者,这统一又服从于改造世界。因此,在目前,我们明确提出了文学艺术是社会主义教育的重要工具和手段。第二,文学艺术中创造的现实,应该比实际生活更高,更理想,"艺术并不要承认艺术作品就是现实"(列宁《哲学笔记》),也就是高尔基所说的"我们的艺术应当比现实站得更高,应当使人不脱离现实而又高于现实"。这也是旧现实主义、浪漫主义所不能彻底解决的。

毛泽东的这种文学主张,就必然要求有相应的创作方法。果然,在这个新的现实条件下,毛泽东就明确提出了革命现实主义和革命浪漫主义相结合的创作方法,指导文学艺术的发展。这是马克思主义文学艺术理论在新的条件下的发展,目的就在于使文学艺术如何更好地为人民服务,鼓舞与教育人民向更美好的未来前进。因此,它的意义就不仅在于创作方法本身,而且有更深远的社会意义。我觉得,革命现实主义和革命浪漫主义相结合的提出,它的实质是强调了两个方面:

第一,突出强调了文学艺术的革命理想性。这就是要用"不断革命"的思想来武装文艺和作家。作家在反映现实的时候,不仅必须看到当前的现实,而且必须看到将来,从而,要从将来的眼光来看目前的现实。这就必须首先要求作家要有革命理想精神,向往未来的激情,要求作家能够在认识发展规律以后,充分发挥主观能动性,用文学艺术来促进人民向更美好的未来前进。

第二,突出强调了正面形象的塑造。人物的塑造本来是创作方法的中心问题,古典主义也好,浪漫主义也好,都塑造了作者自己所属阶级的正面人物典型,这些人物身上体现了作者的理想、希望、憧憬。如今,现实中出现无数英雄人物,作家应当塑造出寄寓了作者的更高的理想的英雄人物,鼓舞人民前进。

为什么说革命现实主义和革命浪漫主义的提出是强调了革命理想性和正面形象的塑造呢?我看还是必须从创作方法本身的特点来看。

有人说革命现实主义和革命浪漫主义相结合的创作方法中,革命现实主义就是表现为在作品中写出了当前的现实,而革命浪漫主义就是写出了未来的理想,因此有人就误解为革命浪漫主义就是写生活中尚未有的,未来才有的生活,而革命现实主义才写已有的(过去或现在)的题材。也有人就说,革命现实主义就是以生活本身的形式反映现实,革命浪漫主义就是以假想的、生活本身不存在的形式反映现实。我觉得这样的说法都不够确切,这里,我只是把一些想法说一说,和大家一起探讨。

我觉得,革命现实主义和革命浪漫主义的结合是一种有自己的特点的创作方法,它不同于其他的创作方法,它尽管吸收了历史上的现实主义与积极浪漫主义的特点,但不是二者简单的混合。因此,在谈这一创作方法的特点时,不应该将革命现实主义和革命浪漫主义分裂开来谈。在当前的时代,要充分反映时代现实的真实,最好的就是用革命现实主义与革命浪漫主义相结合的方法。现实主义、积极浪漫主义或者两者简单的混合,都不可能最充分反映我们这个时代,尽管它们在历史上起过进步作用。因此,现在与过去是有质的差别的。

革命现实主义和革命浪漫主义的结合,吸收了现实主义、积极浪漫主义的哪些优点呢?这两者有共同的特点,那就是:无论是现实主义还是积极浪漫主义都比较真实地反映了时代的真实。两者都奠基在现实基础上,但注意的重点有所不同,现实主义着重注意生活中的现实方面,而积极浪漫主义注重生活中的理想方面。所谓理想,这里有两个意思,一是指生活中不真实存在的想象、幻想,另一是指作家是按照自己的美学理想去描写生活,按照"应当如此"的理想去写生活。这样,在浪漫主义方法中,我所感觉到的是怎样的?生活应该是怎样的？生活的实际情况是怎样的？三者之间的矛盾的解决，最后统一于生活应该是怎样的和我所感觉到的是怎样的方面；而现实主义方法中，却是统一于生活实际是怎样的。鲁迅和郭沫若的作品，可以作一个对比（这当然是一般来说，并不能绝对化）。具体体现在人物的塑造、典型化方法上，积极浪漫主义写出的人物，已不是生活中原有的人物，而是作者所改造过的，强烈地赋予了作者理想的人物。现实主义创造的人物，尽管也已经作者的思想过滤过的，但却是尽量按生活原样刻画，使人感到像在生活中出现的人物一样生动、亲切。所以是这样，那是因为积极的浪漫主义是这样创造人物的：作家在把真实的形象、性格、思想等作为自己的作品的基础后，却不一定按原样塑造，而是突出了自己的理想，他不再进一步刻画这现实中的人的具体的方面，而是抓住这人身上与自己的理想、希望合拍之点，然后更加理想化，加以突出地刻画。因此，这人已是理想化的人物，就其思想感情、精神的主要本质方面来说，是现实中的典型。但是作为一个完整的人物，却已不是现实中的人。我们在神话，以及在《西游记》中可以感觉到这一点。现实主义却是尽量在不违反自己的总的意图下，按生活原样去刻画人物，在《红楼梦》中也可以感到这一点。再进一层在表现方法上，浪漫主义常用突出的夸张（当然，夸张不一定就是积极浪漫主义特殊的手法），现实主义当然也有夸张，但正如苏联《共产党人》专论指出的，除了讽刺作品一般是不用特殊意义上的夸张手法的。由于这些特点，可以看出这二者都有自己的一些优点，也有自己的一些缺点。二者都在历史上起过巨大的作用，那是与那个时代的需要密切联系的，但本身不一定是最完善的方法。而革命现实主义和革命浪漫主义相结合的创作方法则是吸收了二者的优点，抛弃了二者的缺点，这也是与我们这个时代的要求相适应的。现实主义的优点是：由于它深入、细致地揭露了现实的各个方面的矛盾，全面地反映了现实各个方面，所以认识意义特别显著，像恩格斯称赞巴尔扎克的作品，比当时所有历史学家、经济学家、统计学家的著作的知识还要多。但是现实主义常常因为沉溺在事实中，作品中缺乏一种强烈改造现实，向往未来的激动人心的思想感情。当然也不能说作者没有理想,文学家常依照自己的美学理想来评价现实。但是,现实主义作家,却不一定直接把这种理想、强烈的激情直接写在作品中或作品中的人物身上,因而作品中常常缺乏理想,看了作品,叫人有幻灭之感。

积极浪漫主义克服了这种缺陷,它把理想、激动人心的事物直接抒发或再现在人物上,在思想感情上直接去激励人,叫人立即起来行动。但它也有缺陷,那就是虽站得高,但看得不够深,对当前的现实缺乏深刻的分析,因而,那种理想,叫人缺少实感,总嫌对现实刻画不够深刻。

这些,都是单就单纯的创作方法而言的,在文学史上,优秀的作品,确是混合了现实主义与积极浪漫主义两种方法的。现实主义和浪漫主义在历史发展中有日益走向结合的趋势。但是,那不是像现在的革命现实主义与革命浪漫主义的结合那样成为一种创作方法。这是因为二者的思想基础和现实基础不同,二者不可能像革命现实主义和革命浪漫主义那样密切结合。但是,那个时代,不结合也可以完成反映现实的任务,这样说并不降低现实主义或浪漫主义的作用。文学史上不断出现过崇高的浪漫主义人物,有过强烈的理想的抒发,这些作品至今还散发光芒。但是这些英雄人物本身是不现实的,是超人,他们舍身以求的理想的生活,也多半出于幻想或空想,因此尽管使人神往,却缺乏实际的指导意义。这是因为:第一,这些幻想是朦胧的,没有现实基础的;第二,在理想与现实之间存在尖锐的矛盾,不可能统一。

因此,无论《孔雀东南飞》也好,《梁山伯与祝英台》也好,或者是孟姜女哭倒长城也好,那结尾对未来理想的向往,总不能改变悲剧为喜剧。武松、张飞等的人物塑造,写得较好,但结局仍是缺乏理想。理想与现实不可能统一,就很难说现实主义和积极浪漫主义这两种创作方法会融成一种新的方法。

只有在实际生活中已经从根本上解决了理想与现实的矛盾以后,才有可能在文学中有革命现实主义与革命浪漫主义相结合这一创作方法的产生。这样,文学中才能把现实和理想结合起来,通过艺术形象显示,指出理想的远景;又在理想的指导下认识现实。这个崭新的创作方法，最根本之处，就在于把现实主义精神和浪漫主义情志结合起来，融为一个有机整体，不能分离。

我认为革命现实主义和革命浪漫主义相结合这一方法本身的特点是：

第一，从思想方法上说，革命现实主义与革命浪漫主义相结合的创作方法把理想与现实统一在作品中，这种统一，不是说革命现实主义写现实的题材，革命浪漫主义写理想的题材。就像有人分析毛主席的《蝶恋花》，说这几句是什么主义，那几句又是什么主义等。而是说，它在反映生活时，既能在远大理想的指导下深刻地反映现实，又能在深刻分析现实的基础上，看到未来。这种理想贯穿在整个作品的形象、人物、情节、结构中，并不一定非得在作品中写生活中还没有的题材。影片《十三陵水库畅想曲》的缺失就在于脱离了实际，不以现实生活为基础，作了不着边际的空想，空说20年后就可进入共产主义，实现星际旅游、百果同树的空想。其实，假如从十三陵水库的劳动这个题材本身出发，充分深入揭示了这一劳动的巨大意义，就是不用后面三分之一的畅想，也仍然可以是个革命现实主义与革命浪漫主义相结合的。我觉得，革命现实主义与革命浪漫主义的结合，中心还是要放在反映目前的现实（当然写过去、将来也都可以用这方法）。反映人民内部矛盾也可以用这方法。我想只要能深刻分析现实，就必然会通向这一方法，关键是要从理想的高度来认识、反映现实。但有人说，只要如实地反映现实，也就自然而然有革命现实主义与革命浪漫主义了，我看这还是有一个是否能从远大的革命理想高度，站得高，看得远的问题。几年以前，毛主席对一个坚持下来的互助组给予极大的赞扬，并寄予伟大的希望，他从这互助组看到了它的发展，看到了它的将来，它是未来新生事物的萌芽，而我们一般人看不见。现实主义精神以外，还是需要有浪漫主义情志，革命的激情。文学艺术要反映这些，就必须从这种思想高度来着手。我们目前在为建设社会主义而苦战，这是艰苦的，但是假如眼光看到这个苦战的巨大意义，怀抱革命的情志，看到将来，那么，这就不是苦战，而是甜战了。假如文学能从这方面反映，不一定写将来如何如何，我看也可以说是革命现实主义与革命浪漫主义相结合的。一般说，目前人民中的劳动英雄主义、革命集体主义、革命乐观主义，要在文学中反映（当然不是简单的反映），那就必须用革命现实主义和革命浪漫主义相结合的创作方法。

第二，从人物塑造方面说，不一定非得写"超人"现实中不存在的人物，才算革命现实主义与革命浪漫主义相结合的特色。它可以写平凡的人，写劳动人民，但是，必须写出他的不平凡的一面，并把这不平凡的一面——也就是他的本质的方面，加以突出，以一种革命的激情来歌颂、刻画他，在这人物身上，表现了作者的理想、希望。因此，这种人物当然要比生活中常见的人更加理想，站得更高一些，他必须成为群众的榜样，成为自己希望达到的人物。但是，由于作者寄托在人物身上的理想是与现实一致的，因此，它绝不会像在旧浪漫主义作品中的人物那样，虽使人向往又觉得不可企及。因此，这种人物是崇高的，但是又是可学习的、可亲的，同时，他又是与人民群众在一起的。因此，这种人物仍然是现实中的人，但又赋予了作者的理想。

第三，从表现手法上，不一定必须像旧浪漫主义那样用特殊的夸张（当然也可以用，这不决定于手法本身，只从表现手法上看是不能决定创作方法的性质的）。只要作品中洋溢着理想与现实的统一，人物从现实出发又高于现实，不管有无夸张，都是革命的现实主义与革命浪漫主义相结合的创作方法。

革命现实主义与革命浪漫主义相结合的创作方法，在民歌中已经有了很好的运用。但除此以外，在更早的时候就已经产生了用这种创作方法创作出来的作品。毛主席的许多诗词都很好地运用了这种方法，例如大家常说的《念奴娇·昆仑》，就是杰出的代表。他在写昆仑山时，绝不是像照相那样平铺直叙，而是以一种宏大的气魄，远大的理想来写实景。

> 而今我谓昆仑：
> 不要这高，不要这多雪。
> 安得倚天抽宝剑，

把汝裁为三截?

一截遗欧,

一截赠美,

一截留中国。

太平世界,

环球同此凉热。

通过写景,抒发了作者自己的宏大理想:共产主义。

新中国成立后也出现了许多具有革命现实主义和革命浪漫主义相结合的精神的好书。例如陈其通的《万水千山》,就有一种叫人振奋,叫人看到将来的气息。作者确实在那些长征的人身上,贯彻了自己的激情和理想。剧中的人物不仅看到现实,而且在理想的鼓舞下度过困难的年月。《林海雪原》和《红旗谱》也都有这种鼓舞人心的理想在激动读者。最近出版的《我的一家》,满怀革命情志,贯穿了"站得高看得远"的思想境界。

但是,我们整个文学,还远没有掌握这种方法,就是《林海雪原》《红旗谱》《万水千山》等也并不是完全运用了这种方法。目前确实有许多看来并无重大思想错误,但缺乏理想,不能很好激励人心的作品。针对这种创作实践的情况,又从理想教育的需要出发,倡导这种创作方法,更加突出现实主义精神和浪漫主义情志密切结合,这就很有必要。

1958年秋,北大燕园

(原载《文艺报》,1958年23期)

第五辑

附　文

附文一

人民文学出版社在1979年出版的"全国高等学校文科教材"，蔡仪主编的《文学概论》发行百万册以上。第一章由胡经之撰写，蔡仪改定。现作为附文录入《胡经之文集》作为历史资料。

文学是反映社会生活的特殊的意识形态[①]
（《文学概论》第一章）

第一节　文学是社会生活的反映

文学是一种社会现象，是一种社会意识形态。作为社会意识形态的文学和客观社会生活的关系如何，这是文艺理论中一个最根本的

[①] 蔡仪主编《文学概论》，1963年完成讨论稿，1978年经蔡仪修改、定稿，1979年由人民文学出版社作为全国高等学校文科教材出版。

问题。为了对这个问题得出正确的解答,我们先从事实的考察开始。

一、从文学作品看它反映的社会生活

文学史上有许多作品,如杜甫的"三吏"、"三别",王实甫的《西厢记》,茅盾的《子夜》等等,都是直接描写了一定的社会生活的。"三吏"、"三别"写的是当时劳动人民在频繁的战争中被迫服役的一些故事,它描写了官吏在强征人民服役时的种种残暴现象和人们在离家前后的种种苦难情景。《西厢记》写的是封建社会中的一对青年男女的恋爱故事,它描绘了两个主人公的悲欢离合和他们同封建势力斗争的情形。《子夜》写的是20世纪30年代初,由于世界经济危机、国内工商业萧条引起的新的革命形势有关的种种情况,以民族资本家残酷剥削工人仍然不免为买办资本家所吞噬的故事为主线,以工人农民在城乡爆发的激烈斗争为前景,展开了蓬蓬勃勃的革命风暴的生动图画。这些作品直接写的就是社会生活,换句话说,也就是社会生活的反映。

文学史上另有许多作品,如陈子昂的《登幽州台歌》和苏轼的《水调歌头》("明月几时有")等,跟上述那些直接以某种社会生活作为描写对象的作品不同,它们的特点是直接抒发作者在一定处境下的思想感情。《登幽州台歌》中所抒发的孤独寂寞的感情,《水调歌头》中所抒发的别离忧伤的感情,都是作者在特定境况中的感情,却又是封建社会中一部分失意的士大夫在同样的境况中都可能有的精神生活现象,因此这些作品还是写的整个社会生活的一个方面。而且作者的思想感情,原来就是他们的实际生活的反映。所以无论怎样说,这些作品也是一定社会生活的反映。

文学史上还有一些以自然景物为直接描写对象的作品,如我国从六朝以来的所谓山水诗,它们直接描写的对象都是自然景物。但是它们之所以描写这些自然景物,在于作者借以抒发自己的感情。山水诗的代表作家谢灵运和王维,由于他们在政治上的消极,在生活上的闲适,借游山玩水以寄情遣兴,于徜徉山水之余而吟咏山水,就成为山水诗。这样的山水诗,就是所谓"借景抒情"之作。其他作家还有另外一种描写自然事物的作品,如屈原的《橘颂》,郭沫若的《炉中煤》等,这些作品表面上看来写的是自然事物,实际上是作者所寄托的自己的思想感情,或者根本是通过自然事物以写作者自己。这就是所谓"托物言志"之作。而且无论哪种作品中所描写的自然事物,总是人们生活中所接触的、为人们所关心的事物,总是和人们的生活有关系,而不是无关系的事物。因此描写自然景物的作品,实质上也仍然是社会生活的反映。

除了上述几种作品之外,文学史上更有一些作品,它们所描写的似乎是客观的事物,却又是非现实的、超现实的事物。譬如古代神话和有些童话,在我国还有著名小说《西游记》和《聊斋志异》等,都是主要描写超现实的事物。然而古代神话,如马克思所说,不过是"通过人民的幻想用一种不自觉的艺术方式加工过的自然和社会形式本身。"① 童话也和神话一样,从根本上说,也是人们关于社会生活的幻想的产物。只是神话是人类童年在幻想中的不自觉的艺术加工的结果,而童话是作者适应于儿童欣赏的有意识的幻想创作罢了。吴承恩的《西游记》也是一部由幻想所创造出来的作品,如鲁迅所说,不仅其中"神魔皆有人情,精魅亦通世故",而且"讽刺揶揄则取当时态,加以铺张描写"②。蒲松龄的《聊斋志异》也是这样,其中故事虽多谈狐说鬼,实际上却是借以讥时讽世,或者揭示科举的弊端,或者抨击礼教的害处,或者暴露统治阶级的生活堕落和道德败坏,又如作者所自述,是饶有"寄托"的"孤愤之书"(《聊斋志异·自志》)。因此这些作品,仍然不能说不是社会生活的反映。

以上种种情况说明,文学作品,无论古代的、近代的乃至现代的革命的文学作品,不管它们直接描写的是什么,终究都是一定社会生活的反映,都有一定社会生活的根源。毛泽东同志说:

---

① [德]马克思:《〈政治经济学批判〉导言》,引自《马克思恩格斯选集》第2卷,人民出版社,北京,1972年,第113页。
② 鲁迅:《中国小说史略》,引自《鲁迅全集》第8卷,人民文学出版社,北京,1957年,第134、130页。

一切种类的文学艺术的源泉究竟是从何而来的呢？作为观念形态的文艺作品，都是一定的社会生活在人类头脑中的反映的产物。革命的文艺，则是人民生活在革命作家头脑中的反映的产物。人民生活中本来存在着文学艺术原料的矿藏，这是自然形态的东西，是粗糙的东西，但也是最生动、最丰富、最基本的东西；在这点上说，它们使一切文学艺术相形见绌，它们是一切文学艺术的取之不尽、用之不竭的唯一的源泉。这是唯一的源泉，因为只能有这样的源泉，此外不能有第二个源泉。①

这是关于文学与社会生活的关系问题的一个最科学的解答，也是关于文学的这个最根本的理论问题的彻底的唯物主义的阐明。

二、社会生活是文学的唯一源泉

　　所谓文学是社会生活的反映，社会生活是文学的唯一源泉，这正是马克思列宁主义反映论的原则在文学问题上的运用。如列宁所说："不言而喻，没有被反映者，就不能有反映，被反映者是不依赖于反映者而存在的。"②同样，没有社会生活，也就不能有文学。因此文学只有来源于社会生活，社会生活是文学的唯一源泉。这就是肯定客观现实的社会生活是第一义的，而作为意识形态的文学是第二义的。这是唯物主义的论断。自然，文学作品是人所创作的，是人的意识活动的产物，但是如果因此否认文学是社会生活的反映，认为作者的主观意识是文学的源泉，这就既否认了作者的主观意识还有它的客观的源泉，而且把作者的主观意识作为文学这种社会现象的源泉，显然是一种主观唯心主义的论调。或者一方面也说文学是客观现实的反映，另一方面却又不承认客观现实是文学的唯一源泉，而是认为理念或绝对精神是客观现实的源泉，也是文艺的最后的源泉，这就是客观唯心主义的论调。毛泽东同志在说明文艺是社会生活的反映之后，还进一

---

① 毛泽东：《在延安文艺座谈会上的讲话》，引自《毛泽东选集》第3卷，人民出版社，北京，1953年，第882页。
② [俄]列宁：《唯物主义和经验批判主义》，引自《列宁选集》第2卷，人民出版社，北京，1972年，第65页。

步指出社会生活是文艺的唯一源泉,此外不可能有第二个源泉,这就不仅和主观唯心主义的文艺观点划清了界限,而且也和客观唯心主义的文艺观点划清了界限。

因为社会生活是文学的源泉,在社会生活中本来就有文学原料的矿藏,文学工作者要创造文学作品,就只有从社会生活中,而不能从别的方面去取得文学创作的源泉。然而有些文学工作者为要创造出好作品,却不是走向社会生活中去,而是钻进古典作品中去。毛泽东同志针对这种错误倾向,说明了古代的或外国的文艺作品只是流而不是源,它们还有自己的源泉,那就是它们的作者当时当地的社会生活;同时还着重指出,革命文艺要反映人民生活,作家就得深入人民的生活和斗争:

> 中国的革命的文学家艺术家,有出息的文学家艺术家,必须到群众中去,必须长期地无条件地全心全意地到工农兵群众中去,到火热的斗争中去,到唯一的最广大最丰富的源泉中去,观察、体验、研究、分析一切人,一切阶级,一切群众,一切生动的生活形式和斗争形式,一切文学和艺术的原始材料,然后才有可能进入创作过程。①

革命文艺的源泉在于人民生活,革命的文学家必须深入人民的生活和斗争。这一论述是很重要的,也是论得很透彻的。一个作家究竟是不是革命的,不是看他挂不挂漂亮的革命招牌,讲不讲空洞的革命词句,而要看他能不能深入人民的生活和斗争,他的作品能不能真实地反映人民的生活和斗争。毛泽东同志这个论述对于我国的革命文学的发展有着重要的指导意义,它贯彻着马克思列宁主义的实践观点,和从来的直观的唯物主义文艺观点有原则的区别,也正因此,文学对社会生活的反映这个问题得到了最圆满的科学的解答。

关于文学和社会生活的关系,过去有些理论家和作家也有不同程

---

① 毛泽东:《在延安文艺座谈会上的讲话》,引自《毛泽东选集》第3卷,人民出版社,北京,1953年,第882~883页。

度的正确的认识。在我国古代如《乐记》所说：乐是"本于人心之感于物也"。这里所谓"乐"，是指诗、歌、舞和器乐四者的结合，而四者之中首先就是诗。这里的所谓"物"，如下文所述，它指的就是实际的社会生活。因此由这句简单的话可以看出，诗是由于人心对社会生活有所感而产生的。所以它又说："治世之音安以乐，其政和；乱世之音怨以怒，其政乖；亡国之音哀以思，其民困。"这就说明乐是随社会生活的不同而不同，诗也是如此。其后的《毛诗序》继承了这个论点，并且补充说："至于王道衰，礼义废，政教失，国异政，家殊俗，而变风、变雅作矣。"这里一方面有宣扬儒家的王道、礼义的反动倾向，而另一方面却也说明了诗既因社会生活的不同而不同，也随社会生活的变化而变化。钟嵘《诗品序》也说："气之动物，物之感人，故摇荡性情，形诸舞咏。"这基本上是发挥了《毛诗序》的论点，也是肯定诗和社会生活的关系。它还更多地结合具体作品论到诗的产生和社会生活的关系，论到诗的变化和社会生活变化的关系。因此这些理论都是肯定社会生活是决定文艺的，肯定社会生活是先于文艺的，这基本上和唯物主义原则是一致的。

在欧洲古希腊时代，自赫拉克里特起一些唯物主义哲学家，都认为艺术是自然的模仿或人的行动的模仿。在文艺复兴时期，如莎士比亚借剧中人的口吻说，戏剧的目的"始终是反映自然"(《哈姆雷特》)。塞万提斯也借"友人"的口吻说，自然是文学的唯一的范本。这所谓自然，也就是指的社会生活。启蒙运动时期法国的狄德罗、德国的莱辛以至于歌德等，都继承了这个观点，并且在某些方面丰富了它。到19世纪俄国的别林斯基、车尔尼雪夫斯基等人也是如此。如别林斯基说："艺术是现实的复制；从而，艺术的任务不是修改，不是美化生活，而是显示生活的实际存在的样子。"[1]车尔尼雪夫斯基说："艺术的第一目的是再现现实。"[2]这些话的主要意思，和文学是社会生活的

---

[1] [苏]别林金娜选辑：《别林斯基论文学》，梁真译，新文艺出版社，上海，1958年，第106页。

[2] [俄]车尔尼雪夫斯基：《生活与美学》，周扬译，人民文学出版社，北京，1957年，第86页。

反映的说法基本上相同,和唯物主义反映论的原则是一致的。

然而关于文学和社会生活的关系,在文艺思想史上还有其他种种相反的说法。如古希腊的柏拉图,一方面承认艺术是现实的模仿,却又认为现实是理念的模仿,因此艺术"和真理隔着三层"[1],只是摹本的摹本,也就是不真实的。另一方面又认为灵感可以把握理念,艺术由于灵感可以达到真实的境地而获得感染的力量。因此他实质上等于否认文艺是现实的模仿,而认为理念是文艺的源泉。其后普洛丁更发展了柏拉图的这个观点,认为艺术如果限于自然的模仿,那就只能是无生命的自然以下的东西;反之,艺术是和理念相通的灵魂的创造,是理念通过灵魂使感性素材的形象化。他的这种思想就更明显地否认了艺术是自然的模仿,更彻底地否认了社会生活是文艺的源泉。柏拉图和普洛丁的观点影响了中世纪的文艺思想,也影响了文艺复兴时期以后某些人的文艺思想。如康德就认为艺术只是人们的天才和灵感的产物,说什么"美的艺术是天才的艺术"[2]。他所谓天才又只是指一种天赋的心理能力。黑格尔则认为艺术的最后根源在于理念,艺术美是理念在感性形象中的显现。显而易见,康德就受了柏拉图和普洛丁的一些影响,而黑格尔的观点基本上和柏拉图一样。自柏拉图到黑格尔,都是欧洲哲学史上著名的唯心主义者,他们的这种文艺观点正是他们的唯心主义哲学观点在文艺理论上的表现。

到了现代资产阶级的没落时期,他们的文艺思想也随着他们唯心主义哲学思想的反动而愈趋反动。如意大利的克罗齐认为艺术是抒情的直觉的创造;奥地利的弗洛伊德认为艺术是性欲的潜意识的发露;日本的厨川白村认为文艺是生命力被压抑的苦闷的象征,用他自己的话说:"生命力受了压抑而生的苦闷懊恼乃是文艺的根柢。"[3]他们的这些说法,完全抹煞了文艺和社会生活的真实关系,认为文艺

---

[1] [古希腊]柏拉图:《理想国》卷10,引自《柏拉图文艺对话集》,朱光潜译,人民文学出版社,北京,1959年,第74页。
[2] [德]康德:《判断力批判》上卷,宗白华译,商务印书馆,北京,1964年,第20页。
[3] [日]厨川白村:《苦闷的象征》,引自《鲁迅译文集》第3卷,人民文学出版社,北京,1959年,第20页。

的根源不在于社会生活,而在于感性的直觉,甚至在于性欲或生命力等原始的本能冲动。如弗洛伊德所说:"我们不应当希望在列奥那多的画里,除了不变的性欲冲动的痕迹之外,再能找到任何别的东西。"(《列奥那多·达·芬奇》)由此可见,他们的所谓文艺理论已堕落到何种地步。所以弗洛伊德的这种学说,曾为德国法西斯所利用,以后又为美帝国主义者所提倡。

然而,有些人自称"马克思主义者",却也公然重复着反动的资产阶级的陈词滥调,把它冒充马克思主义文艺理论来宣传。如法国列斐伏尔认为艺术首先就有"生物内容",包括性的冲动。据他说来,对于美术品如维纳斯的欣赏,"本能在这里具有一般的作用,甚至具有万能的作用"①。还有人则疯狂地攻击无产阶级文学的现实主义传统,鼓吹资产阶级表现主义的反动理论。他们认为对于文学来说,重要的不是作家认识和表现客观的社会生活,而是作家个人对客观现实的主观关系。他们宣称:"真正的艺术——它永远是自我表现。"这种理论和资产阶级的反动文艺理论毫无二致,是对马克思主义文艺理论基本观点的否定。

"四人帮"也是文艺上主观唯心主义的信奉者,他们狂热鼓吹"主题先行"论,反对文学反映社会生活、社会生活是文学的唯一源泉这个马克思主义文艺理论的基本论点。同时,他们又提出所谓反对写真人真事、反对描写真实的论调。这实际上也就是否认文学的真实性、否认文学的客观性,从而把文学变成可以随他们任意弄虚作假的工具,为他们篡党窃国的阴谋服务。

三、文学是通过作家头脑对社会生活的反映

文学作品究竟是人创造的,它反映社会生活是通过人的头脑实现的。由于人的头脑的主观能动作用,它不同于机械的摄取或刻板的印刷,而是能动的创造。这从一般情况说,也就是对于社会生活的分

---

① [法]列斐伏尔:《美学概论》,杨成寅、姚岳山译,朝花美术出版社,北京,1957年,第69~70页。

析、选择和加工改造。

正因为是通过头脑的能动反映,文学所反映的生活却不等于普通的实际生活。譬如曹雪芹的《红楼梦》,是依据他亲身的经历和见闻所写的,是有实际的生活作根据的,它的主人公如贾宝玉等是有实际的模特儿的。但是不能认为《红楼梦》所写的就是实际的生活的事实,它的人物就等于原来的模特儿。鲁迅的小说也是如此,他所写的都有实际生活的依据,但也不就是那种实际生活;他所创造的阿Q、孔乙己等人物也都有模特儿,但也不等于模特儿。自然,这不是说,文学作品就不可以写真人真事,只是说,即使写真人真事,也还是经过了作者一定的分析综合、选择取舍的加工,绝不只是完全照抄日常生活的实际情况。而对于一般文学创作来说,实际生活中的一切,只是它的创作原料;这些原料,只有通过作家的头脑的种种加工改造,才成为文学作品。

文学的反映社会生活既要通过人的头脑,通过人的主观能动作用,而不同作家的主观条件不同,他们所创造的作品,不仅反映的具体内容会有不同,而且反映本身也有真实与否之别。有的作品的反映可能是真实的或比较真实的,有的作品的反映可能是不够真实甚至是完全歪曲的。

前面列举了文学史上的各种各样的作品都是社会生活的反映,但是无论哪一种作品,都可能是对社会生活的真实的反映,也可能是不真实的反映。第一种作品中,如杜甫的"三吏"、"三别"等所描写的官吏的压迫和人民的痛苦,是当时生活的真实反映。由于杜甫的许多诗篇真实地反映了当时的现实生活,所以被人称为"诗史"。反之,当时许多"奉和"、"应制"之类的诗,大都以歌功颂德、雕章琢句为能事,著名诗人王维就有不少这样的作品。如咏及边疆的诗中说:"万方氛祲息,六合乾坤大,无战是天心,天心同覆载"(《奉和圣制送不蒙都护兼鸿胪卿归安西应制》);咏及民情的诗中说:"山川八校满,井邑三农竟,比屋皆可封,谁家不相庆。"(《奉和圣制登降圣观与宰臣等同望应制》)即使当时边疆没有战争,人民尚能生活,但是这里的说法毕竟是过于夸大的谄谀之词,绝不是当时现实生活的真实反映。描写非现实的、超现实的事物的作品，也有的在精神实质上是对生活的真实反映，当然也有的不是真实的反映。如《西游记》中所描写的神魔妖怪都通人情世故，这就还是表现了社会生活中的人情世故。但是《封神传》(许仲琳)却是"侈谈神怪，什九虚造，实不过假商周之争，自写幻想"；"然其根柢，则方士之见而已"。①也就是说，它的真实性是很小的。

所谓文学通过作家的主观能动作用以反映社会生活，具体地说，也就是通过作家的感受、体验和理解等以反映社会生活，文学作品中所反映的社会生活，实际上也就是作家所感受、所体验或所理解的社会生活。俄国作家冈察洛夫曾说："我只能写我体验过的东西，我思考过和感觉过的东西，我爱过的东西，我清楚地看见过和知道的东西，总而言之，我写我自己的生活和与之长在一起的东西。"②这本来是很显然的，作家只能写他所认识的东西，如果对它毫无认识，他是决不会写的。因此作家的写某种社会生活，也就是他对这种社会生活有所感受、体验和理解；而且在写某种社会生活的同时也就要体现他对这种社会生活的感受、体验和理解。车尔尼雪夫斯基也曾说："再现生活是艺术的一般性格的特点，是它的本质；艺术作品常常还有另一个作用——说明生活；它们常常还有一个作用——对生活现象下判断。"③正因为作家在再现社会生活的同时，不得不对生活作说明，不得不对生活下判断，因此作品中也就必然体现作者对生活的感受、体验和理解，体现作者的思想感情。

从上述例子也可以看出，作品所写的现实生活和作者的思想感情的关系。"三吏"、"三别"等作品写当时官吏强征人民服役和人们离家时的悲惨景象，就表现着作者对官吏凶暴的憎恶和对人民痛苦

---

① 鲁迅：《中国小说史略》，引自《鲁迅全集》第8卷，人民文学出版社，北京，1957年，第136、137页。
② [俄]冈察洛夫：《迟做总比不做好》，引自《古典文艺理论译丛》第1册，人民文学出版社，北京，1961年，第189页。
③ [俄]车尔尼雪夫斯基：《生活与美学》，周扬译，人民文学出版社，北京，1957年，第109页。

的同情。然而作者对于当时反抗异族侵凌的战争是拥护的，对于征调人民从军服役也是不能完全反对的，因此他在作品中还曾劝慰他们去从军服役。王维所写的一些"奉和"、"应制"的诗，其中堆砌谄谀的颂词，自然和这种诗的体制有关系，但首先和王维当时的热衷于仕进的思想是分不开的。而他晚年隐居辋川别业时的许多山水诗，特别是《辋川集》，其中所描写的幽寂的山水景色，则又表现着他这时期的清静无为的消极保守的人生态度。至于长篇小说所写的人物是多方面的，所写的事件是首尾完整的，更容易表现作者的思想观点和感情态度。如《水浒传》这部小说，一方面在描写贪官污吏、豪绅恶霸的凶狠和欺压人民的罪恶时，所表现的态度是无比愤恨的；在描写被他们逼上梁山参加起义的英雄们和其反抗精神时，所表现的态度是衷心歌颂的。这些就是这部作品的主要内容，也是作者的主要倾向。而另一方面，在描写它的头目宋江的不反皇帝、接受招安时，也予以热情地赞扬。这是作品中的又一种情形，也是表现封建时代作者思想的一种限制。又如《西游记》这样的幻想小说，在开始部分描写孙悟空大闹天宫时，叫一个猴王竖起"齐天大圣"的旗帜，提出"皇帝轮流做"的口号；叫玉皇大帝不得不惊惶失措，天兵天将都被打得落花流水，就表现了对反抗者的无比赞美，对统治者的莫大讽刺。而其后描写孙悟空被如来压服，被唐僧收为徒弟，又是表现封建时代作者的思想局限。

　　文学作品不论所描写的是什么及怎样描写它，都和作者的思想感情有关系；有的作品能正确地或比较正确地反映现实生活，而另一些作品则相反，不能正确地或不能完全正确地反映现实生活，根本是由作者的思想立场或世界观决定的。因为不同的作家的社会地位、生活经历和文化修养等不同，他们的思想立场和世界观也不同，这就决定他们对待各种事物采取不同的看法和态度，影响他们在创作中选取什么，舍弃什么，肯定什么，否定什么。一般地说，进步的思想立场和世界观使作家能够正确地认识现实生活，也就能够在作品中真实地描写现实生活；反之，落后的或反动的思想立场和世界观就使作家不能正确地认识现实生活，因此作品也就必然要歪曲现实生活。恩格斯在批判"真正的社会主义"者卡尔·倍克的《穷人之歌》时曾说:"情节大致相同的同样的题材,在海涅的笔下会变成对德国人的极辛辣的讽刺;而在倍克那里仅仅成了对于把自己和无力地沉溺于幻想的青年人看作同一个人的诗人本身的讽刺。在海涅那里,市民的幻想被故意捧到高空,是为了再故意把它们抛到现实的地面。而在倍克那里,诗人自己同这种幻想一起翱翔,自然,当它跌落到现实世界上的时候,同样是要受伤的。前者以自己的大胆激起了市民的愤怒,后者则因自己和市民意气相投而使市民感到慰藉。"①这里恩格斯把倍克的诗和海涅的诗作了对比:海涅由于思想进步,对于当时德国市民的庸俗气习,能够正确地反映它,能够正当地批判它;而倍克则是相反的,不能正确地反映它,反而错误地欣赏它。

同一事件,作家由于世界观的不同,在作品中对它的反映固然会有不同;即使是同一作家,由于世界观本身的矛盾,在作品中对生活的反映也表现着矛盾。托尔斯泰的作品中所表现的就是著名的例子。列宁在一系列的著名的论文里曾指出:托尔斯泰一方面是一个天才的艺术家,他创作了无与伦比的俄国生活的图画,他的作品激烈地批判了沙皇俄国的一切的假面具;另一方面,他又是一个发狂的笃信基督的地主,是一个"托尔斯泰主义者",他在作品中宣扬所谓"道德上的自我修养"和"不用暴力抵抗邪恶",甚至鼓吹世界上最讨厌的东西之一——宗教。托尔斯泰作品中的这些矛盾的根源,就在于他的世界观中的矛盾。又如列宁所说:"作为俄国千百万农民在俄国资产阶级革命快到来的时候的思想和情绪的表现者,托尔斯泰是伟大的";而"托尔斯泰观点中的矛盾,的确是一面反映农民在我国革命中的历史活动所处的各种矛盾状况的镜子"。②这就是说,作家世界观中的矛盾,表现为他的作品中的矛盾。他的世界观中的正确因素,使得作品真实地反映了现实生活;世界观中的不正确的因素,则使得作品不能

---

① [德]恩格斯:《诗歌和散文中的德国社会主义》,引自《马克思恩格斯全集》第4卷,人民出版社,北京,1958年,第236页。
② [苏]列宁:《列夫·托尔斯泰是俄国革命的镜子》,引自《列宁选集》第2卷,人民出版社,北京,1972年,第370~371页。

真实地反映现实生活。又如我们在上面曾说到的《水浒传》和《西游记》中所表现的思想立场的矛盾,就和托尔斯泰作品中所表现的矛盾是一样的。虽然文学作品反映现实生活的真实与否,也还关系到作家的生活经验和艺术修养等方面的条件,一个作家如果缺乏这些条件,即使具有先进的世界观,也不可能在作品中全然真实地反映生活。但是作家的先进的世界观,终究是作品真实地反映生活根本的、决定性的条件。

正是由于作家的世界观对于文学创作有这样重大的意义,所以一个作家如果企求在自己的作品中能真实地反映生活,就必须努力获得先进的世界观,当然也要具备尽可能丰富的生活经验和精湛的艺术修养。在今天,马克思主义是最先进的世界观,革命的作家只有努力学习马克思主义,不断地改造思想,才有可能在作品中对生活作出完全真实的反映。

真实地反映了生活的作品就有文学的真实性。反之,不能真实地或完全歪曲地反映生活的作品,就缺乏或完全没有文学的真实性。文学的真实性是文学作品具有吸引力、说服力的基本条件。真实性对于文学作品是非常重要的,但并不是什么不可理解的。因为文学的根源是生活,文学的真实也只能来自生活的真实。所谓生活的真实并不等于普通的实际生活中的具体事实。生活的真实也就是生活的真相和真义,是生活的本质、规律、必然性及其表现,而普通的实际生活中的某些具体事实却可能有很大的偶然性,有的甚至可以说是一种假象。因此有的文学作品所描写的即使有某种事实根据,并不一定就有真实性。它所根据的事实既可能不是生活的真相,而它的描写也可能是不真实的。因此如左拉所说:"我看见什么,我说出来,我一句一句地记录下来,仅限于此……"①这显然是他的自然主义文艺观点的一种表现。这样记录事实现象的作品未必是有真实性的。和它相反,优秀的文学作品要描写出生活的真相和真义。如亚里士多德在《诗学》

---

① 转引自[法]让·弗莱维勒:《左拉》,王道乾译,新文艺出版社,上海,1956年,第84页。

中所说:"写诗这种活动比写历史更富于哲学意味,更被严肃地对待;因为诗所描述的事带有普遍性,历史则叙述个别的事。"①这就很好地说明了这一点。

任何文学作品对生活的反映,都不可能是照相似的完全一模一样地摄取,而是总有一定的选择取舍、加工改造。只是优秀文学作品的选择取舍、加工改造还是根据对生活的深刻理解,绝不是出自凭空的臆想。鲁迅曾说:

> 艺术的真实非即历史上的真实,我们是听到过的,因为后者须有其事,而创作则可以缀合,抒写,只要逼真,不必实有其事也。然而他所据以缀合,抒写者,何一非社会上的存在,从这些目前的人,的事,加以推断,使之发展下去,这便好像预言,因为后来此人,此事,确也正如所写。②

这就是说,优秀的作家,对社会生活中的种种人物事件,按它的本质、规律的表现要求,加以选择改造,缀合抒写,这样就能反映生活的真实,使作品具有文学的真实性。高尔基也曾说:"文学的事实是从许多同样的事实中提炼出来的。"③因此不是摹写实际生活中的某种具体事实的作品,也可能有真实性。自然,那种写"真人真事"的作品,首先就是所写的"真人真事"也是作者所选择的,认为有一定的生活意义的人和事;而且在作者表现时也还有一定的加工提炼。因此写"真人真事"的作品也可能有一定的真实性,但也不是任何写"真人真事"的作品就一定有真实性。由此可知,文学的真实虽来自生活的真实,更有赖于作家对生活的真实的认识并能很好地表现出来,有赖于作家的正确的思想立场和进步的世界观。如果没有正确的思想立场、进步的世界观,就不可能提炼出事实中的本质,不可能反映生活

---

① [古希腊]亚里士多德:《诗学》,罗念生、杨周翰译,人民文学出版社,北京,1962年,第29页。
② 鲁迅:《鲁迅全集》第10卷,人民文学出版社,北京,1958年,第198页。
③ [苏]高尔基:《给初学写作者的信》,引自《高尔基论文学》,孟昌等译,人民文学出版社,北京,1978年,第245页。

的真实。特别是在社会主义革命和社会主义建设过程中,如果作家没有无产阶级立场、马克思主义世界观,他的思想感情是落后的、反动的,就不可能对这种斗争生活有真实的认识和表现,不可能创造出有真实性的作品。

第二节　文学是社会生活的形象的反映

一、文学以形象反映社会生活

如上所说,文学是社会生活在人的头脑中反映的产物。但是反映社会生活是文学艺术和科学(这里指的是社会科学)所共同的。为了更好地理解文学,还有必要进一步研究它对社会生活的反映和科学不同的基本特征。

文学艺术和科学的重要区别,首先就是它们反映社会生活的方式的不同。马克思早已指出过,科学理论的掌握世界的方式和艺术的掌握世界的方式是不同的。例如《共产党宣言》中说:"到目前为止的一切社会的历史都是阶级斗争的历史。"[①]这是马克思、恩格斯关于当时所知的人类社会历史高度概括的论断,正确地反映了阶级社会的普遍规律。然而这个论断只是对于社会生活的抽象的反映,是由抽象的概念表述的。文学作品却不同。如孟郊的《织妇辞》、张籍的《野老歌》等,描写当时农民在封建统治阶级的严重剥削下,贫困不堪、衣食无着的悲惨景象。如关汉卿的《窦娥冤》,描写当时社会上占统治地位的黑暗势力,对一个平民家庭的正直、善良的无辜少女的迫害,和她坚强不屈的斗争以至被杀的残酷情景。又如梁斌的《红旗谱》,描写我国现代农民从自发地反抗地主的压迫,以至在共产党的领导下更英勇地进行自觉的革命斗争的光辉图画。这些作品的根本意义,不管作者意识到了或没有意识到,都告诉我们这个真理:在阶级社会中,任何时候都存在着阶级对阶级的剥削、压迫,阶级对阶级的斗争。但

[①][德]马克思、恩格斯:《马克思恩格斯选集》第1卷,人民出版社,北京,1972年,第250页。

是由于它们所描写的种种具体的生活情景，就像现实生活本身一样呈现在我们眼前，能使我们既获得思想上的收获，还引起感性上的感受和感情上的感动。

由此可知，文学和科学对社会生活的反映方式确有不同，科学的反映是抽象的，形成概念和理论，而文学的反映则是具体的，形成形象及形象体系。别林斯基曾有一段话也说明这一点。他说："哲学家用三段论法，诗人则用形象和图画说话，然而他们说的都是同一件事。政治经济学家被统计材料武装着，诉诸读者或听众的理智，证明社会中某一阶级的状况，由于某一种原因，业已大为改善，或大为恶化。诗人被生动而鲜明的现实描绘武装着，诉诸读者的想象，在真实的图画里面显示社会中某一阶级的状况，由于某一种原因，业已大为改善，或大为恶化。一个是证明，另一个是显示，可是他们都是说服，所不同的只是一个用逻辑结论，另一个用图画而已。"①

通过形象反映社会生活是文学的基本特征。文学的这个特征，是和文学反映社会生活的特殊要求以及它所反映的具体内容相适应的。文学不同于科学，它既要使读者对于反映对象有所理解，又要使读者在理解的同时还能得到一些具体的感受和体验。文学和科学的反映对象，总的说来是相同的，即都是客观现实的社会生活。但这不是说，它们所反映的具体内容就都完全一样。科学主要是通过社会生活的现象、个别性以把握它的本质、规律、普遍性，而文学则同时也要把握它的现象、个别性，是要描绘社会生活从现象到本质、从个别性到普遍性的具体情景。而且某种科学往往是反映社会生活的某一方面的规律，如政治经济学所反映的是经济生活方面——物质生活资料的生产和分配等方面的规律，政治学所反映的是政治生活方面——阶级对阶级的关系，特别是阶级斗争的规律。文学要反映的既是具体的情景，也是要有完整的面貌，主要是描写作为社会主体的人和人的具体的生活情景。于是文学的形象也就主要是人物形象和有关的生

---

① [苏]别林斯基：《1847年俄国文学一瞥》，引自《别林斯基选集》第2卷，满涛译，时代出版社，成都，1952年，第429页。

活情景的形象,在具体作品中两者是统一的,形成整个作品的生活图画。如上所举《织妇辞》《野老歌》《窦娥冤》和《红旗谱》等作品所描绘的,就是其中人物的具体的生活情景。自然,人物原是社会生活中的人物,他的性格和他的行动,决定于社会生活,也体现着社会关系和生活规律;文学的描写人物,也是要更好地具体地描写社会生活,表现社会关系和生活规律。又如上面所说,《窦娥冤》等作品的根本意义,在于表现了当时的阶级对阶级的剥削、压迫,阶级对阶级的斗争。

文学的形象究竟是怎样的呢?一方面由于文学要描绘社会生活的具体情景,于是文学的形象保持着生活现象的具体可感性,因而能使读者好像接触了现实的社会生活本身一样,如闻其声,如见其人,如临其境。另一方面由于文学的反映总是要通过作家主观意识的分析、选择、加工改造,于是文学的形象也就体现着作家一定的思想观点和感情态度。也正因此,文学的形象就具有一定的思想倾向性,能使读者在接触作品中的形象时,也就要受到它的思想的影响和感情的感染。在具体作品中,形象的具体可感性和思想倾向性应该是有机地结合着,但是也有些作品的形象是结合得不好的。有的形象的具体可感性很差,以致形象不生动;有的形象的思想倾向性很弱,以致形象的意义不明确,或者它的思想倾向性不好,以致形象不真实。只有两者是相应的、有机的结合,这个形象所体现的思想感情和所描写的社会生活在本质上一致的时候,它才会是一幅真实的、有意义的生活图画,具有能吸引人、感动人的艺术魅力。

文学的形象都是具体的、感性的,也都体现着一定的思想感情,但是由于作品种类的不同,或者由于创作方法的差异,它在不同的作品中往往还有不同的特点。如荷马的史诗《伊利亚特》和曹雪芹的小说《红楼梦》这样的作品,就是通过各种各样的人物、事件和社会环境乃至于自然环境的描写,展示了广阔的社会历史长卷,让我们感到生活的真情实景如在目前。特别是其中一些人物的姿态神情,音容笑貌,显现于字里行间,大有呼之欲出之概。而如李白的诗《行路难》这样的作品,却很少描写客观实际的社会现象,主要是抒写了作者主观的思想感情；但是通过他的燃烧似的词句和激动着的心情，也能叫我们看到一个因当时统治者的昏聩和自己境遇的坎坷而抑郁烦恼的诗人自己的形象。或者如他的另一首诗《望庐山瀑布》这样的作品，也不是描写社会事物，而是描写自然景象；然而这是诗人眼中所看见的、心中所欣赏的自然景象，是一幅交织着他的联想、幻想和赞叹之情的山水画。这就是由于作品的种类不同，所描写的生活情景不同，因而作品中的形象也是互有差别的。又如巴尔扎克的小说《欧也妮·葛朗台》这样的作品，所描写的形象都呈现出社会生活本来的样子，即使是一些细节也有切实的历史记录的意义；而如吴承恩的《西游记》这样的作品则是相反的，它所描写的主要人物、情节和环境的情况，和社会生活本来的样子是很不同的，这种形象以神奇怪诞的外貌，表现出人民群众的一种在正常状态下难以实现的生活理想，因而具有强烈的鼓舞力量。这就是由于创作方法的不同，对于生活情景的处理态度的不同，于是作品中的形象也就各有特点。文学作品的形象，实际上往往因为作品的种种条件的不同，有各种各样的差别。然而这些差别都是相对的，也有不少作品中的形象是没有这种显著的差别的。

　　文学作品中的形象，又由于作者的思想立场和世界观的不同，或生活经验与艺术修养的差异，有的是真实的，有的是不真实的。文学的真实性根本就在于它的形象的真实性。自然，这所谓真实是一种广泛的概念，它有各种程度的不同，也有各种范围的不同。有的形象是很真实的，有的是比较真实的；有的形象从特定的方面说是真实的，而从更大或更多的方面说却是不真实的或不够真实的。但是不论作品的种类如何或它的创作方法如何，文学作品的形象，从本质上说是符合于社会生活实际的，就是真实的；否则就是不真实的。因此，如《红楼梦》中所描写的许多形象固然是真实的，《西游记》中的有些形象从根本意义上看也是真实的，而如《荡寇志》（俞万春）之类作品的形象则是不真实的。

　　文学形象的真实性虽然主要要求本质上的真实，但是细节的生动性也是一个必要的条件。如《西游记》中主要形象孙行者就是借许多生动的细节充分表现了它的根本特点,加强了它的真实性;反之,如一些公式化概念化的作品,由于它们在不同的程度上违背了作为文学的基本特征,特别是它们缺乏情节的丰富性,或缺乏细节的生动性,作为文学形象仍然是不真实或不够真实的。然而细节的生动性毕竟只是形象的真实性的一个条件,并不具有决定的意义;如果单纯地追求细节的生动,即使所描写的生活现象是真实的,而它的形象从本质上说和社会生活实际是不符合的,也不可能是真实的。如左拉在他的小说《小酒店》中所描写的主人公由于生理上的遗传而酗酒以致酒精中毒的情形,有的细节也是生动的,却是缺乏社会意义的,而且从主人公的整个生活来看,这种细节的生动性正是妨害人物形象的真实性的。

二、文学形象的典型性

文学的形象,主要是作为社会生活主体的人物形象和有关的生活情景的形象。这些形象,有的不仅是一般所说的真实的,而且是典型的或具有一定的典型性的。

文学史上有许多杰出作品是着重描写人物的。例如鲁迅的小说《阿Q正传》,就是以描写主人公阿Q为主的作品,其中还写了其他十来个人物。关于这些人物,凡作品所描写的地方没有什么不真实的。只是许多人物仅仅出现在一个或两个场面,有一点或两点简单的表现,并没有写出他们的完全的面貌和性格。但是也有几个写得较多的人物,如赵太爷、假洋鬼子、王胡和小D等,就写出了比较清楚的面貌和性格;其中假洋鬼子的性格特点描写得相当鲜明。至于全篇主人公阿Q的性格特点,则表现得非常鲜明、生动而又有普遍的社会意义,被人们公认为典型的人物形象。

然而文学史上还有不少杰出作品不是着重描写人物性格,而是着重描写一种具体的生活情景。如杜甫的《兵车行》,其中也写到许多人物,一队队被迫从军的老百姓、前来送别的爷娘妻子以及路旁的过客等,但是并没有描写出任何人物的性格,而是集中地描写了因向外扩张的战事频繁,征兵太多,以致农村荒芜,农民穷困,出征战士的惨重伤亡和送行家人的痛哭流涕等情形。所描写的这种生活情景,好像一幅表现当时强大的唐帝国所潜伏的社会危机和政治危机的历史图画,是有一定的典型性的。又如汉末古诗《孔雀东南飞》,写的是主人公焦仲卿和刘兰芝的婚姻悲剧,也没有充分描写出他们的性格特点,而是比较细致地写出了他们虽然爱情深挚,却因母亲强迫离异,以致两人终于自杀的曲折过程。他们这样的婚姻悲剧,在封建社会是有代表性的,也是有一定的典型性的。

由此可见,文学史上许多杰出作品所描写的形象,往往有一定的典型性,其中有的作品则创造了典型的人物形象。文学作品的形象要是真实的,就是符合于现实生活的;但是这并不是说,它就要和普通的实际生活完全一样。文学形象既是对社会生活从现象到本质、从个别性到普遍性的具体反映,它就有可能描写出鲜明而生动的现象、个别性以充分地表现它的本质、普遍性,使它具有突出的特征而又有普遍的社会意义。这样的形象就是典型的或有一定的典型性的。毛泽东同志说:

> 人类的社会生活虽是文学艺术的唯一源泉,虽是较之后者有不可比拟的生动丰富的内容,但是人民还是不满足于前者而要求后者。这是为什么呢?因为虽然两者都是美,但是文艺作品中反映出来的生活却可以而且应该比普通的实际生活更高,更强烈,更有集中性,更典型,更理想,因此就更带普遍性。①

毛泽东同志这段话的意义是非常丰富的,其中主要的一点是关于文艺的典型创造。所以下文接着又指出:

> 革命的文艺,应当根据实际生活创造出各种各样的人物来,帮助群众推动历史的前进。例如一方面是人们受饿、受冻、受压迫,一方面是人剥削人、人压迫人,这个事实到处存在着,人们也看得很平淡;文艺就把这种日常的现象集中起来,把其中的矛盾

---

① 毛泽东:《在延安文艺座谈会上的讲话》,引自《毛泽东选集》第3卷,人民出版社,北京,1953年,第883页。

和斗争典型化,造成文学作品或艺术作品,就能使人民群众惊醒起来,感奋起来,推动人民群众走向团结和斗争,实行改造自己的环境。①

这里就很明显地提出了典型化的要求。所谓把矛盾和斗争典型化,就其在既成作品中的结果来说,即所描写的生活情景的矛盾和斗争具有典型性。毛泽东同志的这段话是对革命文艺说的,却也是总结了文学艺术史上无数杰出的文艺创作经验所得到的科学结论。

如上所举《孔雀东南飞》这首诗,就是描写封建家长制和儿女婚姻自由要求之间的矛盾和斗争的过程的,作品中所描写的焦仲卿和刘兰芝爱情的深挚,两家家长对儿女压迫的残酷,都是很突出的,两方的矛盾和斗争也是很激烈的,是有典型性的。在《兵车行》这首诗中所描写的生活情景,也是集中于表现当时统治者和人民的矛盾和斗争:统治者对人民的压迫,人民对统治者的不满和抗议。送别家人的痛哭哀号,出征行人的诉苦埋怨,都是表达这种不满和抗议的。这样的生活情景,也是有典型性的。在我们的革命文学中,如罗广斌、杨益言的小说《红岩》中一个突出的特点,就是矛盾和斗争的典型化达到了相当的高度。这些革命英雄虽然被敌人关在最黑暗的集中营里,受到了最残酷的刑罚,然而他们还是配合着解放战争的整个形势,配合着地下党组织的革命活动,对敌人进行了最艰苦的、面对面的斗争。虽然斗争的每个步骤,都要付出鲜血的代价,然而还是组织了一次又一次的斗争,并取得了一次又一次的胜利。到最后在解放军进攻这个山城的前夕,在敌人正要对他们进行集体屠杀时,而他们也正进行集体越狱,使斗争达到了最高点。虽然他们绝大部分在敌人机枪的火网前倒下去了,但是他们崇高的革命精神的光芒直射云霄,将永远照亮每个读者的心灵,真可以使他们惊醒起来,感奋起来,为继续完成革命英雄们的伟大事业而奋斗。很显然,这里所写的矛盾和斗争的情景,是有充分的典型性的。

---

② 毛泽东:《在延安文艺座谈会上的讲话》,引自《毛泽东选集》第3卷,人民出版社,北京,1953年,第883页。

然而，文学的形象主要是人物形象，形象的典型化主要要求创造典型的人物形象。人物形象的典型性，也在于以鲜明、生动的现象、个别性充分地表现它的本质、普遍性，使它具有突出的性格特征而又有普遍的社会意义。在具体作品中，如果人物的典型性描写得很全面也很丰满，就是典型人物。关于文学作品的典型人物，别林斯基曾说："必须使人物一方面成为一个特殊世界的人们的代表，同时还是一个完整的、个别的人。"[1]恩格斯也曾说："每个人都是典型，但同时又是一定的单个人，正如老黑格尔所说的，是一个'这个'。"[2]这些话的基本意思，都是说明典型人物既是一定人群的代表，也是特定的个别的人；这就是说，既有鲜明、生动的个别性，又有某种社会意义的普遍性，是这两者的有机的统一。所谓普遍性或普遍的社会意义，并不是说的单纯的数量上的意义，而是说的它和一定的社会历史现象的本质、规律相一致。在文学作品中要求塑造典型人物，正是要通过人物的具体的言行活动等揭示出一定社会历史现象的本质、规律。

例如《阿Q正传》中所描写的阿Q的言谈、行动、姿态、神气以至于他戴的帽子这样的细节，都带有阿Q这个人物的特点，可见他的个别性是非常鲜明生动的。然而他的这些具有鲜明个别性的言行细节，又都集中地表现他的性格中有社会意义的普遍性，即他的精神胜利法。当《阿Q正传》最初陆续发表时，有许多人都栗栗危惧，恐怕要骂到自己头上，也有些人以为就是写的他的"阴私"[3]，可见这种精神胜利法是很有普遍意义的。因为半封建半殖民地的旧中国社会中，落后的农民有农民的精神胜利法，而腐朽的封建统治者也有他们的精神胜利法；阿Q是个落后农民的典型，但精神胜利法被作者认为是中国"国民性"的一个弱点，在当时却也不是没有原因的。又如《西游记》

---

[1] [苏]别林斯基：《同时代人》（第11~12卷），引自《别林斯基论文学》，梁真译，新文艺出版社，上海，1958年，第121页。
[2] [德]恩格斯：《致敏·考茨基》，引自《马克思恩格斯选集》第4卷，人民出版社，北京，1972年，第453页。
[3] 鲁迅：《阿Q正传的成因》，引自《鲁迅全集》第3卷，人民文学出版社，北京，1956年，第281页。

中的孙悟空,他的个别性是更为突出的,也正因此就更能充分地表现他的英勇、机敏、大无畏的叛逆精神。这种精神是封建社会的农民群众在反抗压迫、战胜困难的长期斗争中形成的可贵品质和崇高理想。而孙悟空这个人物形象就是封建社会的农民的这种精神的概括、提炼,也是他们的这种理想的化身,是很有普遍的社会意义的。

除了如《阿Q正传》《西游记》这样直接描写人物形象的作品,还有一种作品,如上所说的李白的《行路难》,不是直接描写人物形象,而是作者以主人公的口吻直接抒发自己的思想感情,读后也使人看到一个因当时统治者的昏聩和自己境遇的坎坷而抑郁烦恼的诗人自己的形象。这个形象虽然描写得不够全面丰满,但是诗中所描写的他的苦恼如此之深重,虽有金樽清酒,玉盘珍馐,却是"停杯投箸不能食,拔剑四顾心茫然"。这在封建时代一般有才识,有志气,不肯"摧眉折腰事权贵"而致政治上失意的士大夫之间是很有代表性的,也就是说,这个人物形象也是有一定的典型性的。

文学作品形象的典型性,使作品具有较大的感染力量和艺术效果,是作品取得成就的一个重要标志。文学史上许多杰出作品,在一定意义上说,所创造的形象都有典型性,其中的主人公往往是典型人物,而且有些大型作品还不限于一个典型人物。如《三国演义》(罗贯中)、《水浒传》和《红楼梦》等,都创造了一系列的典型人物。外国的大型作品也是如此。自荷马的《伊利亚特》到托尔斯泰的《战争与和平》,也都创造了一系列的典型人物,都是文学史上具有高度成就的典范作品。

自古至今虽有许多文学作品创造了典型人物,但是他们作为典型人物的高度却不是一样的。因为典型人物的普遍性愈有社会意义,愈深刻地反映了社会本质,而他的个别性也愈鲜明、生动,足以充分地表现它,就愈是高度的典型。如鲁迅的《阿Q正传》中的阿Q固然是一个典型,《祝福》中的祥林嫂也是一个典型。后者境遇的悲惨诚为突出,而性格的特征却不如前者有广泛的普遍性。同一作家创造的典型形象尚且高度不一,至于不同的作家,由于他们的生活经验、思想水平和艺术修养不同,认识生活的深度和广度也不一致,因而创造出来的典型形象就更有高低之别了。

恩格斯在给英国女作家玛·哈克奈斯的信里评论她的小说《城市姑娘》时说：

> 据我看来，现实主义的意思是，除细节的真实外，还要真实地再现典型环境中的典型人物。您的人物，就他们本身而言，是够典型的；但是环绕着这些人物并促使他们行动的环境，也许就不是那样典型了。①

按恩格斯的意见，《城市姑娘》中所描写的主人公，就他们本身而言虽是够典型的，却不是典型环境中的典型人物。因为这里所描写的工人阶级是消极的群众，他们不能自助，甚至没有表现出任何自助的企图。这从伦敦东头的工人群众来说是典型的，但是从工人阶级的整个历史发展来说，如恩格斯所自称："在1887年，在一个有幸参加了战斗无产阶级的大部分斗争差不多50年之久的人看来，这就不可能是正确的了。"也就是说，从典型环境中的典型人物的要求看来，这里所描写的就不正确了。所谓典型环境中的典型人物，就是那种代表历史发展的主要倾向、代表相当广大范围的人群的典型人物。创造典型环境中的典型人物，是艺术创造所达到的高度的成就。这不仅要求作家具有丰富的生活经验和精湛的艺术修养，更要求他具有先进的思想观点和广阔的历史视野。以社会主义文学来说，也就是特别要求作家具有马克思主义的世界观，在自己的作品中真实地描写革命人民在工人阶级领导的自觉的解放斗争中的英雄人物。如高尔基的《母亲》中的巴威尔、奥斯特洛夫斯基的《钢铁是怎样炼成的》中的保尔·柯察金、梁斌的《红旗谱》中的朱老忠等，都是这样的典型环境中的典型人物。

典型人物形象，还因为他们的社会地位、政治倾向和思想倾向等的不同，而有各种各样不同的典型；其中的正面典型是社会生活中的

---

① [德]马克思、恩格斯：《马克思恩格斯选集》第4卷，人民出版社，北京，1972年，第462页。

先进的、革命的人物的反映,也体现着作家的美好的理想,富有崇高的教育意义和鼓舞力量。如《被缚的普罗米修斯》(埃斯库罗斯)中的普罗米修斯、《三国演义》中的诸葛亮、《钢铁是怎样炼成的》中的保尔·柯察金等,就是这样的正面典型。反面典型则是社会生活中落后的、反动的人物的反映,和作者的理想是相敌对的,可是也体现着作者对他们的态度和评价。如《红楼梦》里的王熙凤、《白毛女》里的黄世仁等,就是这样的典型。我们也可以通过这种典型加深对于社会上某种反动力量的认识,得到应有的启发和教训。社会主义文学十分重视正面典型人物的创造,以便树立共产主义战士的英雄榜样,更好地教育人民、鼓舞人民为建设社会主义、共产主义社会而奋斗。同时也不忽视反面典型人物的刻画,以帮助人民提高认识,保持警惕,为根除旧社会的各种残余而斗争。除了正面典型和反面典型,文学中也还应该有其他的中间人物典型、落后人物典型等等。正如现实生活中人物是各种各样的,文学中塑造的典型人物也应该是各种各样的,只要是塑造得成功的典型形象,就都有它的意义,有它的教育作用。

但是有的人却反对正面人物和反面人物的区分,反对社会主义文学创造正面英雄人物的要求。如说什么:"把任何一部小说中的人物硬分成'正面的'一类和'反面的'一类的文学家,他们本身就是我们文学中的反面现象,他们身上还有很多旧社会的残余。"①这种观点,其实是一种阴暗的社会心理的表露,不但和社会主义社会现实生活的实际相背离,也是不符合全部人类文学的历史经验的。

第三节 文学是语言的艺术

一、文学语言的形象性

文学和其他艺术一样,也以形象反映社会生活。但是文学又和其他艺术不同,首先就是它的表现工具的不同。各种艺术都有它独特

---

① [苏]爱伦堡:《在第二次全苏作家代表大会上的发言》,引自《苏联人民的文学》,人民文学出版社,北京,1955年。

的表现工具，如绘画的表现工具是色彩，音乐的表现工具是声音，而文学的表现工具则是语言，包括口头的语言和书面的语言——文字。所谓语言是文学的表现工具，也就是说，它是文学借以塑造形象的手段。文学以语言塑造形象反映社会生活，所以又叫做语言的艺术。

由于语言是文学用来塑造形象以反映社会生活的手段，这种手段的特点也就自然影响着文学的形象塑造，影响着作为艺术之一的文学。马克思说："颜色和大理石的物质特性不是在绘画和雕刻领域之外。"[1]同样，语言的特性也是要渗透到文学中去的。

语言是可以直接表现任何生活现象的。无论实际生活现象或精神生活现象，凡是人们所能认识到的东西，语言都可以直接表现它。高尔基曾说："民间有一个最聪明的谜语确定了语言的意义。谜语说：'不是蜜，但是可以粘东西。'因此可以肯定说：世界上没有一件东西是叫不出名字来的。语言是一切事实和思想的外衣。"[2]事实上用语言作为表现工具的文学，可能描写的生活面是比较广泛的，可能塑造的形象是比较多方面的。如《三国演义》所描写的就是整整一个历史时期的多方面的社会生活，包括许多非常宏伟的历史演变的生动场面。前后数十年，纵横数万里。描写得轮廓清楚的人物上百来个，描写到的大小战役是几十次。大的战役如袁曹官渡之战、吴魏赤壁之战，都是几十万人上百万人的会战，也是历史上有决定性的大战。也有小的场景，如朝政的辩论、宫廷的密谋、闺阁的闲情、山林的逸趣等。这些都是别的艺术很难在一个作品里能这样全面地来描写，而在一些史诗式的文学作品里却能在不同程度上做得到的。

文学作品不仅可以描写人物的外表形态，而且还善于描写人物的内在心理。虽然雕刻、绘画也能表现人物的内在心理，不过它们只有通过描写外部形态才能表现它，而文学却可以直接描写它。即使是纤细的感情波动，微妙的思想变化，都可以用语言加以描绘。因此，文学

---

[1] [德]马克思：《1857—1858年的经济学手稿》，引自《马克思恩格斯论艺术》（一），人民文学出版社，北京，1960年，第113页。
[2] [苏]高尔基：《和青年作家谈话》，引自《高尔基论文学》，孟昌等译，人民文学出版社，北京，1978年，第332页。

作品在塑造人物形象时,即使不着重外形描写,而主要是通过心理描写,也能鲜明地塑造出人物形象。在小说创作中,特别是近代小说创作中,心理描写往往是人物塑造的重要手法。如杨沫的小说《青春之歌》中,关于林道静在北戴河知道余敬唐的阴谋而失业绝望时,关于她在被捕后关进监狱时,关于她被党组织吸收入党时,都有很好的心理描写。伟大的小说家托尔斯泰就是擅长心理描写的,他的代表作品如《安娜·卡列尼娜》和《复活》等,都有不少绝妙的心理描写的篇章。车尔尼雪夫斯基早就指出过他最感兴趣的是"心灵的辩证法"①。这些心理描写,都能使人物的性格更鲜明,形象更生动。不仅许多小说中有心理描写,诗歌中也有不少作品主要描写人物的或作者自己的思想感情。伟大的诗人李白的《长干行》,就是着重刻画一个少妇对别离后丈夫的相思深情的;又如上述他的《行路难》,还有《将进酒》《宣州谢朓楼饯别校书叔云》等脍炙人口的作品,都是直接抒写自己的胸臆,使作者忧时慷慨、失意哀伤而纵酒狂歌的形象跃然纸上。

二、语言艺术的特点

作为文学表现工具的语言,是从日常生活的一般用语中经作者选择提炼出来的,它还是社会生活中的语言,却比日常的一般用语较为精炼,而且有一定的形象性。所谓语言的形象性,即语言的内容是具体的生活现象或事物形态。例如说:

> 林冲自来天王堂,取了包裹,带了尖刀,拿了条花枪,与差拨一同辞了管营,两个取路投草料场来。正是严冬天气,彤云密布,朔风渐起,却早纷纷扬扬卷下一天大雪来。(《水浒传》第10回)

> 王三胜,大个子,一脸横肉,努着对大黑眼珠,看着四围。大家不出声。他脱了小褂,紧了紧深月白色的"腰里硬",把肚子杀进去。给手心一口吐沫,抄起大刀来……

---

① [俄]车尔尼雪夫斯基:《〈童年〉和〈少年〉、〈列·尼·托尔斯泰伯爵战争故事集〉》,引自《古典文艺理论译丛》第5册,人民文学出版社,北京,1961年,第161页。

……大刀靠了身,眼珠努出多高,脸上绷紧,胸脯子鼓出,像两块老桦木根子。一跺脚,刀横起,大红缨子在肩前摆动。削砍劈拔,蹲越闪转,手起风生,忽忽直响。忽然刀在右手心上旋转,身弯下去,四周鸦雀无声,只有缨铃轻叫。刀顺过来,猛的一个"跺泥",身子直挺,比众人高着一头,黑塔似的。(老舍《断魂枪》)

这些话语都比较简洁精练,却又是生活中的语言;它的内容就都是人的行动或事物的样子,都具有鲜明的形象性,或者如:

柳塘春水漫,花坞夕阳迟。(严维)

笙歌归院落,灯火下楼台。(白居易)

横眉冷对千夫指,俯首甘为孺子牛。(鲁迅)

这些话语都是极好的诗句,非常精练,却也是生活中可能有的语言。每句话说的是一种事物的景象或人的神态,也具有鲜明的形象性。

然而"语言是思想的直接现实"①,语言所塑造的形象不是直接诉之于感官的,而是首先诉之于思维的。换句话说,文学的形象不是视觉的,而是想象的。一般地说,如绘画、雕刻的形象,或电影、戏剧、舞蹈的形象,都是视觉的形象,也就是说,都是眼睛所能看到的。文学的形象却不是眼睛所能看到,而是由想象才能把握的。虽然鲜明生动的文学形象,也可以叫我们如见其人,如临其境;不过这只是心目中的所见,并不是视觉的所见。视觉的形象是以形体为基础的,这种形象的塑造,要受空间、时间、客观、主观等条件的制约。想象的形象也有以形体为基础的,却不一定都以形体为基础。这种形象的塑造就可以不受空间、时间、客观、主观等条件的制约,可以有非常广阔的自由天地。如"江流天地外,山色有无中"(王维);或"感时花溅泪,恨别鸟惊心"(杜甫)。这样的形象塑造是别的艺术所难以达到的。至于"无可奈何花落去,似曾相识燕归来"(晏殊),这种描写方

---

① [德]马克思、恩格斯:《德意志意识形态》,引自《马克思恩格斯全集》第3卷,人民出版社,北京,1958年,第525页。

式更是别的艺术所没有的。

也由于语言是思想的直接表现,文学创作以语言塑造形象,总是比较明显地表现作者一定的思想感情,于是,文学也就往往有比较明确的思想性。如以鲁迅的作品来说,在《狂人日记》中就明白地说着旧社会的"吃人",在《故乡》中又明白地讲到旧生活的使人"隔绝",而在《阿Q正传》中也明白地指出阿Q的性格上的病症:"精神上的胜利法",都比较明确地表示了作品的思想意义。又如杜甫的《茅屋为秋风所破歌》中的诗句说:"安得广厦千万间,大庇天下寒士俱欢颜",就显然表现了作者创作时的基本思想,也道出了这个作品的基本意义。或如《白毛女》中群众歌词的话说:"旧社会把人逼成鬼,新社会把鬼变成人",这就恰好点破了这个作品的主题。由此可以看出,文学因为用语言作为塑造形象的手段,才能这样比较明确地显示作品的思想性。如果不是用语言,而是用色彩或声音等表现手段,就绝不可能表现得这样明确。自然,这不是说别的艺术的思想性就一定不明确,而是说由于语言这个表现工具的特点,文学作品的思想意义一般是表现得比较明确些。

而且语言是社会生活中最普遍的交际手段,也是人们最熟悉的表现工具。每个人在实际的日常生活中都不断地用语言来传达他所认识的生活,来表现他的思想感情。语言这种表现工具,由于在实际生活中的不断地运用和训练,比之色彩、声音和肢体运动等,一般人也是比较熟悉和易于掌握的。加以文学能反映的生活面比较广泛,塑造形象的方面比较自由,因此从创作和欣赏两方面说,文学纵然不是最有群众性的艺术,也是有较大的群众性的艺术。群众的文学作品在文学史上从来就有相当的地位。如《诗经·国风》中的民歌,汉代的乐府,其中就有不少优秀之作。即使唐宋那样文人作品最盛的时期,群众创作的民歌、曲子词或平话等,一般虽不如文人作品那么精致而富于文采,却也有为人民喜闻乐见的优秀作品。至于文人的好作品,也能在民间广泛流传,为群众所普遍地欣赏。如白居易的诗,据他自称:"自长安抵江西,三四千里,凡乡校、佛寺、逆旅、行舟之中,往往有题仆诗者,士庶、僧徒、孀妇、处女之口,每每有咏仆诗者。"(《与元九书》)

又如元明以后的小说和戏曲中也有一些杰出的或优秀的文人作品，就是以群众创作为蓝本而加工改造的。也就是说，群众创作有的也能为文人作品提供一个好的基础。《水浒传》《三国演义》是如此，《琵琶记》（高明）也是如此。这些作品一经文人加工提高之后，转而又普遍成为民间演唱或讲说的底本，又为广大群众所喜爱。

　　以上所说文学作为语言艺术的这些特点，都是相对的。因为别的艺术也可以有某种相同的特点，有的在一定意义上说甚至是更突出些。如音乐的形象也是想象的，电影在欣赏方面则是最有群众性的。但是文学既然比较显著地具有这些特点，它们互相联系并和文学的根本性质互相渗透，就规定文学作为语言艺术的总的性质，使文学成为艺术领域中最重要的一种。即如某些诗歌可以配曲，成为歌唱音乐的基础；一般剧作可供演出，成为戏剧表演的基础。由此可知文学作为艺术的重要意义。

附文二

文学发展中的主潮①

高尔基说过,在文学上,主要的"潮流"或者是倾向,共有两个:这就是浪漫主义和现实主义。

在这里,高尔基不是仅指文学史上的某一时代,也不是仅指俄国一国的文学,他是概括了人类自古至今的全部文学发展的过程。作为艺术的创作方法,现实主义和浪漫主义是文学发展史中最主要的倾向和潮流。

在高尔基之前,已经有人指出过文学创作的两种基本倾向。19世纪法国浪漫主义女作家乔治·桑曾对巴尔扎克说过:"你写出的人物,是照你看到的那样子;我感到我的任务是去描写我愿意看到的样子。"更早的古希腊时代,亚里士多德就在《诗学》中说过,诗人,如同一个画家或其他这一类的艺术家一样,当他模仿的时候,他心中就必然要以如下的三种方法之一来描写对象,即:按照对象已有的或者正在发展的样式;按照人们猜想的或者它看来仿佛如此的样式;或者按照它应该如何的样式。如果我们稍为归纳,那么亚里士多德实际上也是指出了两种基本方法:按照实际生活样式去描写生活;按照作家所愿意看到的样式去描写生活。亚里士多德认为希腊的索福克勒斯的创作就是属于后一种倾向,而欧里庇得斯的创作则是属于前一种倾向。

但是,无论亚里士多德或乔治·桑都没有把现实主义与自然主义、积极浪漫主义和消极浪漫主义区别开。到了高尔基,不仅区别了现实主义和自然主义,而且也把浪漫主义分成两种。高尔基说过,"虚构就是从客观现实的总体中抽出它的基本的意义并用形象体现出

---

① 此为杨晦主持的《关于现实主义与反现实主义问题论纲》的第三部分,由胡经之依据杨晦的讲课笔记写成。

来——这样我们就有了现实主义。"①就是说，现实主义不仅必须按照生活原样去描写现实，而且这种描写必须反映现实的真实，写出那现实的"基本的意义"，这就不同于自然主义。谈到浪漫主义，高尔基说："如果在从客观现实中所抽出的意义上面再加上——依据假想的逻辑加以推测——所愿望的、所可能的东西，并以此使形象更为丰满——那末我们就有了浪漫主义。"②进一步，高尔基又区分了两种浪漫主义，"在浪漫主义中还必须把两个极端不同的流派区别开来：消极的浪漫主义——它或者粉饰现实，企图使人和现实妥协；或者使人逃避现实，徒然堕入自己内心世界的深渊"；而"积极的浪漫主义则力图加强人的生活意志，在他心中唤起他对现实和现实的一切压迫的反抗"。③这是两种倾向截然不同的创作方法，积极浪漫主义能真实地反映现实，而消极浪漫主义则歪曲地反映现实。现实主义，积极浪漫主义，是能够真实地反映现实的两种最基本的创作方法，贯穿于全部文学发展历史过程中。

这里，我们可以简略地看一看中国文学的发展，现实主义和积极浪漫主义这两种创作方法，早就产生，贯穿于全部文学史过程，同时，也在不断发展、丰富、完善和成熟。

在文学发生的最初，就已经可以看到这两种倾向。原始时代，已经有按照原样来反映现实、描写对象的诗歌。人类的意识发展，不仅有对事物对象的直接的认识，而且也产生了理想和幻想。人们不仅生活着，斗争着，而且也幻想着。因而，文学创作上也很早就有浪漫主义的作品。当人们还处在低下的生产力条件下，希望"用想象和借助想象以征服自然力，支配自然力，把自然力加以形象化"（马克思），于是就有了神话。神话产生于现实基础上，但它是用浪漫主义的方法来反映现实，而且，基本上是积极浪漫主义。

---

① [苏]高尔基：《苏联的文学》，引自《高尔基论文学》，孟昌等译，人民文学出版社，北京，1978年，第113页。
② 同上。
③ [苏]高尔基：《谈谈我怎样学习写作》，引自《高尔基论文学》，孟昌等译，人民文学出版社，北京，1978年，第162页。

《诗经》三百篇中,就有各种不同倾向的创作方法。但是,在那些优秀的诗篇中,最基本的是现实主义与浪漫主义,特别是现实主义。假如和古希腊比较一下,可以看到,我们文学的现实主义倾向特别显著。有人认为,荷马史诗《伊利亚特》的现实主义倾向似乎浓些,《奥德赛》的浪漫主义似乎浓些,但是,正如亚里士多德所说的,荷马创造的人物几乎都是高于现实,无论《伊利亚特》或《奥德赛》都一样。《诗经》三百篇中的现实主义倾向特别强,这不能不说是中国文学发展中一个显著的特点。

　　积极浪漫主义在屈原的诗歌中有着突出的表现和成就。在屈原的诗歌中,现实不是通过原来的样子反映出来,而是通过幻想的样式。《楚辞》和《诗经》中的优秀诗篇,都是反映了对于黑暗现实的不满、愤慨和抗议,但是,这种不满和抗议却是通过不同的方法表现出来的。《诗经》中许多现实主义的诗篇,是揭示了现实的本来面目,以生活本身如实地表露出作者的情感;但是,屈原的诗篇,都是直接强烈地呼喊出自己的不满、抗议,并且,它以幻想的样式,通过他的主观愿望,写出他所愿意看到的现实。在这里,作者描绘的不是现实中原来的生活面貌,而是直抒出自己的愿望、幻想。甚至,诗篇中那些花鸟草木等自然现象,也多是神化或人格化,用以寄情;比起《诗经》来,这是一个特征。《诗经》中的自然现象,究竟还是作为客观存在,照它原来的面目去描绘它,并没有像在《楚辞》中那样赋予超自然的力量。这种特点,对于整个中国文学的影响极为深远,在以后的浪漫主义作品中,现实对象就不是作为原来客观的样子而是加上了作者主观愿望或理想而改变了。

　　现实主义与积极浪漫主义这两种倾向在以后一直在发展着,而且,作为创作方法,它们的特点愈来愈明显。像在《孔雀东南飞》那样的叙事诗里,不仅有强烈的现实主义倾向,也有积极浪漫主义的倾向。建安时代的诗人不仅把现实主义倾向深化了,而且在诗歌领域里更充满了浪漫主义,这在曹操、曹植的不少诗篇中反映得较为突出。魏晋南北朝的民歌里,这两种倾向仍在发展着。尽管这时候的文人诗歌有很多形式主义和消极浪漫主义,但仍然产生许多富于积极浪漫主义的诗歌。陶渊明写了许多现实主义诗篇,但也有不少优秀的积极浪漫主义诗作。诗歌发展到唐代，达到了极为繁荣的境地，现实主义和浪漫主义都得到了高度发展。而现实主义在杜甫身上得到了突出的发展，浪漫主义在李白身上最为成功。至于像王维、孟浩然、韦应物等这样的诗人，也不能一概斥之为反现实主义作家。王维的思想是矛盾的，特别是他的后期，地主阶级的腐朽思想更是浓重，因而有许多消极浪漫主义以至形式主义的诗篇，但是仍然有一些诗篇是有积极浪漫主义倾向的，另一些诗篇则表现了现实主义倾向，尽管它们在深度和高度上不能跟杜甫、李白相比。孟浩然、韦应物有许多诗也并不能归入反现实主义之列。我们需要的是对具体作家和作品作具体分析。

这里不可能全面地论述全部中国文学发展史中的现实主义和浪漫主义问题。这里，我们只想说明，在诗歌这一文学样式中，现实主义和浪漫主义两种倾向一直是贯穿着全部历史的。抒情诗，它以抒发思想感情为特点，因而最适于用浪漫主义的方法，因为，浪漫主义不是从现实的本来样子去写现实，而是通过作者的理想或幻想，改变了现实的样子，表达出作者的主观愿望和意志（当然也并不是说任何主观愿望都一定用浪漫主义才能表现）。但是，事实是，中国诗歌发展史中，除了积极浪漫主义以外，也发展了现实主义，这与中国的特殊土壤有关。戏剧、小说在中国都比诗歌发展得晚。小说、戏剧这种样式本身就更容易发展现实主义，因而，现实主义在小说、戏剧中是愈来愈发展，以至后来出现了像《儒林外史》《红楼梦》等这样的现实主义小说。元曲里的现实主义显然是增强了，但是，很多元曲，有消极浪漫主义，而一些优秀的创作，则常常是有很强的积极浪漫主义。就连最伟大的元代剧作家关汉卿，他的许多著名著作，都是如此。《望江亭》是他的最富现实主义倾向的作品了，但是，像谭记儿这样女主角，这是个理想化的女性，是作者"愿意"看到的人物；像《窦娥冤》则更是富有积极浪漫主义的杰作。到明清小说，现实主义和积极浪漫主义都有了进一步的发展。这时的短篇小说里，现实主义倾向就比宋元话本更浓，但是，有不少是自然主义或消极浪漫主义的，当然也有积极浪漫主义。《水浒传》《三国演义》中许多最为人所喜爱的人物，像李逵、鲁智深、武松、关羽、孔明、张飞等，都是作者跟人民群众共同创作出来的理想化人物。《水浒传》里对现实的描写，是充满了主观愿望、幻想，按照作者希望、愿意看到的样子在描绘，但这种愿望、幻想是有真实的现实基础的，所以它基本上是积极浪漫主义的杰作。长篇小说里的现实主义倾向也发展了，到了《儒林外史》《红楼梦》，现实主义就达到了古典文学的高峰。它们基本上都是属于现实主义的杰作。

  但是现实主义与浪漫主义虽然是文学中两个最基本的倾向，在不同的文学样式（诗歌、小说、戏剧）中却有不同的表现。诗歌中的现实主义、积极浪漫主义发展得较早，但诗歌中更富于积极浪漫主义。小说、戏剧中更易于发展现实主义，但也是与其他倾向，特别是积极浪漫主义在一起。这两种创作方法都能真实地反映现实，而且，甚至由于具体作品所达到的程度、深度不一样，有些积极浪漫主义作品比某些现实主义作品更有社会意义。绝不能把积极浪漫主义作为一种现实主义的属性，归入现实主义；或者，只把浪漫主义看作一种手法，因而，似乎只有荒诞不经的表现，幻想、象征、夸张的手法才算浪漫主义。其实，浪漫主义贯穿于整个文学发展史中，用浪漫主义方法创造的形象，不仅有像孙悟空、白娘子等一类幻想出来的人物，而且，有像孔明、关羽、张飞、武松、李逵、鲁智深这样一类使人感到可信，但又是理想化的人物。只是，我们必须严格把浪漫主义区分为积极浪漫主义与消极浪漫主义，我们要继承的不是歪曲现实的消极浪漫主义，而是积极浪漫主义，而在中国文学史中，二者常混在一起，我们必须仔细地分析。

  在中国古典文学发展的历史过程中，现实主义和浪漫主义是主流，而且，两者有日益走向结合的趋势，产生了现实主义和浪漫主义相结合的萌芽。唐代诗人王之涣的《登鹳雀楼》："白日依山尽，黄河入海流。欲穷千里目，更上一层楼。"另一位诗人李绅所作的《古风》："春种一粒粟，秋成万颗子。四海无闲田，农夫犹饿死。"这些诗篇，都把现实主义精神和浪漫主义情志融为一体，现实主义和浪漫主义在逐步走上相结合的道路。

1959年春，燕园

（原载《北京大学学报》，人文科学版，1959年第2期）

附文三

曾繁仁主编《中国文艺美学学术史》(2010),列有专章,论胡经之的文艺美学。兹作为附文,收在《胡经之文集》第一卷之后,作为历史资料。

胡经之的文艺美学构想①
(《中国文艺美学学术史》第一章)

回顾美学的历史,其中着重探讨和阐述文学艺术审美规律的理论或思想十分丰富。无论是哲学的还是心理学的,无论是思辨的还是经验的,把文艺看作一种审美现象或审美活动的集中体现而进行研究已经显示出了美学的深入和分化趋势。改革开放之后的学术界充满了憧憬、希望和审美理想之光,新的美学热潮着眼于思想的自由解放,美学不再停留于哲学思辨,美被看成自由的象征而流于各个实践领域,大众美学、旅游美学、饮食美学等涌现出来,一切使人发生快感的对象都被看作是美。在这种环境中,文学艺术是否还是美学的对象成为一个问题。1980年春,胡经之教授在昆明召开的中华美学学会成立暨第一届美学大会上倡言在高校建立和发展文艺美学学科,这一提议被写入了《会议简报》。此后,胡经之教授在北京大学出版的《美学向导》《大学生丛刊》等书刊上,分别发表了影响颇大的《文艺美学及其他》《文艺美学是什么》两篇论文,探讨了文艺美学的学科性质与研究对象。同时,他在北京大学中文系开设文艺美学课程并招收文艺美学研究生,在北京大学成立文艺美学研究会,出版《文艺美学论丛》。

---
① 《中国文艺美学学术史》乃教育部人文社科重大项目,2010年长春出版社出版。

这在全国开风气之先并产生很大影响。之后的《文艺美学》一书明确将"审美活动"作为文艺美学的基本内涵。这就标志着文艺美学对于美的探讨已经由对于美的实体性界定进入了关系性的界定,可以说是学科建设的历史进步和学术探讨的理论深化。

第一节 《文艺美学及其他》①

胡经之在该文的开篇指出:文艺美学是关于文学艺术的美学,其研究对象是文学艺术,它是文艺学和美学相结合的产物。他分别从文艺学、美学两个系统给文艺美学以定位,同时回答了文艺美学的研究对象和内容,论述了文艺美学的定位及其要解决的特殊矛盾。

首先,文艺美学可以属于文艺学。文艺学(广义)专以文学艺术为研究对象,对它做全面的、综合的、系统的研究。文艺学主要包括文艺理论、文艺历史和文艺批评三个主要部门。文艺批评是一种评价活动,紧随着作家、艺术家和文学艺术作品,影响受众,又反过来作用于创作,是创作者和欣赏者的中介。它不是一般意义上的认识活动,但受到特定时代的文艺历史和文艺理论的制约,从一定的文艺思想、文艺史观出发去评价文学艺术,反过来它也影响着文艺理论和文艺历史。

文学艺术史属于历史科学,研究文学艺术本身的历史发展过程,从历史现象出发,理出历史线索,展示历史过程,进而探索文学艺术的历史发展规律,做出理论说明,达到历史和逻辑的统一。

文艺理论主要用逻辑的方法研究文学艺术,将历史上升为逻辑,对文学艺术做社会的、政治的、道德的、心理的、美学的等多种因素的综合全面的研究。②当文艺理论将所有文学艺术作为一个整体对象来研究,探索文学艺术共有的性质和规律时,由于研究方法和研究重点的多样,可以分为艺术哲学、文艺社会学、文艺心理学和文艺美学。艺术哲学、文艺社会学和文艺心理学,或者从一般哲学上探讨文

---

①胡经之:《文艺美学及其他》,引自《美学向导》,北京大学出版社,北京,1982年。
②同上,第43页。

学艺术中的哲学问题,或者从一般社会学观点来研究文学艺术的社会规律,或者对文学艺术做心理学的研究从而使文艺理论深入文学艺术的创造和欣赏过程中去,都未触及文学艺术的审美本质。对文学艺术的研究不应满足于一般哲学、一般社会学和普通心理学的水平,要求跨上哲学美学(审美哲学)、社会学美学(审美社会学)和心理学美学(审美心理学)的阶梯,而从美学角度,深入审美方面,揭示文学艺术的特殊审美性质和特殊审美规律,这是对文艺学视野的扩大。事实上,文艺理论远不止可以分为哲学的、社会学的、心理学的、美学的这四种。有多少种研究方法,文艺理论就可以有多少分支,比如政治学的方法可以延伸出文艺政治学,伦理学的方法可以延伸出文艺伦理学……关于这一点,杜书瀛在其《文艺美学原理》的绪论中作出了简要的阐述。

因此,文艺美学是文艺理论的一个部类。又由于文艺美学要着重弄清的是文学艺术这种特殊审美活动的"自律"、社会发展的"他律"如何通过"自律"发生作用①,因而在文艺理论的所有学科中处于核心层次。它属于文艺学,但也可以跨越文艺学而进入美学行列。

进而,文艺美学可归入美学。美学"以人类的整个审美活动作为自己的研究对象"②。人类的审美活动遍及社会生活的所有实践领域,生产斗争、政治生活、道德、科学、艺术的实践活动等等,都可能伴随或渗透着审美活动。美学"要研究文学艺术和其他人类审美活动共有的审美的普遍规律"③。鲍姆嘉登创立"审美学"以弥补哲学的只有逻辑学和伦理学而无感性学之不足,使审美学成为哲学内部的一个独立部门。康德、谢林、黑格尔等都从哲学上来研究审美,对审美作哲学的探索,力图弄清人类审美活动的本质,这条道路可以称为哲学美学(审美哲学)。20世纪以来的美学,除哲学美学(审美哲学)外还有两个基本部门:心理学美学(审美心理学)和社会学美学(审

---

① 胡经之:《文艺美学及其他》,引自《美学向导》,北京大学出版社,北京,1982年,第43页。
② 同上,第36页。
③ 同上。

社会学)。哲学美学主要研究审美活动中的审美客体,探索审美客体的美的本质,弄清自然美、社会美、艺术美共有的性质;哲学美学并不限于研究美,更不只研究艺术美,它还要研究美的对立面——丑,揭示自然、社会和艺术中的丑的共同本质。哲学美学当然也研究文学艺术的美、丑等等,但它的使命不在研究文学艺术的特殊性质和规律,而是研究文学艺术和生活中的美、丑等的共同性质和普遍规律。心理学美学研究审美主体的心理活动的本质和规律,解释审美心理和非审美心理的联系和区别。审美心理学研究审美反映的过程和状态,其中当然包括了文学艺术的所有心理规律,但它并不穷尽文学艺术的所有心理规律,而只是研究文学艺术和其他审美活动共有的普遍规律。社会学美学探索人类社会的审美创造的本质和规律,研究人怎样从实践上去创造社会美,审美主体怎样改造审美客体产生新的审美价值。

尽管上述三者都要研究文学艺术(比如黑格尔已不满足于一般的哲学美学而集中于研究文学艺术的审美,深入文学艺术内部),但是,作为一门专门研究文学艺术的审美特性和规律的学科——文艺美学,仍得到了独立发展,以解答文学艺术自身与其他审美活动相区别的特殊审美性质和规律。

由于美学与人类实践活动日益紧密的联系,美学向着更为具体的实践部门纵深发展,在哲学美学、心理学美学和社会学美学基础上产生了更为具体的美学部门,深入各种具体审美活动中去,跨越审美活动共同本质和普遍规律,探索诸如生产活动、艺术活动中的审美规律等具体审美活动的特殊审美性质和规律,或它们与其他审美现象的联系和区别。前者即在欧美和苏联都得到蓬勃发展的生产美学(技术美学、劳动美学),后者就是文艺美学。随着当代美学对文学艺术的审美本质和审美规律的了解,学者们注意到:艺术和审美有什么关系?艺术的是否必定是审美的?文学艺术同审美活动的关系何在?文学艺术的审美性质表现在哪里?美学家、文艺理论家越来越重视文学艺术的审美性质和审美规律的研究,比如卡冈的《艺术形态学》就主要研究了文学艺术的美学。

文学艺术是一种审美活动,是审美活动的独特形式,是相对独立的社会审美现象，有独具的审美规律，"因此，美学要深入，就不只要弄清审美与非审美的区别，而且在审美领域内，还要进而探索文艺与审美的差别"[①]；文学艺术作为一种审美活动和审美现象，本身构成了一个系统：文艺作品（产品）、文艺创造（生产）、文艺享受（消费）。文艺美学要对这个完整的过程做系统的研究，包括了这三个方面的美学：文艺作品的美学、文艺创造的美学、文艺享受的美学。胡经之的文艺美学系统就是这三个方面的展开论述。探讨文学艺术的作品、创造和享受，亦即产品、生产和消费这三方面的审美规律，这就是文艺美学的对象和内容。

文学艺术的各科样式、种类、体裁，各具特点，每一样式之中又有不同的种类，具有独特的审美特性和审美规律。因此文艺美学可以分化为更具体的部门：音乐美学、绘画美学、建筑美学、舞蹈美学、雕塑美学、戏剧美学、电影美学、文学美学、摄影美学等；各部类美学又可细分，比如文学美学，可分为小说美学等。美学要掌握文学艺术的全部特性和规律，必然需要层层深入。

文学艺术的审美活动也不孤立于人类其他审美活动领域，而只是其中的一种形态，它与其他审美活动、审美现象具有共同性，遵循普遍的审美规律。无论审美主体、审美客体，或二者之间的关系，都有一些普遍的规律。文艺美学在研究文学艺术自身特具的特殊审美规律时，既不能脱离那些所有审美活动共有的普遍审美规律，又要联系下一层次更为特殊的个别审美规律（音乐的、舞蹈的、文学的，等等），"但它责无旁贷，必然要着重研究文学艺术共有的这一层审美规律"[②]。文艺美学是美学的一个部门，不能代替美学的其他部门。

[①] 胡经之：《文艺美学及其他》，引自《美学向导》，北京大学出版社，北京，1982年，第41页。
[②] 同上。

第二节 《文艺美学:对文学艺术的系统研究》①

《文艺美学:对文学艺术的系统研究》,既是胡经之对文艺美学研究对象的具体阐释,又是对文学艺术共有的审美规律这一文艺美学"责无旁贷"的着重点的探讨。一方面,回答了文艺美学的研究对象是美学角度的文学艺术;同时,回答了文学艺术是如何成为一个相对独立的审美活动系统,以及文艺美学是应该完成对文学艺术的系统研究的。

文学艺术既是一种特殊的人类活动,又是这种人类活动的产物。作为这种特殊的活动和产物,文学艺术在人类社会中自成一个系统。在这个系统的整体中,创造—作品—欣赏,乃是相互联系的三个主要环节。不同的文艺学曾对每个环节都做过这样或那样的研究,学者的目光或集中于作者,或局限于文本,或聚焦于受众。文艺美学需要运用马克思主义把艺术系统的各个环节联系起来,不把三者割裂开来。文章指出:"把艺术活动作为一个独立系统来看,创造—作品—欣赏这个系统,其实也就是艺术信息的制造、储存和接受的过程。艺术创造就是制造一种艺术信息;艺术信息的物化,把它储存在作品中;欣赏就是艺术信息的传递,读者、听众、观众通过欣赏而接受艺术信息,然后发生反馈作用,去影响新的艺术生产。艺术家所创造的艺术信息究竟是一种什么样的信息,这种信息是怎样被储存在作品中,又怎样被欣赏者所接受,在这过程中,信息又经历过一些什么变化,它又怎样发生反馈作用,我们的文艺美学都应该把它们放在艺术系统的整体中重新考察,作新的探索。"②

艺术系统的独立只是相对的,这个相对独立的艺术系统从属于人类社会的更大系统之中,文学艺术是整个社会机体的一个部分。只有把这个部分放在整体中去考察,才能弄清它与整体、它与其他部分的密切关联。文学艺术这个相对独立的系统在社会整体系统中时,创

---

① 胡经之:《文艺美学:对文学艺术的系统研究》,引自胡经之主编:《文艺美学》论丛,第一辑,内蒙古人民出版社,呼和浩特,1986年。
② 胡经之:《文艺美学:对文学艺术的系统研究》,胡经之主编:《文艺美学》论丛,内蒙古人民出版社,呼和浩特,1986年,第3页。

造、作品与欣赏都关联着社会，与社会形成双向的相互作用，那么文学艺术实践同一切人类社会实践活动的异同成为文艺美学研究的题中应有之义，比如"艺术生产和物质生产、精神生产的联系和区别何在，艺术文化和物质文明、精神文明有什么样的联系和区别"[1]，"文学艺术和非艺术的产物"[2]的比较等。

依据胡经之文艺美学体系的理论要求，其主编的《文艺美学》论丛（第一辑、第二辑）收录了研究文学艺术自身独具的特殊审美规律的文章，以及研究部门艺术（包括个别作品）的更为特殊的个别审美规律的理论成果。前者，如第一辑中滕守尧的《"再现"艺术的审美经验》一文，以"再现"艺术的特殊规定性、"再现"发生的原理和过程及其依据的心理机制为基础，分析了不同时代、不同流派、不同门类的艺术再现所激起的不同的审美经验，说明了艺术再现之不同于"复制"的充分运用审美知觉的规律而获得以少胜多、以刹那见永恒的审美原理。再如论丛第二辑中的《审美感官与审美感受》（周宪），就主体对审美对象的形式因素的感知，探讨了审美感官与感受的关系问题。研究部门艺术的审美规律的理论，如第一辑的《"散文诗"电影与中国古典美学传统》（彭吉象）、《音乐和艺术共性及其特殊性》（盛天启）、《绘画美学门外三题》（王鲁湘），论丛第二辑的《茨威格小说中的精神分析手法剖析》（苦寂）、《新时期绘画美学思潮初探》（王庆生）等。

第三节 《文艺美学》[3]

胡经之在《文艺美学》一书中对"文艺美学"体系进行了系统论述。他强调了两个方面的内容：其一，文艺美学并非就是美学原理和文艺学原理的简单相加，其独特的逻辑起点为作为独特的审美活动

---

[1] 胡经之：《文艺美学：对文学艺术的系统研究》，引自胡经之主编：《文艺美学》论丛，内蒙古人民出版社，呼和浩特，1986年，第5页。
[2] 同上，第6页。
[3] 胡经之：《文艺美学》，北京大学出版社，北京，1989年。

的艺术活动;其二,此体系的思想脉络是从动态分析走向静态考察。他放弃了从对艺术形象到艺术的内容、形式、构成、形态的分析到创作—作品—欣赏分析的由静态走向动态的路程,而是从分析审美活动入手,剖析艺术掌握世界的方式,进而探究审美体验的特点,寻找艺术的奥秘,然后转入艺术美、艺术意境等。

胡经之的文艺美学研究,放弃了以往流行的美—美感—艺术的路程,而从人类的实践活动着眼,抓住审美活动这一要素,分析审美活动的特点,由审美活动而产生审美体验,进而审美意象将审美体验组织起来,经由艺术符号予以物化,从而创造出艺术形象,艺术意象的符号化是为了交流。艺术形象既是作家、艺术家创造的结果,又是和读者、观众、听众交流的中介。艺术的创造、传播、接受乃是一个动态的过程。创作—作品—接受,这正是艺术生命的流程。对艺术生命意义的追问贯穿着他对文艺美学各个具体问题的探讨。在讨论审美活动的过程中,他着重把握了审美主客体的交流契合,按马克思主义实践观从审美的角度阐释人类实践、自由与审美的关系。他认为,人的自由的实践是对必然的认识和掌握,只有在实践中掌握了必然,才能达到真正的自由,才能确立真正的审美关系,文艺实践的主客体在交流与契合中实现艺术和生命的统一。由审美活动产生的审美体验属于审美心理深层结构和动力过程的问题,它不同于审美经验,是相对稳定的审美经验的激发流动、重新组合的过程,是审美主体对审美对象进行聚精会神的体验时所感受到的无穷意味的心灵战栗。他考察了审美主体和审美客体的静态和动态两种状态,并对审美体验的层次性和拓展性进行了探讨,得出了审美体验的模糊性、直觉超越性、激情性、随机性、流动深化性、双向建构性、二象性等特性。在对艺术奥秘的寻找中,他最重视的是对美的规律的探讨,因为艺术之所以为艺术,就在于其中存在着美的规律。在一般物质生产领域,人类也要按照美的规律来生产,但其审美价值从属于实用价值或功利价值。只有充分揭示现实世界中人的审美价值并且超越这种审美价值达到人的思想灵魂净化的审美创造才是真正的艺术审美创造。艺术审美离不开美的规律,艺术审美的目的是要发掘出审美对象中所蕴藏的精神内容,这种精神内容是按审美理想、审美观念、审美趣味所组织起来和系统概括化了的审美体验,审美体验物化为艺术的内容,具有特殊的审美价值。艺术审美就是要揭示艺术对象的审美价值,这种审美价值是指人在艺术创造活动中以作品的形式客观地反映了世界的审美价值财富,并且概括了主体对世界审美关系所形成的精神价值;还包括人在通过艺术审美(欣赏)所获得的审美体验(二度体验)中不断形成的新的审美趣味和审美心理结构,也就是对人的审美塑造——最高的审美价值。艺术审美的本质就是审美超越,最终实现人的心灵的净化和精神的升华。不仅艺术审美,同样的,艺术掌握和艺术形态都离不开美的规律。美的规律是文学艺术必须遵循的规则。

胡经之还特别指出:"文艺美学不像美学原理那样,侧重基本原理、范畴的探讨;但文艺美学也不像诗学那样,仅仅着眼于文艺的一般规律和内部特性的研究。"[①]也就是说,用美学的方法研究文学艺术这种特殊的人类审美创造活动,或文学艺术的审美性质和审美规律,就要"将美学与诗学统一到人的诗思根基和人的感性审美生成上,透过艺术的创造、作品、阐释这一活动系统,去看人自身审美体验的深拓和心灵境界的超越"[②]。在他看来,"文学艺术,既是一种特殊的人类活动,又是这种人类活动的产物。文艺活动不是一般的人类活动,根本原因在于它是以人自己的独立之思去唤醒灵魂,以自己超越的视野去寻找本真的自我,以对本体价值的追求去观照人类的现实处境。因此,艺术活动是人的本真生命活动,是一种寻觅生命之根和生活世界意义的活动,一种人类寻求心灵对话、寻求灵魂敞亮的活动"[③],"艺术的根本目的是通过审美之途,通过赋诗运思,感悟人生生命意蕴所在,并在唤醒他人之时也唤醒自己,走向'诗意的人生'"[④]。所以,在胡经之看来,文艺美学的使命在于:通过对相对独立的文艺系统以及统一在人类社会系统中的文艺系统的考察,寻求艺术的生命意义和人的感

---

① 胡经之:《文艺美学》,北京大学出版社,北京,1989年,第2页。
② 同上。
③ 同上,第9页。
④ 同上,第17页。

性审美生成的奥秘,进而追问人的生命意义,深拓人的生命底蕴。

第四节 《文艺美学的反思》①

在现代文艺美学学科与我国古代美学思想(或者说古代文艺美学研究)、西方美学的关系方面,胡经之指出:我国古代美学思想对文学艺术的审视重在整体感悟,轻于分析解剖,难做理性把握。西方美学对文学艺术的审视,则善于条分缕析,抽象推理。现代文艺美学应从中国的艺术实践出发,将古代美学思想的感性具体上升为知性抽象、进而上升为理性具体,回返到艺术实践,从而在更高阶段上把握艺术活动的整体。这是对学科发展的现代化之路的说明:我国古代美学思想与现代文艺美学的很多概念具有相同之处,并且应当成为现代文艺美学丰富的研究资源和重要基石。

他在本文中点出了一个新的问题:在商品经济条件下,文学艺术日益走向商品化;同时,平庸的、丑陋的文艺作品屡见不鲜,艺术垃圾日益增多。面对这种情况,文艺美学应该做些什么呢?文学艺术不应违反自己的审美创造本性,更不能违反美的规律,那么文艺美学最需要进行深入研究的问题,还是:"文学艺术应该如何按照美的规律来创造"。胡经之的文艺美学在一开始就具有价值论意义,他强调"审美价值的本质"是"审美超越"。杜书瀛也认为文艺创作是"审美价值的生产活动"。作为文艺美学研究不同于文艺社会学或文艺心理学的一个重要方面就是价值论的引进。文艺美学以肯定文艺对人的生命、存在的意义所具有的深刻价值的方式,肯定了人的存在意义与价值,"从而成为贫乏时代重建人的价值与尊严的一种表达与姿态"②。

提出"文艺美学"概念之初,胡经之认识到文学艺术不仅和政治、道德等有千丝万缕的联系,更有自己的审美特质。对文艺美学学

---

① 胡经之:《文艺美学的反思》,《江苏社会科学》,1999年第6期。又见《胡经之文丛》,作家出版社,北京,2001年。
② 王世德、刘方:《文艺价值论——文艺美学研究的新趋势》,《临沂师专学报》,1995年第4期。

科的呼吁与实践于之前理论界的庸俗社会学、庸俗政治学和机械反映论有纠偏补弊之功。但其学科体系仍在以下几个方面被批评：

第一，作为"中介"或"融合"，文艺美学的两个前提——美学、文艺学本身的定位在学界尚未形成统一意见。若要在这两个系统中给文艺美学以定位，必须首先论证美学的确定性和文艺学的合法性。

第二，文艺美学与艺术哲学的关系问题。传统美学认为美是艺术的本质，胡经之（以及杜书瀛）认为文学艺术必须遵循美的规律。但现代艺术却不乏丑陋与庸俗的因素。德国学者菲德列尔提出"艺术学"这个概念，因为他认为美与艺术根本不同，艺术绝不以美作为目标。过去的美学把艺术的研究从属于美，作"美的艺术"来研究是不对的；必须在美学之外另行建立一门"艺术学"，撇开美的问题，从艺术自身来研究艺术。德索瓦也提出美学与一般艺术科学（即艺术学）相区别的主张，认为美的概念不能完全包括艺术的概念，美的研究与艺术的研究必须区分开来，但艺术与美又非完全无关，所以艺术学与美学是既相区别又相联系的关系。文艺美学的兴起与艺术学在中国的倡导几乎同时，对于文学艺术这个相同的研究对象，文艺美学与艺术学是什么关系呢？对此，刘纲纪指出："从艺术的研究来看，美学所要研究的只是艺术的美，因为美学不能不研究美的本质问题，从而也不能不研究美的最集中而纯粹的形态——艺术美"，至于"艺术与人类起源、自然环境、物质生产（当然也包含商品生产）、社会心理、宗教、道德、政治、科学、媒体的关系，以及所谓'精英艺术'与'大众艺术'的关系等等，都需要分别地做细致深入的考察研究，不是美学的研究所能包容得了的"，"应当划归'艺术学'研究的范围"。刘纲纪接着强调："按照这种看法，目前我们所说的'文艺美学'就是美学的一个部分，即对艺术（包含文学）美的研究，或者就是黑格尔所说的'美的艺术的哲学'。美学对艺术美的研究又可分为对各门类艺术美的研究，即各种部门艺术美学，如文学美学、绘画美学、电影美学，等等。"[①] 同时，刘纲纪还认为西方所谓"艺术学"的抛开美的本质的研究并不

---

① 刘纲纪：《关于文艺美学的思考》，《文艺研究》，2000年第1期。

可取；作为美学来看的文艺美学,"可以发展为一种侧重于艺术的研究,或以艺术的研究为主要方面的美学",而且"不能因此排斥美的本质、美感(审美)的研究"。①

除了上述对"逻辑起点"问题的怀疑,对方法问题的质疑成为否认文艺美学独立性的另一原因。文艺美学强调"用美学的方法研究文艺",那么什么是"美学的方法"或"美学有否自己的方法"？传统美学多用自上而下的哲学的方法,或自下而上的心理学的方法,那么,所谓"用美学的方法"是否等同于用哲学或心理学的方法呢？如果是,那么毫无疑问,文艺美学即艺术哲学或文艺心理学。如果答案是否定的,那么所谓美学的方法又指什么呢？

姚文放认为,文艺美学就是美学的一部分,即"美的艺术的哲学"或"艺术哲学"。在他看来："文艺美学是用哲学—美学的观念和方法来研究文学艺术,从本质上讲,它是一种'艺术哲学'。因此文艺美学与一般美学之间是属种关系,一般美学是普遍、整体,研究所有美的现象,也包括文学艺术在内,文艺美学则是特殊、局部,专门研究文学艺术,而一般美学所制定的学科规范则始终融贯于文艺美学之中。"但姚文放也指出,文艺美学作为一种"约定俗成"的名称,它"处于一般美学与一般文艺学交叉、重叠的结合部"。他认为,文艺美学的学科范围应当是：从横向上看,它展开为对文艺行为、文艺价值、文艺的社会根源、文艺心理、艺术语言、文艺形式、文艺形态、文艺史等的美学研究；从纵向看,它又展开为绘画美学、雕塑美学等文艺部门美学。这就构成了文艺美学庞大的学科谱系。

---

① 对于"艺术哲学"的看法,也存在分歧,刘纲纪是在黑格尔的体系中确认"艺术哲学"的概念,也就是指美学中研究美的艺术的部分。另一派观点认为,文艺等同于审美,一切审美活动都是艺术活动,因此美学等同于艺术哲学。

附文四

魏饴等著《中国文艺美学教学发展论纲》(2014),在第二章《中国文艺美学的发生与发展》有专论"胡经之的文艺美学"一节。兹作为附文,置《胡经之文集》第一卷后,作历史资料。

中国文艺美学学科的创始人[①]
(《中国文艺美学教学发展论纲》第一节)

五四新文化运动以来,西方文化广泛传入中国。经过相当长时期的西学引进,一批有觉悟的中国学者有意跳出西学的窠臼酝酿和着手建设有特色、有实力的中国学派。杜书瀛在《文艺美学诞生在中国》中指出:"严肃的学术研究是一种创造性的精神生产活动。某个时代某个民族的学者或学术群体对人类社会的贡献,就在于同前人相比,他或他们在学术活动中是否能拿出具有创新意义的有价值的成果,以促进学术的发展,以利于人类的进步。在历史上,中华民族的优秀学人曾作出过独特贡献。那么现代如何?仅就20世纪以来百年左右的人文学科而言,如果说俄国学者贡献了'俄国形式主义',英美学者贡献了'新批评',法国学者贡献了'结构主义'以及之后的'解构主义',德国学者贡献了'接受美学'……那么,中国学者呢?我认为,中国学者贡献了'文艺美学'。"[②]在这里,杜书瀛将"文艺美学"与众多西方著名学派相提并论。就目前来看,中国文艺美学的成就或许还

---
① 《中国文艺美学教学发展论纲》乃国家社会科学基金教育科学课题,2014年社会科学文献出版社出版。
② 杜书瀛:《文艺美学诞生在中国》,《求索》2002年第3期。参见《美的追寻——胡经之学术生涯》,北京大学出版社,北京,2003年。

不能与上述流派相比,尤其是缺乏思想大师和经典论著。但是,"文艺美学"毕竟是由中国学者命名的,这确实是中国人的骄傲。《文艺美学诞生在中国》发表后,陈定家撰文做出回应,他的文章题目就是《中国当代学者对世界学术的贡献》①。尽管目前学术界对文艺美学还有异议,甚至有些学者对它持否定态度,但这并不能阻挡文艺美学学科不断发展壮大的事实。

文艺美学学科的提出

"文艺美学"学科的提出有一个漫长的过程。早在20世纪40年代,文学评论家李长之(1910~1978)在一篇接受采访的著作里就提出了"文艺美学"这个名字:"……你所谓和大众接近的一部分也仍然是有的,那是'文艺教育'。但是文艺教育须以文艺批评为基础,而文艺批评却根于'文艺美学'。文艺美学的应用是文艺批评,文艺批评的应用才是文艺教育。"②在这段文字中,李长之不仅提出了"文艺美学"这个词语,而且分析了它和文艺教育以及文学批评的关系。这表明他提出这个词语绝非一时的冲动,因为他把它与文艺教育和文艺批评并置在一起。由此可见,李长之已经把文艺美学提到了学科的高度。可惜的是,他的这个提法一经提出即戛然而止,至少没有再留下书面文字。

1971年,台湾学者王梦鸥(1907~2002)出版了一本书,名为《文艺美学》。王梦鸥,1907年生于福建长乐,毕业于福建学院,后入早稻

---

① 陈定家:《中国当代学者对世界学术的贡献》,《江西社会科学》,2002年第12期。
② 李长之:《文艺史学与文艺科学》,引自《苦雾集》,商务印书馆,北京,1943年,第6页。胡经之在《中国古典文艺学》(光明日报出版社2006年版)中提及李长之的这个说法:"直到前年,才见到李长之的《苦雾集》(1941),其中有《文艺史学与文艺科学》一文,是在翻译了一部书后和记者的对话。依李长之见,文艺科学应是对文艺作科学研究的'文艺体系学',并且画龙点睛地说:'文艺体系学也就是文艺美学。'他虽然没有进一步展开论证,但观点十分鲜明。"在我们所见的版本中,未见到胡经之引的这句话,但确有"文艺美学"四个字。不过,我们感觉李长之在这里提出的"文艺美学"其实就是现在所说的文艺学,或者说是文艺理论,至少可以这样置换。

田大学。1939~1945年任教于厦门大学,兼任萨本栋校长的秘书。抗战胜利后,萨本栋担任南京"中央研究院"总干事,王梦鸥也随同前往并继续担任秘书职务。1949年,随"民国中央研究院"去台湾,1956年转任政治大学中文系教授,1979年退休,后获聘为辅仁大学讲座教授,2002年去世。其代表作为《礼记今注今译》《古典文学的奥秘:文心雕龙》《文学概论》《文艺美学》,以及历史话剧《燕市风沙录》等。他的《文艺美学》分上下两篇,共11章,上篇7章,论述西方自古希腊至20世纪文艺美学思想的历史发展;下篇4章,论述文艺美学的几个基本理论问题。在下篇第一章"美的认识"中,他发表了如下看法:"倘依此定义来看,则所谓文学也者,不过是服务于特定的'审美目的'下之文字系统或文字的构成物而已。它之不同于其他艺术,在于所用的符号不同,但它所以成为艺术品之一,则因同是服务于审美目的。是故,以文学所具之艺术特质言,重要的即在这审美目的。反之,凡不具备这审美目的,或不合于审美目的,纵使有文字系统或构成,终究不能算作艺术的文学。"[1]不难看出,王梦鸥强调的是文学的审美性。从这一点来看,它已经超出了普通的文学理论,而上升到了美学的高度。但该书并非专著,不成体系,而且明显缺乏自觉的学科建设意识。

1980年春,中华全国美学学会成立,胡经之应邀同朱光潜、杨辛一起出席了昆明会议。"在会上,我提出,艺术院校和文学系科,应该开设文艺美学课程,发展文艺美学这一学科,使美学和文艺学结合起来。我这想法,引起了艺术院校从事理论教学的教师的共鸣,也得到了美学前辈王朝闻、朱光潜、伍蠡甫的支持。"[2]值得注意的是,胡经之在这里明确把"文艺美学"提升到了学科的高度。1982年,胡经之在《文艺美学及其他》中写道:"文艺学和美学的深入发展,促使一门交错于两者之间的新的学科出现了,我们姑且称它为文艺美学。文艺美学是文艺学和美学相结合的产物,它专门研究文学艺术这种社会现象

---

[1] 王梦鸥:《文艺美学》,新风出版社,香港,1971年,第131页。
[2] 胡经之:《文艺美学论·自序》,华中师范大学出版社,武汉,2000年,第5页。

的审美创造特性和审美创造规律。"①至此,作为一个学科的"文艺美学"正式诞生了。

综上所述,从李长之到胡经之,"文艺美学"学科的诞生凝聚了数代中国学者的心血。其中可能存在着复杂的交叉影响关系②。因此,杜书瀛把这些为文艺美学的诞生做出突出贡献的人誉为"文艺美学的教父":

> 2003年底在台湾台北市举行的"回顾两岸五十年文学学术研讨会"(由中国社会科学院文学研究所与台湾中国文化大学中国文学研究所共同主持)上,台湾中国文化大学的金荣华教授在评议我的大会发言时说,王梦鸥先生的《文艺美学》并非这一学科出现的最早标志,在1969年,中国文化大学文学系就已开始讲授"文艺美学",主持此事并讲授此课者,即金荣华教授;差不多同时,台湾的一所师范院校,也开设了文艺美学课。在中国大陆,较早提出"文艺美学"名称并竭力倡导建立文艺美学学科的是胡经之教授,那么把他们称为文艺美学的教父,当不为过誉。③

一般来说,"教父"只有一个,而这里的"教父"却是一个集体赞誉。如果"教父"这个说法可以沿用的话,我们认为胡经之才是真正的文艺美学的"教父",因为他是真正促成"文艺美学"学科诞生并产生重大影响的人物。不过,我们觉得对他们还有更合适的称呼:胡经之是中国文艺美学学科的创始人,李长之以及王梦鸥等人是中国文

---

① 胡经之:《文艺美学及其他》,引自《美学向导》,北京大学出版社,北京,1982年,第26页。
② 胡经之承认他受了王梦鸥的影响,同时他推测王梦鸥是否受了李长之的影响。胡经之写道:"王梦鸥的《文艺美学》是否受到李长之的启发,就不得而知了。我听杜书瀛说起,他在台湾做过调研,发现在王梦鸥之前已有些学者在台湾开设过'文艺美学'课程。我猜测,从中国大陆到台湾去的学者中在中国大陆时可能受过老一辈美学家朱光潜、宗白华、李长之等人的影响,而我们这辈人却在20世纪五六十年代反而中断了自己过去的美学传统,一叹!"参见《中国古典文艺学》,光明日报出版社,北京,2006年。
③ 杜书瀛:《文艺美学的教父》,《南方文坛》,2002年第5期。参见《美的追寻——胡经之学术生涯》,北京大学出版社,北京,2003年,第42页。

艺美学学科的先驱。事实上，也正是胡经之提出把文艺美学作为一个学科加以发展以后，文艺美学才开始在全国范围内产生广泛的影响。1986年5月，首届全国文艺美学讨论会在山东泰安召开，与会人员围绕文艺美学的研究对象和范围等问题展开了深入讨论。此后，围绕文艺美学学科有一系列专著出版，大量的文章发表。

胡经之的文艺美学思想

胡经之，1933年6月30日生于江苏无锡，原籍江苏苏州。早年参加进步学生运动，新中国成立初期任无锡县学联主席，曾在中、小学任教。1952年考入北京大学中文系，攻读文学专业。毕业后曾入中国人民大学马列主义研究班，不久又回北京大学攻读副博士研究生，师从杨晦学习文艺学，又随朱光潜、宗白华研习美学，此时他就产生了融文艺学和美学为文艺美学的想法。1960年底，胡经之研究生毕业，留北大任教，讲授文学概论、文艺专题等课程，兼事文艺评论，被《文艺报》聘为特约评论员。1980年，在首届全国美学学会上提出"文艺美学"的学科建设构想，产生了较大的反响。1981年，在国内率先招收文艺美学专业的硕士生，先后培养了文艺美学硕士十余人，成为国内文艺美学学科发展的重要力量，其专著《文艺美学》已成为国内不少高校文艺学研究生的教材。

1984年，应深圳大学校长张维院士之邀，胡经之赴深圳大学参与创办中文系，并于1987年调入深圳大学。后来该系又发展为国内第一个国际文化系，胡经之任系主任。在此期间，他积极开展国内外学术文化交流，先后参与举办或协办中外比较文学、海外华文文学、中外美学、西方文艺理论等国际学术研讨会。与国内外人文学界有较广泛的联系，先后被推举为中国文艺理论学会副会长、中外文艺理论学会副会长、中华美学学会常务理事、广东省美学学会会长等，受聘为《文艺理论研究》及《文学理论前沿》《中外文论和文化》等学术刊物的学术顾问。后来又在深圳大学创建了特区文化研究所，任所长，举办特区文化研究生班，为深圳培养了一批文化建设人才，成为特区文化建设的重要力量。此外，他还担任深圳大学学术委员会副主任、人文社会科学委员会主任。并受聘为深圳市社会科学院顾问、特区研究中心顾问。学术兼职包括被深圳文化界推举为市作家协会主席、文艺评论家协会主席、文联副主席等。1992年，国务院获授予他"突出贡献"证书，终身享受国务院特殊津贴。1993年，他和暨南大学饶芃子教授合作，向国家学位委员会申报建立华南地区的第一个文艺学博士点，获得国务院的批准，胡经之成为深圳大学第一个博士生导师。从1994年开始，他致力于培养文艺美学博士生，先后招收十余人。目前仍在岗培养研究生，继续从事文艺美学的学科建设，也写评论、随笔、散文。

改革开放以来，胡经之著编的主要作品如下：《文艺美学》（北京大学出版社，1989年初版，1999年增订二版，2002年修订三版），《文艺美学论》（华中师范大学出版社，2000年版），《胡经之文丛》（作家出版社，2001年版），《文艺学美学方法论》（和王岳川共同主编，北京大学出版社，1994年版），《西方廿世纪文论史》（与张首映合著，中国社会科学出版社，1998年版），《西方文艺理论名著教程》（北京大学出版社，1986年初版，1988年增订二版，2002年增订三版），《中国古典美学丛编》（中华书局，1988年版），《中国现代美学丛编》（北京大学出版社，1989年版），《中国古典文艺学丛编》（北京大学出版社，2001年版），《文化美学丛书》（和郁龙余共同主编，中国社会科学出版社，2001年版），《中国古典文艺学》（和李健合著，光明日报出版社，2006年版）。

胡经之的"文艺美学"思想主要集中在他的专著《文艺美学》中。在《绪论：美学与诗学的融合》中，胡经之首先对文艺美学做了如下界定："在我看来，文艺美学绝非是美学与诗学的简单相加，也不是仅仅以文学艺术作为自己的研究对象，相反，文艺美学就其本源而言同人的现实处境和灵魂归宿息息相关。可以说，文艺美学是当代美学、诗学在人生意义的寻求上、在人的感性的审美生成上达到的全新统一。"①众所周知，文艺和美学其实都源于生活。但是随着知识

---

① 胡经之：《文艺美学》，北京大学出版社，北京，1989，第1页。

积累的不断丰富,很多理论逐渐脱离了现实生活,变成了从理论到理论的推演,与现实无关,因而也对人无益。20世纪80年代初期,胡经之倾向于认为文艺美学源于文艺学和美学的交叉,试图从两个学科的重合地带做出自己的探索。事实上,当时的胡经之只有一种创新的意识,并未形成具体方向和明确思路。到了80年代末,他的思路就比较明晰了,因为他不再把文艺美学定位为学科与学科的结合,而是把它和现实生活以及人的心灵联系起来,用文艺学和美学的共同根源把它们融为一体,因此在文艺美学的价值定性问题上获得了突破性的进展:"只有将文学艺术同人的生命意义追问、人的生命底蕴深拓联系起来,文艺美学的研究才有新的视界,才有新的维度。"[1]不难看出,胡经之的这个转向其实是受了朱光潜和宗白华美学的影响,他们都是诗化生活与生命诗学的倡导者。

沿着这个思路,胡经之接着把文艺美学放在活动中加以阐释:"文艺美学是将美学与诗学统一到人的诗思根基和人的感性审美生成上,透过艺术的创造、作品、阐释这一活动系列,去看人自身审美体验的深拓和心灵境界的超越。"[2]这种观点克服了那种孤立静止地看待文学艺术的方式,究其根源,无疑是受了《镜与灯》的影响。在《镜与灯》中,艾布拉姆斯提出了著名的艺术四要素观点:

> 每一件艺术作品总要涉及四个要点,几乎所有力求周密的理论总会在大体上对这四个要素加以区辨,使人一目了然。第一个要素是作品,即艺术产品本身。由于作品是人为的产品,所以第二个共同要素便是生产者,即艺术家。第三,一般认为作品总得有一个直接或间接地导源于现实事物的主题——总会涉及、表现、反映某种客观状态或者与此有关的东西。这第三个要素便可以认为是由人物和行动、思想和感情、物质和事件或者超越感觉的本质所构成,常常用"自然"这个通用词来表示,我们却不妨换用一个含义更广的中性词——世界。最后一个要素是欣赏者,即听众、观

---

[1]胡经之:《文艺美学》,北京大学出版社,北京,1989,第19页。
[2]同上,第2页。

众、读者。作品为他们而写,或至少会引起他们的关注。①

诚如艾布拉姆斯所说的,艺术的四要素包括作品、艺术家、世界和欣赏者。胡经之归结的"艺术的创造、作品、阐释这一活动系列"其实就是来自这四个要素的组合。"创造"即艺术家根据世界创作出作品,"阐释"即欣赏者根据自己的生活经验对作品进行解释。但是,胡经之把"社会"这个元素引入艺术活动中,或者说把艺术活动放在整个社会的语境中加以分析,从而使文艺美学获得了更加开阔的视野。

不仅艺术生产这个环节同社会沟通,就是艺术接受这个环节也沟通着社会。无论是艺术创造者和艺术欣赏者,都是属于社会的,不是孤立的个人。把艺术活动放到社会系统中,就成了这样的系统:社会—创作—作品—欣赏—社会。但是,社会与艺术的关系不是单向的,而是双向的,相互作用……作家、艺术家参与社会生活;社会激发作家、艺术家进行创造活动,产生艺术作品,供给读者、听众、观众去欣赏;艺术接受者受艺术享受的激发而付诸实践活动,对社会产生影响。反过来,社会培养了读者、听众、观众的审美需要和审美能力,对艺术作品提出新的要求,影响作家、艺术家的创作,推动作家、艺术家在想象中去改造社会生活。②

综观全书,胡经之的文艺美学就是在上述艺术活动的大框架中建构起来的。其命名分别为文艺创造的美学、文艺作品的美学和文艺接受(阐释)的美学。大体上,第一章到第四章属于文艺创造的美学,第五章到第九章属于文艺作品的美学,第十章和第十一章为文艺接受的美学。姚文放将全书的结构归纳如下:"……全书先从分析审美活动入手,再考察审美体验和艺术审美价值,进而剖析艺术掌握世界的方式,然后再探究艺术真实、艺术美、艺术形象、艺术意境和艺术形态,最后转入对艺术的阐释接受和艺术审美教育的论述,整个内容成

---

① [美]艾布拉姆斯:《镜与灯》,郦稚牛、张照进、童庆生译,北京大学出版社,北京,1989年,第4页。
② 胡经之:《文艺美学》,北京大学出版社,北京,1989年,第10~11页。

为作者'从动态分析走向静态分析'这一立意主导之下的逻辑展开,构成了完整有序的理论构架,而其中所涉及的概念、范畴,也整合为一个富于新意的范畴体系。"①这个概括并不准确,因为全书的结构分明是从动态分析(创造)到静态分析(作品)再到动态分析(阐释)。姚文放之所以做出这个错误的判断,是因为他受了作者的暗示。"从动态分析走向静态分析",正是胡经之在《文艺美学》的序言中揭示自己写作思路的一句话②。

尽管胡经之非常重视艺术活动,但他也没有忽视作品这个模块:"文艺美学应全面研究艺术活动(不仅是艺术生产,也包括艺术欣赏)中不同层次'美的规律'及其相互联结。相应地,当然也应研究艺术作品中不同层次(普遍、特殊、个别)的审美价值的相互联结。这就不仅需要把文学艺术和非艺术的产物作比较,而且必须将不同形态艺术(文学、绘画、音乐、戏剧、电影等等)作比较,在比较中探索异同,找出普遍、特殊、个别的不同层次的性质,作出综合的研究……"③相对来说,胡经之的文艺美学对不同形态艺术的研究还不够深入,仅在第九章中对书法、建筑、绘画、文学、戏剧、音乐、舞蹈和电影艺术的审美特征做了简要分析。值得注意的是,胡经之的文艺美学已经意识到"语言"的重要意义:"艺术通过'语言'而言说","艺术活动是一种通过语言而达到的心灵交流活动"。④尽管论述不深,而且显然受了海德格尔的影响,却显示了他独到的眼光。在文艺美学的研究方法上,胡经之崇尚多元,并对西方各种批评方法做了梳理。依据的大体上也是艾布拉姆斯的艺术四要素。首先是对创作主体精神、心理的重视:直觉主义和

---

① 姚文放:《与时俱进的文艺美学探索——论胡经之文艺美学思想的发展》,《深圳大学学报》,2002年第6期。
② 胡经之的说法是"从动态分析走向静态考察"。原文如下:"于是,我先从分析审美活动着手,剖析艺术掌握世界的方式,进而探究审美体验的特点,寻找艺术的奥秘,然后才转入艺术美、艺术意境等的论述。这是从动态分析走向静态考察的路程。"引自《文艺美学·序言》,《文艺美学》,北京大学出版社,北京,1989年,第3页。
③ 胡经之:《文艺美学》,北京大学出版社,北京,1989年,第11页。
④ 同上,第18页。

精神分析;其次是对作品本体的关注:俄国形式主义、新批评、结构主义方法;最后是对读者本位的关注:接受美学、读者反映批评。

进入21世纪以后,结合时代的变化,胡经之将文艺美学扩展为文化美学,发表了《走向文化美学》。文中主要提出了三个问题:第一,"人间的文化创造,怎样才能符合美的规律,这是文化美学必须回答的首要问题";第二,"文化产品的实用价值、交换价值、审美价值应是什么结构关系,这也是文化美学必须回答的问题";第三,"对文化的审美,和自然审美、艺术审美是怎样的关系,它们之间的联系和区别,这涉及更为复杂的审美标准、审美理想等,亦应是文化美学不应回避的问题"。①在我们看来,文化美学的提出不是对文艺美学的否定,而是对文艺美学的深化,或者说,是把文艺美学放在一个更加宽泛的时代语境里,以增强理论的针对性以及对当前文化现状的阐释力。

中外学者对文艺美学的评价

30年来,"文艺美学"学科从提出以后产生了巨大的影响,甚至可以说,它在一定程度上超越或取代了美学在当代中国的地位。但是,目前学者对文艺美学的看法还不一致,尤其是在文艺美学的学科定位上众说纷纭。

先看胡经之对文艺美学的定位。关于文艺美学与哲学美学的关系,胡经之认为:"如果说,哲学美学主要是研究人类审美活动共有的普遍规律,那么,文艺美学就应着重研究艺术活动这一特殊审美创造活动的特殊规律以及审美创造活动规律在艺术领域中的特殊表现。"胡经之从历史上找到的依据是黑格尔。他说:"从美学的历史发展看,黑格尔的美学研究中心已转移到艺术领域,他把自己的皇皇巨著称为'美的艺术的哲学',使美学拓展了一个新的境界。"②在美学上,首先值得注意的是鲍姆嘉登(Baumgarten,1714~1762)。因为他

---

① 胡经之:《走向文化美学》,《学术研究》,2001年第1期。
② 胡经之:《文艺美学·序言》,引自《文艺美学》,北京大学出版社,北京,1989年,第2页。

最早提出了美学这个学科:"美学(自由的艺术的理论,低级知识的逻辑,用美的方式去思维的艺术和类比推理的艺术)是研究感性知识的科学。"①正是从鲍姆嘉登开始,美学从哲学中独立了出来;其次是康德(Kant, 1724~1804),他是真正奠定美学大厦的核心人物,其美学思想主要见于《判断力批判》一书。从近处说,这两个人在学术上的建树正是黑格尔(Hegel, 1770~1831)出发的前提。在《美学》中,黑格尔做的第一件事就是为美学正名。他否定了鲍姆嘉登的"伊斯特惕卡"即"美学"这个命名:

> 由于"伊斯特惕卡"这个名称不恰当,说得更精确一点,很肤浅……我们姑且仍用"伊斯特惕卡"这个名称,因为名称本身对我们并无关宏旨,而且这个名称已为一般语言所采用,就无妨保留。我们的这门科学的正当名称却是"艺术哲学",或则更确切一点,"美的艺术的哲学"。②

黑格尔以"艺术哲学"替代"美学"的思路无疑拉近了艺术与美学的关系。用他的话说,就是把美学的研究范围限定在艺术领域:"这些演讲是讨论美学的;它的对象就是广大的美的领域,说得更精确一点,它的范围就是艺术,或者毋宁说,就是美的艺术。"③在我们看来,黑格尔这种把美聚焦于艺术的做法本身就包含着"文艺美学"的思想。但是,与亚里士多德的《诗学》不同,黑格尔的文艺美学其实是一种哲学,他对各种艺术门类的分析只不过是为了证明他已经达成的结论而已。尽管如此,黑格尔的《美学》侧重于第3卷,而第3卷正是对各种艺术门类的具体分析。因此,完全可以把这些内容分别概括为建筑美学、雕刻美学、绘画美学、音乐美学、诗歌美学和戏剧美学

---

① [德]鲍姆嘉登:《美学》,引自刘小枫主编:《德语美学文选》(上卷),华东师范大学出版社,武汉,2006年,第1页。
② [德]黑格尔:《美学》第1卷,引自《朱光潜全集》第13卷,安徽文艺出版社,合肥,1990年,第3页。
③ 同上,第3页。

等。而这些无不属于"文艺美学"的范畴①。

如果说鲍姆嘉登的美学和黑格尔的艺术哲学之间存在着修正关系的话,那么,胡经之的文艺美学和黑格尔的艺术哲学确有相似之处,而康德则是哲学美学的代表人物。在胡经之看来,哲学美学研究的是审美的普遍规律,而文艺美学研究的是文艺作品的审美规律,因而具有其独特性:"任何科学,都要在普遍、特殊、个别的联结中来研究自己的对象。文艺美学也在文学艺术的这三个层次的审美规律的联结中研究自己的对象。文艺美学,既属于整个美学,是美学的一个部门,又有自身的相对独立性,区别于其他美学。"②

关于文艺美学和文艺理论的关系,胡经之认为:"文艺美学要着重弄清的是,乃是文学艺术这种特殊审美活动的'自律','他律'是如何通过'自律'而发生作用的。文艺理论则进而对'他律'和'自律'作综合的、全面的研究。所以,文艺美学只是文艺理论的一个门类,它不能代替文艺理论。"③从这段话来看,文艺美学只是文艺理论的一个分支,同时,它又是哲学美学的分支,难道哲学美学和文艺理论在一个层面上吗?我们认为这里面就已经蕴藏着关系的混乱。文艺美学是哲学美学有一定道理,但它并非"文艺理论的一个门类",只能说它与文艺理论有交叉关系。比如文艺理论既研究文艺活动的内部规律(所谓的"自律"),也研究文艺活动与经济、政治、宗教等因素之间的关系(所谓的"他律");而文艺美学研究的主要是文艺作品的艺术性和审美性(所谓的"自律")。文艺美学不仅是"关于文学艺术的美学",而且是"从美学上来研究文学艺术"的④,比文艺理论更

---

① 1817~1829年,黑格尔在海德堡大学与柏林大学先后6次讲授美学。1817年和1818年夏在海德堡讲过两次,后在柏林讲过4次:1820年第二学期、1823年第一学期、1826年第一学期、1825年第二学期。黑格尔去世后,《美学讲演录》由他的学生霍托编订出版,历时4年(1835~1838)。霍托用的主要是1823年和1826年的听课笔记,还有黑格尔1817年写的讲课提纲(1820又作了修改)。后来《黑格尔全集》的编辑者拉松(1864~1932)又进行过修订。
② 胡经之:《文艺美学》,北京大学出版社,北京,1989年,第14页。
③ 同上,第16页。
④ 同②。

有高度。因而，文艺美学的位置大体上应该介于哲学美学与文艺理论之间，而不是位于文艺理论之下。之所以出现这种混乱，我们认为与文艺学有关。在胡经之看来，文艺理论就是文艺学，而文艺美学比文艺学更具体，于是认为"文艺美学属于文艺学，又可归入美学"。①从表面来看，文艺美学和文艺学仅一字之差，其实它们并不属于一个系统，根本不存在种属关系。根据国务院学位委员会、教育部新近颁布的《学位授予和人才培养学科目录（2011年）》，美学属于一级学科哲学，文艺学属于另一一级学科中国语言文学，而原一级学科艺术学则新升为第十三类艺术学，下设艺术学理论、音乐与舞蹈学、戏剧与影视学、美术学、设计学五个一级学科。这样，文艺美学与艺术学类的联系更多，就近挂靠在艺术学理论一级学科门下应更合适。

文艺美学作为一个学科被提出以后，学者们对其内涵做出了不同解释。正如曾繁仁在《中国文艺美学学科的产生及其发展》中所总结的：

> 文艺美学经过20年的发展历程。近20年来，从文艺美学学科提出之后，对于这一学科的内涵及其界定即有不同看法。一种认为，文艺美学是一般美学的一个分支，是对艺术美独特规律的探讨。第二种认为，文艺美学是当代美学、诗学的全新统一。第三种认为文艺美学是美学与文艺学的交叉，或是两者的桥梁。第四种认为，文艺美学就是当今的美学。第五种认为，文艺美学就是用哲学——美学的观念和方法研究文学艺术，在学科层次上等同于"艺术哲学"。第六种认为，我们与其说"文艺美学"是一种新的美学或文艺学的分支学科，倒不如说文艺美学研究是中国美学在自身现代化发展之路上所提出的一种可能的原理方式或形态，它从理论层面上明确指向了艺术问题的把握。其他还有诸多学者提出许多精辟见解。这不仅反映了学术界对于文艺美学学科的广泛关注，同时也说明它是一种发展中的学科，还有待于长期而扎实的科研工作和在此基础上的深入讨论，使之逐步丰富成熟。

---

①曾繁仁：《中国文艺美学学科的产生及其发展》，《文学评论》，2001年第5期。

做了以上综述之后,曾繁仁也对文艺美学提出了自己的看法。他说:"但我个人认为,迄今为止,如果要给文艺美学学科的内涵以一种界定的话,那就是文艺美学是中国20世纪80年代改革开放以来,在特有的历史文化背景下产生的一门新兴边缘交叉学科。它来源于美学、文艺学、艺术学,吸取了以上三门学科的重要内容,在一定意义上可以说是以上三门学科在新时期交叉融合的产物。但它又是一门独立的新兴学科,有着自己特有的内涵。正是从这个意义上,我们认为,文艺美学不能取代美学、文艺学、艺术学,同时它也独立于以上三门学科而有着自己的特有的发展规律。"①曾繁仁这个看法基本上是以上六种观点的高度综合。虽包容性强,但新意不足,也不符合学科发展的最新界定(已在本书"绪论"中提到)。钱中文认为:"在文艺现象的阐释中,有纯美学的研究,也有专注于文学理论的研究,同时出于实践的需要,也出现了一种既非纯粹的美学理论研究也非纯粹的文学理论的形态,而是介于两者之间的一个新的学术领域,这就是文艺美学。"②另一个对文艺美学高度肯定的学者是冯宪光。他说:"中国的'文艺美学'是20世纪中国学者具有世界学术意义的创新之一……我认为,中国的文艺美学的创新性就在于它从对西方美学和文艺学的引进中,在以中国原有的诗文评、画论、乐论的艺术批评传统的对话中,在中西两种不同文化的交流、对话空间中,发现了一种'间性',提出了一种中国学人进行美学研究的新思路、新规范、新视角。"相对而言,冯宪光的文艺美学观点比较深刻独到。同时,他还提到2000年12月,教育部批准山东大学文艺美学研究中心为教育部国家人文社科重点研究基地时发生的一个细节:在该机构所挂的牌子上,文艺美学被译成了"Literary the Oryand Aesthetics",它其实是文艺学和美学的并列,并不能体现出交叉意味。冯宪光认为更妥当的译法应该是"Aesthetic of Literature and Art"。③

---

① 曾繁仁:《中国文艺美学学科的产生及其发展》,《文学评论》,2001年第5期。
② 钱中文:《文艺美学:文艺科学新的增长点》,《文史哲》,2001年第4期。
③ 冯宪光:《文艺美学是一门"间性"学科》,《深圳大学学报》,2003年第4期。又见《美的追寻——胡经之学术生涯》,北京大学出版社,北京,2003年,第50页。

综上所述，无论这些解释如何不同，他们毕竟都是认同文艺美学这一学科的，只是在对它的具体理解方面还有分歧而已。对文艺美学发出质疑的也不乏其人。如为胡经之写过赞赏文章的姚文放曾多次撰文对文艺美学提出质疑："我们对于'美学'、'文艺学'，以及'文艺美学'、'艺术哲学'的界定就比较麻烦、比较困难，麻烦和困难主要在于，我们的概念使用既取法于西方（如'美学'、'艺术哲学'），又取法于苏联（如'文艺学'、'文艺理论'），而现在又创造了'文艺美学'这个西方人和苏联人都不使用的说法，那么势必有一个在已沿用了多年的西方式的概念模式与苏联式的概念模式之间为之找到一个适当的定位的问题，否则'文艺美学'这一学科就很难成立，因为如果'文艺美学'只是已有的学科名称的另一说法的话，就没有存在的必要。现在的情况是，上述已有的无论来自西方还是来自苏联的概念模式已相沿成习，要完全废止是不现实的，目前看来唯一的办法就是在已有的概念模式中找到'文艺美学'应有的地位，并在此基础上开辟出这一学科的发展空间，也就是在这个意义上，我们对于'文艺美学'的学科定位的讨论才是可行的、有效的。"①如果说，姚文放的质疑还留有余地的话，王德胜的分析便显得具体而尖锐，也因此更有分量。他认为："'文艺美学'建构所面临的困难，一是作为其学科设计前提的一般美学和文艺学本身特性仍然不确定；二是其与一般美学、文艺学的关系仍然不清，我们与其把文艺美学当作新的分支学科，倒不如说'文艺美学研究'是中国美学现代发展中提出的一种可能的学理方式或形态，即从理论上明确指向艺术问题的把握。"②

在我们看来，文艺美学不仅是可以成立的，而且已经做出了一定的成绩，这已是不可否认的事实。至于存在于该学科研究中的分歧与问题，只能再逐步谈论，逐一展开和解决，毕竟它还是一门新兴的学科。

---

① 姚文放：《论文艺美学的学科定位》，《学术月刊》，2000年第4期。
② 王德胜：《文艺美学：定位的困难及其问题》，《文艺研究》，2000年第2期。